D1071492

Une autobiographie

Agatha Christie

Une autobiographie

Traduit de l'anglais par
Jean-Michel Alamagny

ÉDITIONS DU MASQUE
17, rue Jacob 75006 Paris

Une autobiographie
Préface française de François Rivière

L'aura de mystère dont s'entoura tout au long de sa vie la roman-cière Agatha Christie (1890-1976) contribua notablement à sa légende, pour le plus grand plaisir des échotiers mais également de ses millions de lecteurs qui ne manquèrent pas, chacun à sa manière, d'imaginer une Agatha Christie idéale encore plus mystifi-catrice et inquiétante, peut-être, que la vraie... La *vraie* Lady Mallo-wan — puisque c'est ce nom qu'elle inscrivait dans les registres des palaces d'Égypte ou des Caraïbes où elle accompagnait son second mari Max —, cette femme opulente et réservée qui ne parlait d'elle-même qu'à travers un « on » plutôt déroutant pour l'interlocuteur, resta jusqu'à sa mort une authentique énigme. Aussi, lorsque parut à l'automne 1977 un gros volume intitulé *Une autobiographie*, signé du nom de la créatrice d'Hercule Poirot et de Miss Jane Marple, l'excitation fut à son comble : le « on » allait faire place au « je », et celui-ci nous dirait tout, enfin, sur la vie et l'œuvre d'un des plus fascinants auteurs du XXᵉ siècle !

Erreur. Chez Agatha Christie, tout acte d'écriture était longue-ment mûri, prémédité comme un meurtre. Ses lecteurs transis auraient dû s'en souvenir. Le titre même de l'ouvrage, *Une auto-biographie*, disait assez qu'il ne s'agirait pas d'un livre de confes-sions. Commencé sur un coup de tête, en 1950, en lieu et place d'un roman — ainsi que l'écrivain le précise dans sa préface —, le livre le plus long d'Agatha Christie ne prétend pas relater dans leur totalité les faits et gestes de celle qui s'y est attelée le jour où, dit-elle encore, le besoin urgent d'une telle activité narrative s'est emparée d'elle. « J'*aurais dû* écrire un roman policier », nous dit cette préface à la fois malicieuse et sentencieuse, composée en vérité avec le même entrain que le premier chapitre d'une fiction

christienne de la grande époque. Comme si... Comme si l'idée
était venue à l'auteur de *Cinq petits cochons* et de *La Souricière* de
nous piéger une fois de plus, mais d'une autre façon.

Pourtant, c'est sur un mode très proche de celui sur lequel
opéra dès 1930 une certaine Mary Westmacott, avec *Musique
barbare*, que s'amorce le récit de l'enfance victorienne d'Agatha
Miller. Rien d'étonnant, puisque Westmacott est le pseudonyme
dont s'était affublé l'auteur pour explorer le territoire intime de
son imaginaire. Résultat : l'enfance de la petite fille ressemble
comme une goutte d'eau de mélisse à celle de Vernon, le jeune
héros du premier roman de Miss Westmacott.

La suite est plus retorse, nimbée d'un brouillard subtil,
quoique toujours très romantique, dont s'enrichit le texte dense,
superbe, de celle qui nous berce de mille anecdotes passionnantes.
Mais aussi qui se rétracte, avec un aplomb singulier, dès que
survient le danger d'une trop gênante mise à nu. Ainsi, nous
n'aurons droit à aucun commentaire sur la fameuse disparition
de la romancière, en décembre 1926. Rien d'autre qu'une
pirouette. Mais avec ce que nous savons aujourd'hui de l'événement, et des conséquences qu'il eut sur la vie de Mrs Christie,
ne serait-il pas indécent de lui tenir rigueur de cette omission ?
Le fantôme de Nursie, la gouvernante de ses jeunes années, n'aurait su mieux la conseiller.

Louons-la plutôt pour l'évocation d'un parcours magnifique
d'Anglaise provinciale quelque peu excentrique, où se reflète avec
bonheur une fidélité sans faille aux rites de l'enfance, jusque dans
ces années où, devenue l'épouse de l'archéologue Mallowan, Agatha connut l'extase orientaliste la plus absolue... Et pardonnons-
lui une fois pour toutes de ne guère s'épancher sur son œuvre.
Après tout, celle-ci est encore aujourd'hui si présente, si obsé-
dante pour une infinité d'entre nous, que la chère Agatha, judi-
cieusement, a préféré lui confectionner cet écrin, pour l'éternité.

Préface de l'édition originale

Agatha Christie a commencé la rédaction de cet ouvrage en avril 1950 pour l'achever quelque quinze années plus tard, alors qu'elle était âgée de 75 ans. Une entreprise de si longue haleine ne peut aller sans certaines répétitions ou contradictions, lesquelles ont été éliminées. Mais rien d'important n'a été omis, et l'on peut affirmer que cette autobiographie est bien telle qu'elle aurait aimé la voir paraître.

Elle l'a arrêtée à 75 ans parce que, comme elle l'écrivit elle-même, « le temps semble venu de mettre un point final. À ce stade de la vie, il n'y a plus rien à dire. » Les dix dernières années de son existence ont pourtant connu des succès remarquables : le film tiré du Crime de l'Orient-Express, *la phénoménale tenue à l'affiche de* La Souricière, *l'augmentation continuelle et massive de la vente de ses romans partout dans le monde, au point d'arriver en tête du palmarès aux États-Unis, place qui lui revenait comme un dû depuis longtemps en Grande-Bretagne et dans le Commonwealth, son élévation au titre de Dame de l'Empire britannique en 1971. Mais il ne s'agit là que de lauriers supplémentaires venant couronner des réalisations qui, à ses yeux, appartenaient à son passé. Ainsi pouvait-elle, en 1965, écrire en toute sincérité : « Je suis satisfaite. J'ai accompli ce que je voulais accomplir. »*

Bien que cette autobiographie commence — comme il se doit — par le commencement pour aller jusqu'à l'époque où elle a cessé d'écrire, Agatha Christie ne s'est jamais trop laissé enfermer dans le carcan de la chronologie. L'un des charmes de ce livre réside dans sa manière d'avancer au gré de sa fantaisie, s'interrompant ici pour méditer sur les coutumes singulières des femmes de chambre ou sur les compensations de la vieillesse, faisant là un saut dans le futur parce qu'un trait de son caractère d'enfant lui rappelle tellement son petit-fils. Elle ne s'est pas non plus sentie obligée de tout mettre.

Certains épisodes que d'aucuns pourraient juger importants — sa fameuse disparition, par exemple — n'y figurent pas, encore que, en ce cas précis, les références ultérieures à une précédente crise d'amnésie donnent la clé du véritable cours des événements. Quant au reste : « Je me suis rappelé, je suppose, ce que je voulais bien me rappeler. » Et même si sa séparation d'avec son premier mari est racontée avec une poignante dignité, elle préfère en général se souvenir des moments heureux ou amusants. Peu de gens auront su tirer amusement aussi intense et varié de l'existence, et ce livre est avant tout un hymne à la joie de vivre.

Si elle avait pu le voir imprimé, elle aurait très certainement tenu à exprimer sa reconnaissance à ceux qui ont contribué à mettre cette joie dans sa vie. En premier lieu, bien sûr, à son mari, Max. À sa famille. Et peut-être ne serait-il pas déplacé que nous, ses éditeurs, lui rendions hommage, à elle. Pendant cinquante ans, elle nous a bousculés, morigénés et ravis. Son exigence de qualité dans tous les domaines de l'édition a été pour nous un défi permanent. Sa bonne humeur et son appétit de vivre nous ont réchauffé le cœur. Qu'elle ait pris un vif plaisir à écrire est évident à la lecture de ces pages. Ce qui n'y apparaît pas, c'est la façon dont elle savait communiquer ce plaisir à tous ceux qui approchaient son travail de près ou de loin, si bien que la publier était une joie sans cesse renouvelée. Indéniablement, à la fois comme écrivain et comme être humain, Agatha Christie restera unique.

AVANT-PROPOS

Nimrud, Irak, le 2 avril 1950

Nimrud est le nom moderne de l'ancienne cité de Kalah, capitale militaire des Assyriens. Notre maison, la maison de l'expédition, s'étale sur le flanc est du tertre. C'est une construction en briques de terre qui comprend une cuisine, un salon-salle à manger, un petit bureau, une salle de travail, un bureau pour le dessin, une grande réserve pour conserver les poteries et une minuscule chambre noire — nous dormons tous sous la tente. Mais cette année, la maison de l'expédition s'est enrichie d'une pièce, une pièce qui mesure environ 3 mètres carrés, avec un revêtement de sol en plâtre lissé, des nattes de jonc et deux tapis grossiers aux couleurs vives. Au mur est accroché le tableau d'un jeune artiste irakien qui montre, au travers d'un enchevêtrement de cubes multicolores, deux ânes traversant le souk. Une fenêtre s'ouvre sur l'est et donne sur les montagnes coiffées de neige du Kurdistan. Une pancarte a été fixée sur la porte avec cette inscription en caractères cunéiformes : BEIT AGATHA — La maison d'Agatha.

J'ai donc ma « maison ». Le but de la chose est que je puisse y trouver un isolement total pour mes travaux d'écriture. Au moment des fouilles, je n'aurai probablement guère de temps à y consacrer. Il y aura des objets à nettoyer et à restaurer. Il faudra photographier, étiqueter, cataloguer, empaqueter. Mais lors des huit à dix premiers jours, je bénéficierai d'un peu plus de temps libre.

Il est cependant vrai que les obstacles à la concentration ne manquent pas. Sur le toit, juste au-dessus, des ouvriers arabes piétinent, s'interpellent, plaisantent, changent la position d'échelles mal assurées. Dehors, des chiens aboient, des dindes glougloutent. Le cheval du policier fait tinter sa chaîne, la fenêtre et la porte refusent de rester fermées et s'ouvrent brusquement tour à tour. Je suis assise à une table de bois relativement stable, et à côté de moi se trouve un de ces coffres en fer peints de couleurs gaies avec lesquels les Arabes aiment à voyager. Je me propose d'y conserver mon manuscrit au fur et à mesure qu'il avancera.

Je suis censée m'atteler à un roman policier, mais, succombant à la tentation naturelle de l'écrivain d'écrire tout sauf ce dont il est convenu, me voilà prise du désir inattendu de rédiger mon autobiographie. Cette irrépressible envie nous guette tous tôt ou tard, me suis-je laissé dire. Elle m'est venue d'un coup.

D'ailleurs, autobiographie est un bien grand mot. Il suggère l'étude soigneusement pensée de toute sa vie. Il implique de ranger les noms, les dates et les lieux en un ordre chronologique rigoureux. Or, ce que je veux, moi, c'est plonger au petit bonheur les mains dans le passé et les en ressortir avec une poignée de souvenirs variés.

La vie, me semble-t-il, se divise en trois parties. Le présent, en général agréable, qui nous absorbe et qui fuit de minute en minute à une vitesse effarante. Le futur, flou et incertain, pour lequel on peut toujours élaborer des plans aussi extravagants et irréalistes qu'on voudra puisque, rien ne se déroulant jamais comme prévu, autant se faire plaisir en imagination. Enfin, le passé, avec son cortège de souvenirs et de réalités qui sont le fondement même de notre vie actuelle et qu'un parfum, la forme d'une colline, une vieille chanson, n'importe quel détail banal peuvent suffire à vous remettre d'un coup en mémoire et vous faire vous écrier soudain : « Tiens ! Ça me rappelle... » avec un ravissement inexplicable.

Voilà une des compensations, et non des moins plaisantes, qu'apporte l'âge : se rappeler.

Le problème est que, trop souvent, on ne veut pas se contenter de se rappeler les choses, on veut aussi en *parler*. Et cela, il faut bien se l'avouer, est d'un ennui incommensurable pour les autres. Car enfin pourquoi s'intéresseraient-ils à une vie qui n'est pas la leur, si ce n'est, éventuellement, quand il s'agit de représentants des générations montantes, parce que ceux-là daignent faire preuve à votre endroit de la curiosité qu'on accorde aux monstres antédiluviens ?

— J'imagine, me dit un jour, les yeux pétillant d'intérêt, une jeune fille de bonne famille, que vous vous rappelez *tout* de la guerre de Crimée ?

Un peu vexée, je lui répondis que je n'étais pas tout à fait aussi vieille que ça. Je niai également toute participation à la révolte des Cipayes. Mais je reconnus avoir quelques réminiscences de la guerre des Boers — normal, mon frère y a combattu.

Le premier souvenir qui me vient à l'esprit est celui, très distinct, où je me promenais dans les rues de Dinard avec ma mère un jour de marché. Un grand garçon pliant sous le poids d'un immense panier tout plein de victuailles me heurte, m'érafle le bras et manque me flanquer par terre. J'ai mal. Je me mets à pleurer. Je devais avoir, il me semble, dans les 7 ans.

Ma mère, qui aime bien qu'on garde une allure digne dans les lieux publics, me réprimande :

— Pense un peu, dit-elle, à nos braves soldats en Afrique du Sud.

Et moi de répondre en braillant :

— Je veux pas être un brave soldat. Je suis trop *pleureuse* !

Qu'est-ce qui gouverne le choix de nos souvenirs ? La vie est comme un défilé de diapositives. Clic ! Me voici, enfant, en train de manger des éclairs le jour de mon anniversaire. Clic ! Deux ans ont passé, et je me retrouve riant aux larmes sur les genoux de ma grand-mère qui me trousse comme un poulet arrivé tout frais de chez Mr Whiteley.

Ce ne sont que des instants, séparés par de longs intervalles vides de plusieurs mois, parfois des années. Où était-on, alors ? Ce qui nous fait comprendre la question de Peer Gynt : « Où étais-je donc, moi, le moi tout entier, le vrai moi ? »

Nous ne connaissons jamais le moi tout entier, mais nous avons parfois brièvement, par éclairs, une vision du vrai moi. Je crois pour ma part que nos souvenirs représentent ces moments qui, si insignifiants qu'ils puissent paraître, sont les plus révélateurs de notre personnalité profonde et de la réalité de ce que nous sommes.

Je suis aujourd'hui la même personne que cette petite fille à l'air si sérieux avec ses grosses boucles blondes. Le corps qui abrite l'âme croît, se dote d'instincts, de goûts, d'émotions, de capacités intellectuelles, mais moi, la vraie Agatha, je n'ai pas changé. Je ne connais pas l'Agatha tout entière. L'Agatha tout entière, je crois qu'il n'y a que Dieu qui la connaisse.

Nous voici donc toutes sur le chemin : Agatha Miller petite, Agatha Miller grande, puis Agatha Christie, puis Agatha Mallowan... Et, ce chemin, où mène-t-il donc ? Pas moyen de le savoir, et c'est ce qui rend la vie exaltante. J'ai toujours trouvé la vie exaltante et je continue.

On connaît si peu de choses — juste notre minuscule rôle personnel — qu'on se sent comme un acteur qui n'aurait que quelques mots au premier acte. Il a une feuille dactylographiée avec ses répliques. Il n'a pas lu la pièce. À quoi bon ? Quand il aura dit « Le téléphone est en dérangement, Madame », il n'aura plus qu'à se retirer dans l'ombre.

Mais lorsque le rideau se lèvera, le jour de la représentation, il entendra la pièce de bout en bout, et viendra saluer avec les autres.

Prendre part à quelque chose que l'on ne comprend pas est, à mon avis, l'une des composantes les plus fascinantes de l'existence.

J'aime la vie. Il m'est arrivé d'être profondément malheureuse, éperdue de chagrin, au comble du désespoir, mais, en dépit de tout, je maintiens que le simple fait de vivre est merveilleux.

Ce que je me propose donc, c'est de m'adonner aux joies du souvenir, sans hâte, à petits pas, en n'écrivant que quelques pages de temps à autre. C'est là une tâche qui me prendra sans doute des années. Mais pourquoi appeler cela une *tâche* ? C'est un plaisir que je me fais. J'ai vu un jour, sur un antique parchemin chinois, une image que j'ai adorée. Elle représentait, assis sous un arbre, un vieil homme qui s'amusait à combiner des formes avec une ficelle entre ses doigts. La légende disait : « Vieillard savourant les plaisirs de l'oisiveté. » Je ne l'ai jamais oubliée.

Ayant donc précisé que je le faisais pour mon propre agrément, peut-être serait-il temps que je me mette à l'ouvrage. Et même si je doute de ma capacité à toujours respecter la continuité chronologique, je peux à tout le moins essayer de commencer par le commencement.

PREMIÈRE PARTIE

Ashfield

Ô ! ma chère maison, mon nid, mon gîte
Le passé l'habite... Ô ! ma chère maison.

1

L'un des plus grands bonheurs qui puissent nous arriver dans la vie est d'avoir une enfance heureuse. La mienne l'a été tout à fait. J'avais une maison et un jardin que j'adorais, une excellente et très patiente nourrice, comme père et mère deux êtres qui s'aimaient tendrement et qui ont fait de leur vie de couple et de parents une réussite.

Avec le recul du temps, je pense que notre famille était vraiment heureuse. Cela tient en grande partie à mon père qui était quelqu'un de très gentil. La gentillesse est une qualité dont on ne se préoccupe plus guère de nos jours. Les gens ont plutôt tendance à demander si Untel est intelligent, travailleur, s'il contribue au bien-être de la communauté — bref, si c'est quelqu'un « qui compte » dans l'ordre des choses. Charles Dickens dit cela délicieusement dans *David Copperfield* : « Votre frère est-il gentil, Peggotty ? m'enquis-je prudemment. — Ah ! pour ce qui est d'être gentil, ça, oui ! s'exclama-t-elle. »

Posez-vous la même question sur la plupart de vos amis, et vous verrez combien il est rare que vous puissiez apporter la même réponse.

Dans le contexte actuel, mon père ne serait sans doute pas très bien vu. Il était indolent. Il y avait des rentiers partout, à l'époque, et, quand on était rentier, on ne travaillait pas. Ça paraissait normal. Mais j'ai bien l'impression que, en tout état de cause, ce n'aurait pas été un bourreau de travail.

Il quittait notre maison de Torquay chaque matin pour aller à son club, revenait déjeuner en taxi, repartait jouer au whist tout l'après-midi et rentrait à la maison juste à temps pour s'habiller avant le dîner. Pendant la saison, il passait ses journées au club de cricket dont il était président. Il montait aussi à l'occasion des spectacles de théâtre amateur. Il avait un nombre incalculable d'amis et adorait les recevoir. On donnait un grand dîner chez nous chaque semaine, et mon père et ma mère soupaient d'ordinaire en ville deux ou trois autres soirs.

Ce ne fut que plus tard que je compris combien il était aimé. Après sa mort, les lettres affluèrent de partout dans le monde. Et, localement, il n'était pas de jour sans qu'un vieux commerçant, un vieux cocher de fiacre, un ancien employé ne vienne à moi pour me dire : « Ah ! je me le rappelle bien, Mr Miller. Je ne l'oublierai jamais. Des comme lui, y'en a plus beaucoup, aujourd'hui. »

Pourtant, il n'avait rien de remarquable. Il n'était pas spécialement intelligent. Je crois seulement qu'il avait le cœur simple et bon, et qu'il aimait vraiment ses semblables. Il possédait un grand sens de l'humour et faisait facilement rire les gens. Aucune mesquinerie en lui, aucune jalousie : il était généreux à l'extrême. Naturellement heureux et serein.

Ma mère était tout autre. Personnalité énigmatique et marquante — plus forte que celle de mon père —, elle avait des idées étonnamment originales mais, par timidité, manquait désespérément de confiance en elle. Je crois que, au fond, c'était une grande mélancolique.

Les domestiques et nous, les enfants, lui étions très attachés et lui obéissions au doigt et à l'œil. Elle aurait fait une parfaite éducatrice. Tout ce qu'elle disait prenait immédiatement un intérêt et un sens particuliers. L'uniformité l'ennuyait, et elle sautait d'un sujet à l'autre avec une facilité telle que sa conversation devenait parfois déconcertante. Comme le lui reprochait souvent mon père, elle n'avait pas le sens de l'humour. Accusation dont elle se défendait d'une voix offensée : « Ce n'est pas parce que je ne goûte pas toujours le sel de vos histoires, Fred... » Ce qui faisait hurler mon père de rire.

Elle était d'une dizaine d'années sa cadette et l'aimait profondément depuis l'âge de 10 ans. Pendant que lui, jeune homme insouciant, menait joyeuse vie entre New York et le midi de la France, ma mère restait timidement et bien sagement à la maison, pensait à lui, écrivait parfois un poème dans son « album », lui brodait un portefeuille. Portefeuille qu'il devait, soit dit en passant, conserver toute sa vie.

Une histoire d'amour typiquement victorienne, mais enrichie d'une vraie profondeur de sentiment.

Si je m'intéresse à mes parents, ce n'est pas pour le seul fait d'avoir été mes parents, mais parce qu'ils ont réussi une prouesse fort rare : un mariage heureux. Jusqu'à aujourd'hui, je n'en ai connu que quatre. Existe-t-il une recette ? J'en doute. Parmi les quatre en question, l'un était celui d'une fille de 17 ans avec un homme de plus de quinze ans son aîné. Il lui avait objecté qu'elle n'était pas d'âge à pouvoir se déterminer, à quoi elle répondit qu'elle était déterminée depuis trois ans déjà ! Leur vie de couple fut ultérieurement perturbée par le fait qu'une des belles-mères puis l'autre vinrent habiter avec eux — de quoi briser la plupart des alliances. C'est une femme pondérée, d'une grande force intérieure. Elle me rappelle un peu ma mère, mais sans pour autant posséder son brillant ni ses goûts intellectuels. Ils ont trois enfants, qui volent de leurs propres ailes depuis longtemps maintenant. Ils sont ensemble depuis plus de trente ans et toujours aussi attachés. Un autre cas était celui d'un jeune homme avec une femme de quinze ans plus âgée que lui, une veuve. Après s'être refusée pendant de nombreuses années, elle finit par céder et ils vécurent heureux jusqu'à ce qu'elle décède, trente-cinq ans plus tard.

Ma mère, Clara Boehmer, n'a pas connu une enfance heureuse. Son père, officier dans les Argyll Highlanders, se blessa mortellement dans une chute de cheval. Ma grand-mère se retrouva seule, jeune et jolie veuve de 27 ans avec quatre enfants sur les bras et rien d'autre que sa pension pour survivre. Ce fut alors que sa sœur aînée, récemment devenue la deuxième femme d'un riche Américain, écrivit pour proposer d'adopter l'un des enfants et de l'élever comme le sien propre.

La jeune veuve en détresse, qui tirait désespérément l'aiguille pour faire vivre et éduquer quatre enfants, ne pouvait refuser une telle offre. Parmi les trois garçons et la fille, elle choisit la fille. Soit qu'elle considérât que les garçons pourraient se débrouiller dans la vie alors qu'une fille avait besoin de confort, soit, comme ma mère l'a toujours soupçonné, qu'elle eût une préférence pour les garçons. La pauvre petite quitta donc Jersey et se retrouva dans une maison étrangère au nord de l'Angleterre. Je crois que le ressentiment qu'elle en éprouva, la blessure de se sentir rejetée la marquèrent pour la vie. Elle en vint à douter d'elle-même et de l'affection des gens. Sa tante était une femme gentille, agréable et généreuse, mais incapable de comprendre les sentiments d'une enfant. Ma mère bénéficiait de tous les prétendus avantages d'une maison confortable et d'une bonne éducation. Mais ce qu'elle avait perdu et que rien ne pouvait remplacer, c'était sa vie insouciante avec ses frères *dans sa maison à elle*. J'ai très souvent lu, dans le courrier des lecteurs des journaux, des lettres de parents inquiets demandant s'ils devaient confier leur enfant à autrui, « vu les avantages qu'il aurait, une éducation de qualité par exemple, que je n'ai pas les moyens de lui offrir ». J'ai toujours eu envie de leur crier : surtout pas ! Sa vraie maison, sa vraie famille,

l'amour de ses proches, le sentiment sécurisant d'appartenance —
que vaut la meilleure éducation du monde en regard de ça ?

Ma mère vivait très mal sa nouvelle vie. Elle pleurait chaque
soir jusqu'à ce que le sommeil la prenne, devint maigre, pâle, et
finit par tomber tellement malade que sa tante dut appeler un
médecin. C'était un vieux médecin très expérimenté. Après avoir
parlé avec la fillette, il alla voir la tante et lui annonça : « Cette
enfant languit de rentrer chez elle. » La tante en fut abasourdie.
« Voyons, fit-elle, incrédule, ça n'est pas possible. Clara est une
brave petite bien sage, qui ne pose jamais de problèmes et qui est
très heureuse. » Le vieux docteur retourna pourtant parler à l'enfant. Elle avait des frères, n'est-ce pas ? Combien ? Comment
s'appelaient-ils ? Elle éclata alors en sanglots et, au milieu d'un
torrent de larmes, lui raconta toute l'histoire.

Pouvoir s'épancher la soulagea. Mais le sentiment lui resta toujours « qu'on ne voulait pas d'elle ». Je crois qu'elle en voulut à
grand-mère jusqu'au jour de sa mort. Elle devint en revanche
très attachée à son oncle américain. C'était un homme malade à
l'époque ; il adorait la petite Clara, si sage, qui venait lui faire la
lecture de son livre favori, *Le Roi du fleuve doré*. Mais pour elle,
la seule vraie consolation dans sa vie venait des visites périodiques
du beau-fils de sa tante, Fred Miller — son « cousin Fred »,
comme on l'appelait. Il avait alors une vingtaine d'années et se
montrait toujours extrêmement aimable avec sa petite « cousine ».
Une fois, alors qu'elle devait avoir 11 ans, il dit à sa belle-mère :

— Qu'elle a de jolis yeux, Clara !

Celle-ci, qui s'était toujours trouvée laide, monta à l'étage se
regarder dans le grand miroir de la commode de sa tante. C'est
vrai qu'ils n'étaient peut-être pas si mal, ses yeux... Elle en
éprouva un incommensurable réconfort. Depuis ce jour, son
cœur appartint irrévocablement à Fred.

En Amérique, un vieil ami de la famille dit à l'insouciant jeune
homme :

— Freddie, un jour, vous l'épouserez, votre petite cousine
d'Angleterre.

— Clara ? répondit-il, étonné. Voyons, ce n'est qu'une enfant.

Il éprouvait pourtant toujours un sentiment spécial à l'égard
de cette gamine en perpétuelle adoration devant lui. Il conserva
ses lettres naïves ainsi que les poèmes qu'elle lui avait composés,
et, après une longue série de flirts avec les beautés et les femmes
bourrées d'esprit des milieux chics de New York — parmi lesquelles Jenny Jerome, qui devait devenir lady Randolf Churchill
— il vint en Angleterre demander la main de sa si sage petite
cousine.

Il est tout à fait caractéristique de ma mère d'avoir refusé net.

— Pourquoi ? lui demandai-je un jour.

— Parce que j'étais trop boulotte.

Raison extraordinaire mais, pour elle, tout à fait valable.

Mon père n'était pas homme à se laisser envoyer sur les roses. Il revint à la charge. Ma mère, cette fois, surmonta ses complexes. Elle se laissa convaincre, non sans réticences et était persuadée qu'il serait « déçu ».

Ils se marièrent donc, et le portrait que j'ai d'elle dans sa robe de mariée montre un sérieux mais ravissant visage aux cheveux bruns et aux grands yeux noisette.

Avant la naissance de ma sœur, ils descendirent à Torquay, station touristique d'hiver alors à la mode qui jouissait du prestige que devait plus tard connaître la Riviera, et y prirent un meublé. Mon père était enchanté. Il adorait la mer. Plusieurs de ses amis habitaient sur place, et d'autres, américains, venaient y passer l'hiver. Ma sœur Madge vit donc le jour à Torquay. Peu de temps après, mon père et ma mère partirent pour l'Amérique où ils comptaient, à l'époque, s'installer définitivement. Les grands-parents de mon père étaient encore en vie et, après le décès de sa mère en Floride, il avait été élevé par eux dans les paisibles contrées de la Nouvelle-Angleterre. Il leur était très attaché, et eux n'avaient de cesse que de voir sa femme et le bébé. Mon frère naquit pendant qu'ils étaient en Amérique. Quelque temps plus tard, papa décida de revenir faire un tour en Angleterre. Il n'était pas plus tôt arrivé que des soucis d'affaires le rappelèrent à New York. Il proposa à ma mère de louer une maison meublée à Torquay et de s'y installer jusqu'à son retour.

Ma mère partit donc visiter les maisons meublées de Torquay. Lorsqu'elle rentra en annonçant triomphalement : « Fred, j'ai acheté une maison ! », il faillit tomber à la renverse. Il comptait toujours vivre en Amérique.

— Pourquoi avez-vous fait ça ? demanda-t-il.

— Parce qu'elle m'a tapé dans l'œil, répondit-elle.

Sur les trente-cinq maisons qu'elle avait apparemment visitées, une seule lui avait plu, mais elle était seulement à vendre : les propriétaires refusaient de louer. Alors ma mère, à qui le mari de sa tante avait légué deux mille livres, avait fait appel à la tante en question, qui était sa curatrice, et elles avaient acheté la maison.

— Mais nous ne devons rester là-bas qu'un an *au plus*, grogna mon père.

Maman, dont nous nous sommes toujours accordés à reconnaître la clairvoyance, répondit qu'on pourrait toujours la revendre. Peut-être voyait-elle confusément dans sa tête sa famille vivre dans cette maison pendant de nombreuses années à venir.

— J'ai aimé cette maison dès que j'y suis entrée, insista-t-elle. Il y règne une atmosphère merveilleusement paisible.

Les propriétaires étaient des quakers du nom de Brown, et lorsque ma mère, avec ménagement, exprima à Mrs Brown sa compassion de les voir quitter la maison qu'ils avaient habitée pendant tant d'années, la vieille dame répondit avec sa douceur empreinte de religiosité :

— Je suis heureuse de savoir que ce seront vous et vos enfants qui l'habiterez, ma fille.

Paroles qui sonnèrent aux oreilles de ma mère comme une bénédiction.

Je suis convaincue qu'il y avait effectivement une bénédiction sur cette maison. Ce n'était pas l'une de ces habituelles villas des quartiers chics de Torquay — Warberry ou Lincombe. Elle se trouvait à l'autre extrémité de la ville, dans la partie plus ancienne appelée Tor Mohun. À cette époque, la route sur laquelle elle était située conduisait presque tout de suite dans la riche campagne du Devon, parcourue de sentiers serpentant entre les champs. Elle s'appelait Ashfield, et je l'aurai habitée par intermittence presque tout au long de ma vie.

Car mon père, en fin de compte, ne s'établit pas en Amérique. Il aimait tellement Torquay qu'il décida de ne plus le quitter. Il s'installa dans ses habitudes avec son club, son whist et ses amis. Ma mère détestait vivre au bord de la mer, n'aimait pas les réunions mondaines et n'entendait rien aux cartes. Mais elle était heureuse à Ashfield, donnait de grands dîners, assistait aux cérémonies publiques. Lors des soirées tranquilles à la maison, elle demandait avec une dévorante impatience à mon père de lui raconter les petits drames locaux et ce qui s'était passé au club pendant la journée.

— Rien, répondait-il joyeusement.

— Mais enfin, Fred, il y a bien quelqu'un qui a dit quelque chose d'intéressant ?

Et mon père de se triturer complaisamment les méninges — sans résultat. En désespoir de cause, il finit par raconter que Mr..., toujours trop pingre pour s'acheter un journal, descend au club, lit les nouvelles et n'a de cesse que de les commenter aux autres : « Dites donc, les gars, vous avez vu que sur la frontière nord-ouest... » Ça exaspère tout le monde, d'autant que Mr... est l'un des plus riches de la bande.

Ma mère, qui a déjà entendu cette histoire, n'est pas satisfaite. Mon père retombe dans sa béate quiétude. Il se carre dans son fauteuil, étend ses jambes vers le feu et se gratte doucement la tête — passe-temps défendu.

— À quoi pensez-vous, Fred ? veut-elle savoir.

— À rien, répond-il avec la plus grande sincérité.

— Voyons, on ne peut *pas* ne penser à *rien* !

Car ce genre d'affirmation déconcerte toujours ma mère. Pour elle, c'est inconcevable. Dans son cerveau, les idées défilent à la vitesse d'hirondelles en plein vol. Loin de ne penser à rien, elle aurait plutôt tendance à penser à trois choses à la fois.

Comme je devais m'en apercevoir plus tard, les idées de ma mère étaient toujours légèrement décalées par rapport à la réalité. Avec elle, les couleurs étaient plus vives que nature, les gens meilleurs ou pires. Peut-être parce que, dans ses années de jeunesse, elle était restée si calme, si mesurée, toutes émotions enfouies loin de la surface, elle tendait à dramatiser, sinon à mélodramatiser, les choses. Son imagination créatrice était si forte que rien n'était jamais terne ou ordinaire à ses yeux. Il lui arrivait aussi, par de curieux éclairs d'intuition, de connaître soudain les pensées des autres. Ainsi, alors que mon frère, jeune soldat, connaissait des difficultés financières qu'il ne voulait pas révéler à ses parents, elle l'étonna fort, un soir, en l'observant tandis qu'il était assis, le front soucieux :

— Toi, Monty, fit-elle, tu es allé chez le prêteur. Aurais-tu emprunté de l'argent sur l'héritage de ton grand-père ? Tu ne dois pas faire ça. Tu ferais mieux d'en parler à papa.

Cette faculté qu'elle avait sidérait toujours la famille.

— Tout ce que je ne veux pas que maman sache, dit un jour ma sœur, j'évite d'y penser quand elle est dans la même pièce.

2

Pas facile de savoir quel est notre premier souvenir. Je me rappelle distinctement mon troisième anniversaire. Le sentiment d'importance qui enfle en moi. Nous prenons le thé dans le jardin — à l'endroit où, plus tard, un hamac viendra se balancer entre deux arbres.

On a dressé une table qui est couverte de pâtisseries, avec mon gâteau d'anniversaire tout glacé de sucre et ses bougies au milieu. Trois bougies. Et c'est là que se produit l'événement : une minuscule araignée rouge, si petite que je peux à peine la distinguer, traverse la nappe blanche.

— C'est une araignée porte-bonheur, Agatha, me dit ma mère. Une araignée porte-bonheur juste le jour de ton anniversaire...

Le souvenir s'estompe alors. Il ne m'en reste plus que la réminiscence fragmentaire d'une interminable discussion avec mon frère sur le nombre d'éclairs qu'il sera autorisé à manger.

Délicieux monde, protégé et pourtant captivant, que celui de l'enfance. L'élément le plus important, peut-être, dans le mien, était le jardin. Jardin qui devait prendre pour moi une place de plus en plus grande au fil des années. J'allais en connaître le moindre arbrisseau, attacher une signification spéciale à chacun. Depuis le début, il se divisait en trois parties dans mon esprit.

Il y avait le potager, entouré d'un haut mur adossé à la route. Sans grand intérêt pour moi, si ce n'est par les framboises et les pommes qu'il produisait et dont j'étais grande consommatrice. C'était le potager, mais rien d'autre. Il ne laissait aucune place à la magie.

Venait ensuite le jardin lui-même, longue étendue de pelouse qui descendait en pente douce et parsemée de certaines entités intéressantes. Le chêne vert, le cèdre, le séquoia — qu'il était grand ! Deux sapins, associés pour une raison maintenant obscure à mon frère et à ma sœur. Dans l'arbre de Monty, on pouvait, en faisant attention, grimper, c'est-à-dire se hisser à trois branches de hauteur. Dans celui de Madge, après avoir précautionneusement écarté le feuillage, on trouvait un siège, une branche à la courbure confortable sur laquelle il était loisible de s'asseoir et d'observer le monde extérieur sans être vu. Suivait ce que j'appelais l'arbre à térébenthine, qui exsudait une gomme collante et odoriférante que je recueillais consciencieusement dans des feuilles pour en faire un baume très précieux. Enfin, le seigneur du jardin, le plus grand de tous, le hêtre, sous lequel se trouvait un tapis de faînes dont je me régalais. Il y avait un hêtre rouge, également, mais celui-là, Dieu sait pourquoi, n'eut jamais droit de cité dans le petit monde de mes arbres.

Troisièmement, le petit bois, qui dresse toujours sa masse indistincte. Dans mon imagination, il paraissait aussi grand que la New Forest. Surtout constitué de frênes, il était percé d'une allée qui serpentait à l'intérieur. On y éprouvait les mêmes sensations que dans une vraie forêt : mystère, peur, délice secret, inaccessibilité, distance...

L'allée qui le traversait conduisait vers la pelouse à tennis et croquet, perchée sur un haut talus en face de la fenêtre du salon. Quand on débouchait là, l'enchantement cessait. On était revenu dans le monde de tous les jours : les dames, tenant le bas de leur jupe d'une main, jouaient au croquet ou bien, coiffées de canotiers, échangeaient des balles de tennis.

Lorsque j'avais épuisé le délicieux plaisir de « jouer dans le jardin », je rentrais à la nursery où se trouvait l'inamovible Nursie, ma nourrice. Peut-être parce que c'était une vieille femme et qu'elle souffrait de rhumatismes, mes jeux se déroulaient toujours autour ou à côté, mais jamais avec Nursie. Des jeux que j'inventais. Depuis toujours, si loin que remontent mes souvenirs, je me fabriquais des petits compagnons. Du premier groupe, je ne me rappelle que la dénomination : « Les Chatons. » Je ne sais plus maintenant de qui il s'agissait ni si j'étais moi-même un Chaton, mais leurs noms me sont restés : Trèfle, Noiraud, et trois autres. Le nom de leur mère était Mrs Benson.

Nursie était bien trop avisée pour me poser des questions ou pour essayer de se joindre aux murmures de la conversation qui se déroulait à ses pieds. Probablement trop heureuse aussi que je sache m'amuser à si bon compte.

Un jour pourtant, je fus horrifiée, alors que je rentrais du jardin pour prendre le thé, d'entendre Susan, la bonne, dire :

— Les jouets, ça l'intéresse pas tellement, on dirait, hein ? Avec quoi qu'elle s'amuse, alors ?

Et la voix de Nursie de répondre :

— Oh ! elle joue qu'elle est un chaton avec d'autres chatons.

Pourquoi y a-t-il un tel besoin inné de secret dans l'esprit d'un enfant ? Le fait de savoir que quelqu'un, même Nursie, était au courant des Chatons me mortifia jusqu'au tréfonds de moi-même. Les Chatons, ils étaient à moi, et à moi seule. Personne d'autre ne devait savoir.

Des jouets, je dois en avoir eu, bien sûr. Et même beaucoup, puisqu'on m'adorait et qu'on me gâtait, mais je ne me souviens d'aucun si ce n'est, vaguement, d'une boîte de perles de toutes les couleurs que j'enfilais pour faire des colliers. Je me rappelle aussi une cousine adulte exaspérante qui soutenait, pour me faire enrager, que mes perles bleues étaient vertes et que les vertes étaient bleues. C'est absurde, me dis-je à l'instar d'Euclide, mais, par politesse, je ne voulus pas la contredire. Et sa plaisanterie tomba à plat.

J'ai eu des poupées, aussi : Phébé, que je n'aimais pas trop, et une autre appelée Rosalind, ou Rosy. Elle avait de longs cheveux dorés et je l'admirais beaucoup, mais je ne jouais guère avec elle. Je préférais les Chatons. Mrs Benson était extrêmement pauvre, et c'était bien triste. Son mari, capitaine au long cours, avait fait naufrage, ce qui expliquait pourquoi ils se trouvaient dans une telle misère. Là se terminait plus ou moins la saga des Chatons, mais j'avais vaguement en réserve dans mon esprit un final plus glorieux : le capitaine Benson, leur père, n'était pas mort et reparaissait un beau jour à la tête d'une immense fortune au moment même où la situation devenait désespérée à la maison.

Du groupe des Chatons, je passai à Mrs Green. Cette dernière avait cent enfants. Les plus importants s'appelaient Caniche, Écureuil et Arbre. Ces trois-là étaient de tous mes exploits dans le jardin. Ni tout à fait enfants ni tout à fait chiens, ils se situaient quelque part entre les deux.

Une fois par jour, comme tous les enfants bien élevés, j'allais « faire une promenade ». J'avais horreur de ça, surtout de boutonner mes bottines, préliminaire indispensable. Je lambinais, traînais les pieds, et la seule chose qui me faisait arriver au bout était les histoires de Nursie. Elle en avait six à son répertoire, toutes axées sur les enfants des familles chez qui elle avait vécu. Je les ai oubliées maintenant, mais je sais que l'une d'entre elles parlait d'un tigre aux Indes, une autre de singes, une autre d'un serpent. Elles étaient palpitantes, et j'avais le droit de choisir celle que je voulais entendre. Nursie les répétait indéfiniment sans le moindre signe de lassitude.

Parfois, j'avais — grande faveur — le droit d'ôter la coiffe de dentelle immaculée de Nursie. Tête nue, elle perdait de son statut officiel et redevenait une personne comme les autres. Puis, avec un soin extrême, je lui ceignais la tête d'un grand ruban de satin bleu, non sans difficulté et en retenant ma respiration, car faire une rosette n'est pas chose facile pour une petite fille de 4 ans. Alors je me reculais d'un pas et m'extasiais :

— Oh ! Nursie, que tu es jolie !

À quoi elle souriait et répondait d'une voix douce :

— Vraiment, ma chérie ?

Après le thé, on m'habillait de mousseline empesée et on me faisait descendre au salon pour jouer avec ma mère.

Si le charme des histoires de Nursie tenait à leur répétition, au point de la faire passer dans mon esprit pour un roc de stabilité, celui de ma mère venait au contraire de ce que les siennes étaient toujours différentes, de ce qu'on ne jouait jamais deux fois au même jeu. L'une de ses histoires était celle d'une souris appelée Vif-Argent, qui vécut plusieurs aventures, et puis un jour, soudain, à ma grande consternation, ma mère déclara qu'il n'y avait plus rien à raconter sur Vif-Argent. J'étais sur le point de pleurer lorsqu'elle ajouta :

— Mais je vais te raconter l'histoire de la Curieuse Chandelle.

C'est ainsi que j'eus droit à deux épisodes de la Curieuse Chandelle, qui était une sorte d'histoire policière. Malheureusement, des visiteurs vinrent inopportunément passer quelque temps à la maison et nos jeux cessèrent. Lorsqu'ils repartirent, je voulus avoir la fin de la Curieuse Chandelle, restée en suspens au moment le plus palpitant, alors que le « méchant » introduisait lentement du poison dans la cire en train de fondre. Ne se souvenant apparemment plus de rien, ma mère demeura cette fois sans voix. Et ce feuilleton inachevé continue de hanter encore mon esprit. Un autre jeu que j'adorais, celui des « Maisons » : nous allions chercher toutes les serviettes de bain disponibles et les tendions par-dessus chaises et tables pour en faire des habitations dont nous émergions à quatre pattes.

Je ne me souviens pas grand-chose de mon frère et de ma sœur, et je pense que c'est parce qu'ils allaient à l'école. Mon frère était à Harrow et ma sœur à Brighton, à l'école de miss Lawrence qui devait par la suite devenir Roedan. Ma mère apparaissait avant-gardiste d'envoyer sa fille dans un *pensionnat*, et mon père large d'esprit de le permettre. En fait, maman adorait les expériences nouvelles.

Ses innovations, pour ce qui la concernait, étaient surtout d'ordre religieux. Elle avait, je crois, une tournure d'esprit naturellement mystique, orientée vers la prière et la méditation. Mais l'ardeur de sa foi et sa dévotion avaient des difficultés à trouver une forme de culte qui leur convînt. Et mon patient bonhomme de père de se laisser trimballer d'une église à l'autre.

La plupart de ces flirts religieux eurent lieu avant ma naissance. Après avoir failli rejoindre l'Église catholique, elle se retrouva unitarienne, ce qui explique que mon frère n'a jamais été baptisé. De là, elle se fit théosophiste, mais se prit d'antipathie pour Mrs Besant à l'écoute de sa conférence. Après un bref mais intense intérêt pour le zoroastrisme, elle rentra, au grand soulagement de mon père, dans le giron sécurisant de l'Église d'Angleterre — avec une nette préférence pour la tendance « haute ». Il y avait un portrait de saint François à côté de son lit, et elle lisait l'*Imitation de Jésus-Christ* matin et soir. J'ai toujours ce même livre sur ma table de chevet.

Mon père était le bon chrétien classique et tout simple. Il disait ses prières chaque soir et allait à la messe tous les dimanches. Il avait une conception très terre à terre de la religion, ne se posait pas de questions mais si ma mère tenait à ses fioritures, il n'y voyait aucun inconvénient. Comme je l'ai dit, c'était un homme très gentil.

Je crois qu'il fut soulagé lorsque ma mère réintégra l'Église d'Angleterre juste à temps pour que je puisse être baptisée à l'église de la paroisse. On m'appela Mary comme ma grand-mère, Clarissa comme ma mère, le prénom d'Agatha ne venant qu'au dernier moment, suggéré sur le chemin de l'église par un ami de ma mère qui le trouvait joli.

Mes propres vues religieuses étaient principalement dérivées de celles de Nursie. Pour elle ne comptaient que les Écritures. Elle n'allait pas à l'église, mais lisait la Bible à la maison. Observer le sabbat était très important et s'attacher aux biens de ce monde était une grave offense aux yeux du Tout-Puissant. Je faisais moi-même preuve d'une insupportable suffisance dans ma conviction de faire partie des « sauvés ». Je refusais de jouer le dimanche, ou de chanter, ou de taquiner le piano, et je nourrissais les plus grandes craintes pour le salut de mon père qui s'adonnait joyeusement au croquet les dimanches après-midi, racontait de bonnes blagues sur les curés, et même une fois sur un évêque.

Ma mère, naguère farouche partisane de l'éducation pour les filles, soutenait à présent — comme de juste — la thèse inverse. Une enfant ne devrait pas être autorisée à lire avant l'âge de 8 ans : ce serait meilleur pour ses yeux et pour son esprit.

Là, cependant, les choses n'allèrent pas comme prévu. Quand on me lisait une histoire que j'aimais, je demandais le livre et étudiais les pages qui, d'abord incompréhensibles, finirent peu à peu par prendre un sens. Quand j'étais à la promenade, je demandais à Nursie la signification des mots inscrits sur les magasins ou sur les panneaux publicitaires. Résultat, je parvins un jour à lire, avec succès, un livre appelé *L'Ange de l'amour*. J'en fis tout haut la démonstration à Nursie.

— Je crains fort, Madame, dit-elle sur un ton penaud à ma mère le lendemain, que la petite Agatha ne sache lire.

Ma mère en fut catastrophée, mais le fait était là. Je n'avais pas 5 ans et le monde des livres de contes m'était ouvert. À partir de ce moment, je commandai toujours des livres pour Noël et pour mon anniversaire.

Mon père estima que, puisque je savais lire, je devrais apprendre à écrire. Ce fut beaucoup moins plaisant. Des cahiers entiers de pleins et de déliés, ou des lignes tremblantes de B et de R que je semblais avoir de grandes difficultés à distinguer, car j'avais appris à reconnaître les *mots* et non les lettres, traînent encore au fond de vieux tiroirs.

Et puis autant me faire commencer l'arithmétique, pensa-t-il. C'est ainsi que, chaque matin après le petit déjeuner, je m'installais à côté de la fenêtre du salon et m'amusais bien plus avec les chiffres qu'avec les lettres récalcitrantes de l'alphabet.

Papa n'était pas peu fier de voir mes progrès. Du coup, j'eus droit à un petit livre marron de « problèmes ». J'adorais les « problèmes ». Bien qu'il ne s'agisse que de calcul déguisé, ils avaient une petite saveur d'intrigue. « Jean a cinq pommes. Georges en a six. Si Jean lui en prend deux, combien en restera-t-il à Georges à la fin de la journée ? » Et ainsi de suite. Aujourd'hui, face à une telle question, j'aurais envie de répondre : « Ça dépend si Georges aime les pommes. » Mais à l'époque, j'écrivais consciencieusement quatre, avec l'impression d'avoir résolu une équation difficile, puis j'ajoutais de mon propre chef : « Et Jean en aura sept. » Mon goût pour l'arithmétique étonnait fort ma mère qui n'avait jamais, elle le reconnaissait volontiers, pu supporter les chiffres, et qui s'embrouillait tellement dans la comptabilité de la maison que mon père avait dû s'en charger.

Le second grand événement dans ma vie fut le cadeau qu'on me fit d'un canari. Il s'appelait Goldie et s'apprivoisa fort bien : il sautillait partout dans la nursery, s'installait parfois sur la coiffe de Nursie et venait se percher sur mon doigt quand je l'appelais. Ce n'était pas seulement un oiseau, il fut aussi le départ d'une nouvelle saga secrète dont les personnages principaux étaient Dickie et Madame Dickie. Ils sillonnaient le pays — le jardin — sur leur destrier, vivaient de grandes aventures et n'échappaient que de très peu aux bandes de voleurs.

Un jour, catastrophe suprême : Goldie disparut. La fenêtre était ouverte, la porte de sa cage mal fermée. Il avait dû s'échapper. Je me rappelle encore cette horrible, interminable journée. Elle n'en finissait pas. Je pleurais toutes les larmes de mon corps. La cage avait été mise dehors, sur le rebord de la fenêtre, avec un morceau de sucre entre les barreaux. Ma mère et moi sillonnâmes le jardin en appelant : « Dickie ! Dickie ! Dickie ! » La bonne faillit se faire renvoyer sur-le-champ par ma mère pour avoir lancé, sur un ton léger : « Il se sera fait attraper par un chat, pour sûr. » Ce qui redéclencha chez moi un torrent de larmes.

Ce ne fut que lorsqu'on m'eut mise au lit et que je tenais la main de ma mère en reniflant encore par intermittence qu'on entendit un petit gazouillement tout gai. Monsieur Dickie s'élança de dessus la tringle du rideau, voleta une fois autour de la nursery et rentra dans sa cage. Miracle ! J'en restai bouche bée de ravissement. Dickie avait passé toute la journée, cette affreuse et interminable journée, perché sur la tringle du rideau.

Ma mère tira la morale de l'histoire comme on le faisait à l'époque :

— Tu vois comme tu as été bête, fit-elle. Toutes ces larmes pour rien. Il ne faut jamais crier avant d'avoir mal.

Je lui promis que je ne le ferais plus jamais.

Cet épisode me valut une autre joie, outre celle du retour de Dickie : connaître la force de l'amour de ma mère et sa compréhension lorsque quelque chose n'allait pas. Dans le gouffre noir de ma détresse, lui tenir la main avait été mon seul réconfort. Il y avait quelque chose de magnétique et d'apaisant dans ce contact. Quand on était malade, elle était incomparable : elle savait vous transmettre sa force et sa vitalité.

3

Le personnage dominant du tout début de ma vie fut Nursie. Autour d'elle et moi s'étendait notre petit monde à nous : la nursery.

Je revois encore la tapisserie : des iris mauves qui grimpaient jusqu'en haut des murs en un motif sans fin. Je les regardais, le soir, depuis mon lit, à la lumière du feu de la cheminée ou à la lueur de la lampe à huile de Nursie, sur la table. Je les trouvais beaux. Si beaux que cela m'a valu d'adorer le mauve toute ma vie.

Nursie était assise à la table, en train de coudre ou de raccommoder. Il y avait un paravent autour de mon lit et j'étais censée dormir, mais je restais en général éveillée à admirer les iris, à essayer de comprendre comment ils s'entrecroisaient, à inventer de nouvelles aventures pour les Chatons. À 21 h 30, Susan, la bonne, montait sur un plateau le souper de Nursie. Susan était une grosse fille balourde aux gestes brusques et maladroits qui avait tendance à tout renverser sur son passage. Nursie et elle se chuchotaient alors quelques mots de conversation et, quand elle était repartie, Nursie venait jeter un coup d'œil derrière le paravent :

— Il me semblait bien que vous ne dormiez pas. Vous voulez goûter, je suppose ?

— Oh ! oui, s'il te plaît, Nursie.

Un délicieux morceau de steak bien juteux était alors placé dans ma bouche. Je ne crois pas, bien sûr, que Nursie ait eu de la viande tous les soirs, mais c'est le steak qui a marqué mes souvenirs.

Une autre personne importante de la maison était Jane, notre cuisinière, qui régnait sur son royaume avec le calme impérieux d'une reine. Mince adolescente de 19 ans, simple fille de cuisine, elle était venue voir ma mère qui l'avait promue. Elle est restée quarante ans avec nous et pesait bien son quintal à son départ. Pas une seule fois, pendant tout ce temps, elle ne fit montre de la moindre émotion, mais lorsqu'elle céda enfin aux demandes de son frère qui la pressait de tenir sa maison en Cornouailles, les larmes roulèrent silencieusement sur ses joues au moment de prendre congé. Elle emporta une malle, probablement la même que celle avec laquelle elle était venue. Elle n'avait, au cours de ces années, accumulé aucun effet personnel. C'était, d'après les critères actuels, une cuisinière merveilleuse, mais ma mère lui reprochait parfois de manquer d'imagination.

— Je me demande quelle sorte de pudding nous pourrions bien avoir ce soir. Vous, Jane, donnez-moi une idée.

— Que diriez-vous d'un bon petit pavé de pudding, Madame ?

Ce fut la seule suggestion que Jane condescendît jamais à faire, mais, pour une raison à elle, ma mère fut réfractaire à cette idée. Elle répondit non, pas ça, quelque chose d'autre. Je ne sais toujours pas aujourd'hui ce qu'était le pavé de pudding. Ma mère ne le savait pas non plus, elle expliqua seulement que, à entendre, ça ne paraissait pas tellement appétissant.

Quand j'ai connu Jane, c'était une femme énorme, l'une des plus grosses que j'aie jamais vues. Elle avait le visage placide, une raie au milieu des cheveux, de beaux cheveux noirs qui ondulaient naturellement, ramenés en chignon sur la nuque. Ses joues étaient sans cesse en mouvement parce qu'elle était toujours en train de grignoter quelque chose, tranche de pâtisserie, petit pain au lait tout juste sorti du four, rocher aux raisins, si bien qu'on aurait dit une bonne grosse vache en perpétuelle rumination.

Les domestiques mangeaient merveilleusement, à la cuisine. Après un solide petit déjeuner, le 11 heures apportait les délices du cacao, avec une assiette de petits gâteaux et de petits pains au lait, parfois une pâtisserie à la confiture chaude. Le repas de midi avait lieu lorsque le nôtre avait pris fin, et les convenances voulaient que la cuisine soit zone interdite jusqu'à ce que 3 heures sonnent. Ma mère m'avait donné pour instruction de ne jamais aller folâtrer par là-bas lorsque les domestiques déjeunaient.

— C'est un moment qui leur appartient, expliquait-elle, et nous ne devons pas l'interrompre.

Si pour une raison imprévisible — des invités qui se décommandaient pour le dîner par exemple — un message devait leur être transmis, ma mère s'excusait de les déranger et, comme s'il existait une loi non écrite, aucune des domestiques ne se levait à son arrivée si elles étaient à table.

Elles accomplissaient un travail considérable. Jane préparait au quotidien des dîners à cinq services pour sept ou huit personnes. Lors des grands dîners de douze convives ou davantage, chaque service laissait le choix entre deux plats : deux soupes, deux poissons, etc. La bonne nettoyait *ad libitum* une bonne quarantaine de cadres de photos en argent et l'argenterie de toilette, apportait et vidait le « bain de siège » — nous avions une salle de bains, mais ma mère trouvait révoltante l'idée de se servir d'une baignoire que d'autres avaient utilisée —, montait de l'eau chaude dans les chambres quatre fois par jour, y allumait le feu en hiver, reprisait du linge tous les après-midi. En plus du service impeccable qu'elle assurait à table, la femme de chambre chargée du salon lavait avec un soin jaloux une quantité incroyable de couverts en argent et de verres dans une cuvette en papier mâché.

Malgré la multiplicité de ces tâches souvent pénibles, elles étaient, je crois, heureuses de leur sort, surtout parce qu'elles se savaient considérées — comme des experts accomplissant un travail d'expert. En tant que tels, elles jouissaient de cette qualité mystérieuse, le prestige. Elles regardaient de haut vendeuses de magasin et consorts.

L'une des choses qui me manqueraient le plus si je recommençais ma vie maintenant serait l'absence de domestiques. Pour une enfant, elles constituaient la partie la plus pittoresque de la vie quotidienne : les nourrices, avec leurs petits mots de tous les jours, et les autres servantes, qui apportaient animation et divertissement, qui savaient tellement de choses intéressantes sur tout et sur rien. Loin d'être des esclaves, elles étaient souvent tyranniques. Elles « connaissaient leur rang », comme on disait, mais connaître leur rang était synonyme de fierté, de fierté professionnelle, et non d'asservissement. Au début du siècle, ce personnel était extrêmement qualifié. Les femmes de chambre devaient être grandes, élégantes, stylées, savoir murmurer avec le ton de voix qui convient : « Vin blanc ou sherry ? » Elles réalisaient en outre des prodiges pour tenir la garde-robe des messieurs.

Je doute qu'on puisse trouver de véritables domestiques aujourd'hui. Peut-être quelques-unes, entre 70 et 80 ans, clopinent-elles encore çà et là, mais sinon il n'existe plus guère que de simples femmes de ménage, celles qui viennent « pour rendre service », des serveuses, des auxiliaires domestiques, des bonnes faisant office de gouvernante, et de délicieuses jeunes personnes qui veulent gagner un peu d'argent de poche aux heures qui leur conviennent à elles et à leurs enfants. Rien que d'aimables amateurs. On s'en fait souvent des amies, mais il en est bien peu qui commandent le même respect mêlé de crainte que celui que nous inspiraient nos gens de maison.

Avoir des domestiques, bien sûr, n'était pas un luxe particulier. Les riches n'étaient pas les seuls à en avoir. Ils en avaient davantage, c'est tout : majordomes, valets de pied, femmes de chambre, aide-femmes de chambre et aide-cuisinières, filles de cuisine, et ainsi de suite. Au bas de l'échelle de la fortune, on en arrivait à ce que Barry Pain décrit si bien dans ces délicieux ouvrages que sont *Eliza* et *Le Mari d'Eliza* comme « la bonne à tout faire ».

Nos différentes domestiques m'ont bien plus marquée que les amies de ma mère ou mes parents éloignés. Il ne m'est que de fermer les yeux pour voir Jane se déplacer majestueusement dans sa cuisine, avec sa vaste poitrine, ses hanches colossales et la bande amidonnée qui contraignait sa taille. Son obésité ne semblait pas la gêner : elle n'avait pas mal aux pieds, ni aux genoux, ni aux chevilles, et si elle avait de la tension, elle l'ignorait totalement. Je ne me souviens pas l'avoir vue malade. Elle était olympienne. Avait-elle des émotions ? Elle ne les montrait jamais. Elle n'était pas plus prodigue d'attendrissement que de colère. Il n'y avait guère que les jours où elle s'affairait à la préparation d'un grand dîner qu'une légère couleur apparaissait sur son visage. Le calme profond de sa personnalité se « froissait » légèrement, si je puis dire : un peu plus rouge que de coutume, les lèvres pincées, le front un peu plus soucieux. Ces jours-là, j'étais refoulée dare-dare de la cuisine :

— Allons, miss Agatha, je n'ai pas le temps, aujourd'hui, avec tout ce que j'ai à faire. Tenez, prenez ces raisins secs et allez dans le jardin. Il ne faut plus venir m'embêter ici.

Je filais sans demander mon reste, toujours très impressionnée par les paroles de Jane.

Ce qui la caractérisait le plus était sa nature distante et peu communicative. Hormis le fait qu'elle avait un frère, nous ne savions pratiquement rien de sa famille. Elle n'en parlait jamais. Elle venait de Cornouailles et s'appelait Mrs Rowe — par courtoisie, on ne disait pas « mademoiselle ». Comme tous les bons domestiques, elle connaissait son rang. C'était un rang de commandement, et elle faisait bien comprendre à tous ceux qui travaillaient dans la maison que c'était elle qui tenait les rênes.

Jane doit avoir tiré fierté des plats extraordinaires qu'elle confectionnait, mais elle n'en laissait rien paraître ni n'en parlait. Elle recevait sans broncher les compliments pour son dîner le lendemain matin. Je pense néanmoins que cela lui faisait plaisir que mon père vienne dans la cuisine pour la féliciter.

Il y avait aussi Barker, une de nos bonnes, qui me montra une autre façon de voir la vie. Ayant eu pour père un membre particulièrement strict de la confrérie puritaine des Frères de Plymouth, Barker était très consciente de la notion de péché et de ses écarts en certaines circonstances.

— Je serai damnée pour l'éternité, ça ne fait aucun doute, disait-elle avec une sorte de délectation amusée. Je me demande ce que mon père dirait s'il savait que je suis allée aux offices de l'Église d'Angleterre. Et qu'en plus *j'y ai pris plaisir*. J'ai bien aimé le sermon du pasteur, dimanche dernier, et chanter les cantiques, aussi.

Une petite fille qui était venue passer quelques jours à la maison se fit surprendre par ma mère en train de dire à la femme de chambre :

— D'abord, vous, vous *n'êtes qu'une domestique* !

Elle fut aussitôt réprimandée :

— Que je ne te reprenne jamais à dire une chose pareille. Les domestiques doivent être traitées avec le plus grand respect. Elles font un travail très difficile que tu ne pourrais pas accomplir toi-même sans un long apprentissage. Et puis souviens-toi qu'elles ne peuvent pas te répondre : tu ne dois jamais être impolie avec des personnes que leur position sociale empêche d'employer le même ton que toi. Sinon, elles te mépriseront, et elles auront raison parce que tu n'es pas bien élevée.

« Être bien élevée » : c'était le grand mot, à l'époque. Et qui comportait certaines règles assez curieuses.

Elles allaient du devoir de correction envers les subordonnés jusqu'à des préceptes du genre : « Une dame laisse toujours quelque chose dans son assiette. » « Ne bois jamais la bouche pleine. » « Souviens-toi de ne jamais coller deux timbres d'un demi-penny sur une lettre, sauf si c'est une facture à un commerçant. » Et, bien sûr : « Mets toujours des sous-vêtements propres quand tu voyages par le train, pour le cas où il y aurait un accident. »

L'heure du thé, à la cuisine, se transformait souvent en réunion d'amies. Jane en avait un nombre incalculable, et rares étaient les jours où il n'y en avait pas une ou deux qui passaient. Des plateaux entiers de petits rochers sortaient brûlants du four. Je n'en ai jamais goûté d'aussi bons que ceux de Jane. Ils craquaient sous la dent, étaient pleins de raisins de Corinthe et, mangés chauds, étaient divins. Jane, sous ses airs placides, était un vrai gendarme. Si l'une de ses amies se levait de table, sa voix claquait : « Je n'ai pas fini, Florence. » Laquelle Florence se rasseyait, toute confuse, en murmurant : « Excusez-moi, Mrs Rowe. »

On disait toujours « madame » à une cuisinière qui avait tant soit peu d'ancienneté. Bonnes et servantes devaient avoir un prénom « convenable » — Jane, par exemple, Mary, Edith, etc. Des prénoms tels que Violette, Muriel, Rosamund ne convenaient pas et l'on disait à la fille : « Tant que vous serez à mon service, vous vous appellerez Mary. » Les servantes qui avaient suffisamment d'ancienneté étaient souvent appelées par leur nom de famille.

Des frictions entre la « nursery » et la « cuisine » n'étaient pas inhabituelles, mais Nursie, bien que sans doute peu disposée à se laisser marcher sur les pieds, était une personne pacifique, respectée et que les jeunes domestiques venaient consulter.

Chère Nursie ! J'ai un portrait d'elle dans ma maison du Devon. Il est signé du même artiste que pour le reste de ma famille, un peintre réputé à l'époque : N.H.J. Baird. Ma mère était assez critique des œuvres de Mr Baird : « Tout le monde a l'air si *sale* sur ses tableaux, se plaignait-elle. On jurerait que vous ne vous êtes pas lavés depuis des *semaines* ! »

Il y a du vrai. Les ombres bleuâtres et verdâtres qui mangent le visage de mon frère suggèrent effectivement une aversion pour l'eau et le savon, et mon portrait à l'âge de 16 ans laisse soupçonner une moustache naissante dont je n'ai jamais été affligée. Celui de mon père, pourtant, est à telle dominante de rose et de blanc, tellement reluisant, qu'on dirait une réclame de savonnette. J'imagine qu'il n'a pas dû procurer grand plaisir artistique à son auteur, mais que ma mère avait forcé la main à ce pauvre Mr Baird par sa seule personnalité. Les portraits de mon frère et de ma sœur ne sont pas particulièrement ressemblants. Celui de mon père est son image vivante, même s'il était beaucoup moins typique que les autres.

Le portrait de Nursie était, j'en suis sûre, un travail effectué gracieusement par Mr Baird. La batiste transparente de sa coiffe et de son tablier est ravissante et fait merveilleusement ressortir le visage ridé, empreint de sagesse, aux yeux profondément enfoncés — le tout évoque quelque vieux maître flamand.

Je ne sais pas quel âge avait Nursie quand elle est entrée à notre service, ni pourquoi ma mère avait choisi une femme aussi âgée, mais elle a toujours répété : « Depuis le moment où Nursie est arrivée, je n'ai plus jamais eu le moindre souci pour toi : je savais que tu étais en de bonnes mains. » Bien des bébés étaient passés entre ces mains-là. J'étais le dernier.

Quand vint le recensement, mon père fut tenu d'indiquer le nom et l'âge des personnes vivant sous son toit.

— C'est vraiment délicat, fit-il, navré. Les domestiques ont horreur qu'on leur demande leur âge. Et Nursie, donc ?

Laquelle Nursie fut mandée et se tint debout devant lui, les mains croisées sur son tablier blanc comme neige, une lueur interrogatrice dans son bon vieux regard.

— Alors vous voyez, expliqua mon père après un bref résumé de ce qu'était un recensement, je suis obligé d'indiquer l'âge de chacun. Euh... qu'est-ce que j'écris, pour vous ?

— Ce que Monsieur voudra, répondit-elle poliment.

— Mais c'est que... enfin... il faut que je sache.

— Que Monsieur fasse au mieux, répondit-elle sans se démonter.

Comme il lui donnait au moins 75 ans, il hasarda, mal à l'aise :

— Voyons, euh... euh... 59 ? Quelque chose comme ça ?

Une expression de peine passa sur le visage parcheminé.

— Ai-je vraiment l'air si vieille que vous trichiez à ce point, Monsieur ? demanda-t-elle avec mélancolie.

— Mais non, mais non... Seulement dites-moi ce qu'il faut que je marque !

Elle revint à sa stratégie :

— Ce que Monsieur jugera approprié.

Sur ce, mon père inscrivit 64 ans.

L'attitude de Nursie n'est pas sans équivalent dans l'époque actuelle. Pendant la dernière guerre, lorsque mon mari, Max, eut affaire à des pilotes polonais et yougoslaves, il rencontra la même réaction.

— Âge ?

Et le pilote de faire un geste accommodant de la main :

— Ce que vous voudrez : 20, 30, 40... Peu importe.

— Lieu de naissance ?

— Où vous voulez. Cracovie, Varsovie, Belgrade, Zagreb... mettez ce qui vous plaira.

La ridicule futilité de ces détails pratiques ne pouvait être plus clairement mise en lumière.

Les Arabes réagissent souvent de la même manière.

— Ton père va bien ?

— Oui, mais il est *très* vieux, maintenant.

— Ça lui fait quel âge ?

— Oh ! 90, 95.

Et il se révèle que le père a tout juste la cinquantaine.

Mais c'est ainsi qu'ils voient la vie. Si vous êtes jeune, vous êtes *jeune*. Plein de vigueur, un homme *très* fort. Vos forces commencent à décliner ? Vous êtes *vieux*. Et quand vous êtes vieux, autant que vous le soyez le plus possible.

Le jour de mon cinquième anniversaire, on m'offrit un chien. Le choc de ma vie. Quelle joie ! C'était incroyable, j'étais incapable de prononcer une parole. Je sais à présent que le vieux cliché « être frappé de stupeur » peut être pris à la lettre. Je restais bouche bée, au point de ne pouvoir dire merci. Je n'arrivais même pas à regarder mon beau toutou. Au contraire, je me détournai de lui. J'avais besoin, le besoin urgent, de m'isoler pour assimiler cet extraordinaire bonheur — j'ai eu fréquemment la même réaction, dans le cours ultérieur de ma vie : c'est idiot, n'est-ce pas ?

Je crois que c'est dans les toilettes que je fis retraite, lieu parfait pour une méditation tranquille, où personne ne pouvait vous poursuivre. Les toilettes étaient à l'époque une pièce confortable, presque résidentielle. Je rabattis le lourd couvercle en acajou de la lunette, m'assis dessus, regardai sans la voir la carte de Torquay accrochée au mur et essayai de réaliser :

— J'ai un chien... un chien... un chien à moi... tout à moi... un yorkshire-terrier... mon chien à moi...

Ma mère devait me révéler plus tard que mon père fut fort déçu de la façon dont j'accueillis son cadeau.

— Je pensais que la petite serait ravie, dit-il. Mais ça n'a pas du tout l'air de lui faire plaisir.

Toujours très compréhensive, maman expliqua que j'avais besoin de temps :

— Elle ne s'est pas encore bien rendu compte.

Cependant, désemparé, le petit york de quatre mois, après avoir déambulé dans le jardin, s'était réfugié auprès de notre jardinier, un vieux ronchon du nom de Davey. Le chiot avait été élevé par un ouvrier jardinier et, à la vue de la bêche qui s'enfonçait dans la terre, il se sentit chez lui. Il s'assit donc dans l'allée et observa le mouvement de l'outil d'un air attentif.

C'est là que je le rencontrai un peu plus tard et que nous fîmes connaissance. Nous étions tous deux intimidés et n'opérâmes que par d'hésitantes approches l'un vers l'autre. Mais à la fin de la semaine, Tony et moi étions inséparables. Son nom officiel, que mon père lui avait donné, était George Washington. Moi, je l'appelai Tony, c'était plus commode. Tony était le chien idéal pour un enfant : il avait bon caractère, était affectueux et se prêtait à tous mes caprices. Ce qui dégagea Nursie de certains supplices. Les nœuds de ruban et autres ornements furent désormais fixés sur Tony, qui les reçut comme une marque d'affection, et ne dédaignait pas, à l'occasion, de les grignoter pour augmenter son quota de pantoufles. Il eut par ailleurs le privilège d'entrer dans ma nouvelle saga secrète. Dickie — Goldie le canari — et Madame Dickie — moi — se virent ainsi rejoints par lord Tony.

J'ai moins de souvenirs de ma sœur, en cette époque lointaine, que de mon frère. Ma sœur était gentille avec moi, tandis que mon frère m'appelait « la gamine » d'un air supérieur — si bien que, tout naturellement, je m'accrochais à ses basques chaque fois qu'il le permettait. Ce que je me rappelle de plus marquant à son sujet, c'est qu'il avait des souris blanches. Je fus présentée à Mr et Mrs Moustache et à leur petite famille. Nursie désapprouvait. Elle disait que ces bestioles sentaient. Ce qui était le cas, bien sûr.

Nous avions déjà un chien à la maison, un vieux dandie din-mont nommé Scotty, qui appartenait à mon frère. Ce dernier, qui avait reçu le prénom et le nom du meilleur ami de mon père en Amérique, Louis Montant, et que nous avons toujours appelé Monty, était inséparable de Scotty. Ma mère répétait, presque comme un automate : « N'approche pas ton visage du chien et ne te laisse pas lécher, Monty. » Lequel Monty, allongé par terre à côté du panier de Scotty, un bras passé affectueusement autour du cou de l'animal, n'écoutait pas le moins du monde. Et quand mon père disait : « Quelle odeur il a, ce chien ! » — Scotty avait 15 ans, à l'époque, et seul un fervent amoureux des bêtes aurait pu prendre sa défense —, Monty répondait d'un air attendri : « La rose ! Voilà ce qu'il sent : la rose ! »

Hélas ! Scotty devait connaître une fin tragique. Lent à se mou-voir et aveugle, il était sorti en promenade avec Nursie et moi lors-qu'une charrette de commerçant déboucha d'un coin de rue au moment où nous traversions et lui passa sur le corps. Nous le rame-nâmes aussitôt à la maison en fiacre et fîmes venir le vétérinaire, mais Scotty mourut quelques heures plus tard. Monty était parti faire de la voile avec des amis. Ma mère était bouleversée à l'idée de devoir lui annoncer la nouvelle. Elle fit déposer le corps du chien dans la buanderie et attendit le retour de mon frère dans l'angoisse. Malheureusement, au lieu de rentrer directement dans la maison comme il faisait d'habitude, il passa par-derrière et entra dans la buanderie pour prendre des outils dont il avait besoin. Il trouva le corps de Scotty. Il repartit aussitôt et doit avoir erré pendant des heures. Il ne rentra enfin à la maison que vers minuit. Mes parents eurent le tact de ne pas lui parler de la mort de Scotty. Il creusa lui-même sa sépulture dans le cimetière des chiens, coin du jardin où chacun des animaux de la famille avait, le moment venu, son nom gravé sur une petite pierre tombale.

Mon frère, qui se livrait comme je l'ai dit à des taquineries éhontées, adorait me traiter de « poulet efflanqué ». Pour son plus grand plaisir, j'éclatais chaque fois immanquablement en sanglots. Pourquoi cette épithète me mettait-elle dans une telle fureur, je ne sais. Étant un peu du genre pleurnicharde, j'allais trouver ma mère en hoquetant dans mes larmes : « Hein que j'suis pas un poulet efflanqué, meuman ? » Et ma mère, imperturbable, de se contenter de répondre : « Si tu ne veux pas que ton frère t'embête, pourquoi diable restes-tu toujours dans ses jambes ? »

Impossible de répondre à cela, bien sûr, mais la fascination que mon frère exerçait sur moi était telle que je ne pouvais pas rester à l'écart. Il était à un âge où il méprisait fort sa petite sœur et où il me tenait pour un véritable fléau. Parfois, cependant, il se montrait aimable et m'acceptait dans son « atelier ». Là, il avait un tour et m'autorisait à lui passer des morceaux de bois et des outils. Jusqu'au moment où le « poulet efflanqué » était invité à déguerpir.

Un jour, faveur exceptionnelle, il me proposa de m'emmener avec lui sur son bateau. Il barrait un petit dériveur à Torquay. Chacun fut plutôt surpris de me voir autorisée à partir. Nursie, qui était toujours avec nous alors, se montrait farouchement opposée à l'expédition, arguant du fait que j'allais me mouiller, me salir, déchirer ma robe, me pincer les doigts et, presque certainement, me noyer.

— Un jeune monsieur ne sait pas s'occuper d'une petite fille, vitupérait-elle.

Ma mère répondit qu'elle pensait que j'avais assez de jugeote pour ne pas passer par-dessus bord, et que ce serait une expérience enrichissante. Je pense aussi qu'elle voulait par là manifester à Monty son approbation pour cet inhabituel geste d'altruisme. Nous traversâmes donc la ville à pied jusqu'à la jetée. Monty amena le bateau au bas des marches et Nursie me tendit à lui. Au dernier moment, maman eut des appréhensions :

— Il faut que tu fasses attention, Monty. Très attention. Et ne reste pas parti trop longtemps. Tu la surveilleras bien, n'est-ce pas ?

Mon frère qui, j'en suis sûre, regrettait déjà sa générosité, répondit sèchement :

— Elle n'aura pas de problème.

Puis, s'adressant à moi :

— Assieds-toi là et ne bouge pas. Et surtout, pour l'amour du ciel, ne touche à rien.

Après quoi, il se livra à plusieurs manœuvres avec les cordages. Le bateau pencha tant qu'il fut pratiquement impossible pour moi de rester assise et de ne pas bouger comme il me l'avait ordonné. J'eus très peur, mais tandis que nous glissions sur les flots, mon courage revint et je me sentis transportée de bonheur.

Au bout de la jetée, maman et Nursie, tels des personnages de tragédie grecque, ne nous quittaient pas des yeux : Nursie, presque en larmes, prédisait une catastrophe tandis que ma mère essayait d'apaiser ses craintes et concluait, se rappelant sans doute combien elle-même avait peu le pied marin :

— Je crois qu'elle sera guérie à tout jamais d'y retourner : la mer est agitée, aujourd'hui.

Elle ne se trompait pas. Je fus bientôt de retour, le visage vert, après avoir par trois fois « nourri les poissons », comme disait mon frère. Il me débarqua d'un air dégoûté en disant que, décidément, les bonnes femmes étaient toutes les mêmes.

4

Ce fut juste avant d'avoir 5 ans que je connus ma première grande frayeur. Un jour de printemps, Nursie et moi étions parties aux primevères. Nous avions traversé la voie ferrée et remontions le petit chemin de Shiphay en cueillant des fleurs dans les haies où elles poussaient dru.

Nous obliquâmes pour franchir une barrière ouverte et poursuivre la cueillette. Notre panier était pratiquement plein lorsqu'une voix rocailleuse et irascible s'éleva derrière nous :

— Où 'ce que vous vous croyez donc ?

C'était un homme grand comme un géant et qui, le visage apoplectique, avait l'air furieux.

Nursie répondit que nous ne faisions rien de mal, que nous ramassions juste quelques primevères.

— Et moi j'vous dis qu'vous êtes dans une propriété privée. Déguerpissez ! Si vous avez pas passé c'te barrière dans une minute, je vous fais bouillir toutes crues, m'entendez ?

Je m'agrippai désespérément à la main de Nursie tandis que nous nous en allions. Nursie ne pouvait pas avancer très vite. Elle n'essayait même pas, d'ailleurs. Je sentis la peur monter en moi. Lorsque, enfin, nous nous retrouvâmes en sécurité sur le chemin, je m'effondrai presque de soulagement, livide, au bord de la nausée. Nursie s'en aperçut.

— Ma chérie, fit-elle doucement, tu ne crois quand même pas qu'il était sérieux ? Cette histoire de te faire bouillir ou je ne sais quoi ?

Incapable de dire un mot, je fis signe de la tête que si. J'avais visualisé la scène, le grand chaudron fumant sur un feu, moi-même jetée dedans, mes cris affreux. Tout cela était sinistrement réel pour moi.

Nursie m'apaisa. Ce n'était qu'une façon de parler, expliqua-t-elle, une sorte de plaisanterie. Il ne s'était certes pas montré aimable, ce monsieur, pas poli et pas gentil, mais il ne fallait pas croire ce qu'il avait dit. C'était pour rire.

Ça ne m'avait pas fait rire, moi, et même encore maintenant, quand je pénètre dans un champ, un léger frisson me parcourt l'échine. Je n'ai jamais connu pareil effroi que ce jour-là.

Pourtant, cette scène n'est pas revenue dans mes cauchemars. Tous les enfants font des cauchemars, mais je doute qu'ils soient jamais inspirés par des nurses ou autres « qui se sont amusées à leur faire peur », ou encore par de véritables événements de la vie. Mon principal cauchemar était centré sur quelqu'un que j'appelais le *gun man*, « l'homme armé ». Je n'avais jamais lu d'histoire avec un personnage de ce genre. Je l'appelais l'homme armé à cause du fusil qu'il portait, non que ce fusil me menaçât en quoi que ce soit. Cette arme faisait partie de son image, image qui me semble maintenant avoir été celle d'un Français en uniforme gris-bleu, avec ses cheveux poudrés rassemblés en queue-de-cheval et son tricorne. Le fusil était une sorte de mousquet à l'ancienne. C'est sa seule présence qui était effrayante. Le rêve avait un cadre ordinaire : un goûter, une promenade avec des gens, en général une réjouissance quelconque. Puis un sentiment de malaise survenait soudain. Quelqu'un était là, quelqu'un qui n'aurait pas dû y être, j'étais prise d'un horrible sentiment de peur. Alors je le voyais, assis à table, marchant le long de la plage, prenant part au jeu. Ses yeux bleu pâle croisaient les miens et je m'éveillais en hurlant : « L'homme armé ! L'homme armé ! »

— Miss Agatha a encore eu un de ses rêves d'homme armé, cette nuit, rapportait Nursie de sa voix placide.

— Pourquoi t'effraie-t-il à ce point, ma chérie ? demandait ma mère. Qu'est-ce que tu crois qu'il va te faire ?

Je ne savais pas pourquoi il me faisait peur. Peu à peu, le rêve devait changer. L'homme armé n'était pas toujours en uniforme. Je levais les yeux sur un ami ou un membre de la famille, et m'apercevais soudain que ce n'était *pas* Dorothy, Phillis, Monty, ma mère ou la personne en question. Les yeux bleu pâle qui me fixaient, dans ce visage familier, sous cette apparence familière, étaient ceux de l'homme armé.

À l'âge de 4 ans, je tombai amoureuse. Ce fut une expérience bouleversante et merveilleuse. L'objet de ma passion était un des élèves de l'École de la Marine de Dartmouth, un ami de mon frère. Les cheveux dorés et l'œil bleu, il éveillait tous mes instincts romanesques. Il ne pouvait imaginer le trouble dont il était la cause. Se désintéressant royalement de la petite sœur de son ami Monty, il aurait plutôt répondu, si on lui avait posé la question, que je ne l'aimais pas. Ces émotions excessives me faisaient en effet prendre la direction opposée quand je le voyais venir. Et lorsqu'il était à table, je tournais résolument la tête de l'autre côté. Ma mère m'en faisait gentiment le reproche :

— Je sais que tu es timide, ma chérie, mais tu dois rester polie. C'est très incorrect d'éviter de regarder Philip de cette manière. Quand il te parle, tu ne réponds qu'en marmonnant. Même s'il ne te plaît pas, il faut te montrer aimable.

Lui, ne pas me plaire ! Si elle avait su ! Quand j'y repense aujourd'hui, je trouve ces premières amours d'une suprême plénitude. Elles se nourrissent de rien, pas même d'un regard ou d'un mot. C'est de l'adoration à l'état pur. Ainsi porté, on marche dans l'air, on fabrique dans son propre esprit des situations héroïques dans lesquelles on peut intervenir pour l'être aimé. Se rendre dans un lazaret pour le soigner de la peste. Le sortir d'un incendie. Faire bouclier de son corps pour le protéger d'une balle mortelle. Tout ce qui a pu frapper l'imagination dans un récit. Point de fin heureuse, dans ces fantasmagories : on est soi-même brûlé à mort, frappé par la balle en plein cœur, terrassé par la maladie. Votre héros ne sait même pas que vous avez consenti l'ultime sacrifice. Je restais assise sur le sol de la nursery et jouais avec Tony en me donnant des airs d'importance et de solennité pendant que, dans ma tête, un merveilleux transport m'entraînait dans le tourbillon d'extravagantes chimères. Les mois passèrent. Philip devint aspirant de marine et quitta le vaisseau d'entraînement *Britannia*. Son image demeura un court moment en moi puis s'estompa. L'amour disparut, pour reparaître trois années plus tard, lorsque je tombai en une adoration sans espoir pour un jeune, grand et brun capitaine de l'armée qui courtisait ma sœur.

Ashfield était la maison familiale, et reconnue comme telle. Mais quelle joie d'aller à Ealing ! Il y avait là le charme romantique d'un pays étranger. L'un de ses principaux attraits était ses toilettes, avec leur couvercle en acajou merveilleusement grand. On se sentait assis dessus comme une reine sur son trône. J'eus vite fait de métamorphoser Madame Dickie en Reine Marguerite, Dickie devenant son fils et Goldie le prince héritier, qui avait place à la droite de la Reine, dans le petit cercle qui enserrait l'élégante poignée en Wedgwood de la chasse d'eau. C'est là que je me retirais le matin, que je saluais mes sujets, que je donnais audience, que je tendais ma main à baiser, jusqu'à ce que je me fasse vertement sommer de sortir par quelqu'un qui voulait utiliser les lieux. Sur le mur, cette fois, c'était une carte en couleur de New York qui était accrochée, autre centre d'intérêt pour moi.

Il y avait plusieurs gravures américaines dans la maison. Dans la chambre d'amis, notamment, toute une série pour laquelle j'avais une affection particulière. L'une d'elles, intitulée « Divertissements d'hiver », montrait un homme transi de froid sur une étendue d'eau gelée qui sortait un poisson par un petit trou dans la glace. Pas très gai, comme divertissement, me semblait-il. Au contraire, Grey Eddy, le trotteur, apparaissait merveilleusement fringant, lui.

Étant donné que mon père avait épousé la nièce de sa belle-mère, la seconde femme anglaise de son père américain, et qu'il l'appelait Mère alors que sa femme continuait à l'appeler Tatie, nous l'avions officiellement baptisée Tatie-Mamie. Mon grand-père avait passé les dernières années de sa vie à des allers et retours entre son affaire de New York et sa succursale anglaise de Manchester. Son histoire avait été celle d'une des « réussites » de l'Amérique. Issu d'une famille pauvre du Massachusetts, il était allé à New York, avait été engagé plus ou moins comme garçon de bureau et avait grimpé jusqu'à devenir associé dans la société. « De commis à président » ou « grandeur et décadence en trois générations » s'était certainement réalisé dans notre famille. Mon grand-père rassembla une immense fortune. Mon père la laissa péricliter, surtout par excès de confiance envers ses semblables, et mon frère mangea ce qui en restait à la vitesse de l'éclair.

Peu avant sa mort, grand-père avait acheté une vaste maison dans le Cheshire. C'était un homme malade et sa seconde épouse devint veuve relativement jeune. Elle continua quelque temps à vivre dans le Cheshire, mais finalement acheta une maison à Ealing, qui se trouvait encore, en ce temps-là, presque à la campagne. Comme elle nous l'a souvent dit, il y avait des champs partout alentour. Alors qu'à l'époque où j'allais lui rendre visite, on avait peine à le croire : des rangées de coquettes résidences s'étiraient dans toutes les directions.

La maison et le jardin de mamie exerçaient sur moi une extraordinaire fascination. J'avais divisé la nursery en « territoires ». La partie frontale avait été construite avec un oriel, une fenêtre en saillie, et il y avait une jolie carpette à rayures sur le sol. J'avais baptisé cette partie la chambre de Muriel — peut-être parce que le terme « oriel » m'avait frappé l'oreille. La partie arrière de la nursery, recouverte d'une moquette bouclée, devint le réfectoire. Plusieurs tapis et morceaux de lino s'étaient vu attribuer par moi des fonctions de pièces différentes. Je passais ainsi, avec un air important et affairé, d'une pièce à l'autre de ma maison, en me parlant tout bas. Nursie restait à sa couture, aussi imperturbable que jamais.

Autre objet de fascination : le lit de Tatie-Mamie, un immense lit à baldaquin en acajou étroitement entouré de rideaux en damas rouge. C'était un lit de plumes et, très tôt le matin, j'arrivais avant d'être habillée pour grimper dedans. Mamie, qui ne dormait plus après 6 heures, m'accueillait toujours volontiers. En bas, il y avait le grand salon, rempli jusqu'à la surcharge de meubles en marqueterie et de porcelaine de Saxe, presque toujours plongé dans la pénombre à cause du jardin d'hiver qui avait été érigé juste au-dehors. On ne l'utilisait que pour les réceptions. À côté, le petit salon, dans un coin duquel s'activait presque toujours une « couturière à domicile ». Maintenant que j'y repense, les couturières à domicile étaient, dans une maison, des aides indispensables. Elles se ressemblaient toutes un peu en ce qu'elles étaient en général très raffinées, traversaient des périodes difficiles, étaient traitées avec attention et courtoisie par les maîtresses de maison et par la famille, sans aucune courtoisie par les autres domestiques, qu'on leur apportait leurs repas sur un plateau et, aussi loin qu'il me souvienne, qu'elles se montraient incapables de confectionner un seul vêtement qui vous allât. Tout était soit trop serré quelque part, soit trop lâche et retombait sur vous en larges plis. Chaque doléance entraînait en général la même réponse : « Oui, bien sûr, mais miss James a eu jusqu'ici une vie tellement malheureuse. »

Ainsi donc, dans le petit salon, miss James était assise et cousait, ses patrons tout autour d'elle et la machine devant.

Dans la salle à manger, mamie menait une existence de victorienne satisfaite. Le mobilier était en acajou massif avec une table centrale et des chaises tout autour. D'épais rideaux en dentelle de Nottingham pendaient aux fenêtres. Elle était installée soit devant la table, dans une des immenses chaises de salon à dossier de cuir, pour écrire des lettres, soit dans un grand fauteuil tapissé de velours à côté de la cheminée. Les tables, le sofa et quelques-unes des chaises étaient occupés par des livres, certains dont c'était la place et d'autres qui s'échappaient de paquets mal ficelés. Mamie achetait toujours des livres, pour elle-même et pour offrir. Elle finissait par se laisser submerger et oubliait à qui elle avait voulu les envoyer ou alors elle découvrait que « le petit garçon de Mr Bennett » avait, mine de rien, atteint ses 18 ans et n'était plus d'âge à lire *Les Gars de St Guldred* ou *Les Aventures de Timothy Tiger*.

Compagne de jeu complaisante, elle repoussait ses interminables feuilles de pattes de mouches — lourdement raturées pour économiser du papier — et s'adonnait volontiers au délicieux divertissement du « poulet de chez Mr Whiteley ». Inutile de dire que le poulet, c'était moi. Choisie par mamie après s'être enquise auprès du marchand si j'étais bien jeune et tendre, j'étais ramenée à la maison, troussée, mise à la broche — hurlements de rire de l'embrochée — passée au four, cuite à point, posée sur la table prête à servir, après quoi le grand couteau était ostensiblement aiguisé. Alors — ô ! stupeur — le poulet revenait soudain à la vie : « Coucou, c'est moi ! » On pouvait recommencer à volonté.

L'un des grands moments de la matinée était la visite de mamie à l'armoire à provisions, placée à côté de la petite porte qui donnait sur le jardin. Je rappliquais immédiatement et mamie s'écriait : « Voyons, qu'est-ce qu'une petite fille peut bien vouloir ici ? » Laquelle petite fille attendait, fouillant d'un regard plein d'espoir les recoins intéressants. Rangées de pots de confiture et de bocaux, paquets de dattes, fruits confits, figues, cerises et angélique, boîtes de raisins secs et de raisins de Corinthe, livres de beurre, paquets de sucre, de thé et de farine : toutes les denrées comestibles de la maison s'entassaient là et étaient solennellement distribuées selon les besoins du jour. De plus, une enquête approfondie était quotidiennement menée sur ce qu'il était advenu des allocations de la veille. Non que mamie fût regardante sur la nourriture, mais elle faisait la chasse au *gaspillage*. Les besoins de chacun ainsi satisfaits, et la provende d'hier justifiée, mamie débouchait un bocal de reines-claudes et je sortais, tout heureuse et les mains pleines, dans le jardin.

Il est étrange de constater que, lorsqu'on se remémore les jours anciens, certains lieux sont toujours associés à un certain type de temps. Ainsi, dans ma nursery de Torquay, c'est toujours un après-midi d'automne ou d'hiver. Il y a du feu dans la cheminée, des vêtements qui sèchent sur le haut du garde-feu et, dehors, les feuilles tombent en tourbillonnant — ou même parfois, grande excitation, la neige. Dans le jardin d'Ealing, c'est toujours l'été, et même la canicule. Je sens encore cette bouffée d'air chaud et cette odeur de roses dès le franchissement de la porte latérale. Le petit carré de pelouse verte entouré de rosiers tige ne me paraît pas petit, à moi. Là encore, c'était tout un monde. Les roses, d'abord, très important : toutes les têtes mortes coupées chaque jour avec de petits ciseaux, les autres cueillies, rentrées et disposées dans nombre de petits vases. Mamie était immodérément fière de ses roses, attribuant leur grosseur et leur beauté aux « eaux usées de la chambre, ma chère. L'engrais liquide, il n'y a rien de tel. Personne n'a de roses comme les miennes ! »

Le dimanche, mon autre grand-mère, et généralement deux de mes oncles, venaient au repas de midi. Une journée victorienne dans toute sa splendeur. Mamie Boehler, qu'on appelait mamie

B. et qui était ma grand-mère maternelle, arrivait vers 11 heures, un peu essoufflée à cause de sa corpulence : elle était même plus forte que Tatie-Mamie. Après avoir pris toute une série de trains et de bus pour venir de Londres, son premier geste était d'ôter ses bottines à boutons. Sa bonne, Harriet, l'accompagnait en ces occasions. Harriet s'agenouillait devant sa maîtresse pour l'aider à se déchausser et lui présenter une paire de confortables pantoufles de laine. Alors, avec un profond soupir, mamie B. s'installait à la table de la salle à manger et les deux sœurs s'attelaient à leur tâche du dimanche matin. Il s'agissait de comptes interminables et compliqués. Mamie B. effectuait un grand nombre d'achats pour Tatie-Mamie à l'*Army and Navy Store* de Victoria Street. C'était là le centre de l'univers pour les deux sœurs. Elles se plongeaient dans les listes, les chiffres et les comptes avec délectation, discutaient de la qualité des articles achetés. « Celui-ci ne t'aurait pas plu, Margaret. De la camelote. Rien à voir avec le velours prune de l'autre fois. » Après quoi Tatie-Mamie sortait son grand porte-monnaie bien bourré qui m'impressionnait toujours et que je considérais comme le signe extérieur et tangible d'une immense richesse. Le compartiment du milieu était plein de souverains en or, le reste regorgeant de demi-couronnes, de pièces de six *pence* et de quelques-unes de cinq shillings. Les divers menus achats et réparations étaient ainsi réglés. Ceux du magasin de Victoria Street l'étaient à partir d'un compte sur livret, bien sûr, et je crois que Tatie-Mamie octroyait toujours une petite rallonge en liquide à mamie B. pour son temps et son dérangement. Les deux sœurs s'aimaient beaucoup, ce qui n'empêchait pas les petites jalousies et les petites chicanes. Elles adoraient s'asticoter, prendre le dessus d'une manière ou d'une autre. Mamie B. avait — selon ses dires — été la beauté de la famille. Affirmation contestée par Tatie-Mamie : « Mary — Polly, comme elle l'appelait — était jolie de visage, d'accord. Mais bien sûr, elle n'avait pas ma silhouette. Ça compte, la silhouette, pour les messieurs. »

En dépit de son manque de silhouette — qu'elle devait, je dois dire, amplement combler par la suite : je n'ai jamais vu buste pareil —, un capitaine de la Garde noire tomba amoureux de Polly alors qu'elle avait 16 ans. Aux objections de la famille qui la jugeait trop jeune pour se marier, il fit valoir qu'il allait partir pour l'étranger avec son régiment, qu'il ne rentrerait peut-être pas de sitôt en Angleterre et qu'il préférait que la cérémonie eût lieu tout de suite. Polly se retrouva donc mariée à 16 ans. Là réside, peut-être, le point de départ de la jalousie entre les deux sœurs : c'était un mariage d'amour, Polly était jeune, belle, et son capitaine réputé l'homme le plus distingué du régiment.

Polly eut rapidement cinq enfants, dont l'un décéda. Son mari la laissa veuve à 27 ans à la suite d'une chute de cheval. Tatie-Mamie, elle, ne se maria que beaucoup plus tard. Elle avait eu une idylle avec un jeune officier de marine, mais ils étaient beaucoup trop pauvres pour convoler, aussi se tourna-t-il vers une riche veuve. Elle épousa à son tour un riche Américain qui avait déjà un fils, et resta frustrée, d'une certaine manière, sans pour autant perdre son bon sens ni son amour de la vie. Elle n'eut pas d'enfant. Elle se retrouva veuve très fortunée. Polly, en revanche, pouvait tout juste nourrir et habiller les siens après la mort de son mari dont elle n'avait que la maigre pension. Je la revois encore, assise toute la journée devant la fenêtre de sa maison, à coudre, à faire des pelotes à épingles fantaisie, à broder images et paravents. Elle était merveilleuse avec son aiguille, et travaillait sans arrêt, certainement beaucoup plus, à mon avis, que huit heures par jour. Ainsi, les deux sœurs avaient chacune motif d'envier l'autre pour quelque chose. Je crois qu'elles se complaisaient dans leurs chamailleries acharnées, dont les échos nous emplissaient les oreilles :

— Ça ne tient pas debout, Margaret ! Je n'ai jamais entendu pareille idiotie !

— Vraiment, Mary ? Eh bien je vais te dire, moi...

Et ainsi de suite. Polly avait été courtisée par quelques-uns des compagnons d'armes de son défunt mari et eut plusieurs propositions sérieuses, mais elle refusa obstinément de se remarier. Personne ne prendrait la place de son mari, disait-elle, et elle se ferait enterrer avec lui dans sa tombe de Jersey lorsque son heure à elle viendrait.

Les comptes du dimanche arrêtés, et rédigée la liste des commissions pour la semaine à venir, les oncles arrivaient. Oncle Ernest travaillait au ministère de l'Intérieur, oncle Harry au secrétariat de l'*Army and Navy Store*. L'aîné des oncles, oncle Fred, était aux Indes avec son régiment. La table était dressée et le déjeuner servi.

Un énorme rôti, généralement une tarte aux cerises avec de la crème en entremets, un bon morceau de fromage, et enfin le dessert sur les plus belles assiettes du service du dimanche. Elles étaient superbes et le sont toujours, car je les ai encore : dix-huit, je crois, sur les vingt-quatre d'origine, ce qui n'est pas mal après une bonne soixantaine d'années. Je ne sais si c'était du Coalport ou de la porcelaine française : les bords sont vert vif avec des festons dorés, et au centre de chaque assiette se trouve un fruit différent. Ma préférée est et a toujours été la figue, une figue violette à l'aspect bien moelleux. Celle de ma fille Rosalind, une groseille à maquereau, inhabituellement large et appétissante. Il y a aussi une belle pêche, de la groseille blanche, de la groseille rouge, des framboises, des fraises, et bien d'autres. C'était le grand moment du repas quand on les apportait sur la table, avec le petit napperon de dentelle en papier dessus et le rince-doigts, et que chacun essayait de deviner quel était le fruit de son assiette. Pourquoi cela nous amusait tant, je ne saurais le dire, mais tout le monde se prenait au jeu, et quand on devinait, on avait l'impression d'avoir réalisé un exploit.

Après un repas gargantuesque, il y avait la sieste. Tatie-Mamie se retirait dans son second fauteuil — un grand fauteuil assez bas — à côté de la cheminée. Mamie B. s'installait sur le sofa, un canapé en cuir bordeaux garni de boutons sur toute sa surface, sa volumineuse silhouette recouverte d'une couverture afghane. Je ne sais pas ce qu'il advenait des oncles. Peut-être sortaient-ils faire une promenade ou se retiraient-ils dans le grand salon, mais cette pièce était rarement utilisée. Impossible d'aller dans le petit salon, celui-ci étant consacré à miss Grant. « Un cas tellement triste, murmurait mamie à ses amis. Cette pauvre petite créature est affligée d'une telle malformation : un seul passage, comme une simple volaille. » Laquelle expression m'intriguait toujours, car je ne comprenais pas ce qu'elle signifiait. Que venait faire là-dedans ce que j'interprétais comme un corridor ?

Après que tout le monde — sauf moi, qui me balançais prudemment dans le rocking-chair — eut dormi profondément pendant au moins une heure, nous jouions au maître d'école. Oncle Harry et oncle Ernest étaient de merveilleux animateurs de ce jeu. Nous nous asseyions en rang, et celui qui était le maître d'école, brandissant un bâton de papier journal, passait devant chacun de nous en criant d'une voix tonitruante : « Quelle est la date de l'invention des aiguilles ? » « Qui était la troisième femme d'Henry VIII ? » « Comment William Rufus est-il mort ? » « Quelles sont les maladies du blé ? » Ceux qui donnaient la bonne réponse montaient d'un cran. Ceux qui n'avaient pas cette chance descendaient d'un cran. C'était là, je pense, le précurseur victorien de ces jeux de connaissances générales que nous aimons tant aujourd'hui. Les oncles, je crois, disparaissaient ensuite, ayant accompli leur devoir vis-à-vis de leur mère et de leur tante. Mamie B. restait et prenait le thé accompagné de quatre-quarts. Venait alors le moment affreux où réapparaissaient les bottines et où Harriet s'escrimait à la tâche de les lui remettre. C'était pénible à voir, et sûrement plus encore à subir. Les chevilles de la pauvre mamie B., à la fin de la journée, avaient enflé comme des puddings. Passer de force les boutons dans les œillets avec un tire-bouton entraînait des pincements douloureux qui arrachaient des cris aigus à la malheureuse. Ah, ces bottines ! Pourquoi donc les portait-on ? Le corps médical les recommandait-il ? Était-ce le prix à payer au culte servile de la mode ? Je sais qu'on les disait bonnes pour les chevilles des enfants, pour les renforcer, mais ce ne pouvait guère être le cas pour une vieille dame de 70 ans. Bref, finalement rechaussée et encore pâle de douleur, mamie B. reprenait le train et le bus en direction de sa résidence de Bayswater.

Ealing, à cette époque, présentait les mêmes caractéristiques que Cheltenham ou la station thermale de Leamington Spa. Les retraités de l'armée et de la marine y venaient en grand nombre pour « respirer l'air pur » tout en ayant l'avantage de se trouver aux portes de Londres. Mamie recevait beaucoup — elle avait toujours été très sociable. Sa maison était toujours pleine de colonels et de généraux pour lesquels elle brodait des gilets et tricotait des chaussettes de nuit. « J'espère que ça ne fâchera pas votre femme, disait-elle en les leur offrant. Je ne voudrais pas vous causer d'ennuis ! » Et les vieux messieurs de trouver une réplique galante, puis de repartir en se rengorgeant, fiers de leur pouvoir de séduction masculine. Leurs compliments m'intimidaient, les plaisanteries qu'ils disaient pour m'amuser ne me faisaient pas rire, et leur ton railleur et malicieux me mettait mal à l'aise.

— Et la petite demoiselle, qu'est-ce qu'elle va prendre comme dessert ? La douceur attire les douceurs. Une pêche, peut-être ? Ou une de ces prunes dorées pour aller avec ces bouclettes dorées ?

Rouge d'embarras, je bafouillais que je voudrais bien une pêche s'il vous plaît.

— Une pêche ? Laquelle ? Tiens, choisis.

— S'il vous plaît, la plus grosse et la plus meilleure.

Hurlements de rire. J'avais dû dire quelque chose de drôle sans m'en rendre compte.

— Il ne faut jamais demander la plus grosse, m'expliqua plus tard Nursie. Ça fait glouton.

Je comprenais que ça fasse glouton, mais je ne voyais pas ce qu'il y avait de drôle.

En tant que guide de la vie mondaine, Nursie était dans son élément :

— Tu dois manger plus vite que ça. Imagine un peu que tu sois invitée dans la maison d'un duc quand tu seras grande.

Rien ne me semblait plus improbable, mais j'en acceptai la possibilité.

— Il y aura là un imposant majordome et plusieurs valets de pied qui, le moment venu, t'enlèveront ton assiette, que tu aies terminé ou non.

Perspective qui me faisait blêmir... et attaquer mon mouton bouilli avec un regain d'ardeur.

Les petites histoires de l'aristocratie étaient souvent sur les lèvres de Nursie. Elles aiguisaient mon ambition. Je voulais par-dessus tout être un jour lady Agatha. Mais Nursie, qui s'y connaissait, se montra aussitôt catégorique.

— Ça, vous ne pourrez jamais, affirma-t-elle.

— Jamais ? balbutiai-je, consternée.

— Jamais, répéta-t-elle avec son immuable réalisme. Pour être lady Agatha, il faut naître fille de duc, de marquis ou de comte. Bien sûr, en épousant un duc, vous deviendriez duchesse, mais ce serait grâce à votre mari, pas à votre naissance.

Ce fut ma première confrontation avec l'inévitable. Il est des sommets qu'on ne saurait atteindre. C'est important de savoir cela très tôt dans la vie. Ça vous fait du bien. Il est des choses qu'on ne peut avoir : des cheveux naturellement bouclés, des yeux noirs si les vôtres sont bleus, ou le titre de lady Agatha.

Dans l'ensemble, je crois que ce snobisme de mon enfance, le snobisme de la haute naissance, donc, est plus tolérable que le snobisme intellectuel et celui de l'argent. Le snobisme intellectuel semble de nos jours engendrer une forme particulièrement virulente de convoitise. Les parents tiennent absolument à voir briller leur progéniture. « Nous nous sommes saignés aux quatre veines pour te donner une bonne éducation », disent-ils. Et l'enfant, s'il ne comble pas leurs espoirs, se trouve écrasé par un sentiment de culpabilité. Tout le monde ne veut voir là qu'une question de chances offertes et non pas d'aptitudes naturelles.

Je crois que les parents de la fin de l'époque victorienne étaient plus réalistes, qu'ils avaient davantage de considération pour leurs enfants et pour ce qui pourrait leur assurer une vie heureuse et prospère. On s'occupait beaucoup moins de vouloir faire comme le voisin. Maintenant, j'ai souvent l'impression que c'est pour leur *propre* image de marque que les parents veulent la réussite de leurs enfants. Les victoriens regardaient leurs rejetons sans parti pris, et décidaient en fonction de leurs capacités : A était de toute évidence « la jolie ». B, « l'intellectuelle ». C, qui n'était ni l'un ni l'autre, aurait une chance dans les bonnes œuvres. Et ainsi de suite. Il leur arrivait bien sûr de se tromper, mais en règle générale, cela marchait. Le soulagement est immense de savoir qu'on n'attend pas de vous monts et merveilles.

À la différence de la plupart de nos amis, nous n'étions pas extrêmement fortunés. Mon père, en tant qu'Américain, était automatiquement considéré comme « riche ». Tous les Américains devaient l'être. En fait, il vivait tout au plus dans une aisance confortable. Nous n'avions ni majordome ni valets de pied. Ni voiture, ni chevaux, ni cocher. Tout juste trois domestiques, ce qui était un minimum à l'époque. Les jours de pluie, si on allait prendre le thé chez quelqu'un, on faisait deux ou trois kilomètres à pied en imperméable et en caoutchoucs. Même pour les enfants, on n'appelait pas de fiacre, sauf s'ils se rendaient à une grande réception vêtus d'habits fragiles.

En revanche, la nourriture que nous servions à nos hôtes était somptueuse par rapport aux critères actuels. Il vous faudrait un chef et son aide-cuisinier pour la préparer ! J'ai retrouvé, l'autre jour, le menu d'un de nos plus anciens dîners — pour dix. Il commençait par le choix entre soupe épaisse ou clairette, puis turbot au court-bouillon ou filet de sole. Venait ensuite un sorbet, suivi d'une selle de mouton et, plus surprenant, d'un homard mayonnaise. Diplomate et charlotte russe en entremets sucrés, puis dessert. Tout cela préparé par la seule Jane.

De nos jours, bien sûr, une famille de revenu équivalent aurait une voiture, peut-être une ou deux femmes de ménage, et les grands dîners se feraient plutôt au restaurant ou seraient préparés par la maîtresse de maison.

Dans ma famille, ce fut ma sœur qui fut très vite reconnue comme le « cerveau ». Sa directrice d'école, à Brighton, lui conseilla fortement d'aller à Girton. Mon père n'était pas du tout d'accord : « On ne va pas faire de Madge un bas-bleu. Il vaudrait mieux qu'elle aille parfaire son éducation à Paris. » Ravie, tant elle avait peu envie d'aller à Girton, ma sœur partit donc pour Paris. De l'esprit, de la repartie, réussissant tout ce qu'elle entreprenait, elle était sans conteste l'« intelligente » de la famille.

D'un an plus jeune, mon frère avait énormément de charme personnel, mais, hormis son penchant pour la littérature, était intellectuellement limité. Je crois que mon père et ma mère avaient tous deux compris qu'il allait être « difficile ». Il adorait tout ce qui était du domaine pratique et technique. Mon père, qui aurait bien aimé le voir entrer dans la banque, s'aperçut vite qu'il n'avait pas les capacités pour réussir. Il entreprit donc des études d'ingénieur, mais là non plus ne parvint pas à percer, barré qu'il était par les mathématiques.

Quant à moi, j'ai toujours été considérée — sans aucune acrimonie — comme la « lambine » du troupeau. Ma mère et ma sœur avaient une rapidité de réaction peu commune, et je n'arrivais jamais à les suivre. De plus, j'éprouvais de grandes difficultés à parler. Il m'a toujours été difficile de trouver les mots pour m'exprimer. « Agatha est tellement *lente* ! » s'écriait toute la famille. C'était vrai, je le savais et l'acceptais sans que cela m'inquiète ou me trouble. Je m'étais résignée à être toujours « la moins vive ». Ce n'est que vers 20 ans que je compris que les exigences de la famille en la matière étaient très élevées, et que, en fait, j'étais tout aussi vive, sinon plus, que la moyenne. Les difficultés à parler, je les aurais néanmoins toujours. C'est sans doute l'une des raisons qui m'ont fait devenir écrivain.

Le premier grand chagrin de ma vie fut ma séparation d'avec Nursie. Depuis quelque temps, l'un de ses anciens nourrissons, qui possédait une propriété dans le Somerset, la pressait de se retirer. Il lui offrit un petit cottage confortable sur ses terres, où sa sœur et elle pourraient finir tranquillement leurs jours. Elle finit par se décider : le moment était venu pour elle de cesser de travailler.

Son départ creusa pour moi un vide terrible. Je lui écrivais tous les jours — un petit mot très court, griffonné et plein de fautes d'orthographe : la calligraphie et l'orthographe n'ont jamais été mon fort. Mes lettres étaient dépourvues d'originalité et pratiquement toujours les mêmes : « Chère Nursie, tu me manques beaucoup. J'espère que tu vas bien. Tony a une puce. Je t'aime très fort et je t'envoie plein de bises. Agatha. »

Ma mère, qui me fournissait les timbres, finit au bout d'un certain temps par émettre de douces protestations :

— Tu n'as, à mon avis, pas besoin de lui écrire *tous les jours*. Deux fois par semaine, peut-être ?

J'étais consternée :

— Je pense à elle tous les jours ! Il *faut* que je lui écrive.

Elle soupira, mais tout en continuant ses exhortations sans me brusquer, ne souleva pas d'objection. Plusieurs mois s'écoulèrent avant que je n'en vienne aux deux lettres par semaine suggérées. Nursie elle-même n'était pas très bonne plume. Elle était de toute façon trop lucide, j'imagine, pour m'encourager dans cette fidélité acharnée. Elle m'écrivait deux fois par mois, des lettres gentilles mais neutres. Je crois que ma mère était ennuyée de voir qu'il m'était si difficile de l'oublier. Elle me dit plus tard en avoir parlé à mon père qui répondit, avec un petit clin d'œil inattendu : « Je connais pourtant une petite fille qui a montré la même fidélité de souvenir quand je suis parti pour l'Amérique. » À quoi ma mère rétorqua que ce n'était pas du tout pareil.

Il lui demanda si elle s'imaginait à l'époque qu'il reviendrait un jour l'épouser quand elle serait grande. « Oh ! non ! », se récria-t-elle avant d'hésiter et d'admettre qu'elle s'était quand même construit son petit roman dans sa tête. Un petit roman typiquement victorien. Mon père faisait un somptueux mais malheureux mariage. Déçu, il revenait, après la mort de sa femme, chercher sa petite cousine si sage, Clara. Hélas ! Clara, devenue pauvre invalide, était clouée sur son sofa et ne put que lui adresser quelques mots de bénédiction dans son dernier souffle. Elle rit beaucoup en lui racontant cette histoire.

— En fait, s'esclaffa-t-elle, c'est parce que je pensais avoir l'air moins boulotte, allongée sur un sofa avec une jolie couverture en laine légère jetée sur moi.

La mort prématurée et l'invalidité étaient alors autant dans la tradition de l'aventure romanesque que la résistance au mal semble l'être aujourd'hui. Aucune femme n'aurait à l'époque, pour autant que je puisse en juger, reconnu être de constitution robuste. Mamie s'est toujours plu à me raconter combien elle était fragile dans son enfance : « On ne pensait pas que j'atteindrais l'âge adulte. » Une pichenette sur la main en jouant, et elle s'évanouissait. Ce que contredisait mamie B. en disant de sa sœur : « Margaret ? Une santé de fer. C'est moi qui étais fragile. »

Tatie-Mamie a vécu jusqu'à 92 ans et mamie B. jusqu'à 86, et je doute personnellement de leur fragilité. Mais une extrême sensibilité, des évanouissements constants et la consomption — la langueur, précoce si possible — étaient très à la mode. Mamie était à tel point imprégnée de cette façon de voir qu'elle ne manquait pas une occasion de glisser à mes différents jeunes cavaliers combien j'étais délicate et fragile, et combien j'avais peu de chances de vivre vieille. Quand j'eus 18 ans, il n'était pas rare qu'un de mes soupirants me demande avec anxiété : « Êtes-vous sûre que vous n'allez pas vous enrhumer ? Votre grand-mère m'a dit que vous étiez de santé tellement précaire ! » Indignée, je protestais alors que j'avais au contraire une santé de cheval, et il paraissait soulagé. « Mais pourquoi raconte-t-elle que vous êtes si fragile ? » s'étonnait-il. Il fallait que j'explique que mamie était sincèrement persuadée de me rendre plus intéressante de cette manière. Lorsqu'elle-même était jeune, m'apprit-elle, les jeunes personnes ne devaient montrer qu'un appétit d'oiseau à table si des messieurs étaient présents. Des plateaux substantiels leur étaient montés plus tard dans leur chambre.

La maladie et la mort prématurée imprégnaient même les livres pour enfants. *Notre Violette blanche* était l'un de mes préférés. La petite Violette, une infirme, véritable sainte dès la première page, mourait pieusement, entourée de sa famille en pleurs, à la dernière. L'aspect dramatique de l'histoire était atténué par le fait que ses deux polissons de frères, Punny et Firkin, ne cessaient de faire des bêtises. *Les Quatre Filles du Dr March*, récit assez gai dans l'ensemble, ne pouvait s'empêcher de sacrifier Beth et son teint de rose. La mort de Petite Nell, dans *Le Magasin d'antiquités*, me laisse froide et me donnerait même un peu la nausée, mais, au temps de Dickens, il est sûr que des familles entières devaient être émues aux larmes.

Le sofa, ou le divan, est un meuble qu'on associerait plutôt de nos jours au psychanalyste. À l'époque victorienne, il était le symbole de la mort prématurée, de la langueur, du Roman avec un R majuscule. J'aurais tendance à croire que l'épouse et mère victorienne savait fort bien en jouer. Il lui permettait d'échapper à la plupart des corvées domestiques. Elle s'y cantonnait souvent sitôt passée la quarantaine, et la vie devenait alors tellement plus agréable pour elle, avec tout le monde aux petits soins, un mari affectueux et dévoué, et des filles qui lui rendaient mille et un services sans rechigner. Les amis s'empressaient de lui rendre visite, sa patience et sa douceur dans le malheur faisant l'admiration de tous. Avait-elle vraiment quelque chose ? Probablement pas. Certes, elle devait parfois souffrir de petits maux de dos ou de pieds comme la plupart d'entre nous quand nous prenons de l'âge. Le divan était la réponse.

Un autre de mes livres favoris parlait d'une petite Allemande — infirme, comme de juste — qui passait ses journées allongée à regarder par la fenêtre. Sa garde-malade, jeune femme égoïste qui ne pensait qu'à son propre plaisir, se précipita dehors un beau jour pour voir un défilé. L'infirme se pencha trop en avant et tomba. Remords obsessionnels de la garde-malade frivole, à jamais alanguie et accablée de douleur. J'ai adoré cette sombre littérature.

Et puis il y avait, bien sûr, les récits de l'Ancien Testament, dont je me délectais depuis mon plus jeune âge. Aller à l'église était l'un des grands moments de la semaine. L'église paroissiale de Tor Mohun était la plus vieille de Torquay. Torquay lui-même était une ville d'eau moderne, mais Tor Mohun était le hameau d'origine. La vieille église devenue trop petite, il fut décidé que la paroisse en avait besoin d'une seconde, de format plus convenable. Cette dernière fut construite juste avant ma naissance, et mon père avança une somme d'argent en mon nom de façon que je fasse partie des fondateurs. Il m'expliqua cela dès

que je fus en âge de comprendre, et je me sentis très importante.
« Quand pourrai-je aller à l'église ? » devint mon leitmotiv. Le
grand jour arriva enfin. J'étais assise à côté de mon père sur un
banc de devant et je suivis l'office sur son grand livre de prières.
Il m'avait dit en entrant que je pourrais partir avant le sermon si
je voulais, et lorsque vint le moment, il me chuchota : « Tu veux
rentrer ? » Je fis non énergiquement de la tête et restai donc. Il
prit ma main dans la sienne et je restai assise d'un air satisfait, en
essayant du mieux possible de ne pas remuer.

J'adorais aller à l'église. À la maison, il y avait des livres d'histoires spéciaux qu'on n'avait le droit de lire que le dimanche —
ce qui leur conférait un charme supplémentaire — ainsi que
d'autres de récits bibliques. Il ne fait aucun doute que, pour des
gosses, les histoires de l'Ancien Testament sont épatantes. Elles
possèdent cet enchaînement dramatique de causes et d'effets dont
l'esprit d'un enfant est friand : Joseph, fils de Jacob, et ses frères,
son manteau multicolore, son accession au pouvoir en Égypte, et
l'apothéose finale de son pardon aux mauvais frères. Moïse et le
buisson ardent était un autre de mes passages favoris. David et
Goliath ont un charme infaillible, eux aussi.

Il y a juste un an ou deux, alors que j'étais sur la butte de
Nimrud, j'observais le vieil Arabe qui, des cailloux dans une main
et sa fronde dans l'autre, était chargé de protéger les cultures
contre les troupes d'oiseaux prédateurs. À voir la précision mortelle de son arme, je découvris soudain que c'est contre Goliath
que les dés étaient pipés. David avait l'avantage dès le départ :
celui de l'homme doté d'une arme à longue portée contre celui
qui n'en possédait pas. C'était moins le combat du petit contre
le grand que celui de l'intelligence contre le muscle.

De nombreux personnages intéressants sont passés à la maison
pendant mes jeunes années, et il est vraiment dommage que je
n'en aie gardé aucun souvenir. Tout ce que je me rappelle
d'Henry James, c'est que ma mère se plaignait de ce qu'il lui
fallait toujours un sucre cassé en deux pour son thé — du chichi
pur et simple, il lui suffisait de prendre un morceau plus petit.
Rudyard Kipling est venu, et là aussi, mon unique souvenir est
celui d'une discussion entre ma mère et un ami quant à savoir
pourquoi il avait épousé Mrs Kipling. L'ami concluait ainsi : « Je
sais pourquoi. Ils sont le parfait complément l'un de l'autre. »
Ayant compris « compliment », je trouvai le sens de cette
remarque très obscur, mais quand Nursie m'expliqua un jour que
la demander en mariage était le plus grand compliment qu'un
homme puisse faire à une femme, cela devint plus logique.

Bien qu'ayant assisté aux thés que l'on donnait — j'étais, je me souviens, en robe de mousseline blanche avec une large ceinture de satin jaune à nœud bouffant — il n'y a pas grand monde qui me soit resté en mémoire. Les gens que j'imaginais étaient toujours plus réels pour moi que ceux que je rencontrais en chair et en os. Si, je me rappelle une proche amie de ma mère, une certaine miss Tower, mais parce que je me donnais un mal de chien pour l'éviter. Avec ses sourcils noirs et ses immenses dents blanches, je trouvais qu'elle avait tout du loup. Elle avait l'habitude de fondre sur moi et de m'embrasser frénétiquement en s'écriant : « Oh ! toi, je te croquerais ! » J'avais grand-peur qu'elle ne mette son projet à exécution. Toute ma vie, depuis, je me suis abstenue de me précipiter sur les enfants et de les embrasser sans y être invitée. Pauvres choux, quelle défense ont-ils ? Chère miss Tower, si bonne et si gentille avec les enfants, qui les adorait mais qui comprenait si peu ce qu'ils ressentaient !

Lady MacGregor était l'une des plus importantes notabilités de Torquay. Elle et moi avons toujours ri et plaisanté ensemble. Car un jour que j'étais encore dans ma voiture d'enfant, elle s'était approchée et m'avait demandé si je la reconnaissais. Moi, sincère, je répondis que non. « Alors si ta maman te le demande, tu lui diras qu'aujourd'hui tu as rencontré Mrs Trucmuche. » Aussitôt qu'elle fut partie, Nursie me réprimanda : « Bien sûr que tu la connais, voyons : c'est lady MacGregor. » Mais à partir de ce moment-là, je l'appelai toujours Mrs Trucmuche, et cela resta notre petite plaisanterie à nous.

Un autre joyeux personnage était mon parrain, lord Lifford, alors capitaine Hewitt. Un jour, il vint à la maison et, apprenant que Mr et Mrs Miller s'étaient absentés, il répondit allégrement : « Ça ne fait rien. Je vais entrer les attendre. » Et d'essayer de passer devant la bonne qui lui avait ouvert. Laquelle lui claqua consciencieusement la porte au nez et se précipita à l'étage pour l'interpeller depuis la fenêtre des toilettes, commodément placée. Il finit par la convaincre qu'il était un ami de la famille, surtout lorsqu'il précisa : « Je peux même vous dire que la fenêtre d'où vous parlez est celle des W.-C. » Cette connaissance de la topographie était une preuve suffisante et elle le laissa entrer, mais se retira couverte de honte à l'idée qu'il savait qu'elle lui avait parlé depuis les toilettes.

Car on restait très discret sur le sujet, à l'époque. Nul ne se serait laissé voir y entrer ou en sortir, sauf dans l'intimité par un membre de sa famille. Le problème, chez nous, c'est qu'elles étaient situées à mi-hauteur dans l'escalier, et très visibles depuis le hall. L'horreur, bien sûr, était de se trouver à l'intérieur et d'entendre des voix en bas. Impossible de sortir. Il fallait rester emprisonné jusqu'à ce que la voie soit libre.

De mes camarades d'enfance je ne me rappelle pas grand-chose.

Il y avait Dorothy et Dulcie, plus jeunes que moi. Un peu gourdes, avec la voix nasillarde que donnent les végétations, je les trouvais plutôt assommantes. Nous prenions notre goûter dans le jardin, courions autour d'un grand chêne vert et mangions de la crème du Devonshire tartinée sur des « galets », spécialité locale. Je ne vois vraiment pas pourquoi cela nous amusait. Leur père, Mr B., était le grand copain du mien. Peu après notre installation à Torquay, Mr B. annonça à papa qu'il allait se marier. Avec une femme merveilleuse, selon lui : « C'est affolant ce qu'elle m'aime, Joe — les amis de mon père l'appelaient toujours Joe — positivement affolant. »

Peu de temps après, une amie de ma mère arriva chez nous, sérieusement troublée. Servant d'accompagnatrice à quelqu'un dans un hôtel du nord du Devon, elle avait rencontré une grande femme assez jolie qui discutait tout fort avec une amie dans le hall d'accueil.

— J'ai ferré mon poisson, Dora ! tonitruait-elle d'une voix triomphante. Je l'ai amené où je voulais en venir. Et il vient me manger dans la main.

Dora la félicita, et elles discutèrent sans retenue les conditions du mariage. C'est alors que le nom de Mr B. fut cité comme celui du poisson futur marié.

Mon père et ma mère délibérèrent longuement. Pouvait-on — et devait-on — faire quelque chose ? Allait-on laisser ce pauvre B. se faire épouser pour son argent d'aussi honteuse façon ? Était-il trop tard ? Et les croirait-il s'ils lui rapportaient ce qu'on avait entendu ?

Mon père prit enfin sa décision. Il ne dirait rien à B. C'était mal de rapporter. Et puis B. n'était pas un gamin. Il avait fait son choix en connaissance de cause.

Que Mrs B. eût ou non épousé son mari pour l'argent, elle fut pour lui une excellente épouse, et ils filèrent le parfait amour comme deux éternels tourtereaux. Ils eurent trois enfants, étaient pratiquement inséparables, et on n'aurait pu trouver ménage plus heureux. Le pauvre B. mourut d'un cancer de la langue et, pendant son long calvaire, sa femme s'occupa de lui avec dévouement. La morale de l'histoire, me dit un jour ma mère, c'est qu'il ne faut jamais s'imaginer qu'on sait mieux que les autres ce qui est bon pour eux.

Quand on déjeunait ou prenait le thé avec les B., la conversation était entièrement consacrée à la nourriture.

— Percival, mon amour, encore un peu de cet excellent gigot. Il fond dans la bouche, un vrai délice.

— Tout à fait, Edith, ma mie. Une petite tranche. Et voici la sauce aux câpres. Dorothy, ma chérie, encore un peu ?

— Non merci, papa.

— Et toi, Dulcie, un morceau de souris ? Ce gigot est si bon.

— Non merci, maman.

J'avais une autre camarade, Margaret, que l'on aurait pu qualifier de « semi-officielle ». Nous n'allions pas l'une chez l'autre — la mère de Margaret avait les cheveux orange vif et les joues trop roses : je soupçonne maintenant qu'on la prenait pour une femme de mœurs légères et que mon père ne permettait pas que maman la fréquente —, mais nous faisions des promenades ensemble. Nos nourrices, je pense, étaient amies. Margaret parlait beaucoup et me causait souvent un embarras extrême. Elle venait de perdre ses dents de devant, et cela rendait ses paroles si indistinctes que je n'arrivais pas à comprendre ce qu'elle disait. Redoutant de la vexer si je lui en faisais réflexion, je répondais au hasard, de plus en plus désemparée. Un jour, Margaret proposa de me raconter une histoire : « Felle des fufettes empoivonnées. » Je ne saurai jamais ce qui s'y passait. C'était interminable, incompréhensible, et cela s'achevait par un triomphal : « Hein, qu'elle est bien, mon hiftoire ? (J'acquiesçai avec véhémence.) À ton avis, tu crois que... » Subir un interrogatoire sur ce qu'elle venait de raconter étant au-delà de mes forces, je l'interrompis avec décision : « À mon tour de t'en raconter une, Margaret. » Laquelle Margaret resta indécise. Elle était manifestement désireuse de discuter un point épineux de l'histoire des sucettes empoisonnées, mais je n'avais pas le choix.

— C'est l'histoire de... d'un noyau de pêche, improvisai-je fébrilement. D'une fée qui habitait dans un noyau de pêche.

— Continue, fit-elle.

Je poursuivis, inventai, délayai jusqu'à ce que le portail de sa maison apparût enfin.

— Joli conte, apprécia-t-elle. Il vient de quel livre ?

Il ne venait pas d'un livre. Mais de ma tête. Cette histoire n'avait rien d'extraordinaire, à mon avis, mais elle m'avait sauvée de la pénible obligation de reprocher ses dents manquantes à Margaret. Je répondis que je ne savais plus où je l'avais lue.

Quand j'eus 5 ans, ma sœur rentra de Paris. Son éducation avait apparemment été « parachevée ». Je me souviens de l'émotion que je ressentis en la voyant descendre à Ealing d'un fiacre. Elle portait un drôle de petit chapeau de paille et une voilette blanche à pois noirs : c'était une autre personne. Elle se montra néanmoins très gentille avec sa petite sœur. Elle me raconta des histoires. Elle essaya aussi d'accroître mes connaissances en m'apprenant le français à partir d'un manuel intitulé *Le Petit Précepteur*. Je ne la trouvai pas très bonne maîtresse et je pris ce livre en horreur. Par deux fois, je le cachai habilement derrière d'autres sur l'étagère, mais il réapparut très vite à chaque fois.

Je trouvai mieux. Dans un coin de la pièce, il y avait une grande vitrine renfermant un aigle à tête blanche empaillé, fierté et orgueil de mon père. Je glissai *Le Petit Précepteur* derrière l'aigle, dans le coin le plus dérobé à la vue. Victoire ! Plusieurs jours passèrent et la chasse au manuel disparu resta vaine.

Ma mère, cependant, anéantit tous mes efforts avec une facilité dérisoire : elle promit une tablette d'un chocolat particulièrement bon à quiconque retrouverait le livre. Ma gourmandise me perdit. Je tombai dans le piège, passai la pièce au peigne fin et, après avoir grimpé sur une chaise pour regarder derrière l'aigle, m'exclamai, d'une voix toute surprise : « Ça, par exemple... il était là ! » Je fus dûment rétribuée : après m'avoir réprimandée, on m'envoya au lit pour le restant de la journée. Normal, puisque j'avais été démasquée, mais je trouvai injuste qu'on ne me donnât pas le chocolat : on l'avait promis à quiconque trouverait le livre, et c'était *moi* qui l'avais trouvé.

Ma sœur me faisait jouer à un jeu qui me fascinait et me terrifiait tout à la fois : le jeu de la sœur aînée. L'argument de base était qu'il y avait une sœur aînée dans notre famille, plus âgée que Madge et que moi-même. Elle était folle et vivait dans une grotte à Corbin's Head, mais elle venait parfois à la maison. On ne pouvait physiquement la distinguer de ma sœur, sauf la voix qui était très différente. Une voix veloutée, onctueuse :

— Tu sais qui je suis, n'est-ce pas ? Je suis ta sœur Madge. Tu ne me prendrais pas pour quelqu'un d'autre, par hasard ? Tu ne penserais pas ça ?

J'étais terrorisée. Bien sûr, je savais que c'était seulement Madge qui faisait semblant — mais était-ce vraiment elle ? Si c'était quelqu'un d'autre ? Cette voix, ces regards biaisés, cauteleux... C'était la sœur aînée !

Ma mère se mettait en colère :

— Je ne veux pas que tu fasses peur à cette enfant avec tes jeux stupides, Madge.

Et Madge de répondre, non sans raison :

— Mais c'est elle qui me demande de le faire.

C'était vrai. Je lui disais :

— Dis, elle va venir bientôt, la sœur aînée ?

— Je ne sais pas. Tu voudrais qu'elle vienne ?

— Oui... oui, j'aimerais bien...

Le voulais-je vraiment ? Je suppose.

Ma demande n'était jamais satisfaite tout de suite. Deux jours plus tard, peut-être, on entendait frapper à la porte de la nursery, et puis la voix s'élevait :

— Je peux entrer ? Je suis votre sœur aînée...

Même des années plus tard, Madge n'avait qu'à prendre la voix de la sœur aînée pour que des frissons me parcourent l'échine.

Pourquoi adorais-je avoir peur ? Quel besoin instinctif l'effroi satisfait-il ? Pourquoi les enfants raffolent-ils des histoires d'ours, de loups et de sorcières ? Est-ce parce que quelque chose en nous se rebelle contre une vie trop protégée ? Les humains ont-ils besoin d'une certaine dose de danger ? Une partie de la délinquance juvénile peut-elle s'expliquer par un excès de sécurité ? Avons-nous par nature besoin de combattre, de triompher, comme pour nous prouver quelque chose à nous-mêmes ? Les enfants aimeraient-ils autant le Petit Chaperon rouge s'il n'y avait pas le loup ? Et pourtant, comme pour la plupart des choses dans l'existence, on veut bien être effrayé un peu... mais point trop n'en faut.

Ma sœur devait avoir un don pour raconter des histoires. Quand il était tout petit, notre frère la suppliait :

— Dis-la-moi encore.

— Non, je veux pas.

— Si, si !

— Non, c'est non.

— S'il te plaît. Je ferai tout ce que tu voudras.

— Tu me laisseras te mordre le doigt ?

— D'accord.

— Je te le mordrai fort, tu sais. Peut-être même que je te le couperai.

— M'en fiche.

Et Madge, complaisante, de recommencer l'histoire. À la fin, elle lui prend le doigt et le mord. Monty hurle. Maman arrive. Madge est punie.

— C'était donnant, donnant, plaide-t-elle sans le moindre remords.

Je me rappelle fort bien la première nouvelle que j'ai écrite. Elle était dans la ligne mélodramatique et très courte, puisque l'écriture et l'orthographe étaient un supplice pour moi. Elle mettait en scène la noble lady Madge — la gentille — et la satanée lady Agatha — la méchante — dans une histoire d'héritage de château.

Je la montrai à ma sœur et lui dis que nous pourrions la jouer. Elle répondit immédiatement qu'elle préférerait que ce soit lady Madge la méchante et lady Agatha la gentille.

— Tiens ! tu ne veux pas être la gentille ? m'étonnai-je, choquée.

Elle affirma que non, que ce serait sans doute beaucoup plus drôle d'être méchante. Ce qui m'arrangeait bien, puisque c'était par pure courtoisie que j'avais attribué la noblesse d'âme à lady Madge.

Mon père, je me souviens, rit beaucoup de cette première tentative, mais sans se moquer. Ma mère, elle, fit remarquer que « satanée » n'était peut-être pas le mot adéquat.

— Mais elle était *diabolique*, plaidai-je. Elle a tué beaucoup de gens, comme Marie la Sanglante qui brûlait les gens sur des bûchers.

Et maman d'expliquer que c'était « satanique » qui convenait dans ce cas.

Les livres de contes de fées tenaient une grande place dans ma vie. Mamie m'en donnait pour mes anniversaires et à Noël. *Les Contes jaunes*, *Les Contes bleus*, etc. Je les adorais tous, les lisais et les relisais. J'avais une série d'histoires d'animaux, également par Andrew Lang, y compris celle d'*Androclès et le lion*. Je l'aimais beaucoup, celle-là aussi.

Je devais avoir une dizaine d'années quand j'avalai une première dose de Mrs Molesworth, le principal auteur de contes pour enfants. Ils m'ont duré bien des années et je trouve, en les relisant aujourd'hui, qu'ils sont très bons. Bien sûr, ils paraîtraient démodés aux enfants d'à présent, mais ce sont des histoires solides avec des personnages bien campés. Il y avait *Les Carottes*, *Rien qu'un petit garçon*, et *Monsieur Bébé* pour les tout-petits, ainsi que divers contes de fées. Je peux encore relire volontiers *Le Coucou* et *La Chambre aux tapisseries*. Ma préférée de tous, *La Ferme des Quatre-vents*, me paraît bien fade à présent, et je me demande pourquoi je l'aimais tant.

La lecture de contes était jugée un peu trop agréable pour être vraiment honnête. Aussi ces livres étaient-ils interdits avant le déjeuner. Le matin, il fallait trouver quelque chose d'« utile » à faire. Même maintenant, si je m'assieds et ouvre un roman après le petit déjeuner, j'éprouve un sentiment de culpabilité. Pareil pour jouer aux cartes le dimanche. En grandissant s'estompa en moi la condamnation des cartes par Nursie qui voyait en elles des « images du diable », mais leur bannissement le dimanche était une règle d'or à la maison, et bien des années plus tard, lors de parties de bridge dominicales, je ne pouvais m'ôter complètement de l'idée que je faisais quelque chose de mal.

Un peu avant le départ de Nursie, mes parents s'absentèrent quelque temps en Amérique. Nursie et moi allâmes à Ealing. Je dois y être restée plusieurs mois et je m'y fis très bien. La clé de voûte du personnel de la maison de mamie était Hannah, une vieille cuisinière toute ridée. Elle était aussi sèche que Jane était grosse, un vrai sac d'os au visage parcheminé et aux épaules tombantes. Elle cuisinait à merveille. Elle faisait aussi le pain à la maison trois fois par semaine, et j'avais alors le droit de venir dans la cuisine pour regarder et préparer mon propre pain de ménage et mon pain natté. J'eus une seule fois une brouille avec elle, lorsque je lui demandai ce qu'étaient des abattis. Apparemment, une petite fille bien élevée ne parlait *pas* de ces choses. Je voulus la faire enrager en courant partout dans la cuisine et en répétant : « Hannah, c'est quoi, les abattis ? Hannah, c'est quoi, les abattis ? » Nursie finit par venir me récupérer et me gronda. Hannah ne m'adressa pas la parole de deux jours. Après cela, je fus beaucoup plus attentive aux limites à ne pas franchir avec elle.

Au cours de ce séjour à Ealing, on dut m'emmener au jubilé de diamant de la reine, car, il y a peu de temps, j'ai retrouvé une lettre de mon père envoyée d'Amérique. Elle est rédigée dans le style de l'époque, qui tranchait incroyablement avec sa façon habituelle de parler : les lettres étaient tournées d'une façon bien précise, sur un ton moralisateur, alors que le style de papa était généralement enjoué et même un peu grivois.

Tu dois être bien sage avec Tatie-Mamie, Agatha. N'oublie pas comme elle est gentille et comme elle prend soin de toi. Je sais qu'elle va t'emmener à ces merveilleuses cérémonies. Tu ne les oublieras jamais, c'est un spectacle qu'on ne voit qu'une fois dans sa vie. Tu devras lui dire grand merci. Quel bonheur pour toi ! Je regrette beaucoup de ne pouvoir y assister moi-même, et maman aussi. Tu te le rappelleras toujours, j'en suis certain.

Mon père ne devait pas être bon prophète, car je ne me rappelle *rien*. C'est à vous rendre fou, les enfants ! Si je fais le bilan de mes souvenirs, qu'est-ce qui m'a marquée ? Les petites bêtises sur les couturières du quartier, les pains que je boulangeais dans la cuisine, l'odeur de l'haleine du colonel F. Et qu'est-ce que j'ai oublié ? Un spectacle que quelqu'un avait payé fort cher pour m'emmener voir et qui aurait dû me rester à jamais. Je m'en veux beaucoup. Quelle vilaine ingratitude de ma part !

Cela me remet en mémoire une coïncidence tellement extraordinaire qu'on a peine à la croire possible. Ce devait être à l'occasion des funérailles de la reine Victoria. Tatie-Mamie et mamie B. voulaient assister aux cérémonies. Elles avaient réussi à se procurer une fenêtre dans une maison proche de Paddington et devaient s'y retrouver pour le grand jour. À 5 heures pour ne pas être en retard, mamie se leva, chez elle à Ealing, et arriva au moment voulu à la gare de Paddington. Ce qui lui laissait, avait-elle calculé, trois bonnes heures pour rallier son poste d'observation. Elle avait donc emporté un ouvrage avec elle, quelques provisions et autres objets indispensables afin de tuer le temps une fois sur place. Hélas ! le délai qu'elle s'était donné n'était pas suffisant. Les rues étaient bondées. Peu après avoir quitté la gare, elle se trouva immobilisée. On n'avançait plus. Deux ambulanciers l'extirpèrent de la foule et lui dirent qu'on ne pouvait aller plus loin.

— Mais si, il le faut ! Il le faut ! s'écria-t-elle, le visage ruisselant de larmes. J'ai réservé ma place, j'ai les deux premiers fauteuils de la deuxième fenêtre au second étage, pour voir tout d'en haut. Je dois aller là-bas.

— C'est impossible, madame, les rues sont bloquées. Personne n'a pu passer depuis une demi-heure.

Les pleurs de mamie redoublèrent.

— Je suis navré pour vous, fit aimablement l'ambulancier, mais venez avec moi dans cette rue-là : nous y avons notre ambulance, vous pourrez vous asseoir et on vous servira une bonne tasse de thé.

Mamie les accompagna, toujours en larmes. Près de l'ambulance, une autre silhouette, qui n'était pas sans une certaine ressemblance, pleurait également. Une silhouette monumentale, en velours noir et faux jais, qui leva la tête. Deux cris d'orfraie retentirent :

— Mary !

— Margaret !

Dans l'étreinte, les deux poitrines gigantesques, à la verroterie noire frémissante, se rencontrèrent.

5

Si je réfléchis à ce qui m'a donné le plus de plaisir dans toute mon enfance, je serais tentée de placer au premier rang mon cerceau. Un jouet fort simple, c'est vrai, qui devait coûter combien ? Six *pence* ? Un shilling ? Certainement pas davantage.

Et quelle aubaine pour les parents, nourrices et domestiques ! Les jours de beau temps, la petite Agatha sortait dans le jardin avec son cerceau, et elle n'ennuyait plus personne jusqu'au repas suivant — ou, plus exactement, jusqu'à ce que la faim se fasse sentir.

Mon cerceau était pour moi tour à tour cheval, monstre marin, train. Quand je sillonnais les allées du jardin en sa compagnie, j'étais un chevalier en armure chargé d'une mission, une dame de la cour donnant de l'exercice à son blanc palefroi, Trèfle (des Chatons) qui s'échappait de prison ou — de façon moins romantique — machiniste, chef de train ou passager sur trois chemins de fer de mon cru.

Trois chemins de fer bien distincts : le Métropolitain, avec ses huit stations, qui faisait le tour des trois quarts du jardin, le chemin de fer de la Cuve, une ligne plus courte qui desservait uniquement le potager et partait d'une grande cuve d'eau avec un robinet, sous un pin, et celui de la Terrasse, qui faisait le tour de la maison. Tout récemment encore, je retrouvais dans un vieux placard une feuille de carton sur laquelle j'avais tracé un plan grossier de ce réseau il y a plus de soixante ans.

Je ne vois vraiment pas, maintenant, ce que je trouvais de si amusant à frapper mon cerceau, à m'arrêter et à crier : « Station du Parterre de muguet. Correspondance Métropolitain... La Cuve, terminus. Tout le monde descend ! » Je jouais à ça pendant des heures. Ce devait être un excellent exercice. J'étais aussi passée maîtresse dans l'art de lancer mon cerceau de telle manière qu'il revienne vers moi, petit truc qui m'avait été appris par un de nos amis officiers de marine. Je n'y arrivais pas du tout au début, mais après un long et difficile entraînement, je finis par attraper le coup et fus fort satisfaite de moi.

Les jours de pluie, il y avait Mathilde. Mathilde était un grand cheval à bascule américain qui avait été offert à ma sœur et à mon frère quand ils étaient petits, aux États-Unis. Elle avait été rapatriée en Angleterre et ce n'était plus désormais qu'un vieux canasson qui avait perdu sa crinière, sa peinture, sa queue et j'en passe, mis au rancart dans une petite serre qui prolongeait un côté de la maison — bien distincte du jardin d'hiver, édifice pompeux qui abritait des pots de bégonias et de géraniums ainsi que des étagères en gradins où s'épanouissaient toutes sortes de fougères et plusieurs palmiers. La petite serre, appelée je ne sais trop pourquoi KK — ou n'était-ce pas plutôt Kaï-Kaï ? —, était dépourvue de plantes et abritait à la place des maillets de croquet, des cerceaux, des ballons, des sièges de jardin cassés, de vieilles tables en fer peint, un filet de tennis en loques... et Mathilde.

Mathilde avait un mécanisme extraordinaire — bien meilleur que celui de n'importe lequel des chevaux à bascule anglais que j'ai pu voir. Elle bondissait d'arrière en avant, de bas en haut et, chevauchée à fond, pouvait même vous désarçonner. Ses ressorts, qui auraient nécessité un abondant graissage, émettaient d'épouvantables grincements, ce qui ajoutait un frisson de danger et de plaisir. Excellent exercice, encore une fois. Pas étonnant que j'aie été maigre comme un clou.

Mathilde avait un compagnon dans Kaï-Kaï : il s'appelait Truelove, ou Chérubin, et venait lui aussi d'outre-Atlantique. C'était un petit cheval à pédales avec sa carriole. Sans doute à cause de longues années d'inutilisation, les pédales ne fonctionnaient plus. Quelques bonnes giclées d'huile auraient sans doute suffi, mais il y avait un autre moyen de faire avancer Chérubin. Comme partout dans le Devon, notre jardin était en pente. Ma méthode consistait à tirer Chérubin en haut d'une longue étendue d'herbe, à bien me caler, à lancer un petit cri d'encouragement, et c'était parti. Doucement d'abord, puis nous prenions de la vitesse et je freinais avec mes pieds pour finir sous l'araucaria en bas du jardin. Je remontais alors Chérubin tout en haut pour une nouvelle descente.

J'appris plus tard que mon futur beau-frère s'était beaucoup amusé à me voir répéter cette opération, parfois une heure durant, toujours avec le plus grand sérieux.

Avec le départ de Nursie, je me retrouvai naturellement sans compagne de jeu. J'errai, inconsolable, jusqu'à ce que le cerceau vînt résoudre mon problème. Comme tous les enfants, je fis d'abord mon possible pour convaincre les gens de venir jouer avec moi : d'abord ma mère, puis les domestiques. Mais à cette époque, s'il n'y avait personne de désigné pour s'occuper de vous, il fallait se débrouiller seul. Les domestiques étaient gentilles, mais elles avaient leur travail — elles n'en manquaient pas — et la réponse était immuable : « Allons, sauvez-vous, miss Agatha. Il faut que je continue. » Du côté de Jane, je m'en tirais souvent avec une poignée de raisins secs ou une tranche de fromage, mais elle m'invitait fermement à aller manger cela dehors.

C'est ainsi que je me créai mon petit monde à moi et que je m'inventai des compagnons de jeu. Je suis convaincue que ce fut très bénéfique. Je n'ai jamais, de toute ma vie, ressenti l'ennui du « je sais pas quoi faire ». Un nombre énorme de femmes, si. Elles souffrent de solitude et de désœuvrement. Avoir du temps est pour elles un cauchemar et non un plaisir. Si tout est fait en permanence pour vous amuser, vous vous y habituez naturellement. Et lorsque cela vous est retiré, vous vous sentez perdu.

Je suppose que c'est parce que presque tous les enfants vont à l'école maintenant, où tout leur est mâché, qu'ils paraissent si désespérément incapables d'avoir des idées de jeux pendant les vacances. Je suis toujours sidérée de voir des gamins venir me trouver et me dire : « S'il te plaît, je sais pas quoi faire » avec un air tellement malheureux que je ne peux que répondre :

— Mais tu as pourtant plein de jouets ?

— Pas vraiment.

— Comment ça ? Tu as deux trains, des camions, une boîte de peinture, un jeu de construction. Tu as le choix.

— Je peux pas jouer tout seul.

— Pourquoi pas ? Tiens, j'ai une idée : peins un oiseau, découpe-le, fais une cage avec ton jeu de construction et mets l'oiseau dans la cage.

Le petit visage s'éclaire alors et la paix revient pour une dizaine de minutes.

À me repencher sur le passé, je deviens de plus en plus sûre d'une chose. Mes goûts sont restés fondamentalement les mêmes. Ce avec quoi j'aimais jouer quand j'étais petite m'a toujours plu par la suite.

Les maisons, par exemple.

J'avais, il me semble, un nombre respectable de jouets : un lit de poupée avec de vrais draps, de vraies couvertures, et le jeu de construction de la famille qui m'a été transmis par ma sœur et mon frère. J'improvisais beaucoup. Je découpais des images dans de vieux magazines illustrés et je les collais dans des albums faits avec du papier d'emballage. De vieux rouleaux de papier peint étaient également découpés et collés sur des boîtes. Tout cela prenait du temps et se faisait tranquillement.

Mais ma principale source d'amusement, quand je n'étais pas dehors, était sans conteste ma maison de poupée, l'habituelle boîte en bois peint avec le devant qui s'ouvrait pour révéler une cuisine, un salon et un hall d'entrée en bas, deux chambres et une salle de bains à l'étage. Du moins, c'était là l'élément de base. Car le mobilier devait s'acquérir pièce par pièce. Il y avait un choix énorme de meubles de poupée dans les magasins, alors, et bon marché. J'avais pas mal d'argent de poche, pour l'époque, qui se composait de la petite monnaie que mon père avait sur lui le matin. J'allais le voir dans son cabinet de toilette, je lui disais bonjour puis je me tournais vers la table pour voir ce que Dame Fortune avait laissé pour moi ce jour-là. Deux *pennies* ? Cinq ? Onze, une fois ! D'autres, en revanche, rien du tout. Délicieuse incertitude.

Mes achats étaient toujours à peu près les mêmes. Des bonbons — de sucre cuit, les seuls que maman considérât sains — de chez Mr Wylie qui tenait boutique à Tor. Les bonbons étaient faits sur place, et dès qu'on franchissait la porte du magasin, on savait tout de suite ce qu'il préparait ce jour-là. L'odeur chaude du caramel en train de cuire, celle, aigrelette, de la menthe poivrée, celle, plus indéfinissable, de l'ananas, le sucre d'orge — insipide — qui ne sentait pratiquement rien, et l'odeur presque suffocante des bonbons acidulés en train de cuire.

Tout coûtait huit *pence* la livre. J'en dépensais environ quatre par semaine — un *penny* de quatre sortes de bonbons différentes. Un *penny* était réservé d'office aux enfants abandonnés — la tire-lire sur la table du hall. À partir de septembre, quelques-uns étaient mis de côté pour les cadeaux de Noël impossibles à fabriquer, ceux qu'il fallait acheter. Le reste partait en mobilier et autres fournitures pour ma maison de poupée.

Je me rappelle encore les merveilles qu'il y avait à acheter. La nourriture, par exemple. On trouvait de petits plateaux en carton avec du poulet rôti, des œufs et du bacon, une pièce montée, un gigot d'agneau, des pommes et des oranges, du poisson, un diplomate, un plum-pudding. Il y avait des paniers argentés avec couteaux, fourchettes et cuillers, et des séries de minuscules verres. Enfin, le mobilier lui-même. Mon salon comprenait un ensemble de chaises en satin bleu, auxquelles j'ajoutai par étapes un sofa et un grand fauteuil doré. Puis des coiffeuses avec leur miroir, des tables rondes cirées pour les repas et une hideuse salle à manger en brocart orange. Il y avait des lampes, des surtouts de table, des coupes de fleurs. Enfin, tous les accessoires ménagers, brosses, pelles, balais, seaux, batteries de cuisine.

Ma maison de poupée ne tarda pas à ressembler à un entrepôt de meubles.

Si c'était possible, est-ce que je pourrais... est-ce que je ne pourrais pas... en avoir une seconde ?

Non, répondit maman, une petite fille n'a pas deux maisons de poupée. Mais pourquoi, suggéra-t-elle sous le coup de l'inspiration, ne pas utiliser un placard ? J'héritai donc d'un placard, et ce fut une réussite totale. Une vaste pièce, à l'origine ajoutée par mon père en haut de la maison pour offrir deux chambres supplémentaires, avait tellement servi à vide de salle de jeu à ma sœur et à mon frère qu'elle conserva cette utilisation. Les murs étaient plus ou moins garnis d'étagères de livres et de placards, le centre commodément vide et disponible. On m'octroya un placard à quatre étagères qui faisait partie d'un ensemble encastré. Ma mère trouva plusieurs jolis morceaux de papier peint à coller sur les étagères en guise de tapis. La maison de poupée d'origine fut placée sur le dessus du placard, si bien que je disposais de six étages, à présent.

Ma maison, bien sûr, n'attendait plus qu'une famille à accueillir. Je fis donc acquisition d'un père, d'une mère, de deux enfants et d'une bonne, dans ce genre de poupées à tête et tronc en porcelaine et aux membres mobiles en sciure de bois. Maman leur confectionna des vêtements avec des chutes d'étoffe qui lui restaient. Elle colla même une petite barbe noire et des moustaches sur le visage du père. Le papa, la maman, les deux enfants et la bonne. Parfait. Je ne me rappelle pas leur avoir attaché de personnalité particulière : ils ne devinrent jamais des gens pour moi, ils n'existaient que pour occuper la maison. Mais c'était *bien* quand on installait la famille autour de la table. Pour pendre la crémaillère, elle fut garnie d'assiettes, de verres, de poulet rôti et d'un pudding d'un rose assez particulier.

Déménager était un autre grand amusement. Une grosse boîte en carton tenait lieu de camion. Les meubles étaient chargés dedans, elle faisait plusieurs fois le tour de la pièce tirée par une ficelle et « arrivait à la nouvelle maison ». Cela avait lieu au moins une fois par semaine.

Je me rends parfaitement compte à présent que je n'ai jamais cessé de jouer à la maison de poupée. Des maisons, j'en ai connu un nombre incalculable. J'ai acheté des maisons, échangé des maisons, meublé des maisons, décoré des maisons, transformé des maisons. Des maisons ! Vive les maisons !

Mais revenons à nos souvenirs. Quand on les rassemble, qu'elles sont surprenantes les choses qui nous reviennent à l'esprit ! On se rappelle les moments heureux, on se rappelle — très intensément, je crois — nos peurs, alors que les douleurs et les peines sont étrangement plus difficiles à retrouver. Non que je les aie vraiment oubliées, pas du tout, mais je ne les *ressens* plus. J'en reste au premier stade. Je peux dire : « Là, Agatha était très malheureuse. Là, elle avait mal aux dents », mais je ne *ressens* pas ce malheur ou cette rage de dents. À l'inverse, une soudaine odeur de tilleul peut me remémorer le passé, me rappeler une journée écoulée près de ces arbres, le plaisir que j'éprouvai à m'asseoir à même le sol, la fragrance de l'herbe chaude, une brusque et délicieuse bouffée d'été, le cèdre tout proche et la rivière qui coule derrière... Le sentiment de ne faire qu'un avec la vie. Tout me revient, à ce moment-là : non seulement le souvenir, mais aussi la sensation.

Je me rappelle très bien un champ de boutons d'or. Je devais avoir moins de 5 ans puisque je m'y promenais avec Nursie. C'était au temps où nous étions à Ealing, chez Tatie-Mamie. Nous grimpions une côte, passions devant l'église St Stephen. Il n'y avait que des champs, à l'époque, et nous arrivions à celui-là, rempli de boutons d'or. Nous y allions très souvent, cela je le sais. Je ne saurais dire si mon souvenir remonte à notre première promenade ou s'il est ultérieur, mais je me rappelle et je ressens tout à fait la beauté de cet endroit. Voilà bien des années, me semble-t-il, que je n'ai pas revu un champ entier de boutons d'or. Quelques corolles jaunes çà et là dans un pré, certes, mais sans plus. Un tapis de ces fleurs au début de l'été, c'est quelque chose. J'en conserve encore la vision aujourd'hui.

Qu'avons-nous le plus apprécié dans l'existence ? Cela dépend des gens, sans doute. Pour ma part, si je cherche bien, je crois que ce sont presque toujours les bonheurs tranquilles de la vie quotidienne. Ce furent certainement pour *moi* les moments les plus heureux. Orner la tête chenue de Nursie de rubans bleus, jouer avec Tony, lui dessiner une raie dans le dos avec un peigne. Franchir au galop, sur ce que je crois être un vrai cheval, la rivière que mon imagination fait passer dans le jardin. M'arrêter avec mon cerceau à toutes les stations du parcours du Métropolitain. Mes jeux si gais avec ma mère. Ma mère, plus tard, qui me faisait la lecture de Dickens et s'endormait petit à petit, les lunettes qui lui tombaient à moitié sur le nez, sa tête qui commençait à dodeliner et moi qui la prévenais : « Maman, vous allez vous endormir. » Sur quoi elle se récriait, avec la plus grande dignité : « Pas du tout, voyons, je n'ai *absolument* pas sommeil ! » Et quelques minutes plus tard, elle dormait comme une souche. Je me rappelle combien elle avait l'air ridicule, avec ses bésicles toutes de guingois sur son nez. Comme elle m'attendrissait, alors !

C'est d'ailleurs curieux, mais c'est uniquement dans ces moments-là que vous ressentez à quel point certains êtres vous sont chers. On peut toujours admirer quelqu'un pour sa beauté, son esprit ou son charme, mais ce n'est qu'une bulle de savon qui crève à la moindre piqûre de ridicule. À toute fille sur le point de se marier, je donnerais ce petit conseil : « Imaginez votre futur époux avec un bon rhube de cerveau, barlant du dez, éternuant, larmoyant. Auriez-vous pour lui les mêmes sentiments ? » C'est un excellent test. Ce qu'on doit éprouver pour un mari, il me semble, c'est l'amour-tendresse, celui qui est chargé d'affection, qui saura supporter sans sourciller les rhumes de cerveau et les petites manies innocentes. Alors vous pouvez être sûr que la passion est là.

Mais le mariage demande autre chose que de l'amour. Je suis de cette opinion vieux jeu que le respect est nécessaire. Le respect, qu'il ne faut pas confondre avec l'admiration. Passer sa vie conjugale à rester béate devant un homme serait à mes yeux tout à fait assommant. On finirait par attraper une sorte de torticolis mental. Le respect, en revanche, pas besoin de réfléchir, on sait et on apprécie quand il est là. Comme le disait de son mari la vieille Irlandaise : « Mon homme, c'est ma tête à moi. » C'est cela, je trouve, dont une femme a besoin. Sentir de la droiture chez son compagnon, avoir confiance en son jugement et savoir que, lorsqu'il y a une décision importante à prendre, elle peut en toute sécurité s'en remettre à lui.

C'est curieux de revenir sur son passé, de revoir toutes les péripéties, toutes les scènes, cette foule de détails qui l'ont jalonné. Dans tout cela, qu'y avait-il de vraiment important ? Comment la mémoire sélectionne-t-elle ? En fonction de quoi nous rappelons-nous les choses ? C'est un peu comme si nous plongions nos mains dans le bric-à-brac d'une grande malle du grenier en disant : « Tiens, je vais prendre ça... et puis ça... et puis ça. »

Demandez à trois ou quatre personnes ce qu'elles se rappellent, mettons, d'un voyage à l'étranger, et vous serez surpris de la diversité des réponses que vous obtiendrez. Je me souviens d'un garçon de 15 ans qui était allé à Paris pendant une partie de ses vacances de printemps. À son retour, un ami de la famille, finaud, lui demande, sur ce ton paternaliste qu'on croit devoir infliger aux jeunes : « Dis-moi, fiston, qu'est-ce qui t'a impressionné le plus, à Paris ? Voyons un peu ce dont tu te rappelles. » Et le jeune homme de répondre sans hésiter : « Les cheminées. Elles sont tout à fait différentes de celles qu'on a en Angleterre. »

Remarque tout à fait pertinente, à ses yeux. Quelques années plus tard, il entreprenait des études artistiques. C'était bel et bien un détail visuel qui l'avait impressionné, qui rendait Paris différent de Londres.

Un autre souvenir, dans le même ordre d'idée. C'était lorsque mon frère, réformé, fut rapatrié d'Afrique orientale. Il ramena avec lui un serviteur indigène, Shebani. Impatient de montrer à cet Africain tout simple les splendeurs de Londres, il loua une voiture et lui fit faire tout le tour de la capitale. Il lui montra l'abbaye de Westminster, le palais de Buckingham, le palais de Westminster, l'hôtel de ville, Hyde Park, etc. Quand ils furent enfin rentrés, mon frère demanda à Shebani : « Alors, que penses-tu de Londres ? » Ce dernier roula de grands yeux : « C'est merveilleux, Bwana. Merveilleux. Je n'aurais jamais cru voir quelque chose d'aussi beau. » Hochement de tête satisfait de mon frère : « Et qu'est-ce qui t'a le plus impressionné ? » La réponse fusa : « Oh ! Bwana, les boutiques pleines de *viande*, bien sûr. Des si jolies boutiques, avec des pièces de viande qui pendent partout *et personne qui les vole*, personne qui se précipite dessus pour les arracher. Au contraire, tout le monde passe devant en bon ordre. Faut-il qu'un pays soit riche et grand pour avoir toute cette viande exposée librement à la rue. Oui, l'Angleterre est vraiment merveilleuse et Londres une ville extraordinaire. »

Point de vue. Le point de vue d'un enfant. Nous l'avons tous connu, mais la route a été si longue depuis qu'il nous est difficile d'y revenir. Je me rappelle mon petit-fils Mathew, alors qu'il avait peut-être 2 ans et demi. Il se croyait seul. Je l'observais du haut de l'escalier. Il descendait très précautionneusement les marches. Performance toute récente dont il était fier, mais il ne se sentait pas encore rassuré. Il se marmonnait à lui-même : « Mathew descend l'escalier. C'est Mathew. Mathew descend l'escalier. Voilà Mathew qui descend l'escalier. »

Je me demande si nous débutons tous dans la vie en nous regardant agir, dès que nous sommes capables de le faire, comme si nous étions deux personnes séparées. Me suis-je jamais dit : « Voilà Agatha dans sa belle robe qui descend au salon » ? Un peu comme si le corps dans lequel nous découvrons que loge notre esprit nous était tout d'abord étranger. Nous connaissons le nom de cette entité, nous nous en accommodons, mais nous ne nous sommes pas encore entièrement identifiés à elle. Nous sommes Agatha qui part se promener, Mathew qui descend l'escalier. Nous nous voyons agir plutôt que nous ne nous *sentons* agir.

Alors survient le stade suivant de la vie. Tout à coup, « Mathew descend l'escalier » disparaît et devient *je* descends l'escalier. Cette conquête du « je » est la première étape dans le développement de la vie personnelle.

Deuxième partie

La ronde des enfants

1

Qui n'est jamais revenu sur son passé ne peut mesurer à quel point la vision qu'un enfant a du monde est extraordinaire. Sa perspective est complètement différente de celle d'un adulte, tout est hors de proportion.

Les enfants savent très bien apprécier ce qui se passe autour d'eux, et porter un fort bon jugement sur les caractères et sur les gens.

Je devais avoir dans les 5 ans lorsque mon père connut pour la première fois des soucis d'argent. Fils d'un homme fortuné, il s'était imaginé qu'un revenu régulier lui serait toujours assuré. Mon grand-père avait institué une série de mesures fiduciaires compliquées qui devaient prendre effet à sa mort. Il y avait quatre administrateurs. L'un était très vieux et s'était, je crois, retiré de toute activité directe avec l'entreprise, un autre devait peu après se retrouver à l'asile, et les deux derniers, tous deux du même âge que lui, ne tardèrent pas à mourir. Dans l'un des cas, le fils prit la suite. Que ce soit par pure incompétence ou parce que quelqu'un, dans le processus de passation, réussit à détourner des valeurs, je l'ignore. Toujours est-il que les choses allèrent de mal en pis.

Mon père en était malade mais, n'entendant rien aux affaires lui-même, il ne savait comment réagir. Il bombardait de lettres ce cher monsieur Machin et ce cher monsieur Chose, qui répondaient tantôt pour le rassurer, tantôt pour accuser la mauvaise conjoncture, la moins-value et j'en passe. Il hérita d'une vieille tante à peu près vers cette époque, ce qui lui apporta un ballon d'oxygène d'un an ou deux au moment où les rentes qu'il attendait ne rentraient plus.

Ce fut également vers cette époque que sa santé commença à donner des signes de faiblesse. Il souffrit, à plusieurs reprises, de ce qu'on qualifia de troubles cardiaques, terme vague qui recouvre à peu près n'importe quoi. Ses soucis financiers devaient, je suppose, le miner. Le remède immédiat semblait être de faire des économies. La meilleure façon d'y parvenir, en ce temps-là, était de partir vivre un moment à l'étranger. Non pas comme aujourd'hui pour échapper à l'impôt sur le revenu — qui était alors environ, à vue de nez, d'un shilling par livre — mais parce que le coût de la vie était bien moindre au-delà des frontières. Il fut donc décidé de louer la maison et les domestiques pour un bon prix et de s'installer dans un hôtel modeste du sud de la France.

Cette migration eut lieu, si je me souviens bien, alors que j'avais 6 ans. Ashfield fut louée comme prévu — à des Américains, je crois, pour un bon loyer — et la famille se prépara à partir pour Pau, dans le Midi. Perspective, bien entendu, qui m'emballa. Nous allions, me dit ma mère, dans un endroit où l'on pourrait voir des montagnes. Je lui posai maintes questions à ce sujet. Étaient-elles très, très hautes ? Plus hautes que le clocher de St Mary Church ? demandai-je avec curiosité, car c'était le monument le plus haut que je connaissais. Oui, beaucoup, beaucoup plus. Elles s'élevaient à des centaines, à des milliers de mètres. Je fis retraite dans le jardin avec Tony en mordant dans un énorme croûton de pain sec obtenu de Jane qui s'affairait dans la cuisine, pour réfléchir et essayer de m'imaginer des montagnes. La tête renversée en arrière, les yeux braqués vers le ciel. Ce serait donc comme ça, les montagnes, ça monterait, monterait, monterait jusqu'à disparaître dans les nuages. C'était une idée impressionnante. Maman adorait la montagne. Bien plus que la mer, nous avait-elle dit un jour. Les montagnes seraient à n'en pas douter l'un des plus grands événements de ma vie.

Triste conséquence de ce départ pour l'étranger : il faudrait me séparer de Tony. Ce dernier n'était pas, bien sûr, loué avec la maison. Il serait mis en pension chez une ancienne femme de chambre nommée Froudie. Celle-ci, qui avait épousé un charpentier et habitait à proximité, était tout à fait disposée à l'accueillir. J'embrassai mille fois Tony qui répondit en me léchant frénétiquement le visage, le cou, les bras et les mains.

Les conditions dans lesquelles on voyageait à l'étranger, à l'époque, semblent aujourd'hui extraordinaires. Il n'y avait bien entendu aucun passeport, aucun formulaire à remplir. On achetait son billet de train, on réservait pour le wagon-lit, et c'était tout. La simplicité même. En revanche, les Bagages ! Il faut bien une majuscule pour expliquer leur importance. J'ignore ce que le reste de la famille avait emporté, mais je me rappelle fort bien ce que ma mère prit avec elle. Il y avait pour commencer trois malles à couvercle bombé. La plus grande faisait environ 1,20 m de haut et avait deux plateaux intérieurs. Venaient ensuite des cartons à chapeau, de grandes valises carrées en cuir, trois malles de fabrication américaine qu'on voyait souvent à cette époque dans les couloirs d'hôtels. Elles étaient volumineuses et, j'imagine, excessivement lourdes.

Pendant une semaine au moins avant le départ, ma mère vécut au milieu de ses malles. Comme nous n'étions, à ce moment-là, pas très argentés selon les critères de l'époque, elle n'avait pas de femme de chambre attachée à son service. Elle dut faire les bagages elle-même. En préliminaire, il y avait ce qu'on appelait le « tri ». Les grandes armoires et les commodes restaient ouvertes cependant que ma mère fouillait parmi des monceaux d'objets disparates tels que fleurs artificielles, « mes rubans » et « mes bijoux ». Tout cela prenait apparemment des heures à trier avant d'être rangé dans les compartiments des différentes malles.

Avoir des bijoux ne consistait pas, comme aujourd'hui, à posséder quelques pièces « vraies » et beaucoup de fantaisie. L'imitation était dédaignée et considérée « de mauvais goût », sauf peut-être une broche en strass ici ou là. Les bijoux précieux de maman comprenaient « mon agrafe en diamants, mon croissant en diamants, ma bague de fiançailles en diamants ». Les autres aussi étaient « vrais », mais comparativement bon marché. Nous leur trouvions pourtant tous beaucoup de charme. Il y avait « mon collier indien », « ma parure florentine », « mon collier vénitien », « mes camées », etc. Il y avait également six broches qui nous intéressaient fort, ma sœur et moi. C'étaient « les poissons », cinq petits poissons en brillants, « le gui », une toute petite broche de diamants et de perles, « ma violette de Parme », une broche en émail qui représentait cette fleur, « mon églantine », en forme de fleur elle aussi, une rose en émail entourée de feuilles en diamants, et enfin « mon âne », la grande favorite, une perle baroque montée en entourage de diamants pour figurer une tête d'âne. Chaque bijou était destiné à quelqu'un, après le décès de ma mère. Madge recevrait la violette de Parme, sa fleur préférée, le croissant de diamants et l'âne. Moi, la rose, l'agrafe en diamants et le gui. On se prêtait librement, dans ma famille, à ces legs anticipés d'objets personnels. Ils ne suscitaient aucun sentiment d'affliction mais simplement le plaisir chaleureux de savoir que quelque chose vous appartiendrait plus tard.

À Ashfield, la maison tout entière était remplie de tableaux achetés par mon père. La mode, à cette époque, était d'en caser autant qu'on pouvait sur les murs. L'un d'eux m'était réservé. C'était une grande marine, avec une jeune femme qui prenait pompeusement un jeune garçon dans ses filets. Enfant, j'y voyais l'absolu de la beauté. Il est triste de constater combien elle avait baissé dans mon estime quand vint pour moi le temps de faire le tri des toiles à vendre. Même par attachement sentimental, je n'en ai conservé aucune. Force m'est de constater que les goûts de mon père en matière picturale étaient immuablement mauvais. À l'inverse, chacun des meubles qu'il a achetés est un joyau. Il était passionné de mobilier ancien. Les secrétaires Sheraton et les sièges Chippendale qu'il a acquis, souvent à très bas prix vu qu'à l'époque c'était le bambou qui faisait fureur, sont un ravissement à posséder dans un intérieur. Ils ont pris une valeur telle que, après la mort de mon père, maman put rester à l'abri du besoin en vendant une grande partie des plus belles pièces.

Ma grand-mère, ma mère et lui étaient grands collectionneurs de porcelaines. Lorsque mamie vint, plus tard, vivre chez nous, elle apporta sa collection de Dresde et de Capo di Monte qui emplit d'innombrables placards à Ashfield. Il fallut même en faire de nouveaux pour tout rentrer. Nous étions une famille de collectionneurs, c'est certain, et j'ai hérité de ces traits. Le seul ennui, quand il vous vient ainsi une bonne collection de porcelaines et de meubles, c'est que vous n'avez plus de raison d'en commencer une qui soit bien à vous. La passion du collectionneur devant néanmoins être satisfaite, j'ai réuni un assez bel assortiment de meubles en papier mâché et de menus objets qui ne figuraient pas dans les collections de mes parents.

Le jour du départ, j'étais surexcitée au point de me sentir mal et d'être incapable d'articuler une parole. Les grandes émotions semblent toujours m'ôter le pouvoir de parler. Mon premier souvenir net de ce voyage à l'étranger se situe au moment où nous embarquâmes à Folkestone. Ma mère et Madge prirent cette traversée de la Manche très au sérieux. Elles étaient sujettes au mal de mer et se retirèrent immédiatement dans le salon des dames pour s'allonger et fermer les yeux en espérant qu'elles pourraient atteindre la côte française saines et sauves. Malgré mon expérience malheureuse sur une embarcation légère, j'étais persuadée que j'aurais, *moi*, le pied marin. Mon père m'encouragea dans cette conviction et je restai donc sur le pont avec lui. La traversée, je crois, fut particulièrement bonne, et je n'en attribuai pas le mérite à la mer mais à mon aptitude à supporter son mouvement. Nous arrivâmes à Boulogne, et je fus toute fière d'entendre mon père proclamer : « Agatha a vraiment le pied marin. »

Un autre grand moment fut de dormir dans le train. Je partageais un compartiment avec ma mère et fus hissée sur la couchette supérieure. Pour maman qui aimait tant l'air frais, celui, enfumé et confiné, des wagons-lits fut un véritable supplice. Toute la nuit, j'eus l'impression de me réveiller pour la voir passer la tête par la fenêtre ouverte et aspirer de grandes goulées d'air nocturne.

Nous arrivâmes à Pau tôt le lendemain matin. La navette de l'*Hôtel Beau Séjour* nous attendait, et nous nous entassâmes à l'intérieur. Nos dix-huit pièces de bagages venaient séparément et parvinrent sans encombre à l'hôtel. Celui-ci possédait une large terrasse extérieure donnant sur les Pyrénées.

— Là, fit papa, tu vois ? Les voilà, les Pyrénées, avec leur neige !

Je regardai. Ce fut l'une des plus grandes désillusions de ma vie, une désillusion que je n'ai jamais oubliée. Où était-elle, cette hauteur vertigineuse qui s'élançait jusqu'au ciel, loin au-dessus de ma tête, et qui dépassait l'entendement ? Au lieu de cela, je ne voyais, là-bas vers l'horizon, que ce qui ressemblait à une rangée de dents dressées à quelques centimètres au-dessus de la plaine en contrebas. *Ça* ? Des *montagnes* ? Je ne répondis point. Mais cette terrible déception, je la ressens encore.

2

Nous devons être restés environ six mois à Pau. C'était une vie entièrement nouvelle pour moi. Mon père, ma mère et Madge se trouvèrent vite pris dans un tourbillon d'activités. Papa avait plusieurs amis américains qui séjournaient là, il se fit de nombreuses relations à l'hôtel et nous avions également des lettres d'introduction auprès de gens vivant dans des hôtels et des pensions des alentours.

Pour s'occuper de moi, maman engagea une sorte de nourrice-gouvernante journalière — une Anglaise, en fait, mais qui avait vécu toute sa vie à Pau et qui parlait français aussi couramment qu'anglais, sinon mieux. L'idée était que j'apprenne le français avec elle. Mais les choses ne se déroulèrent pas comme prévu. Miss Markham venait me chercher chaque matin pour me faire faire une promenade, au cours de laquelle elle attirait mon attention sur différentes choses et répétait leur nom en français. « *Un chien.* * » « *Une maison.* * » « *Un gendarme.* * » « *Le boulanger* *. » Je les répétais avec application, mais naturellement, quand j'avais une question à poser, je la posais en anglais et miss Markham y répondait en anglais. Autant que je me souvienne, je trouvais les journées plutôt longues, avec ces interminables promenades en compagnie de miss Markham qui était aimable, gentille, consciencieuse et terriblement ennuyeuse.

Ma mère comprit vite que je n'apprendrais jamais la langue de cette manière. Elle décida de me faire donner des leçons particulières par une Française qui viendrait tous les après-midi. Cette nouvelle recrue avait pour nom Mlle Mauhourat. C'était une femme plantureuse, qui portait invariablement une accumulation de petites capes marron sur le dos.

---

* Les mots en italique suivis d'un astérisque sont en français dans le texte. (N.d.T)

Les chambres étaient bien entendu surchargées, à cette époque. Trop de meubles, d'objets décoratifs. Mlle Mauhourat faisait toujours de grands gestes. Elle se démenait dans la pièce, gesticulait des épaules, des bras et des mains si bien qu'elle finissait immanquablement par envoyer dinguer quelque bibelot et par le casser. Cela devint objet de plaisanterie dans la famille. « Elle me rappelle cette perruche que tu avais, Agatha, fit mon père. Daphné. Balourde, pataude, qui n'arrêtait pas de renverser son bac à grains. »

Elle était aussi très volubile, et ses flots de paroles avaient tendance à me paralyser. Je ne savais jamais quoi répondre quand elle se mettait à roucouler : « *Oh ! la chère mignonne ! Qu'elle est gentille, cette petite ! Oh ! la chère mignonne ! Nous allons prendre des leçons très amusantes, n'est-ce pas ?*[*] » Je restais à la regarder d'un œil poli, mais complètement froid. Jusqu'à ce que, sur une injonction muette de ma mère, je murmure enfin sans la moindre conviction : « *Oui, merci*[*] », ce qui représentait à peu près la totalité de mes connaissances en français à l'époque.

Les leçons se déroulaient sans heurt. J'étais docile, comme d'habitude, mais apparemment ça ne voulait pas rentrer. Maman, qui aimait les résultats rapides, était mécontente de mon peu de progrès.

— Elle n'avance pas comme elle devrait, se plaignit-elle à mon père.

Celui-ci, toujours aussi conciliant, répondait :

— Bah ! laissons-lui du temps, Clara. Laissons-lui du temps. Après tout, ça ne fait que dix jours qu'elle vient, cette dame.

Mais ma mère n'était pas femme à laisser du temps à quiconque. Le dénouement intervint lorsque je fus prise d'une petite affection infantile. Cela commença par une simple grippe qui se transforma en catarrhe. Je me sentais fébrile, pas bien du tout, et quand j'entrai en convalescence, avec toujours un peu de température, je ne pus supporter la vue de Mlle Mauhourat.

— Je vous en supplie, implorai-je ma mère, dites-lui que je ne prends pas de leçon cet après-midi. Je ne veux pas.

Maman était toujours compréhensive quand il y avait une bonne raison. Elle accepta. Le moment venu, Mlle Mauhourat, ses capes et tout le tremblement arrivèrent à la maison. Ma mère expliqua que j'avais de la température, que je ne devais pas sortir et qu'il serait peut-être préférable d'annuler la leçon pour aujourd'hui. Cela déclencha immédiatement Mlle Mauhourat qui fondit sur moi avec de grands gestes des bras, toutes capes dehors. « *Oh ! la pauvre mignonne, la pauvre petite mignonne !*[*] » s'apitoya-t-elle en me soufflant dans le cou. Elle me ferait la lecture. Me raconterait des histoires. Amuserait cette « *pauvre petite*[*] ».

Je lançai des regards de détresse en direction de ma mère. Je ne pouvais pas supporter cela. Pas une seconde de plus ! Et Mlle Mauhourat qui continuait à piailler de sa voix criarde — l'une des choses que je déteste le plus dans une voix. Mes yeux imploraient : « Faites-la partir. De grâce, faites-la partir ! »

D'une main ferme, ma mère dirigea Mlle Mauhourat vers la porte.

— Je crois qu'Agatha a besoin qu'on la laisse tranquille cet après-midi, dit-elle.

Elle reconduisit Mlle Mauhourat, puis revint vers moi en secouant la tête d'un air mécontent.

— D'accord, je comprends, mais ce n'est pas bien de faire d'aussi vilaines grimaces.

— Des grimaces ?

— Oui, toutes ces mimiques et ces regards que tu me lançais. Mlle Mauhourat a très bien vu que tu voulais qu'elle s'en aille.

J'en fus consternée. Je n'avais pas voulu être impolie.

— Mais, maman, expliquai-je, c'étaient des grimaces *anglaises*, pas des *françaises* !

Cela fit rire ma mère qui m'expliqua que les grimaces étaient une sorte de langage international qui pouvait être compris par des gens de tous les pays. Malgré tout, elle prévint papa que Mlle Mauhourat ne savait pas s'y prendre avec moi et qu'elle allait chercher quelqu'un d'autre. Il s'en réjouit pour ses objets en porcelaine et ajouta : « À la place d'Agatha, moi non plus je ne pourrais pas la supporter. »

Débarrassée des ministères de miss Markham et de Mlle Mauhourat, je commençai enfin à m'amuser. À l'hôtel habitaient Mrs Selwyn, la veuve — ou peut-être la belle-sœur — de Mgr Selwyn, l'évêque, et ses deux filles, Dorothy et Mary. Dorothy — Dar — avait un an de plus que moi. Mary, un de moins. Nous fûmes vite inséparables.

Toute seule, j'étais une enfant sage, bien élevée et obéissante, mais dans la compagnie d'autres enfants, j'étais toujours prête pour n'importe quelle bêtise. En particulier, toutes trois, nous empoisonnâmes l'existence des infortunés serveurs, à la table d'hôte. Un soir, nous changeâmes le sel en sucre dans toutes les salières. Un autre jour, nous découpâmes des petits cochons dans des pelures d'orange et les plaçâmes dans les assiettes juste avant que l'on ne sonne la cloche pour le repas.

Ces serveurs français étaient les plus gentils que je rencontrerai sans doute jamais. Le nôtre, surtout, Victor. C'était un petit homme trapu avec un long nez qui ressortait brusquement de son visage. Son haleine dégageait une odeur que je trouvais abo-

minable : je découvrais l'ail. En dépit de tous les mauvais tours
que nous lui jouions, il semblait ne pas nous en vouloir et faisait
même tout ce qu'il pouvait pour nous être agréable. Par exemple,
il nous sculptait de superbes souris dans des radis. Et si nous
n'eûmes jamais d'ennuis sérieux pour tous nos méfaits, c'est bien
parce que le fidèle Victor ne se plaignit jamais auprès de la direction ou de nos parents.

Mon amitié avec Dar et Mary était beaucoup plus importante
pour moi que toutes celles que j'avais pu avoir auparavant. Peut-
être étais-je arrivée à un âge où la communauté d'entreprise devenait plus amusante que l'action solitaire. Nous fîmes ensemble un
tas de coups pendables et nous amusâmes comme des folles pendant
ces mois d'hiver. Bien sûr, il nous arrivait souvent de nous faire disputer pour nos frasques, mais nous n'éprouvâmes qu'une seule fois
une juste indignation à l'opprobre qui s'abattit sur nous.

Mrs Selwyn et ma mère bavardaient un jour tranquillement
lorsqu'un message urgent fut apporté par la femme de chambre.
« Avec les compliments de la dame belge qui habite dans l'autre
aile de l'hôtel : Mrs Selwyn et Mrs Miller savent-elles que leurs
trois filles sont en train de se promener sur le parapet du quatrième étage ? »

Imaginez l'émoi des deux mères lorsqu'elles se précipitèrent
dans la cour intérieure, levèrent les yeux et virent trois silhouettes
hilares marcher à la queue leu leu en équilibre sur un parapet
d'une trentaine de centimètres de large. L'idée du danger que
représentait cet exercice ne nous avait pas effleuré l'esprit. Nous
avions un peu trop fait enrager une femme de chambre qui était
parvenue à nous entraîner dans une remise à balais puis à refermer
la porte et à nous enfermer triomphalement à clé. Nous en fûmes
fort indignées, mais que pouvions-nous faire ? Il y avait une toute
petite fenêtre et, en regardant au-dehors, Dar estima qu'il serait
possible, à son avis, de sortir par là, de marcher sur le parapet,
de tourner le coin et de rentrer par l'une des fenêtres qu'il y avait
là-bas. Aussitôt dit, aussitôt fait. Dar se faufila la première, je la
suivis, puis Mary. À notre grande satisfaction, nous trouvâmes
fort aisé de marcher sur le parapet. Avons-nous regardé les quatre
étages de vide qui s'ouvraient sous nos pieds ? Je l'ignore, mais
même si nous l'avions fait, je ne crois pas que la tête nous aurait
tourné ou que nous serions tombées. J'ai toujours été effarée de la
façon dont les enfants peuvent s'aventurer au bord d'une falaise,
regarder en bas, sous leurs orteils, et ne pas éprouver le moindre
vertige ou autre malaise d'adultes.

En l'occurrence, nous n'eûmes pas à aller trop loin. Les trois
premières fenêtres, il me semble, étaient fermées, mais la suivante,

qui donnait dans l'une des salles de bains communes, était ouverte. À peine étions-nous entrées qu'on vint nous chercher, à notre grande surprise, et qu'on nous intima l'ordre de « descendre immédiatement au salon de Mrs Selwyn ». Les deux mères étaient dans une colère noire, nous ne comprenions pas *pourquoi*. On nous envoya au lit pour le restant de la journée sans accepter nos explications. Pourtant, c'était l'exacte vérité :

— Mais vous ne nous avez jamais dit, plaidâmes-nous en effet chacune à notre tour, qu'on n'avait pas le droit de marcher sur ce parapet.

Nous allâmes donc nous coucher avec un lourd sentiment d'injustice.

Pendant ce temps, ma mère réfléchissait toujours au problème de mon éducation. Ma sœur et elle se faisaient faire leurs robes par l'une des couturières de la ville, et là, un jour, ma mère eut l'œil attiré par l'apprentie, dont la tâche essentielle était d'aider la cliente à mettre et à ôter le vêtement, et de passer des épingles à l'essayeuse principale. Cette dernière était une créature acariâtre entre deux âges, et ma mère, remarquant la patience et la bonne humeur de la jeune fille, décida d'en savoir un peu plus sur son compte. Elle l'observa au cours des deuxième et troisième essayages et finit par engager la conversation. Elle s'appelait Marie Sijé[1], avait 22 ans. Son père était patron de café, elle avait une grande sœur également dans la couture, deux frères et une petite sœur. Ma mère lui coupa alors le souffle en lui demandant d'une voix toute banale s'il lui plairait de venir en Angleterre. Marie ne put que balbutier de bonheur.

— Je dois bien sûr en parler d'abord à votre mère, fit maman. Elle n'aimera peut-être pas savoir sa fille si loin.

Rendez-vous fut pris, maman alla voir Mme Sijé et elles en discutèrent à fond. Ce fut alors, et alors seulement, qu'elle aborda le sujet avec mon père.

— Mais enfin, Clara, protesta-t-il, cette fille n'est ni gouvernante ni quoi que ce soit de ce genre !

Maman répliqua qu'elle voyait en Marie exactement la personne dont ils avaient besoin.

— Elle ne parle pas un mot d'anglais, pas un seul. Avec elle, Agatha sera bien *obligée* d'apprendre le français. C'est une fille douce, qui a bon caractère. Sa famille est respectable. Elle a envie de venir en Angleterre et elle pourra faire un tas de travaux de couture pour nous.

---

1. Le véritable patronyme de Marie était Sigé. (N.d.É.)

— Vous êtes vraiment sûre, Clara ? demanda-t-il d'un air dubitatif.

Ma mère était toujours sûre :

— C'est la personne qu'il nous faut.

Comme c'était si souvent le cas avec ses inexplicables lubies, elle avait raison. Il me suffit de fermer les yeux pour revoir maintenant cette chère Marie comme je la vis alors : le visage rond et rose, son petit nez retroussé, ses cheveux bruns remontés en chignon. Terrorisée, comme elle devait me l'avouer plus tard, elle entra dans ma chambre le premier matin après s'être donné un mal de chien à apprendre en anglais la phrase avec laquelle me saluer : « Good morningue, Misse. I'ope zat you are vell. » Malheureusement, son accent était tel que je ne compris pas un mot. Je la dévisageai d'un air méfiant. Sans pratiquement échanger une parole, pleines d'appréhension, nous passâmes le premier jour à nous regarder en chiens de faïence. Marie vint me brosser les cheveux — des cheveux blonds, toujours avec des anglaises — et elle avait tellement peur de me faire mal qu'elle ne fit que les effleurer avec la brosse. Je voulais lui expliquer de coiffer plus fort, mais ce fut évidemment impossible, car je ne connaissais pas les mots adéquats.

Comment parvînmes-nous à converser, Marie et moi, en moins d'une semaine, je n'en ai pas la moindre idée. Nous communiquions en français. Un mot par-ci par-là, et j'arrivais à me faire comprendre. Au point que, à la fin de la semaine, nous étions grandes amies. Sortir avec Marie était une joie. Tout était une joie avec Marie. C'était le début d'une heureuse association.

Au commencement de l'été il se mit à faire très chaud, à Pau. Nous allâmes passer une huitaine de jours à Argelès, une autre à Lourdes, puis nous montâmes à Cauterets dans les Pyrénées. C'était un endroit délicieux, juste au pied des montagnes — montagnes à propos desquelles j'avais alors surmonté ma déception. (Cela dit, bien que la situation de Cauterets fût plus favorable, on ne voyait toujours pas de hauteurs vertigineuses !) Chaque matin, nous faisions une promenade sur un chemin de montagne qui menait à la source minérale dont nous buvions de grands verres d'une eau au goût horrible. Après avoir ainsi œuvré pour notre santé, nous achetions un bâton de sucre d'orge. Le préféré de maman était celui à l'anis, que je détestais. Sur les sentiers en lacets qui avoisinaient l'hôtel, je ne tardai pas à découvrir un jeu formidable : celui de faire du toboggan parmi les pins sur mes fonds de culotte. Marie ne voyait pas cela d'un bon œil, mais je dois malheureusement reconnaître qu'elle ne sut jamais, depuis le début, avoir la moindre autorité sur moi. Nous étions amies, nous étions camarades de jeu, mais l'idée de lui obéir ne m'effleura à aucun moment l'esprit.

L'autorité est une chose extraordinaire. Ma mère la possédait à plein. Elle se fâchait rarement, n'élevait presque jamais la voix, mais n'avait qu'à exprimer doucement une volonté pour être instantanément obéie. Il lui semblait toujours extraordinaire que les autres n'eussent pas ce don. Plus tard, alors qu'elle habitait chez moi après mon premier mariage et que j'avais moi-même un enfant, je lui dis combien j'étais lasse de voir les petits garçons de la maison voisine franchir la haie et venir jouer chez nous. J'avais beau les chasser, ils ne s'en allaient pas.

— C'est quand même un peu fort, fit-elle. Pourquoi ne leur dis-tu pas de partir, tout simplement ?

J'avouai mon impuissance. À ce moment, les deux petits polissons arrivèrent et se préparèrent comme d'habitude à chantonner : « Hou ! on s'en ira pas, na ! » et à jeter du gravier sur la pelouse. L'un d'eux se mit à lancer des pierres contre un arbre, à crier et ricaner. Ma mère tourna la tête vers lui.

— Ronald, fit-elle. C'est bien ton nom, n'est-ce pas ?

Lequel Ronald dut reconnaître que oui.

— Ne viens pas jouer si près d'ici, veux-tu ? Je n'aime pas qu'on me dérange. Tu n'as qu'à aller un peu plus loin.

Ronald la regarda, siffla son frère et s'en alla sur-le-champ.

— Tu vois, ma chérie, fit maman, c'est pourtant *simple*.

Pour elle, sans doute. Je suis persuadée qu'elle aurait pu diriger une classe de délinquants sans la moindre difficulté.

Il y avait une autre fille à l'hôtel de Cauterets, Sybil Patterson, dont la mère était une amie des Selwyn. J'étais en adoration devant Sybil. Je la trouvais belle, et ce que j'admirais le plus en elle était sa silhouette naissante. Les fortes poitrines étaient à la mode, à l'époque. Chaque femme en avait plus ou moins. Ma grand-mère et ma grand-tante avaient un si énorme et protubérant balcon qu'il était difficile aux deux sœurs de s'embrasser pour se dire bonjour sans collision mammaire. Bien qu'une poitrine me parût normale chez les femmes adultes, le fait que Sybil en possédât une éveilla mes pires instincts de jalousie. Sybil avait 14 ans. Combien de temps devrais-je attendre avant de pouvoir moi aussi bénéficier de ce magnifique épanouissement ? Huit ans ? Huit ans à rester plate ? Qu'il me tardait d'avoir ces signes de maturité féminine ! Allons, patience. Je devais être patiente. Et dans huit ans, sept peut-être avec un peu de chance, deux belles rondeurs pousseraient miraculeusement sur mon torse hâve. Il fallait attendre.

Les Selwyn ne restèrent pas à Cauterets aussi longtemps que nous. Après leur départ, j'eus le choix entre deux autres amies :

une petite Américaine, Marguerite Prestley, et une Anglaise, Margaret Home. Mon père et ma mère, qui s'étaient alors liés d'amitié avec les parents de Margaret, espéraient naturellement qu'elle et moi nous fréquenterions et jouerions ensemble. Comme de juste en pareil cas, j'avais une préférence très marquée pour la compagnie de Marguerite Prestley, qui utilisait des mots et des expressions extraordinaires que je n'avais jamais entendus auparavant. Nous nous racontions des tas d'histoires. L'une de celles de Marguerite, qui comprenait le périlleux épisode d'une rencontre avec un « scarrapionne », me fit particulièrement frémir.

— Mais c'est quoi, un scarrapionne ? demandai-je avec insistance.

Marguerite, dont la nurse Fanny avait un accent texan tel que je ne comprenais presque jamais ce qu'elle disait, me fit une brève description de cette horrible créature. Je demandai à Marie, mais celle-ci n'avait jamais entendu parler de scarrapionnes. Je finis par en parler à mon père. Il hésita lui aussi, au début, jusqu'à ce que la lumière lui vienne enfin :

— Ah ! tu veux dire un scorpion, je suppose ?

Cela brisa la magie, en quelque sorte. Un scorpion n'avait pas l'air aussi méchant que le terrible scarrapionne de mon imagination.

Marguerite et moi eûmes un sérieux désaccord sur un sujet : celui de la provenance des bébés. J'assurai à Marguerite que c'étaient les anges qui les apportaient — information que je tenais de Nursie. Marguerite, elle, affirmait que c'était les docteurs qui les avaient en stock et qui les apportaient dans un grand sac noir. Quand le ton eut suffisamment monté, la diplomate Fanny régla le problème une bonne fois pour toutes.

— Vous avez toutes les deux raison, mes chéries, fit-elle avec son impossible accent : les bébés américains sont apportés par un docteur dans un sac noir et les bébés anglais par des anges. C'est aussi simple que ça.

Satisfaites, nous cessâmes les hostilités.

Papa et Madge faisaient de nombreuses randonnées à cheval. En réponse à mes supplications, j'appris un jour que je serai autorisée le lendemain à les accompagner. Quel bonheur ! Ma mère montra quelques réticences, mais papa sut les vaincre.

— Nous avons un guide avec nous, plaida-t-il, et il a l'habitude des enfants. Il veillera à ce que personne ne tombe.

Le lendemain matin, les trois chevaux arrivèrent et nous partîmes. Nous gravîmes les lacets de sentiers escarpés, et j'étais heureuse comme un pape, perchée sur ce qui me semblait être un cheval immense. Le guide le menait par la longe, et de temps à autre cueillait de petits bouquets de fleurs qu'il me tendait pour accrocher à mon chapeau. Tout s'était bien passé jusque-là, mais lorsque nous parvînmes au sommet, au moment du déjeuner, le guide fit encore mieux : il rapporta en courant, l'air triomphant, un magnifique papillon qu'il venait d'attraper. « *Pour la petite mademoiselle** », fit-il. Tirant une épingle du revers de sa veste, il en transperça le papillon et le planta sur mon chapeau ! L'horreur de ce moment ! Sentir ce pauvre papillon battre des ailes, se débattre contre l'épingle ! J'étais au supplice. Et bien sûr, *je ne pouvais rien dire*. J'étais déchirée par des pensées contradictoires. Cela partait d'une bonne intention de la part du guide. Il avait fait cela pour moi. Spécialement. Comment pouvais-je alors le vexer en lui disant que son cadeau ne me plaisait pas ? Pourtant, j'aurais tellement voulu qu'il me l'enlève ! Et ce pauvre papillon qui continuait à battre des ailes, qui mourait ! Ce tressaillement affreux que je sentais contre mon chapeau ! Un enfant n'a qu'une ressource, en pareil cas : je me mis à pleurer.

Plus on me pressait de questions, moins je pouvais répondre.

— Mais enfin, qu'est-ce qu'il y a ? demanda mon père. Tu as mal ?

— C'est peut-être d'être sur le cheval qui lui fait peur, suggéra ma sœur.

Non, répondis-je chaque fois. Je n'avais pas mal et je n'avais pas peur.

— Tu es fatiguée ?

— Non.

— Qu'as-tu, alors ? s'énerva papa.

Je ne pouvais pas le lui dire. Bien sûr que non, le guide était là, à côté, qui ne me quittait pas du regard, l'air perplexe.

— Elle est trop jeune, conclut mon père avec un certain agacement. Nous n'aurions pas dû l'emmener.

Mes pleurs redoublèrent. Je dus leur gâcher la journée à tous les deux, je le savais, mais je ne pouvais m'arrêter. J'espérais, je priais de toutes mes forces que papa, ou même Madge, devine vite l'objet de mon malheur. L'un des deux allait sûrement regarder le papillon, le voir se débattre, dire : « Peut-être qu'elle n'aime pas avoir ça sur son chapeau. » Si cela venait d'eux, ça irait. Mais comment le leur faire comprendre ? Ce fut une journée terrible. Je ne pus rien avaler au déjeuner. Je restai assise à sangloter, et le papillon continuait à battre des ailes. Il cessa enfin. Cela aurait dû me calmer un peu, mais j'étais dans un tel état de détresse que rien n'aurait pu me consoler.

Nous redescendîmes, mon père cette fois en colère pour de bon, ma sœur contrariée, le guide toujours aussi aimable et déconcerté. Heureusement qu'il ne lui vint pas à l'esprit d'aller me chercher un second papillon pour me réconforter ! Nous arrivâmes donc à l'hôtel avec nos mines déconfites et rejoignîmes ma mère dans notre salon.

— Mon Dieu ! s'écria-t-elle, Agatha s'est fait mal ?

— Je ne sais pas, maugréa mon père. Je ne comprends pas ce qu'elle a, cette gosse. Mal quelque part, je suppose. Elle a commencé à pleurer au moment du déjeuner et n'a pas cessé depuis. Impossible de lui faire avaler quoi que ce soit.

— Qu'est-ce qui t'arrive, Agatha ? demanda ma mère.

Je ne répondis pas. Je ne pus que rester à la regarder, sans voix, cependant que des larmes continuaient à rouler sur mes joues. Elle me fixa attentivement quelques minutes puis demanda :

— Qui a mis ce papillon sur son chapeau ?

Ma sœur expliqua que c'était le guide.

— Je vois, fit maman.

Puis, se tournant vers moi :

— Tu n'as pas aimé ça, hein ? Il était vivant et tu t'es dit qu'il avait mal ?

Ah ! le merveilleux, le divin soulagement quand quelqu'un devine ce qui vous travaille et vous le dit, de sorte que vous êtes libéré de cette interminable obligation de silence ! Je me précipitai sur elle avec une sorte de frénésie et lui jetai les bras autour du cou.

— Oui, oui, oui ! Même qu'il battait des ailes. Il *battait des ailes* ! Mais le guide était gentil, il avait fait ça pour me faire plaisir, alors je ne pouvais *rien dire* !

Elle comprit instantanément et me consola doucement dans ses bras. Tout sembla aussitôt s'estomper dans mon esprit.

— Je sais exactement ce que tu as ressenti, dit-elle. Mais c'est fini, maintenant, alors nous n'en parlerons plus.

Ce fut vers cette époque que je m'aperçus que ma sœur exerçait une véritable fascination sur les garçons de son entourage. Jolie sans être belle au sens strict du terme, c'était une jeune femme très attirante. Elle avait hérité de mon père sa vivacité d'esprit et était extrêmement plaisante dans la conversation. De plus, il émanait de sa personne un très grand magnétisme sexuel. Les jeunes gens tombaient devant elle comme des mouches. Il ne fallut pas longtemps pour que Marie et moi établissions ce qu'on appellerait, en jargon hippique, la cote de ses différents admirateurs. Nous discutions leurs chances respectives.

— Je parierais sur Mr Palmer. Qu'en penses-tu, Marie ?

— C'est possible. Mais il est trop jeune.

Je répliquai qu'il était à peu près du même âge que Madge, mais Marie assura que c'était « *beaucoup trop jeune** » :

— Moi, je verrais plutôt sir Ambroise.

Je protestai :

— Il a des années et des années de plus qu'elle, Marie !

Sans doute, mais elle affirma que ça donnait de la stabilité au couple si le mari était plus âgé que la femme. Elle ajouta que sir Ambroise serait une excellent « parti » que toute famille serait heureuse d'accueillir.

— Hier, annonçai-je, elle a mis une fleur à la boutonnière du manteau de Bernard.

Marie n'avait pas très haute opinion dudit Bernard : « Pas un garçon sérieux », conclut-elle.

Je finis par en savoir très long sur la famille de Marie. Je connaissais les habitudes de leur chat, sa façon de se faufiler entre les bouteilles, au café, et de s'endormir au beau milieu sans jamais en casser une seule. Je savais que sa sœur Berthe était plus âgée qu'elle, que c'était une fille très sérieuse, et que sa cadette Angèle était le chouchou de toute la maison. J'appris tous les mauvais coups de ses deux frères, les ennuis dans lesquels ils se mettaient. Marie me confia aussi le secret dont la famille était fière : leur nom avait été Shije avant de devenir Sijé. Bien qu'incapable de voir ce qu'il y avait de si extraordinaire à cela — et je ne le vois toujours pas — j'abondai dans son sens et la félicitai chaleureusement d'avoir eu de tels aïeux.

Marie me lisait de temps à autre des livres français, tout comme ma mère. Mais vint le jour heureux où je pris moi-même les *Mémoires d'un âne* et où je m'aperçus, en tournant les pages, que j'étais capable de le lire aussi bien seule que si quelqu'un m'avait fait la lecture. Je fus félicitée de toutes parts, ma mère n'étant pas la dernière. Enfin, après tant de vicissitudes, je savais le français ! Je savais le lire. J'avais parfois besoin d'explications sur les passages les plus difficiles, mais dans l'ensemble, j'y étais arrivée !

A la fin du mois d'août, nous quittâmes Cauterets pour Paris. Je me souviens de cet été comme de l'un des meilleurs que j'aie jamais connus. Il avait réuni tout ce qui peut combler une enfant de mon âge. L'attrait de la nouveauté. Les arbres, qui m'ont toujours été source de joie tout au long de ma vie — n'est-il pas symbolique qu'un de mes tout premiers compagnons imaginaires se soit appelé Arbre ? Une nouvelle et délicieuse compagne, ma chère Marie au petit nez retroussé. Des expéditions à dos de mulet. Des randonnées sur des sentiers escarpés. Du bon temps avec la famille. Mon amie américaine Marguerite. Le charme du dépaysement. « Quelque chose de rare et d'étrange... » : Shakespeare savait bien, lui. Mais ce n'est pas un ensemble, une addition d'éléments qui me reste en mémoire, c'est l'endroit : Cauterets, avec sa longue vallée, son petit chemin de fer, ses pentes boisées et ses hautes collines.

Je n'y suis jamais retournée. C'est aussi bien. Il y a un an ou deux, nous avons envisagé d'y passer l'été. J'avais dit, sans trop faire attention : « J'aimerais bien retourner là-bas. » C'était vrai. Mais j'ai réfléchi ensuite que je ne *pouvais pas* y retourner. On ne peut pas, jamais, retrouver un lieu qui vous a marqué la mémoire. À supposer, ce qui est improbable, que rien n'y ait changé, on ne le reverrait pas avec les mêmes yeux. Le passé est le passé. « Les routes heureuses que j'ai empruntées, et que je n'emprunterai jamais plus... »

Ne retournez jamais en un endroit où vous avez connu le bonheur : son souvenir restera vivant en vous. Sinon, il sera détruit.

J'ai résisté plusieurs fois à ce désir. De retourner au mausolée de cheik Adi dans le nord de l'Irak, par exemple. Nous y étions allés lors de ma première visite à Mossoul. Il n'était pas facile d'y accéder, à l'époque : il fallait obtenir un permis, puis s'arrêter au poste de police d'Aïn Sifni, sous les rochers du mont Maclub.

De là, accompagnés par un policier, nous étions montés par un chemin tortueux. C'était le printemps, frais et verdoyant, et il y avait des fleurs sauvages tout le long. Un petit torrent, aussi. Nous rencontrâmes çà et là quelques enfants et quelques chèvres. Nous arrivâmes alors au mausolée yézide. Je me rappelle très bien la paix de cet endroit — la cour intérieure dallée, et le serpent noir sculpté sur le mur du tombeau. Puis la marche, qu'il fallait précautionneusement enjamber — pas question de marcher sur le seuil — pour entrer dans l'obscurité du petit sanctuaire. Nous nous assîmes dans la cour, sous un arbre au bruissement doux. L'un des Yézides nous apporta du café, après avoir consciencieusement étalé devant nous une nappe crasseuse — non sans fierté, comme pour montrer qu'ils n'ignoraient rien des besoins des Européens. Nous restâmes là un bon moment. Personne ne m'obligea à écouter la bonne parole. Je savais — vaguement — que les Yézides étaient des adorateurs du démon, et que Lucifer, l'Ange-paon, est l'objet de leur culte. Il paraît toujours surprenant que les adorateurs de Satan soient la secte religieuse la plus pacifique de toutes dans cette région du monde. Lorsque le soleil commença à décliner, nous partîmes. Cela avait été un moment de paix absolue.

Je crois qu'on y organise des excursions, à présent. Le « Festival de printemps » est devenu une véritable attraction touristique. Moi, je l'ai connu dans toute sa pureté. Je ne l'oublierai jamais.

3

Des Pyrénées, nous allâmes à Paris, puis à Dinard. Il est rageant de constater que je ne me rappelle de Paris que ma chambre d'hôtel, avec ses murs badigeonnés d'une couleur chocolat sur laquelle il était impossible de voir les moustiques.

Or, il y avait des myriades de moustiques. Ils tournoyaient toute la nuit — oh! ce bruit exaspérant qui vous vrillait les oreilles! — et nous avions le visage et les bras couverts de piqûres, au grand dam de ma sœur Madge qui se préoccupait fort de son teint à cette période de sa vie. Nous ne restâmes à Paris qu'une semaine, une semaine, me semble-t-il, à essayer de tuer des moustiques, à nous passer toutes sortes d'huiles à l'odeur bizarre, à faire brûler des cônes d'encens à côté du lit, à nous gratter et à nous verser de la cire de bougie chaude sur les piqûres. Finalement, après de véhémentes démarches auprès de la direction de l'hôtel — qui persistait à affirmer qu'il n'y avait *pas le moindre* moustique —, le fait de dormir sous une moustiquaire fut une nouveauté qui reste pour moi comme un événement de première importance. C'était en août, en pleine canicule, et sous le voile de tulle, il devait faire plus étouffant encore.

On dut certainement me montrer quelques-uns des monuments de Paris, mais ils n'ont pas laissé de trace dans mon esprit. Je me rappelle qu'on m'emmena à la tour Eiffel pour me faire plaisir et, un peu comme la première fois où je vis des montagnes, elle ne répondit pas à mon attente. En fait, la seule chose qui me soit restée de notre séjour là-bas semble être mon nouveau surnom : Moustique. Tout à fait justifié sans doute.

Pardon, j'oubliais. C'est lors de ce séjour à Paris que je fus pour la première fois exposée aux signes avant-coureurs de l'âge de la mécanique : les rues de Paris étaient pleines de ces nouveaux véhicules qu'on appelait « automobiles ». Elles roulaient à une allure folle — sans doute bien lente par rapport à aujourd'hui, mais elles ne pouvaient, à l'époque, se comparer qu'aux chevaux —, elles sentaient mauvais, klaxonnaient et étaient conduites par des hommes équipés de pied en cap, portant casquette et lunettes de protection. Elles étaient effarantes. Mon père affirma qu'elles ne tarderaient pas à tout envahir. Nous n'en crûmes pas un mot. Je les observai sans le moindre intérêt, ayant déjà prêté serment d'allégeance au chemin de fer sous toutes ses formes.

— Quel dommage, regretta ma mère, que Monty ne soit pas là ! Il les adorerait, lui.

J'éprouve un sentiment étrange à revenir maintenant sur ce stade de ma vie : mon frère semble en être complètement absent. Ce qui n'était pas vraiment le cas, sans doute, puisqu'il rentrait de Harrow passer les vacances à la maison. Mais il n'existait plus en tant que personne. Et cela, je suppose, parce qu'il se désintéressait totalement de moi à ce moment-là. J'appris seulement plus tard que mon père se faisait beaucoup de souci à son sujet : trop âgé pour continuer à Harrow à force d'échouer à ses examens, il partit d'abord, je crois, pour un chantier de construction navale de la Dart, puis pour le Nord, dans le Lincolnshire. Là aussi, les résultats furent décevants. Mon père reçut des avertissements très nets : « Il n'arrivera jamais à rien ici. Il est barré par les mathématiques, voyez-vous. Dès qu'il s'agit de pratique, ça va. C'est un bon ouvrier. Mais il ne pourra pas aller plus loin. »

Dans toute famille, il y a en général un membre qui est source d'ennuis et de préoccupation. Chez nous, c'était mon frère Monty. Jusqu'à sa mort, il aura toujours donné des migraines à quelqu'un. Je me suis souvent demandé, rétrospectivement, s'il aurait jamais pu trouver sa voie dans la vie. Je l'aurais bien vu en Louis II de Bavière, trônant dans son théâtre vide, se délecter d'opéras exécutés pour lui seul. Il était extrêmement musicien, possédait une bonne voix de basse et jouait d'oreille plusieurs instruments, du flageolet à la flûte traversière en passant par le piccolo. Il n'aurait jamais eu la ténacité nécessaire pour devenir professionnel en quoi que ce soit, l'idée ne lui en est d'ailleurs sans doute même pas venue. Il avait du savoir-vivre, beaucoup de charme, et il a, pendant toute sa vie, été entouré de gens soucieux de lui éviter les ennuis et les tracas. Il y avait toujours quelqu'un pour lui prêter de l'argent ou lui éviter les corvées quotidiennes. À 6 ans, quand ma sœur et lui recevaient leur argent de poche, c'était toujours la même histoire. Monty dépensait le sien le premier jour. Plus tard dans la semaine, il entraînait soudain ma sœur dans un magasin, commandait pour deux ou trois *pence* de ses bonbons favoris et la regardait pour la mettre au défi de refuser de payer. Madge, toujours très soucieuse du qu'en-dira-t-on, réglait la note. Ce procédé, bien sûr, la rendait furieuse et elle lui en faisait ensuite violemment reproche. Monty se contentait de sourire sans se démonter et lui offrait l'un des bonbons.

Il eut recours à ce genre d'attitude toute sa vie. On eût dit qu'il y avait une connivence naturelle pour le servir. Plus d'une fois, des femmes m'ont dit : « Je crois que vous ne savez pas vraiment vous y prendre avec votre frère Monty. Tout ce qu'il lui faut, c'est un peu de compréhension. » La vérité est que nous ne le comprenions que trop bien. Il était impossible, remarquez, de ne pas éprouver d'affection pour lui. Il reconnaissait ses fautes avec la plus grande franchise et vous assurait toujours que tout changerait à l'avenir. Il dut, je pense, être le seul garçon de Harrow autorisé à élever des souris blanches. Son maître d'internat l'expliqua de cette manière à mon père : « Il semble nourrir un tel amour des sciences naturelles que j'ai pensé devoir lui accorder ce privilège. » L'opinion générale, dans la famille, fut qu'il ne nourrissait aucun amour des sciences naturelles, mais qu'il avait simplement envie d'élever des souris blanches !

Je pense, avec le recul, que Monty était un être très intéressant. Un tout petit changement dans la disposition de ses gènes et il aurait pu être un grand homme. Il lui a juste manqué quelque chose. Le sens des proportions ? L'équilibre ? Savoir s'intégrer ? Je ne sais pas.

Le choix d'une carrière se fit pour lui tout seul. La guerre des Boers éclata. Presque tous les jeunes gens que nous connaissions s'engagèrent. Monty fit naturellement de même. (Il avait parfois condescendu à jouer avec mes soldats de plomb. Il les arrangeait en ligne de bataille et avait baptisé l'officier qui les commandait capitaine Dashwood. Un jour, afin de changer la routine, il trancha la tête au capitaine Dashwood pour haute trahison, malgré mes pleurs.) Dans un sens, cela dut être un soulagement pour mon père : au moment où ses chances de devenir ingénieur étaient tellement compromises, l'armée pourrait offrir une bonne carrière à Monty.

La guerre des Boers fut, je pense, la dernière de ce qu'on pourrait appeler les « guerres à l'ancienne », celles qui n'affectaient pas directement la vie du pays. C'étaient des épopées héroïques menées par de braves soldats et de valeureux jeunes gens. S'ils mouraient, ils étaient tombés au champ d'honneur. Le plus souvent, ils revenaient chez eux couverts de médailles gagnées par leurs faits d'armes. Ils incarnaient les avant-postes de l'Empire, les poèmes de Kipling et les possessions anglaises marquées en rose sur les atlas. Cela paraît étonnant aujourd'hui de penser que les gens — les filles, surtout — distribuaient les plumes blanches de l'ignominie aux jeunes gens considérés comme peu pressés d'accomplir leur devoir en mourant pour leur pays.

Je me souviens peu du déclenchement de la guerre d'Afrique du Sud. Ce conflit n'apparaissait pas très important — il s'agissait seulement de « donner une leçon à Kruger ». Avec l'habituel optimisme anglais, tout serait « réglé en quelques semaines ». Nous avons entendu le même refrain en 1914 : « Tout sera fini à Noël. » En 1940, « pas la peine de rouler les tapis dans la naphtaline, me dit-on lorsque l'Amirauté réquisitionna ma maison. Ça n'ira pas au-delà de l'hiver. »

Je me rappelle plutôt une atmosphère joyeuse, une chanson avec un air agréable, *Le Mendiant étourdi*, et des jeunes gens enthousiastes qui venaient de Plymouth passer quelques jours de permission.

Je revois une scène, à la maison, qui se déroula peu avant que le 3e bataillon du Régiment royal gallois prît la mer pour l'Afrique du Sud. Monty avait ramené un ami de Plymouth où ils étaient stationnés à ce moment-là. Cet ami, Ernest Mackintosh, que nous appelions toujours Billy pour je ne sais quelle raison, devait — beaucoup plus que mon vrai frère — rester un frère pour moi tout au long de ma vie. C'était un jeune homme plein de gaieté et de charme. Comme la plupart des garçons des environs, il était un peu amoureux de ma sœur. Monty et lui venaient de recevoir leur uniforme et se trouvaient fort intrigués par les bandes molletières qu'ils n'avaient jamais vues auparavant. Ils se les passèrent autour du cou, s'en entortillèrent la tête, firent toutes sortes de blagues. J'ai une photo d'eux, assis dans le jardin d'hiver, emmitouflés dans leurs bandes en guise de cache-col. Tout mon besoin enfantin d'un héros à aduler se reporta sur Billy Mackintosh. Je gardai à côté de mon lit une photo de lui dans un cadre orné de myosotis.

De Paris, nous partîmes pour Dinard, en Bretagne.

Ce que je me rappelle surtout là-bas, c'est d'y avoir appris à nager. Je revois mon incrédulité, ma fierté et ma joie lorsque je parvins à aligner cinq ou six brasses maladroites toute seule sans boire la tasse.

Autre chose, les mûres : je n'en avais jamais vu d'aussi grosses ni d'aussi juteuses. Marie et moi allions en cueillir de pleins paniers et en mangions des quantités en même temps. Cette profusion venait de la croyance des gens du pays que c'était un poison mortel.

— *Ils ne mangent pas de mûres**, s'étonna Marie. Ils me disent : « *Vous allez vous empoisonner.* * »

Cela ne nous arrêta pas et nous nous empoisonnâmes allégrement tous les après-midi.

C'est également à Dinard que je m'intéressai pour la première fois au théâtre. Papa et maman avaient une grande chambre à deux lits avec une immense fenêtre en saillie, pratiquement une alcôve, devant laquelle un rideau était tiré. C'était une scène idéale. L'imagination aiguisée par une pantomime que j'avais vue l'année précédente au cours d'un spectacle de Noël, je réquisitionnai Marie et nous donnâmes des représentations en soirée de différents contes de fées. Je choisissais le personnage que je voulais être, et Marie devait être tous les autres.

Quand j'y repense, j'éprouve une immense gratitude envers mes parents pour leur extraordinaire gentillesse. Car je ne vois rien de plus fastidieux qu'être obligé de monter chaque soir après le dîner et de rester une demi-heure à nous regarder et à nous applaudir, Marie et moi, en train de nous pavaner et de faire des mimiques dans nos costumes improvisés avec les moyens du bord. Nous fîmes *La Belle au bois dormant*, *Cendrillon*, *La Belle et la Bête*, etc. J'adorais prendre le rôle du jeune premier et, empruntant les bas de ma sœur en guise de collants, je déclamais en paradant. Le spectacle était toujours en français, puisque Marie ne parlait pas anglais. Quel bon caractère elle avait ! Une fois seulement elle se mit en grève, et ce pour une raison qui m'échappait complètement. Elle devait être Cendrillon, et je tenais à ce qu'elle défasse ses cheveux : a-t-on jamais vu Cendrillon avec un chignon sur le sommet du crâne ? Mais Marie, qui avait accepté le rôle de la Bête sans sourciller et celui de la mère-grand du *Petit Chaperon rouge*, Marie qui avait fait les bonnes fées, les mauvaises, les méchantes vieilles, qui avait joué une scène de rue où elle crachait dans le caniveau de la manière la plus réaliste qui soit en ponctuant son geste d'un « *Eh bien, crache !* » en français ce qui, soit dit en passant, fit tordre mon père de rire, Marie, donc, refusa soudain, avec des larmes dans la voix, de jouer Cendrillon.

— Mais pourquoi, Marie ? demandai-je. C'est un très bon rôle. C'est l'héroïne, elle est au centre de toute l'histoire.

Impossible, persista-t-elle, elle ne pouvait pas jouer ça. Défaire ses cheveux, paraître avec ses cheveux sur ses épaules devant Monsieur ! C'était cela le nœud de l'affaire : paraître devant Monsieur avec les cheveux défaits était pour Marie inimaginable, choquant. Je cédai, bien ennuyée. Nous fabriquâmes une sorte de capuche qui cacha le chignon de Cendrillon, et tout fut arrangé.

Mais les tabous sont chose extraordinaire. Je me rappelle l'une des enfants d'une de mes amies, une adorable fillette d'environ 4 ans. Une gouvernante française vint s'occuper d'elle. Il y eut l'habituelle incertitude quant à savoir si l'enfant « s'entendrait bien » avec elle ou non, mais tout sembla se passer le mieux du monde. Elle sortit avec Madeleine en promenade, lui parla, lui montra ses joujoux. Le bonheur. Mais c'est au moment d'aller au lit que les larmes firent leur apparition, lorsque Joan refusa catégoriquement de laisser Madeleine lui donner son bain. Sa mère, désemparée, céda le premier jour, comprenant que la petite ne se sente pas encore tout à fait à son aise avec une personne étrangère à la maison. Mais ce refus se répéta le lendemain, puis le surlendemain. Tout allait à merveille, on était heureuses, on s'aimait bien, jusqu'au moment du coucher et donc du bain. Ce ne fut que le quatrième jour que Joan, pleurant à chaudes larmes et cachant sa tête dans le cou de sa mère, expliqua : « Tu ne te rends pas compte, maman ! *Me montrer* à quelqu'un que je ne connais pas ! »

Même chose avec Marie. Elle pouvait déambuler en pantalon, montrer une bonne partie de ses jambes dans plus d'un rôle, mais pas défaire ses cheveux devant Monsieur.

J'imagine que, au début, nos petites représentations théâtrales peuvent avoir été vraiment amusantes, et que mon père au moins s'en divertit fort. Mais comme elles ont dû devenir barbantes ! Et pourtant, mes parents étaient bien trop gentils pour me dire franchement qu'ils n'avaient plus envie de monter chaque soir. Il leur arrivait de s'excuser en expliquant que des amis venaient dîner et qu'ils ne pourraient se libérer, mais dans l'ensemble, ils supportèrent la situation avec une noble constance. Moi, au moins, quel plaisir je prenais à jouer devant eux !

Durant le mois de septembre que nous passâmes à Dinard, mon père fut tout heureux de retrouver quelques vieux amis — Martin Pirie, sa femme et leurs deux fils, qui terminaient leurs vacances. Martin Pirie et mon père avaient été à l'école ensemble à Vevey et étaient restés très proches. Quant à la femme de Martin, Lilian Pirie, je la revois encore comme l'une des personnalités les plus extraordinaires que j'aie connues. Ce personnage que Sackville-West a si joliment campé dans *Toute passion bue* m'a toujours fait un peu penser à Mrs Pirie. Il y avait quelque chose d'impressionnant en elle, une certaine distance. Elle avait une belle voix claire, les traits délicats et des yeux très bleus. Je crois que c'est à Dinard que je l'ai vue pour la première fois, mais à partir de ce moment, je l'ai rencontrée à intervalles assez rapprochés et j'ai continué à la fréquenter jusqu'à sa mort, à plus de

80 ans. Pendant tout ce temps, mon admiration et mon respect n'ont fait qu'augmenter.

Elle a été l'une des rares personnes que je connaisse à avoir une telle richesse d'esprit. Chacune de ses maisons était décorée d'une manière surprenante et originale. Elle faisait les plus ravissantes broderies, il n'y avait jamais un livre qu'elle n'ait lu ni une pièce qu'elle n'ait vue, et elle avait toujours quelque chose à en dire. Elle aurait sûrement fait carrière quelque part, de nos jours, mais je me demande si sa personnalité n'aurait pas alors perdu de son impact.

Il y avait toujours chez elle une foule de jeunes gens qui adoraient lui parler. Passer un après-midi avec elle, même lorsqu'elle eut plus de 70 ans, était merveilleusement rafraîchissant. Je crois qu'elle possédait, plus que tous ceux que j'ai connus, l'art du loisir. On la trouvait assise dans un voltaire de son magnifique salon, généralement occupée à quelque ouvrage de broderie né de sa propre imagination, de bons livres à portée de main. Elle donnait l'impression de pouvoir vous parler toute la journée, toute la nuit, des mois d'affilée. Ses critiques étaient aussi mordantes que claires. Si elle pouvait vous entretenir de tous les sujets abstraits possibles et imaginables, elle se laissait rarement aller à parler des gens. Mais c'était la beauté de sa voix qui m'attirait le plus. C'est tellement rare. J'ai toujours été très sensible aux voix. Une vilaine voix m'inspire davantage de répulsion qu'un vilain visage.

Mon père fut ravi de retrouver son ami Martin. Ma mère et Mrs Pirie avaient beaucoup en commun et, si je me souviens bien, se lancèrent immédiatement dans une discussion acharnée sur l'art japonais. Les deux garçons étaient là : Harold, élève à Eton, et Wilfred, qui était je crois à Dartmouth et s'apprêtait à entrer dans la marine. Wilfred devait devenir plus tard un de mes amis les plus chers, mais tout ce que je me rappelle de lui à l'époque de Dinard, c'est qu'on disait qu'il s'esclaffait toujours à la vue d'une banane. Ce qui fit que je ne cessais de l'observer. Naturellement, aucun des deux garçons ne me portait la moindre attention. Un élève d'Eton et un cadet de marine ne se seraient pas abaissés à s'intéresser à une gamine de 7 ans.

De Dinard, nous partîmes pour Guernesey où nous passâmes la plus grande partie de l'hiver. Pour mon anniversaire, j'avais eu la surprise de recevoir trois oiseaux au plumage exotique : Kiki, Tou-Tou et Bébé. Peu après notre arrivée à Guernesey, Kiki, le plus fragile, mourut. Je ne l'avais pas eu assez longtemps avec moi pour que son décès me cause un grand chagrin — de toute façon, c'était pour Bébé, une merveille de petit oiseau, que j'avais un faible —, mais je pris un immense plaisir à lui faire de belles funérailles. Il fut luxueusement enterré dans une boîte en carton bordée d'un ruban de satin fourni par ma mère. Une expédition fut alors organisée sur les hauteurs de la ville de St Peter Port où un emplacement fut choisi pour les cérémonies funèbres, la bière fut mise en terre, et un gros bouquet de fleurs placé dessus.

Tout cela était bien sûr fort satisfaisant, mais ne s'arrêta pas là : « Aller sur la tombe de Kiki » devint l'une de mes promenades favorites.

La grande attraction de St Peter Port était son marché aux fleurs. Il y en avait de jolies, de toutes sortes, et pour pas cher. D'après Marie, c'était invariablement les jours les plus froids et les plus ventés qu'à la question : « Où irons-nous faire notre promenade aujourd'hui, misse ? », Misse répondait : « *Nous irons sur la tombe de Kiki.* » Soupirs désespérés de Marie. Plus de trois kilomètres de marche par une bise glaciale ! Qu'à cela ne tienne : je la traînais au marché aux fleurs, nous en achetions de superbes, camélias ou autres, nous faisions nos trois kilomètres sous le vent, fréquemment même sous la pluie, et nous déposions la décoration florale sur la tombe de Kiki avec le cérémonial approprié. Aimer les enterrements et rituels funéraires est quelque chose qu'on doit avoir dans le sang. Où en serait l'archéologie, sans ce trait de la nature humaine ? S'il m'arrivait d'aller me promener avec quelqu'un d'autre qu'une nurse dans mon enfance — une des domestiques par exemple —, c'est invariablement au cimetière que nous allions.

Que j'aime ces scènes du Père-Lachaise, à Paris, où des familles entières viennent toiletter et fleurir la tombe des leurs pour la Toussaint ! Honorer les morts est vraiment un culte sacré. Mais songer davantage au rituel et au cérémonial qu'au cher disparu ne serait-il pas, en outre, une façon instinctive de conjurer sa peine ? Ce qui est sûr, c'est que dans les familles, si pauvres soient-elles, les premières économies que l'on fera seront pour les enterrements. Une brave vieille, qui travailla pour moi à une époque, me dit un jour : « Ah ! non, je n'ai pas eu la vie facile, ma petite dame. Pas facile du tout. Mais au moins, même si on n'a pas le sou à la maison, j'ai mis ce qu'il fallait de côté pour avoir un enterrement correct. Et ça, je n'y toucherai jamais. Quitte à me priver de manger pendant des jours d'affilée ! »

4

Je me dis parfois que dans une vie antérieure, si la théorie de la réincarnation est vraie, je dois avoir été chien. J'ai tellement de points communs avec ces animaux ! Si quelqu'un entreprend quelque chose ou se rend quelque part, il faut que je l'accompagne et que j'en fasse autant. De même, quand je revins à la maison après cette longue absence, je me comportai exactement comme un chien. Un chien court toujours partout, examine tout, renifle par ci, flaire par là, cherche avec son nez à savoir tout ce qui s'est passé, inspecte ses « coins favoris ». Exactement comme moi : je fis le tour de la maison et sortis dans le jardin pour me rendre dans mes endroits de prédilection : la cuve, la balançoire, mon point d'observation secret de la route depuis une cachette proche du mur. Je retrouvai mon cerceau et l'essayai pour vérifier son état. Il me fallut environ une heure pour m'assurer que tout était bien comme avant.

Le changement le plus spectaculaire fut celui qui s'était opéré sur mon chien Tony. Le joli petit yorkshire que nous avions laissé était, grâce aux soins maternels de Froudie et à d'incessants repas, devenu rond comme un ballon. Froudie en était ni plus ni moins l'esclave, et quand nous allâmes le chercher pour le ramener à la maison, elle nous fit toute une dissertation sur la façon dont il aimait dormir, comment il fallait le couvrir dans son panier, ses goûts culinaires, l'heure à laquelle il préférait faire sa promenade. Elle s'interrompait à intervalles réguliers pour s'adresser à Tony : « Amour de sa maman, lui disait-elle, Bijou de sa maman. » Appellations que Tony semblait apprécier mais trouver tout à fait justifiées. « Et il ne mangera rien si on ne lui donne pas à la main, ajouta-t-elle fièrement. Moi, il faut que je lui présente sa nourriture morceau par morceau. »

À l'expression que je lus sur le visage de ma mère, je compris que Tony serait loin de bénéficier du même traitement à la maison. Nous les ramenâmes donc, lui, son panier et toutes ses petites affaires, dans le cabriolet que nous avions loué pour l'occasion. Tony nous fit fête, bien entendu, et me lécha des pieds à la tête. Mais quand nous lui apportâmes son dîner, nous comprîmes que la mise en garde de Froudie n'était pas vaine. Il le regarda puis leva les yeux sur maman et sur moi, se recula de quelques pas, s'assit et attendit comme un grand seigneur que son repas lui fût servi morceau par morceau. Je lui tendis un petit bout et il l'accepta de bonne grâce, mais maman m'arrêta.

— Il ne faut pas, dit-elle. Il doit réapprendre à se nourrir normalement, comme il faisait avant. Laisse-lui sa gamelle ici, il ira bientôt la manger.

Cependant Tony n'en fit rien. Il resta assis sur place. Je n'ai jamais vu chien pris d'une aussi juste indignation : ses grands yeux marron faisaient tristement le tour de la famille rassemblée pour revenir vers sa gamelle, l'air de dire : « Mon dîner ! Je *veux* mon dîner ! Vous ne comprenez donc pas ? Mon *dîner* ! Donnez-le-moi ! »

Mais maman resta ferme :

— Même s'il ne mange pas aujourd'hui, il mangera demain.

— Il ne va pas mourir de faim ? m'inquiétai-je.

Elle considéra d'un œil éloquent la silhouette boursouflée de Tony :

— Une petite diète lui fera le plus grand bien.

Il fallut attendre le lendemain soir pour le voir capituler. Encore préserva-t-il sa dignité en attendant qu'il n'y eût personne dans la pièce. À partir de ce moment, plus de problème. Finie la vie de pacha, et Tony l'accepta de toute évidence. Pourtant il n'oublia pas que, pendant toute une année, il avait été le chouchou adoré d'une autre maison. Au moindre reproche, au moindre désagrément, il s'esquivait et trottait jusque chez Froudie, certainement pour se plaindre de notre manque d'égards à son endroit. Cette habitude lui resta fort longtemps.

En plus de ses autres charges, Marie devint la nounou-servante de Tony. Quand nous jouions en bas, le soir, c'était amusant de la voir arriver avec son petit tablier autour de la taille et demander avec déférence : « *Monsieur Toni pour le bain.* » Lequel Monsieur Tony, qui n'appréciait que modérément ces bains hebdomadaires, essayait immédiatement de s'aplatir sur ses pattes pour filer sous le sofa. Extirpé de son refuge, il était emporté, les oreilles et la queue basses. Et Marie, plus tard, annonçait fièrement le nombre de cadavres de puces qui flottaient à la surface du bain désinfectant.

Je dois dire que, à l'heure actuelle, les chiens semblent avoir beaucoup moins de puces qu'au temps de ma jeunesse. On avait beau les baigner, les brosser, les peigner, les inonder de désinfectant, ils semblaient en être toujours infestés. Peut-être fréquentaient-ils alors davantage les étables ou jouaient-ils plus souvent avec des chiens mal entretenus. D'un autre côté, ils étaient moins dorlotés et moins souvent fourrés chez le vétérinaire que ceux de maintenant. Je ne me souviens pas que Tony ait jamais été sérieusement malade. Il a toujours eu un beau poil, a toujours bien mangé — les restes de nos repas — et on ne faisait pas de chichis sur sa santé.

On fait beaucoup plus d'histoires pour les enfants aujourd'hui qu'auparavant. À moins d'un sérieux accès de fièvre, on ne faisait pas trop attention à la température. Un 39 persistant pendant une journée entraînait sans doute une visite du médecin, mais une température inférieure ne méritait guère qu'on s'en préoccupât. Il arrivait que, après un excès de pommes vertes, on ait ce qu'on appelait à l'époque un « accès de bile ». Vingt-quatre heures au lit et une diète complète en venaient généralement à bout. La nourriture était bonne et variée. Je crois qu'on avait cependant tendance à garder les jeunes enfants beaucoup trop longtemps aux laitages et aux bouillies. Moi, en tout cas, depuis mon plus jeune âge, j'avais goûté aux steaks que l'on montait le soir à Nursie, et le rosbif saignant était l'un de mes plats favoris. On consommait également des quantités de crème du Devonshire. C'est tellement meilleur que l'huile de foie de morue, disait ma mère. Tantôt on la mangeait tartinée sur du pain, tantôt à la cuiller. Hélas ! on ne trouve plus, de nos jours, de vraie crème du Devonshire dans le Devon — pas comme avant, en tout cas : recueillie à la cuiller en épaisses couches jaunes coiffant le lait caillé dans des jattes de porcelaine. Cela ne fait aucun doute, la crème a toujours été, et sera probablement toujours, ma gourmandise préférée.

Ma mère, qui en gastronomie comme en toutes choses prônait la variété, avait parfois des marottes soudaines. Un moment, ce fut : « Un œuf, ce serait plus nourrissant. » Slogan qui nous gava d'œufs pratiquement à chaque repas jusqu'à ce que papa entre en rébellion. Il y eut aussi une période poisson au cours de laquelle nous vécûmes de sole et de merlan : c'était bon pour le cerveau. Cependant, après avoir fait le tour des régimes alimentaires, maman revenait en général à la normale. Tout comme après avoir entraîné mon père dans la théosophie, puis dans l'Église unitarienne, puis failli devenir catholique et flirté avec le bouddhisme, elle boucla la boucle en revenant à l'Église anglicane.

Ce fut bon de rentrer à la maison et de trouver tout en place comme d'habitude. La seule différence, mais quelle différence, c'est que j'avais maintenant ma fidèle Marie.

Je suppose que, avant de plonger la main dans ma boîte à souvenirs, je n'avais jamais réellement pensé à Marie : elle n'avait jamais été en somme pour moi que l'entité Marie, qui faisait partie intégrante de ma vie. Pour un enfant, le monde se limite aux gens et aux événements qui l'entourent, ceux qu'il aime, ceux qu'il n'aime pas, ce qui les rend heureux, ce qui leur fait de la peine. Marie, fraîche, gaie, souriante, qui ne récriminait jamais, était un membre très apprécié de la maison.

Ce que je me demande maintenant, c'est ce que tout cela signifiait pour elle. Elle avait été, je crois, très heureuse pendant l'automne et l'hiver que nous passâmes à voyager en France et dans les îles Anglo-Normandes. Elle voyait du pays, la vie dans les hôtels n'était pas désagréable et, si surprenant que cela puisse paraître, elle aimait la petite fille dont elle avait la charge. J'aimerais croire, bien sûr, qu'elle m'aimait bien parce que c'était moi mais Marie aimait les enfants en général, c'était dans sa nature : elle se serait attachée à n'importe quel gamin dont elle aurait eu à s'occuper, à part un ou deux de ces petits monstres qu'on rencontre parfois. Je n'étais certainement pas très obéissante avec elle — je ne crois d'ailleurs pas que les Françaises sachent se faire obéir. Dans de nombreux domaines, je me conduisais même fort mal. En particulier, pour éviter d'aller au lit, ce dont j'avais horreur, j'avais inventé un jeu formidable qui consistait à sauter sur tous les meubles, à grimper sur les armoires, à redescendre sur le dessus des commodes, à faire tout le tour de la chambre sans jamais toucher terre. Marie, figée à la porte, se lamentait : « Misse, Misse, Madame votre mère ne serait pas contente ! » Il est certain que Madame ma mère était loin de se douter de la situation, et que, si elle avait fait une apparition surprise, elle aurait froncé le sourcil en s'écriant : « Agatha ! Tu n'es donc pas encore au lit ? » Et, dans les trois minutes, j'aurais obtempéré dare-dare, sans qu'on ait à me le dire deux fois. Cependant, Marie ne me dénonçait jamais aux autorités. Elle suppliait, soupirait, mais ne rapportait pas. D'un autre côté, je lui donnais autant d'amour que je lui refusais mon obéissance. Je l'aimais vraiment très fort.

Il n'y a qu'une fois où je me rappelle lui avoir vraiment fait de la peine. Encore était-ce totalement par inadvertance. Cela se produisit après notre retour en Angleterre, au cours d'une discussion tout à fait bénigne sur un sujet anodin. À la fin, exaspérée de ne pouvoir la convaincre, je m'écriai :

— Mais, ma pauvre, vous ne savez donc pas que les chemins de fer sont...

C'est alors que, à ma grande stupeur, Marie fondit d'un coup en larmes. Je la regardai, interdite, ne comprenant pas ce qui lui arrivait. Elle parvint à articuler quelques mots à travers ses sanglots. Oui, c'est vrai, elle était « *pauvre** ». Et ses parents étaient pauvres, pas comme ceux de Misse. Ils tenaient un café où tout le monde, fils et filles, travaillait. Mais ce n'était pas *gentil**, pas *bien élevé** de la part de sa chère petite Misse de le lui reprocher.

— Marie, protestai-je, voyons, ce n'est pas du tout ce que je voulais dire !

Il semblait impossible de lui faire comprendre que l'idée de pauvreté ne m'avait même pas effleuré l'esprit, que « *ma pauvre* » n'était qu'une façon de parler, de montrer son impatience. Infortunée Marie que j'avais blessée ! Il fallut une bonne demi-heure d'explications, de câlineries et d'assurances répétées de mon affection pour la consoler. Après quoi nous fûmes tout à fait réconciliées. Mais je fis terriblement attention de ne plus *jamais* utiliser cette expression.

Je crois que, à présent installée dans notre maison de Torquay, elle devait pour la première fois se sentir seule et nostalgique. Dans les hôtels où nous étions descendus, la présence d'autres domestiques, nurses, gouvernantes, etc., venant d'horizons divers, avait sans doute évité qu'elle ressente la séparation d'avec sa famille. Mais ici, en Angleterre, elle était en contact avec des filles de son âge, à peine plus âgées en tout cas. Nous avions à l'époque, si je me souviens bien, une bonne et une femme de chambre assez jeunes, 30 ans au plus. Mais elles avaient une vision des choses tellement différente de Marie que celle-ci dut se sentir complètement étrangère. Elles critiquaient la simplicité de ses toilettes, lui reprochaient de ne jamais dépenser le moindre sou en parures, rubans, gants et autres fantaisies.

Marie recevait ce qui était pour elle des gages fabuleux. Elle demandait chaque mois à Monsieur s'il aurait la bonté d'en faire parvenir la presque totalité à sa mère à Pau, et ne gardait pour elle qu'une somme minuscule. Ce qui lui paraissait naturel et normal : elle économisait pour sa dot, cette précieuse somme d'argent que toutes les jeunes Françaises de l'époque — et peut-être encore maintenant, je ne sais pas — mettaient soigneusement de côté pour assurer l'avenir, faute de quoi elles auraient facilement pu se retrouver vieilles filles. Un peu l'équivalent du trousseau, je suppose, le « tiroir du bas » comme nous disons ici, mais en beaucoup plus sérieux. C'était une fort bonne idée, du reste, qui connaît sa vogue de nos jours en Angleterre, car les jeunes

ménages ont envie d'acheter une maison, et cette pratique permet
à l'homme et à la femme de constituer un pécule chacun de son
côté pour cela. Mais à l'époque dont je parle, les filles ne faisaient
pas d'économies pour le mariage, c'était l'affaire de l'homme. Il
devait fournir un toit et avoir les ressources nécessaires pour nourrir, vêtir et entretenir son épouse. C'est pourquoi les « domestiques de bonne maison » et la classe inférieure des vendeuses de
magasin considéraient que l'argent qu'elles gagnaient leur appartenait et qu'elles étaient libres de le destiner aux frivolités : chapeaux nouveaux, corsages de couleur, un collier ou une broche à
l'occasion. On pourrait dire en fait que leurs gages étaient
consacrés à la séduction pour attirer un mâle convenable. Marie
faisait contraste, avec son petit ensemble noir bien sage, sa petite
toque et ses corsages unis, qui n'ajoutait jamais rien à sa garde-
robe, qui n'achetait jamais rien que le strict nécessaire. Je ne crois
pas que c'était par méchanceté, mais les autres se moquaient
d'elle, la méprisaient. Ce qui la rendait très malheureuse.

Ce furent la psychologie et la gentillesse de ma mère qui l'aidèrent à franchir le cap des quatre ou cinq premiers mois. Elle avait
le mal du pays, elle voulait rentrer. Mais maman lui parla, la
consola, lui dit qu'elle la trouvait raisonnable, que c'était elle,
Marie, qui avait raison et que les filles anglaises n'étaient pas aussi
prévoyantes et réfléchies que les Françaises. Elle alla aussi, je crois,
parler aux domestiques et à Jane, leur expliquer qu'elles faisaient
du mal à cette jeune Française qui était loin de chez elle. Il fallait
se mettre à sa place et imaginer ce qu'elles-mêmes ressentiraient
si elles étaient dans un pays étranger. Un mois ou deux plus tard,
Marie retrouva sa gaieté.

J'imagine que tous ceux qui auront eu la patience de me lire
jusqu'ici doivent maintenant se poser une question : « Mais vous
n'aviez jamais de leçons à étudier ? »

La réponse est non.

Je devais avoir 9 ans, à l'époque, et la plupart des petites filles
de mon âge n'avaient que des gouvernantes — encore que celles-
ci fussent surtout engagées, j'imagine, pour s'occuper de l'enfant,
le sortir et le surveiller. Ce qu'elles vous apprenaient au cours de
ces « leçons » dépendait entièrement de leurs goûts personnels.

Je me souviens vaguement d'une ou deux gouvernantes chez
des amies. L'une ne jurait que par le *Guide du savoir pour les
enfants* du Dr Brewer, une sorte d'équivalent de notre *Quiz*
moderne. Voici quelques bribes des connaissances ainsi acquises :
« Quelles sont les trois maladies du blé ? — La rouille, le mildiou

et le charbon. » Cela m'est resté toute ma vie, mais ne m'a jamais, hélas ! été d'une grande utilité pratique. « Quelle est la principale industrie de la ville de Redditch ? — Les aiguilles. » « Quelle est la date de la bataille d'Hastings ? — 1066. »

Une autre gouvernante, je me rappelle, enseignait les sciences naturelles à ses élèves, et presque rien d'autre. Le ramassage de feuilles, de baies et de fleurs sauvages occupait une grande partie du temps, suivi de dissections appropriées. C'était incroyablement ennuyeux. « Je déteste découper tous ces machins en petits morceaux », me confia ma petite camarade. J'étais entièrement d'accord, à tel point que le seul mot de « botanique » m'a toute ma vie fait freiner des quatre fers.

Ma mère, dans sa jeunesse, était allée à l'école dans une institution du Cheshire. Elle avait envoyé ma sœur Madge dans un pensionnat, mais elle était à présent totalement convaincue que la meilleure façon d'élever les filles était de les laisser galoper partout autant que possible, de leur donner de la bonne nourriture, du bon air, et de ne jamais les contraindre intellectuellement à quoi que ce soit. Rien de tout cela ne s'appliquait aux garçons, bien sûr. Eux devaient recevoir une éducation stricte et conventionnelle.

Comme je l'ai déjà indiqué, elle avait pour théorie qu'il ne fallait pas autoriser les enfants à lire avant l'âge de 8 ans. Ce plan ayant échoué en ce qui me concerne, on me laissa lire autant que je voulais, et je ne manquais pas une occasion de le faire. La salle d'étude, comme nous l'appelions, était une grande pièce tout en haut de la maison, presque entièrement tapissée de livres. Il y avait des étagères entières de livres d'enfant : *Alice au pays des merveilles* et *De l'autre côté du miroir*, les premiers contes sentimentaux victoriens que j'ai déjà cités, comme *Notre Violette blanche*, les romans de Charlotte Yonge, parmi lesquels *La Guirlande de pâquerettes*, les œuvres complètes, me semble-t-il, de Henty, et des quantités énormes de manuels scolaires, de romans, et autres. Je lisais de tout, piochais dans ce qui me semblait intéressant, me plongeais dans des tas d'ouvrages auxquels je ne comprenais rien mais qui malgré tout attiraient mon attention.

Au cours de mes lectures, je tombai sur une pièce française que mon père me surprit en train de lire.

— Où as-tu été prendre *ça* ? demanda-t-il en me la confisquant, horrifié.

Elle faisait partie d'une série d'œuvres françaises qu'il gardait d'habitude soigneusement sous clé dans le fumoir et qui n'étaient accessibles qu'aux adultes.

— Dans la salle d'étude, répondis-je.

— Eh bien ça n'aurait pas dû y être, fit-il. Ce livre devrait se trouver dans mon armoire.

Je le lui rendis de bon cœur. À vrai dire, je n'y avais pas compris grand-chose et je me replongeai avec joie dans les *Mémoires d'un âne*, *Sans famille* et autres dignes représentants de la littérature française innocente.

Je dois certainement avoir pris des leçons d'une manière ou d'une autre, mais je n'avais pas de gouvernante. Je continuais l'arithmétique avec mon père et passai fièrement des fractions aux décimales. J'en arrivai finalement aux problèmes de quantité d'herbe que mangent tel nombre de vaches et de temps que met un robinet pour remplir un réservoir. Je trouvai cela captivant.

Ma sœur avait désormais fait officiellement son entrée dans le monde, ce qui entraînait soirées, toilettes, déplacements à Londres, etc. Cela occupait fort ma mère, qui avait moins de temps à me consacrer. J'en éprouvais parfois quelque jalousie, trouvant que Madge était au centre de toutes les attentions. Ma mère avait elle-même vécu une jeunesse assez morne. Bien que sa tante fût riche et qu'elle eût à plusieurs reprises fait traverser l'Atlantique à la jeune Clara en sa compagnie, elle n'avait pas vu la nécessité de favoriser en aucune manière ses « débuts » dans le monde. Je ne pense pas que ma mère ait eu un penchant particulier pour les mondanités, mais elle aurait bien aimé, comme toutes les jeunes filles de son âge, avoir davantage de robes — et de plus belles que celles qu'elle possédait. Or, si Tatie-Mamie commandait pour elle-même des toilettes très coûteuses et à la dernière mode chez les plus grands couturiers de Paris, elle n'en considérait pas moins Clara comme une enfant et l'habillait toujours plus ou moins comme telle. Ces horribles couturières à domicile ! Ma mère se promit donc que ses filles pourraient s'offrir toutes les coquetteries et autres frivolités de la vie dont elle-même avait été privée. D'où son intérêt et son ravissement pour les robes de Madge, et, plus tard, pour les miennes.

Les robes, remarquez, c'était quelque chose, à l'époque ! Il y en avait de toutes sortes, et on ne lésinait ni sur le matériau ni sur la main-d'œuvre. Volants, manchettes, fanfreluches, dentelles, ourlets et godets compliqués : non seulement elles balayaient le sol et devaient être élégamment retenues d'une main pour marcher, mais aussi elles étaient assorties de petites capes, de manteaux et de boas en plumes.

Et la coiffure, donc : cela non plus, ce n'était pas rien, il ne suffisait pas de se passer un coup de peigne dans les cheveux. On se faisait des boucles, des frisettes, des ondulations, on portait des bigoudis toute la nuit, on maniait le fer à friser. Si une jeune fille allait danser, elle commençait à s'occuper de ses cheveux au moins deux heures à l'avance. Il lui fallait une heure et demie pour se coiffer, ce qui ne lui laissait qu'une demi-heure pour enfiler sa robe, ses bas, ses escarpins.

Ce monde, bien sûr, n'était pas le mien. C'était celui des adultes, j'en restais à l'écart. Il avait cependant des influences sur moi. Marie et moi discutions des toilettes des *mademoiselles* et débattions de nos préférences.

Il se trouve que, dans notre rue, il n'y avait pas de voisins proches qui eussent des enfants de mon âge. Aussi, comme je l'avais fait plus jeune, je m'inventai un groupe de camarades et d'amies qui devaient succéder à Caniche, Écureuil et Arbre, ainsi qu'aux fameux Chatons. Cette fois, j'inventai une école. Pas parce que j'avais moi-même envie d'y aller — non, je crois seulement que l'école constituait le seul décor dans lequel je pouvais facilement intégrer sept filles d'âges et d'aspects différents, venant d'horizons divers plutôt que d'en faire une famille, ce que je ne voulais pas. L'école n'avait pas de nom. C'était l'École tout court.

Les premières élèves à arriver furent Ethel Smith et Annie Gray, respectivement 11 et 9 ans. Ethel Smith avait une grande crinière de cheveux bruns. Intelligente, sportive, la voix grave, elle devait avoir un aspect un peu masculin. Avec ses cheveux blond de lin et ses yeux bleus, Annie Gray, son amie d'élection, offrait un contraste total. Timide, elle fondait facilement en larmes. Elle s'accrochait à Ethel qui la protégeait à chaque occasion. Je les aimais bien toutes les deux, mais j'avais un faible pour la hardie, la vigoureuse Ethel.

À Ethel et Annie, j'ajoutai deux nouvelles. Isabella Sullivan, riche et belle, avec ses cheveux d'or et ses yeux marron, qui avait 11 ans. Isabella que je n'aimais pas, que je détestais même copieusement. C'était une « mondaine », terme qui revenait souvent dans les livres d'enfants, à cette époque : des pages entières de *La Guirlande de pâquerettes* décrivent les soucis que le goût de Flora pour les mondanités causa à la famille May. Isabella était sans doute le type même de la mondaine : toujours à se donner de grands airs, à se vanter de sa richesse, à porter des vêtements bien trop coûteux et bien trop luxueux pour une enfant de son âge. Elsie Green, ensuite, qui était sa cousine et faisait plutôt Irlandaise : brune aux yeux bleus, le cheveu bouclé, elle était gaie et riait beaucoup. Elle s'entendait bien avec Isabella, mais n'hésitait pas, à l'occasion, à la remettre à sa place. Elsie était pauvre et portait les vêtements dont Isabella ne voulait plus. Elle en avait parfois un peu le cœur gros, mais pas trop, car elle avait bon caractère.

Ces quatre petites camarades me suffirent pendant un certain temps. Elles voyageaient dans le Métropolitain, montaient à cheval, faisaient du jardinage et jouaient aussi beaucoup au croquet. J'organisais des tournois, de grands matches. Mon espoir était de voir Isabella *perdre*. Je faisais tout ce que je pouvais — sauf tricher — pour l'empêcher de gagner, comme mal tenir mon maillet, jouer trop vite, ne pas viser du tout. Et pourtant, plus je jouais négligemment, plus Isabella semblait avoir de la chance. Elle passait des arceaux impossibles, envoyait des boules d'un bout à l'autre de la pelouse, et finissait toujours première ou deuxième. C'était très énervant.

Quelque temps plus tard, je me dis qu'il serait bien d'avoir des petites, à l'école. J'ajoutai donc deux fillettes de 6 ans, Ella White et Sue de Verte. Ella était appliquée, studieuse et ennuyeuse. Elle avait le cheveu en broussaille, savait toujours bien ses leçons, était incollable au *Guide du savoir* du Dr Brewer et ne se débrouillait pas mal du tout au croquet. Sue de Verte manquait singulièrement de couleur, non seulement dans son physique — elle était blonde et avait les yeux pâles — mais dans son caractère. D'une certaine manière, je n'arrivais pas à voir ou à sentir Sue. Toutes deux étaient très amies, mais alors que je pouvais fort bien cerner Ella, Sue demeurait impalpable. Sans doute parce que Sue était en fait moi. Quand je parlais avec les autres, j'étais toujours Sue en train de leur parler, pas Agatha. Sue et Agatha devinrent alors deux facettes d'un même personnage, et Sue une observatrice plutôt qu'une actrice. La septième fille à s'ajouter à la collection fut la demi-sœur de Sue, Vera de Verte. Vera avait atteint l'âge considérable de 13 ans. Elle n'était pas jolie pour l'instant, mais allait devenir une beauté fatale plus tard. Il planait également un certain mystère sur sa naissance. J'avais ébauché plusieurs avenirs possibles pour Vera, tous hautement romanesques. Elle avait des cheveux couleur de paille et des yeux bleus comme des myosotis.

Une autre source d'inspiration pour « les filles » me venait d'un recueil de reproductions de la Royal Academy que ma grand-mère possédait dans sa maison d'Ealing. Elle avait promis qu'elles seraient à moi plus tard, et je passais des heures à les regarder les jours de pluie, pas tant par plaisir artistique que pour trouver des portraits pouvant correspondre « aux filles ». Un livre qui m'avait été offert à Noël, illustré par Walter Crane, *Le Festin floral*, montrait des images de fleurs avec des formes humaines. Il y en avait une que j'aimais particulièrement : un myosotis entourant une silhouette qui ne pouvait être que celle de Vera de Verte. La marguerite était Ella, et la belle et splendide fritillaire impériale, qui avançait de son pas majestueux, Ethel.

« Les filles », je puis bien le dire, sont restées de longues années avec moi. Elles changèrent naturellement de caractère à mesure que j'avançais moi-même en âge. Elles participaient à des concerts, jouaient dans des opéras, tenaient des rôles dans des pièces de théâtre ou des comédies musicales. Même devenue adulte, je leur accordais une petite pensée de temps à autre et leur attribuais les différentes robes de mon armoire. Je leur en dessinais aussi des modèles dans mon esprit. Ethel, je m'en souviens, était particulièrement élégante dans une toilette de tulle bleu foncé avec des arums blancs sur une épaule. La pauvre Annie n'avait jamais grand-chose à se mettre. J'étais honnête avec Isabella et lui donnais quelques robes extrêmement jolies : en brocart brodé ou en satin, généralement. Aujourd'hui encore, il m'arrive, quand je range une robe dans un placard, de me dire : « Tiens, elle irait à Elsie, celle-là. Le vert a toujours été sa couleur. » « Ella serait superbe dans ce trois-pièces en jersey. » Je souris quand j'y pense, mais « les filles » sont toujours bien là même si, contrairement à moi, elles n'ont pas vieilli. Je ne les ai jamais imaginées à plus de 23 ans.

Au fil des années, j'ajoutai quatre personnages : Adelaïde, la plus âgée de toutes, grande, blonde, avec un air un peu supérieur. Béatrice, la plus jeune, petit lutin toujours gai. Et deux sœurs, Rose et Iris Reed. Je devins assez romantique, avec ces deux-là. Iris avait un soupirant qui lui écrivait des poèmes et l'appelait son « Iris des Marais », tandis que Rose était très méchante, jouait de mauvais tours à tout le monde et flirtait effrontément avec tous les jeunes gens. Certaines furent bien sûr mariées en temps voulu, d'autres restèrent célibataires. Ainsi Ethel, que je fis vivre dans un petit cottage avec la gentille Annie. Bien imaginé, me dis-je aujourd'hui : c'est exactement ce qu'elles auraient fait dans la réalité.

Peu après notre retour de l'étranger, Fräulein Uder m'initia aux délices de la musique. Petite Allemande sèche, c'était une femme à poigne. J'ignore ce qui l'avait fait venir à Torquay, je n'ai jamais rien su de sa vie privée. Ma mère entra un jour dans la salle d'étude, Fräulein Uder sur les talons, expliquant qu'elle voulait qu'Agatha commence à apprendre le piano.

— *Ach* ! fit de façon très germanique Fräulein Uder bien qu'elle parlât parfaitement anglais. Il faut tout de suite au piano aller.

Au piano nous allâmes — celui de la salle d'étude, bien sûr, pas le piano à queue du salon.

— Mettez-vous là, commanda Fräulein Uder. (Je me tins où

elle me demandait.) Ceci, fit-elle en tapant si fort que je craignis vraiment pour la touche, est un *do* majeur. Vous comprenez ? C'est la note *do*, et voici la gamme de *do* majeur. (Elle la joua.) Maintenant nous la redescendons et jouons l'accord de *do*, comme ça. La gamme, de nouveau. Les notes sont *do, ré, mi, fa, sol, la, si, do*. Vous comprenez ?

Je répondis que oui. En fait, cela, je le savais déjà.

— Maintenant, poursuivit Fräulein Uder, placez-vous là où vous ne pourrez pas voir les notes. Je vais jouer un *do*, puis une autre note, et vous devrez trouver ce qu'est la seconde.

Elle fit le *do*, puis joua une deuxième note avec toujours autant de force.

— Alors ?

— *Mi*, répondis-je.

— Tout à fait. Bon. Essayons encore.

De nouveau, son doigt s'abattit sur le *do*, puis sur une autre note.

— Et celle-là ?

— *La*, hasardai-je.

— *Ach* ! c'est excellent. Cette enfant a l'oreille musicale. Oui, vous avez l'oreille. Nous allons nous entendre à merveille.

C'était certainement un bon départ. Pour être honnête, je ne devais pas avoir la moindre idée de ce qu'étaient les deuxièmes notes qu'elle jouait. Disons que c'étaient de bonnes inspirations. Quoi qu'il en soit, après un aussi heureux démarrage, nous poursuivîmes avec beaucoup de bonne volonté de part et d'autre. La maison ne tarda pas à résonner de gammes, d'arpèges et, un peu plus tard, des accords du *Gai Laboureur*. J'adorais mes leçons de musique. Mon père et ma mère jouaient tous les deux du piano. Maman, les *Romances sans paroles* de Mendelssohn et diverses autres pièces qu'elle avait apprises dans sa jeunesse. Elle se débrouillait bien mais n'était pas, je pense, une amoureuse passionnée de la musique. Papa, qui avait des dons innés, pouvait jouer n'importe quoi d'oreille, notamment de ravissantes chansons américaines et des *negro spirituals*. Au *Gai Laboureur*, Fräulein Uder et moi ajoutâmes *Rêverie* et quelques autres des délicieux petits airs de Schumann. Je travaillais assidûment une heure ou deux par jour. De Schumann, je passai à Grieg, dont je raffolais — *Érotique* et *Au printemps* étaient mes pièces préférées. Quand j'eus enfin assez progressé pour jouer *Le Matin* de Peer Gynt, je fus transportée de plaisir. Fräulein Uder, comme la plupart des Allemands, était un excellent professeur. Il ne s'agissait pas seulement de pianoter de petits airs pour se faire plaisir : il y avait une multitude d'exercices de Czerny pour lesquels je ne montrais pas tout à fait le même zèle, mais Fräulein Uder veillait au grain.

— Vous devez de bonnes bases avoir, disait-elle. Ces exercices, ils sont le concret, le nécessaire. Les mélodies, elles sont bien jolies, mais elles sont comme les fleurs : elles éclosent et puis elles passent. Vous, ce sont les racines — des racines fortes — et les feuilles qu'il vous faut.

J'eus donc droit à une bonne dose de racines fortes et de feuilles, et à une fleur ou deux seulement de temps en temps. Le résultat fut probablement plus satisfaisant pour moi que pour les autres, dans la maison, qui trouvaient tous ces exercices plutôt accablants.

J'avais aussi à ce moment-là un cours de danse hebdomadaire en un lieu pompeusement appelé Studios de l'Athénée, situé au-dessus de la boutique d'un pâtissier-confiseur. Je dois avoir commencé très jeune — 5 ou 6 ans, je pense —, car je me souviens que Nursie était encore là pour m'y conduire une fois par semaine. On faisait démarrer les plus jeunes par la polka qu'il fallait entamer en tapant trois fois du pied : droite-gauche-droite, gauche-droite-gauche, boum-boum-boum, boum-boum-boum. Charmant pour ceux qui prenaient le thé chez le pâtissier du dessous ! De retour à la maison, je fus quelque peu contrariée par Madge qui soutenait que la polka ne se dansait pas ainsi : « Tu avances un pied, tu ramènes l'autre sur lui, tu recommences avec le premier, comme ça. » Cela m'intrigua. Il s'avéra que c'était la façon pour miss Hickey, la maîtresse de danse, de nous mettre dans le rythme de la polka avant d'effectuer les pas.

Miss Hickey, je m'en souviens, était un personnage merveilleux, même s'il nous intimidait fort. Elle était grande, imposante, portait ses cheveux gris élégamment remontés à la Pompadour et de longues jupes qui balayaient le sol, et valser avec elle — ce qui arriva, bien sûr, beaucoup plus tard — était une expérience terrifiante. Elle avait une élève-professeur de 18 ou 19 ans, et une de 13, Aileen. Celle-ci était une très gentille fille que nous aimions toutes beaucoup. La plus vieille, Helen, nous terrorisait un peu et ne s'intéressait qu'aux très bonnes danseuses.

Le cours se déroulait comme suit. Il débutait par une séance de ce que nous appelions des « extenseurs », qui faisaient travailler les pectoraux et les bras. C'étaient des sortes de bandes élastiques bleues munies de poignées sur lesquelles nous tirions avec ardeur pendant environ une demi-heure. Venait ensuite la polka, que dansaient toutes celles qui avaient réussi aux boum-boum-boum, les filles les plus âgées avec les plus jeunes. « La polka m'avez-vous vu danser ? Les pans de mes habits avez-vous vus voler ? »

comme dit la chanson. C'était une danse gaie mais peu élégante. Puis nous passions à la grande marche solennelle, au cours de laquelle nous avancions deux par deux au centre de la pièce et revenions par les côtés en décrivant des huit, les grandes devant et les petites derrière. Nous choisissions nous-mêmes notre partenaire pour la marche, et cela entraînait pas mal de jalousies. Bien sûr, tout le monde voulait Helen ou Aileen, mais miss Hickey veillait à ce qu'il n'y ait pas de monopole. Après la marche, les « cadettes » allaient dans le petit studio travailler le pas de la polka, plus tard celui de la valse, ainsi qu'une série de « danses de caractère » où elles se montraient particulièrement maladroites. Les plus âgées travaillaient leurs propres danses de caractère sous l'œil de miss Hickey dans le grand studio. Il s'agissait de danses au tambourin, aux castagnettes ou à l'éventail.

À ce propos, je racontai un jour à ma fille Rosalind et à son amie Susan, alors âgées de 18 et 19 ans, que je dansais avec des éventails quand j'étais jeune. Leur rire grivois me déconcerta.

— Tu n'as pas fait ça, maman ? Des éventails ! Tu te rends compte, Susan ? La danse de l'éventail, elle !

— Oh ! fit Susan, moi qui croyais les victoriens tellement collet monté !

Il nous fallut quelques instants pour comprendre que, s'agissant de danse de l'éventail, nous ne parlions pas exactement de la même chose : elles m'avaient imaginée sur une scène de music-hall, à demi dénudée derrière une profusion de plumes d'autruches.

Après cela, les grandes laissaient la place aux petites qui venaient effectuer leur danse, généralement une matelote ou quelque petite danse folklorique gaie et pas trop difficile. Pour finir, nous affrontions la complexité du *quadrille des Lanciers*. On nous apprenait aussi des danses traditionnelles, comme la *Danse campagnarde suédoise* et *Sir Roger de Coverley*. Ces dernières étaient particulièrement utiles en ce qu'elles vous évitaient de perdre la face dans les soirées par ignorance de telles activités mondaines.

À Torquay, nous n'étions presque que des filles. À Ealing, il y avait de nombreux garçons dans le cours. Je devais avoir dans les 9 ans à l'époque ; j'étais timide comme tout et pas très avancée en danse. Un garçon au charme considérable, d'un ou deux ans plus âgé que moi, m'invita à être sa cavalière pour les *Lanciers*. Toute retournée, je répondis que je ne savais pas danser les *Lanciers* — la mort dans l'âme, car je n'avais jamais vu un garçon aussi attirant. Il avait les cheveux noirs, le regard joyeux, et je compris aussitôt que nous allions devenir amis de cœur. Je m'assis donc, toute triste, lorsque le quadrille débuta, et, presque immédiatement, l'assistante de Mrs Wordsworth vint me chercher :

— Allons, Agatha, personne ne doit rester assis.

— Je ne sais pas danser les *Lanciers*, madame.

— Peut-être, mon petit, mais tu apprendras vite. Nous allons te trouver un cavalier.

Elle attrapa un garçon plein de taches de rousseur, au nez camus, aux cheveux blond-roux et qui parlait du nez :

— Tiens, voilà. C'est William.

Au cours des « visites » du quadrille, je me retrouvai en face de mon premier amour et de sa cavalière.

— Avec *moi*, tu ne voulais pas danser, me chuchota-t-il plein de ressentiment, et voilà que je te retrouve ici. Ce n'est vraiment pas gentil de ta part.

Je tentai de lui expliquer que ce n'était pas ma faute, que je ne pensais pas être capable de danser les *Lanciers*, qu'on m'avait obligée à le faire, mais on n'a guère le temps de se lancer dans de grandes explications pendant les visites du quadrille. Il continua à me regarder de travers jusqu'à la fin du cours. Je comptais bien le retrouver la semaine suivante, mais, hélas ! je ne le revis jamais. La vie est jalonnée de déceptions amoureuses.

La valse fut, parmi toutes celles que j'appris, la seule danse à m'être de quelque utilité dans la vie. Pourtant, je n'ai jamais vraiment aimé valser. C'est un rythme qui ne me plaît pas et qui m'a toujours donné le tournis, surtout quand miss Hickey me faisait l'honneur de m'inviter. Elle tournoyait de façon merveilleuse, à vous soulever de terre, et vous laissait toute étourdie à la fin de la danse, à peine capable de rester sur vos pieds. Mais je dois reconnaître qu'elle était splendide à regarder.

Où et quand Fräulein Uder disparut de ma vie, je l'ignore. Peut-être est-elle retournée en Allemagne. Quoi qu'il en soit, elle fut un peu plus tard remplacée par un jeune homme, Mr Trotter si je me souviens bien, qui était organiste dans une des églises. Il était assez décourageant comme professeur, et me fit adopter un style tout à fait différent. Assise presque par terre, je devais lever les mains pour atteindre le clavier et tout jouer des poignets. La méthode de Fräulein Uder était au contraire, je crois, d'être assise en position haute, de jouer en prenant la force dans les coudes et de rester plus ou moins penchée au-dessus du piano pour attaquer les notes avec un maximum de puissance. Un régal !

5

Ce dut être peu après notre retour des îles Anglo-Normandes que l'ombre de la maladie commença à peser sur mon père. Il ne s'était pas senti très bien à l'étranger et, à deux reprises, avait fait appel au corps médical. Le second médecin avait émis un avis plutôt alarmant, à savoir que papa souffrait d'une maladie des reins. De retour en Angleterre, il consulta notre médecin de famille qui se montra en désaccord avec ce diagnostic et l'adressa à un spécialiste. Après cela, l'ombre s'installa, subtile, perçue seulement par l'enfant que j'étais comme ces dérèglements atmosphériques qui sont au monde psychique ce qu'un orage qui approche l'est au monde physique.

La science médicale sembla de peu d'effet. Papa consulta deux ou trois hommes de l'art. Pour le premier, il s'agissait à n'en pas douter d'un problème cardiaque. Je ne me souviens pas des détails, mais je me rappelle les mots « inflammation des nerfs qui entourent le cœur » quand ma mère et ma sœur en parlaient, ce qui me paraissait tout à fait effrayant. Un autre médecin mit cela entièrement sur le compte de troubles gastriques.

La nuit, les crises de douleur et d'oppression dont souffrait mon père devenaient de plus en plus fréquentes. Ma mère le veillait, le changeait de position dans son lit, lui donnait les médicaments qui avaient été prescrits par le dernier docteur en date.

Comme toujours, on se raccrochait désespérément au diagnostic du dernier spécialiste consulté et au dernier régime ou traitement prescrits. La foi — foi en la nouveauté, en la personnalité dynamique d'un médecin — peut certes beaucoup, mais reste impuissante devant la véritable affection organique qui est la cause de tout.

La plupart du temps, mon père restait aussi enjoué, aussi égal à lui-même qu'il l'avait toujours été, mais l'atmosphère, à la maison, avait changé. Il continuait à fréquenter son club, à passer les belles journées d'été sur le terrain de cricket et ne perdait rien de sa gentillesse. Jamais il ne se montrait fâché, jamais en colère, mais l'appréhension était là, de plus en plus pesante, ressentie aussi par ma mère, bien sûr, qui faisait de vaillants efforts pour le rassurer et le persuader qu'il avait meilleure mine, qu'il se sentait mieux, qu'il *allait* mieux.

À la même époque, une autre ombre, celle des soucis financiers, s'épaississait. L'argent venant du testament de mon grand-père avait été investi en immeubles à New York, mais les bâtiments étaient tenus à bail emphytéotique, et non en propriété libre. Il apparaît aujourd'hui qu'ils se trouvaient dans un quartier où le terrain valait cher et les bâtiments pratiquement rien. La propriétaire du terrain, à ce que je comprends, se montrait peu coopérative : c'était une vieille femme de 70 ans passés, qui semblait avoir mainmise sur tout et empêchait tout aménagement ou modernisation. Les revenus qui auraient dû rentrer étaient systématiquement engloutis en réparations et en taxes.

C'est ainsi que, ayant surpris un jour des bribes d'une conversation qui me semblaient d'une importance capitale, je me précipitai dans ma chambre et annonçai à Marie, comme dans les meilleurs romans victoriens, que nous étions ruinés. Cette nouvelle ne parut pas la bouleverser autant que je l'avais imaginé, mais elle dut néanmoins exprimer, d'une manière ou d'une autre, sa sympathie à ma mère, car celle-ci vint me trouver, fort mécontente :

— Voyons, Agatha, il ne faut pas répéter les ouï-dire, surtout en les exagérant. Nous ne sommes pas ruinés. Nous sommes juste un peu serrés en ce moment et nous allons devoir faire des économies.

— *Pas* ruinés ? demandai-je, dépitée.

— Pas ruinés, répéta fermement ma mère.

J'avoue que j'étais déçue. Dans tous les livres que j'avais lus, les ruines étaient fréquentes, et jamais traitées à la légère : on menaçait de se faire sauter la cervelle, l'héroïne quittait le riche manoir en haillons, etc.

— J'avais complètement oublié que tu te trouvais dans la pièce, fit maman. Mais tu as bien compris : tu ne dois pas répéter les conversations que tu entends par hasard.

J'acquiesçai, mais me sentis offensée, car je venais, quelque temps auparavant, de me faire reprocher *le contraire* à propos d'un autre incident.

Tony et moi étions installés sous la table de la salle à manger, un soir, juste avant le dîner. C'était un de nos endroits favoris, tout à fait indiqué pour partir à l'aventure dans des cryptes, des donjons, et autres lieux de ce genre.

Nous osions à peine respirer pour que les voleurs qui nous avaient capturés ne puissent nous entendre — sauf Tony qui était gros et ne pouvait se retenir de haleter — lorsque Barter, la bonne qui aidait la femme de chambre à servir le dîner, entra avec une soupière pleine qu'elle posa sur le chauffe-plats de la desserte. Elle souleva le couvercle, plongea la grande louche, la ressortit et but quelques lampées. Lewis, la femme de chambre, entra à son tour en disant :

— Bon, je vais sonner la cloche et...

Elle s'interrompit net pour s'écrier :

— Dis donc, mais qu'est-ce que tu fabriques ?

— Je me rince le gosier, répondit Barter avec un gros rire. Mmm ! Pas mauvaise, cette soupe.

Et elle aspira une autre lampée.

— Veux-tu bien reposer ça et remettre le couvercle ! fit Lewis, choquée. Non mais vraiment !

Barter obtempéra avec son rire bon enfant. Au moment où elle partait vers la cuisine chercher les assiettes à soupe, Tony et moi émergeâmes de dessous la table.

— Elle est vraiment bonne, cette soupe ? demandai-je avec intérêt en m'apprêtant à sortir.

— Par exemple, miss Agatha ! Vous m'avez fait une de ces peurs !

Cet incident m'avait bien un peu surprise, mais je n'en soufflai mot jusqu'à ce que, un jour, quelque deux ans plus tard, ma mère parlât de notre ancienne bonne, Barter, au cours d'une conversation avec Madge.

— Je m'en souviens, de Barter, intervins-je soudain : c'est celle qui goûtait la soupe directement à la soupière dans la salle à manger avant que vous descendiez dîner.

Stupeur de ma mère et de ma sœur.

— Et tu ne m'en as jamais rien dit ? fit maman.

J'ouvris de grands yeux. Je ne voyais pas pourquoi.

— Eh bien, commençai-je, il me semblait que...

J'hésitai, me drapai dans toute ma dignité et proclamai :

— Je n'aime pas divulguer mes informations.

Cela resta toujours une plaisanterie à mon encontre. *Agatha n'aime pas divulguer ses informations.* C'était pourtant vrai. Je n'aimais pas ça. A moins qu'elles ne me paraissent particulièrement opportunes ou intéressantes, j'en gardais pour moi les moindres bribes, je les enfermais, si je puis dire, dans un casier de ma mémoire. Les autres membres de ma famille ne pouvaient pas comprendre, eux qui étaient tous des bavards invétérés. Si on leur confiait un secret, leur préoccupation première semblait d'oublier de le garder ! Ce qui rendait d'ailleurs leur conversation autrement divertissante que la mienne.

Quand Madge rentrait du bal ou d'une partie de campagne, elle avait toujours des quantités d'anecdotes amusantes à raconter. Avec ma sœur, on ne s'ennuyait jamais : où qu'elle se rendît, il lui arrivait quelque chose. Plus avant dans la vie, il lui suffisait de descendre faire deux ou trois courses au village pour en revenir avec une moisson d'événements extraordinaires ou de bons mots. Ce n'était pas invention de sa part, il y avait toujours une base de vérité, mais Madge avait l'art de broder afin d'enjoliver ses histoires.

Dans ce domaine, je devais tenir au contraire de mon père. Car quand on me demandait s'il s'était passé quelque chose d'amusant, je m'empressais aussitôt de répondre : « Non, rien. » « Que portait Mrs Untel à la soirée ? » « Aucune idée. Je ne me rappelle pas. » « Il paraît que Mrs X a refait son salon. De quelle couleur est-il, maintenant ? » « Je n'ai pas fait attention. » « Oh ! Vraiment, Agatha, tu es désespérante, tu ne remarques jamais rien ! »

Je continuais, en somme, à tout garder pour moi. Non par amour des cachotteries, mais parce qu'il me semblait simplement que, la plupart des choses n'ayant aucune importance ou si peu, à quoi diable rimait-il d'en parler ? Parfois aussi, j'étais tellement occupée à orchestrer les conversations et les querelles « des filles », à nous inventer des aventures à Tony et à moi, que je ne pouvais prêter attention aux menues affaires qui se déroulaient alentour. Il avait fallu rien de moins qu'une rumeur de ruine pour me faire dresser l'oreille. Je n'étais sans doute pas une enfant très amusante, et j'avais toutes les chances de devenir le genre de personne qui a les plus grandes difficultés à s'intégrer convenablement à une fête ou une soirée.

Et c'est vrai que je n'ai jamais tellement apprécié les mondanités. Je ne m'y amuse pas. Il y avait bien évidemment, « de mon temps », des goûters ou des fêtes pour les enfants, mais sûrement pas autant qu'aujourd'hui. Je me revois certes aller chez des amies, et recevoir des amies, pour le thé : cela, j'aimais bien et j'aime encore. Quand j'étais jeune, on n'organisait traditionnellement de fêtes pour les enfants, je crois, qu'aux alentours de Noël. Je m'en rappelle vaguement une, costumée, et une autre où l'on avait convié un prestidigitateur.

J'imagine que maman n'était pas favorable à ce type de réjouissances. Elle trouvait que les enfants s'y échauffaient trop, s'énervaient, mangeaient trop, et que, pour ces trois raisons, ils rentraient malades. Elle n'avait sans doute pas tort. Dans tous les goûters où je suis allée, quelle que soit leur importance, j'ai remarqué qu'au moins un tiers des enfants ne s'amusait pas tant que cela.

On ne peut vraiment contrôler un groupe que jusqu'à vingt personnes. Au-delà, il est, si j'ose dire, dominé par le syndrome des toilettes ! Il y a ceux qui veulent y aller, ceux qui n'osent pas dire qu'ils veulent y aller, ceux qui attendent le dernier moment pour y aller, etc. Si lesdites toilettes ne sont pas adaptées pour recevoir un grand nombre de bambins qui veulent tous les utiliser en même temps, ce sera le chaos et de regrettables incidents s'ensuivront. Je me rappelle une fillette de 2 ans à peine dont la mère s'était laissé convaincre, en dépit des conseils avisés de la nurse, de l'amener à un goûter : « Annette est tellement mignonne, il faut qu'elle vienne. Je suis sûre qu'elle s'amusera bien, et puis nous ferons tous très attention à elle. » Aussitôt arrivées sur place, la mère la conduisit au pot. Annette, prise dans la fièvre ambiante, fut incapable de faire ses petites affaires. « Bon, elle n'a peut-être pas besoin », se rassura la mère. Elles descendirent au salon, et lorsqu'un prestidigitateur se mit à sortir toutes sortes d'objets de ses oreilles et de son nez, faisant hurler de rire, crier, battre des mains les enfants qui étaient en rond autour de lui, le pire se produisit.

— Mon Dieu, se souvint une de mes vieilles tantes qui racontait l'histoire à ma mère, on n'avait jamais vu ça, pauvre gosse : jambes écartées au beau milieu du tapis. Comme un cheval !

Marie doit nous avoir quittés quelque temps — peut-être un an ou deux — avant la mort de mon père. Elle s'était engagée à venir deux ans en Angleterre, mais elle resta au moins un an de plus. Elle avait cependant la nostalgie de sa famille et se disait aussi, avec son sens pratique et en bonne Française, qu'il était temps de songer sérieusement au mariage. Elle avait mis de côté une jolie petite dot sur ses gages. Aussi, avec force larmes et de déchirantes étreintes à sa « chère petite Misse », Marie s'en alla-t-elle en me laissant bien seule.

Nous étions cependant, avant son départ, parvenues à un accord au sujet du futur mari de ma sœur. Cela avait été pour nous, comme je l'ai indiqué, une source continuelle de supputations. Le choix ferme et définitif de Marie s'était porté sur « *le monsieur blond* ».

Au temps où, petite fille, ma mère vivait chez sa tante dans le Cheshire, elle était devenue très amie avec une camarade d'école,

Annie Brown. Lorsque celle-ci épousa James Watts et ma mère, son demi-cousin Frederick Miller, les deux jeunes femmes se jurèrent de ne jamais s'oublier l'une l'autre et de toujours s'envoyer des nouvelles. Même après le départ de ma grand-mère du Cheshire pour Londres, elles restèrent en contact. Annie Watts eut cinq enfants — quatre garçons et une fille — et maman, donc, trois. Elles échangèrent périodiquement des photos de leurs rejetons respectifs et leur envoyèrent chaque année des cadeaux de Noël.

Aussi, lorsque ma sœur partit pour l'Irlande afin de décider si oui ou non elle se fiancerait à un certain jeune homme qui tenait absolument à l'épouser, ma mère parla de ce voyage à Annie Watts. Laquelle supplia Madge de venir passer quelques jours à Abney Hall dans le Cheshire quand elle rentrerait de Holyhead. Elle aimerait tant voir l'un des enfants de ma mère !

Madge, donc, après avoir bien profité de son séjour en Irlande et décidé qu'elle n'épouserait finalement pas Charlie P., fit un détour par chez les Watts pour rentrer. Le fils aîné, James, alors âgé de 21 ou 22 ans et encore à Oxford, était un jeune homme blond, posé, à la voix douce et grave, qui parlait peu. Il semblait porter beaucoup moins d'attention à ma sœur que la plupart des jeunes gens. Elle trouva cela tellement extraordinaire que son intérêt pour le jeune homme s'en trouva éveillé. Elle lui fit tout le charme possible, mais sans être certaine de l'effet produit. Quoi qu'il en soit, ils entamèrent une correspondance intermittente lorsqu'elle fut de retour à la maison.

En fait, James avait eu le coup de foudre au premier regard, mais il n'entrait pas dans sa nature de montrer de telles émotions. Il était timide et réservé. Il vint chez nous l'été suivant. Il me plut énormément tout de suite. Il était très gentil avec moi, me traitait avec sérieux, ne me disait pas de plaisanteries stupides et ne me parlait pas comme à une petite fille. Je me sentais en sa présence comme une personne à part entière et lui vouai aussitôt une reconnaissance éternelle. C'est ainsi que « le monsieur blond » devint constant objet de discussion entre Marie et moi dans la salle de couture.

— Je n'ai pas l'impression qu'ils éprouvent vraiment beaucoup d'attirance l'un pour l'autre, Marie.

— Oh que si ! Il n'arrête pas de penser à elle, il la couve des yeux dès qu'elle a le dos tourné. Oh ! pour ça, oui, il est bien épris. Et puis ce serait un bon mariage, très raisonnable. Il a de belles perspectives d'avenir, à ce qu'il paraît, et c'est un garçon tout ce qu'il y a de sérieux. Il fera un excellent mari. Et ce sera bien pour Mademoiselle, qui est si gaie, qui a de l'esprit, qui est toujours prête à rire et à plaisanter, oui ce sera bien pour elle d'avoir un mari calme et stable, qui saura l'apprécier parce qu'elle est tellement différente de lui.

Le seul à ne pas l'aimer, je crois, fut papa, mais cela est sans doute quasi inévitable chez les pères de filles charmantes et gaies : ils leur voudraient des maris trop parfaits pour seulement exister. Les mères sont censées avoir la même réaction vis-à-vis de leurs brus. Mais comme mon frère ne s'est jamais marié, le problème ne s'est pas posé pour maman.

Elle ne considéra jamais non plus, je me dois de le préciser, que les maris de ses filles étaient assez bons pour elles, mais elle reconnaissait que c'était sa faute plutôt que la leur. « Il me faut bien avouer, s'excusait-elle, que je ne connais aucun homme qui saurait être digne de l'une ou l'autre de mes deux filles. »

L'une de nos grandes joies était le théâtre local. Dans la famille, nous étions tous des amoureux de théâtre. Madge et Monty y allaient pratiquement chaque semaine, et j'avais en général la permission de les accompagner. Plus je grandissais et plus cela devenait fréquent. Nous prenions toujours des stalles d'orchestre — le parterre lui-même était réputé plus « populaire ». Le parterre coûtait un shilling et c'est dans les stalles d'orchestre, les deux premières rangées du parterre derrière une dizaine de rangs de fauteuils, que la famille Miller s'installait pour se régaler de tous les genres théâtraux.

L'une des premières pièces que je vis, sinon la première, fut *Atout cœur*, un mélodrame débridé de la pire espèce. Il y avait un méchant, une mauvaise femme qui s'appelait Lady Winifred et une jolie fille qui s'était fait gruger de toute une fortune. On tirait des coups de revolver, et je me rappelle très bien la dernière scène où un jeune homme, suspendu au-dessus du vide dans les Alpes, coupait héroïquement la corde qui le retenait pour sauver soit la fille qu'il aimait, soit l'homme qu'aimait la fille en question. Je me souviens avoir repris cette histoire point par point. « Je suppose, fis-je, que les très méchants étaient les piques (papa était grand joueur de whist et j'entendais toujours parler de cartes) et les moins méchants des trèfles. Lady Winifred devait donc être un trèfle parce qu'elle se repentait, de même que l'homme qui coupait la corde dans la montagne. Quant aux carreaux... (Je réfléchis.) Ils n'ont qu'à bien se tenir », fis-je de mon air pincé le plus victorien.

L'un des grands événements de l'année était les régates de Torquay, qui se déroulaient les derniers lundi et mardi du mois d'août. Je commençais à économiser dès le début mai. Quand je parle des régates, je me souviens surtout de la foire qui les accompagnait. Madge, bien sûr, allait avec papa sur la jetée de Haldon pour suivre la course, et nous avions en général des invités qui restaient le soir pour le bal des régates. Papa, maman et Madge assistaient au thé du Yacht Club l'après-midi, ainsi qu'à toutes les cérémonies liées aux régates. Madge évitait autant que possible de monter en bateau, car elle a toute sa vie souffert d'un incurable mal de mer. En revanche, le yacht de nos amis la passionnait. On y donnait des pique-niques, des soirées, mais c'était là le côté mondain des régates, et j'étais trop jeune pour y participer.

La grande joie de ma vie, ma joie tant attendue, c'était la foire. Les manèges où l'on tournait sans fin sur des chevaux à crinière, et ces sortes de montagnes russes où on montait et descendait des pentes à toute allure. Deux machines faisaient beugler de la musique, et quand on était sur les manèges ou dans les wagonnets des montagnes russes, les deux musiques se mélangeaient en une horrible cacophonie. Puis il y avait toutes les attractions : la femme-éléphant, Mrs Arensky prédisant l'avenir, l'affreuse araignée humaine, le stand de tir auquel Madge et Monty consacraient beaucoup de temps et d'argent, la baraque du jeu de massacre où Monty gagnait des quantités de noix de coco qu'il me rapportait ensuite à la maison. J'adorais les noix de coco. On m'accordait quelques essais à moi aussi, et le forain me laissait par courtoisie m'avancer tellement qu'il m'arrivait parfois de faire mouche. Mais c'étaient de *vrais* jeux de massacre, à l'époque. Aujourd'hui, ils existent toujours, mais les noix de coco sont placées dans une sorte de soucoupe de manière que rien, hormis la combinaison la plus extraordinaire de hasard et de force, ne saurait en faire dégringoler une. On avait sa chance, en ce temps-là. On réussissait, en moyenne, une fois sur six. Monty, un jour, en abattit cinq.

Le lancer d'anneaux, les poupées aux couleurs vives, les loteries, etc., n'avaient pas encore fait leur apparition. Il y avait des baraques où l'on vendait de tout. Ce que j'adorais, c'était ce qu'on appelait les « singes à un sou ». Il s'agissait de petites figurines de singe en peluche qui coûtaient un *penny*, montées sur de longues épingles à piquer sur son manteau. J'en achetais de six à huit chaque année et les ajoutais à ma collection : des roses, des verts, des marron, des rouges, des jaunes. Plus cela allait, plus il devenait difficile d'en trouver de forme et de couleur différentes.

Et le fameux nougat, donc, qu'on ne voyait qu'à la foire ! Un homme, derrière une table, en coupait des morceaux d'un énorme bloc blanc et rose placé devant lui, qu'il vendait à la criée : « Et maintenant mes amis, braillait-il, pour qui ce superbe morceau à six *pence* ? D'accord, ma chérie, la moitié. Ça pour quatre *pence*, ça te va ? » Et ainsi de suite. Il y avait des paquets tout faits à deux *pence* l'unité, mais c'était beaucoup plus amusant de participer à l'encan. « Voilà, deux *pence* et demi pour la petite demoiselle, là. Adjugé. »

Les poissons rouges ne firent leur apparition à la foire des régates que lorsque j'eus une douzaine d'années. Cela fit sensation. Le stand tout entier était couvert de bocaux contenant chacun un poisson rouge et dans lesquels il fallait lancer une balle de ping-pong. Si la balle arrivait dans l'embouchure d'un des bocaux, le poisson rouge était à vous. Comme les noix de coco, ce n'était pas trop difficile, au début. La première fois, nous en gagnâmes onze, à nous tous, que nous rapportâmes triomphalement à la maison pour mettre dans la Cuve. Mais le prix passa vite d'un *penny* la balle à six.

Le soir, un feu d'artifice était tiré. Comme nous ne pouvions pas le voir depuis la maison — ou alors, seulement les fusées les plus hautes — nous allions chez des amis qui habitaient tout près du port. Nous faisions une petite fête à 21 heures, où l'on se passait citronnade, glaces et biscuits.

Voilà un autre des délices de cette époque qui me manque beaucoup, à moi qui ne suis pas une adepte de l'alcool : les garden-parties. Celles d'avant 1914 étaient mémorables. Tout le monde était sur son trente et un : chaussures à talons hauts, robes de mousseline avec ceintures bleues à large nœud bouffant, grands chapeaux de paille d'Italie garnis de roses tombantes. On y servait des glaces délicieuses — fraise, vanille, pistache, sorbet orange et sorbet framboise formaient le choix habituel — avec toutes sortes de gâteaux à la crème, de sandwiches, d'éclairs, et des pêches, du muscat et des brugnons. D'où il ressort que les garden-parties devaient presque toujours se tenir en août. Je n'ai pas souvenir de fraises à la crème.

S'y rendre n'était pas toujours chose facile, bien sûr. Les gens qui n'avaient pas de voiture prenaient un fiacre s'ils étaient âgés ou handicapés, mais tous les jeunes faisaient trois ou quatre kilomètres à pied pour venir des différents quartiers de Torquay. Certains avaient la chance d'habiter près, d'autres en revanche se trouvaient au diable vauvert parce que Torquay est bâti sur sept collines. Nul doute que de gravir les collines en chaussures à talon, en tenant jupe longue de la main gauche et ombrelle de la droite devait être un véritable supplice. Une garden-party valait cependant bien cela.

Mon père décéda alors que j'avais 11 ans. Bien que son état de santé se fût progressivement aggravé, sa maladie semble n'avoir jamais été diagnostiquée avec précision. Il est certain que ses constants soucis financiers ont altéré sa résistance au mal quel qu'il fût.

Il était allé à Ealing passer une semaine chez sa belle-mère et avait rendu visite à différents amis de Londres susceptibles de l'aider à trouver un travail. Ce qui n'était pas chose facile à ce moment-là. À moins d'être juriste, médecin, administrateur de biens ou de travailler au service de l'État, le vaste monde des affaires ne procurait pas les moyens d'existence que nous en attendons aujourd'hui. Il y avait certes de grands établissements bancaires, tels que Pierpont Morgan et autres, dans lesquels mon père avait quelques relations, mais ils n'employaient que des professionnels : soit on entrait tout jeune dans une de ces banques et on y restait, soit on n'y entrait pas. Mon père, comme la plupart de ses contemporains, n'avait aucune formation. Son activité dans les œuvres charitables et dans d'autres domaines aurait aujourd'hui débouché sur un emploi rémunéré, mais tel n'était pas le cas à l'époque.

Sa situation financière était aussi incompréhensible pour lui qu'elle le fut après sa mort pour ses exécuteurs testamentaires. La question était de savoir où était passé l'argent laissé par mon grand-père. Papa avait vécu en deçà de ses revenus théoriques. Sur le papier, ils existaient bien, mais il n'en voyait jamais la couleur : on trouvait toujours de bonnes excuses, on l'assurait que cette carence n'était que temporaire, qu'il y avait eu des réparations imprévues. Les biens étaient de toute évidence mal gérés par les administrateurs et leurs successeurs, mais il était trop tard pour y remédier.

Avec ses soucis et le mauvais temps, il prit un méchant coup de froid qui dégénéra en double pneumonie. On appela ma mère à Ealing. Madge et moi l'y suivîmes très vite. Il était vraiment très malade. Maman veilla jour et nuit à son chevet. Deux infirmières de l'hôpital restaient en permanence à la maison. J'errais comme une âme en peine, malheureuse et effrayée, priant de toutes mes forces que papa guérisse.

Une image reste gravée dans ma mémoire. C'était un après-midi. Je me tenais sur le demi-palier. Soudain, la porte de la chambre de papa et maman s'ouvre. Maman sort, les mains sur les yeux, se précipite et s'enferme dans la chambre voisine. Une infirmière sort à son tour et s'adresse à mamie qui montait l'escalier : « Tout est fini », dit-elle. Je compris alors que mon père était mort.

On n'emmenait pas une petite fille à un enterrement, bien sûr. Je tournais dans la maison, prise d'un curieux état de trouble. Quelque chose d'affreux était arrivé, quelque chose que je n'aurais même jamais cru possible. Les volets de la maison étaient tirés, les lampes allumées. Dans son grand fauteuil du salon, mamie écrivait — avec son style bien à elle — des lettres sans fin. De temps en temps, elle secouait tristement la tête.

À part le jour des obsèques, ma mère ne quitta pas sa chambre. Elle dut refuser de s'alimenter pendant deux jours, car j'entendis Hannah s'en inquiéter. Chère vieille Hannah, avec son visage las et ridé. Elle me fit signe de venir à la cuisine et me dit qu'elle avait besoin de quelqu'un pour l'aider à préparer sa pâte. « Ils étaient tellement attachés l'un à l'autre, ne cessait-elle de répéter. Tellement unis. »

Très unis, oui. Vraiment. J'ai retrouvé, dans un tas de vieux papiers, une lettre écrite par mon père à ma mère juste deux ou trois jours avant sa mort, probablement. Il lui disait combien il lui tardait de revenir à Torquay. Il n'avait rien trouvé de satisfaisant à Londres mais, affirmait-il, tout cela serait vite oublié dès qu'il serait de retour auprès de sa Clara chérie. Il poursuivait en disant qu'il tenait à lui répéter, aujourd'hui comme avant, tout ce qu'elle représentait pour lui. « Tu as fait toute la différence dans ma vie. Nul homme n'a jamais eu une épouse comme toi. Chaque année, depuis que nous sommes mariés, je t'aime davantage. Je te remercie pour ton amour, ton affection et ta tendresse. Dieu te bénisse, ma chère âme, nous serons bientôt de nouveau ensemble. »

J'ai retrouvé cela dans un portefeuille brodé. Celui que ma mère, jeune fille, lui avait confectionné et envoyé en Amérique. Il l'avait toujours gardé avec, à l'intérieur, deux poèmes qu'elle lui avait écrits. C'est maman qui leur a adjoint cette lettre.

Une atmosphère funèbre s'était installée dans la maison d'Ealing. Il y avait des gens partout : mamie B., les oncles, les vraies tantes, les autres qu'on appelait tatie par politesse, les vieilles amies de mamie. Tout ce monde parlait à mi-voix, soupirait, hochait la tête, était en noir. Moi aussi, j'étais en noir. Et je dois dire que mes habits de deuil furent sur le moment ma seule consolation. Je me sentis importante, digne d'intérêt. Je faisais, en les revêtant, partie des événements.

Les commentaires chuchotés allaient bon train : « Vraiment, il *faut* qu'on aide Clara à se secouer. » De temps en temps, mamie lui disait : « Tu ne veux pas lire cette lettre de condoléances que j'ai reçue de Mr B. ou de Mrs C. ? Elle est si belle, je suis sûre qu'elle te toucherait beaucoup. » Et maman la rembarrait aussitôt : « Non, je ne veux pas. »

Elle ouvrait celles qui lui étaient adressées mais les mettait presque aussitôt de côté. Une seule connut un sort différent. « C'est Cassie ? demanda mamie. — Oui, ma tante, c'est Cassie. (Elle la plia et la mit dans son sac.) Elle comprend, elle. » Et elle quitta la pièce.

Cassie était ma marraine américaine, Mrs Sullivan. Je l'avais sans doute vue quand j'étais toute petite, mais je ne me la rappelle que lorsqu'elle vint à Londres environ un an plus tard. C'était une personne extraordinaire que ce petit bout de femme resplendissante de vitalité, aux cheveux blancs et au visage le plus gai, le plus adorable qu'on puisse imaginer. Il émanait d'elle une surprenante impression de joie alors que sa vie avait été des plus tristes qui soient. Son mari, qu'elle aimait tendrement, était mort jeune. Elle avait eu deux garçons ravissants, mais eux aussi étaient morts, paralysés. « Une nourrice a dû les laisser s'asseoir sur l'herbe mouillée », commenta ma grand-mère. Je suppose qu'il s'agissait en fait de cas de polio — non diagnostiquée à l'époque — qu'on appelait toujours fièvre rhumatismale, que l'on croyait venir de l'humidité et qui provoquait une paralysie définitive. Bref, ses deux fils étaient morts. Un de ses neveux adultes, qui habitait la même maison, fut aussi frappé de paralysie et resta infirme à vie. En dépit de tout cela, de tous ses malheurs, tante Cassie restait gaie, vive, et montrait l'âme la plus charitable que j'aie jamais connue. C'était la seule personne que maman désirait voir à ce moment-là. « Elle comprend, elle sait que les grandes phrases de réconfort ne servent à rien. »

Je me souviens que je servis d'émissaire à la famille, que quelqu'un — mamie peut-être, ou alors l'une de mes tantes — me prit à part et me glissa tout bas que je devais être la petite consolatrice de maman, aller dans la chambre où elle restait couchée et lui expliquer que papa était heureux maintenant, qu'il était au paradis et en paix. J'acceptai d'autant plus volontiers que c'était exactement ce que je pensais, ce que tout le monde pensait. J'entrai donc, un peu intimidée, avec ce sentiment confus qu'ont les enfants de faire quelque chose qui est bien parce qu'on le leur a dit, parce qu'ils le savent, mais qui pourrait aussi, d'une manière ou d'une autre, pour une raison qu'ils ignorent, être mal. Je m'approchai sur la pointe des pieds, l'effleurai de la main.

— Maman, papa est en paix maintenant. Il est heureux où il est. Vous ne voudriez quand même pas qu'il revienne, n'est-ce pas ?

Maman se redressa d'un coup dans son lit, avec un geste dont la violence me surprit et me fit battre en retraite.

— Oh ! si, je voudrais qu'il revienne ! explosa-t-elle d'une voix sourde, bien sûr que si ! Je ferais n'importe quoi au monde pour ça, n'importe quoi. Je le forcerais, si je pouvais. Je le veux. Ici, tout de suite, dans ce monde, avec moi.

Je me fis toute petite, effrayée.

— Ma chérie, se reprit-elle vivement, n'aie pas peur, ce n'est rien. Je suis juste un peu... je ne vais pas très bien en ce moment. Je te remercie d'être venue.

Elle m'embrassa et je m'en fus, réconfortée.

TROISIÈME PARTIE

Je grandis

1

La vie prit un caractère complètement différent après la mort de mon père. Je sortis de mon monde d'enfant, un monde de sécurité et d'insouciance, pour aborder celui de la réalité. Il ne fait aucun doute que c'est de l'homme de la famille que vient la stabilité d'une maison. Nous sourions tous d'entendre la petite phrase : « Demande à ton père », mais elle reflète l'une des caractéristiques les plus marquées de la fin de l'époque victorienne. Le Père est le roc sur lequel repose le foyer. Il aime prendre ses repas à l'heure. Il ne faut pas le déranger après manger. Il voudrait que tu joues du piano à quatre mains avec lui. On accepte tout cela comme allant de soi. C'est lui qui nourrit la famille. Lui qui veille à la bonne marche de la maison. Lui qui paye les leçons de musique.

Mon père tirait grande fierté et grand plaisir de la compagnie de Madge à mesure qu'elle grandissait. Il aimait son charme et sa vivacité d'esprit. Tous deux étaient infiniment complices. Je pense qu'il trouvait en elle un peu de la gaieté et du sens de l'humour qui manquaient sans doute à ma mère, et pourtant il gardait au fond de son cœur une tendresse particulière pour son bout de chou, la petite dernière, la petite Agatha. Nous avions notre chanson à nous :

Agatha, p'tit'Agatha,
Ma p'tit'poule noire qui pond des œufs,
Qui pond des œufs pour les messieurs,
Un jour six œufs, un jour sept œufs,
Qui même un jour a fait onze œufs !

Papa et moi adorions cette ritournelle.

Mais c'était Monty, je crois, son véritable préféré. L'amour qu'il portait à son fils dépassait tout ce qu'il pouvait éprouver pour ses filles. Monty, garçon affectueux, était très attaché à son père. Malheureusement, il n'arrivait pas à réussir dans la vie, ce qui causait un souci permanent à papa. Ce n'est qu'après la guerre des Boers que, dans un sens, il commença à se faire moins de souci pour son fils. Monty fut nommé officier dans un régiment régulier, celui de l'East Surrey, et partit tout droit d'Afrique du Sud pour les Indes. Il sembla bien s'adapter à la vie militaire et s'y débrouiller honorablement. Au milieu de tous les tracas financiers de papa, Monty était quand même à ce moment-là un problème de moins.

Madge épousa James Watts environ neuf mois après le décès de mon père, encore qu'elle hésitât quelque peu à quitter maman. Celle-ci poussait au contraire à la roue pour que le mariage se fasse sans plus attendre. Elle disait, avec raison me semble-t-il, que plus le temps passerait, plus elles s'attacheraient l'une à l'autre, et plus la séparation d'avec Madge deviendrait difficile. Le père de James tenait beaucoup à ce que son fils se marie jeune. Celui-ci, frais émoulu d'Oxford, devait tout de suite se lancer dans les affaires, et Mr Watts trouvait mieux qu'il épouse Madge maintenant afin qu'ils puissent s'installer dans leurs murs à eux. Il allait faire construire une maison pour son fils sur une partie de ses terres et le jeune couple vivrait là. C'est ce qui fut décidé.

L'exécuteur testamentaire de mon père, Auguste Montant, vint de New York et resta chez nous une semaine. C'était un grand et gros homme cordial, tout à fait charmant, et personne n'aurait pu se montrer plus gentil avec ma mère. Il lui expliqua franchement que les affaires de papa étaient en piteux état, et qu'il avait été très mal conseillé par les hommes de loi et autres qui avaient prétendu agir pour lui. Des sommes folles avaient été englouties à répétition pour essayer timidement d'améliorer le patrimoine immobilier new-yorkais. Pour lui, il valait mieux carrément se défaire d'une grande partie des biens afin d'économiser en impôts. Le restant ne serait que d'un rapport infime. L'imposante fortune que mon grand-père avait laissée s'était volatilisée. Sa firme, H.B. Chaflin & Co., continuerait à verser une rente à mamie en tant que veuve d'un associé, et un petit quelque chose à maman mais très peu. Nous, les trois enfants, devions recevoir chacun, d'après le testament de mon grand-père, cent livres en monnaie anglaise par an. Le reste de l'immense quantité de dollars avait également été investi dans des immeubles qui s'étaient dégradés, délabrés ou mal vendus.

La question se posait à présent de savoir si ma mère pouvait se permettre de continuer à vivre à Ashfield. Et là, je crois que c'est elle qui eut le meilleur jugement. Elle était convaincue que ce serait une mauvaise chose de s'y accrocher. La maison allait nécessiter des réparations dans le futur, et ce serait lourd — possible, mais lourd — à supporter avec une petite rente. Le mieux était donc de vendre et d'acheter quelque part dans le Devonshire, du côté d'Exeter peut-être, une maison plus modeste, moins gourmande en entretien et qui, dans l'échange, laisserait un surplus pour arrondir la rente. Bien que ma mère n'eût aucune expérience ou formation dans les affaires, elle avait vraiment beaucoup de bon sens.

Là cependant, elle se heurta à ses enfants. Madge et moi, tout comme notre frère qui écrivit des Indes, protestâmes avec énergie contre la vente d'Ashfield et la suppliâmes de la garder. C'était notre maison, disions-nous, et nous en séparer serait un crève-cœur. Le mari de ma sœur offrit une petite rallonge à la rente de maman. Si Madge et lui venaient l'été, ils pourraient aussi participer aux dépenses courantes. Finalement, émue je crois par mon violent amour pour Ashfield, elle céda : nous pourrions tout au moins essayer de voir si l'on s'en tirait.

J'ai bien l'impression aujourd'hui que ma mère n'a jamais vraiment aimé vivre à Torquay. Elle avait un faible pour les grands évêchés et avait toujours adoré Exeter. Mon père l'emmenait parfois en vacances visiter les différentes villes épiscopales — plus pour elle que pour lui, je crois — et je suis sûre que l'idée de vivre dans une bien plus petite maison du côté d'Exeter n'était pas pour lui déplaire. Cependant, parce qu'elle était toujours prête à s'effacer et qu'elle aussi aimait bien cette maison, nous restâmes à Ashfield, que je continuai à chérir.

Avoir gardé Ashfield n'était pourtant pas raisonnable. Je le sais maintenant. Nous aurions pu vendre et acquérir une maison moins lourde à gérer. Mais bien que ma mère en fût consciente à l'époque, et sans doute encore bien davantage plus tard, je pense qu'elle était malgré tout contente qu'il en eût été ainsi. Car Ashfield a représenté beaucoup pour moi pendant bien des années, a été mon cadre naturel, mon refuge, mon véritable chez-moi, qui m'a permis de ne jamais souffrir de l'absence de racines. Même si c'était folie de s'y accrocher, Ashfield m'a apporté quelque chose que je garde précieusement, un trésor de souvenirs. Des soucis, des angoisses, des dépenses et des problèmes aussi, certes, mais quand on aime on ne compte pas, n'est-ce pas ?

Mon père décéda en novembre, et le mariage de ma sœur eut lieu en septembre suivant. Un mariage tout simple, sans réception, en raison du deuil que nous observions toujours. La cérémonie religieuse, fort belle, fut célébrée dans la vieille église de Tor. Pénétrée de l'importance de mon rôle de première demoiselle d'honneur, j'y pris un immense plaisir. Les demoiselles d'honneur étaient tout de blanc vêtues, avec une couronne de fleurs blanches dans les cheveux.

La cérémonie était prévue à 11 heures, et le repas de noces devait être donné à Ashfield. Si les heureux jeunes mariés reçurent nombre de ravissants cadeaux, aucune des farces auxquelles mon cousin Gerald et moi-même pûmes penser ne leur fut en revanche épargnée. Tout au long de leur lune de miel, ils ne purent tirer un seul vêtement de leurs valises sans qu'un flot de riz ne s'en échappe. Des souliers de satin étaient attachés au pare-chocs de leur voiture tandis qu'à l'arrière, tracés à la craie après qu'elle eut été inspectée pour s'assurer que rien de tel ne s'était produit, s'étalaient les mots : *Mrs Jimmy Watts est un nom très distingué.* C'est en cet équipage qu'ils partirent pour leur voyage de noces en Italie.

Ma mère se retira dans sa chambre épuisée et en larmes, Mr et Mrs Watts rentrèrent à leur hôtel — Mrs Watts certainement aussi pour pleurer. Car tel est l'effet que les mariages semblent avoir sur les mères. Laissés à nous-mêmes, les jeunes Watts, mon cousin Gerald et moi nous regardâmes en chiens de faïence, nous demandant si nous allions nous entendre ou pas. Il y eut tout d'abord un fort antagonisme naturel entre Nan Watts et moi. En effet, comme c'était, hélas ! la coutume à l'époque, nos familles respectives nous avaient fait à chacun tout un discours sur l'autre. À Nan, vrai garçon manqué espiègle et turbulent, on avait expliqué qu'Agatha était toujours « très calme et très polie ». Et pendant que Nan entendait vanter mes bonnes manières et mon sérieux, on m'exhortait, moi, à prendre exemple sur elle qui « n'était pas timide, qui répondait toujours quand on lui parlait, sans rougir, sans marmonner, qui ne restait pas muette sur sa chaise ». Nous nous observâmes donc vraiment d'un fort mauvais œil.

Une demi-heure difficile s'ensuivit, puis l'atmosphère se réchauffa. À la fin, nous organisâmes une sorte de steeple-chase autour de la salle d'étude, sautant d'un invraisemblable empilage de chaises sur un canapé rembourré. Nous riions, hurlions, nous amusions comme des fous. Nan revint sur l'opinion qu'elle avait de moi : j'étais tout sauf calme, je criais à tue-tête. Je revins sur l'opinion que je m'étais faite d'elle : Nan n'avait rien d'une prétentieuse qui parlait tout le temps et qui « se mettait » avec les adultes. Nous passâmes un moment sublime, nous nous aimions tous beaucoup et les ressorts du sofa ne s'en remirent jamais. Ensuite, il y eut une collation et nous allâmes au théâtre voir *Les Pirates de Penzance.* À dater de ce jour, notre amitié fut scellée et se manifesta par intervalles tout au long de notre vie. Nous nous perdîmes de vue, nous nous retrouvâmes, et tout était chaque fois comme si nous ne nous étions pas quittés. Nan est l'une des amies qui me manquent le plus aujourd'hui. C'est l'une des rares personnes avec qui je pouvais parler d'Abney, d'Ashfield au bon vieux temps, des chiens, de nos espiègleries, de nos amoureux, des sketches que nous montions et jouions.

Après le départ de Madge commença la deuxième étape de ma vie. J'étais toujours une enfant, mais la première phase de ma jeunesse s'était achevée. L'exubérance de la joie, la profondeur du désespoir, l'importance capitale de chaque instant de la vie sont l'estampille de la jeunesse. Accompagnés par le sentiment de sécurité et l'absence totale de pensée pour le lendemain. Or, nous n'étions plus à présent les Miller, une famille, mais juste deux personnes qui vivaient ensemble : une femme entre deux âges et une petite fille en herbe et naïve. Les choses paraissaient les mêmes, mais l'atmosphère était différente.

Ma mère avait eu des alertes cardiaques depuis la mort de mon père. Elles venaient sans prévenir et rien de ce que les médecins prescrivirent ne fit effet. Je compris alors pour la première fois ce qu'était se faire du souci pour quelqu'un, mais comme je n'étais encore qu'une enfant, j'avais naturellement tendance à dramatiser. Je me réveillais en sursaut la nuit, le cœur battant, sûre que maman était morte. Douze ou 13 ans est sans doute un âge où l'on s'angoisse facilement. Je savais, je pense, que j'étais sotte et que j'exagérais, mais c'était plus fort que moi. Je me levais, me glissais le long du couloir et m'accroupissais pour coller mon oreille contre la porte de sa chambre et essayer de l'entendre respirer. La plupart du temps, j'en repartais vite rassurée : un ronflement sonore m'accueillait. Maman avait une façon bien à elle de ronfler. Cela commençait tout doucement, délicatement, pour aller *crescendo* jusqu'à une terrifiante explosion, après quoi elle se tournait généralement dans son lit et le ronflement cessait pour au moins trois quarts d'heure.

Si je l'entendais ronfler, alors je repartais me coucher tout heureuse et me rendormais. Sinon, je restais accroupie là, rongée d'inquiétude. Il aurait été beaucoup plus judicieux d'ouvrir la porte et d'entrer pour me rassurer, mais je ne sais pourquoi cela ne semble pas m'être venu à l'esprit. Peut-être avait-elle l'habitude de fermer sa porte la nuit.

Je ne lui ai jamais parlé de ces terribles crises d'angoisse, et je ne crois pas qu'elle les ait jamais soupçonnées. J'avais très peur aussi, quand elle allait en ville, qu'elle se fasse renverser. Tout

cela paraît bien bête maintenant, bien futile, et s'est estompé graduellement, je crois, au bout d'un an ou deux seulement. Plus
tard, je dormis dans le cabinet de toilette de papa qui jouxtait sa
chambre, la porte légèrement entrouverte de façon à pouvoir, en
cas de malaise nocturne, entrer, lui soulever la tête et lui donner
un peu de brandy et ses sels. Une fois installée sur place, mes
horribles bouffées d'angoisse disparurent. J'ai sans doute toujours
eu trop d'imagination. Cela m'a certes bien servi dans mon métier
— ne doit-elle pas être à la base même de l'art du romancier ? —
mais cela peut aussi vous jouer des tours dans d'autres domaines.

Nos conditions de vie changèrent après la mort de mon père.
Nous ne recevions presque plus. À part quelques vieux amis,
maman ne voyait personne. Nous étions financièrement très
gênées et devions économiser sur tout. Nous n'avions pas le
choix, avec Ashfield. Plus de déjeuners ou de dîners à la maison.
Deux domestiques au lieu de trois. Elle essaya d'expliquer à Jane
que, vu notre situation, il lui faudrait se débrouiller avec deux
jeunes bonnes inexpérimentées, mais insista sur le fait que, elle,
Jane, si bonne cuisinière, pouvait prétendre à des gages plus
importants : ce ne serait que justice. Maman allait donc lui chercher une place mieux rémunérée, où elle pourrait être secondée
par une véritable aide-cuisinière.

— Vous le méritez, insista-t-elle.

Le visage de Jane resta impassible. Elle était en train de manger, comme d'habitude. Elle hocha lentement la tête et répondit,
sans s'arrêter de mastiquer :

— Très bien, Madame. Comme vous voudrez. C'est vous qui
voyez.

Le lendemain matin, pourtant, elle revint sur la question :

— Je voudrais juste vous dire un mot, Madame. J'ai bien réfléchi, et je préférerais rester. Je comprends ce que vous m'avez dit,
mais je travaille ici depuis longtemps, alors je serais prête à accepter des gages moins élevés. De toute façon, mon frère insiste pour
que je vienne m'occuper de sa maison, et j'ai promis de le faire
quand il prendrait sa retraite, dans quatre ou cinq ans probablement. En attendant, j'aimerais mieux rester ici.

— C'est vraiment très, très gentil de votre part, répondit ma
mère, tout émue.

— Ce sera plus pratique, conclut Jane, qui avait horreur de
montrer ses sentiments.

Et d'un pas majestueux, elle quitta la pièce.

Il y avait juste un inconvénient à cet accord. C'est qu'après
avoir cuisiné pendant des années d'une certaine façon, il était
difficile à Jane de changer son fusil d'épaule. Si nous avions un

rôti, il était énorme. Des pâtés à la viande colossaux étaient servis à table, d'immenses tartes, de gargantuesques puddings à la vapeur. Maman avait beau préciser : « Juste pour deux, Jane », ou « Pour quatre, pas plus », rien n'y faisait. Et Jane avait elle-même un sens de l'hospitalité qui coûtait fort cher au budget familial : chaque jour de la semaine, sept ou huit de ses amies avaient coutume de venir prendre le thé, manger gâteaux, brioches, petits pains au lait et aux raisins, rochers, tartes à la confiture. À la fin, désespérée de voir sans cesse grossir le chapitre des dépenses de la maison, maman lui dit le plus doucement possible que peut-être, puisque les choses étaient maintenant différentes, Jane disposerait d'un jour par semaine pour recevoir ses amies. Ce qui réduirait les risques de gaspillage, dans les cas où une grande quantité de nourriture serait préparée et où des gens ne viendraient pas. À partir de ce moment, Jane ne reçut plus sa petite cour que le mercredi.

Nos propres repas étaient à présent bien différents des habituels festins à trois ou quatre services. Les dîners furent quasiment supprimés. Nous nous contentions le soir, maman et moi, de macaroni au fromage, d'un pudding de riz ou autre plat de ce genre, au grand dam de Jane. De même, petit à petit, ma mère se remit à passer les commandes elle-même, ce qui était précédemment du ressort de la cuisinière. L'un des grands plaisirs des amis de mon père, quand ils séjournaient à la maison, avait toujours été d'entendre Jane faire ses emplettes au téléphone, avec sa voix grave du Devonshire : « Et je voudrais six homards, des femelles, hein ! Et des grosses crevettes roses, pas moins de... » Cela devint un de nos petits mots préférés, dans la famille. Jane n'eut pas l'exclusivité du « Pas moins de ». Une autre de nos cuisinières, Mrs Potter, devait plus tard l'utiliser aussi. C'était chaque fois jour de fête pour les commerçants !

— Mais j'ai toujours commandé douze filets de sole, Madame ! se récriait Jane, consternée.

Le fait qu'il n'y avait plus suffisamment de bouches pour dévorer douze filets de sole, même en comptant les deux de la cuisine, ne sembla jamais lui entrer dans la tête.

Aucun de ces changements ne fut véritablement perceptible pour moi. L'opulence et la gêne ne signifient pas grand-chose quand on est jeune. Acheter des bonbons au sucre cuit à la place de chocolats ne fait guère de différence. En outre, j'ai toujours préféré le maquereau à la sole. Et quoi de plus appétissant qu'un beau merlan « en colère », à savoir la queue entre les dents ?

Ainsi, en ce qui me concerne, la vie quotidienne n'avait guère subi de modifications notables. Je lisais des quantités énormes de

livres : je vins à bout de tous les Henty, m'initiai à Stanley Wey-
man — quels magnifiques romans historiques ! J'ai relu *L'Auberge
du château*, il n'y a pas longtemps, et je l'ai trouvé remarquable.

Comme bien des gens, c'est avec *Le Prisonnier de Zenda* que
je me suis initiée à la littérature romanesque. Je l'ai lu et relu. Je
tombai amoureuse, non pas de Rudolph Rassendyll comme on
aurait pu s'y attendre, mais du vrai roi emprisonné qui se languis-
sait dans son donjon. Je brûlais de voler à son secours, de le
délivrer, de l'assurer que moi — Flavia, bien sûr — je l'aimais
lui et non Rudolf Rassendyll. Je lus aussi tout Jules Verne en
français, avec une préférence pour le *Voyage au centre de la Terre*.
J'adorais le contraste entre la prudence du neveu et l'outrecui-
dance de l'oncle. Les livres que j'aimais, je les recommençais à un
mois d'intervalle. Au bout d'un an, ma fidélité s'émoussait et je
me trouvais un autre préféré.

Il y avait aussi les livres enfantins de L.T. Meade, que ma mère
détestait. Elle disait que les filles y étaient vulgaires et ne pensaient qu'à avoir de l'argent et de beaux vêtements. Moi, en
secret, j'aimais assez, mais avec quel sentiment de culpabilité pour
la vulgarité de mes goûts ! Maman me fit tout haut la lecture de
certains des Henty, même si elle trouvait les descriptions un peu
longuettes. Elle me lut aussi un ouvrage intitulé *Les Derniers jours
de Bruce*, qui nous enthousiasma toutes les deux. En guise de
leçons, elle me mit sur un livre appelé *Les Grands Événements de
l'Histoire*, dont je devais lire un chapitre à la fois et répondre aux
questions posées à la fin. Il était très bien fait. Il décrivait les
grands événements d'Europe et du monde en les reliant à l'histoire des rois d'Angleterre, du petit Arthur à nos jours. Quel
bonheur que ces jugements tout d'une pièce : Untel était un
mauvais roi ! Il y a là une sorte d'irrévocabilité biblique. J'appris
ainsi les dates et le nom de toutes les épouses des rois d'Angleterre, ce qui ne m'a jamais servi à grand-chose.

Chaque jour, j'avais à apprendre l'orthographe de pages
entières de mots. Exercice qui m'a peut-être un peu aidée, mais
j'ai toujours été très mauvaise et je fais encore aujourd'hui toujours autant de fautes.

Mes principaux plaisirs étaient la musique et d'autres activités
auxquelles je pris part avec une famille du nom de Huxley. La
femme du Dr Huxley était une personne un peu distraite mais
intelligente. Il y avait cinq filles : Mildred, Sybil, Muriel, Phyllis
et Enid. En âge, j'arrivais entre Muriel et Phyllis, et Muriel devint
ma grande amie. Elle avait le visage allongé et des fossettes, traits
qui en général ne vont pas ensemble, des cheveux blond clair.
Elle riait beaucoup. Je les suivis tout d'abord dans leur classe de

chant hebdomadaire. Une dizaine de filles interprétaient des airs polyphoniques et des oratorios sous la direction d'un maître de chant, Mr... Corbeau. Il y avait aussi l'« orchestre ». Muriel et moi jouions de la mandoline, Sybil et une fille qui s'appelait Connie Stevens étaient au violon, Mildred au violoncelle.

À l'époque de l'orchestre, je crois que les Huxley formaient une famille assez non conformiste. Les plus collets montés des habitants de Torquay regardaient un peu de travers les « filles Huxley », surtout parce qu'elles avaient l'habitude de déambuler sur le Strand, le centre commercial de la ville, entre midi et 13 heures, d'abord trois de front, bras dessus, bras dessous, puis les deux autres et la gouvernante. Elles gesticulaient, allaient et venaient, riaient, plaisantaient et, péché capital, *ne portaient pas de gants*. Ce genre de laisser-aller était une offense publique en ce temps-là. Cependant, comme le Dr Huxley se trouvait être le médecin le plus en vogue de Torquay et que Mrs Huxley était connue pour avoir « de très bonnes relations », les filles restaient socialement acceptées.

Ce contexte social était quand même curieux, quand on y songe. Empreint de snobisme, certes, mais pas n'importe lequel. Une certaine forme de snobisme était fort méprisée. On se détournait et se moquait des gens qui mêlaient trop souvent l'aristocratie à leur conversation. Trois périodes se sont succédé, au cours de ma vie. Dans la première, on se posait des questions comme : « Mais qui est cette personne, ma chère ? De quelle famille vient-elle ? Les Machin-Chose, ceux du Yorkshire ? Bien sûr, leur situation est loin d'être reluisante, mais enfin elle, c'était une Wilmot. » Suivit celle des : « Ceux-là, ils sont odieux. Seulement ils sont tellement riches ! » Ou bien : « Est-ce que les gens qui ont repris Les Mélèzes ont de l'argent ? Oh ! alors, on ferait bien de leur rendre visite. » La troisième était encore autre chose : « Dites-moi, ma chère, sont-ils sympathiques ? » « Ma foi, ils n'ont pas le sou et on ne sait pas trop d'où ils viennent, mais ils sont de si bonne compagnie ! » Après cette digression sur les valeurs sociales, revenons à notre orchestre.

Produisions-nous une horrible cacophonie ? Je me le demande. Probablement. En tout cas, cela nous amusait fort tout en élargissant nos connaissances musicales. Et aboutit à quelque chose d'encore plus formidable : monter une représentation de Gilbert et Sullivan.

Les Huxley et leurs amies avaient déjà donné *Patience* avant que je rejoigne leurs rangs. Le spectacle suivant devait être *Les Hallebardiers de la Garde*, projet plutôt ambitieux. Je suis d'ailleurs étonnée que leurs parents ne les en aient pas dissuadées.

Mais Mrs Huxley était un merveilleux exemple de libéralisme, ce en quoi je ne peux que l'admirer, car les parents étaient assez interventionnistes, à l'époque. Elle les encourageait au contraire à monter ce qu'elles voulaient, les aidait si elles le demandaient, ou sinon les laissait se débrouiller seules. Les rôles furent donc distribués. J'avais une bonne et forte voix de soprano — j'étais même la seule soprano du groupe — et je fus naturellement aux anges de me voir choisie pour interpréter le colonel Fairfax.

Nous éprouvâmes quelques difficultés avec ma mère qui avait des principes un tantinet rétrogrades quant à ce que les filles pouvaient ou ne pouvaient pas porter pour dissimuler leurs jambes s'il leur fallait apparaître en public. Les jambes étaient des jambes, et il était par conséquent inconvenant de les montrer. M'exhiber en collants ou autre tenue de ce genre lui aurait paru tout à fait déplacé. Je devais avoir 13 ou 14 ans à ce moment-là, et déjà mesurer plus de 1,65 m — toujours, hélas ! sans le moindre signe annonciateur de l'opulente poitrine dont j'avais rêvé à Cauterets. Un uniforme de hallebardier de la Garde, passe encore, bien qu'il dût comporter un pantalon de golf d'une largeur inaccoutumée. Il n'en allait pas de même, en revanche, avec celui de seigneur élisabéthain. Cela me fait sourire, aujourd'hui, mais c'était une question d'importance à l'époque. Bref, la difficulté fut surmontée lorsque ma mère donna son accord à condition de me couvrir d'une grande cape jetée sur l'épaule. On m'en confectionna une à partir d'une pièce de velours bleu turquoise qui faisait partie des « tissus » de mamie ; les tissus de mamie, rangés dans divers tiroirs et malles, comprenaient toutes sortes de riches étoffes, achetées au hasard de ventes au cours des vingt-cinq dernières années et qu'elle avait à présent plus ou moins oubliées. Cela dit, il n'est pas très commode d'évoluer sur scène, une cape drapée sur une épaule et jetée sur l'autre de façon à plus ou moins cacher au public ces appendices inconvenants entre tous : une paire de jambes.

Je ne me souviens pas d'avoir éprouvé de trac. Assez curieusement pour une personne aussi timide que moi, à qui il arrive si souvent de ne pas oser entrer dans un magasin et qui doit serrer les dents lorsqu'elle va à une grande soirée, s'il est une activité où je me sentais détendue, c'est bien le chant. Plus tard, lorsque je pris à la fois des cours de piano et de chant à Paris, je perdais complètement contenance dès que je devais me mettre au piano pour le concert de l'école, alors que j'étais tout à fait à l'aise s'il s'agissait de chanter. Peut-être est-ce d'avoir été si tôt conditionnée au « La Vie est belle » du colonel Fairfax et au reste de son répertoire. Il est certain que ces *Hallebardiers de la Garde* ont été l'un des grands moments de mon existence. Mais je reste persuadée que nous avons bien fait de ne pas monter d'autres opérettes. Une expérience à laquelle vous avez vraiment pris plaisir ne doit jamais être répétée.

Ce qui est étrange, quand on regarde le passé, c'est que, si l'on se souvient fort bien de la façon dont les choses sont survenues, on oublie comment elles ont cessé. Je n'arrive guère à me rappeler d'épisodes vécus en commun avec les Huxley après cette époque, bien que je sois sûre que notre amitié ne s'est pas interrompue. A un certain moment, nous semblions nous rencontrer tous les jours, puis je me revois écrire à Muriel en Écosse. Le Dr Huxley était-il parti exercer ailleurs, ou avait-il pris sa retraite ? Je n'ai pas souvenance d'adieux définitifs. Je me rappelle seulement que Muriel avait une idée très précise de notre amitié :« Tu ne peux pas être ma meilleure amie, expliquait-elle, parce qu'il y a ces Écossaises, les McCracken. Elles ont toujours été nos meilleures amies. Brenda est la mienne et Janet celle de Phyllis. Mais tu pourrais être ma deuxième meilleure amie. » Je me satisfis donc de la seconde place, qui me convenait tout à fait d'autant que les « meilleures amies » McCracken ne voyaient les Huxley qu'une fois, disons, tous les deux ans.

2

Ce fut, je crois, courant mars que ma mère m'expliqua que Madge allait avoir un bébé. J'ouvris de grands yeux. Madge, un *bébé*? J'étais abasourdie. Je ne vois pas ce qu'il y avait là de si inconcevable — car enfin, cela se produisait tous les jours autour de nous — mais les choses sont toujours plus étonnantes quand elles arrivent dans votre propre famille. J'acceptais mon beau-frère James, ou Jimmy comme je l'appelais familièrement, avec enthousiasme, je lui étais très attachée. Seulement là, c'était une autre histoire.

Comme d'habitude, il me fallut un certain temps pour assimiler. Je dus rester plantée, bouche bée, deux bonnes minutes sinon davantage.

— Oh! mais... c'est *formidable*! Quand arrive-t-il? La semaine prochaine?

— Pas si vite, répondit ma mère qui avança une date en octobre.

— Octobre?

J'étais profondément déçue. Attendre tout ce temps! Je ne sais plus très bien quelles étaient mes connaissances en matière de sexualité à l'époque — je devais avoir entre 12 et 13 ans — mais je crois que j'avais passé le stade des bébés dans les choux ou apportés par une cigogne. Je comprenais qu'il s'agissait d'un processus physique, mais sans que cela éveillât beaucoup de curiosité ou d'intérêt en moi. J'avais malgré tout fait une petite déduction. Le bébé était d'abord à l'intérieur de vous puis, au bout d'un certain temps, à l'extérieur. Je réfléchis au mécanisme de la chose, et ce fut le nombril qui retint mon attention. Je ne voyais pas à quoi ce petit trou rond au milieu de mon ventre pouvait bien servir si ce n'est à ça : oui, il devait avoir sa raison d'être dans la fabrication d'un bébé.

Ma sœur me raconta, des années plus tard, qu'elle avait eu des idées très arrêtées sur la question. Elle pensait que le nombril était un trou de serrure, qu'une clé s'y adaptait, que c'était la mère qui la gardait, qui la remettait au mari et que ce dernier ouvrait la serrure lors de la nuit de noce. Tout cela me paraissait si logique que cela ne m'étonne pas qu'elle y ait cru dur comme fer.

Je fis retraite dans le jardin pour méditer sur cette nouvelle. Madge allait avoir un bébé. C'était une chose merveilleuse, et plus j'y songeais, plus j'approuvais. J'allais être tante : cela faisait très adulte et important. J'allais lui acheter des joujoux, je lui prêterais ma maison de poupées et je devrais veiller à ce que Christopher, mon petit chat, ne lui donne pas un coup de griffe involontaire. Au bout d'une semaine, je cessai d'y penser. Le quotidien avait repris le dessus. Octobre était encore loin.

En août, un télégramme arriva. Ma mère fit ses bagages et dit qu'elle devait partir chez ma sœur dans le Cheshire. Tatie-Mamie était installée chez nous à ce moment-là. Le départ soudain de maman ne me surprit pas outre mesure, et je ne me posai guère de questions, car tout ce qu'elle faisait paraissait ainsi précipité, improvisé et sans préparation apparente. J'étais, je me souviens, dans le jardin, sur la pelouse du court de tennis, en train d'examiner les poiriers dans l'espoir d'y trouver un fruit mûr. C'est là qu'Alice vint me chercher :

— C'est bientôt l'heure du déjeuner et il faut que vous rentriez, mademoiselle Agatha. Une nouvelle vous attend.

— Une nouvelle ? Quelle nouvelle ?

— Vous avez un petit neveu, dit Alice.

Un neveu ?

— Mais il ne devait pas arriver avant le mois d'octobre ! objectai-je.

— Ah ! mais les choses ne vont pas toujours comme on pense, répondit Alice. Allons, venez, maintenant.

Je rentrai donc. Mamie était dans la cuisine, un télégramme à la main. Je la bombardai de questions. À quoi ressemblait le bébé ? Pourquoi était-il venu maintenant et pas en octobre ? Mamie répondit à ces questions avec l'art de l'esquive bien connu des victoriens. Elle était, je crois, en pleine conversation obstétrique avec Jane lorsque j'arrivai, car elles baissèrent la voix et murmurèrent quelque chose comme : « L'autre médecin a dit qu'il fallait laisser le travail se faire, mais le spécialiste a été très ferme. » Tout cela me paraissait mystérieux et intéressant. Je ne pensais plus qu'à mon nouveau petit neveu.

— Mais à quoi ressemble-t-il ? demandais-je quand je vis

mamie se mettre à découper le gigot. Il a les cheveux de quelle couleur ?

— Il est sans doute chauve. Les bébés n'ont pas de cheveux tout de suite.

— *Chauve* ? m'écriai-je, déçue. Avec la tête toute rouge ?

— C'est probable.

— Il est grand comment ?

Mamie s'arrêta de découper, réfléchit un instant et me montra une taille sur le couteau.

— Comme ça, fit-elle.

Elle avait parlé avec la conviction de quelqu'un qui sait. Cela semblait bien petit. Pourtant, sa réponse me fit une telle impression que je suis certaine que, si un psychiatre me demandait encore aujourd'hui à quoi j'associe le mot « bébé », il me viendrait immédiatement « couteau à découper ». Je me demande sur le compte de quel complexe freudien il mettrait cela.

Mon neveu me ravit. Madge l'amena à Ashfield environ un mois plus tard, et, lorsqu'il eut deux mois, il fut baptisé à la vieille église de Tor. Sa marraine, Norah Hewitt, n'ayant pu se libérer, je fus autorisée à le tenir en ses lieu et place. J'étais debout à côté des fonts, toute imbue de mon rôle, cependant que ma sœur, peu rassurée, était à côté de moi prête à intervenir au cas où je le laisserais tomber. Mr Jacob, notre vicaire, que je connaissais fort bien puisqu'il me préparait à la confirmation, avait le chic avec les bébés : il versait l'eau sur leur front incliné en arrière, en un geste adroit accompagné d'un léger bercement qui les retenait en général de hurler. L'enfant fut baptisé James Watts, comme son père et son grand-père, mais appelé Jack dans la famille. Je ne pouvais m'empêcher d'avoir hâte de le voir parvenir à un âge où je pourrais jouer avec lui, car sa grande préoccupation actuelle semblait être de dormir.

J'étais ravie que Madge reste quelque temps à la maison. Je savais qu'elle me raconterait des histoires et apporterait beaucoup de divertissement dans ma vie. C'est elle qui m'avait lu ma première aventure de Sherlock Holmes, *L'Escarboucle bleue*, après quoi je n'avais cessé de lui en demander d'autres. *L'Escarboucle bleue*, *La Ligue des rouquins* et *Les Cinq Pépins d'orange* étaient de loin mes préférées, mais je les aimais toutes. Madge était une conteuse extraordinaire.

Elle s'était elle-même mise à écrire de petites nouvelles avant son mariage. Nombre d'entre elles furent acceptées dans *Vanity Fair*. Paraître dans les Vanités de *Vanity Fair* était considéré, à l'époque, comme une performance littéraire et papa était extrêmement fier de sa fille. Ses historiettes étaient toutes orientées vers le sport : *La Sixième Balle du lanceur de cricket, Faux Rebond sur le green, Cassie joue au croquet,* entre autres. Elles étaient amusantes et spirituelles. Je les ai relues il y a une vingtaine d'années : elle avait vraiment une bonne plume. Aurait-elle continué à écrire si elle ne s'était pas mariée ? Je ne pense pas qu'elle se soit jamais sérieusement vue écrivain, elle aurait sans doute préféré être peintre. Elle était de ces gens qui réussissent pratiquement tout ce qu'ils entreprennent. Elle abandonna la nouvelle après son mariage, autant qu'il m'en souvienne, mais se mit à écrire pour le théâtre une dizaine ou une quinzaine d'années plus tard. *Le Requérant* (alias *Le Demandeur*) fut montée par Basil Dean, du *Théâtre royal,* avec notamment Leon Quartermayne et Fay Compton. Elle a écrit une ou deux autres pièces, mais qui n'ont pas été représentées à Londres. Elle se débrouillait aussi fort bien sur les planches et jouait en amateur dans la troupe du Manchester Dramatic. Il ne fait aucun doute que Madge était l'artiste de la famille.

Personnellement, je n'avais guère d'ambition. Je savais que je n'étais vraiment bonne en rien. J'aimais bien jouer au tennis et au croquet pour m'amuser mais sans jamais y exceller. Ce serait beaucoup plus passionnant si je pouvais affirmer avoir toujours eu dans la tête de devenir écrivain avec la détermination de réussir un jour, mais en toute honnêteté, l'idée ne m'en était jamais venue.

Et pourtant, je fus effectivement publiée à l'âge de 11 ans. Voici dans quelles circonstances. Quand le tramway fit son apparition à Ealing, ce fut un tollé dans l'opinion publique locale. Quelle horreur : des quartiers aussi résidentiels, avec leurs larges rues et d'adorables petites maisons, défigurés par des trams ferraillant en tous sens ! Le mot de progrès était prononcé avec dégoût. Et chacun d'écrire à la presse, à son député, à n'importe qui. Les trams étaient malséants, malsonnants, la santé des gens allait en pâtir. Il y avait un excellent service de bus, d'un rouge étincelant sur lequel s'étalait, en grosses lettres, l'inscription EALING, qui reliait Ealing Broadway à Shepherd's Bush. D'autres bus très pratiques, quoique d'apparence plus modeste, allaient de Hanwell à Acton. Et il y avait aussi ce bon vieux Chemin de fer de l'Ouest. Sans parler du réseau de banlieue.

Les trams étaient donc tout à fait superflus. Mais ils vinrent. Inexorablement. Il y eut des pleurs et des grincements de dents, et c'est ainsi que la petite Agatha vit publier sa première œuvre littéraire. Il s'agissait d'un poème en quatre strophes que j'avais composé le jour de la mise en service des trams, et l'un des vieux chevaliers servants de mamie, parmi sa suite de valeureux généraux, lieutenants-colonels et amiraux, se laissa par elle convaincre de le porter aux bureaux du quotidien local pour le faire insérer. Je me rappelle encore le premier quatrain :

> *Quand les trams électriques se mirent à rouler,*
> *De leur parure écarlate tout auréolés,*
> *C'était bien, mais avant la fin de la journée,*
> *Ce fut une autre histoire, car ils durent s'arrêter.*

Dans les strophes suivantes, j'ironisais sur « le patin qui patine » : il y avait eu un problème électrique dû à un « patin » défectueux, ou quel que soit le nom de l'appareil qui transmettait le courant aux voitures, si bien que, après quelques heures de fonctionnement, ils tombèrent en panne. Je fus transportée de joie de voir mon poème imprimé, mais je ne saurais affirmer que cela me mit en tête des idées de carrière littéraire.

D'idée en tête, je n'en avais qu'une, en fait : réaliser un mariage heureux. Sur ce point, je me faisais entière confiance. De même que toutes mes amies. Car c'était le bonheur qui nous attendait : nous avions hâte d'être aimées, choyées, adorées, admirées. Nous ferions ce qui serait de notre ressort comme nous l'entendrions, tout en plaçant la vie de notre mari, sa carrière, son succès, avant tout, ainsi que le commanderait notre fier devoir d'épouse. Nous n'avions nul besoin de stimulants ou de sédatifs : nous avions foi en la vie, nous la savourions. Si nous avions nos petites contrariétés et nos moments de chagrin, dans l'ensemble, la vie était gaie. Peut-être l'est-elle encore pour les filles d'aujourd'hui, mais elles n'en donnent vraiment pas l'impression. À moins, après tout, qu'elles n'aiment la mélancolie — il y a des gens comme ça. Qu'elles se complaisent dans les crises émotionnelles qui semblent en permanence les submerger. Ou même dans l'angoisse. Car tel semble être actuellement notre lot : l'angoisse. Mes contemporains étaient souvent dans la gêne et ne pouvaient s'offrir le quart de ce qu'ils voulaient. Pourquoi alors prenions-nous tant de plaisir à vivre ? Une sorte de sève montait-elle en nous, qui se serait maintenant tarie ? Est-ce l'éducation qui a fermé le robinet, ou pis, l'angoisse de l'éducation, l'angoisse de ce que la vie nous réserve ?

Nous étions comme des fleurs récalcitrantes — souvent simple mauvaise herbe peut-être, mais toutes pleines de vie — qui forçaient leur chemin au travers des fissures de trottoirs et de dalles, dans les endroits les moins favorables, bien décidées à nous gorger de vie, de plaisir et de soleil. Un passant nous marchait-il dessus ? Même meurtries un moment, nous relevions vite la tête. Aujourd'hui, hélas ! la vie semble déverser un désherbant — un désherbant sélectif ! — et nous n'avons plus aucune chance de relever la tête. Il y a ceux qui n'ont « pas le droit de vivre ». Personne ne nous aurait dit à nous que nous n'avions pas le droit de vivre. Nous l'aurait-on d'ailleurs dit que nous n'en aurions pas cru un mot. Seul l'assassin n'a pas le droit de vivre. Or, de nos jours, l'assassin est précisément la personne à qui il ne faut pas dire qu'elle n'a pas le droit de vivre.

Ce qu'il y avait d'excitant dans le fait d'être une fille — donc une chrysalide de femme — c'est que la vie était un merveilleux jeu de hasard. *Vous ne saviez pas ce qui allait vous arriver.* Là résidait tout le sel d'être femme. Vous n'aviez pas à vous préoccuper de ce que vous deviez faire ou être. C'était affaire de biologie. Vous attendiez l'Homme avec un grand H, et quand il venait, il changeait toute votre vie. Vous direz ce que vous voudrez, c'est une question passionnante à considérer, au seuil d'une existence. Que va-t-il m'arriver ? « Je vais peut-être épouser un diplomate... Oui, je crois que ça me plairait bien, d'aller à l'étranger, de voir toutes sortes de pays. » Ou bien : « Un marin ? Non merci, il faut tout le temps habiter près de la mer. » Ou encore : « Quelqu'un qui bâtit des ponts ? Un explorateur ? » Le monde entier vous était ouvert — pas pour votre choix, pour ce que le destin vous apporterait. Vous pouviez épouser n'importe qui. Tomber sur un ivrogne, bien sûr, être très malheureuse, mais cela ne faisait qu'ajouter du piment à la chose. De plus, ce n'était pas une profession qu'on épousait, c'était l'homme. Comme disaient les vieilles bonnes d'enfant, nounous, cuisinières et femmes de chambre : « Un jour il viendra, l'homme de votre vie. »

Je me souviens, toute petite, d'avoir vu Hannah, la vieille cuisinière de mamie, aider une amie de ma mère à s'habiller pour un bal. Il s'agissait de la lacer dans un étroit corset :

— Maintenant, miss Phyllis, calez vos pieds contre le lit et penchez-vous en arrière, je vais tirer. Retenez votre respiration.

— Oh ! Hannah, je ne peux pas le supporter, c'est affreux. Je ne peux plus respirer.

— Allons voyons, ma petite. Bien sûr que si, vous pouvez respirer. Vous ne pourrez pas dîner, mais tant mieux : les jeunes filles ne doivent pas trop manger devant les autres, cela manque de délicatesse. Vous devez vous comporter comme une jeune fille de bonne famille. Vous êtes très bien comme ça. Attendez, que je prenne le centimètre... 49,5. J'aurais pu vous serrer à 48...

— Quarante-neuf et demi, ça va très bien, haleta l'infortunée.

— Vous serez pourtant contente d'y arriver. Imaginez qu'il vienne ce soir, l'homme de votre vie. Vous ne voudriez pas aller là-bas et qu'il vous voie avec une taille grosse comme ça, tout de même ?

L'homme de votre vie. On l'évoquait parfois plus élégamment par l'expression « votre destin ».

— Je n'ai pas vraiment envie d'y aller, à ce bal.

— Oh ! si, ma chère. Rendez-vous compte ! Vous y croiserez peut-être votre destin !

Car c'est ainsi que les choses se passent, effectivement. Les filles assistent à une manifestation quelconque — volontiers ou non, peu importe — et y rencontrent celui qui leur est destiné.

Il y avait toujours, bien sûr, des filles qui affirmaient ne pas vouloir se marier, en général pour de très honorables raisons. Prendre le voile, par exemple, s'occuper des lépreux, faire quelque chose de grand et d'important qui surtout imposait le sacrifice de soi. C'était presque une étape obligée, je crois. L'attrait de la nonne semble beaucoup plus constant chez les protestants que chez les catholiques. Chez les jeunes catholiques, l'entrée dans les ordres est sans aucun doute davantage question de vocation — un choix de vie bien défini — alors que pour une protestante, elle conserve un certain parfum de mystère religieux fort attractif. Les infirmières des hôpitaux, globalement auréolées par le prestige de Florence Nightingale, étaient également considérées comme héroïques. Mais le mariage restait la voie principale et qui vous alliez épouser la grande question de votre vie.

Lorsque j'eus 13 ou 14 ans, je me sentis extrêmement avancée en âge et en expérience. Je ne me considérais plus sous la protection d'autrui. J'éprouvais mes propres sentiments protecteurs. Je m'estimais responsable de ma mère. Je commençais également à essayer de me connaître moi-même, de déterminer quel genre de personne j'étais, ce que j'avais des chances de réussir, les choses pour lesquelles je n'étais pas bonne à faire et celles sur lesquelles je ne devais pas insister. Je savais que je n'avais pas l'esprit très rapide. Il me faudrait donc prévoir de réfléchir longuement aux problèmes avant de décider de la façon de les aborder.

Je commençais à apprécier le temps que j'avais. Le temps. Rien n'est plus merveilleux à posséder, dans la vie. Les gens ne me semblent pas en avoir assez de nos jours. J'ai eu une chance incommensurable, dans mon enfance et ma jeunesse, d'en disposer à ce point. Vous vous réveillez le matin, et, avant même d'avoir complètement ouvert les yeux, vous vous dites : « Voyons, qu'est-ce que je vais faire de ma journée ? » Vous avez le choix, il est là devant vous, vous pouvez faire des projets comme vous l'entendez. Non pas que je fusse désœuvrée : des tas de travaux

— des « services », comme nous appelions cela — m'incombaient, bien sûr. Il y avait des tâches à accomplir à la maison : les jours du nettoyage des cadres de photo en argent, ceux du reprisage des bas, ceux où il fallait apprendre un chapitre des *Grands Événements de l'Histoire*, celui où l'on descendait en ville régler toutes les factures des commerçants. Les lettres à écrire, les gammes, les exercices, la broderie — mais toutes choses que j'avais le choix d'effectuer quand je le voulais. Je pouvais donc organiser ma journée, dire : « Je crois que je vais laisser mes bas pour cet après-midi. Je vais descendre en ville ce matin et revenir par l'autre route pour voir si l'arbre est déjà en fleur. »

Toujours, quand je me levais, j'éprouvais le sentiment qui doit, je suis sûre, être naturel en chacun de nous : la joie d'être vivant. Je ne dis pas qu'on le ressente consciemment, ce n'est pas le cas, mais vous êtes là, bien vivant, vous ouvrez les yeux sur une nouvelle journée. C'est un pas de plus, pour ainsi dire, dans votre voyage vers l'inconnu. Ce voyage excitant qu'est votre vie. Qui n'est pas forcément excitante en tant que telle, mais parce que c'est votre vie. Un des grands secrets de l'existence est de savoir apprécier le cadeau de vie qui vous a été fait.

Tous les jours ne sont pas nécessairement bons. Après le délicieux sentiment initial du « Un nouveau jour ! C'est merveilleux ! », vous vous souvenez que vous avez rendez-vous chez le dentiste à 10 h 30, ce qui est loin d'être agréable. Mais ce premier sentiment du réveil est passé par là et agit comme un stimulant très utile. Beaucoup, bien sûr, dépend de votre tempérament. Vous pouvez être d'un naturel gai ou mélancolique. Et je ne pense pas qu'on puisse rien là contre. Je crois que nous sommes ainsi faits : soit heureux tant que rien de fâcheux ne survient et ne nous rend malheureux, soit mélancoliques jusqu'à ce qu'un événement quelconque vienne nous égayer. Evidemment, des gens gais peuvent être malheureux et des mélancoliques parvenir à s'amuser. Mais si j'étais une bonne fée au baptême d'un nouveau-né, c'est de cela d'abord que je lui ferais présent : d'un heureux caractère.

Étrangement, on semble trouver qu'il y a du mérite à travailler. Pourquoi ? Dès les origines, l'homme partait à la chasse pour manger et assurer sa survie. Plus tard, il s'est échiné à labourer, semer, faire des récoltes pour la même raison. Aujourd'hui, il se lève tôt, attrape le train de 8 h 15 et s'enferme toute la journée dans un bureau, toujours pour la même raison. Il le fait pour se nourrir et avoir un toit au-dessus de sa tête — pour aller un peu plus loin s'il a du talent et de la chance, et obtenir aussi confort et loisirs.

C'est une question d'intendance, de nécessité. Mais est-ce méritoire ? Comme on le disait aux enfants, « l'oisiveté est mère de tous les vices ». Je crois pourtant que le petit Georgie Stephenson était oisif quand il observait le couvercle de la bouilloire de sa maman se soulever et retomber. Comme il n'avait rien d'autre à faire, ça lui a donné des idées...

Je ne pense pas que la nécessité soit la mère des inventions. Elles me paraissent au contraire venir en droite ligne de l'oisiveté, peut-être aussi de la paresse. Se simplifier la vie : tel est le grand secret qui nous a fait traverser les âges sur des centaines de milliers d'années, depuis le silex taillé jusqu'au lave-vaisselle.

La condition des femmes, au fil des années, s'est manifestement dégradée. Nous nous sommes conduites comme des gourdes. Nous avons réclamé à cor et à cri le droit de travailler comme les hommes. Eux, pas fous, ont sauté sur l'occasion : pourquoi entretenir sa femme ? Quel mal y a-t-il à ce qu'elle subvienne elle-même à ses propres besoins ? Puisqu'elle en a tellement envie, laissons-la faire, sapristi !

Il est quand même navrant que, après nous être si habilement fait passer pour le « sexe faible », nous soyons maintenant à égalité avec les femmes des tribus primitives qui triment toute la journée dans les champs, font des kilomètres à pied pour ramasser comme combustible des broussailles à chameau et qui voyagent en portant toute leur batterie de cuisine et autres ustensiles ménagers sur leur tête, cependant que le mâle, superbe, se pavane devant, libre de tout chargement à l'exception d'une arme meurtrière pour défendre ses femmes.

Il faut rendre cette justice aux victoriennes : elles ont mis leurs hommes à la place où elles le voulaient. Elles se sont posées en êtres fragiles, délicats, sensibles, ayant un constant besoin d'être chéris et protégés. Ont-elles mené une existence malheureuse, servile, ont-elles été tyrannisées et opprimées ? Personnellement, ce n'est pas ainsi que je me les rappelle. Je revois les amies de ma grand-mère : elles me paraissent toutes avoir eu beaucoup de ressort et parvenir presque toujours à agir comme elles l'entendaient. Des femmes dures, volontaires, remarquablement cultivées et informées.

Cela dit, elles portaient une immense admiration à leurs hommes. Elles les trouvaient franchement épatants, pleins d'allure, avec une tendance marquée au libertinage et aux écarts de conduite. Dans le quotidien, une femme n'en faisait qu'à sa tête tout en proclamant la supériorité masculine afin d'éviter au mari de perdre la face.

En public, on disait : « C'est ton père qui décide, ma chérie. »

La question était véritablement abordée en privé : « Vous avez sûrement tout à fait raison, John, mais je me demande si vous avez bien réfléchi à... »

L'homme primait sur un point : il était le Maître de Maison. Une femme, lorsqu'elle se mariait, acceptait que la place de son mari dans le monde, sa façon de vivre à lui, devienne son propre destin. Cela me semble être le bon sens et la base du bonheur. Si vous ne pouvez pas supporter la façon de vivre de votre homme, abstenez-vous — autrement dit, ne l'épousez pas. Imaginez, par exemple, un grossiste en tissus, catholique, qui préfère habiter en banlieue, qui joue au golf et aime prendre ses vacances au bord de la mer. C'est cela que vous allez épouser. Préparez-vous à cette vie et aimez-la. Ce ne sera pas si difficile.

Il est surprenant de constater combien l'on peut prendre goût à presque tout. Il n'est guère dans la vie de chose plus importante que de savoir accepter et apprécier. On peut en fait s'adapter à presque toutes les sortes de nourriture et de style de vie. Aimer la campagne, les chiens et les longues promenades dans les sentiers boueux. Aimer la ville, le bruit, les gens, le vacarme. La première offre le repos, la détente nerveuse, du temps pour la lecture, le tricot, la broderie, le plaisir de planter et de faire pousser. La seconde le théâtre, les galeries d'art, de bons concerts et la possibilité de voir des amis qu'on ne verrait sinon que rarement. Je suis heureuse de pouvoir dire que je me plais à pratiquement tout.

Un jour, alors que j'étais dans le train pour la Syrie, une compagne de voyage m'a fait un cours fort intéressant sur l'estomac.

— Ne vous laissez jamais mener par votre panse, ma chère, affirmait-elle. S'il y a une chose particulière que vous n'arrivez jamais à digérer, dites-vous : « Qui est-ce qui commande ? Elle ou moi ? »

— Et alors ? demandai-je avec curiosité.

— Tout estomac peut être accoutumé. À doses infimes pour commencer. Peu importe de quoi il s'agit. Les œufs, tenez, me rendaient malade, et les toasts au fromage me donnaient des douleurs terribles. Eh bien, juste une ou deux cuillerées d'œuf à la coque deux ou trois fois par semaine, puis un peu d'œufs brouillés en plus, et ainsi de suite : maintenant, je peux en manger les quantités que je veux. Même chose avec les toasts au fromage. Rappelez-vous ceci : *l'estomac est un bon serviteur mais un mauvais maître.*

Très impressionnée, je promis de suivre son conseil. Et je l'ai fait, ce qui n'a guère présenté de difficultés, mon estomac n'étant que de nature servile.

3

Quand ma mère partit pour le midi de la France avec Madge après la mort de mon père, je restai trois semaines seule à Ashfield sous la paisible supervision de Jane. C'est alors que je découvris un nouveau sport et de nouveaux amis.

Faire du patin à roulettes sur la jetée était un passe-temps très à la mode. On tombait beaucoup, sur un revêtement rugueux, mais c'était amusant comme tout. Au bout de la jetée se trouvait une sorte de salle de concert, inutilisée en hiver bien sûr, mais laissée ouverte pour servir de piste couverte. Il était également possible de patiner dans ce qu'on appelait pompeusement les « Salles des fêtes », ou encore les « Salons de Bath », et où se donnaient les grands bals. C'était beaucoup plus élégant, mais pour la plupart, nous préférions la jetée. On apportait ses patins personnels, on payait deux *pence*, et une fois sur la jetée, en avant ! Les Huxley ne pouvaient pas se joindre à moi, car elles étaient occupées avec leur gouvernante le matin, et Audrey aussi. Les gens que je rencontrais là étaient les Lucy. Bien que déjà grands, ils avaient été très gentils avec moi, sachant que je me trouvais seule à Ashfield puisque le médecin avait envoyé ma mère changer d'air et se reposer à l'étranger.

J'éprouvais d'abord une certaine importance à être seule, mais on finit par s'en lasser. J'aimais beaucoup commander les repas — ou penser que je les commandais. En fait, nous mangions toujours exactement ce que Jane avait prévu, mais elle faisait fort habilement mine de prendre en considération mes suggestions les plus farfelues. « On pourrait avoir du canard rôti aux meringues ? » lui demandais-je, et elle me répondait bien évidemment oui, mais qu'elle n'était pas sûre de trouver du canard. Quant aux meringues, comme elle n'avait pas de blancs d'œufs en ce moment, il serait peut-être préférable d'attendre un jour où elle aurait besoin de jaunes pour autre chose. Si bien qu'en fin de compte nous nous rabattions sur ce qui attendait déjà au garde-manger. Mais cette chère Jane était pleine de tact. Elle m'appelait toujours miss Agatha et faisait tout pour me conforter dans l'importance de ma position.

C'est à ce moment-là que les Lucy me proposèrent de venir avec eux sur la jetée. Ils m'apprirent plus ou moins à me tenir debout sur mes patins, et j'adorais cela. Je ne crois pas avoir jamais rencontré gens plus charmants. Ils venaient du Warwickshire, et la splendide maison de famille, Charlecote, avait appartenu à l'oncle de Berkeley Lucy. Berkeley avait toujours pensé qu'elle aurait dû lui revenir, au lieu de quoi elle était allée à la fille de l'oncle, dont le mari prit le nom de Fairfax-Lucy. Je crois que toute la famille fut très triste que la maison ne restât point de leur côté, bien qu'ils n'en disent rien, sauf entre eux. La fille aînée, Blanche, était extraordinairement jolie. Un peu plus âgée que ma sœur, elle s'était mariée avant elle. Le fils aîné, Reggie, était dans l'armée, mais le puîné — à peu près du même âge que mon frère — vivait à la maison et les deux autres filles, Marguerite et Muriel, appelées par tout le monde Margie et Noonie, étaient également grandes. Elles avaient une voix traînante et nonchalante que je trouvais fort séduisante. La notion de l'heure leur échappait complètement.

Après avoir patiné un bon moment, Noonie regardait sa montre et disait :

— Eh, vous avez vu ? Treize heures trente, déjà.

— Mon Dieu ! m'écriais-je. J'ai au moins vingt minutes de marche, jusqu'à la maison.

— Tu ferais mieux de rester, Aggie. Viens déjeuner chez nous. On peut téléphoner à Ashfield.

Je rentrais donc avec elles. Nous arrivions vers 14 h 30, étions accueillies par Sam le chien — « Le corps comme une barrique, l'haleine comme un égout », disait Noonie — et il y avait toujours quelque plat gardé au chaud dont nous pouvions nous restaurer. Après quoi il serait dommage de partir si tôt, n'est-ce pas Aggie, et nous allions dans leur salle d'étude pour jouer du piano et chanter en chœur. Parfois, nous partions en expédition dans la lande. Nous convenions de nous retrouver à la gare de Tor et de prendre un certain train. Les Lucy étaient toujours en retard et nous rations toujours le train. Elles rataient les trains, les trams, tout, mais ça ne les démontait pas.

— Bon, ce n'est pas grave, faisaient-elles. On prendra le suivant. On ne va pas se mettre martel en tête pour si peu, hein ?

C'était vraiment une atmosphère délicieuse.

Les visites de Madge constituaient les grands moments de ma

vie. Elle venait chaque année au mois d'août. Jimmy l'accompagnait quelques jours, après quoi il devait repartir à ses affaires, mais Madge restait jusque vers la fin septembre, et Jack avec elle.

Jack, bien sûr, était une source perpétuelle de plaisir pour moi. C'était un petit garçon aux joues roses et aux cheveux d'or qui semblait bon à croquer, d'ailleurs, nous l'appelions parfois *la petite brioche*. Il n'était pas timide, ça non, et ignorait le silence. Le problème n'était pas d'arriver à le faire parler, mais d'arriver à le faire taire. Il avait un tempérament colérique et, comme nous disions, « explosait » souvent : il devenait d'abord tout rouge, puis virait au cramoisi, bloquait sa respiration jusqu'à ce qu'on le croie vraiment sur le point d'éclater, et c'est alors que l'ouragan se déchaînait !

Il eut toute une série de nurses, chacune avec ses particularités. Il y en avait une spécialement revêche, je m'en souviens. Elle était vieille, avec une abondante tignasse blanche mal peignée. Très expérimentée, c'était à peu près la seule personne vraiment capable d'impressionner Jack quand il se lançait sur le sentier de la guerre. Un jour qu'il s'était montré parfaitement insupportable, traitant tout le monde d'idiot sans la moindre raison, Nannie lui fit des remontrances, disant que s'il continuait, il serait puni.

— Pisque c'est comme ça, répliqua-t-il, eh ben quand je mourrai, je monterai tout droit au ciel et je dirai au bon Dieu : « T'es un idiot, t'es un idiot, t'es un idiot ! »

Il s'arrêta, retenant son souffle pour voir ce que son blasphème allait déclencher. Nannie posa son ouvrage, regarda l'enfant par-dessus ses lunettes et lui jeta, d'un air presque indifférent :

— Et vous croyez que le Tout-Puissant va faire attention à ce que raconte un vilain petit garçon comme vous ?

Jack en resta coi.

Nannie fut suivie par une jeune fille qui s'appelait Isabel. Celle-ci, on ne sait pourquoi, avait la manie de jeter des objets par la fenêtre. « Ah ! saleté de ciseaux ! » s'écriait-elle soudain — et de les lancer sur la pelouse. Jack, à l'occasion, s'offrait à l'aider : « Je peux jeter ça par la fenêtre, Isabel ? » demandait-il avec espoir.

Comme tous les enfants, il adorait ma mère. Il la rejoignait dans son lit tôt le matin, et je les entendais parler au travers du mur de ma chambre. Parfois elle répondait à ses questions d'enfant, parfois elle lui racontait une histoire — il y avait tout un feuilleton sur les pouces de maman. L'un s'appelait Betsy Jane, l'autre Sary Anne. L'un était bon, l'autre méchant. Ce qu'ils faisaient et disaient maintenait Jack en un état d'hilarité permanente. Il essayait toujours de se joindre aux conversations. Un jour que le vicaire était venu déjeuner, il y eut un moment de silence. S'éleva alors la petite voix flûtée de Jack :

— Je connais une histoire très amusante sur un évêque, dit-il.

On le fit taire tout de suite, car on ne savait jamais ce que Jack avait pu entendre et ce qu'il allait sortir.

Les Noëls, nous les passions avec la famille Watts, dans le Cheshire. Jimmy avait généralement ses congés annuels vers ce moment-là, si bien que Madge et lui partaient pour St Moritz pendant trois semaines. Excellent patineur, c'était le genre de vacances qu'il préférait. Maman et moi nous rendions à Cheadle et, comme leur toute nouvelle maison, Manor Lodge, n'était pas encore prête, nous descendions à Abney Hall, avec les parents Watts, leurs quatre enfants et Jack. Passer des fêtes dans une maison pareille était un enchantement pour des gamins. Non seulement il s'agissait d'une de ces immenses demeures victoriennes néogothiques, avec un tas de pièces, de passages, de marches inattendues, d'escaliers de derrière, d'escaliers de devant, d'alcôves, de niches — tout ce dont un enfant peut rêver —, mais il y avait aussi trois pianos différents sur lesquels nous pouvions jouer, ainsi qu'un orgue. Une seule chose manquait : la lumière du jour. Il y faisait extraordinairement sombre, à l'exception du grand salon avec ses murs tendus de satin vert et ses larges fenêtres.

Nan Watts et moi étions devenues très amies. Pas seulement amies, d'ailleurs, mais partenaires de boisson : nous aimions toutes deux la *crème*, la crème ordinaire, pure. Bien que j'aie consommé une énorme quantité de crème caillée depuis que j'étais dans le Devonshire, la crème de lait, c'était vraiment autre chose. Quand Nan venait à la maison à Torquay, nous avions l'habitude d'aller dans une des crémeries de la ville et d'y consommer un verre, moitié lait, moitié crème. Quand j'étais chez elle à Abney, nous allions à la ferme du domaine et y avalions de la crème à la demi-pinte. Nous avons continué ces libations tout au long de notre vie, et je nous vois encore acheter nos cartons de crème à Sunningdale, puis monter au terrain de golf, nous asseoir devant le *club-house* et siroter chacune notre pinte en attendant que nos maris respectifs finissent leur parcours.

Abney était un paradis pour les gourmands. Ce qu'on appelait le magasin de Mrs Watts donnait sur le couloir. Ce n'était pas comme celle de mamie, une sorte d'armoire aux trésors soigneusement verrouillée et dont on retirait le nécessaire. On y avait libre accès, et les murs étaient couverts d'étagères qui regorgeaient de toutes sortes de bonnes choses. Un côté était entièrement consacré aux chocolats : des boîtes entières de chocolats fourrés, toutes différentes et soigneusement étiquetées... Il y avait des biscuits, du pain d'épice, des bocaux de fruits, des confitures, etc.

Noël était la grande fête de l'année, celle qui devait marquer les mémoires. Les bas de laine au pied du lit. Le petit déjeuner quand chacun avait sa chaise surchargée de cadeaux. Puis la sortie de l'église à toute allure, et le retour précipité pour continuer l'ouverture des paquets. À 14 heures, le repas de Noël, volets baissés, avec décorations scintillantes et lumières. Tout d'abord, de la soupe aux huîtres — je n'aimais pas trop —, du turbot, de la dinde bouillie et de la dinde rôtie, puis un gros rosbif de contre-filet. Suivaient un pudding, des tartelettes de Noël et un diplomate truffé de menus objets cachés : pièces de six *pence*, petits cochons en argent, bagues, boutons de col, et tout le reste. Après cela, un nombre incalculable de desserts. Dans un de mes recueils de nouvelles, *Christmas pudding et autres surprises du chef*, j'ai décrit exactement un festin de ce genre. Cela fait partie des choses qu'on ne reverra plus jamais, j'en suis sûre, dans cette génération : je crois qu'aucun appareil digestif actuel n'y résisterait. Les nôtres, à l'époque, le supportaient gaillardement.

Je faisais en général assaut de prouesses de gourmandise avec Humphrey Watts, le fils Watts qui venait après James en âge. Il devait avoir 21 ou 22 ans alors que j'en avais 12 ou 13. Il était fort beau garçon, en même temps qu'excellent acteur, de très agréable compagnie et remarquable conteur d'histoires. Moi qui tombais toujours si facilement amoureuse des gens, je ne crois pas, si étonnant que cela puisse me paraître, l'avoir été de lui. Je suppose que j'en étais encore au stade où mes aventures sentimentales ne pouvaient être que des romances impossibles avec de grands personnages publics tels que l'évêque de Londres et le roi Alphonse d'Espagne, ainsi bien sûr qu'avec différents acteurs de théâtre. Je me rappelle être tombée profondément amoureuse de Henry Ainley après l'avoir vu dans *Le Serf*, et je devais être mûre, aussi, pour le CAW, le Club des admiratrices de Waller, où toutes les filles, de la première à la dernière, étaient en pâmoison devant Lewis Waller dans *Monsieur Beaucaire*.

Humphrey et moi mangions comme quatre au déjeuner de Noël. Il me battait en soupe aux huîtres, mais pour le reste, nous étions au coude à coude. Nous prenions d'abord chacun de la dinde rôtie, puis de la dinde bouillie, et enfin nous nous taillions quatre ou cinq bonnes tranches de bœuf. Il est possible que nos aînés s'en soient tenus à une seule sorte de dinde, mais autant que je m'en souvienne, Mr Watts père, lui, se servait du bœuf en plus de la dinde. Ensuite, nous mangions du pudding, des tartelettes de Noël et du diplomate — fort peu de diplomate en ce qui me concerne, car je n'aimais pas l'odeur du sherry. Après quoi, avec les *Christmas crackers*, venaient les raisins, les oranges, les prunes Elva et de Karlsbad, les bocaux de fruits. Enfin, tout au long de l'après-midi, on sortait du magasin des poignées de papillotes de chocolat selon les préférences de chacun. Ai-je le souvenir d'avoir jamais été malade le lendemain ? Eu de crise de foie ? Absolument pas. La seule indigestion qui me reste en mémoire vint de pommes vertes, un mois de septembre. Des pommes vertes, j'en croquais pratiquement tous les jours, mais il devait m'arriver d'exagérer.

Ce que je me rappelle bien, en revanche, c'est la fois où, vers l'âge de 6 ou 7 ans, j'avais mangé des champignons. M'étant réveillée avec mal au ventre vers 23 h 30, je descendis quatre à quatre jusqu'au salon où mes parents recevaient, et je m'écriai sur un ton dramatique :

— Je vais mourir ! J'ai été empoisonnée par les champignons !

Maman s'empressa de me consoler, m'administra une dose d'ipéca — il y en avait toujours dans l'armoire à pharmacie, à l'époque — et m'assura que je ne mourrais pas encore cette fois.

En tout cas, je ne crois pas avoir jamais été malade à Noël. Et Nan Watts était comme moi : elle avait un estomac d'acier. En fait, quand je me remémore cette époque, tout le monde semblait avoir l'estomac solide. Les gens souffrant d'ulcères faisaient certes attention, mais je n'ai pas souvenance d'avoir vu quelqu'un au régime de poisson et de lait. Époque grossière, époque gloutonne ? Sans doute, mais qui ne manquait ni de piquant ni de plaisirs. Quand on pense à tout ce que j'ai pu ingurgiter dans ma jeunesse, je me demande bien comment j'ai pu rester aussi mince — un poulet efflanqué, vraiment.

Après un après-midi de délicieuse inactivité — pour les adultes, s'entend : les jeunes, eux, lisaient des livres, regardaient leurs cadeaux, mangeaient encore des chocolats —, on servait un thé extraordinaire, avec un grand gâteau de Noël glacé au sucre en plus de tout le reste. Vers 21 heures, c'était le sapin, avec encore davantage de cadeaux suspendus aux branches. C'était un jour merveilleux, vraiment, un jour dont on se souviendrait jusqu'à ce que Noël revienne, l'année suivante.

J'ai séjourné à Abney avec ma mère à d'autres périodes de l'année, et je m'y suis toujours beaucoup plu. Un tunnel passait sous l'allée, dans le jardin, et je le trouvais fort utile pour toutes les histoires et drames romanesques que je me jouais à moi-même à ce moment-là. Je me déplaçais en me rengorgeant, parlais toute seule, gesticulais. Les jardiniers devaient me prendre pour une folle, mais je me mettais simplement dans la peau de mes personnages. Il ne m'est jamais venu à l'esprit d'écrire quoi que ce soit, et je me fichais pas mal de ce que pensaient les jardiniers. Encore aujourd'hui, il m'arrive de marcher en parlant toute seule quand j'essaie de redresser un chapitre qui ne « fonctionne » pas.

Mes talents créateurs trouvaient aussi à s'exprimer dans la broderie de coussins de canapé. Les coussins étaient en grande vogue à l'époque, et les enveloppes brodées toujours fort appréciées. Je me lançais à fond dans la broderie pendant les mois d'automne. Je commençais par acheter des calques que j'appliquais au fer sur des carrés de satin, après quoi je les brodais avec du fil de soie. Finissant par me lasser de ces modèles qui étaient tous pareils, je m'intéressai aux motifs floraux sur les porcelaines. Nous avions de grands vases de Berlin et de Dresde décorés de superbes bouquets. J'entrepris de les décalquer, d'en reporter le tracé puis d'essayer de rendre les couleurs le plus fidèlement possible. Mamie B. fut ravie d'apprendre cela : elle avait passé tant d'années de sa vie à la broderie qu'elle était heureuse de penser qu'une de ses petitesfilles la suivait dans cette voie. Je n'atteignis cependant jamais sa maîtrise : je n'étais pas capable de faire comme elle des paysages ou des personnages. J'ai encore aujourd'hui deux de ses écrans de cheminée. L'un représente une bergère, le second un berger et une bergère sous un arbre en train de graver leur nom ou un cœur sur l'écorce. C'est un ouvrage délicieux. Quelle satisfaction devaient éprouver les grandes dames de l'époque de la tapisserie de Bayeux, pendant les longs mois d'hiver !

Mr Watts, le père de Jimmy, m'a toujours inexplicablement intimidée. Il m'appelait la « petite rêveuse », ce qui me mettait au comble de l'embarras. « À quoi pense notre petite rêveuse ? » disait-il. Et moi de rougir jusqu'aux oreilles. Il me demandait aussi de lui jouer et de lui chanter des chansons sentimentales. Comme je lisais bien la musique, il m'amenait souvent au piano pour interpréter ses airs favoris. Je ne les aimais pas trop, mais préférais encore cela à lui faire la conversation. Il était très artiste et peignait des paysages de landes et de couchers de soleil. C'était également un grand collectionneur de meubles anciens, surtout en chêne. De plus, son ami Fletcher Moss et lui étaient bons photographes, allant jusqu'à publier plusieurs albums sur les chevaux célèbres. Je regrette cette timidité stupide, mais j'étais bien sûr à l'âge où l'on se sent particulièrement gauche.

Je me sentais beaucoup plus à l'aise avec Mrs Watts, personne vive, gaie, totalement pragmatique. Nan, qui avait deux ans de plus que moi, faisait l'*enfant terrible*[*] et prenait un malin plaisir à crier, à répondre, à dire des gros mots. Cela navrait Mrs Watts d'entendre sa fille donner du bon Dieu et du nom de Dieu. Tout comme elle avait horreur que Nan lui fasse des sorties du genre « Ne sois pas si bête, maman ! » Elle n'aurait jamais imaginé entendre de telles expressions dans la bouche de sa fille, seulement on entrait dans une période de laisser-aller verbal. Nan se délectait du rôle qu'elle jouait, mais je pense qu'en réalité elle adorait sa mère. Et puis la plupart des mères doivent passer par une période où, d'une manière ou d'une autre, leurs filles leur en font voir de toutes les couleurs.

Le lendemain de Noël, on nous emmenait toujours au théâtre pour enfants à Manchester et il y avait de très bonnes saynètes. Au retour, dans le train, nous chantions toutes les chansons que nous avions entendues, les Watts en imitant l'accent du Lancashire. Je nous entends encore brailler en chœur :

> *Moi je suis né un vendredi,*
> *un vendredi, un vendredi,*
> *Moi je suis né un vendredi quand* (crescendo !)
> *maman était partie !*

Et aussi :

> *Quand on regarde les trains,*
> *ceux qui viennent, ceux qui vont,*
> *S'il n'y en a plus qui viennent,*
> *on regarde ceux qui VONT.*

Le fin du fin, c'est quand Humphrey chantait, en un solo attristé :

> *Par la fenêtre, par le carreau,*
> *J'ai poussé ma peine, maman,*
> *Par la fenêtre, sur le carreau*
> *Ma peine se retrouve maintenant.*

Manchester ne fut pas le premier spectacle auquel on m'emmena. Le premier, c'était à Drury Lane avec mamie. Dan Leno était Ma Mère l'Oye. Je me souviens encore de cette saynète. J'ai rêvé, après coup, de Dan Leno pendant des semaines — je trouvais que c'était la personne la plus merveilleuse que j'avais jamais vue. D'autant qu'un incident mémorable se produisit ce soir-là. Les deux petits princes se trouvaient en haut, dans la loge royale. Le prince Eddy, comme on l'appelait familièrement, fit tomber son programme et ses jumelles de théâtre par-dessus le bord de la loge. Ils atterrirent sur les fauteuils d'orchestre tout près de l'endroit où nous nous trouvions et — ô bonheur ! — ce ne fut pas l'écuyer de la maison du roi qui vint le récupérer mais le prince Eddy *lui-même*. Il s'excusa fort poliment et dit souhaiter n'avoir blessé personne.

Je me mis au lit cette nuit-là en me laissant aller à mes fantasmes : un jour j'épouserais le prince Eddy. Peut-être l'aurais-je au préalable sauvé de la noyade... Et la reine reconnaissante donnerait son royal consentement. Ou peut-être y aurait-il un accident : le prince saignerait à mort, et je lui donnerais mon sang. On me ferait comtesse — comme la comtesse Torby — et il y aurait un mariage morganatique. Mais même à 6 ans, un tel fantasme était un peu trop chimérique pour durer.

Mon neveu Jack, un jour, concocta une fort avantageuse alliance royale de son cru alors qu'il devait avoir dans les 4 ans.

— Dis, maman, si jamais tu épousais le roi Edward, je deviendrais prince ?

Ma sœur lui fit remarquer que la reine existait, et qu'il ne fallait pas non plus oublier papa. Jack réarrangea alors les choses :

— Alors si la reine mourait et que papa... (il s'interrompit pour dire cela avec tact)... que papa, euh... ne soit pas là, et que le roi Edward vienne à te voir — juste te voir...

Il s'arrêta, laissant la suite à notre imagination. De toute évidence, le roi Edward en restait baba et Jack se retrouvait en un rien de temps beau-fils du roi.

— Pendant le sermon, j'ai regardé dans le livre de prières, me dit-il environ un an plus tard. Parce que tu sais, je voulais me marier avec toi quand je serai grand, seulement dans le livre, au milieu, il y a une liste, et je vois que le Seigneur, il voudra pas.

Il soupira. Je lui dis que j'étais flattée qu'il ait eu cette pensée.

Il est étonnant de voir combien l'on varie peu dans nos inclinations. Mon neveu Jack, depuis le jour où il est sorti avec sa nurse, a toujours été captivé par les choses ecclésiastiques. S'il disparaissait, on était pratiquement sûr de le retrouver dans une église, en admiration devant l'autel. Si on lui donnait de la pâte à modeler en couleur, il en faisait toujours des triptyques, des crucifix et autres objets de culte. Les églises catholiques, en particulier, le fascinaient. Ses goûts n'ont jamais changé, et il a lu davantage sur l'histoire religieuse qu'aucun de ceux que j'aie pu connaître. Quand il a atteint la trentaine, il s'est enfin converti au catholicisme — rude coup pour mon beau-frère que je ne peux décrire que comme le parfait exemple de « protestant pur et dur ».

— Je n'ai pas de préjugés, affirmait ce dernier, vraiment

aucun, mais il faut bien reconnaître que tous les catholiques sont les pires menteurs. Ce n'est pas un préjugé, c'est un fait.

Mamie était un autre bon exemple de protestant pur et dur. Elle se délectait de la perversité des papistes.

— Toutes ces jolies filles qui disparaissent dans les couvents, disait-elle en baissant la voix, *et qu'on ne revoit jamais plus* !

Je suis sûre qu'elle était convaincue que tous les prêtres choisissaient leurs maîtresses dans des couvents spéciaux pour jolies filles.

Ce qui a pu entraîner cette tendance à considérer les catholiques comme des représentants de la « prostituée de Babylone », c'est que les Watts étaient non conformistes — méthodistes, je crois. D'où vint alors cette passion de Jack pour l'Église catholique, je ne saurais dire. Il ne semble pas l'avoir héritée de quelqu'un de la famille, mais elle était là, présente depuis son plus jeune âge. Tout le monde s'intéressait beaucoup à la religion, dans ma jeunesse. Les discussions sur le sujet étaient ardentes et colorées, quand elles ne s'envenimaient pas. Un des amis de mon neveu lui dit un jour, plus tard dans sa vie :

— Je ne comprends vraiment pas, Jack, pourquoi tu n'arrives pas à être un hérétique épanoui, comme tout le monde. Ce serait tellement plus reposant.

Reposant, telle est bien la dernière chose au monde que Jack pouvait être. Comme sa nurse le dit une fois, après avoir passé un bon moment à le chercher :

— Je ne vois vraiment pas ce qui pousse Monsieur Jack dans les églises. C'est un drôle d'endroit, pour un petit garçon.

À mon avis, il a dû être la réincarnation d'un homme d'église médiéval. Son visage, en vieillissant, est d'ailleurs devenu celui d'un ecclésiastique — pas celui d'un moine et encore moins celui d'un visionnaire. La sorte d'ecclésiastique très versé dans les choses de son sacerdoce, capable de fort bien se débrouiller au concile de Trente et de connaître le nombre d'anges qui peuvent danser sur la pointe d'une aiguille.

4

Les bains de mer ont été, presque jusqu'à aujourd'hui, un des grands plaisirs de ma vie. En fait, j'y goûterais toujours autant, sans les difficultés qu'éprouve une personne rhumatisante à entrer dans l'eau et encore plus à en ressortir.

Un grand changement intervint dans les mœurs lorsque j'eus environ 13 ans. La baignade, telle que je me la rappelle au début, donnait lieu à une stricte séparation des sexes. Le Bain des dames, une petite plage de galets réservée, se trouvait à gauche des Salons de Bath. La plage, fortement pentue, était équipée de huit cabines roulantes laissées à la charge d'un vieil homme quelque peu irascible dont la tâche consistait à faire sans arrêt descendre et remonter les cabines jusqu'à la mer. On entrait donc dans sa cabine roulante, un engin peint de rayures aux couleurs gaies, on s'assurait que les deux portes fermaient correctement et on commençait à se déshabiller — avec quelque précaution, car le vieux préposé pouvait à tout moment décider que c'était à votre tour de descendre vers l'eau. La cabine faisait alors un brusque mouvement de bascule puis se mettait à rouler doucement en crissant sur les galets. Vous étiez ballottée d'un côté sur l'autre. L'impression était en fait très semblable à celle qu'on éprouve dans les Jeep ou Land-Rover d'aujourd'hui sur les parties les plus rocailleuses du désert.

La cabine roulante s'arrêtait aussi brusquement qu'elle était partie. Vous finissiez de vous déshabiller et passiez votre tenue de bain. C'était un vêtement inesthétique, généralement d'alpaga bleu ou noir, avec des jupes superposées à volants et à ruches, qui couvrait bras et jambes au-delà du coude et bien en dessous du genou. Une fois ainsi accoutrée, vous ouvriez la porte du côté de l'eau. Si le vieil homme avait été gentil avec vous, la première marche arrivait juste au bon niveau : il ne vous restait plus qu'à descendre, à vous immerger en toute bienséance jusqu'à la taille,

puis à vous mettre à nager. Il y avait un radeau à quelque distance. On pouvait le rejoindre, se hisser dessus et s'asseoir. À
marée basse, cela ne faisait pas trop loin, mais à marée haute, il
fallait nager un bon moment et vous l'aviez pratiquement pour
vous toute seule. Après que vous vous étiez baignée aussi longtemps que vous le désiriez — ce qui, pour ma part, dépassait ce
que toute adulte qui m'accompagnait était prête à autoriser —
on vous faisait signe de revenir. Mais comme il était toujours
difficile de me faire décoller du radeau et que, en plus, je nageais
dans la direction opposée, je parvenais généralement à faire durer
le plaisir.

Pas question, bien sûr, de bain de soleil sur la plage. Aussitôt
sortie de l'eau, vous remontiez dans la cabine roulante, et vous
étiez hissée en haut de la plage avec la même soudaineté qu'on
vous avait descendue. Vous réapparaissiez le visage bleu, trem-
blant des pieds à la tête, les doigts et les joues insensibilisés par
le froid. Ce qui, je dois dire, ne m'a jamais fait attraper le
moindre mal : j'étais de nouveau chaude comme une caille trois
quarts d'heure plus tard. Je m'asseyais alors sur la plage et mangeais un petit pain, tout en entendant un sermon sur ma mauvaise conduite et ma sortie trop tardive de l'eau. Mamie, qui
avait toujours en réserve une série d'histoires morales, m'expliqua
comment le petit garçon de Mrs Fox — « un si adorable bambin » — était mort d'une pneumonie pour avoir désobéi à ses
aînés et être resté trop longtemps dans la mer. Prenant une bouchée de mon petit pain au raisin, ou quelle que soit la friandise
que j'avais, je répondais tout miel :

— C'est promis, mamie, je ne resterai pas aussi longtemps la
prochaine fois. Mais l'eau était vraiment *chaude*, aujourd'hui.

— Chaude, hein ? C'est pour ça que tu trembles comme une
feuille et que tu as les doigts tout bleus ?

L'avantage d'être accompagnée par une personne adulte, et surtout mamie, c'est qu'on rentrait à la maison en fiacre au lieu de
faire deux kilomètres à pied. Le Yacht Club de Tor Bay se trouvait sur Beacon Terrace, juste au-dessus de la crique du Bain des
dames. Bien que la plage fût comme il convient invisible depuis
les fenêtres du club, la partie de mer qui entourait le radeau ne
l'était pas et, d'après mon père, une bonne partie des messieurs
passaient leur temps, avec des jumelles de théâtre, à savourer la
vue des silhouettes féminines exposées dans ce qu'ils estimaient,
avec un bel optimisme, être un état proche de la nudité ! Nous
ne devions pourtant pas, avec ces vêtements informes, être très
excitantes.

Le Bain des messieurs était situé un peu plus loin sur la côte.

Lesquels messieurs, dans leurs minuscules triangles de tissu, pouvaient s'ébattre là à leur guise, sans risque d'être observés par un œil féminin de quelque endroit que ce soit. Les temps changeaient, pourtant : les baignades mixtes commençaient à se répandre partout en Angleterre.

La première conséquence de cette mixité fut que l'on porta encore davantage de vêtements qu'avant. Même les Françaises s'étaient toujours baignées avec des bas afin de cacher toute coupable nudité de la jambe. Je ne doute pas un instant qu'avec leur chic naturel elles ne soient parvenues à se couvrir du cou jusqu'aux poignets, et qu'avec de jolis bas en soie fine sur leurs jolies jambes elles n'aient paru bien plus coupablement aguichantes que si elles avaient porté la bonne vieille tenue de bain britannique en alpaga à froufrous. Je ne comprends d'ailleurs vraiment pas ce qu'il y avait de si inconvenant à voir des jambes. Dans tout Dickens, ce ne sont que cris horrifiés dès qu'une dame croyait qu'on regardait ses chevilles. D'en parler même était osé. On ne manquait pas de vous rappeler l'un des premiers axiomes appris à la nursery si vous mentionniez cette partie de votre anatomie : « Souvenez-vous : la reine d'Espagne n'a pas de jambes. »

— Elle a quoi, alors, Nursie ?

— Des *membres*, ma chérie. C'est comme ça qu'on les appelle. Les bras et les jambes sont des membres.

C'est égal, je trouverais un peu bizarre de dire : « J'ai un bouton qui me vient sur un membre, juste au-dessous du genou. »

Cela me rappelle une amie de mon neveu, qui racontait une anecdote de son enfance. On lui avait dit que son parrain allait venir la voir. N'ayant jamais entendu parler d'un tel personnage auparavant, elle était toute surexcitée par cette nouvelle. En pleine nuit, vers 1 heure, après s'être réveillée et avoir réfléchi un moment, elle chuchota dans le noir :

— Nanny, j'ai un parrain.

— Mmmmh ?

— Nanny, (un peu plus fort) j'ai un *parrain*.

— Oui, ma chérie, c'est très bien.

— Nanny, Nanny, j'ai un (*fortissimo*) PARRAIN.

— Oui, bon, tournez-vous et dormez.

— Mais, Nanny, (*molto fortissimo*) J'AI UN PARRAIN !

— Eh bien *frottez-le*, ma chérie, ce n'est pas grave !

Les tenues de bain restèrent très chastes pratiquement jusqu'à mon mariage. Bien que la baignade mixte fût déjà acceptée à l'époque, les vieilles ladies et les familles les plus conservatrices voyaient cela d'un mauvais œil. Mais le progrès était le plus fort, même pour ma mère, et nous allâmes souvent sur les plages dévo-

lues au mélange des sexes. La mixité fut d'abord autorisée aux
Sables de Tor Abbey, puis à Corbin's Head, qui étaient plus ou
moins les plages de la ville. Mais nous ne nous baignions pas là-
bas, elles avaient la réputation d'être toujours envahies de monde.
Hommes et femmes purent ensuite se mélanger sur la plage plus
distinguée de Meadfoot. Elle se trouvait à une bonne vingtaine
de minutes à pied plus loin, ce qui rendait le chemin du bain
plutôt longuet — pratiquement trois kilomètres. Seulement
Meadfoot Beach était beaucoup plus jolie que la crique du Bain
des dames : plus vaste, avec un rocher assez loin au large mais
accessible pour un bon nageur. Le Bain des dames resta un sanctuaire ségrégationniste, et les hommes étaient laissés en paix dans
leurs impertinents petits triangles. Car autant que je m'en souvienne, ces messieurs n'étaient pas particulièrement impatients de
s'adonner aux joies du bain mixte : ils s'en tenaient avec acharnement à leur domaine privé. Et ceux d'entre eux qui s'aventuraient
sur Meadfoot ne savaient en général plus où se mettre à la vue
des amies de leurs sœurs dans ce qu'ils considéraient encore
comme un état de quasi-nudité.

Il fut tout d'abord de règle que je porte des bas pour me baigner. Je me demande comment les Françaises arrivaient à garder
les leurs en place. Moi, impossible. Trois ou quatre vigoureux
mouvements de jambes pour nager, et je les retrouvais en drapeau
derrière mes orteils. Au sortir de l'eau, ils étaient soit complètement déchaussés, soit entortillés autour de mes chevilles. Je crois
que les Françaises qu'on voyait sur les photos de mode devaient
leur chic au fait qu'elles ne nageaient pas effectivement : elles se
contentaient de faire quelques pas dans l'eau et de ressortir pour
défiler sur la plage.

On cite une anecdote touchante sur la séance du conseil muni-
cipal où fut rediscutée la question de la mixité pour approbation
définitive. Un très vieux conseiller, opposant farouche et malheureux au projet, émit une dernière supplication avec des trémolos
dans la voix :

— Tout ce que je demande, monsieur le maire, c'est que si
ces bains mixtes sont acceptés, les cabines roulantes soient équipées de séparations, *même toutes petites*.

Comme Madge descendait Jack tous les étés à Torquay, nous
nous baignions pratiquement chaque jour. Je crois que nous y
allions même sous la pluie ou par grand vent. En fait, c'est quand
il faisait mauvais que j'appréciais le plus la mer.

Très vite devait venir la grande innovation des trams. On pouvait en prendre un au bas de Burton Road et se faire descendre
jusqu'au port, après quoi il ne restait guère plus d'une vingtaine

de minutes à pied pour rejoindre Meadfoot. C'est quand Jack atteignit 5 ans qu'il commença à rechigner.

— Si on prenait un fiacre du port à la plage ?

— Ah ! non, fit ma sœur, horrifiée. On est déjà venus jusqu'ici en tram, n'est-ce pas, alors maintenant on marche jusqu'à la plage.

Et Jack de soupirer.

— Ça y est, maman qui refait la mesquine ! grommelait-il entre ses dents.

Par mesure de rétorsion, pendant tout le temps où nous gravissions la côte, qui était bordée de villas de style italien, mon neveu, qui à cet âge n'arrêtait pas une seconde de parler, débitait une sorte de litanie de son cru qui consistait à répéter tout haut le nom des habitations devant lesquelles nous passions : « Lanka, Pentreave, les Ormes, Villa Marguerite, Hartly St George. » Au fil du temps, il ajouta le nom des occupants que nous connaissions. Ce qui donnait quelque chose du genre « Lanka, Dr G. Wreford. Pentreave, Dr Quick. Villa Margarita, Mrs Cavallen. Les Lauriers, j'sais pas. » Et ainsi de suite. Finalement, exaspérées, Madge ou moi lui demandions de se taire.

— Pourquoi ?

— Parce qu'on voudrait se parler et qu'on n'y arrive pas avec toi qui bavardes et nous interromps tout le temps.

— Bon, très bien, faisait Jack en s'enfermant dans un silence soudain.

Mais ses lèvres bougeaient et nous l'entendions marmonner tout bas : « Lanka, Pentreave, Le Prieuré, Tor Bay Hall... » Nous nous regardions, Madge et moi, ne sachant quoi dire.

Avec lui, je faillis me noyer, un été. Comme il ne faisait pas beau, nous n'étions pas allés jusqu'à Meadfoot, mais à la crique du Bain des dames, où Jack n'était pas encore assez âgé pour causer un quelconque émoi parmi la gent féminine. Il ne savait pas nager à cette époque, ou à peine quelques brasses, si bien que j'avais l'habitude de le remorquer sur mon dos pour aller au radeau. Nous partîmes donc, ce matin-là, mais la mer bougeait d'une façon bizarre — un mélange de clapotis et de houle — et, avec ce poids supplémentaire sur mes épaules, je me trouvais pratiquement dans l'impossibilité de garder mon nez et ma bouche au-dessus de l'eau. J'arrivais à nager, mais pas à respirer. La marée n'était pas trop haute, donc le radeau assez proche, mais je progressais lentement et ne parvenais à prendre de l'air qu'une fois toutes les trois brasses.

Je découvris soudain que je n'y arriverais pas. J'allais étouffer d'une seconde à l'autre.

— Jack, haletai-je, lâche-moi et nage au radeau. Il est plus près que la plage.

— Pourquoi ? Je veux pas.

— Je t'en... supplie..., gargouillai-je.

Ma tête fut submergée. Heureusement, bien que d'abord agrippé à moi, il se trouva rapidement éjecté et parvint à se débrouiller par ses propres moyens. Nous nous trouvions tout près du radeau, il l'atteignit sans difficulté. Je ne voyais même plus ce qui se passait autour de moi. Mon seul sentiment était de grande indignation. On m'avait toujours raconté que, quand on se noyait, on voyait défiler toute sa vie devant soi et qu'on entendait une jolie musique au moment de la mort. Or là, de jolie musique point, je ne voyais rien de mon passé, je ne pensais qu'à une chose : faire entrer de l'air dans mes poumons. Tout devint noir et... et... et soudain, je me sentis violemment agrippée et jetée sans ménagement au fond d'un bateau. Ce vieil ours des mers, le bonhomme qui nous paraissait toujours si grincheux et inutile, avait eu assez de présence d'esprit pour s'apercevoir que quelqu'un se noyait et sortir la barque qu'on lui avait octroyée pour cet usage. Quand il m'eut récupérée, il donna quelques coups de rames supplémentaires jusqu'au radeau, où il attrapa Jack qui résista bruyamment.

— Mais je veux pas partir, moi, je viens juste d'arriver ! Je veux jouer sur le radeau ! Je reste ici !

La barque atteignit la terre ferme avec son hétéroclite cargaison et Madge descendit sur la plage, hilare :

— Eh bien, qu'est-ce que vous fabriquiez ? Qu'est-ce que c'est que tout ce remue-ménage ?

— Votre sœur a failli se noyer, ronchonna le vieil homme. Tenez, prenez votre gamin, on va allonger la petite. S'il faut, on lui donnera quelques claques.

On dut me donner quelques claques, bien que je ne croie pas avoir complètement perdu connaissance.

— Je ne vois pas comment vous savez qu'elle se noyait, fit Madge. Pourquoi n'a-t-elle pas appelé au secours ?

— J'ai l'œil, moi. Et puis quand vous buvez la tasse, vous pouvez plus crier, y'a la flotte qui entre.

Le vieil ours des mers remonta fort dans notre estime après cela.

Le monde extérieur empiétait beaucoup moins sur nous que du temps de mon père. J'avais mes amies, ma mère une ou deux intimes qu'elle voyait, mais nous sortions et recevions peu. D'abord maman était très gênée : elle n'avait pas d'argent à consacrer aux mondanités, ou aux fiacres pour se rendre à des déjeuners ou des dîners. Elle n'avait jamais été grande marcheuse, et maintenant, depuis ses alertes cardiaques, elle quittait encore moins la maison vu qu'il était impossible, à Torquay, d'aller où que ce soit sans être obligé de monter et descendre presque tout de suite. Je me baignais l'été, je faisais du patin l'hiver et j'avais des tas de livres à lire. Là, bien sûr, je faisais constamment des découvertes. Maman me lisait Dickens tout haut à ce moment-là, et nous y prenions elle et moi grand plaisir.

Ces lectures à haute voix commencèrent avec sir Walter Scott. L'un de mes favoris était *Le Talisman*. Je lus aussi *Marmion* et *La Dame du lac*, mais je crois que maman et moi fûmes toutes deux fort heureuses de passer à Dickens. Maman, impatiente comme toujours, n'hésitait pas à sauter des pages quand l'envie lui en prenait.

— Toutes ces descriptions, disait-elle en certains passages de Walter Scott, c'est sûr qu'elles sont bien écrites, mais point trop n'en faut.

Je la soupçonne fort aussi d'avoir triché en coupant dès que cela devenait un peu trop pathétique avec Dickens, en particulier les passages sur la petite Nell.

Notre premier Dickens fut *Nicholas Nickleby*, et mon personnage favori le vieux monsieur qui faisait la cour à Mrs Nickleby en jetant des courges par-dessus le mur. Est-ce une des raisons pour lesquelles j'en ai fait cultiver à Hercule Poirot dans sa retraite ? Qui sait ? Le Dickens que je préférais de tous était *La Maison d'Âpre-Vent*. Et ça l'est resté.

Parfois, pour changer, nous essayions un peu de Thackeray. *Vanity Fair* passa bien, mais nous coinçâmes sur *Les Newcombe*.

— On devrait pourtant aimer, fit ma mère. Tout le monde dit que c'est son meilleur.

Le préféré de ma sœur avait été *L'Histoire d'Henry Esmond*, mais lui aussi, nous le trouvâmes trop verbeux et difficile à suivre. C'est vrai que je n'ai jamais été capable d'apprécier Thackeray comme je devrais.

Quant à moi, les œuvres d'Alexandre Dumas en français me mettaient en extase. *Les Trois Mousquetaires*, *Vingt ans après*, et le meilleur de tous, *Le Comte de Monte-Cristo*. J'avais une préférence pour le premier volume, *Le Château d'If*, mais bien que les cinq autres me parussent parfois un peu embrouillés, le contexte historique coloré de l'intrigue était fascinant. J'avais aussi un attachement sentimental pour Maurice Hewlett : *Les Amoureux de la forêt*, *Le Cahier de la reine*, *Richard Oui et Richard Non*. De très bons romans historiques, eux aussi.

Ma mère était parfois prise de lubies soudaines. Je me rappelle le jour où elle sortit de la maison comme une tornade, alors que je ramassais et triais les bonnes pommes tombées de l'arbre.

— Viens vite, dit-elle, on va à Exeter !

— Exeter ? répondis-je, ahurie. Pourquoi ?

— Parce que sir Henry Irving y joue *Beckett*. Il ne vivra peut-être plus très longtemps, et il *faut* que tu le voies. C'est un grand acteur. On a juste le temps d'attraper le train. J'ai réservé une chambre à l'hôtel.

Nous partîmes donc pour Exeter, et ce fut vraiment une merveilleuse représentation de *Beckett*. Je ne l'ai jamais oubliée.

Le théâtre n'avait jamais cessé d'occuper une part régulière de ma vie. Lorsque j'étais à Ealing, mamie m'y emmenait au moins une fois par semaine, parfois deux. Nous allions voir toutes les comédies musicales, toutes les opérettes, et elle m'en achetait la partition ensuite. Comme j'adorais les jouer ! À Ealing, le piano était dans le salon. Heureusement, car ainsi, je pouvais travailler des heures d'affilée sans ennuyer personne.

Le salon, à Ealing, était merveilleusement typique de l'époque. Il n'y avait pratiquement pas la place d'y circuler. Un superbe et épais tapis de Turquie recouvrait le sol. On y trouvait toutes sortes de fauteuils tapissés de brocart — mais aucun qui fût confortable —, deux sinon trois meubles chinois en marqueterie, un grand lustre central, des lampadaires, des quantités de petits meubles volants, quelques tables et du mobilier Empire. La lumière de la fenêtre était cachée par une serre attenante, symbole de prestige que toute maison victorienne qui se respecte devait impérativement posséder. C'était une pièce très froide. On n'y allumait le feu que lorsqu'on recevait, et il était de règle que personne n'y entre à part moi. J'allumais les lampes du piano, réglais le tabouret, me soufflais longuement sur les doigts et commençais par *La Petite Paysanne* ou *Notre chère miss Gibbs*. Je distribuais parfois des rôles à mes « filles », parfois je les chantais moi-même, nouvelle grande voix inconnue.

Étant rentrée à Ashfield avec mes partitions, je passais mes soirées dans la salle d'étude — elle aussi glacée l'hiver. Je jouais et je chantais. Maman allait souvent se coucher vers 20 heures, après un dîner léger. Au bout de deux heures, n'en pouvant plus de m'entendre taper sur le piano et chanter à tue-tête juste au-dessus, elle prenait la longue perche avec laquelle nous levions et baissions les fenêtres et tapait furieusement au plafond. À regret, j'abandonnais alors mon piano.

Je créai aussi ma petite opérette à moi, *Marjorie*. Je ne la composai pas à proprement parler, mais j'en chantais quelques morceaux dans le jardin pour voir ce que cela donnait. Je sentais vaguement que je serais capable d'écrire et de composer de la musique un jour. Mais je ne vins à bout que du livret, après quoi je restai en panne. Je ne me rappelle plus toute l'histoire, à présent, mais elle donnait, je crois bien, un tantinet dans le tragique. Un beau jeune homme, à la merveilleuse voix de ténor, était désespérément amoureux d'une fille, Marjorie, qui bien sûr ne l'aimait pas autant en retour. Il finissait par en épouser une autre, mais, le lendemain de ses noces, il recevait une lettre de Marjorie : elle se trouvait dans un pays lointain, était à l'article de la mort et lui avouait avoir enfin compris qu'elle l'aimait. Il abandonnait alors sa jeune épousée et se mettait incontinent en route pour rejoindre l'inconstante. Elle n'était pas tout à fait morte quand il arrivait — suffisamment vivante en tout cas pour se soulever sur un coude et lui adresser un splendide dernier chant d'amour. Le père de la mariée survenait alors pour venger sa fille délaissée, mais il était tellement touché par la douleur des amants qu'il joignait sa voix de baryton aux deux leurs, et l'œuvre s'achevait sur l'un des plus beaux trios jamais entendus.

Je sentais aussi confusément en moi l'envie d'écrire un roman qui s'intitulerait *Agnès*. Je m'en souviens encore moins, de celui-là. Il y avait quatre sœurs : Queenie, l'aînée, blonde et belle, puis deux jumelles brunes, jolies elles aussi, et enfin Agnès, qui était laide, timide et — bien entendu — de santé délicate, langoureusement étendue sur son sofa. L'intrigue ne devait pas se limiter à cela, mais je l'ai complètement oubliée maintenant. Tout ce dont je me rappelle, c'est qu'Agnès finissait par être appréciée à sa juste valeur par un homme superbe, à la moustache noire, dont elle était secrètement amoureuse depuis des années.

Une autre des lubies soudaines de ma mère fut de se dire que je ne recevais peut-être pas, finalement, une instruction suffisante et qu'un petit peu d'école ne me ferait pas de mal. Il existait une école de filles à Torquay, tenue par une certaine miss Guyer. Ma mère s'entendit avec elle pour que je puisse m'y rendre deux jours par semaine et étudier certaines matières. L'une était, je crois, l'arithmétique, et il y avait aussi grammaire et rédaction. L'arithmétique me plut beaucoup, comme toujours, et peut-être même y commençai-je l'algèbre. En grammaire, en revanche, je ne comprenais rien : je ne voyais vraiment pas pourquoi certains mots s'appelaient prépositions, d'autres verbes, à quoi ils servaient, et tout cela était du chinois pour moi. Je me plongeais avec joie dans les rédactions, mais sans réel succès. Les observations étaient toujours les mêmes : mes textes étaient trop fantaisistes. On me reprochait surtout de sortir du sujet. Je me rappelle notamment celui-ci : « L'automne. » Je commençais bien, avec les feuilles dorées, les feuilles marron, mais tout d'un coup, allez savoir comment, un petit cochon faisait son entrée — peut-être bien qu'il déterrait des glands dans la grande forêt. Bref, je ne m'intéressais plus qu'à lui, oubliais complètement l'automne, et ma rédaction se terminait sur les délirantes aventures de Tire-bouchon le petit cochon et sur le somptueux festin de faînes dont il régalait ses amis.

Je revois encore une de mes maîtresses — j'ai oublié son nom. Elle était petite, toute menue, et je me rappelle son menton saillant et énergique. De façon tout à fait inattendue, un jour — au beau milieu d'une leçon d'arithmétique, je crois —, ne voilà-t-il pas qu'elle se lança sans crier gare dans un discours sur la vie et la religion :

— Vous toutes, je dis bien *toutes*, vous vivrez des moments de désespoir. Tant que tel n'aura pas été le cas, vous ne serez pas de vraies chrétiennes, vous ne saurez pas ce qu'est la vie chrétienne. Un chrétien doit connaître et accepter la vie que le Christ a vécue. Vous devez aimer comme il aimait, être heureuses comme il l'était aux noces de Cana, éprouver la sérénité et la joie qu'il faut pour être en harmonie avec Dieu et la volonté de Dieu. Mais vous devez aussi savoir, comme le Christ, ce que cela signifie d'être seul dans le Jardin de Gethsémani, de vous sentir abandonné de tous vos amis, de voir ceux que vous aimez et à qui vous faites confiance se détourner de vous, de croire que Dieu Lui-même vous a abandonnées. Tenez-vous alors à la certitude que ce n'est pas la fin. Aimer, c'est souffrir, mais ne pas aimer, c'est ne pas connaître la vie chrétienne.

Sur quoi elle retourna à ses problèmes d'intérêts composés avec son énergie habituelle. Il est étrange que ces quelques paroles, plus qu'aucun des sermons que j'ai pu entendre, me soient restées et que, des années plus tard, elles me soient revenues pour me redonner confiance à un moment où le désespoir s'était emparé de moi. C'était une personnalité puissante, et aussi, je crois, une très bonne enseignante. Je regrette de ne pas l'avoir eue plus long-temps.

Parfois je me demande ce qui se serait passé si j'avais poursuivi ma scolarité. J'aurais progressé, j'imagine, et je me serais totale-ment investie dans les mathématiques, matière qui m'a toujours captivée. Je serais alors devenue une mathématicienne de troi-sième — ou quatrième — ordre et ma vie se serait déroulée de façon tout à fait heureuse. Je n'aurais sans doute pas écrit de romans. Les mathématiques et la musique auraient suffi à me satisfaire. Elles se seraient emparées de toute mon attention et m'auraient fermé le monde de l'imaginaire.

À la réflexion, pourtant, je crois qu'on est ce qu'on doit être. On peut toujours se laisser aller au petit jeu des : « Si ceci ou cela s'était produit, j'aurais fait telle ou telle chose. » Ou bien : « Si j'avais épousé Untel, ma vie aurait changé du tout au tout. » D'une manière ou d'une autre, cependant, nous avons toujours tendance à revenir à notre voie, à notre propre schéma — car je suis convaincue que l'on suit un schéma, que nous avons un schéma de vie. On peut le magnifier, on peut le réduire au minimum, c'est notre schéma, et tant que nous le suivons, nous connaissons l'harmonie et la paix de l'esprit.

Je ne crois pas être restée dans la classe de miss Guyer plus d'un an et demi, car ma mère eut alors une autre idée. Avec sa soudaineté coutumière, elle m'expliqua qu'elle allait mettre Ashfield en location pour l'hiver, que nous partions pour Paris, que je pourrais m'inscrire dans la même pension que ma sœur et voir ce qu'il en adviendrait.

Les choses se déroulèrent comme prévu. Il en allait toujours ainsi avec les projets de ma mère : elle les réalisait avec la plus grande efficacité et tout le monde devait se plier à ce qu'elle voulait. Elle loua Ashfield un fort bon prix et nous nous attelâmes toutes deux à boucler nos malles — je ne crois pas qu'il y ait eu autant de monstres ventrus que lors de notre départ pour le Midi de la France, mais peu s'en fallait — et nous nous retrouvâmes en un rien de temps installées à l'*Hôtel d'Iéna*, avenue d'Iéna à Paris.

Maman était chargée de lettres d'introduction ainsi que des adresses de différents pensionnats et écoles, de professeurs et conseillers de toutes sortes. Elle eut tôt fait de régler la question. Ayant entendu dire que le pensionnat de Madge avait changé et beaucoup perdu au fil des années — Mlle T. elle-même s'était retirée ou était sur le point de le faire — elle décida néanmoins de m'y mettre à l'essai un moment. Cette attitude vis-à-vis de la scolarité ne serait guère approuvée de nos jours, mais pour ma mère, il en allait d'une école comme d'un nouveau restaurant : ce n'était pas en regardant du dehors qu'on pouvait juger. Il fallait essayer, et si on n'aimait pas, plus vite on fichait le camp mieux cela valait. Bien sûr, à l'époque, on ne se préoccupait pas de brevet, de bachot, ni de préparer sérieusement l'avenir.

Je commençai donc chez Mlle T. et y restai environ deux mois, jusqu'à la fin du trimestre. J'avais 15 ans. Ma sœur s'était fait remarquer dès son arrivée, lorsque des camarades la mirent au défi de sauter par une fenêtre. Elle l'avait fait immédiatement, pour atterrir au beau milieu d'une table autour de laquelle se trouvaient Mlle T. et ses honorables parents d'élèves. « Quelles effrontées, ces Anglaises ! » s'était-elle exclamée, très fâchée. Les filles qui avaient incitée Madge à tenter l'aventure jubilaient malicieusement, mais l'admirèrent pour son exploit.

Ma venue n'eut rien de spectaculaire. Je n'étais qu'un petit animal timide. Le troisième jour, j'étais au désespoir. Pendant les quatre ou cinq dernières années, j'avais été si proche de ma mère, si attachée à elle, sans pratiquement jamais la quitter, que cette nostalgie n'avait rien d'anormal la première fois que je quittais réellement la maison. Le plus curieux, c'est que je ne comprenais pas ce qui m'arrivait. Je n'avais pas faim. Chaque fois que je pensais à ma mère, les larmes me venaient aux yeux et roulaient sur mes joues. Je me vois encore regarder un corsage qu'elle avait confectionné — fort mal — de ses propres mains. Et justement, qu'il ait été mal fait, qu'il ne tombe pas bien, que les pinces soient irrégulières fit redoubler mes pleurs. Je parvenais à masquer ces sentiments au monde extérieur et ne pleurais que la nuit, la tête enfouie dans mon oreiller. Lorsque ma mère vint me chercher le dimanche suivant, je lui dis bonjour comme d'habitude, mais lorsque nous fûmes de retour à l'hôtel, j'éclatai en sanglots et me jetai à son cou. Au moins puis-je me féliciter de ne pas lui avoir demandé de me retirer de l'école. Je comprenais très bien qu'il ne fallait pas me laisser aller. De plus, d'avoir revu maman me montra de quoi je souffrais : je savais que, dorénavant, je ne serais plus nostalgique.

Et la nostalgie ne revint point. De fait, je me plaisais même beaucoup chez Mlle T. Il y avait des Françaises, des Américaines, beaucoup d'Espagnoles et d'Italiennes, mais peu d'Anglaises. J'aimais surtout beaucoup la compagnie des Américaines. Elles avaient une façon vivante et désinvolte de parler qui me rappelait mon amie de Cauterets, Marguerite Prestley.

Je ne me souviens guère du côté scolaire des choses. Ce ne devait pas être très intéressant. En histoire, je crois que nous faisions la période de la Fronde, que je connaissais déjà bien par mes lectures de romans historiques. Quant à la géographie, je suis embrouillée pour la vie depuis que j'ai appris les provinces de France telles qu'elles étaient au temps de la Fronde et non telles qu'elles sont maintenant. Nous avons aussi appris les mois du calendrier révolutionnaire. Mes fautes d'orthographe horrifiaient tellement la maîtresse qu'elle n'y croyait pas.

— *Vraiment, c'est impossible*, disait-elle. *Vous, qui parlez si bien le français, vous avez fait vingt-cinq fautes en dictée, vingt-cinq !*

Personne d'autre n'en avait plus de cinq. J'étais, dans mon

genre, un phénomène. Je crois pourtant que c'était assez compréhensible, vu les circonstances, puisque je n'avais appris le français qu'en le parlant. Je conversais familièrement, mais bien sûr entièrement d'oreille, et je ne faisais pas la différence entre « été » et « était ». Je les écrivais complètement au hasard d'une manière ou de l'autre, espérant être tombée sur la bonne. Dans certaines matières du français — littérature, récitation, etc. —, j'arrivais dans le peloton de tête. En grammaire et en orthographe, en revanche, j'étais dans les dernières. Ce qui devait être un casse-tête pour mes pauvres professeurs, et sans doute vexant pour moi. À ceci près que ça ne semblait pas me déranger beaucoup.

Je prenais des leçons de piano avec une vieille dame, Mme Legrand. Elle était là depuis des années et des années. Sa méthode préférée pour enseigner le piano était de jouer à quatre mains avec son élève. Elle tenait également à ce que nous sachions lire la musique. Je me débrouillais bien pour déchiffrer, mais jouer avec elle était un supplice. Nous étions toutes deux assises sur un siège en forme de petite banquette, mais comme Mme Legrand était une personne très enveloppée, elle en prenait la majeure partie, me poussait et m'empêchait d'atteindre le milieu du clavier. Elle jouait avec une grande vigueur en roulant de ses coudes légèrement écartés, ce qui obligeait son infortunée partenaire à garder, elle, un des siens collé au corps.

Fine mouche, je parvenais presque toujours à m'octroyer l'accompagnement du duo. Mme Legrand y consentait d'autant plus facilement qu'elle aimait s'écouter et que, bien sûr, être au chant lui donnait une bien meilleure occasion de mettre toute son âme dans la musique. Elle y allait de si bon cœur que, absorbée par son jeu, il lui fallait parfois un bon moment avant de s'apercevoir que l'accompagnement ne suivait pas. Une hésitation sur une mesure, et je finissais tôt ou tard par être à la traîne. Pour me rattraper, j'essayais au jugé de trouver l'accord qui correspondait à ce que Mme Legrand était en train de jouer. Mais comme nous lisions la musique, je n'arrivais pas toujours à anticiper juste. Alors soudain, quand elle s'apercevait de la cacophonie que cela produisait, elle s'arrêtait net en levant les mains au ciel :

— *Mais qu'est-ce que vous jouez là, petite ? C'est horrible !*

Je ne pouvais vraiment pas dire le contraire. C'était horrible. Nous recommencions depuis le début. Si je me mettais au chant, mon absence de coordination ressortait tout de suite. Malgré tout, nous nous entendions bien, dans l'ensemble. Elle soufflait tout le temps, poussait des grognements continuels quand elle jouait, gémissait même parfois. Sa poitrine se soulevait et s'abaissait. C'était assez effrayant, mais somme toute assez fascinant.

Fascinante, l'odeur de transpiration qui se dégageait de son opulente personne l'était, en revanche, beaucoup moins.

Il devait y avoir un concert à la fin du trimestre, et j'étais prévue pour jouer deux morceaux : le troisième mouvement de la *Sonate pathétique* de Beethoven et la *Sérénade aragonaise*, quelque chose comme ça. Je pris tout de suite la *Sérénade aragonaise* en horreur. J'éprouvais des difficultés extraordinaires à la jouer — j'ignore pourquoi, elle était sûrement beaucoup plus facile que la sonate de Beethoven. Alors que cette dernière commençait à bien venir, mon *Aragonaise* continuait à être affreuse. Plus je la travaillais, plus je m'angoissais. Je me réveillais la nuit, croyant que j'étais au piano et que toutes sortes de catastrophes se produisaient : les touches me collaient aux doigts, je me retrouvais devant un orgue à la place du piano, ou bien j'arrivais en retard, ou encore le concert avait eu lieu la veille au soir... Tout cela a l'air tellement idiot, quand on y repense plus tard.

Quarante-huit heures avant le grand jour, j'eus tant de fièvre qu'on alla chercher ma mère. Le médecin ne put en déterminer la cause, mais il estima préférable que je m'abstienne de participer au concert et que je rentre deux ou trois jours à la maison jusqu'à ce que tout soit fini. Je ne puis vous dire mon soulagement, mais en même temps, je me faisais l'effet d'une personne qui a failli à ce qu'elle était déterminée à accomplir.

Je me souviens à présent d'une composition d'arithmétique, avec miss Guyer, où je m'étais classée bonne dernière alors que j'avais eu les meilleures notes de la classe toute la semaine précédente. Je ne sais pas pourquoi, mais à la composition, plus je lisais les énoncés, plus mon esprit se bloquait et moins j'arrivais à réfléchir. Il y a des gens qui arrivent à réussir des examens, parfois haut la main, après avoir été parmi les derniers en classe. Des gens qui se produisent mieux en public qu'en privé. Et puis il y en a pour lesquels c'est exactement le contraire. J'appartenais à cette dernière catégorie. Il est évident que j'ai choisi la bonne carrière. Ce qui est merveilleux, quand on est écrivain, c'est qu'on peut travailler chez soi et au moment qui vous convient. Même si c'est parfois un véritable casse-tête, si ça vous obsède, vous donne des migraines, si vous devenez folle à force d'essayer de donner à votre intrigue une direction où vous savez qu'elle peut et doit aller, *au moins* n'avez-vous pas à vous montrer et à vous rendre ridicule devant tout le monde.

Je retournai donc au pensionnat fort soulagée et de bonne humeur. J'essayai tout de suite de voir si je pouvais maintenant jouer la *Sérénade aragonaise* : j'y parvins certainement mieux que je ne l'avais jamais fait, mais ce n'était pas encore fameux. Je continuai à travailler la sonate de Beethoven avec Mme Legrand qui, bien que déçue que je ne lui aie pas fait honneur, resta tout aussi gentille et encourageante, et dit que j'avais un bon sens de la musique.

Les deux hivers et l'été que je passai à Paris comptèrent parmi les jours les plus heureux que j'aie jamais connus. Toutes sortes d'événements agréables s'enchaînèrent. Des amis américains de mon grand-père vivaient là, et leur fille chantait à l'Opéra. J'allai l'entendre interpréter Marguerite, dans *Faust*. Au pensionnat, on ne nous emmenait pas voir *Faust*, le sujet n'étant pas « convenable pour les jeunes filles ». Je crois que les gens se faisaient des idées quant à la facilité de dépravation des « jeunes filles » : il aurait fallu que lesdites « jeunes filles » soient beaucoup plus averties qu'à l'époque pour deviner qu'il se passait quelque chose d'immoral à la fenêtre de Marguerite. À Paris, je n'ai jamais compris pourquoi Marguerite se retrouvait tout d'un coup en prison. Avait-elle, me demandais-je, volé les bijoux ? Qu'elle soit tombée enceinte et devenue meurtrière de l'enfant ne me serait certainement pas venu à l'esprit.

On nous emmenait surtout à l'Opéra-Comique. *Thaïs, Werther, Carmen, La Vie de bohème, Manon*. Celui que je préférais était *Werther*. À l'Opéra, outre *Faust*, j'ai vu *Tannhäuser*.

Maman m'emmena chez les couturiers et, pour la première fois, je commençai à apprécier les beaux vêtements. On me confectionna une robe de demi-soirée en crêpe de Chine gris clair qui me ravit : je n'avais jamais rien eu d'aussi adulte jusque-là. Malheureusement, ma poitrine se montrait toujours aussi peu coopérative, et il fallut bien vite rembourrer le corsage de crêpe de Chine. Je ne désespérais pas qu'un jour, cependant, me viendrait un buste digne de ce nom, ferme, rond, imposant. Il est heureux que nous ne puissions lire dans l'avenir : car alors, je me serais vue à 35 ans affublée du tour de poitrine désiré au moment où, hélas ! les femmes devaient être plates comme des planches à pain et où celles qui avaient la malchance d'être généreusement dotées se comprimaient pour qu'il n'en parût rien !

Les lettres d'introduction que maman avait apportées nous permirent de nous intégrer dans les cercles mondains français. Les jeunes Américaines étaient toujours bien accueillies faubourg Saint-Germain, et il était admis que les fils de famille de l'aristocratie française épousent de riches Américaines. Bien que loin d'être riche moi-même, on savait que j'avais eu un père américain, or tous les Américains avaient de l'argent, c'était bien connu. Curieuse société toute en convenances, une société du passé. Les jeunes gens français que je rencontrais étaient polis,

très *comme il faut*[*] — et il n'y avait rien de plus assommant
aux yeux d'une fille. J'appris cependant toute une phraséologie
française de la plus grande civilité qui soit. Je pris aussi des cours
de danse de salon, des leçons de maintien, avec quelqu'un qui
s'appelait, je crois, Mr Washington Lob — drôle de nom.
Mr Washington Lob était la réplique la plus proche que je puisse
imaginer du personnage de Turveydrop, dans *La Maison d'Âpre-
Vent*, de Dickens. J'appris la Washington Post, la Boston, entre
autres, et aussi quelques usages à respecter dans une société cosmopolite.

— Supposons maintenant que vous alliez vous asseoir à côté
d'une dame d'un certain âge. Comment feriez-vous ?

Je regardai Mr Washington Lob, ahurie :

— Moi ? Eh bien je, euh... je m'assiérais.

— Montrez-moi.

Il y avait des chaises dorées. J'en choisis une et m'assis, en
ayant soin de cacher mes jambes le plus possible sous moi.

— Non, non, surtout pas, fit-il, jamais comme ça. Vous vous
tournez légèrement de côté — là, voilà, pas plus. Et en vous
asseyant, vous vous inclinez légèrement sur la droite et vous pliez
un peu le genou gauche, ce qui produira comme une petite révérence tandis que vous prenez place.

Je dus m'y entraîner un bon moment.

Les seules choses que je détestais vraiment étaient mes cours
de dessin et de peinture. Maman se montra cependant intraitable.
Elle refusa de m'en dispenser :

— Une jeune fille doit savoir faire des aquarelles.

C'est ainsi que bien malgré moi, deux fois par semaine, une
jeune femme convenable venait me chercher — les filles ne se
déplaçaient pas seules à Paris — et me faisait prendre le métro
ou le bus jusqu'à un atelier quelque part vers le marché aux fleurs.
Là, je rejoignais un groupe de jeunes personnes qui peignaient
des violettes fichées dans un verre d'eau, des lys dans un pot, des
jonquilles dans un vase noir. La dame qui dispensait les cours
poussait d'immenses soupirs quand elle venait près de moi.

— *Mais vous ne voyez rien*[*], me disait-elle. Il faut commencer
par les ombres. Elles sont pourtant visibles : là, là et là, les voilà,
les ombres.

Eh bien non, je ne les voyais jamais, les ombres. Pour moi, il
n'y avait que des violettes dans un verre d'eau. Elles étaient
mauves : j'arrivais à composer la nuance sur ma palette et je
peignais les violettes d'un mauve tout plat. Je reconnais volontiers
que le résultat ne correspondait pas au modèle, mais je ne
comprenais pas, et ne comprendrai jamais, en quoi des ombres

pouvaient ressembler à des violettes dans de l'eau. Certains jours, je retrouvais le sourire en croyant avoir réussi la perspective des pieds de la table ou d'une chaise quelconque, mais tel ne semblait pas être l'avis du professeur.

Je rencontrais beaucoup de Français charmants, mais fort curieusement, je ne tombai amoureuse d'aucun d'entre eux. En revanche, je me pris de passion pour le réceptionniste de l'hôtel, M. Strie. Long et mince comme un fil, il avait le cheveu filasse et une peau à boutons. Je ne vois vraiment pas ce que je pouvais lui trouver. Bien qu'il m'adressât à l'occasion un « Bonjour, mademoiselle » quand je traversais le hall, je n'ai jamais eu le courage de lui parler. Il se prêtait en outre assez peu aux fantasmes. Je m'imaginais parfois le sauver de la peste en Indochine, mais il me fallait faire un gros effort pour que le film se déroule. Dans un dernier souffle, il murmurait : « Mademoiselle, je vous ai aimé comme un fou dès le premier regard. » Tout cela était bel et bon, mais lorsque je voyais le lendemain M. Strie penché sur ses écritures derrière le bureau, il m'apparaissait hautement improbable qu'il pût jamais prononcer de telles paroles, même sur son lit de mort.

Nous consacrâmes les vacances de Pâques aux sorties à Versailles, Fontainebleau et autres endroits de ce genre, puis, avec sa soudaineté coutumière, maman m'annonça que je ne retournerai pas chez Mlle T.

— Cette école n'est plus ce qu'elle était du temps de Madge, affirma-t-elle. On n'y apprend rien d'intéressant. Je rentre en Angleterre et je t'ai inscrite à l'école de miss Hogg à Auteuil, Les Marronniers.

Hormis une légère surprise, je crois que cette nouvelle ne me fit guère d'effet. J'avais passé du bon temps, chez Mlle T., mais ne tenais pas particulièrement à y retourner. En fait, j'avais plutôt envie de changer d'air. Bêtise ou complaisance de ma part, je ne sais — j'opterais pour la complaisance, bien sûr —, j'étais toujours d'accord avec ce qui se présentait.

J'allai donc aux Marronniers. C'était une bonne école, mais vraiment très anglaise. Je m'y trouvai bien, sans plus. Le professeur de musique, avec toutes ses qualités, n'était pas aussi attachant que Mme Legrand. Comme tout le monde parlait constamment anglais, bien que cela fût strictement interdit, nous ne faisions pas beaucoup de progrès en français.

Les activités extérieures à l'école n'étant guère encouragées — peut-être même étaient-elles interdites —, je me vis enfin débarrassée de ces cours de peinture et de dessin détestés. Seules me manquaient mes promenades au marché aux fleurs, qui avaient été divines. Je ne fus pas davantage surprise lorsque, à la fin des vacances d'été, ma mère m'informa soudain, à Ashfield, que je ne retournais pas aux Marronniers. Elle avait eu une nouvelle idée pour mon éducation.

Le médecin de mamie, le Dr Burwood, avait une belle-sœur qui tenait un petit établissement de « perfectionnement » pour jeunes filles à Paris. Elle ne prenait qu'une douzaine ou une quinzaine d'élèves, qui toutes étudiaient la musique ou suivaient des cours au Conservatoire ou à la Sorbonne. Ma mère me demanda ce que j'en pensais. Comme je l'ai dit, j'étais très attirée par la nouveauté. « Tout essayer au moins une fois » : telle aurait pu être ma devise à cette époque. À la rentrée, je me rendis donc chez miss Dryden, avenue du Bois, tout près de l'Arc de triomphe.

Là, je fus comblée. Pour la première fois, j'éprouvai un intérêt véritable pour ce que nous faisions. Nous étions douze. Miss Dryden était grande, plutôt farouche, avec des cheveux blancs joliment coiffés, une fort belle silhouette, et un nez rougeaud qu'elle avait l'habitude de frotter violemment quand elle était en colère. Dans la conversation, son ironie sèche était redoutable mais stimulante à la fois. Elle avait une adjointe pour l'assister, Mme Petit, qui était on ne peut plus française, délicieusement capricieuse, extrêmement émotive, remarquablement partiale. Nous l'aimions toutes beaucoup et elle était loin de nous inspirer la même crainte révérencieuse que miss Dryden.

L'établissement tenait bien évidemment moins du pensionnat que de la grande famille, mais nos études étaient suivies avec infiniment de sérieux. Bien que l'accent fût mis surtout sur la musique, nous avions des cours fort intéressants sur toutes sortes de sujets. Des sociétaires de la Comédie-Française venaient nous entretenir de Molière, Racine, Corneille, des chanteurs du Conservatoire nous interpréter des airs de Lully et de Gluck. Nous avions un cours d'art dramatique où nous disions chacune des textes. Heureusement, on faisait ici beaucoup moins de dictées que chez Mlle T., si bien que mes fautes d'orthographe restaient confidentielles, et comme mon français parlé était meilleur que celui des autres, je prenais un immense plaisir à réciter des vers d'*Andromaque*, allant jusqu'à m'identifier à l'héroïne tragique lorsque je déclamais : « *Seigneur, tant de grandeurs ne nous touchent plus guère.* * »

Je crois que nous aimions toutes ces cours. On nous emmenait à la Comédie-Française, et j'assistai aux grandes pièces classiques, à d'autres plus modernes aussi. J'ai vu Sarah Bernhardt dans ce qui doit avoir été l'un des derniers rôles de sa carrière, la faisane dorée dans le *Chantecler* de Rostand. Elle était vieille, affaiblie, boitait bas, son extraordinaire voix était éraillée, mais elle restait sans conteste une immense comédienne qui vous tenait sous le charme. Encore plus saisissante que Sarah Bernhardt, ai-je trouvé Réjane dans une pièce moderne, *La Course aux flambeaux*. Elle avait le pouvoir merveilleux d'exprimer, avec une grande retenue, un flot de sentiments et d'émotions qu'elle ne laissait jamais se manifester à découvert. Il me suffit de m'asseoir et de fermer les yeux pour réentendre sa voix, revoir son visage dans sa dernière réplique : « *Pour sauver ma fille, j'ai tué ma mère* * », et ressentir le frisson que ces mots faisaient courir dans le public au tomber du rideau.

Un enseignement n'est à mon avis valable que s'il éveille quelque chose en vous. L'information pure et simple ne suffit pas, elle ne vous apporte rien que vous ne possédiez déjà. Entendre les actrices elles-mêmes commenter les pièces et leur jeu, en revanche, entendre de vrais chanteurs vous interpréter *Le Bois épais* ou une aria de l'*Orphée* de Gluck vous donnait la passion de l'art qui vous était présenté. Cela m'ouvrit un monde nouveau, un monde que je suis parvenue à ne plus quitter.

Ce que j'étudiais vraiment avec sérieux était bien sûr la musique. Le chant et le piano. J'avais pour maître un Autrichien, Charles Fürster. Il se rendait parfois à Londres pour y donner des récitals. C'était un bon enseignant, mais il vous glaçait de peur. Sa méthode consistait à déambuler dans la pièce pendant que vous jouiez. Il affectait de ne pas écouter, de regarder par la fenêtre, de humer une fleur, puis tout à coup, si vous faisiez une fausse note ou commettiez une faute d'expression, il se retournait avec la célérité d'un fauve et rugissait :

— *Hein ? Qu'est-ce que vous jouez là, petite ? C'est atroce !* *

Au début, c'était très éprouvant pour les nerfs, et puis on s'y faisait. Comme il était passionné de Chopin, je travaillai surtout des études, des valses, la *Fantaisie impromptue* et une des ballades. Je savais que je progressais sous sa houlette, et j'en étais heureuse. J'appris aussi les sonates de Beethoven, ainsi que plusieurs morceaux légers qu'il appelait des « pièces de salon », une romance de Fauré, la barcarolle de Tchaïkowsky, entre autres. Je m'exerçais avec une réelle assiduité, en général environ sept heures par jour. Je crois qu'un espoir insensé était en train de poindre en moi que je ne pense pas avoir jamais laissé devenir conscient, mais il était là, tapi dans l'ombre : celui que je pourrais peut-être devenir pianiste, donner des concerts. Il faudrait beaucoup de temps, beaucoup d'efforts, mais j'avançais à grands pas.

J'avais, avant cette période, commencé des leçons de chant avec un certain M. Boué. Jean de Reszke et lui étaient à l'époque considérés comme les deux meilleurs professeurs de chant de Paris. Jean de Reszke avait été un ténor de renom, et Boué un baryton-basse. Il habitait un cinquième sans ascenseur. J'arrivais là-haut complètement essoufflée, ce qui était bien naturel. Les appartements étaient tous tellement semblables qu'on perdait le compte des étages en montant, mais on reconnaissait toujours celui de M. Boué au papier mural, dans l'escalier. À la dernière courbe s'étalait une énorme tache de graisse qui ressemblait vaguement à une tête de cairn terrier.

Dès mon arrivée, j'étais en général accueillie par des reproches. Qu'est-ce que c'était que cet essoufflement ? Avais-je besoin de me mettre ainsi hors d'haleine ? À mon âge, on devait pouvoir monter les escaliers sans haleter comme ça. Savoir respirer, c'était la base de tout.

— Il n'y a, dans le chant, pas plus important que la respiration. Vous devriez savoir ça depuis longtemps.

Il prenait alors son centimètre, qui se trouvait toujours à proximité, me le mettait autour de la taille, me demandait d'inspirer, de retenir mon souffle, puis d'expirer le plus possible. Il faisait la soustraction entre les deux mesures, et hochait parfois la tête en disant :

— C'est bien, on progresse. La poitrine est bonne, très bonne. Vous avez une excellente capacité thoracique. Mieux, je vais vous dire : vous ne souffrirez jamais de consomption. Certains chanteurs finissent ainsi, ils attrapent la tuberculose. Mais avec vous, pas de risque. Tant que vous travaillerez convenablement votre souffle, tout ira bien. Vous aimez le bifteck ? (Je répondis que oui, que j'en raffolais.) Tant mieux, parce que c'est la meilleure nourriture pour un chanteur. Vous ne devez manger ni beaucoup ni souvent, mais, comme je le dis à mes chanteurs d'opéra, un grand steak avec une bonne bière à 15 heures, et puis *plus rien* jusqu'à ce que vous chantiez à 21 heures.

Nous en venions alors à la leçon proprement dite. Ma voix de tête, disait-il, était parfaite, sortait bien, était naturelle. Ma voix de poitrine, pas trop mal. Mais la voix de médium, alors là, qu'elle était faible ! Si bien qu'au début, je dus chanter des airs pour mezzo-soprano afin de l'améliorer. Parfois, c'était ce qu'il appelait mon « visage anglais » qui l'exaspérait.

— Les visages anglais, disait-il, sont inexpressifs. Ils ne sont pas mobiles. Le pourtour de la bouche ne bouge pas. Et la voix, les mots, tout cela vient du fond de la gorge. C'est très mauvais. La langue française doit venir du palais, de la voûte palatale. La voûte palatale, la cavité nasale, c'est de là que vient la voix de médium. Vous parlez très bien français, couramment — dommage même que vous n'ayez pas l'accent anglais mais un accent du Midi. Comment se fait-il que vous ayez l'accent du Midi ?

Je réfléchis une minute, puis répondis que c'était peut-être parce que j'avais appris le français avec une bonne qui était originaire de Pau.

— Ah ! ça explique tout, fit-il. Oui, c'est bien ça : vous avez un accent méridional. Comme je le disais, donc, vous parlez français couramment, mais vous le parlez comme l'anglais, du fond de la gorge. Vous devez bouger les lèvres. Gardez les dents serrées, mais bougez les lèvres. Bon, je sais ce que nous allons faire.

Il me demandait alors de mettre un crayon dans le coin de ma bouche et d'articuler aussi bien que possible tout en chantant, sans faire tomber le crayon. Ce fut extraordinairement difficile au début, mais à la fin, je réussis. Mes dents serraient le crayon et mes lèvres devaient alors faire tout le travail pour former les mots.

Boué se mit dans une colère noire, un jour, lorsque je lui apportai un air de *Samson et Dalila* : « *Mon cœur s'ouvre à ta voix** », et lui demandai si je pouvais l'apprendre, car j'aimais beaucoup cet opéra.

— Mais qu'est-ce que c'est que ça ? fulmina-t-il en regardant la partition. Ce n'est pas la bonne tessiture ! C'est une transposition !

Je lui dis que j'avais acheté la version pour soprano.

— Dalila n'est pas un rôle de soprano, tonna-t-il, mais de mezzo. Ne savez-vous pas qu'un air d'opéra doit impérativement être chanté dans la tessiture pour laquelle il a été composé ? On ne peut pas transposer pour soprano ce qui a été écrit pour une voix de mezzo, ça change toutes les accentuations. Remportez-moi ça. Si vous trouvez la bonne version pour mezzo, alors d'accord, je vous la ferai travailler.

Je n'ai jamais osé chanter de transposition depuis.

J'appris un grand nombre d'airs français, ainsi qu'un délicieux *Ave Maria* de Cherubini. Nous débattîmes un certain temps de la façon dont je devrais en prononcer le texte latin.

— Les Anglais prononcent le latin à l'italienne, les Français ont leur façon à eux de le prononcer. Comme vous êtes anglaise, je crois qu'il vaudrait mieux que vous le prononciez à l'italienne.

Je chantai aussi beaucoup de Schubert en allemand. Bien que je ne connaisse pas cette langue, ce ne fut pas trop difficile. Et puis des airs en italien, bien sûr. D'une manière générale, il ne me laissait pas être trop ambitieuse, mais au bout de six mois, il me permit de chanter le fameux aria de *La Bohème*, « *Che Gelida Manina* », et celui de *La Tosca*, « *Vissi d'arte* ».

Ce fut vraiment une époque heureuse. Parfois, après une visite au Louvre, on nous emmenait prendre le thé chez *Rumpelmayer*. Pour une petite gourmande, rien n'égalait dans la vie le délice d'aller prendre le thé chez *Rumpelmayer*. Ce que je préférais, c'était ces gâteaux à la crème recouverts de dessins marron à la douille et écœurants à souhait.

On nous faisait aussi, bien sûr, faire des promenades au Bois — un endroit fascinant. Un jour, je me souviens, alors que nous suivions, bien en rang deux par deux, un sentier en plein cœur de la futaie, un homme surgit de derrière un arbre : exhibitionnisme classique. Nous devons toutes l'avoir vu, je suis sûre, mais nous restâmes fort dignes, comme si nous n'avions rien remarqué d'inhabituel — il est possible que nous n'ayons pas très bien compris à quoi correspondait l'objet qu'il nous avait été donné de voir. Miss Dryden, qui nous accompagnait ce jour-là, poursuivit sa route, nous entraînant dans son sillage avec la métallique assurance d'un cuirassé. Je suppose que l'homme, dont le haut de la tenue était tout à fait correct — cheveux noirs, barbiche pointue, écharpe et cravate très chic —, avait dû passer sa journée à vagabonder dans les parties les plus sombres du Bois pour surprendre les rangs de jeunes filles bien sages des pensionnats et, peut-être, élargir leur connaissance de la vie parisienne. J'ajouterai que, autant que je sache, aucune d'entre nous ne rapporta l'incident aux autres filles de l'école. Il n'y eut pas un seul ricanement. Nous étions toutes merveilleusement pudiques, à cette époque.

Miss Dryden donnait parfois des réceptions. Un jour, ce fut à l'occasion de la venue d'une de ses anciennes élèves, une Américaine à présent mariée à un vicomte français, et de son fils Rudy. Si Rudy, de par sa naissance, appartenait sans le moindre doute à l'aristocratie française, il n'en avait pas moins tout du collégien américain. Il dut blêmir un peu à la vue de ces douze jeunes filles nubiles qui le couvaient d'un œil intéressé, approbateur et peut-être même sentimental.

— Eh bien j'ai du pain sur la planche à serrer toutes ces mains ! fit-il gaiement.

Nous retrouvâmes toutes Rudy le lendemain au Palais de Glace. Certaines d'entre nous patinaient, d'autres apprenaient. Rudy se montra de nouveau résolument galant, bien décidé à faire honneur à sa mère. Il effectua quelques tours de patinoire avec celles d'entre nous qui étaient capables de se tenir debout. Moi, comme souvent en ce genre de circonstances, je n'eus pas de chance. Je venais juste de commencer à apprendre et, le premier après-midi, j'avais réussi à faire tomber le moniteur. Vexé d'avoir été ridiculisé devant ses collègues, il était, je peux le dire, dans une rage folle. Lui qui se targuait d'être capable de retenir *n'importe qui*, même la plus grosse Américaine, chuter à cause de cette grande bringue toute maigre ! Après cet incident, il me fit d'ailleurs faire mon tour de piste aussi rarement que possible. Je ne voulais donc pas risquer d'être emmenée par Rudy autour de la patinoire, car je l'aurais probablement fait tomber lui aussi, et c'est *lui* qui aurait été fâché.

Quelque chose se passa en moi à la vue de Rudy. Nous ne fûmes en présence l'un de l'autre qu'en ces quelques occasions, mais elles me firent franchir un cap. C'est à ce moment que je sortis du domaine de l'amour-héros. Tous ces élans romantiques que j'avais éprouvés pour des personnages réels ou irréels — personnages de romans, personnalités publiques, gens qui venaient à la maison — disparurent. Je n'étais plus capable de leur apporter un amour désintéressé ou le sacrifice de moi-même. À dater de ce jour, je commençai à ne considérer les jeunes gens que pour ce qu'ils étaient : des êtres intéressants, amusants à rencontrer et parmi lesquels, un jour, je trouverais mon mari. L'homme de ma vie. Je ne suis pas tombée amoureuse de Rudy — peut-être l'aurais-je fait si je l'avais rencontré plus souvent —, mais je me suis soudain sentie néanmoins différente. J'étais entrée dans le monde des femmes cherchant fortune ! À partir de ce moment donc, l'image de l'évêque de Londres, qui avait été mon dernier héros vénéré, s'estompa dans mon esprit. Je voulais rencontrer de vrais jeunes gens, plein de vrais jeunes gens — en fait, il ne pourrait jamais y en avoir trop.

Je ne sais plus exactement combien de temps je suis restée chez miss Dryden. Un an, peut-être dix-huit mois. Moins de deux ans, me semble-t-il. Ma changeante mère ne proposa pas de nouveau plan pour mon éducation. Soit qu'elle n'eût entendu parler de rien d'enthousiasmant, soit, comme je le pense, que son intuition lui eût fait sentir que j'avais trouvé ce qui me convenait. J'apprenais des choses essentielles qui me donneraient un intérêt dans la vie.

L'un de mes rêves s'écroula avant que je ne quitte Paris. Miss

Dryden s'apprêtait à recevoir une ancienne de l'école, la comtesse de Limerick, elle-même excellente pianiste, élève de Charles Fürster. Il était de coutume, lorsqu'elle passait, que les deux ou trois élèves de la classe de piano donnent un petit concert informel. Je fus l'une d'elles. Le résultat fut catastrophique. Le trac me prit avant de jouer. Pas plus qu'il n'était habituel et naturel, mais dès que je m'assis devant l'instrument, je me sentis totalement impuissante : fausses notes, fautes de rythme, un phrasé maladroit de débutante, bref, ce fut un beau gâchis.

Lady Limerick se montra d'une extrême gentillesse. Elle vint me parler un peu plus tard, me disant qu'elle avait bien vu que je n'étais pas dans de bonnes dispositions et que n'importe qui pouvait avoir le trac. Peut-être parviendrais-je à le surmonter quand j'aurais davantage l'habitude du public. Je lui fus reconnaissante de ses paroles de réconfort, mais je savais que le mal était plus profond.

Je continuai à étudier, mais, avant de rentrer définitivement en Angleterre, je demandai à Charles Fürster s'il pensait que je pourrais un jour devenir pianiste professionnelle. Lui aussi me répondit très gentiment, mais sans détour. Il estimait que j'étais peu faite pour affronter le public, et je savais qu'il avait raison. Je lui sus gré de m'avoir dit la vérité. J'en fus, un certain temps, malheureuse comme les pierres, mais je m'obligeai à penser à autre chose autant que faire se pouvait.

Quand on ne peut pas obtenir ce que l'on veut, mieux vaut regarder la réalité en face plutôt que se lamenter sur ses espoirs déçus. Ce revers tôt venu me fut très utile pour l'avenir. Il m'apprit que je n'avais pas un tempérament à me produire en public de quelque manière que ce soit, mon problème étant que j'étais incapable de contrôler mes réactions physiques.

QUATRIÈME PARTIE

**On flirte, on se fait la cour,
on publie les bans, on se marie
(grand jeu victorien)**

1

Peu après mon retour de Paris, ma mère tomba sérieusement malade. Comme à leur habitude, les médecins diagnostiquèrent une appendicite, une paratyphoïde, des calculs biliaires et d'autres maux encore. Elle fut plusieurs fois tout près de subir une intervention chirurgicale. Aucun traitement n'améliora son état. Ses rechutes étaient continuelles, et différentes opérations furent envisagées. Maman touchait elle-même un peu à la médecine en amateur. Quand son frère Ernest avait poursuivi ses études, elle l'avait aidé avec un enthousiasme toujours grandissant, et elle aurait fait un bien meilleur docteur que lui. Lorsque, à la fin, ne pouvant supporter la vue du sang, il dut en abandonner l'idée, maman était pratiquement aussi calée que lui — et ce n'est pas elle qui se serait laissé impressionner par le sang, les blessures ou tout autre spectacle difficile à soutenir. J'avais remarqué, quand nous attendions ensemble chez le dentiste, qu'elle délaissait le *Queen* et *The Tatler* pour s'emparer sans coup férir du *Lancet* ou du *British Medical Journal* s'ils se trouvaient sur la table.

Finissant par perdre patience avec ses médecins, elle s'écria :

— En fait, je n'ai pas l'impression qu'ils sachent *du tout* ce que j'ai ! Je ne le sais pas moi-même. Alors je crois que l'important, c'est de me sortir de leurs griffes.

Elle parvint à en trouver un nouveau du genre plus — disons — malléable, et elle ne tarda pas à annoncer qu'il lui avait recommandé un climat ensoleillé et sec.

— Nous passerons l'hiver en Égypte, m'informa-t-elle.

Une fois de plus, nous cherchâmes à louer la maison. Heureusement, les frais de voyage devaient être assez bas, à l'époque, et le coût de la vie à l'étranger semblait aisément couvert par le loyer élevé que nous pouvions demander pour Ashfield. Torquay était à cette époque encore une station d'*hiver*. Personne n'y allait pendant l'été, et les gens qui y habitaient s'empressaient de partir pour éviter « les grosses chaleurs » — ces « grosses chaleurs » demeurent d'ailleurs un mystère pour moi qui trouve toujours le sud du Devon extrêmement froid en été. Ils partaient se réfugier dans les landes du Nord où ils louaient des maisons. Mes parents le firent une fois, mais ils étouffèrent tellement sur leur lande que papa loua une voiture légère et rentra à Torquay où il passa pratiquement tous les après-midi assis dans son jardin. Bref, Torquay était la Riviera de l'Angleterre et les gens payaient de gros loyers pour des villas meublées afin de passer une agréable saison d'hiver avec concerts l'après-midi, conférences, bals à l'occasion, et bien d'autres activités de loisir.

J'étais maintenant prête à « faire mes débuts ». Je portais les cheveux relevés, ce qui à l'époque signifiait à la grecque, avec un chignon de boucles très haut sur l'arrière du crâne et entouré d'une sorte de bandelette. C'était une coiffure vraiment chic, particulièrement seyante avec une robe du soir. J'avais les cheveux très longs, je pouvais aisément m'asseoir dessus. Ce qui, j'ignore pourquoi, était motif de fierté chez une femme, alors que cela les rendait en fait impossibles à coiffer et qu'ils retombaient tout le temps. Pour remédier à cela, les coiffeurs créèrent ce qu'on appelait un postiche, un grand chignon de fausses boucles : on épinglait vos cheveux le plus près possible de votre crâne et le postiche était fixé dessus.

Les « débuts » étaient un événement très important dans la vie d'une fille. Si vous étiez d'une famille aisée, votre mère donnait un bal en votre honneur. Vous étiez censée partir pour une saison à Londres — saison qui n'avait alors bien entendu rien à voir avec le véritable racket commercial organisé que cela est devenu ces vingt ou trente dernières années. Les personnes que vous invitiez à votre bal, ou au bal desquelles vous alliez, étaient des amis personnels. Il y avait toujours quelque difficulté à trouver des hommes en nombre suffisant. Mais en général, il s'agissait de petites sauteries sans prétention. Ou alors, vous invitiez tout un groupe d'amis à un bal de charité.

Bien entendu, rien de tout cela n'était possible pour moi. Madge avait fait son entrée dans le monde à New York, et c'est à New York qu'elle était sortie dans les soirées et les bals. Si papa n'avait en effet pas eu les moyens de lui offrir une saison à Londres, il était encore moins question pour moi d'en avoir une maintenant. Mais ma mère tenait absolument à me donner ce que l'on considérait comme le droit de naissance d'une jeune fille, c'est-à-dire de permettre à la chrysalide de se transformer en papillon, à l'écolière de devenir femme d'expérience, de rencontrer d'autres jeunes gens de son âge et, pour appeler les choses par leur nom, de trouver à se caser.

Tout le monde se montrait charmant avec les jeunes filles. On les invitait chez soi, on leur organisait de distrayantes soirées théâtrales, elles étaient entourées d'amis. C'était bien loin du système français qui consistait à protéger les filles et à ne leur laisser rencontrer qu'un petit nombre de *partis** soigneusement sélectionnés, qui pourraient tous faire de bons maris, qui avaient déjà commis leurs fredaines et jeté leur gourme, et qui avaient suffisamment d'argent ou de biens pour entretenir une femme. Ce système, je trouve, était bon : il donnait assurément un grand pourcentage de mariages heureux. Cette croyance des Anglais que les jeunes Françaises étaient forcées d'épouser des vieillards riches ne tenait pas debout. Elles avaient le choix, en fait, même si c'était un choix limité. Le joyeux luron dissolu, le charmant *mauvais sujet** qu'elles auraient sûrement préféré n'était jamais autorisé à graviter dans leur orbite.

Tel n'était pas le cas en Angleterre. Les filles sortaient danser et rencontraient toutes sortes de jeunes gens. Les mères étaient là, faisant banquette d'un air las pour les chaperonner, mais elles ne pouvaient pas empêcher grand-chose. Bien sûr, on ne laissait pas sa fille aller avec n'importe qui, mais le choix restait vaste et il était notoire que les filles jetaient leur dévolu sur des jeunes gens indésirables, allant même jusqu'à se fiancer ou à se lier par ce que l'on appelait une « entente ». Les ententes étaient très pratiques. Elles évitaient aux parents des frictions avec leur fille ou le sentiment de malaise d'avoir dû refuser son choix :

— Tu es encore très jeune, ma chérie. Je suis sûre que Hugh est un garçon charmant, mais lui aussi est jeune, et il ne s'est pas encore établi. Je ne vois pas d'objection à ce qu'il y ait entente entre vous et à ce que vous vous rencontriez de temps en temps, mais pas d'échange de lettres et pas d'engagement formel.

Lesquels parents essayaient discrètement de trouver un jeune homme comme il faut qui pourrait détourner la donzelle du premier. Cela se produisait souvent. Une opposition frontale aurait eu pour conséquence inéluctable de la faire s'entêter frénétiquement, alors que lâcher du lest rompait une partie du charme, et comme la plupart des filles sont capables de bon sens, elles changeaient fréquemment d'avis.

Vu la situation financière dans laquelle nous nous trouvions, maman comprit qu'il allait m'être difficile de faire une entrée normale dans le monde. Son choix du Caire pour se refaire une santé avait été, je crois, surtout arrêté en fonction de moi, et c'était un bon choix.

J'étais timide et ne brillais guère en société. Intégrer à mon quotidien la danse, la conversation avec les jeunes gens et tout ce qui s'ensuit, constituait la meilleure façon de me faire acquérir une expérience valable.

Pour une adolescente, Le Caire était une ville de rêve. Nous y passâmes trois mois, et j'allais au bal cinq fois par semaine. Ils avaient lieu dans chacun des grands hôtels à tour de rôle. Trois ou quatre régiments étaient stationnés dans la ville. On jouait au polo tous les jours. Et tout cela pour le prix d'un hôtel de catégorie moyenne. Beaucoup de gens allaient y passer l'hiver, et parmi eux, de nombreuses mères avec leurs filles. J'étais toute intimidée au début, et le restai dans bien des domaines, mais j'adorais danser et le faisais bien. J'aimais aussi la compagnie des jeunes gens, et je compris vite qu'ils m'appréciaient également, de sorte que tout allait pour le mieux. J'avais juste 17 ans. Le Caire en tant que tel ne signifiait rien pour moi — les filles de mon âge ne pensaient pas souvent à autre chose qu'aux hommes. Comme elles avaient raison !

L'art du flirt s'est perdu de nos jours, mais il battait son plein à l'époque. Il se rapprochait un peu, je crois, de ce que les troubadours appelaient *le pays du Tendre*. C'est un bon préliminaire à la vie : l'attachement mi-sentimental mi-romantique qui grandit entre ce que j'appelle maintenant, à mon âge avancé, « les filles et les garçons ». Et cela leur apprend à la fois un peu de la vie et un peu l'un de l'autre sans que le prix à payer ne soit trop lourd ou ne leur fasse perdre leurs illusions. Je ne me rappelle en effet pas un seul bébé illégitime parmi mes amies ou leur famille. Pardon, je me trompe. Une histoire navrante : une fille que nous connaissions alla passer ses vacances chez une camarade de classe, et elle fut séduite par le père de la camarade, un homme déjà âgé et de mauvaise réputation.

Des liens sexuels auraient été difficiles à établir parce que les jeunes gens respectaient les jeunes filles et que la réprobation publique les aurait mortifiés eux-mêmes autant que les filles. Les hommes trouvaient leur divertissement sexuel auprès de femmes mariées — en général beaucoup plus âgées qu'eux — ou de « petites amies » à Londres dont personne n'était censé connaître l'existence. Je me rappelle un incident, plus tard, alors que je passais quelques jours en Irlande pour une partie de campagne. Il y avait dans la maison deux ou trois autres filles et des jeunes gens, militaires pour la plupart. Un matin, l'un d'entre eux partit brusquement, sous prétexte qu'il avait reçu un télégramme d'Angleterre. Ce qui était manifestement faux. Personne ne comprenait, mais il s'était confié à une fille beaucoup plus âgée qu'il connaissait bien et qu'il jugeait capable d'apprécier son embarras. On lui aurait en fait demandé d'accompagner une des filles à un bal où les autres n'étaient pas conviées, à quelque distance de là. Il s'était exécuté, mais en chemin, la fille avait suggéré de s'arrêter dans un hôtel et de prendre une chambre.

— Nous serons juste un peu en retard au bal, avait-elle dit. Personne n'y verra que du feu : je le sais, je l'ai déjà fait souvent.

Le jeune homme avait été tellement horrifié que, après avoir refusé la proposition, il avait estimé impossible de se retrouver face à la gourgandine le lendemain. D'où son départ précipité.

— Je pouvais à peine en croire mes oreilles. Une fille qui paraissait si bien élevée, si jeune, et des parents très bien, tout. Le genre de fille qu'on épouserait les yeux fermés.

La pureté n'était pas un vain mot, à l'époque. Et nous ne nous sentions pas du tout refoulées pour autant. Les amitiés romantiques, d'où l'amour physique — ou son éventualité — n'était certes pas exclu, nous satisfaisaient entièrement. Tous les animaux se font la cour, d'ailleurs, c'est bien connu. Le mâle tourne autour de la femelle en se pavanant, cette dernière fait mine de ne rien voir mais elle est secrètement flattée. Vous savez que ce n'est qu'un jeu, mais une forme d'apprentissage aussi. Les troubadours avaient bien raison de composer leurs chansons sur *le pays du Tendre*. Je peux lire et relire *Aucassin et Nicolette* pour son charme, son naturel et sa sincérité. Jamais plus, votre jeunesse passée, ne retrouverez-vous ce sentiment particulier, cette sensation forte de l'amitié avec un homme, cette impression d'être en symbiose, d'aimer les mêmes choses, de penser les mêmes choses. Tout ceci n'est en grande partie qu'illusion, bien sûr, mais une illusion merveilleuse, et je trouve qu'elle devrait avoir une place dans toute vie de femme. Vous aurez tout le temps de sourire, plus tard, et de vous dire : « J'étais quand même un peu folle, en ce temps-là. »

Et pourtant, je ne tombai pas amoureuse, au Caire. Même pas un petit peu. Il y avait tellement à faire, tellement de jeunes gens beaux et distingués. Ceux qui me mirent effectivement en émoi étaient des hommes de 40 ans, qui dansaient de temps en temps avec la petite, qui me titillaient comme une jolie poupée, mais c'était tout. Les convenances voulaient qu'on n'inscrivît pas plus de deux fois le même cavalier sur son carnet de bal au cours d'une soirée. On pouvait, de temps à autre, aller jusqu'à trois, mais alors les yeux aigus des chaperons se braquaient sur vous.

Nos premières robes du soir, bien sûr, étaient pour nous une grande joie. J'en avais une en mousseline de soie vert pâle à ruchers de dentelle, une autre en soie blanche de façon toute simple, et une vraiment superbe en taffetas d'un bleu turquoise intense dont le tissu avait été exhumé par mamie d'une de ses malles secrètes. C'était une pièce d'étoffe magnifique, mais, hélas ! après être resté enfermée pendant tant d'années, elle ne supporta pas le climat égyptien et un soir, au cours d'un bal, elle lâcha à la jupe, aux manches et au col, et je dus me retirer précipitamment aux toilettes des dames.

Le lendemain, nous nous rendîmes chez un couturier levantin du Caire. Les robes y étaient chères : les miennes avaient été achetées bon marché en Angleterre. J'en eus pourtant une fort jolie. Elle était en satin rose à reflets changeants avec un bouquet de roses en boutons sur une épaule. Mais ce que j'aurais personnellement voulu par-dessus tout, bien sûr, c'était une robe de soirée noire. Toutes les jeunes filles voulaient une robe de soirée noire pour paraître plus mûres. Et toutes les mères les leur refusaient.

Un jeune homme de Cornouailles, Trelawny, et un ami à lui, tous deux du 60e fusiliers, étaient mes principaux cavaliers. Un soir, un officier plus âgé, le capitaine Craik, qui était fiancé à une gentille Américaine, me raccompagna chez ma mère après un bal.

— Voici votre fille, dit-il. Elle a dû prendre des cours, pour danser aussi bien. Il ne lui manque plus maintenant que d'apprendre à parler.

Reproche qui n'était pas injustifié. Je n'avais toujours, hélas ! aucune conversation.

J'étais plutôt jolie. Ma famille, bien sûr, hurle de rire quand je dis cela. Ma fille et ses amies, en particulier :

— Mais ce n'est pas possible, maman ! Regarde ces vieilles photos, c'est affreux !

Il faut reconnaître que certaines photos de ce moment-là n'ont rien d'esthétique. Mais cela est dû, je crois, aux vêtements qui ne sont pas encore assez vieux pour être considérés d'époque. C'est vrai que nous portions de monstrueux chapeaux de paille de près d'un mètre de diamètre, enrubannés et fleuris et d'où tombaient de grandes voilettes. C'est souvent avec des chapeaux de ce genre, parfois attachés par un ruban sous le menton, qu'on posait chez le photographe. Ou alors avec les cheveux crêpelés, tenant un énorme bouquet de roses près de votre oreille comme un combiné de téléphone. Quand je regarde mes anciennes photos, il en est une tout à fait ravissante, prise avant mes débuts dans le monde, où l'on me voit avec deux longues nattes blondes, assise — Dieu sait pourquoi — devant un rouet. « J'adore celle où on dirait une petite *Gretchen* », me dit un jour un ami : je devais effectivement ressembler à la Marguerite de *Faust*. Il y en avait une de moi au

Caire qui était bien, avec l'un de mes chapeaux de paille les plus simples, immense, bleu foncé et orné d'une seule rose. Il fait un angle intéressant avec le visage et n'est pas surchargé de rubans comme la plupart. Les robes, en général, étaient dans l'ensemble tarabiscotées et surchargées de fanfreluches.

Je devins vite folle de polo, et j'y allais tous les après-midi. Maman essayait de m'enrichir l'esprit en m'emmenant de temps à autre au musée. Elle proposa aussi que nous remontions le Nil pour aller voir les merveilles de Louxor, mais je résistai avec l'énergie du désespoir :

— Oh ! non, maman, pas maintenant ! Il y a le bal costumé de lundi, et puis j'ai promis d'aller pique-niquer à Sakkara mardi...

Et ainsi de suite. Les splendeurs de l'Antiquité étaient le cadet de mes soucis, et je suis bien contente qu'elle n'ait pas insisté : Louxor, Karnak et toutes les beautés d'Égypte allaient avoir un impact extraordinaire sur moi quelque vingt années plus tard. C'eût été un véritable gâchis si je les avais vues avec des yeux indifférents.

Il n'y a pire erreur dans la vie que de voir ou entendre les choses au mauvais moment. La plupart des gens sont dégoûtés de Shakespeare parce qu'on les a obligés à l'apprendre à l'école. Or, il faut le voir dans le lieu pour lequel il a été conçu : sur scène. Là, vous pouvez commencer à l'apprécier très jeune, bien avant que vous ne saisissiez la beauté et la poésie du texte. J'ai emmené mon petit-fils Mathew voir *Macbeth* et *Les Joyeuses Commères de Windsor* à Stratford alors qu'il avait, je crois, 11 ou 12 ans. Il a beaucoup aimé les deux pièces, tout en faisant, la première fois, un commentaire inattendu. Il se tourna en effet vers moi alors que nous sortions du théâtre et me dit, d'une voix absolument stupéfaite :

— Tu sais, si tu ne m'avais pas dit avant que c'était du Shakespeare, je ne l'aurais jamais cru !

Il s'agissait clairement là d'un compliment pour l'auteur, et je le pris pour tel.

Macbeth ayant rencontré un franc succès auprès de Mathew, nous passâmes aux *Joyeuses Commères de Windsor*. On jouait la pièce, à l'époque, comme je suis sûre qu'elle a été écrite pour l'être : une bonne grosse farce à l'anglaise, sans recherche de subtilité. La dernière représentation que j'ai vue des *Joyeuses Commères*, en 1965, était tellement recherchée qu'on était bien loin du soleil d'hiver du parc de Windsor. Même le panier à linge n'était plus un panier plein de vêtements sales, mais une représentation symbolique en raphia ! La grosse farce n'est plus la grosse farce si on y met des symboles. La bonne vieille tarte à la crème fera toujours

rire si c'est de la vraie crème qu'on voit atterrir sur un visage !
Tandis qu'y substituer une petite boîte marquée « crème en pou-
dre » et en tapoter délicatement une joue, même si le symbole est
là, perd tout caractère de farce. Je suis heureuse de dire que *Les
Joyeuses Commères de Windsor* passèrent très bien avec Mathew,
qui apprécia surtout le personnage du pasteur gallois.

Je crois qu'il n'est rien de plus délicieux que de faire découvrir
aux jeunes les beautés auxquelles nous nous sommes habitués
depuis longtemps déjà, et habitués d'une certaine manière. Max
et moi fîmes une fois en voiture le tour des châteaux de la Loire
avec ma fille Rosalind et l'une de ses amies. Celle-ci n'avait qu'un
seul critère d'appréciation des châteaux que nous visitions. Elle
examinait les lieux d'un œil expérimenté et disait : « Mince, ils
pouvaient drôlement faire la fête, ici. » Je n'avais jamais pensé
aux châteaux de la Loire en termes de fête, mais encore une fois,
c'était une judicieuse observation. Rois et nobles de l'ancien
temps, en France, faisaient effectivement la fête dans leurs châteaux. La morale de cela — puisque j'ai été habituée à toujours
trouver des morales — c'est qu'on apprend à tout âge. On vous
montre toujours une autre façon de voir au moment où vous ne
vous y attendez pas.

Nous voici, semble-t-il, bien loin de l'Égypte. Une chose en
entraîne une autre — mais pourquoi pas, après tout ? Cet hiver
en Égypte, je m'en rends compte à présent, a résolu un grand
nombre de problèmes dans notre vie. Ma mère, confrontée à la
difficulté d'avoir à intégrer son adolescente de fille dans le monde
avec pratiquement pas d'argent pour le faire, avait trouvé la solution, et je triomphai de ma gaucherie. Dans le langage de mon
époque, « je savais désormais me conduire ». La vie est tellement
différente de nos jours que cela semble presque impossible à
décrire.

L'ennui, c'est que les filles d'aujourd'hui ne connaissent rien
de l'art du flirt. Un art du flirt qui était, comme je l'ai dit, soigneusement cultivé par celles de ma génération. Nous en possédions les règles à fond. En France, on ne laissait jamais les
demoiselles seules avec les jeunes gens, c'est sûr, mais en Angleterre, tel était loin d'être le cas. On pouvait faire une promenade
avec un homme, faire du cheval avec un homme, mais pas aller
au bal seule avec un homme : ou votre mère vous accompagnait,
ou quelque vieille douairière qui restait assise en attendant que
ça se passe. De même les apparences pouvaient être sauvées si
une jeune femme mariée faisait partie de votre groupe d'amis.
Après avoir dansé avec un jeune homme dans le respect des
conventions, cependant, vous sortiez vous promener au clair de

lune, ou bien dans le jardin d'hiver, et de charmants tête-à-tête pouvaient s'ensuivre sans avoir manqué à la bienséance aux yeux du monde.

Tenir votre carnet de bal était un art difficile dans lequel je n'excellais guère. Vous vous rendez à six dans une soirée, par exemple : trois filles, A, B, C, et trois garçons, D, E, F. Vous devez au moins danser deux fois avec chacun de ces jeunes gens, et peut-être aller au buffet avec l'un d'eux — à moins que vous ne préfériez, lui ou vous, vous en dispenser. Vous pouvez alors organiser le reste de votre soirée à votre guise. De nombreux jeunes gens attendent, alignés, et tout de suite, certains d'entre eux — ceux que vous connaissez déjà et que vous n'avez pas particulièrement envie de voir — s'approchent de vous. C'est là que les choses délicates commencent. Vous voulez les empêcher de voir que votre carnet est encore loin d'être rempli, et vous dites, d'un air peu sûr, que vous pourrez peut-être leur accorder la quatorzième. La difficulté est de trouver le bon équilibre. Ceux avec lesquels vous voulez danser sont là quelque part, mais s'ils tardent trop à venir vous demander, votre carnet risque d'être plein quand ils se décideront. D'un autre côté, si vous racontez trop de mensonges aux premiers qui viennent vous inviter, vous allez vous retrouver avec des trous dans votre carnet qui pourraient bien n'être pas comblés par les cavaliers que vous souhaitez. Et vous allez faire tapisserie pendant certaines danses. Ah ! quel déchirement lorsque le cavalier que vous avez secrètement attendu apparaît soudain après vous avoir cherchée partout où vous n'étiez pas ! Vous ne pouvez plus que lui dire :

— Il ne me reste que la deuxième supplémentaire et la dixième de la seconde partie.

— Voyons, plaide-t-il, vous pouvez sûrement faire mieux que ça ?

Vous consultez votre carnet de bal et réfléchissez. Impossible de faire sauter une danse à quelqu'un, ce n'est pas correct, et très mal vu non seulement de l'hôtesse et des mères, mais aussi des cavaliers eux-mêmes. Ils se vengent parfois en vous rendant la pareille. Alors vous regardez sur votre carnet si figure le nom de quelqu'un qui s'est mal comporté envers vous, qui vous a fait attendre, qui s'est intéressé davantage à une autre fille qu'à vous lors de la collation. Celui-là, vous le sacrifiez volontiers. Ou alors, en désespoir de cause, vous éliminez un jeune homme qui danse de façon si abominable que c'est un martyre pour vos pieds. Mais je n'ai jamais aimé ce procédé, car j'avais bon cœur, et il me semblait méchant de traiter ainsi un pauvre garçon qui allait certainement se faire rabrouer aussi par les autres filles. Tout cela était aussi compliqué qu'un pas de danse. C'était très amusant d'un certain côté, mais très éprouvant pour les nerfs de l'autre. À force de pratique, vous finissiez par acquérir la manière.

Ce séjour en Égypte me fut très utile. Je pense qu'aucun autre remède n'aurait pu me débarrasser si vite de ma gaucherie naturelle. Ce furent certainement trois mois merveilleux dans ma vie d'adolescente. Je fus amenée à connaître assez bien une bonne vingtaine ou une trentaine de jeunes gens. Je dois m'être rendue à cinquante ou soixante bals. Mais j'étais heureusement trop jeune — et m'amusais beaucoup trop — pour pouvoir tomber amoureuse de qui que ce soit. Je jetais bien quelques regards langoureux en direction de certains colonels tout bronzés et d'âge mûr, mais la plupart d'entre eux étaient déjà au bras de belles femmes mariées — mariées à d'autres — et n'éprouvaient aucune attirance pour les gamines sans saveur. Je fus en revanche un peu harcelée par un jeune comte autrichien outrancièrement solennel qui me consacrait une sérieuse attention. J'avais beau faire mon possible pour l'éviter, il arrivait toujours à me trouver et à me retenir pour une valse. La valse qui, comme je l'ai dit, est la seule danse que je n'aime pas. Le comte avait un style merveilleux, lui, qui consistait surtout à virer le plus vite possible à l'envers. Cela me faisait tellement tourner la tête que j'avais toujours peur de tomber par terre. Valser à l'envers n'était pas très bien considéré dans le cours de danse de miss Hickey, si bien que j'en avais une pratique insuffisante.

Le comte disait alors qu'il aimerait beaucoup avoir le plaisir d'une petite conversation avec ma mère. C'était sa façon à lui de montrer que ses intentions étaient honorables, je suppose. Je devais alors le conduire jusqu'à elle qui endurait, assise contre le mur, sa pénitence du soir, car c'en était une assurément. Le comte prenait place à côté d'elle et l'entretenait sur un ton des plus solennels pendant au moins, je dirais, une bonne vingtaine de minutes. Ce qu'elle ne manquait pas de me reprocher vertement ensuite, en rentrant à la maison :

— Qu'est-ce qui t'a pris, grands dieux, de m'amener ce petit Autrichien ? J'ai eu toutes les peines du monde à m'en dépêtrer !

Je lui expliquai que je n'avais pas pu faire autrement, que c'était lui qui avait insisté.

— Eh bien, il faudra que tu essaies de mieux te débrouiller à l'avenir, Agatha. Je n'ai pas envie de voir les jeunes gens défiler pour me parler. Ils ne le font que par politesse et pour se montrer.

Je répondis que je le trouvais assommant comme tout.

— Il a de l'allure, il est bien élevé, bon danseur, dit maman, mais je dois dire : quel crampon !

La plupart de mes amis étaient de jeunes officiers subalternes, et nos relations étaient passionnantes mais n'avaient rien de sérieux. Je les regardais jouer au polo, les stimulais quand ils jouaient mal, les applaudissais quand ils jouaient bien, et ils essayaient toujours de se surpasser devant moi. J'éprouvais davantage de difficulté à parler aux hommes plus âgés. J'ai oublié beaucoup de noms de cette époque, mais il y avait un capitaine Hibberd qui dansait assez souvent avec moi. Je tombai des nues lorsque ma mère me jeta négligemment, tandis que nous étions sur le bateau entre Le Caire et Venise :

— Tu sais que le capitaine Hibberd voulait t'épouser, je suppose ?

— Moi ? fis-je, ahurie. Il ne m'a jamais rien dit ni fait la moindre déclaration !

— Non, c'est à moi qu'il l'a dit, répondit-elle.

— À vous ?

J'étais abasourdie.

— Oui. Il a affirmé qu'il était très amoureux de toi, mais n'étais-tu pas trop jeune ? Alors il a pensé préférable de ne pas t'en parler.

— Et qu'avez-vous répondu ? demandai-je sèchement.

— Que j'étais tout à fait sûre que tu n'étais pas amoureuse de lui et qu'il serait préférable qu'il ne persiste pas dans cette idée.

— Maman ! m'écriai-je avec indignation. Vous n'avez pas fait ça ?

Elle me considéra avec un air de profonde surprise.

— Tu veux dire que tu éprouvais un sentiment pour lui ? Aurais-tu envisagé de l'épouser ?

— Non, bien sûr que non ! Je n'ai pas la moindre intention de l'épouser et je ne suis pas amoureuse de lui. Mais j'aurais quand même bien aimé que la demande me soit faite à moi.

Maman parut interloquée. Puis elle reconnut avec élégance qu'elle avait eu tort.

— Mon adolescence est loin, fit-elle, mais je comprends ton point de vue. C'est vrai qu'on aime bien recevoir ses demandes soi-même.

J'en fus fâchée quelque temps. Je voulais vraiment savoir quelle impression cela faisait d'être demandée en mariage. Le capitaine Hibberd était bien de sa personne, nullement ennuyeux, bon danseur, avait de la fortune : c'était vraiment dommage que je ne puisse envisager de l'épouser. Lorsque, comme c'est souvent le cas, vous n'êtes pas attirée par un jeune homme qui soupire après vous, celui-ci est battu d'avance, je suppose. Quand ils sont amoureux, les hommes prennent invariablement des airs de moutons souffreteux. Si la fille est également éprise de lui, elle sera flattée de cette expression et ne lui en tiendra pas rigueur. Si en revanche elle n'éprouve rien, elle l'éliminera purement et simplement de son esprit. C'est là une des grandes injustices de la vie. Les femmes, lorsqu'elles tombent amoureuses, paraissent dix fois plus belles que d'habitude : elles ont les yeux qui brillent, le teint vif, les cheveux qui prennent du reflet. Et les hommes qui ne les avaient jamais remarquées auparavant les regardent d'un autre œil.

Telle fut ma première, et frustrante, expérience d'une demande en mariage. La deuxième vint d'un jeune homme de 1,90 m. Il m'avait bien plu et nous avions été très bons amis. Lui au moins n'essaya pas de se déclarer par l'intermédiaire de ma mère. Il était plus malin que cela. Il se débrouilla pour effectuer son voyage de retour sur le même bateau que moi, d'Alexandrie à Venise. Je regrettai vraiment de ne pas l'aimer davantage. Nous continuâmes à nous écrire pendant un certain temps, puis il fut envoyé en poste aux Indes, je crois. Si j'avais été un peu plus âgée lors de notre rencontre, peut-être aurais-je porté sur lui un autre regard.

À propos de demandes en mariage, on peut se poser la question de la véritable motivation des hommes, à l'époque de ma jeunesse, tellement celles que certaines de mes amies et moi-même reçurent étaient irréalistes. Et je soupçonne fort qu'ils auraient été affolés si j'avais accepté. Un jour, j'ai coincé sur ce point un jeune lieutenant de marine. Il m'avait raccompagné d'une soirée à Torquay lorsqu'il me lança tout de go sa demande. Je le remerciai, répondis non et ajoutai :

— D'ailleurs je ne pense pas que vous en ayez vraiment envie vous-même.

— Mais si, mais si !

— Je ne vous crois pas. Nous ne nous connaissons que depuis dix jours à peine, et puis je ne vois pas pourquoi vous voulez vous marier si jeune. Vous savez que cela mettra un frein à votre carrière.

— Oui, bien sûr, c'est vrai dans un sens.

— Alors je trouve vraiment stupide de faire des demandes en mariage à la légère. Reconnaissez-le. Qu'est-ce qui vous a pris ?

— Ça m'est venu comme ça. Je vous ai regardée et ça m'est venu comme ça.

— Eh bien évitez donc de recommencer avec quelqu'un d'autre. Dorénavant, surveillez-vous.

Nous nous quittâmes en bons termes.

2

Lorsque je décris mon existence, je suis frappée de voir à quel point les autres et moi-même devons paraître avoir été riches. Car il faudrait l'être, aujourd'hui, pour pouvoir mener le même train de vie. Or, en fait, pratiquement toutes mes amies étaient issues de familles aux revenus modestes. La plupart de leurs parents ne possédaient ni voiture ni chevaux, et encore moins la nouvelle automobile ou voiture à moteur. Car pour cela, il fallait *vraiment* avoir les moyens.

Les filles n'avaient en général pas plus de trois robes du soir, qu'il s'agissait de faire durer plusieurs années. Chaque saison, les chapeaux devaient être repeints avec un flacon à un shilling de peinture adéquate. Nous allions à pied aux réceptions, au tennis et aux *garden-parties*, mais pour les soirées dansantes à la campagne, il fallait bien sûr louer un fiacre. À Torquay, on ne dansait pas beaucoup dans les maisons privées, sauf à Noël ou à Pâques. En août, les gens avaient tendance à inviter des amis chez eux pour aller en groupe au bal des Régates, et généralement aussi à des bals organisés dans les plus grandes maisons des environs. Je suis quelquefois allée danser à Londres en juin et juillet mais guère, parce que nous n'y connaissions pas grand monde. On se rendait aussi de temps en temps dans des bals payants — par souscription, comme on les appelait — par groupes de six. Rien de tout cela n'entraînait beaucoup de dépenses.

Venaient ensuite les parties de campagne. Je me rendis, un peu contractée la première fois, chez des amis dans le Warwickshire. C'étaient de grands chasseurs. Constance Ralston Patrick, la maîtresse de maison, ne chassait pas à proprement parler : elle se rendait néanmoins à toutes les réunions dans une voiture attelée d'un poney, et je restais avec elle. Maman m'avait expressément défendu d'accepter une monte ou même une promenade :

— Tu n'es pas assez bonne cavalière. Tu te rends compte si tu blessais une monture de valeur ?

Mais personne ne me proposa quoi que ce soit. C'était sans doute aussi bien.

Ma seule expérience du cheval et de la chasse s'était limitée au Devonshire, où il y avait de grands talus à franchir, comme dans la chasse irlandaise. Je montais un cheval de louage habitué à porter des cavaliers inexpérimentés. C'était plutôt lui qui me conduisait, et j'étais très heureuse de faire confiance à Crowdy, aubère un tantinet blasé auquel j'étais habituée et qui se débrouillait à merveille sur les pentes du Devon. Évidemment, je montais en amazone — presque aucune femme, à l'époque, ne montait à califourchon. Vous vous sentez merveilleusement en sécurité, en amazone, les genoux calés dans les fourches. La première fois que je montai à califourchon, je me trouvai beaucoup moins à l'aise que je n'aurais cru.

Les Ralston Patrick furent très gentils avec moi. Ils m'appelaient « Rosinette » pour une raison que j'ignore, sans doute parce que je portais souvent des robes de soirée roses. Robin aimait souvent me taquiner, et Constance me prodiguait des conseils maternels avec une petite lueur complice dans les yeux. Ils avaient une délicieuse petite fille, qui avait 3 ou 4 ans la première fois que je me rendis là-bas, et je passais beaucoup de temps à jouer avec elle. Constance était une marieuse-née, et je découvre maintenant qu'elle invitait toujours plusieurs partis intéressants lors de mes visites. Je fis parfois, aussi, quelques-unes des sorties à cheval interdites. Je me rappelle qu'un jour j'avais fait un galop dans les champs avec deux amis de Robin. Comme cela s'était décidé au dernier moment, je ne m'étais même pas mise en tenue d'équitation mais étais restée en robe d'indienne. Ma coiffure n'y résista pas. Comme toutes les jeunes filles, je portais encore un postiche de fausses boucles. Au retour, dans les rues du village, l'édifice s'effondra et je perdis les boucles l'une après l'autre tout au long du chemin. Je dus mettre pied à terre pour aller les ramasser. De façon inattendue, cela engendra un élan de sympathie à mon égard. Robin me raconta plus tard qu'un des gros bonnets de la chasse du Warwickshire lui avait dit, sur un ton laudateur :

— Elle est chouette, c'te petite que vous avez chez vous. J'ai bien aimé son naturel, quand tous ses faux cheveux se sont fait la paire. Elle n'a pas fait d'embarras : elle est retournée les chercher en rigolant tout ce qu'elle savait. Un numéro !

L'impression qu'on fait aux gens tient à des détails vraiment étranges.

Autre grande joie que procurait un séjour chez les Ralston

Patrick : ils possédaient une voiture automobile. Je ne puis vous dire l'effet que cela faisait en 1909. C'était la douce folie, le trésor de Robin, et le fait qu'elle fût capricieuse et tombât constamment en panne ne faisait que renforcer sa passion. Un jour, nous fîmes une excursion à Banbury. Nous nous équipâmes comme pour une expédition au pôle Nord. Nous prîmes de grandes couvertures fourrées, des écharpes supplémentaires pour nous emmitoufler la tête, des paniers de provisions, et ainsi de suite. Bill, le frère de Constance, Robin et moi formions le corps de l'expédition. Nous fîmes des adieux émus à Constance. Elle nous embrassa tous, nous fit mille recommandations et nous annonça qu'une bonne soupe bien chaude et autres réconforts nous attendraient au retour — *si* nous revenions, bien entendu. Banbury, je me dois de le préciser, se trouvait à une quarantaine de kilomètres de chez eux, ce qui était le bout du monde.

Nous roulâmes gaiement une douzaine de kilomètres, à la vitesse prudente de 40 km/h mais sans anicroche. Nous étions pourtant loin d'être arrivés. Nous parvînmes finalement à Banbury après avoir changé une roue et essayé de trouver un garage. Mais les garages étaient rares et éloignés, à l'époque. Nous ne fûmes pas de retour à la maison avant 19 heures, épuisés, gelés jusqu'à la moelle et affamés, car nous avions depuis longtemps terminé les provisions. Je me rappelle encore ce jour comme l'une des plus grandes aventures de ma vie ! J'avais pourtant passé la majeure partie du temps assise sur un talus du bord de la route, dans un vent glacial, suppliant Bill et Robin de se dépêcher tandis que, le manuel d'instructions ouvert à côté d'eux, ils se débattaient avec les pneus, la roue de secours, le cric et diverses autres pièces mécaniques qu'ils n'avaient jamais manipulées jusque-là.

Un jour, ma mère et moi descendîmes dans le Sussex pour déjeuner chez les Barttelot. Le frère de lady Barttelot, Mr Ankatell, était présent et il possédait une automobile immense et très puissante, un engin que je revois dans ma mémoire comme un monstre de trente mètres de long bardé d'immenses tuyauteries. Mr Ankatell adorait piloter et il offrit de nous ramener à Londres :

— Pas la peine de prendre le train. C'est dégoûtant, les trains. Je vous reconduirai.

J'étais aux anges. Lady Barttelot me prêta une des toutes nouvelles casquettes d'automobiliste — une sorte de képi aplati, à mi-chemin entre casquette de yachting et casquette d'officier allemand de l'état-major impérial — et que l'on arrimait avec des voiles pare-poussière. Nous montâmes dans le monstre, des couvertures supplémentaires furent empilées autour de nous, et nous partîmes comme le vent. Toutes les voitures étaient découvertes, à cette époque, et il ne fallait pas être une mauviette pour y trouver du plaisir. Mais ce n'était pas une époque de mauviettes : travailler le piano dans des pièces non chauffées en plein hiver vous apprenait à supporter le vent glacé. Mr Ankatell ne s'en tint pas aux 30 km/h habituellement considérés comme « vitesse de sécurité » : je pense que nous dûmes approcher les 70 ou 80 sur les routes du Sussex. À un moment donné, il se dressa sur son siège et s'écria :

— Regardez, là-bas derrière ! Regardez ! Regardez, derrière cette haie ! Vous voyez ce type en train de se cacher ? Ah ! le traître ! Ah ! le gredin ! C'est un piège de la police. Parce que c'est comme ça qu'ils procèdent, les salopards : ils se cachent derrière une haie, et puis ils ressortent et évaluent votre vitesse.

De 80, nous ralentîmes pour ramper à 15 km/h. Énormes gloussements de rire de Mr Ankatell :

— Voilà ! Il est bien attrapé !

Je trouvais Mr Ankatell peu rassurant mais j'adorais son automobile. Elle était rouge vif — c'était un monstre terrifiant, mais tellement excitant !

Plus tard, je retournai chez les Barttelot pour le meeting de Goodwood. Je crois que ce fut la seule fois où je ne m'amusai pas lors d'un séjour à la campagne. Il n'y avait là que des turfistes, et le jargon hippique m'était totalement incompréhensible. Pour moi, les courses, c'était rester debout pendant des heures, la tête coiffée d'un impossible chapeau à fleurs, mettre six épingles à chapeau à chaque bourrasque de vent, et porter des chaussures vernies à talon haut dans lesquelles, avec la chaleur, mes pieds et mes chevilles enflaient horriblement. À intervalles réguliers, je devais feindre un enthousiasme débordant au moment où la foule s'écriait « Ils sont partis ! », puis me hausser sur la pointe des pieds pour essayer d'apercevoir des quadrupèdes qui étaient déjà hors de vue.

L'un des messieurs, galant, me demanda s'il devait miser quelque chose pour moi. Je dus paraître horrifiée. La sœur de Mr Ankatell, qui nous tenait lieu de maîtresse de maison, le rembarra aussitôt :

— Ne soyez pas stupide, voyons. Cette demoiselle ne parie pas.

Puis elle me dit avec gentillesse :

— Je mettrai cinq shillings pour vous sur toutes mes mises. N'écoutez pas les autres.

Quand je vis qu'ils jouaient des vingt ou vingt-cinq livres à la fois, mes cheveux se dressèrent pratiquement sur ma tête ! Mais les maîtresses de maison étaient toujours généreuses avec les jeunes filles, question argent. Elles savaient que peu d'entre elles pouvaient dépenser beaucoup. Même celles qui étaient riches, ou qui venaient de familles riches, ne disposaient que d'une somme modeste pour s'habiller : cinquante ou cent livres par an. Les maîtresses de maison, donc, faisaient très attention à leurs jeunes invitées. On les encourageait parfois à jouer au bridge, mais dans ce cas, il y avait toujours quelqu'un pour les « parrainer » et régler leurs pertes éventuelles. Ce qui les aidait à ne pas se sentir exclues et en même temps évitait qu'elles ne s'engagent dans des dettes qu'elles n'auraient pu se permettre.

Ma première expérience des courses fut donc loin de m'emballer. Lorsque je retrouvai maman à la maison, je lui dis que plus jamais de ma vie je ne souhaitais réentendre les mots : « Ils sont partis ! » Une année après, cependant, je devins une fanatique des chevaux et finis même par bien connaître les partants. Plus tard, je passai quelque temps dans la famille de Constance Ralston Patrick en Écosse, où son père entretenait une petite écurie de course. Là, je fus plus sérieusement initiée aux choses du turf. On me fit assister à plusieurs petites réunions, et j'y pris vite plaisir.

Goodwood, c'est sûr, avait davantage ressemblé à une *garden-party* qui aurait beaucoup trop duré. De plus, on ne cessait de s'y faire des blagues, un genre de blagues auxquelles je n'étais pas habituée. Les gens s'introduisaient dans les chambres les uns des autres, jetaient des affaires par la fenêtre et hurlaient de rire. J'étais la seule fille. Il y avait surtout des jeunes femmes mariées dans le groupe des turfistes. Un vieux colonel d'une soixantaine d'années fit un jour irruption dans ma chambre en s'écriant :

— Allez, on va rigoler un peu avec le bébé, maintenant !

Il s'empara d'une de mes robes de soirée dans le placard — une robe rose avec des rubans qui effectivement faisait un peu bébé — et la lança par la fenêtre.

— Attrapez, attrapez, c'est le trophée de la cadette de la troupe !

J'en étais malade. Je tenais énormément à mes robes de soirée. J'en prenais grand soin, je les entretenais, les nettoyais, les reprisais méticuleusement, et voilà qu'on se servait de celle-ci comme d'un ballon de football ! La sœur de Mr Ankatell et l'une des autres femmes vinrent à la rescousse et lui demandèrent de ne plus ennuyer cette pauvre enfant. Je fus vraiment, à la fin, heureuse de partir. Et pourtant, l'expérience m'avait certainement fait du bien.

Parmi les autres parties de campagne, je m'en rappelle une

gigantesque dans une résidence louée par Mr et Mrs Park-Lyle
— Mr Park-Lyle que l'on surnommait le « roi du sucre ». Nous
avions rencontré Mrs Park-Lyle au Caire. Elle devait avoir, je
pense, 50 ou 60 ans à l'époque, mais, d'un peu loin, on pouvait
la prendre pour une belle jeune femme de 25 printemps. Je
n'avais encore jamais vu quelqu'un se maquiller pareillement au
quotidien. Elle avait vraiment de l'allure avec ses cheveux sombres
superbement coiffés, son visage de porcelaine, qui n'était pas sans
ressembler à celui de la reine Alexandra, ainsi que les tons de
pastel rose et bleu ciel de ses toilettes : elle était un hymne vivant
à la victoire de l'art sur la nature. C'était aussi une femme d'une
grande bonté qui adorait avoir beaucoup de jeunesse dans sa
maison.

J'étais très attirée par l'un des garçons de son entourage — et
qui allait être tué pendant la guerre de 1914-1918. Bien qu'il ne
parût pas s'intéresser particulièrement à moi, je nourrissais l'espoir de faire plus ample connaissance. Mes plans furent contrariés
par un autre soldat, un artilleur dont je semblais ne pas pouvoir
me défaire, qui insistait pour être mon partenaire au tennis, au
croquet, partout. Jour après jour, mon exaspération crût. J'étais
parfois tout à fait impolie avec lui : il restait imperturbable. Il
continuait à me demander si j'avais lu tel ou tel livre, s'offrant à
me les envoyer. Irais-je bientôt à Londres ? Voulais-je voir un
match de polo ? Mes réponses négatives n'avaient aucun effet. Le
jour de mon départ, je devais prendre le train assez tôt, car il me
fallait aller à Londres d'abord, et de là en prendre un autre pour le
Devon. Après le petit déjeuner, Mrs Park-Lyle vint m'annoncer :

— Mr S. (je ne me souviens plus de son nom maintenant) va
vous conduire à la gare.

Heureusement, ce n'était pas très loin. J'aurais de beaucoup
préféré y aller dans une des voitures des Park-Lyle — naturellement, ils en avaient toute une collection —, mais je suppose que
l'idée était venue de Mr S. qui en avait parlé à la maîtresse de
maison, et celle-ci s'était imaginée que cela me ferait plaisir. Si
elle avait su ! Nous arrivâmes donc à la gare, le train arriva à quai.
C'était un express pour Londres. Mr S. m'installa confortablement dans le coin fenêtre d'un compartiment de seconde classe
vide. Je lui dis au revoir, sur un ton amical cette fois, heureuse
d'en être débarrassée pour de bon. Hélas ! au moment où le train
s'ébranlait, il saisit soudain la poignée, ouvrit la portière et sauta
à l'intérieur en refermant derrière lui.

— Je vais à Londres aussi, fit-il.

Je le regardai avec de grands yeux, bouche bée.

— Mais vous n'avez pas de bagages !

— Je sais, je sais — ça ne fait rien.

Il s'assit en face de moi, se pencha en avant, les mains sur les genoux, et me dévisagea avec une sorte de voracité :

— Je voulais attendre de vous revoir à Londres, mais je ne peux pas. Il faut que je vous parle maintenant. Je suis follement amoureux de vous. Épousez-moi. Dès le premier instant où je vous ai vue, quand vous êtes descendue dîner, j'ai compris que vous étiez la seule femme au monde qui existait pour moi.

Il me fallut un moment avant de pouvoir arrêter ce flot de paroles et répondre, sur un ton glacial :

— C'est très aimable à vous, Mr S., et je suis très sensible à ce que vous me dites, mais je regrette de vous dire que la réponse est non.

Il protesta pendant cinq minutes environ, pour finir par me conjurer de laisser cela de côté pour l'instant afin que nous restions amis et puissions nous revoir. Je rétorquai que je trouvais bien préférable d'en rester là, et que je ne changerai pas d'avis. Cela dit avec tant de détermination qu'il fut bien forcé de l'accepter. Il se renfrogna dans son coin et se mura dans un silence maussade. Pouvez-vous imaginer pire moment pour faire sa déclaration à une jeune fille ? Nous nous trouvions enfermés dans un compartiment vide — il n'y avait pas de couloir à l'époque — avec au moins deux heures de rail avant d'arriver à Londres, et la conversation était dans une telle impasse que nous n'avions plus rien à nous dire. Ni l'un ni l'autre n'avait emporté de quoi lire. Loin du sentiment de gratitude avec lequel on devrait, selon les maximes de mamie, recevoir l'amour d'un homme de bien, c'est de l'aversion que j'éprouve toujours pour Mr S. quand je repense à lui. Je suis sûre que c'était un homme très convenable et c'est peut-être ce qui le rendait tellement ennuyeux.

J'effectuai un autre séjour dans une maison de campagne à l'occasion de courses, chez de vieux amis de ma marraine dans le Yorkshire, les Matthews. Mrs Matthews était un véritable moulin à paroles, et un peu angoissante. L'invitation concernait une partie de campagne pour le St Leger. Au moment où je m'y rendis, je connaissais déjà un peu mieux le monde des courses, et je commençais en fait à y prendre un certain plaisir. De plus — c'est le genre de détail idiot qui se fixe dans la mémoire —, j'avais un nouvel ensemble manteau et jupe en tweed vert bronze acheté pour la circonstance. Il m'allait à ravir, et venait d'une très bonne maison. C'était le genre de vêtement pour lequel il ne fallait pas regarder à la dépense, disait ma mère, car un bon ensemble de ce genre vous durait des années. Ce qui fut le cas pour celui-là : je l'ai porté au moins six ans. Le manteau était long et avait un col en velours. J'arborais également une jolie petite toque en velours assorti ornée d'une aile d'oiseau. Je n'ai pas de photo de moi ainsi accoutrée. Sinon, il ne fait aucun doute que je paraîtrais hautement ridicule aujourd'hui, alors que, dans mes souvenirs, je faisais à la fois chic, sport, et bien habillée !

J'atteignis au comble de l'amusement dans la gare où je devais changer de train — j'arrivais, je crois, du Cheshire où j'étais allée chez ma sœur. Il soufflait un vent aigre et le chef de gare vint me proposer d'attendre la correspondance dans son bureau :

— Peut-être votre servante voudra-t-elle apporter votre coffret à bijoux ou tout autre objet de valeur ?

Je n'avais bien sûr jamais voyagé avec une servante, et ne devais jamais le faire de ma vie, pas plus que je ne possédais de coffret à bijoux. Mais j'appréciai fort ce traitement de faveur que j'attribuai à la classe de ma toque en velours. Je répondis que ma servante n'était pas avec moi cette fois — je ne pus m'empêcher d'ajouter « cette fois » pour ne point perdre tout crédit à ses yeux — mais j'acceptai son offre avec gratitude et me retrouvai assise en face d'un bon feu à échanger gaiement avec lui des banalités sur le temps. Le train ne tarda pas à arriver et l'on me fit monter avec moult cérémonies. Et toutes ces attentions à cause de mon ensemble et de mon chapeau, j'en suis certaine : comme je voyageais en seconde classe, on ne pouvait me prendre ni pour une grande fortune ni pour une personnalité influente.

Les Matthews vivaient dans une résidence appelée Thorpe Arch Hall. Mr Matthews était beaucoup plus âgé que sa femme — il devait avoir dans les 70 ans — et il était adorable, avec sa crinière de cheveux blancs, son amour passionné des courses et, en son temps, de la chasse. Bien que très attaché à sa femme, il semblait toujours crispé avec elle. D'ailleurs mon principal souvenir de lui, c'est de l'entendre dire avec irritation :

— Mais sacrebleu, ne me bousculez pas ainsi, Addie. Du calme ! Ne me bousculez pas !

Mrs Matthews était un véritable paquet de nerfs. Elle parlait et s'agitait du matin au soir. Elle était bien gentille, mais parfois, je la trouvais presque insupportable. Elle houspillait tellement le pauvre vieux Tommy qu'il finit par inviter un ami à lui à venir s'installer chez eux, un certain colonel Wallenstein, dont tout le comté disait qu'il était le second mari de Mrs Matthews. Je suis tout à fait convaincue qu'il ne s'agissait pas d'un cas de « ménage à trois ». Le colonel Wallenstein était très attaché à Mrs Matthews — elle avait dû être la grande passion de sa vie — mais elle était toujours parvenue à le maintenir à la place où elle voulait qu'il soit, celle de l'ami commode, platonique, à la dévotion toute romantique. Quoi qu'il en soit, Addie Matthews vivait une existence bénie, avec deux hommes à ses petits soins. Ils lui passaient ses caprices, la flattaient, faisaient en sorte qu'elle ait tout ce qu'elle voulait.

Ce fut à l'occasion de ce séjour que je fis la rencontre d'Evelyn Cochran, la femme de Charles Cochran. C'était une délicieuse petite créature, un peu comme une bergère en porcelaine de Dresde, avec de grands yeux bleus et des cheveux blonds. Elle était venue avec de délicates chaussures tout à fait inadaptées à la campagne, ce qu'Addie ne cessa de lui reprocher à toute heure de la journée :

— Vraiment, Evelyn, ma chère, pourquoi n'avez-vous pas pris les chaussures qu'il fallait ? Regardez-moi ces semelles en carton-pâte, c'est juste bon pour Londres, ça !

Evelyn la dévisageait chaque fois d'un air navré de ses grands yeux bleus. Elle passait la plus grande partie de sa vie à Londres et se consacrait presque entièrement à la profession théâtrale. Elle avait — c'est elle qui me l'apprit — sauté d'une fenêtre pour s'enfuir avec son mari qui n'était pas au goût de sa famille. Elle lui vouait une adoration rare. Elle lui écrivait chaque jour quand elle n'était pas à la maison. Je crois que lui, en dépit de nombreuses aventures, l'aimait encore. Elle avait beaucoup souffert, au cours de leur vie commune, car son amour pour lui était tel que la jalousie devait avoir été difficile à supporter. Je pense pourtant qu'elle ne le regrettait pas. Car éprouver pour quelqu'un une passion qui dure toute une vie est un privilège, quoi que cela puisse vous coûter.

Le colonel Wallenstein était son oncle. Elle le détestait fort. Elle détestait aussi Addie Matthews, mais elle aimait bien le vieux Tom Matthews.

— Je n'ai jamais aimé mon oncle, disait-elle, il est ennuyeux comme tout. Quant à Addie, c'est la bonne femme la plus exaspérante et la plus stupide que j'aie jamais vue. Elle ne peut pas laisser les gens en paix. Il faut qu'elle réprimande, qu'elle dirige, qu'elle fasse n'importe quoi mais quelque chose : elle ne sait pas rester tranquille.

3

À la fin de notre séjour à Thorpe Arch, Evelyn Cochran me demanda de venir les voir, elle et son mari, à Londres. Je le fis, tout intimidée, et je fus ravie d'entendre tous les petits potins sur le monde du théâtre. Pour la première fois aussi, je ressentis un début d'intérêt pour les tableaux. Charles Cochran adorait la peinture. Quand il me fit découvrir les danseuses de Degas, cela fit naître en moi une émotion dont je ne m'étais jusqu'alors jamais crue capable. Il faut abandonner cette habitude de traîner contre leur gré des filles trop jeunes dans les galeries de peinture. À moins qu'elles n'aient des dispositions artistiques naturelles, cela ne produit pas le résultat escompté. De plus, pour un œil non averti ou peu sensible, la ressemblance des grands maîtres entre eux, par cette espèce d'obscurité ocre et luisante qu'ils ont en commun, est décourageante. La peinture m'a été imposée, d'abord par des cours de dessin qui ne me plaisaient pas, puis par cette sorte d'obligation morale d'apprécier l'art à laquelle on me contraignait.

Une de nos amies américaines, elle-même grand amateur de tableaux, de musique et de toutes formes de culture, venait à Londres à intervalles réguliers. C'était une nièce de ma marraine, Mrs Sullivan, et aussi de Pierpont Morgan. May était une personne charmante, malheureusement affligée d'une terrible difformité : un goitre des plus disgracieux. À l'époque où elle était petite fille — elle devait avoir une quarantaine d'années quand j'ai fait sa connaissance —, il n'existait aucun remède contre les goitres. L'opération était considérée trop dangereuse. Un jour pourtant, elle arriva à Londres et annonça à ma mère qu'elle partait se faire opérer dans une clinique suisse.

Elle avait déjà pris ses dispositions. Un chirurgien célèbre, dont c'était la spécialité, lui avait dit :

— Mademoiselle, je ne conseillerais cette opération à aucun

homme : elle ne peut être pratiquée que sous anesthésie locale, car le patient doit parler pendant toute sa durée. Les hommes sont trop douillets pour supporter cela, mais les femmes peuvent avoir le courage nécessaire. C'est une intervention qui va durer un certain temps, peut-être une heure ou davantage, et il ne faudra pas vous arrêter de parler. Avez-vous ce courage ?

May l'avait regardé dans les yeux, avait réfléchi une ou deux minutes et répondu fermement que oui, ce courage, elle croyait bien l'avoir.

— Je pense que vous avez raison d'essayer, May. Ce sera une très rude épreuve pour vous, mais si ça marche, votre vie en sera tellement changée que cela vaudra bien toutes les souffrances endurées.

Quelque temps plus tard, une lettre arriva de Suisse : l'opération avait réussi. May était sortie de la clinique et partait se reposer en Italie, dans une pension de famille de Fiesole, près de Florence. Elle devait y rester un mois environ, puis retourner en Suisse pour des examens de contrôle. Elle demandait à ma mère si elle accepterait que je la rejoigne, ce qui me permettrait de voir Florence, son art et son architecture. Maman fut d'accord et nous préparâmes mon départ. J'étais surexcitée, bien sûr. Je devais avoir 16 ans.

Une mère et sa fille devaient voyager par le même train que moi. L'agence Cook de Victoria nous présenta : je leur fus confiée et nous partîmes. J'eus un coup de chance : la mère et la fille étaient malades en train si elles tournaient le dos à la machine. Comme cela m'était égal, j'eus la banquette opposée pour moi toute seule et je pus m'allonger. Aucune d'entre nous n'avait songé au décalage d'une heure, si bien qu'au petit matin, lorsque vint pour moi le moment de changer de train à la frontière, je dormais encore. Je fus débarquée en catastrophe sur le quai par le chef de train, et la mère et la fille me crièrent leurs adieux. Après avoir rassemblé mes affaires, je me dirigeai vers l'autre convoi qui s'ébranla immédiatement vers les montagnes et l'Italie.

Stengel, la bonne de May, m'attendait à Florence et nous prîmes ensemble le tram pour Fiesole. La campagne, ce jour-là, était d'une indicible beauté. Les amandiers et les pêchers étaient tous dans leurs premières fleurs, qui décoraient délicatement de blanc et de rose leurs branches nues. May était installée dans une villa, et elle sortit pour m'accueillir, le visage rayonnant. Je n'ai jamais vu femme paraître aussi heureuse. Cela faisait tout drôle de la voir sans cette terrible poche de chair sous le menton. Il lui avait fallu un infini courage, comme le chirurgien l'avait prévenue. Pendant une heure et vingt minutes, me raconta-t-elle, elle était restée allongée dans le fauteuil opératoire, les pieds maintenus dans des étriers au-dessus de sa tête, cependant que les chirurgiens taillaient dans sa gorge et qu'elle leur parlait, répondait à leurs questions, parlait encore, grimaçait au besoin. Le praticien avait tenu à la féliciter, ensuite : c'était une des femmes les plus endurantes qu'il ait jamais connues.

— Mais je dois avouer, docteur, reconnut-elle plus tard, que vers la fin, j'étais au bord de la crise de nerfs. J'ai eu envie de crier, de pleurer, de hurler que je n'en pouvais plus.

— Mais précisément, souligna le Dr Roux, vous ne l'avez pas fait. Vous êtes le courage incarné. Croyez-moi.

May était donc extraordinairement heureuse. Elle fit tout ce qu'elle put pour rendre mon séjour en Italie agréable. J'allais visiter Florence tous les jours. Stengel venait parfois avec moi, mais le plus souvent, une jeune Italienne engagée par May montait à Fiesole pour m'accompagner dans la ville. Les jeunes filles devaient être encore plus étroitement chaperonnées en Italie qu'elles ne l'étaient en France, et il est tristement exact qu'être pincée dans les trams par d'ardents jeunes gens n'est pas forcément une partie de plaisir — cela peut même parfois se montrer très douloureux. C'est également là qu'il me fallut ingurgiter galeries d'art et musées à dose massive. Gourmande comme je l'étais, ce que j'attendais surtout, c'était le délicieux goûter dans une pâtisserie avant de rentrer à Fiesole.

Plusieurs fois, vers la fin du séjour, May m'accompagna dans mon pèlerinage artistique, et je me rappelle très bien que le dernier jour, alors même que je devais retourner en Angleterre, elle tint absolument à ce que je voie une merveilleuse Sainte Catherine de Sienne qui venait d'être nettoyée. Je ne sais plus si elle se trouvait au musée des Offices ou ailleurs, mais nous parcourûmes vainement au galop toutes les salles pour la trouver. Je me moquais éperdument de sainte Catherine. J'en avais jusque-là, des Sainte Catherine, j'éprouvais une indigestion des innombrables Saint Sébastien au corps percé de flèches, et de tous les saints avec leurs emblèmes et leurs déplaisantes façons de mourir. J'étais fatiguée, aussi, des madones à l'air béat, surtout celles de Raphaël. J'ai vraiment honte quand je découvre, à l'heure où j'écris, la barbare que j'étais dans ce domaine, seulement voilà : le goût pour les anciens maîtres doit s'acquérir. Tandis que nous cherchions partout sainte Catherine, l'angoisse me prit : allions-nous avoir le temps de passer à la pâtisserie pour un dernier goûter de chocolat, de crème fouettée et de somptueux gâteaux ?

— Ça ne fait rien, May, ne cessais-je de répéter, ça ne fait rien. Ne vous tracassez pas, j'ai déjà vu beaucoup de tableaux de sainte Catherine.

— Ah ! mais celui-ci, ma chère Agatha, il est tellement merveilleux ! Vous comprendrez quand vous le verrez ce que vous auriez manqué si vous ne l'aviez pas vu.

Je savais que je ne comprendrais rien du tout, mais il va de soi que je n'osai pas le lui dire. La chance était pourtant avec moi. On nous apprit que le tableau en question ne serait de retour au musée que dans quelques semaines. Il restait juste assez de temps pour me bourrer de chocolat et de gâteaux avant d'attraper notre train, May dissertant sans fin sur les merveilleuses peintures que nous avions vues, moi opinant du chef avec ferveur tout en enfournant de pleines bouchées de crème et de sucreries au café. J'aurais dû ressembler à un petit cochon, à ce moment-là, bouffie, avec de tout petits yeux noyés dans un océan de graisse. Au lieu de quoi j'avais une silhouette éthérée, fine et délicate, et de grands yeux rêveurs. À me voir, vous m'auriez crue promise à une mort prématurée dans un état d'extase spirituelle, comme les enfants dans les livres de contes victoriens. Mais pour ma défense, j'avais au moins la délicatesse de me sentir honteuse de ne pas apprécier l'éducation artistique de May. Ce que j'avais préféré, à Fiesole, c'étaient les amandiers en fleur et les bons moments passés à jouer avec Doudou, un minuscule loulou de Poméranie qui accompagnait partout May et Stengel. Doudou était petit et très intelligent. May l'emmenait souvent en Angleterre. À ces moments-là, il se faufilait dans un grand manchon à elle, et jamais les douaniers ne soupçonnèrent sa présence.

May passa par Londres avant de rentrer à New York. Elle montra l'élégance de son nouveau cou. Maman et mamie l'embrassèrent et pleurèrent à la fois, May pleura aussi, car c'était comme un rêve impossible devenu réalité. Ce ne fut qu'après son départ pour New York que maman dit à mamie :

— Quel dommage ! Dire qu'elle aurait pu se faire opérer il y a une quinzaine d'années ! Elle a vraiment dû être mal conseillée, à New York.

— Et maintenant, bien sûr, je suppose qu'il est trop tard, fit ma grand-mère d'un air pensif. Elle ne se mariera plus.

Là, je suis heureuse de le dire, mamie se trompait.

Je crois que May avait terriblement souffert de ne pouvoir se marier, et j'imagine qu'elle ne devait pas s'attendre un seul instant que cela lui arrive si tard dans la vie. Pourtant, elle revint quelques années après en Angleterre accompagnée du pasteur d'une des plus importantes églises épiscopales de New York, un homme d'une grande droiture et de forte personnalité. On lui avait dit qu'il n'avait plus qu'un an à vivre. À l'initiative de May, qui avait toujours été une de ses paroissiennes les plus dévouées, la congrégation s'était cotisée pour qu'il aille consulter des médecins à Londres.

— Vous savez, dit-elle à mamie, je suis sûre qu'il va guérir. On a tellement besoin de lui ! Il fait un travail merveilleux à New York. Il a converti des joueurs et des gangsters, il s'est déplacé dans des maisons closes et dans les pires endroits sans se préoccuper de l'opinion publique, sans crainte de se faire agresser, et il a ramené les personnages les plus inattendus dans la voie du Seigneur.

May et lui déjeunèrent à Ealing. Plus tard, lorsqu'elle revint pour dire au revoir, mamie lui glissa :

— May, cet homme est amoureux de vous.

— Voyons, tatie, s'exclama-t-elle, comment pouvez-vous dire une chose aussi aberrante ? Le mariage, il n'y a jamais songé. C'est un fervent célibataire.

— Peut-être l'a-t-il été, rétorqua mamie, mais tel n'est plus le cas. Et puis il n'est pas catholique, il n'a donc pas eu à faire vœu de célibat. Je vous le répète : il a des vues sur vous, May.

Cette dernière parut très choquée.

Un an plus tard pourtant, elle écrivit pour nous apprendre qu'Andrew avait recouvré la santé et qu'ils allaient se marier. Ce fut une union très réussie. Nul n'aurait pu être plus gentil, plus doux et plus attentionné qu'Andrew avec May.

— Elle a tellement besoin d'être heureuse ! dit-il un jour à mamie. Seulement comme elle a été privée de bonheur pendant presque toute sa vie, la perspective de le connaître enfin lui fait maintenant si peur qu'elle en deviendrait presque puritaine.

Andrew devait toujours garder un certain handicap, mais cela ne l'empêcha pas de continuer à œuvrer pour le bien. Cette chère May, je suis heureuse que le bonheur lui soit ainsi venu.

4

En l'année 1911, je vécus une expérience fantastique : *je montai dans un aéroplane.* Ces appareils étaient, bien sûr, objet de conjectures, d'incrédulité, de controverse. Alors que j'étais à l'école à Paris, on nous emmena un jour assister à la tentative de Santos-Dumont de décoller du sol au bois de Boulogne. Pour autant que je me souvienne, l'aéroplane s'éleva, vola sur quelques mètres puis s'écrasa à terre. Tout de même, nous fûmes impressionnées. Puis il y eut les frères Wright. Nous lisions avidement tout ce qui s'écrivait sur eux.

Lorsque les taxis firent leur apparition à Londres, on inventa un code pour les siffler. Vous vous teniez sur votre pas de porte : un coup faisait venir un « grondeur », lourd fiacre, deux une « mignonnette », cette gondole des rues, et trois — si vous aviez de la chance — vous amenait ce nouveau véhicule, un taxi. Un dessin dans l'hebdomadaire *Punch* montra un jour un gosse s'adressant à un maître d'hôtel qui se tenait devant la porte d'une maison cossue, le sifflet à la main :

— Essayez de siffler quatre fois, mon prince, p't'être qu'il vous viendra un aéroplane !

Or, voici que soudain cette image ne semblait plus aussi cocasse et impossible qu'elle l'avait été. Elle pouvait bientôt devenir *réalité.*

La fois dont je parle, à l'occasion d'un séjour que maman et moi effectuions à la campagne, nous avions assisté à un meeting d'aviation — une opération commerciale. Nous vîmes des avions monter en chandelle, tournoyer dans les airs et revenir en vol plané sur le sol. Puis un panneau fut érigé : « Promenade aérienne : 5 livres ». Je fixai maman avec de grands yeux implorants :

— Oh ! maman, est-ce que je peux ? Ce serait tellement extraordinaire !

Extraordinaire, c'est surtout ma mère qui l'était, je crois. Voir devant elle sa fille bien-aimée s'envoler à bord d'un *aéroplane* ! Alors qu'à cette époque, il s'en écrasait tous les jours !

— Si tu en as vraiment envie, Agatha, vas-y.

Cinq livres étaient une somme, dans notre vie, mais elles ne furent pas dépensées pour rien. Nous nous dirigeâmes vers la barrière. Le pilote me regarda et demanda :

— Ce chapeau, il est bien attaché ? Oui ? Alors, venez.

Le vol ne dura que cinq minutes. Nous montâmes dans les airs, décrivîmes plusieurs cercles — ah ! quelle merveille ! Puis cette descente et le vol plané avant de toucher à nouveau le sol. Cinq minutes d'extase — et une demi-couronne en plus pour la photo : une vieille photo toute jaunie que j'ai encore et où l'on voit un point dans le ciel, *moi* à bord d'un aéroplane, le 10 mai 1911.

Les amis que l'on a dans sa vie se divisent en deux catégories. D'abord, ceux qui viennent de votre entourage, avec lesquels vous avez en commun les choses que vous faites. Ils passent de mode comme la vieille danse du ruban. Ils virevoltent, vont et viennent dans votre vie comme vous allez et venez dans la leur. Vous vous rappelez certains, d'autres non. Et puis il y a ceux que j'appellerais les amis de cœur — ils ne sont pas nombreux — qu'un véritable intérêt mutuel rapproche de vous et que vous gardez généralement, si les circonstances le permettent, toute votre vie. J'ai dû, en tout et pour tout, avoir sept ou huit de tels amis, masculins pour la plupart. Mes amies femmes n'ont en général été que des relations d'entourage.

Je ne sais pas exactement ce qui provoque l'amitié entre homme et femme. Les hommes, par nature, ne recherchent jamais l'amitié féminine. Elle leur vient fortuitement, souvent parce qu'ils sont déjà attirés sensuellement par une autre femme et qu'ils brûlent d'en parler. Les femmes, elles, rêvent souvent d'amitiés masculines et sont prêtes à y parvenir en prêtant une oreille complaisante aux affaires de cœur d'autrui. C'est là que naissent les amitiés stables et durables : on s'intéresse à l'autre en tant que personne. La connotation sexuelle existe, bien sûr, mais ce n'est que la pincée de sel sur un mets.

D'après un vieux médecin de mes amis, le premier regard d'un homme sur chacune des femmes qu'il rencontre est pour se demander comment elle doit être au lit, et ensuite, éventuellement, si elle serait susceptible d'être intéressée par lui. « Direct et grossier, tel est l'homme », affirmait-il. Il ne considère pas la femme comme une épouse possible.

Je crois que les femmes, elles, jaugent tout simplement, si l'on peut dire, le mari possible dans chaque homme qu'elles rencontrent. Je ne sache pas qu'aucune femme soit jamais tombée amoureuse au premier regard sur un homme croisé dans un salon. L'inverse s'est souvent produit.

Nous avions un jeu, dans la famille, qui avait été inventé par ma sœur et un ami à elle, et s'appelait « les maris d'Agatha ». Il consistait pour eux à repérer deux ou trois des étrangers les plus repoussants dans un salon quelconque, et à me *forcer* à choisir l'un d'eux comme mari, sous peine de mort ou de torture chinoise.

— Alors, Agatha, lequel prends-tu ? Le jeune gros plein de soupe boutonneux et dégoulinant de pellicules, ou le gorille poilu qui roule des yeux de merlan frit ?

— Oh ! non... Pas ceux-là, ils sont trop affreux !

— Il le faut, pourtant : ce sera l'un ou l'autre. Sinon, aiguilles rougies au feu et torture de l'eau.

— Mon Dieu... Bon, le gorille, alors.

Nous prîmes l'habitude, à la fin, de traiter tout individu hideux de « mari d'Agatha » :

— Dis, regarde un peu s'il est moche, celui-là ! Un vrai mari d'Agatha !

La seule fille qui comptait vraiment pour moi était Eileen Morris, une amie de la famille. Je la connaissais en quelque sorte depuis toujours, mais ne la découvris véritablement que lorsque j'atteignis environ 19 ans et que je l'eus « rattrapée », car elle était de quelques années mon aînée. Elle habitait avec cinq de ses tantes, restées célibataires, dans une grande maison qui donnait sur la mer. Son frère était instituteur. Ils étaient très semblables, tous les deux, et elle avait un esprit rationnel plus masculin que féminin. Son père, homme affable, tranquille, apparaissait plutôt terne à côté de sa femme qui avait été, aux dires de ma mère, une des plus gaies et des plus belles qu'elle ait jamais vues. Eileen n'était guère jolie, mais d'une intelligence remarquable, qui s'étendait sur toutes sortes de sujets. C'était la première, parmi mes relations, avec qui je puisse discuter d'*idées*. C'était aussi un des êtres les plus discrets sur eux-mêmes qu'il m'ait été donné de connaître. Elle ne parlait jamais de ses propres sentiments. Moi qui l'ai fréquentée pendant tant d'années, je me demande souvent en quoi sa vie privée pouvait consister. Nous ne nous faisions, toutes les deux, jamais de confidences personnelles mais chaque fois que nous nous rencontrions, nous avions — ô combien ! — matière à discussion. Elle était bon poète et connaissait bien la musique. Je me souviens d'une chanson que j'aimais parce que l'air me plaisait beaucoup, mais dont les paroles étaient malheureusement d'une affligeante débilité. Lorsque j'en fis part à Eileen, elle répondit qu'elle allait essayer d'écrire quelque chose de mieux. Elle y parvint, à mon avis, et améliora énormément la qualité de la chanson.

Moi aussi, j'écrivais des poèmes — comme tout le monde, sans doute, à mon âge. Certaines de mes premières tentatives sont incroyablement mauvaises. Je me rappelle quelques vers que j'écrivis à 11 ans :

> *J'ai connu un coucou, tout jaune, tout joli,*
> *Qui voulait être bleuet, et qui s'est tout bleui.*

Vous pouvez deviner la suite. Il s'est tout bleui, est devenu bleuet, et ça ne lui a pas plu. Peut-on faire preuve de moins de talent littéraire ? Vers 17 ou 18 ans, en revanche, je faisais un peu mieux. Je composai une série de poèmes sur la légende d'Arlequin : la chanson d'Arlequin, celle de Colombine, Pierrot, Pierrette, etc. J'envoyai une ou deux de mes œuvres à la *Revue poétique*. J'eus le grand plaisir de recevoir un prix d'une guinée. J'en remportai plusieurs après cela, et certains de mes poèmes furent publiés dans la revue. J'étais très fière de moi quand je réussissais. J'avais des périodes de grande inspiration. Je me sentais prise d'une soudaine excitation et je me précipitais sur ma plume pour noter ce que je sentais ruisseler dans ma tête. Je n'avais pas d'ambitions démesurées. Un prix par-ci par-là dans la *Revue poétique* suffisait à mon bonheur. J'ai relu récemment un de mes poèmes qui ne me semble pas trop mauvais. Il y a au moins en lui quelque chose de ce que je voulais exprimer, et c'est pourquoi je le reproduis ici :

AU CŒUR DU BOIS

> *Des branches nues zébrant le ciel azuré,*
> *— C'est le silence dans le bois.*
> *Des feuilles inertes en tapis sous vos pieds,*
> *De fiers troncs bruns comme au temps accrochés,*
> *— C'est le silence dans le bois.*
> *Le printemps, comme jeunesse s'en est allé,*
> *L'été, de langueurs d'amour s'est gavé,*
> *L'automne, douleur a passion prolongé,*
> *Feuille, fleur, flamme, ont flétri et vacillé.*
>
> *Et la Beauté — la Beauté est nue dans le bois !*

*

Des branches nues zébrant la lune aliénée,
— Quelque chose bouge dans le bois.
Des feuilles qui bruissent, mortes et puis ranimées,
Des branches à l'invite torve, dans la clarté,
— Quelque chose marche dans le bois.
Sifflent, tourbillonnent, les feuilles ressuscitées,
Entraînées par la Mort en une sarabande endiablée !
Ô le cri et le balancement des arbres terrifiés !
Et le vent qui s'en va sanglotant et glacé...

Et la Peur — la Peur crue sort du bois !

J'ai parfois essayé de mettre un de mes poèmes en musique. Je n'étais pas très bonne en composition, mais pour une ballade toute simple, je pouvais me débrouiller. J'ai aussi écrit une valse sur un air banal, que j'ai bizarrement intitulée — allez savoir pourquoi — *Une heure avec toi.*

Il fallut que plusieurs de mes cavaliers me fassent remarquer qu'une valse d'une heure, c'était un peu long, pour que je découvre l'ambiguïté du titre. Mais j'étais très fière parce que l'un des principaux orchestres, le Joyce's Band, qui jouait dans la plupart des bals, l'incluait de temps en temps dans son programme. Musicalement parlant, elle était pourtant, je m'en rends compte aujourd'hui, excessivement mauvaise. Vu ce que je pensais de la valse, je ne vois d'ailleurs vraiment pas pourquoi j'ai essayé d'en composer une.

Le tango, c'était autre chose. Une assistante de Mrs Wordsworth lança un cours du soir pour adultes à Newton Abbot. Je pris avec quelques autres l'habitude d'y aller pour apprendre. C'est là que je rencontrai celui que j'appelai « mon ami de tango », un jeune homme prénommé Ronald et dont le nom de famille m'échappe. Nous nous parlions à peine, n'éprouvions pas le moindre intérêt l'un pour l'autre — toute notre attention était concentrée sur nos pieds. Nous avions été très tôt associés comme partenaires, partagions le même enthousiasme et dansions bien ensemble. Nous passâmes maîtres dans l'art du tango. Chaque fois que nous nous retrouvions dans un bal, nous nous réservions automatiquement le tango.

Autre grande passion, la fameuse danse de Lily Elsie dans *La Veuve joyeuse* ou *Le Comte de Luxembourg*, je ne me souviens plus, où son partenaire et elle devaient monter et descendre un escalier en valsant. À cela, je m'entraînais avec le fils du voisin. Max Mellor était à Eton à l'époque, et avait à peu près trois ans de moins que moi. Son père, atteint de tuberculose, était très malade et devait rester allongé dans le jardin, dans une cabane ouverte où il dormait la nuit. Max était fils unique. Il tomba profondément amoureux de moi, l'aînée, l'adulte. Il paradait pour m'impressionner, d'après sa mère en tout cas, en veste et bottes de chasse, tirant sur les moineaux avec une carabine à air comprimé. Il commença même à se laver, une nouveauté de sa part étant donné que sa mère s'inquiétait depuis des années de l'état de ses mains, de son cou, etc., s'acheta des cravates mauve pâle et lavande — bref, il voulait montrer tous les signes de la maturité. Nous nous rejoignions dans le domaine de la danse, et j'allais souvent chez les Mellor pour m'entraîner avec lui dans leur escalier qui convenait mieux que le nôtre, plus escarpé et moins large. Je ne dirais pas que ce fut une grande réussite. Nous fîmes de nombreuses chutes douloureuses, mais nous persévérâmes. Il avait un précepteur fort aimable, un jeune homme qui s'appelait Mr Shaw je crois, et dont Marguerite Lucy disait : « Il est bien, ce petit. Dommage que ses jambes soient si peu distinguées. »

Je dois avouer que depuis, je n'ai jamais pu m'empêcher d'appliquer ce critère à toute nouvelle rencontre masculine : d'accord, il n'est pas mal, mais a-t-il des jambes distinguées ?

5

Par une journée maussade d'hiver, j'étais au lit, en train de me remettre d'une grippe. Je m'ennuyais. J'avais lu des tas de livres, fait treize réussites, trouvé la dame de cœur et en étais réduite à jouer au bridge avec moi-même. Ma mère entra.

— Pourquoi n'écrirais-tu pas quelque chose ? suggéra-t-elle.

— Écrire ? fis-je, surprise.

— Oui. Comme Madge.

— Oh ! je n'en serais pas capable !

— Pourquoi ? demanda-t-elle.

Il n'y avait aucune raison précise, sauf que...

— Tu ne peux pas savoir, fit-elle remarquer, puisque tu n'as jamais essayé.

Certes. Elle disparut avec sa soudaineté habituelle et reparut cinq minutes plus tard, un cahier à la main.

— Il y a juste quelques listes de blanchissage d'un côté, dit-elle, mais le reste est utilisable. Tu peux commencer ton histoire tout de suite.

Quand ma mère disait de faire quelque chose, on obtempérait pratiquement toujours. Je m'assis donc dans mon lit et me mis à réfléchir. C'était toujours mieux que les réussites.

Je ne me rappelle pas combien de temps cela me prit. Pas tellement, il me semble — en fait, je crois avoir terminé le lendemain au soir. Je commençai par tâtonner dans plusieurs thèmes différents, puis les abandonnai pour finir par me piquer au jeu et avancer à grands pas. C'était épuisant, ce qui n'aida sans doute pas à ma convalescence, mais passionnant aussi.

— Je vais chercher la vieille machine à écrire de Madge, dit maman. Comme ça, tu pourras taper ton texte.

Ma première nouvelle s'intitula *La Maison de Beauté* (qui, après refonte, deviendrait par la suite *La Maison des Rêves*). Ce n'est pas un chef-d'œuvre, mais je la trouve assez bien dans l'ensemble.

C'est, à tout prendre, le premier de mes écrits qui ait jamais montré quelques signes prometteurs. Une œuvre d'amateur, bien sûr, et influencée par tout ce que j'avais lu la semaine précédente. Vous ne pouvez guère y échapper, quand vous écrivez pour la première fois. Je venais manifestement de lire D. H. Lawrence. Je me souviens que *Le Serpent à plumes, Amants et fils, Le Paon blanc*, etc., étaient parmi mes grands favoris à l'époque. J'avais également lu des livres d'un certain Everard Cotes dont j'admirais beaucoup le style. Cette première nouvelle était un peu précieuse, et écrite de telle façon qu'il semblait difficile de savoir exactement ce que l'auteur voulait dire, mais même s'il s'agissait d'un style d'emprunt, l'histoire dénotait au moins une certaine imagination.

J'écrivis ensuite d'autres nouvelles : *Dans un battement d'ailes* (pas trop mal), *Le Dieu solitaire* (hélas ! d'un sentimentalisme regrettable, résultat de ma lecture de *La Cité du délicieux non-sens*), puis un bref dialogue lors d'une soirée entre une dame sourde et un homme trop nerveux, et une effrayante affaire de spiritisme — que je devais reprendre des années plus tard. J'ai tapé toutes ces histoires sur la machine de Madge — une vieille bécane de marque Empire, je me souviens — pour les envoyer à tout hasard à différents magazines, en prenant de temps à autre des pseudonymes au gré de ma fantaisie. Madge s'était donné celui de Mostyn Miller : je choisis Mack Miller, puis changeai pour Nathaniel Miller — le nom de mon grand-père. Je n'avais pas grand espoir de succès, et n'en eus d'ailleurs pas : mes œuvres me revenaient toutes promptement accompagnées de la formule habituelle : « Avec les regrets de la rédaction... » J'en faisais alors de nouveaux paquets et les expédiais à d'autres magazines.

Je décidai aussi de m'essayer à un roman. Je m'y lançai le cœur léger. Il devait se dérouler au Caire. Je pensai à deux intrigues différentes et fus d'abord incapable de choisir. Je finis par opter après moult hésitations pour celle qui m'avait été inspirée par trois personnes que nous avions l'habitude d'observer dans la salle à manger de l'hôtel du Caire. Il y avait une belle jeune fille — plus vraiment jeune fille à mes yeux, car elle devait approcher de la trentaine — et chaque soir, après le bal, elle venait souper là avec deux hommes. L'un était massif et large, avec des cheveux noirs — un capitaine du 60e fusiliers — et l'autre un jeune soldat grand et blond des Coldstream Guards qui avait peut-être un ou deux ans de moins que la fille. Ils s'asseyaient de chaque côté d'elle, qui les tenait dans l'expectative. Nous avions appris leurs noms, mais c'est à peu près tout ce que nous avions découvert sur eux, à part cette remarque de quelqu'un, un jour : « Il faudra bien qu'elle finisse par se décider pour l'un des deux. » C'en était assez pour mon imagination : si j'en avais su davantage sur ces gens, je ne crois pas que j'aurais eu envie d'en tirer l'argument d'un livre. Tandis que là, je pouvais monter une excellente histoire — sans doute bien différente de leur véritable personnalité, de leurs actions, et de tout le reste. Après l'avoir un peu avancée, j'en devins insatisfaite et décidai de revenir à mon autre intrigue. Elle était beaucoup plus gaie, avec des personnages amusants. Je commis cependant l'erreur fatale de m'encombrer d'une héroïne sourde — je ne vois vraiment pas pourquoi. On peut toujours faire quelque chose d'intéressant avec une héroïne aveugle, mais sourde, ce n'est pas facile, comme je devais rapidement m'en rendre compte, car une fois que vous avez expliqué ce qu'elle pense et ce que les gens pensent et disent d'elle, il ne lui reste aucune possibilité de conversation et tout est bloqué. La pauvre Melancy devint de plus en plus insipide et ennuyeuse.

Je repris donc ma première intrigue et me rendis compte qu'elle n'allait pas être assez longue pour faire un roman. Je décidai alors de les mêler l'une à l'autre. Puisque le décor était le même, pourquoi ne pas réunir deux histoires en une seule ? Travaillant sur ce principe, je parvins à la longueur requise. Encombrée de cette intrigue difficile à manier, je sautai frénétiquement d'un groupe de personnages à l'autre, les obligeant parfois à s'entremêler d'une façon qu'ils ne semblaient guère apprécier. J'ai intitulé ce roman — je ne sais pas du tout pourquoi — *Neige sur le désert*.

Ma mère me suggéra alors, non sans hésitation, d'aller voir Eden Phillpotts pour solliciter aide ou conseils. Eden Phillpotts était à ce moment-là au faîte de sa gloire. Ses romans sur Dartmoor étaient célèbres. Il se trouvait qu'il était non seulement voisin mais aussi ami de la famille. La démarche m'intimidait quelque peu, mais je finis cependant par m'y résoudre. Eden Phillpotts était un homme d'aspect étrange, avec un visage de faune plus que d'être humain : un visage intéressant, avec de longs yeux en amande. Il était perclus de goutte, et souvent, lorsque nous allions le voir, nous le trouvions assis, sa jambe entortillée d'une masse de bandages étendue sur un tabouret. Il détestait les obligations mondaines et ne sortait presque jamais. En fait, il avait horreur de voir du monde. Sa femme, au contraire, était très sociable : c'était une fort jolie personne, dotée de beaucoup de charme et de nombreux amis. Eden Phillpotts avait beaucoup aimé mon père. Il portait également de l'affection à ma mère qui évitait de l'ennuyer avec des invitations mais ne laissait pas d'admirer son jardin et ses nombreuses plantes et essences rares. Il répondit qu'il lirait volontiers la tentative littéraire d'Agatha.

Je puis à peine exprimer ma gratitude à son égard. Il aurait aisément pu se contenter de jeter négligemment quelques critiques pertinentes — et peut-être me dégoûter à vie. Au contraire, il se mit en devoir de m'aider. Il comprit fort bien ma timidité et la difficulté que j'avais à m'exprimer oralement. La lettre qu'il m'adressa était pleine de judicieux conseils :

Certaines des choses que vous avez écrites sont excellentes. Vous avez un grand sens du dialogue. Vous devriez vous en tenir aux échanges gais et naturels. Essayez de bannir toutes les considérations moralisatrices de vos romans : vous en êtes trop friande, et il n'y a rien de plus ennuyeux à lire. Laissez vos personnages se débrouiller seuls de façon qu'ils puissent s'exprimer par eux-mêmes, au lieu de toujours intervenir pour leur faire dire ce qu'ils doivent dire ou expliquer au lecteur le sens de leurs paroles. Cela, c'est à lui d'en juger. Il y a ici deux intrigues plutôt qu'une, mais c'est une erreur de débutant : vous apprendrez vite qu'il vaut mieux ne pas gaspiller vos idées de façon aussi inconsidérée. Je vous joins une lettre pour mon propre agent littéraire, Hughes Massie. Il fera la critique de ce manuscrit et vous dira quelles chances il a d'être accepté. Je dois vous prévenir qu'il n'est pas facile de voir un premier roman publié, aussi, ne soyez pas déçue. J'aimerais vous suggérer un programme de lectures qui vous seront, je crois, de quelque utilité. Lisez les Confessions d'un opiomane anglais *de Thomas De Quincey, qui enrichiront énormément votre vocabulaire : il y utilise des mots fort intéressants. Lisez aussi* L'Histoire de ma vie *de Jeffreys, pour ses descriptions de la nature et sa façon de la ressentir.*

Une liste subsidiaire complétait ce « programme », mais j'ai oublié maintenant de quels ouvrages il s'agissait : toute une série de nouvelles, je me souviens, dont l'une intitulée *L'Orgueil de Pirrie* tournait autour d'une théière. Un livre de Ruskin, également, pour lequel je me pris d'une violente aversion, plus un ou deux autres. Qu'ils m'aient fait du bien ou non, je l'ignore. Mais j'ai beaucoup aimé De Quincey et les nouvelles.

Je me rendis ensuite à Londres pour un entretien chez Hughes Massie. Hughes Massie père vivait encore à cette époque, et c'est lui que j'ai vu. C'était un homme imposant, au teint basané, qui me terrifia.

— Ah ! fit-il en regardant la couverture du manuscrit, *Neige sur le désert.* Mmmh, un titre très suggestif, évocateur de feux qui couvent.

Cette interprétation, à mille lieues de représenter ce que j'avais écrit, me mit encore plus mal à l'aise. Je ne sais pas trop pourquoi j'avais choisi ce titre, outre le fait que j'avais sans doute lu *Omar*

Khayyam. Ce que je voulais dire, je crois, c'est que comme de la neige sur la surface poussiéreuse du désert, tous les événements qui surviennent dans une vie sont en eux-mêmes superficiels et passent sans laisser de trace. En fait, je ne pense pas du tout que le livre ait exprimé cela quand il fut achevé, mais telle avait bien été mon idée de départ.

Hughes Massie garda mon manuscrit pour le lire, mais le renvoya quelques mois plus tard, disant qu'il trouvait peu probable de parvenir à le placer. Le mieux pour moi, disait-il, était de le laisser de côté et de commencer un autre roman.

Je n'ai jamais été d'un naturel ambitieux, et je me résignai à abandonner la lutte. J'écrivis encore quelques poèmes, et y pris plaisir, ainsi je crois qu'une ou deux nouvelles. Je les envoyai à divers magazines, m'attendant à ce qu'ils me fussent renvoyés, et renvoyés ils furent pour la plupart.

Je n'étudiais plus sérieusement la musique. Je jouais du piano quelques heures par jour pour me maintenir autant que possible au niveau qui avait été le mien, mais je ne prenais plus de leçons. Je continuais à travailler le chant, en revanche, chaque fois que nous étions à Londres pour un certain temps. Francis Korbay, le compositeur hongrois, me donnait des leçons et m'apprit quelques charmants airs hongrois de sa composition. C'était un bon maître et un homme intéressant. J'étudiais aussi la ballade anglaise avec un autre professeur, une femme qui habitait près de cette partie de Regent Canal qu'on appelle la Petite Venise et qui me fascine toujours. Je chantais assez souvent dans des concerts locaux et, comme il était alors d'usage, j'« apportais ma musique » quand on m'invitait à dîner. Il n'y avait bien sûr pas de « musique en conserve » à cette époque, évidemment, ni radiodiffusion, ni magnétophones, ni chaînes stéréophoniques. Les mélomanes devaient s'en remettre aux exécutants privés qui pouvaient être bons, passables ou carrément atroces. Je me défendais bien, comme accompagnatrice, car je savais déchiffrer à livre ouvert, de sorte qu'on me demandait souvent d'accompagner d'autres chanteurs.

Je fis une expérience merveilleuse lorsqu'on donna des représentations du *Ring* à Londres sous la baguette de Richter. Ma sœur Madge s'était soudain prise de passion pour Wagner. Elle réserva quatre places pour aller au *Ring* et m'offrit la mienne. Je lui en serai toujours reconnaissante et n'oublierai jamais ce spectacle. Van Rooy chantait Wotan. Gertrude Kappel les principaux rôles de soprano. C'était une grande et grosse femme au nez retroussé — pas une actrice, mais une voix puissante, une voix d'or. Une Américaine du nom de Saltzman Stevens interprétait

Sieglinde, Isolde et Elizabeth. Saltzman Stevens, je ne pense pas pouvoir l'oublier. C'était une actrice merveilleuse dans ses déplacements, dans ses gestes, avec des bras interminables et gracieux qui sortaient de ces voiles blancs et flous que les héroïnes wagnériennes portaient toujours. Elle faisait une Isolde superbe. Sa voix n'atteignait peut-être pas les sommets de celle de Gertrude Kappel, mais son jeu était tel qu'on en était transporté. Sa fureur et son désespoir, dans le premier acte de *Tristan*, la beauté lyrique de sa voix dans l'acte II, et puis — absolument inoubliable, à mon avis — ce grand moment de l'acte III : le long passage avec Kurwenal, l'angoisse et l'attente de Tristan et Kurwenal ensemble qui scrutent la mer pour apercevoir le bateau, et enfin ce grand cri de soprano qui vient des coulisses : « *Tristan !* »

Saltzman Stevens était Isolde, quand elle se ruait — oui, on la sentait littéralement se ruer — en haut de cette falaise, montait sur scène et se précipitait, ses bras d'albâtre grands ouverts pour y accueillir Tristan. Puis ce cri déchirant d'oiseau blessé.

Elle chantait le *Liebestod* non pas comme une déesse mais bien comme une femme de chair et de sang : agenouillée à côté du corps de Tristan, puis se penchant toujours plus bas pour prononcer les trois dernières paroles de l'opéra « avec un baiser » et, prosternée, ses lèvres frôlant celles de son bien-aimé, s'écrouler enfin brusquement en travers de son cadavre.

Bien entendu, fidèle à moi-même, chaque soir avant de m'endormir, je tournai et retournai dans mon esprit le rêve qu'un jour je chanterais Isolde sur une vraie scène. Cela ne faisait de mal à personne, me disais-je — en tout cas tant que cela restait dans le domaine du fantasme. Pourrais-je, me serait-il *jamais* possible de chanter un jour dans un opéra ? La réponse, bien sûr, était non. Une amie américaine de May Sturges, qui se trouvait à Londres et était en rapport avec le Metropolitan Opera de New York, vint fort gentiment m'écouter chanter un jour. Je lui interprétai diverses arias, puis elle me fit exécuter une série de gammes, d'arpèges et d'exercices. Elle me dit alors :

— Les airs que vous m'avez chantés ne m'indiquent pas grand-chose, mais les exercices, si. Vous serez une bonne chanteuse de concert, et vous avez de quoi vous faire un nom. En revanche, votre voix n'est pas assez puissante pour l'opéra et ne le sera jamais.

À partir de là, mon rêve secret de réussir en musique s'arrêta. Je n'avais aucune envie de devenir chanteuse de concert, ce qui, de toute façon, n'était pas chose facile. On n'encourageait guère les filles à suivre ce genre de carrière. Si j'avais eu la moindre chance de chanter dans un opéra, je me serais battue pour y parvenir. Mais cela, c'était réservé aux quelques privilégiées qui avaient les cordes vocales pour. Je suis convaincue qu'il n'existe rien de plus démoralisant dans la vie que de s'acharner désespérément à chercher la perfection quand on se sait au mieux voué à jouer les seconds rôles. Je décidai donc de regarder la réalité en face et expliquai à ma mère qu'elle pouvait désormais faire l'économie des cours de chant. Je chanterais autant qu'il me plairait, seulement il était inutile de continuer à étudier. Je n'avais jamais vraiment cru que mon rêve puisse un jour se réaliser — mais c'est bien d'avoir *eu* un beau rêve du moment qu'on ne s'y accroche pas trop.

Ce doit être à peu près vers cette époque que je me mis à lire les romans de May Sicaire. Ils m'impressionnèrent énormément, et m'impressionnent toujours autant quand je les relis aujourd'hui. Je trouve qu'elle a été l'une de nos meilleures, l'une de nos plus originales romancières et je ne puis m'empêcher de croire qu'il y aura un jour un regain d'intérêt pour elle et que ses œuvres seront rééditées. Je trouve que *Labyrinthes*, cette classique histoire d'un petit employé de bureau et de son amie, est l'un des plus beaux livres jamais écrits. J'ai aussi aimé *Le Feu divin*, et *Tasser Jetons* est un autre chef-d'œuvre. *La Fêlure dans le cristal* m'a tellement marquée, sans doute parce que j'étais moi-même en train d'écrire des histoires métapsychiques, qu'il m'a donné l'inspiration d'une nouvelle de la même veine. Je l'ai intitulée *Vision* — elle a été publiée dans un volume avec d'autres de mes nouvelles beaucoup plus tard — et je l'aime toujours autant quand je tombe dessus par hasard.

J'avais donc pris l'habitude d'écrire des nouvelles, à cette époque. Disons que cela remplaçait pour moi la broderie d'enveloppes de coussins ou le décalquage de motifs floraux sur les porcelaines de Dresde. Si vous estimez que c'est mettre la création littéraire au bas de l'échelle, je ne serai pas d'accord. La pulsion créatrice peut se manifester sous n'importe quelle forme : dans la broderie, la gastronomie, la peinture, le dessin et la sculpture, dans la composition musicale aussi bien que dans l'écriture de romans et de nouvelles. La seule différence est que certains de ces domaines vous apportent davantage de prestige que d'autres. Je reconnais volontiers qu'il y a une différence entre broder des coussins victoriens et travailler à la tapisserie de Bayeux, mais la pulsion créatrice est la même dans les deux cas. Les dames de la cour de Guillaume produisaient un ouvrage original qui requérait réflexion, inspiration et inlassable industrie. Certaines parties devaient être très ennuyeuses à faire, d'autres tout à fait passionnantes. Même si vous trouvez ridicule la comparaison avec deux clématites et un papillon sur un carré de brocart, la satisfaction intérieure des artistes est sans doute très semblable.

Je n'ai certainement aucune fierté à tirer de la valse que j'ai composée. Une ou deux de mes broderies étaient bonnes dans leur genre, en revanche, et me satisfaisaient. Satisfaction que je ne crois jamais avoir éprouvée pour mes nouvelles, mais il faut le recul du temps pour pouvoir juger correctement une œuvre de création.

Une idée vous séduit et vous vous lancez, pleine d'espoir et de confiance — un des seuls instants de ma vie où j'ai vraiment confiance. Si vous êtes vraiment modeste, vous n'écrirez jamais rien. Il faut donc qu'il y ait un de ces délicieux moments où, ayant une idée et voyant exactement comment l'écrire, vous vous ruez sur un crayon et un cahier, et vous vous mettez à griffonner fébrilement, portée par un sentiment d'exaltation. C'est alors que les difficultés surgissent. Vous ne savez plus comment vous en sortir. Vous parvenez plus ou moins à faire ce que vous aviez prévu, mais en perdant peu à peu cette confiance qui vous habitait. Quand vous arrivez au bout, vous êtes sûre que c'est complètement raté. Et deux mois plus tard, vous vous dites que, après tout, ce n'est peut-être pas si mal.

6

Vers cette époque, j'ai par deux fois échappé de peu au mariage. Je dis échapper parce que, en y réfléchissant maintenant, je suis certaine que, dans un cas comme dans l'autre, c'eût été un désastre.

La première fut le résultat de ce qu'on pourrait appeler « un grand élan romantique de jeune fille ». J'étais chez les Ralston Patrick. Constance et moi nous étions rendues à un rendez-vous de chasse. Il faisait froid et humide, et un homme, montant un bel alezan, s'approcha pour parler à Constance et me fut présenté. Charles devait avoir, je suppose, à peu près 35 ans. Il était major au 17ᵉ lanciers et venait chaque année dans le Warwickshire pour chasser. Je le rencontrai à nouveau le soir même à l'occasion d'un bal costumé auquel je me rendis habillée en Elaine d'Astolat. Un joli costume. Je l'ai encore — et me demande bien comment j'ai pu entrer dedans. Il se trouve dans le grand coffre du couloir qui est plein d'« affaires à déguisements ». C'est l'un de mes préférés, en brocart blanc avec une coiffe garnie de perles. Je revis Charles plusieurs fois, au cours de ma visite, et lorsque vint pour moi le moment de rentrer à la maison, nous émîmes tous deux le désir poli de nous revoir. Il évoqua un passage éventuel dans le Devonshire un peu plus tard.

Trois ou quatre jours après mon retour, je reçus un paquet. Il contenait une petite boîte en vermeil. L'intérieur du couvercle portait une inscription : « Les Asps », une date, puis en dessous, « À Elaine ». Les Asps était le nom de l'endroit où s'était tenu le rendez-vous de chasse et la date celle de notre rencontre. Il m'envoya également une lettre disant qu'il espérait passer nous voir la semaine suivante lorsqu'il viendrait dans le Devon.

Ce fut le début d'une cour effrénée. Des fleurs arrivèrent, des livres de circonstance, d'énormes boîtes de chocolats rares. Rien ne fut dit qui ne fût convenable pour une jeune fille, mais j'étais aux anges. Il nous rendit encore deux fois visite, puis à la troisième, me demanda de l'épouser. Il était, disait-il, tombé amoureux de moi dès le premier instant où il m'avait vue. Si l'on devait établir un tableau d'honneur des propositions de mariage par ordre de mérite, celle-ci viendrait à n'en pas douter en tête de ma liste. Je fus littéralement fascinée et en partie conquise par sa technique. Il avait une grande expérience des femmes et savait susciter en elles les réactions qu'il voulait. Pour la première fois, je fus prête à considérer que c'était mon destin, l'Homme de ma Vie. Et pourtant — oui, il y avait un *pourtant*... Quand Charles était là, à me dire combien j'étais merveilleuse, combien il m'aimait, quelle parfaite Elaine j'étais, quelle délicieuse créature, comment il consacrerait sa vie à me rendre heureuse, et tout et tout, les mains tremblantes et avec des trémolos dans la voix, alors oui, j'étais sous le charme. Pourtant, donc, quand il n'était plus là, quand je pensais à lui en son absence, il n'y avait plus rien. Je n'avais pas envie de le revoir. Je le trouvais juste... bien gentil. L'alternance de ces deux dispositions d'esprit me troublait. Comment peut-on savoir si on est amoureux de quelqu'un ? Si en son absence l'autre ne signifie rien pour vous, mais que lorsqu'il est là il vous transporte littéralement, laquelle des deux réactions est *la bonne* ?

Ma pauvre chère maman doit avoir beaucoup souffert, à ce moment-là. Elle avait, m'a-t-elle dit plus tard, beaucoup prié pour que me vienne vite un bon mari, gentil et largement pourvu en biens d'ici-bas. Charles lui apparut donc comme une réponse à ces prières, mais quelque part, elle n'était pas satisfaite. Elle, qui savait toujours ce que les gens pensaient ou éprouvaient, avait dû percevoir mon dilemme. Indépendamment de son sentiment naturel de mère qu'aucun homme au monde ne pouvait être digne de sa fille, elle sentait confusément qu'il n'était pas l'homme qu'il fallait. Elle écrivit aux Ralston Patrick pour en savoir autant que possible sur lui, très ennuyée que je n'aie plus ni père ni frère qui pût, comme on le faisait à l'époque, enquêter sur le passé féminin d'un homme, sur son exacte situation financière, sur sa famille, etc. Ces pratiques peuvent paraître tout à fait dépassées aujourd'hui, mais je suis sûre qu'elles ont évité bien des malheurs.

Il n'y avait rien à redire sur Charles. Ses nombreuses liaisons passées ne gênaient pas vraiment ma mère : c'était un principe accepté que les hommes jettent leur gourme avant le mariage. Il avait une quinzaine d'années de plus que moi, mais ayant elle-même eu un mari de dix ans son aîné, cette différence d'âge lui paraissait acceptable. Elle expliqua à Charles qu'Agatha était encore très jeune et qu'elle ne devait rien faire inconsidérément. Elle suggéra donc que nous nous revoyions de temps à autre pendant un mois ou deux sans que l'on pesât sur ma décision.

Cela ne donna rien parce que Charles et moi ne savions absolument pas de quoi parler, hormis de l'amour qu'il me portait. Et comme il se retenait d'aborder le sujet, il y avait de grands silences embarrassés entre nous. Quand il repartait, je restais dans mon coin à me poser des questions. Qu'allais-je faire ? Voulais-je vraiment l'épouser ? Une lettre de lui ne tardait pas à arriver. Il composait, c'est indéniable, les lettres d'amour les plus délicieuses qui soient, comme n'importe quelle femme rêverait d'en recevoir. Je m'en imprégnais, les relisais, les conservais. Oui, cela, c'était de l'amour, décidai-je enfin. Puis Charles revenait, j'étais tout feu tout flamme, transportée — et en même temps, au fond de mon esprit, une froideur me disait que je faisais fausse route. À la fin, ma mère suggéra que nous cessions de nous voir pendant six mois, à l'issue desquels je donnerais une réponse définitive. Il en fut accepté ainsi, et, pendant toute cette période, je ne reçus pas de lettres — ce qui était sans doute préférable, sinon elles auraient fini à elles seules par me faire succomber.

Les six mois écoulés, je reçus un télégramme : « Ne puis plus supporter cette incertitude. Voulez-vous m'épouser ? Oui ou non ? » J'étais au lit avec un peu de fièvre au moment où il arriva. Ma mère me l'apporta. Je le lus, considérai le formulaire de réponse prépayée, m'emparai d'un crayon et inscrivis le mot *Non*. J'éprouvai aussitôt un immense soulagement : j'avais pris une décision. Je n'aurais plus à subir ces secousses sentimentales.

— Tu es bien sûre de ta décision ? me demanda ma mère.

— Oui.

Je me tournai sur mon oreiller et m'endormis aussitôt. C'était terminé.

La vie fut plutôt triste pendant les quatre ou cinq mois qui suivirent. Pour la première fois, je ne prenais plus plaisir à ce que je faisais et je commençais à me dire que j'avais fait une grosse bêtise. C'est alors que Wilfred Pirie revint dans ma vie.

J'ai déjà parlé de Martin et Lilian Pirie, les grands amis de mon père que nous avions retrouvés en France, à Dinard. Par la suite, nous avions continué à nous fréquenter, mais je n'avais pas revu les garçons. Harold était allé à Eton, Wilfred parti comme aspirant de marine. Il était maintenant enseigne de vaisseau en titre de la Royal Navy, à bord d'un sous-marin, je crois, et revenait souvent avec cette partie de la flotte qui relâchait à Torquay. Il devint tout de suite un ami immensément proche, l'une des personnes qui ont été les plus chères dans ma vie. En moins de deux mois, nous nous retrouvâmes fiancés officiellement.

Wilfred était un véritable apaisement après Charles. Point de ces extases, de ces doutes, de ces détresses, avec lui. C'était juste un ami très cher, quelqu'un que je connaissais à fond. Nous lisions des livres, les discutions, avions toujours de quoi parler. J'étais tout à fait à l'aise en sa compagnie. L'idée que je le traitais et le considérais exactement comme un frère ne m'effleura même pas. Ma mère était ravie, Mrs Pirie également. Martin Pirie était décédé quelques années plus tôt. Le mariage semblait parfait aux yeux de tout le monde. Une belle carrière s'ouvrait devant Wilfred, nos pères respectifs avaient été les meilleurs amis qui soient, nos mères s'appréciaient, la mienne aimait beaucoup Wilfred et Mrs Pirie avait la même disposition à mon égard. Encore aujourd'hui, je me sens un monstre d'ingratitude de ne pas l'avoir épousé.

Ma vie semblait toute tracée. Dans un an ou deux, au moment approprié — on n'encourageait pas alors les jeunes sous-officiers à convoler trop tôt —, nous serions mari et femme. J'étais ravie à l'idée d'épouser un marin. J'allais avoir un logement à Southsea, Plymouth ou une ville de ce genre, et lorsque Wilfred serait stationné à l'étranger, je pourrais revenir à Ashfield et rester avec maman. Vraiment, tout semblait s'harmoniser au mieux.

Je suppose que réside au fond de nous une horrible perversité qui nous fait regimber contre tout ce qui est trop bien, trop parfait. Je ne voulus pas me l'avouer pendant un bon moment, mais la perspective d'épouser Wilfred suscitait en moi un profond sentiment d'ennui. Je l'aimais bien, j'aurais été heureuse d'habiter la même maison que lui, mais la flamme n'était pas là. Pas là du tout.

L'un des premiers phénomènes qui surviennent lorsque vous êtes attirée par un homme et qu'il l'est par vous, c'est cette extravagante illusion dans laquelle vous donnez tête baissée et selon laquelle vous avez les mêmes idées sur tout, que chacun dit ce que l'autre pensait. Quel bonheur que d'aimer les mêmes livres, la même musique ! Le fait que l'un des deux n'aille pratiquement jamais au concert ou écoute rarement de la musique n'est pas gênant : c'est tout simplement un goût qu'il avait sans le savoir ! De la même manière, les livres qu'il lit et que vous n'avez jamais vraiment eu envie d'ouvrir revêtent tout à coup un grand intérêt. C'est là l'une des grandes illusions de la nature. Nous aimons tous les deux les chiens et détestons les chats : merveilleux ! Nous aimons tous les deux les chats et détestons les chiens : merveilleux aussi !

La vie s'écoulait donc tranquillement. Toutes les deux ou trois semaines, Wilfred venait passer le week-end. Il avait une voiture et m'emmenait faire des promenades. Il avait un chien, nous aimions tous les deux le chien. Il s'intéressa au spiritisme, je m'intéressai au spiritisme. Jusque-là, tout allait bien. Mais il commença alors à me proposer des livres qu'il voulait absolument que je lise et sur lesquels je devais me prononcer. Des livres fort longs, théosophiques pour la plupart. L'illusion que vous aimez tout ce que votre compagnon aime ne se produisit pas. Elle ne pouvait pas : je n'étais pas vraiment amoureuse. Ces livres sur la théosophie m'ennuyaient. En plus, je les trouvais complètement faux. Pis encore : d'une totale absurdité pour la plupart ! Je me lassai aussi d'entendre Wilfred parler des médiums qu'il connaissait, deux filles de Portsmouth. Ce que voyaient ces deux filles, vous n'avez pas idée ! Elles ne pouvaient pas aller chez quelqu'un sans haleter, tomber en pâmoison, crisper leurs mains sur leur poitrine parce qu'un esprit malin se tenait derrière l'une des personnes présentes.

— L'autre jour, disait Wilfred, Mary — c'est la plus jeune des deux — entre dans une maison puis monte à la salle de bains pour se laver les mains. Ne voilà-t-il pas qu'il lui est impossible de franchir la porte ? Bloquée sur place ! Il y avait deux formes, là, une qui tenait un rasoir sur la gorge de l'autre. Vous ne trouvez pas ça incroyable ?

Je faillis répondre que si, justement, mais me retins à temps.

— C'est très intéressant, fis-je. Quelqu'un a-t-il jamais effectivement tenu un rasoir sur la gorge d'un autre à cet endroit ?

— Sûrement, dit Wilfred. La maison avait été louée plusieurs fois dans le passé, alors un incident de ce genre a dû se produire. Vous ne croyez pas ? Ça vous paraît évident à vous aussi, bien sûr ?

Non, ça ne me paraissait pas évident. Mais ayant toujours été d'un naturel conciliant, je répondis gaiement que oui, c'était certain.

Et puis un jour, Wilfred téléphona de Portsmouth en disant qu'une chance merveilleuse s'offrait à lui. Un groupe s'était constitué pour aller à la chasse au trésor en Amérique du Sud. Il avait des permissions à prendre et pouvait donc participer à l'expédition. Lui en voudrais-je horriblement s'il partait ? C'était une aventure excitante comme on ne peut vous en proposer qu'une dans la vie. Les médiums, à ce que je compris, avaient approuvé le projet, et prédit qu'il reviendrait en ayant découvert une ville inca inconnue. Bien sûr, il ne fallait pas prendre cela au pied de la lettre, mais c'était quand même extraordinaire, non ?

Ne serais-je donc pas trop fâchée qu'il ne vienne pas passer sa permission avec moi ?

Je me surpris à ne pas avoir la moindre hésitation, et fis preuve d'un magnifique altruisme. Je répondis que c'était effectivement une occasion à ne pas manquer, qu'il devait bien entendu partir et que je souhaitais de tout mon cœur qu'il découvre les trésors des Incas. Wilfred affirma que j'étais une fille merveilleuse et que pas une sur mille ne réagirait de cette manière. Il raccrocha, m'envoya une lettre enflammée et partit.

Mais je n'étais pas une fille sur mille : juste une fille qui venait de découvrir la vérité sur elle-même et qui n'en était pas très fière. Je m'éveillai, le lendemain de son départ, avec l'impression qu'un poids énorme m'avait été ôté de l'esprit. J'étais ravie que Wilfred participe à cette chasse au trésor parce que je l'aimais comme un frère et que je voulais qu'il fasse ce qui lui plaisait. Pour moi, c'était une idée un peu sotte qui ne reposait certainement sur rien de sérieux. Mais là encore, cela prouvait que je n'étais pas amoureuse. Sinon, j'aurais vu les choses avec les mêmes yeux que lui. Et enfin — ô joie des joies ! — je ne serais plus obligée de lire de théosophie.

— Pourquoi as-tu l'air si gaie ? s'enquit ma mère d'un air soupçonneux.

— Voilà, maman, expliquai-je, je sais que c'est affreux à dire, mais je suis contente parce que Wilfred est parti.

Pauvre chère mère ! Son visage se décomposa. Je ne me suis jamais sentie si méprisable et ingrate que ce jour-là. Elle s'était fait une telle joie de nous voir nous rapprocher, Wilfred et moi, que, pendant un moment de faiblesse, je me sentis presque obligée d'aller jusqu'au bout rien que pour lui faire plaisir. Fort heureusement, je n'étais pas aussi empreinte de sentimentalité que cela.

Je n'écrivis pas à Wilfred pour l'informer de ma décision, car je craignais qu'elle n'eût de fâcheuses conséquences sur lui, en pleine chasse au trésor inca dans la moiteur des forêts vierges : il pourrait contracter les fièvres ou se laisser surprendre par quelque animal peu sympathique, et puis de toute façon, son plaisir serait gâché. En revanche, j'avais préparé une lettre pour son retour : je lui dis combien j'étais navrée, combien j'avais de tendresse pour lui, mais que je ne pensais pas qu'il y ait entre nous le genre de sentiment nécessaire à un engagement pour la vie. Il n'était pas de cet avis, bien sûr, mais respecta néanmoins ma décision. Il répondit qu'il ne pourrait pas supporter de me voir souvent, mais que nous resterions toujours amis. Je me demande à présent s'il a lui aussi éprouvé du soulagement. Sans aller jusque-là, il ne sembla pas avoir le cœur brisé. Moi, je pense qu'il a eu de la chance. Il aurait fait un bon mari pour moi, m'aurait toujours été très attaché et je crois que j'aurais pu lui apporter un bonheur paisible, mais il pouvait trouver meilleure chaussure à son pied et la trouva quelque trois mois plus tard : il tomba éperdument amoureux d'une autre fille qui tomba éperdument amoureuse de lui, ils se marièrent et eurent six enfants. Rien n'aurait pu me faire davantage plaisir.

Quant à Charles, il épousait trois ans après une ravissante personne de 18 ans.

Je crois vraiment qu'ils peuvent tous deux me dire merci.

L'événement suivant fut le retour de Reggie Lucy, en permission de Hongkong. Je connaissais les Lucy depuis des années mais je n'avais jamais rencontré leur frère aîné Reggie. Il était commandant dans l'artillerie et avait surtout servi à l'étranger. C'était un garçon timide et réservé qui sortait rarement. Il aimait jouer au golf mais avait toujours fui bals et réceptions. Au contraire de son frère et de ses sœurs, blonds aux yeux bleus, c'était un brun aux yeux foncés. La famille, très liée, aimait à se retrouver. Nous allâmes à Dartmoor ensemble — de l'habituelle façon lucyesque : en ratant les trams, en cherchant des trains qui n'existaient pas et que nous aurions manqués de toute façon, ratant aussi la correspondance au changement de Newton Abbot, choisissant d'aller ailleurs pour finir.

Reggie proposa alors de me donner des leçons de golf. Je ne savais pratiquement pas jouer à l'époque. Divers jeunes gens s'étaient déjà évertués à m'en donner, mais à mon grand regret, je n'étais pas douée pour les sports. Le plus irritant, c'est que j'étais toujours prometteuse au début : au tir à l'arc, au billard, au golf, au tennis, au croquet, j'avais montré des dispositions, mais restées sans suite et qui devenaient autant de sources d'humiliation. En fait, je crois que, quand vous n'avez pas le coup d'œil pour les balles, vous ne l'avez pas. J'ai participé à des tournois de croquet avec Madge, où j'avais le plus grand nombre de coups supplémentaires possible.

— Avec ça, disait Madge qui jouait fort bien, on devrait gagner haut la main.

Malgré cet avantage, nous ne gagnions pas. Je possédais bien la théorie du jeu, mais je ratais systématiquement des coups ridiculement faciles. Au tennis, j'avais un bon coup droit qui impressionnait parfois mes adversaires, mais un revers calamiteux. On ne peut pas jouer au tennis rien qu'avec un coup droit. Au golf,

mes drives allaient n'importe où, je jouais les fers de façon désas-
treuse, j'avais de belles approches et un putting complètement
irrégulier.

Reggie, pourtant, se montra fort patient. C'était le genre de
professeur qui ne se formalisait pas le moins du monde de votre
absence de progrès : nous déambulions tranquillement sur le parcours, et nous arrêtions chaque fois que nous en avions envie.
Les vrais golfeurs prenaient le train pour aller au terrain de Churston. Celui de Torquay, qui servait aussi de champ de courses
trois fois par an, était peu fréquenté et mal entretenu. Reggie et
moi allions y faire un tour, puis rentrions prendre le thé avec les
Lucy, chantions en concert improvisé après avoir refait des toasts
parce que les précédents étaient froids, et ainsi de suite. C'était
une vie agréable et oisive. Personne ne se pressait, le temps ne
comptait pas. Jamais de soucis, jamais d'histoires. Je peux me
tromper, mais il m'étonnerait fort qu'il y ait eu beaucoup d'ulcères, d'infarctus ou d'hypertension dans la famille.

Un jour, alors qu'il faisait très chaud et que nous avions fait
quatre trous de golf, Reggie trouva qu'il serait bien plus agréable
que nous allions nous asseoir au pied d'une haie. Il sortit sa pipe,
l'alluma, et se mit à deviser tranquillement, comme nous le faisions d'habitude : pas de façon continue, juste quelques mots sur
tel sujet ou telle personne, entrecoupés de silence. C'est la façon
dont je préfère converser. Je ne me trouvais jamais trop lente,
trop bête, ou sans savoir quoi dire, avec Reggie.

Or là, après quelques bouffées tirées sur sa pipe, il me dit, l'air
songeur :

— Vous devez avoir pas mal de scalps à votre tableau de
chasse, n'est-ce pas, Agatha ? Eh bien vous pourrez y ajouter le
mien quand vous voudrez.

Je le regardai, déconcertée, ne sachant trop où il voulait en
venir.

— J'ignore si vous savez que je veux vous épouser, fit-il. Sans
doute que oui. Mais je tiens à vous le dire quand même. Remarquez, je ne cherche pas à vous brusquer, nous avons le temps.
(La fameuse phrase des Lucy lui venait naturellement aux lèvres.)
Vous êtes encore toute jeune, et ce ne serait pas bien de ma part
de vous mettre le fil à la patte maintenant.

Je répondis sur un ton sec que je n'étais plus « encore toute
jeune ».

— Mais si, Aggie, comparé à moi. (Bien qu'instamment prié
de ne pas m'appeler Aggie, il oubliait souvent, car les Lucy avaient
l'habitude de s'appeler par des diminutifs tels que Margie, Noonie, Eddie et Aggie.) Enfin, pensez-y, poursuivit-il. Gardez-moi

dans un coin de votre esprit, et si personne d'autre ne vient, eh bien je serai là.

Je lui répondis immédiatement que je n'avais pas besoin d'y penser. Que j'aimerais bien l'épouser.

— Je ne crois pas que vous ayez suffisamment réfléchi, Aggie.

— Bien sûr que si, j'ai suffisamment réfléchi. Il ne me faut pas des heures pour me décider.

— D'accord, mais il n'y a pas le feu, n'est-ce pas ? Une fille comme vous pourrait épouser n'importe qui.

— Je n'ai pas envie d'épouser n'importe qui. Je préférerais que ce soit vous.

— Peut-être, mais soyons pratiques — c'est nécessaire, dans la vie. Pour vous marier, vous devez trouver un homme qui ait de l'argent, qui soit gentil, que vous aimiez, qui vous rende heureuse et qui s'occupe bien de vous, qui puisse vous donner toutes les choses auxquelles vous avez droit.

— Je veux seulement me marier avec la personne de mon choix. Les choses, je m'en moque.

— Peut-être, mais elles sont importantes, ma petite Aggie. Elles le sont, dans le monde où nous vivons. Ce n'est pas bon d'être jeune et romantique. Ma permission se termine dans dix jours. J'ai préféré m'ouvrir à vous avant de partir. Au début, je ne voulais pas... je voulais attendre. Et puis je me suis dit que vous... enfin, j'aimais mieux que vous sachiez que je suis là. Quand je reviendrai dans deux ans, s'il n'y a personne...

— Il n'y aura personne, affirmai-je sur un ton décidé.

C'est ainsi que nous nous retrouvâmes fiancés, Reggie et moi. Non par des fiançailles officielles, mais par le système de l'« entente ». Nos familles étaient au courant de notre engagement, mais il ne serait ni annoncé dans les journaux, ni à nos amis — encore que ce fût un secret de polichinelle, à mon avis.

— Je ne comprends pas, dis-je à Reggie, pourquoi on ne se marie pas. Si vous m'aviez parlé plus tôt, on aurait eu le temps de s'organiser.

— Oui, bien sûr, il vous faudra des demoiselles d'honneur et tout le reste, que ce soit une cérémonie du tonnerre. Mais pas question que vous m'épousiez maintenant : il faut vous laisser votre chance.

Paroles qui avaient le don de me mettre en colère et nous nous disputions presque. Je répondais que je ne trouvais pas très flatteur qu'il soit si prompt à repousser mon offre de mariage immédiat. Mais Reggie avait des idées bien arrêtées sur ce qui était dû à la personne qu'il aimait, et il s'était mis dans la tête que le mieux pour moi était d'épouser un homme avec une position sociale, de l'argent, etc. Malgré nos querelles, nous étions très heureux. Comme les Lucy, d'ailleurs, qui disaient :

— Il nous semblait bien, Aggie, que Reggie avait un œil sur vous depuis un moment. En général, il ne daigne même pas regarder nos amies. Mais bon, rien ne presse. Vous avez tout le temps.

Parfois, ce qui m'avait amusé le plus chez les Lucy, leur obstination à toujours prendre leur temps pour tout, me contrariait à présent. Par romantisme, j'aurais préféré que Reggie me dise qu'il ne pouvait pas attendre deux ans, que nous devions nous marier tout de suite. Malheureusement, il ne risquait pas de me le proposer. C'était un homme très désintéressé, d'une excessive modestie envers lui-même et ses possibilités d'avenir.

Ma mère paraissait heureuse de nos fiançailles.

— Je l'ai toujours bien aimé, disait-elle. Je crois que c'est l'un des garçons les plus charmants que j'aie jamais rencontrés. Il te rendra heureuse. Il est doux, gentil, ne te bousculera ni ne t'ennuiera jamais. Vous ne serez pas très riches, mais vous aurez de quoi vous débrouiller maintenant qu'il a atteint le grade de commandant. Tu n'es pas le genre de personne qui attache beaucoup d'importance à l'argent et aux loisirs. Vraiment, je pense que ce sera un mariage heureux.

Puis elle ajouta, après un bref silence :

— Je regrette seulement qu'il ne te l'ait pas dit un peu plus tôt, vous auriez pu vous marier tout de suite.

Elle était donc de mon avis. Dix jours plus tard, Reggie partit rejoindre son régiment, et je m'installai dans mon attente.

Permettez-moi d'ajouter ici une sorte de post-scriptum à ce récit de ma période prénuptiale.

J'ai parlé de mes soupirants, mais j'ai injustement omis de dire que, moi aussi, j'étais tombée amoureuse. D'abord d'un jeune et grand militaire que j'avais rencontré lors d'un séjour dans le Yorkshire. S'il m'avait demandé de l'épouser, j'aurais probablement répondu oui avant même qu'il ne finisse sa phrase ! Fort prudemment, de son point de vue, il n'en fit rien. C'était un sous-officier sans le sou qui était sur le point de partir pour les Indes avec son régiment. Je crois quand même que, avec son air de mouton bêlant, il était un peu amoureux de moi. Je dus me contenter de cela. Il partit pour les Indes et je me languis de lui au moins six mois.

Un an plus tard environ, je tombai de nouveau amoureuse, alors que je jouais dans une comédie musicale — un arrangement réactualisé de *Barbe-Bleue* — montée par des amis à Torquay.

J'avais le rôle de sœur Anne. L'objet de mes attentions devait devenir général de division aérienne. Il était jeune, à l'époque, et au tout début de sa carrière. Quant à moi, j'avais l'horripilante habitude de me promener avec un ours en peluche à qui je fredonnais en minaudant la chanson du moment :

Je voudrais un ours en peluche
Pour l'asseoir sur mes genoux
Et lui faire câlin en plus
Je l'emmènerais partout.

La seule excuse que je puisse invoquer, c'est que toutes les filles en faisaient autant — et que cela leur valait moult propositions flatteuses.

En plusieurs occasions, beaucoup plus tard, j'ai failli le rencontrer de nouveau — c'était le cousin d'un de mes amis — mais j'ai chaque fois réussi à l'éviter. J'ai ma fierté.

J'ai toujours voulu croire qu'il avait gardé de moi le souvenir d'une jolie fille avec laquelle il a pique-niqué au clair de lune à Anstey Cove, le dernier jour de sa permission. Nous étions assis à l'écart des autres sur un promontoire rocheux qui s'avançait dans la mer. Nous ne nous parlions pas, nous nous tenions juste la main.

Après son départ, il m'envoya un petit ours en or monté en broche.

Il m'importait suffisamment pour que je veuille qu'il conserve cette image de moi — et lui éviter le choc de se trouver en face d'une grosse dondon de 85 kilos, avec tout au plus ce qu'on pourrait qualifier de « gentil » visage.

— Amyas demande toujours après vous, ne cessent de me répéter mes amis. Il aimerait tant vous revoir !

Me revoir avec ma soixantaine bien sonnée ? Pas question ! Je tiens trop à ce qu'au moins une personne garde ses illusions en ce qui me concerne.

7

Les gens heureux n'ont pas d'histoire, paraît-il ? Eh bien j'ai dû être une personne heureuse durant cette période. Je ne changeai guère mes habitudes : je rencontrais mes amis, passais de temps à autre quelques jours ici ou là, mais me faisais un peu de souci pour les yeux de ma mère : sa vue baissait progressivement. Elle avait maintenant de grandes difficultés à lire, et du mal à distinguer les objets dès que la lumière était vive. Les lunettes n'y changeaient rien. Ma grand-mère, à Ealing, était presque aveugle aussi et cherchait ses affaires à tâtons. Comme souvent les personnes âgées, elle se méfiait de plus en plus de tout le monde : de ses domestiques, du plombier, de l'accordeur de piano, etc. Je revois toujours mamie penchée au travers de la table de la salle à manger en face de ma sœur ou de moi :

— Chut ! sifflait-elle. Et réponds-moi tout bas : *où as-tu mis ton sac ?*

— Dans ma chambre, mamie.

— Tu l'y as *laissé* ? C'est de la folie, voyons ! *Elle* est en haut, je viens de l'entendre monter.

— Eh bien ce n'est pas un problème, si ?

— On ne sait jamais, ma chérie, on ne sait jamais. Monte vite le chercher.

Ce doit être vers ce moment-là que ma grand-mère maternelle, mamie B., tomba d'un omnibus. Elle ne voyageait jamais ailleurs que sur l'impériale, et je suppose qu'elle devait alors avoir dans les 80 ans. L'omnibus démarra en trombe alors qu'elle était en train de descendre l'escalier. Elle dévala les marches et se brisa une côte, peut-être même un bras aussi. Elle poursuivit la compagnie avec acharnement, obtint une indemnité substantielle et son médecin lui interdit formellement de jamais remonter sur une impériale. Bien entendu, étant mamie B., elle lui désobéit constamment. Jusqu'au bout, elle n'en fit qu'à sa tête. Il lui fallut aussi, vers la même époque, subir une opération chirurgicale. Je crois qu'elle souffrait d'un cancer de l'utérus. Toujours est-il que l'opération fut un succès et qu'il n'y eut jamais de récidive. Elle trouva cependant le moyen d'éprouver là une des plus amères désillusions de son existence : elle s'était en effet mis dans la tête que se faire ôter des intérieurs cette « tumeur », ou quoi que ce pût être, lui ferait retrouver sa minceur d'antan. Elle était, il faut dire, immensément obèse, à l'époque, beaucoup plus que mon autre grand-mère. La blague de la grosse dame coincée dans la porte d'un bus, à qui le chauffeur criait : « Essayez de vous mettre de côté, ma p'tite dame, de côté ! » et qui rétorquait : « Vous en avez de bonnes ! Moi, je n'ai pas de côté, jeune homme ! » aurait tout à fait pu s'appliquer à elle.

Bien que les infirmières lui eussent rigoureusement interdit de quitter son lit après son réveil, elles n'eurent pas plus tôt tourné le dos, la croyant endormie, qu'elle se leva et se dirigea sur la pointe des pieds vers la glace. Las, quelle déception ! Elle était aussi grosse qu'avant.

— Je ne m'en consolerai jamais, Clara, dit-elle à ma mère. Jamais. Moi qui comptais tant là-dessus ! Dire que je me suis fait anesthésier et retirer tout et le reste. Et regarde le résultat : pas un gramme de moins !

Ce doit aussi être vers cette époque que ma sœur Madge et moi eûmes une discussion qui devait, par la suite, porter ses fruits. Nous venions de lire je ne sais plus très bien quelle histoire policière. Je crois — je ne puis honnêtement dire que « je crois » parce que nos souvenirs ne sont pas toujours très précis et que nous sommes souvent prompts à les réarranger dans notre esprit à la mauvaise date ou au mauvais endroit —, je crois, donc, qu'il s'agissait du *Mystère de la chambre jaune*, qui venait de sortir sous la signature d'un nouvel auteur, Gaston Leroux, qui y campait un jeune et beau détective du nom de Rouletabille. C'était une énigme particulièrement déroutante, bien imaginée et bien travaillée, une de ces intrigues que d'aucuns qualifient de déloyale, alors que d'autres sont prêts à reconnaître qu'elle ne l'est pas vraiment : on *devrait* être capable de découvrir le petit indice qui y est habilement glissé.

Nous en parlâmes longuement, échangeâmes nos impressions et convînmes qu'il s'agissait d'une des meilleures du genre. Or, nous étions connaisseuses en la matière : c'est Madge qui m'avait initiée très jeune à Sherlock Holmes, et j'avais allégrement marché sur ses traces. *L'Affaire Levenworth* m'avait fascinée à l'âge de 8 ans quand Madge me l'avait racontée. Puis il y eut Arsène

Lupin — mais, bien que les histoires soient vraiment prenantes et drôles, je n'ai jamais considéré cela comme du véritable policier. Ensuite, ce fut au tour des nouvelles de Paul Beck, très appréciées, *Les Chroniques de Mark Hewitt*, et maintenant, donc, *Le Mystère de la chambre jaune*. Toute à mon enthousiasme, j'affirmai vouloir essayer d'écrire un roman policier.

— Je ne crois pas que tu pourrais y arriver, dit Madge. C'est très difficile. J'ai déjà pas mal creusé la question.

— J'aimerais quand même essayer.

— Eh bien je te fiche mon billet que tu n'y arriveras pas.

La discussion en resta là. Ce ne fut pas un véritable pari : les termes n'en furent jamais définis, mais les mots avaient été prononcés. À partir de ce moment, je fus habitée par la détermination d'écrire un roman policier. Cela n'alla pas plus loin. Je ne commençai ni à rédiger ni même à y réfléchir. Cependant la graine avait été semée. Au fond de mon esprit, là où l'histoire de mes livres futurs prend sa place bien avant que la germination ne se fasse, l'idée était implantée : *un jour, j'écrirais un roman policier.*

8

Reggie et moi correspondions régulièrement. Je lui faisais part des nouvelles locales en essayant de forcer mon talent : écrire des lettres n'a jamais été mon fort. Ma sœur Madge, en revanche, était ce que je pourrais appeler une artiste en la matière. Elle savait raconter les plus superbes histoires à partir de rien. J'envie vraiment ce don.

Les lettres de mon cher Reggie étaient exactement comme sa conversation, agréables et rassurantes. Il m'exhortait toujours, avec la plus grande insistance, à sortir autant que faire se pouvait :

Ne restez surtout pas à vous morfondre à la maison, Aggie. Ne croyez surtout pas que je le désire, car tel n'est pas le cas. Vous devez sortir, voir des gens, aller au bal, aux soirées. Je veux que vous ayez eu toutes vos chances avant que nous ne nous établissions dans notre vie commune.

En y réfléchissant, je me demande si je n'ai pas été un peu froissée de cette manière de voir. Je n'en étais sans doute pas consciente, à l'époque, mais aime-t-on *vraiment* s'entendre conseiller de sortir, de rencontrer des gens, de « trouver chaussure à son pied » — phrase extraordinaire ? Ne serait-il pas plus vrai de dire que toute femme préfère que ses lettres d'amour trahissent une touche de jalousie ?

« Qui est-ce, ce Untel dont vous me parlez ? J'espère qu'il ne vous tourne pas la tête, au moins ? »

N'est-ce pas là ce que notre sexe désire ? Trop de désintéressement ne finit-il pas par nuire ? Ou est-ce que nous lisons dans nos souvenirs des choses qui peut-être n'y étaient pas ?

On donna les bals habituels dans les environs. Je ne m'y rendis pas, car nous n'avions pas de véhicule et il n'était pas pratique de faire deux à trois kilomètres à pied. Louer un fiacre ou une voiture aurait été trop cher, sauf pour une occasion vraiment spéciale. Certaines fois, en revanche, c'était la chasse aux jeunes filles.

On vous hébergeait alors pour la nuit, ou bien on allait vous chercher et l'on vous ramenait.

Les Clifford, à Chudleigh, organisèrent un bal auquel ils conviaient des membres de la garnison d'Exeter, et ils demandèrent à quelques-uns de leurs amis d'amener une ou deux filles présentables. Mon vieil ennemi, le commandant Travers, qui était désormais à la retraite et qui vivait avec sa femme à Chudleigh, suggéra qu'on m'envoyât chercher. Après avoir été, quand j'étais toute petite, ma bête noire, il s'était élevé au rang d'ami de la famille. Sa femme appela et demanda si je voulais venir passer quelques jours chez eux et aller au bal des Clifford. J'en fus bien sûr ravie.

Je reçus également une lettre d'un ami qui s'appelait Arthur Griffiths, rencontré lors d'un séjour chez les Matthews à Thorpe Arch Hall dans le Yorkshire. Fils d'un pasteur des environs, il était militaire dans l'artillerie. Nous nous étions tous deux liés d'une grande amitié. Arthur m'écrivit donc pour me dire qu'il était maintenant en poste à Exeter, qu'il ne faisait malheureusement pas partie des officiers conviés au bal, et que c'était bien dommage parce qu'il aurait aimé danser de nouveau avec moi.

« Quoi qu'il en soit, ajouta-t-il, il y a un garçon de notre mess qui y va. Il s'appelle Christie. Cherchez-le, je vous le recommande. C'est un bon danseur. »

Nos chemins se croisèrent assez tôt dans la soirée. Christie était un jeune homme blond, au cheveu dru et bouclé, à l'amusant nez retroussé, et qui affichait une grande sûreté de soi nuancée d'une aimable nonchalance. Il me fut présenté, me demanda deux danses, expliqua que son ami Griffiths lui avait chanté mes louanges. Nous nous entendîmes très bien : il dansait à merveille et il m'invita encore plusieurs fois. Je passai une excellente soirée. Le lendemain, après que j'eus remercié les Travers, ils me reconduisirent jusqu'à Newton Abbot d'où je rentrai par le train.

Une dizaine de jours passèrent. Je prenais le thé avec les Mellor, dans leur maison qui se trouvait juste en face de la nôtre. Max Mellor et moi nous entraînions toujours aux danses de salon, bien que, Dieu merci, valser en montant des escaliers fût passé de mode. Nous étions, je crois, en plein tango lorsqu'on me demanda au téléphone. C'était ma mère.

— Viens tout de suite à la maison, veux-tu, Agatha ? dit-elle. Un de tes jeunes gens est ici — je ne sais pas qui c'est, je ne l'ai encore jamais vu. Je lui ai offert le thé, mais il ne semble pas vouloir décoller avant de t'avoir vue.

Cela irritait toujours maman au plus haut point d'être seule quand un de mes amis passait et de devoir s'en occuper. Elle considérait que cette tâche me revenait exclusivement.

Je fus contrariée d'être obligée de rentrer. Je m'amusais bien. De plus, je croyais savoir de qui il s'agissait : d'un jeune lieutenant de marine plutôt assommant, celui qui me demandait de lire ses poèmes. J'y allai donc à contrecœur, le visage renfrogné.

J'entrai dans le salon et un jeune homme se leva, visiblement soulagé. Il était tout rouge, en proie à un embarras évident après avoir dû s'expliquer. Me voir ne sembla même pas le rasséréner, peu sûr qu'il était que je me souviendrais de lui. Je me le rappelai pourtant, non sans être fort surprise : il ne m'était pas venu une seule fois à l'idée que je reverrais un jour le jeune Christie, l'ami de Griffiths. Il balbutia quelques explications hésitantes — il lui avait fallu venir à Torquay à motocyclette, et il avait décidé d'en profiter pour me dire bonjour. Il s'abstint de mentionner le fait qu'il avait obtenu mon adresse par Arthur Griffiths au prix d'une démarche difficile et embarrassante. Cependant, l'atmosphère devint moins pesante au bout d'une ou deux minutes. Ma mère était soulagée par mon arrivée. Archie Christie paraissait plus détendu une fois ses explications fournies, et je me sentais extrêmement flattée.

L'heure s'avançait tandis que nous parlions. Par le code de signes consacré et fréquent parmi les femmes, la question fut débattue entre maman et moi de savoir si ce visiteur inattendu devait être invité à souper ou non, et, dans l'affirmative, si nous étions suffisamment approvisionnées. Ce devait être peu après Noël, car je me souviens qu'il y avait de la dinde froide au garde-manger. Je fis signe que oui à maman, et elle demanda à Archie s'il voulait rester dîner à la fortune du pot avec nous. Il accepta tout de suite. Nous eûmes donc de la dinde froide, de la salade, encore je ne sais quoi, du fromage je crois, et nous passâmes une agréable soirée. Après quoi Archie remonta sur sa motocyclette et reprit en pétaradant la route d'Exeter.

Pendant les dix jours qui suivirent, il fit de nombreuses apparitions impromptues. Le premier soir, il m'avait demandé si je désirais l'accompagner à un concert à Exeter — je lui avais dit au bal que j'adorais la musique —, après quoi il m'emmènerait prendre le thé à l'hôtel *Redcliffe*. J'avais répondu que cela me plairait beaucoup. Il y eut alors un moment d'embarras lorsque ma mère lui fit comprendre que sa fille n'acceptait pas d'être invitée seule au concert à Exeter. Cela le refroidit quelque peu, mais il se hâta de l'inclure dans l'invitation. Maman se laissa alors fléchir et donna son accord, mais seulement pour le concert, pas pour aller ensuite prendre le thé avec lui dans un hôtel. (Je dois dire, voyant cela avec nos yeux d'aujourd'hui, que nous avions des règles un peu particulières. On pouvait, seule avec un jeune homme, jouer au golf, monter à cheval, faire du patin à roulettes. Mais prendre le thé dans un hôtel revêtait un caractère osé dont toute mère qui se respectait voulait préserver sa fille.) Un compromis fut finalement trouvé : il pourrait m'offrir le thé au buffet de la gare d'Exeter. Pas très romantique, comme endroit. Plus tard, je lui demandai s'il aimerait assister à un concert de Wagner qui devait être donné à Torquay dans quatre ou cinq jours. Il répondit qu'il en serait ravi.

Archie me raconta tout de lui. Comment il attendait avec impatience d'être incorporé dans l'armée de l'air nouvellement constituée. Je trouvai cela passionnant. Tout le monde était passionné par l'aviation. Archie, lui, restait très concret sur le sujet, disant que c'était l'arme de l'avenir : s'il y avait une guerre, ce serait avant tout d'avions que l'on aurait besoin. Non pas qu'il fût tellement enchanté de voler, mais il voyait là une chance à saisir d'avancer dans la carrière. Il n'y avait pas d'avenir dans l'armée de terre. Dans l'artillerie, la promotion était trop lente. Il fit de son mieux pour ôter de mon esprit l'aspect romantique de l'aviation, mais n'y parvint pas tout à fait. D'ailleurs, c'était la première fois que mon romantisme se heurtait à un esprit pratique et logique. En 1912, nous vivions dans un monde encore très sentimental. Les gens se disaient endurcis, mais sans savoir exactement ce que cela signifiait. Les filles restaient sur leur vision romantique des garçons, ceux-ci sur leur vision idéaliste des filles. Pourtant, nous avions parcouru du chemin depuis l'époque de ma grand-mère.

— Tu sais, j'aime bien Ambrose, me dit-elle une fois en parlant d'un des soupirants de ma sœur. L'autre jour, alors qu'elle se promenait le long de la terrasse, je l'ai vu se lever après son passage, se baisser pour ramasser une poignée du gravier où elle avait posé le pied et le mettre dans sa poche. Très beau geste, je trouve, très beau. Digne de mon époque à moi.

Pauvre chère mamie ! Nous dûmes lui faire perdre ses illusions. Ledit Ambrose était en fait un passionné de géologie, et c'étaient les caractéristiques du gravier qui l'avaient intéressé.

Archie et moi réagissions aux choses de façon diamétralement opposée. Je crois que c'est ce qui nous fascina dès le départ. La vieille attirance pour l'« inconnu ». Je lui proposai d'aller au bal du nouvel an. Il afficha une humeur singulière, ce soir-là : tout juste s'il m'adressa la parole. Nous étions un groupe de quatre ou de six, je crois, et chaque fois que je dansais avec lui ou que nous allions nous asseoir dehors, il restait complètement silencieux.

Quand je lui parlais, il répondait au hasard de façon quasi incohérente. Intriguée, je le regardai en me demandant ce qu'il avait, à quoi il pensait. Il semblait ne plus du tout s'intéresser à moi.

Idiote que j'étais. J'aurais dû savoir, à ce moment-là, que, quand un homme prend des airs de mouton dépressif, qu'il paraît complètement dans la lune, ahuri et incapable de comprendre ce que vous lui dites, c'est, pour parler vulgairement, qu'il en pince sacrément pour vous.

Et moi, où en étais-je ? Comprenais-je ce qui m'arrivait ? Je me rappelle avoir reçu une lettre de Reggie, l'avoir rangée sans l'ouvrir dans le tiroir de la commode du couloir en me disant : « Je la lirai tout à l'heure », et l'y avoir retrouvée quelques mois plus tard. Je suppose qu'au fond de moi-même je savais déjà.

Le concert Wagner avait lieu deux jours après le bal. Nous y assistâmes et revînmes ensuite à Ashfield. Tandis que nous montions à la salle d'étude pour jouer du piano comme nous en avions l'habitude, Archie m'apprit, presque avec désespoir, qu'il allait partir dans deux jours pour Salisbury Plains afin d'y commencer son entraînement dans l'aviation.

— Épousez-moi. Il faut que vous m'épousiez, dit-il avec véhémence.

Il ajouta qu'il avait compris qu'il m'aimait dès le premier jour où il avait dansé avec moi :

— Je suis passé par les pires moments pour obtenir votre adresse et pour vous trouver. Rien n'aurait pu être plus difficile. Il n'y aura jamais personne d'autre que vous. Épousez-moi.

Je lui répondis que c'était impossible, que je m'étais déjà engagée avec quelqu'un d'autre. Il écarta le problème d'un geste furieux de la main.

— Et alors, qu'est-ce que ça peut faire ? Vous n'avez qu'à rompre, voilà tout.

— Mais je ne peux pas ! Jamais je ne pourrais faire une chose pareille !

— Bien sûr que si, vous le pouvez. Personnellement, je ne suis fiancé à personne. Mais si je l'étais, je romprais à la minute, sans hésiter un seul instant.

— Je ne peux pas lui faire ça à lui.

— Allons donc ! Quand il faut, il faut. Si vous vous aimiez à ce point, pourquoi ne l'avez-vous pas épousé avant qu'il parte ?

— Nous avons pensé que... que c'était mieux d'attendre.

— Moi, je n'aurais pas attendu. Et d'ailleurs, je ne vais pas attendre.

— Nous ne pourrons pas nous marier avant des années, fis-je. Vous n'êtes encore qu'un jeune sous-officier. Et ce sera pareil dans l'aviation.

— Pas question d'attendre des années. Le mois prochain ou dans deux mois au plus tard.

— Vous êtes fou. Vous ne vous rendez pas compte.

Je crois effectivement qu'il ne se rendait pas compte. Il fut quand même bien obligé de redescendre sur terre. Quant à ma pauvre mère, le choc fut rude pour elle. Je crois qu'elle s'était fait du souci et que c'est avec soulagement qu'elle apprit la nouvelle du départ d'Archie. Mais c'est d'être mise si brutalement en face du fait accompli qui la secoua. Je n'y étais pas allée de main morte :

— Je suis désolée, maman, mais il faut que je vous dise qu'Archie Christie m'a demandé de m'épouser. Et je veux l'épouser moi aussi, je le veux de toutes mes forces.

Il fallait pourtant regarder la réalité en face. Au grand dam d'Archie, mais maman fut très ferme avec lui :

— Vous n'avez pas de quoi vous marier. Pas plus l'un que l'autre.

Notre situation financière aurait difficilement pu être pire, en effet. Archie était un jeune sous-officier qui n'avait qu'un an de plus que moi. Sans argent, avec pour toute ressource sa solde et une petite somme qui était tout ce que sa mère pouvait lui offrir. Quant à moi, je ne disposais que des cent livres annuelles qui me venaient de l'héritage de mon grand-père. Il faudrait au minimum des années avant qu'Archie ait les moyens de se marier.

— Votre mère m'a remis les pieds sur terre, dit-il amèrement avant de partir. Je croyais qu'il n'y avait pas de problèmes, que nous n'avions qu'à nous marier de toute façon, et vogue la galère. Elle m'a fait comprendre que ce n'était pas possible, pas pour l'instant. Nous allons donc attendre, mais pas un jour de plus qu'il ne sera nécessaire. Je vais tout faire, tout ce que je peux. Le fait de piloter va aider... encore que, pas plus dans l'armée de l'air que dans l'armée de terre, on n'aime nous voir nous marier jeune.

Nous nous regardâmes. Jeunes, nous l'étions, et impatients, et amoureux.

Nos fiançailles durèrent un an et demi. Ce fut une période houleuse, pleine de hauts et de bas pendant laquelle nous fûmes profondément malheureux, car nous avions l'impression de courir après quelque chose que nous n'atteindrions jamais.

Je n'écrivis pas à Reggie pendant près d'un mois. Surtout, je suppose, par sentiment de culpabilité, mais aussi parce que je ne parvenais pas à croire que ce qui m'arrivait était bien réel — j'allais bientôt me réveiller et me retrouver à ma vraie place.

Il fallait pourtant que je finisse par le faire. Pitoyable, misérable et sans la moindre excuse. Ce qui me mortifia davantage encore, ce furent la gentillesse et la compréhension avec lesquelles Reggie reçut la nouvelle. Il me répondit de ne pas avoir trop de peine, qu'il était sûr que ce n'était pas ma faute, que je n'y pouvais rien et que c'était des choses qui arrivaient.

Bien sûr, Agatha, écrivait-il, ça me fait un choc, que vous épousiez un garçon qui a encore moins que moi les moyens de subvenir à vos besoins. Si vous aviez choisi quelqu'un qui soit à l'aise, un bon parti, quoi, j'aurais été moins chagriné parce que cela correspondrait davantage à ce que vous êtes en droit d'attendre d'un homme. Tandis que là, je ne puis m'empêcher de regretter de ne pas vous avoir prise au mot, de ne pas vous avoir épousée et emmenée avec moi tout de suite.

Regrettais-je moi aussi qu'il ne l'ait pas fait ? Je ne pense pas — pas à ce moment-là, en tout cas. Et pourtant, peut-être ai-je toujours eu au fond le désir de revenir en arrière, de reprendre pied sur le rivage. De ne pas m'aventurer trop loin au large. J'avais connu un tel bonheur, avec Reggie, un tel bonheur paisible, nous nous étions si bien compris, nous qui avions aimé et désiré les mêmes choses.

C'était tout le contraire qui venait de m'arriver. J'aimais un étranger. Justement parce qu'il m'était étranger, parce que je ne savais jamais comment il allait réagir à un mot ou à une phrase, et que tout ce qu'il disait me fascinait, était nouveau. De même pour lui :

— J'ai l'impression de ne pas parvenir à vous cerner, me dit-il une fois. Je ne sais pas comment vous êtes.

De temps à autre, dans les moments de désespoir, l'un d'entre nous écrivait à l'autre pour rompre. Nous étions alors tous deux d'accord que c'était la seule solution. Au bout d'une semaine, nous ne pouvions plus le supporter et renouions de plus belle.

Rien ne nous fut épargné. Alors que nous nous trouvions déjà sur la corde raide, une nouvelle catastroplghe financière s'abattit sur ma famille. La H.B. Chaflin Company de New York, dans laquelle mon grand-père avait été associé, fut soudain mise en liquidation. De plus, ce n'était pas une société à responsabilité limitée et je compris que la situation était grave. De toute façon, cela signifiait que ma mère allait être privée de sa rente, donc de sa seule source de revenus. Ma grand-mère, par chance, ne se trouvait pas dans le même cas. Son argent, à elle aussi, lui avait été laissé en actions H.B. Chaflin, mais Mr Bailey, le membre de la société qui s'occupait de ses intérêts, avait senti venir le vent. Chargé de veiller sur la veuve de Nathaniel Miller, il s'en sentait responsable. Aussi, quand mamie avait besoin d'argent, elle écrivait tout simplement à Mr Bailey, lequel le lui envoyait en liquide — c'était aussi archaïque que cela. Elle fut toute déconcertée et bouleversée lorsque, un jour, il lui suggéra de l'autoriser à réinvestir son argent pour elle.

— Vous voulez dire sortir mes sous de la Chaflin ?

Il resta évasif, expliquant qu'il fallait surveiller ses investissements, que bien sûr c'était difficile pour elle, une Anglaise vivant en Angleterre et veuve d'un Américain. Il invoqua plusieurs raisons qui évidemment n'étaient pas les bonnes, mais mamie les accepta. Toutes les femmes, à cette époque, se rendaient aux conseils professionnels prodigués par des gens de confiance. Mr Bailey avait dit qu'il s'occuperait de réinvestir l'argent de façon qu'il lui rapporte à peu près autant que précédemment. À contrecœur, mamie donna son feu vert. C'est pourquoi, lorsque la débâcle se produisit, son revenu se trouva épargné. Mr Bailey était mort, à présent, mais il avait, sans dévoiler ses craintes quant à la solvabilité de la compagnie, accompli son devoir auprès de la veuve de son associé. Les jeunes cadres s'étaient, je suppose, lancés dans une politique d'expansion, avec succès au début semblait-il, mais s'étaient en fait trop agrandis, avaient ouvert trop de succursales partout dans le pays et consacré trop d'argent au secteur vente. Bref, quelle qu'en fût la cause, le bouillon avait été total.

Ce fut pour moi comme un retour à cette scène de mon enfance, lorsque j'avais entendu papa et maman parler de problèmes financiers et que je m'étais précipitée en bas de l'escalier pour annoncer gaiement aux domestiques que nous étions ruinés. Être ruinés me paraissait une chose tout à fait sympathique et gaie, à l'époque. Beaucoup moins gaie maintenant : c'était la fin, pour Archie et pour moi. Les cent livres par an que je touchais devaient bien évidemment servir à aider maman. Madge allait sans aucun doute contribuer elle aussi. En vendant Ashfield, elle pourrait tout juste s'en sortir.

Tout ne se passa pourtant pas aussi mal que nous le pensions, car Mr John Chaflin écrivit d'Amérique à ma mère. Il lui dit combien il était navré. Elle pourrait néanmoins compter sur une rente à vie de trois cents livres par an tirées non pas sur la société, puisqu'elle avait fait banqueroute, mais sur ses biens à lui. Ce qui nous soulageait de notre premier souci. Mais lorsqu'elle disparaîtrait, cet argent ne serait plus versé. Cent livres par an et Ashfield, voilà sur quoi je pouvais seulement compter pour l'avenir. J'écrivis à Archie et lui dis que je ne pourrais jamais l'épouser, que nous devions nous oublier. Il refusa ce discours. D'une manière ou d'une autre, il arriverait à gagner de l'argent. Nous nous marierions et arriverions peut-être même à aider ma mère. Il me rendit confiance et espoir. Nous restâmes fiancés.

La vue de ma mère baissa de façon alarmante. Elle alla consulter un spécialiste. Il lui apprit qu'elle souffrait de cataracte aux deux yeux et que, pour plusieurs raisons, il était impossible de l'opérer. L'évolution pourrait être lente, mais, à terme, mènerait inéluctablement à la cécité. De nouveau, j'écrivis à Archie pour rompre, expliquant que nous n'étions manifestement pas destinés l'un à l'autre, que je ne pourrais jamais quitter ma mère si elle devenait aveugle. De nouveau, il refusa. Je devais attendre de savoir comment évoluerait la vue de maman : on trouverait peut-être un traitement, une opération deviendrait peut-être possible, et puis, de toute façon, elle n'était pas aveugle maintenant, alors autant rester fiancés. Nous le restâmes donc. Puis c'est moi, à mon tour, qui reçus une lettre d'Archie : « Non, je ne pourrai jamais vous épouser. Je suis trop pauvre. J'ai tenté un ou deux petits investissements avec ce que j'avais, mais ça n'a pas marché. J'ai tout perdu. Vous devez me laisser choir. » Je répondis que si l'un devait laisser choir l'autre, ce ne serait pas moi. Il insista. Nous finîmes par tomber d'accord : nous nous quitterions mutuellement.

Quatre jours plus tard, Archie parvint à obtenir une permission et débarqua soudain directement de Salisbury Plain sur sa motocyclette : ce n'était pas possible, nous devions nous refiancer, avoir confiance et attendre, quelque chose finirait bien par se dessiner même s'il fallait patienter quatre ou cinq ans. Nous traversâmes quelques turbulences émotionnelles, et finalement, une fois de plus, nous renouâmes, même si, chaque mois, les possibilités de mariage semblaient s'éloigner davantage. C'était sans espoir. Je le sentais au fond de mon cœur, mais ne voulais pas le reconnaître. Archie aussi le savait, et pourtant nous nous accrochions encore désespérément à l'idée que nous ne pouvions vivre l'un sans l'autre, qu'il valait donc mieux rester fiancés en priant que la fortune nous sourie enfin.

J'avais maintenant rencontré la famille d'Archie. Son père, juge dans l'administration indienne, avait fait une grave chute de cheval. Sa santé avait alors décliné rapidement — la chute avait endommagé son cerveau — et il finit par mourir dans un hôpital anglais. Après quelques années de veuvage, la mère d'Archie, Peg, s'était remariée à William Hemsley. Personne n'aurait pu se montrer plus gentil, plus paternel qu'il le fut toujours avec nous. Issue d'une famille de douze enfants, Peg était originaire des environs de Cork, en Irlande. Elle se trouvait chez son frère aîné, qui faisait partie du corps médical de l'armée des Indes lorsqu'elle rencontra son premier mari. Elle avait eu deux garçons, Archie et Campbell. Archie avait été prix d'excellence à Clifton et reçu quatrième à Woolwich : il était intelligent, débrouillard, audacieux. Les deux frères étaient dans l'armée.

Archie annonça ses fiançailles à sa mère en chantant mes louanges comme les fils savent le faire pour décrire la fille de leur choix. Peg le regarda d'un œil dubitatif et dit, de sa voix chaude d'Irlandaise :

— Ce ne serait pas une de ces jeunes délurées qui portent ces nouveaux cols Claudine ?

Embarrassé, Archie fut bien forcé de reconnaître que je portais en effet de tels cols. Ils étaient assez caractéristiques de l'époque. Nous, les filles, avions enfin abandonné les hauts cols de nos corsages, maintenus par de petites baleines coudées, une de chaque côté et une derrière, qui laissaient de désagréables marques rouges sur la peau. Le jour vint où les gens choisirent l'audace et le confort. Le col Claudine fut alors créé, sans doute inspiré du col rabattu que portait Peter Pan dans la pièce de Barrie. Il arrivait à ras du cou, était en tissu souple, ne contenait pas l'ombre d'une baleine et était divin à porter. On ne pouvait vraiment rien lui trouver d'osé. Quand je pense à la réputation de légèreté que nous encourions pour quelques centimètres de peau montrés sous le menton, cela paraît incroyable. Il n'est que de voir les filles en Bikini sur les plages d'aujourd'hui pour se rendre compte du chemin parcouru en cinquante ans.

Bref, j'étais l'une de ces filles délurées qui, en 1912, portaient un col Claudine.

— Et elle est ravissante, avec, ajouta le loyal Archie.

— Ça, je n'en doute pas, commenta Peg.

Quelle que fût la nature de ses doutes à mon égard à cause de cela, elle m'accueillit avec une extrême gentillesse, que je trouvai presque exagérée. Elle affirma m'aimer tellement, être tellement ravie — j'étais juste la fille qu'elle avait désirée pour son garçon, etc. — que je n'en crus pas un mot. La vérité était qu'elle trouvait son fils beaucoup trop jeune pour se marier. Elle n'avait rien de particulier à me reprocher. C'est vrai que j'aurais pu être bien pire : fille de marchand de tabac, toujours symbole de désastre, ou jeune divorcée — il y en avait quelques-unes à l'époque —, ou encore *girl* dans un music-hall. Mais elle devait certainement considérer qu'avec nos perspectives d'avenir nos fiançailles ne déboucheraient sur rien. Elle se montra donc très gentille avec moi, et moi légèrement embarrassée par elle. Archie, fidèle à son personnage, ne s'intéressait pas particulièrement à ce que nous pensions l'une de l'autre. Il bénéficiait de cette heureuse disposition d'esprit qui vous permet d'aller dans la vie sans vous préoccuper le moins du monde de la façon dont les gens peuvent bien vous juger, vous ou vos affaires : seul comptait pour lui ce qu'il voulait lui-même.

Nous étions donc là, toujours fiancés mais guère plus près du mariage — voire plus éloignés, en fait. Les promotions ne semblaient pas plus rapides dans l'armée de l'air qu'ailleurs. Archie fut consterné de s'apercevoir qu'il souffrait énormément des sinus lorsqu'il volait. Mais malgré la douleur, il continuait. Ses lettres étaient pleines de détails techniques sur les biplans Farman et sur les Avros : il donnait son avis sur les avions qui mettaient en danger la vie des pilotes, et sur ceux au contraire qui, très stables, étaient promis à un bel avenir. Les noms de ceux de son escadrille me devinrent familiers : Joubert de La Ferté, Brooke-Popham, John Salomon. Et aussi un cousin irlandais d'Archie, un peu fou, qui avait déjà « crashé » tant d'appareils qu'il était plus ou moins en permanence interdit de vol.

Il paraît étrange que je ne me souvienne pas avoir jamais craint pour la sécurité d'Archie. Il était dangereux de voler — mais de chasser aussi, à l'époque : des gens se rompaient le cou lors de parties de chasse. C'étaient les hasards de la vie. D'autant qu'on ne prenait guère de précautions. Le slogan « sécurité d'abord » aurait été jugé plutôt ridicule. S'investir dans ce nouveau mode de locomotion, l'air, vous faisait jouir d'un immense prestige. Archie fut l'un des premiers à voler. Son numéro de pilote dépassait à peine les cent, je crois : 105 ou 106. J'étais extrêmement fière de lui.

Rien, me semble-t-il, ne m'a autant déçu dans la vie que l'arrivée de l'aéroplane comme moyen de transport régulier. On l'avait vu, en rêve, semblable au vol d'un oiseau — ah ! l'ivresse de fendre les airs ! Or maintenant, quand je pense à l'ennui qu'on éprouve à monter dans un avion ! Voler de Londres en Perse, de Londres aux Bermudes, de Londres au Japon — quoi de plus prosaïque ? Une boîte toute resserrée, avec des sièges étroits, où l'on ne voit pratiquement, par les hublots, que les ailes et le fuselage, et au-dessous de vous, la couche cotonneuse des nuages. Quand vous apercevez la Terre, elle est plate comme une carte. Oui, vraiment une grande désillusion. Les bateaux ont gardé un certain romantisme. Quant au train, qu'y a-t-il de mieux que le train ? Surtout avant l'arrivée des diesels et de leur odeur. Ce grand monstre ahanant vous transporte par gorges et vallées, vous montre des cascades, franchit des montagnes enneigées, longe des routes de campagne où de pittoresques paysans avancent dans leurs charrettes. Oui, le train est merveilleux. Je l'adore toujours. Voyager par le train vous permet de voir la nature et les êtres humains, les villes et les églises, les fleuves — bref, de voir la vie.

Non que la conquête des airs par l'homme et ses aventures dans l'espace ne me fascinent pas. L'homme possède ce que les autres formes de vie n'ont pas : l'esprit pionnier, une volonté indomptable doublée de courage — pas le courage d'autodéfense qu'ont tous les animaux, mais celui de prendre son destin entre ses mains et de plonger dans l'inconnu. Je suis fière et enthousiasmée que tout cela se soit produit pendant ma vie, et j'aimerais pouvoir porter mon regard dans l'avenir pour voir les étapes suivantes : car il semble qu'elles doivent se succéder rapidement l'une à l'autre, maintenant, par effet de boule de neige.

Où cela va-t-il finalement mener ? À de nouveaux triomphes ? À la destruction de l'homme par sa propre ambition ? Cela, je ne le pense pas. L'homme survivra. Peut-être seulement dans quelques poches ici ou là. Une grande catastrophe est possible, mais toute l'humanité ne périra pas. Restera quelque communauté primitive qui, ancrée dans la simplicité, ne connaissant le passé que par ouï-dire, rebâtira lentement, une fois de plus, une civilisation.

9

Je ne me souviens pas d'avoir eu, en 1913, le pressentiment d'une guerre. Des officiers de marine secouaient certes parfois la tête en murmurant « *Der Tag* », mais nous avions entendu ce refrain depuis des années et n'y prêtions plus attention. Cela servait d'argument à des romans d'espionnage — ce n'était pas réel. Aucune nation ne pouvait être assez folle pour entrer en conflit avec une autre, sauf peut-être aux frontières du nord-ouest de l'Inde ou dans quelque contrée éloignée.

Néanmoins, les cours de secourisme et écoles d'infirmières à domicile étaient très populaires, en 1913 et au début de 1914. Nous y allions toutes, nous entraînions l'une sur l'autre à faire des bandages aux bras et aux jambes, et même — bien plus délicat — à la tête. Nous passions des examens et obtenions une petite carte imprimée comme preuve de notre succès. L'engouement des femmes était tel, à cette époque, que si un homme avait un accident, les voir poindre le bout de leur nez le mettait dans une terreur mortelle.

— Non, pas les secouristes ! Ne les laissez pas m'approcher ! suppliait-il. Ne me touchez pas, mesdemoiselles ! Ne me *touchez* pas !

Il y avait un vieux chameau parmi les examinateurs. Avec un sourire diabolique, il nous tendait des pièges.

— Voici votre patient, disait-il en désignant un boy-scout étendu à terre. Bras cassé, cheville cassée, allez-y.

À deux, une autre fille et moi, nous nous précipitâmes sur lui et sortîmes toutes nos bandes. Nous étions bonnes en bandages — nous les faisions beaux, nets, comme nous avions appris — avec de minutieux renversés de bas en haut de la jambe pour que le tout paraisse impeccablement tendu et ne gode pas, puis finissions par quelques huit pour faire bonne mesure. Cette fois-là, pourtant, nous restâmes interdites : le membre était déjà entortillé dans une masse de chiffons.

— Pansement d'urgence, fit le vieil homme. Faites votre bandage par-dessus. Vous n'avez rien pour le remplacer, souvenez-vous.

Nous nous mîmes à l'ouvrage. Il était beaucoup plus difficile, de cette façon, de faire des tours de bande bien nets.

— Allons, pressons, dit l'examinateur. Des huit, maintenant, il faudra bien en finir par là. Et pas la peine de faire comme dans vos manuels des renversés de haut en bas. L'important, c'est que le pansement reste en place, mesdemoiselles. Bon, le lit est derrière les portes de l'hôpital, là-bas.

Nous soulevâmes notre patient après avoir, nous l'espérions, fixé les éclisses où il fallait, et le portâmes jusqu'à son lit.

Là, nous nous arrêtâmes un instant, consternées : ni l'une ni l'autre n'avions pensé à ouvrir les draps avant d'arriver avec le blessé. Le vieil homme en gloussa de joie.

— Ha, ha ! jubila-t-il. On ne pense pas à tout, dirait-on, mes jeunes dames ! Ha, ha ! il faudrait peut-être s'assurer que le lit est prêt à recevoir le patient avant de commencer à le transporter.

Je dois dire que, bêtes comme il nous le fit sentir, nous en apprîmes beaucoup plus avec lui qu'en six mois de cours.

En dehors de nos manuels, on nous proposait des travaux pratiques. Deux jours par semaine, nous avions accès au service des consultations externes. C'était d'ailleurs assez intimidant, car les infirmières en titre, pressées et débordées, nous dédaignaient totalement. Ma première tâche fut d'ôter le pansement à un doigt, de préparer une solution boriquée tiède et d'y plonger le doigt malade pendant le temps nécessaire. C'était facile. Ensuite, il fallut laver une oreille à la seringue. Cela, on m'interdit immédiatement d'y toucher : c'était une opération très délicate, selon l'infirmière-major, que seule une personne qualifiée pouvait entreprendre.

— Rappelez-vous ceci : vous ne vous rendrez pas utile en faisant des choses que vous n'avez pas apprises. Vous pourriez causer beaucoup de dégâts.

La tâche suivante qu'on me confia fut d'enlever les pansements de la jambe d'une petite fille qui avait renversé une bouilloire d'eau brûlante. C'est à ce moment-là que je faillis abandonner le secourisme pour de bon. Les pansements devaient, je le savais, être doucement humectés d'eau tiède, mais quelle que soit la manière dont vous vous y preniez ou les touchiez, la douleur était insupportable pour l'enfant. Et celle-ci, la pauvre petite, n'avait guère plus de 3 ans. Elle cria, hurla, c'était horrible. J'en fus tellement bouleversée que je me sentis sur le point d'être malade. Ce qui me sauva fut la lueur sardonique dans les yeux d'une infirmière diplômée qui se trouvait à proximité. Ces petites prétentieuses, disaient ces yeux, qui viennent ici en s'imaginant tout savoir, elles flanchent dès qu'on leur demande quelque chose. Je décidai immédiatement de tenir bon. Après tout, il fallait le décoller, ce pansement, alors la petite devait surmonter sa douleur, et moi aussi, je devais surmonter sa douleur. Je poursuivis donc, au bord de la nausée, serrant les dents, mais sans trembler et en étant aussi douce que je le pouvais. Je fus toute surprise d'entendre l'infirmière me dire soudain :

— Bon travail, que vous avez fait là. Ça vous remue un peu au début, pas vrai ? Ça me l'a fait aussi, à moi.

Un autre volet de notre instruction était de passer une journée avec l'infirmière visiteuse du district. Là encore, nous étions deux par deux prises un jour dans la semaine. Nous nous rendions dans toute une série de petites maisons aux fenêtres hermétiquement closes et où il flottait une odeur de désinfectant pour certaines, d'une nature bien différente pour d'autres : le besoin d'ouvrir une de ces fenêtres devenait parfois presque irrésistible. Les affections étaient souvent de même nature : les gens avaient ce qu'on appelait laconiquement « mal aux jambes ». Pour moi, ce « mal aux jambes » était un peu flou.

— L'empoisonnement du sang est très courant, expliqua l'infirmière du district. Il peut être le résultat de maladies vénériennes, bien sûr, ou d'ulcères variqueux. Tout ça vous pourrit le sang.

Bref, c'était le nom générique qu'employaient les gens pour le désigner, et je compris beaucoup mieux, plus tard, quand ma femme de chambre ne cessait de répéter :

— Ma mère est encore malade.

— Ah ? Qu'est-ce qu'elle a ?

— Oh ! mal aux jambes. Elle a toujours eu mal aux jambes.

Un jour, au cours d'une de nos tournées, nous trouvâmes un de nos malades décédé. L'infirmière et moi fîmes la toilette du mort. Encore une expérience. Pas aussi déchirante que les enfants ébouillantés, mais quand même assez insolite la première fois.

Lorsque, dans la lointaine Serbie, un archiduc fut assassiné, l'incident parut tellement insignifiant que personne ne se sentit concerné. Dans les Balkans, après tout, on assassinait tous les jours. Que cela dût nous affecter ici en Angleterre semblait complètement aberrant — et pas seulement à moi, mais à presque tout le monde. Pourtant, après l'attentat, des nuages incroyablement noirs montèrent à l'horizon. D'extraordinaires rumeurs commencèrent à circuler, des rumeurs sur ce cataclysme invraisemblable : la guerre ! Mais bien sûr, les journaux devaient exagérer. Les nations civilisées ne se faisaient pas la guerre. Il n'y avait pas eu de guerre depuis des années et il n'y en aurait probablement jamais plus.

Non, les gens ordinaires — tout le monde, en fait, à l'exception sans doute de quelques vieux ministres et des milieux restreints des Affaires étrangères — étaient à mille lieues d'imaginer que cela pouvait se produire. Ce n'étaient que des racontars : des bobards colportés par des gens qui se montaient la tête et disaient que « ça semblait sérieux », ou encore des élucubrations de politiciens.

Et puis soudain, un beau matin, cela arriva bel et bien.

L'Angleterre était entrée en guerre.

CINQUIÈME PARTIE

La guerre

1

L'Angleterre était entrée en guerre. Le pire s'était bel et bien produit.

Il m'est difficile d'exprimer la différence entre notre état d'esprit d'alors et celui d'aujourd'hui. Aujourd'hui, nous pourrions être horrifiés, surpris peut-être, mais pas vraiment étonnés qu'une guerre éclate parce que nous savons qu'une guerre peut toujours éclater. Mais en 1914, il n'y en avait pas eu depuis... depuis combien de temps ? Cinquante ans ? Davantage ? Certes, nous avions connu la grande guerre des Boers, ainsi que des escarmouches à la frontière du nord-ouest de l'Inde, mais aucune qui impliquât notre propre pays. Elles avaient davantage été, si l'on peut dire, de grandes manœuvres militaires. La maintenance de notre pouvoir dans les contrées éloignées.

Je reçus un télégramme d'Archie : « Venez à Salisbury si pouvez. Espère vous voir. » Les aviateurs devaient être parmi les premiers mobilisés.

— Il faut y aller, dis-je à ma mère. Il le faut.

Sans plus tergiverser, nous prîmes le chemin de la gare. Nous n'avions presque pas d'argent en poche. Les banques étaient fermées, il y avait un moratoire, donc aucun moyen de se procurer de l'argent en ville. Je me souviens que nous montâmes dans le train, que ma mère avait trois ou quatre billets de cinq livres en poche mais que les contrôleurs les refusaient : personne n'acceptait plus ces gros billets. Partout dans le sud de l'Angleterre, un nombre infini de contrôleurs relevèrent notre identité et notre adresse. Les trains avaient du retard et nous dûmes changer plusieurs fois, mais nous parvînmes néanmoins à rallier Salisbury le soir même. Nous descendîmes au *County Hotel*. Une demi-heure après notre arrivée, Archie nous rejoignit. Nous avions peu de temps à passer ensemble : il ne pouvait même pas rester dîner, il disposait d'une demi-heure, pas plus. Après quoi il nous dit au revoir et partit.

Il était sûr, comme tous ceux de l'aviation, qu'il allait se faire tuer et qu'il ne me reverrait jamais. Il se montra néanmoins aussi calme et gai que d'habitude, et pourtant ces pilotes de la première heure étaient convaincus qu'une guerre serait l'anéantissement, et l'anéantissement rapide, de la première vague d'entre eux. L'aviation allemande était réputée puissante.

Sans être très au courant de tout cela et tout en essayant de paraître comme lui confiante et enjouée, j'eus moi aussi la certitude que je lui disais adieu, que je ne le reverrais plus. Je me rappelle pourtant être montée me coucher, cette nuit-là, et avoir pleuré, pleuré au point de ne plus pouvoir m'arrêter, puis soudain, sans transition, avoir sombré, épuisée, dans un profond sommeil dont je n'émergeai que le lendemain matin.

Nous rentrâmes à la maison, laissant encore notre nom et notre adresse aux contrôleurs. Trois jours plus tard, la première carte postale de guerre arriva de France. Les phrases étaient préimprimées et l'expéditeur ne pouvait que barrer ou laisser des locutions telles que VAIS BIEN, SUIS À L'HOPITAL, etc. En dépit du peu d'informations qu'elle contenait, elle m'apparut, quand je la reçus, de bon augure.

Je me précipitai à mon détachement d'aide volontaire aux blessés pour voir ce qui se passait. Il fallait couper et rouler des bandes, préparer des paniers de pansements pour les hôpitaux. Certaines des tâches que nous accomplissions étaient utiles, beaucoup plus ne l'étaient pas mais aidaient à passer le temps. Et bientôt — bien trop tôt, hélas ! —, les premiers blessés commencèrent à affluer. On envisagea de leur servir à manger et à boire au fur et à mesure de leur arrivée à la gare. C'était là, je dois dire, stupidité la plus totale de la part du commandement, vu que les hommes avaient été fort bien restaurés dans le train depuis Southampton et que, lorsqu'ils parvenaient enfin en gare de Torquay, le plus important était de les sortir des compartiments et de les brancarder jusqu'aux ambulances.

La compétition pour donner des soins à l'hôpital — en l'occurrence, la mairie désaffectée — avait été rude. Les travaux d'infirmerie proprement dits étaient réservés en priorité aux femmes d'un certain âge et à celles qui avaient déjà eu l'occasion de s'occuper d'hommes malades. On avait jugé que les jeunes filles ne convenaient pas. Il y eut ensuite une autre demande : des filles de salle pour les travaux ménagers et d'entretien du bâtiment, les parquets, les cuivres, etc. Enfin restait le personnel de cuisine. Plusieurs personnes, peu désireuses de côtoyer les blessés, postulèrent pour cet emploi. Les filles de salle, en revanche, constituaient un véritable réservoir et attendaient impatiemment l'occasion d'accéder aux soins dès qu'un poste se libérerait. L'encadrement était assuré par environ huit infirmières diplômées. Tout le reste venait de l'aide volontaire aux blessés.

La plus ancienne de l'association, Mrs Acton, une femme de tempérament, faisait office de surveillante générale. Elle ne badinait pas avec la discipline et organisa remarquablement toute l'opération. L'hôpital pouvait accueillir plus de deux cents malades. Tout le monde était fin prêt pour recevoir le premier contingent de blessés. La cérémonie ne fut pas exempte d'une certaine drôlerie. Mrs Spragge, la mairesse, épouse du général Spragge, créature d'une infinie prestance, s'avança pour les saluer, se jeta symboliquement à genoux devant le premier à entrer — qui, par parenthèse, pouvait marcher —, lui fit signe de s'asseoir sur son lit et lui ôta cérémonieusement ses bottes. Cet homme, je dois bien l'avouer, parut d'autant plus ahuri que nous apprîmes qu'il s'agissait, non d'un blessé de guerre, mais d'un épileptique. Que cette grande dame tienne absolument à lui retirer ses bottes en plein milieu de l'après-midi dépassait apparemment son entendement.

Je fus donc prise à l'hôpital, mais uniquement comme fille de salle et astiquai les cuivres à tour de bras. Au bout de cinq jours, cependant, je fus appelée aux soins. Beaucoup, parmi les dames plus âgées, ne s'étaient pratiquement jamais occupées de vrais malades, et malgré leur compassion et leur bonne volonté, n'avaient pas compris que le travail de l'aide-soignante consiste surtout à passer les urinaux, les bassins, à savonner les alèses, à nettoyer le vomi, à supporter l'odeur des blessures suppurantes. Elles s'étaient sans doute imaginé qu'il s'agissait de remonter les oreillers et de susurrer des mots gentils dans l'oreille de nos braves poilus. Ces idéalistes abandonnèrent donc dare-dare leur tâche : elles n'auraient jamais cru devoir faire un jour quelque chose comme *ça*, disaient-elles. Alors pour les remplacer, on appela des petites jeunes filles au cœur mieux accroché.

Au début, ce fut effarant. Les pauvres infirmières de l'hôpital devenaient folles avec cet essaim de filles, pleines de bonne volonté certes, mais totalement inexpérimentées, qu'elles avaient sous leurs ordres. Elles n'avaient même pas quelques élèves infirmières déjà formées pour les aider. Avec une autre fille, je m'occupais de deux rangées de douze lits. Nous avions une surveillante énergique — la chef Bond — qui, bien qu'infirmière de première classe, était loin d'être patiente avec ses malheureuses subordonnées. Non que nous fussions sottes : nous n'étions qu'ignorantes.

On ne nous avait pratiquement rien appris de ce qui était utile dans un hôpital. En fait, nous savions juste faire des bandages et connaissions à peine quelques points de théorie générale. Les seuls éléments qui nous aidèrent vraiment furent les quelques conseils prodigués par l'infirmière visiteuse du district.

C'étaient les mystères de la stérilisation qui nous déconcertaient le plus, d'autant que la chef Bond était trop harassée pour nous les expliquer. De grandes boîtes cylindriques de pansements tout prêts à l'usage nous étaient confiées. Nous ne savions même pas à ce moment-là que les haricots étaient censés recevoir les pansements souillés, et les ronds, les pansements propres. De plus, le fait qu'ils avaient tous un aspect sale, bien que chirurgicalement stériles après être passés à l'autoclave au sous-sol, ajoutait à la confusion. Les choses se clarifièrent plus ou moins au bout d'une semaine. Nous comprîmes ce qu'on attendait de nous et fûmes à même de faire face à la majorité des situations. Mais à ce moment-là, prétextant que ses nerfs allaient lâcher, la chef Bond avait déjà rendu son tablier.

Une nouvelle, la chef Anderson, la remplaça. La première avait été, je pense, une bonne infirmière et même une assistante chirurgicale de premier ordre. La seconde l'était aussi, mais doublée d'une femme de bon sens et dotée d'une bonne dose de patience. Elle comprenait, elle, que nous étions plus ignorantes que sottes. Elle avait quatre infirmières sous ses ordres dans deux rangées de lits du service de chirurgie, et elle entreprit de les former. Elle parvenait à jauger ses filles en un jour ou deux et à séparer celles qu'elle prendrait la peine d'instruire de celles qui, selon son expression, « pouvaient tout juste aller voir si la marmite bouillait ». L'explication de cette dernière remarque était que se trouvaient, à l'extrémité de la salle, quatre énormes réservoirs à eau bouillante pour les fomentations. Sur presque toutes les blessures, à l'époque, on appliquait des compresses essorées, et il fallait donc commencer par s'assurer que « la marmite bouillait ». Si la malheureuse chargée de vérifier répondait affirmativement à son retour alors que tel n'était pas tout à fait le cas, la chef Anderson lui jetait avec le plus profond mépris :

— Vous n'êtes donc même pas capable de reconnaître de l'eau qui bout, mademoiselle ?

— Mais ça fumait, répondait l'infortunée.

— Ce n'est pas fumer, ça. Vous n'entendez pas le bruit qu'elle fait ? D'abord, l'eau doit chanter, puis ça se calme, et c'est seulement après que la véritable vapeur s'échappe. (Ces explications données, elle s'éloignait en grommelant entre ses dents :) S'ils continuent à m'envoyer des gourdes de cette espèce, je n'ai pas fini !

J'ai eu de la chance d'être sous ses ordres. Elle était sévère, mais juste. Deux rangées plus loin se trouvait la chef Stubbs, un petit bout de femme toujours gaie et agréable avec les filles qui lui donnaient même du « ma chère », mais qui, après les avoir bercées dans une fausse impression de sécurité, se mettait souvent dans des colères noires dès que quelque chose n'allait pas. C'était comme un chaton : un coup je ronronne, un coup je te griffe.

Dès le début, soigner les gens me plut. Je m'adaptais facilement et je trouvais — j'ai toujours trouvé — que c'était le plus beau des métiers. Je crois que, si je ne m'étais pas mariée, après la guerre, j'aurais suivi une formation complète pour travailler dans un hôpital. Peut-être est-ce une question d'hérédité : la première femme de mon grand-père, ma grand-mère américaine, était infirmière.

Entrer dans ce monde nous fit reconsidérer notre façon de voir la vie et réfléchir à notre position actuelle dans la hiérarchie de l'hôpital. Avant, le médecin avait toujours été un personnage ordinaire. On l'appelait quand on était malades et on faisait plus ou moins ce qu'il préconisait. Sauf maman : elle en savait toujours plus que lui — c'est du moins ce que nous lui disions. C'était généralement un ami de la famille. Rien ne m'avait préparée à la nécessité de me prosterner devant lui et de l'idolâtrer.

— Infirmière, des serviettes pour les mains du docteur.

J'appris vite à réagir aussitôt, puis à attendre humblement, femme porte-serviette, que le docteur ait fini de se laver les mains et de se les essuyer, après quoi il jetait dédaigneusement le linge par terre sans prendre la peine de me le rendre. Même ceux qui étaient secrètement considérés comme médiocres par les infirmières arrivaient maintenant à l'hôpital en pays conquis et faisaient l'objet d'une vénération normalement réservée à des êtres supérieurs.

Le simple fait, d'ailleurs, d'adresser la parole à un médecin, de lui montrer le moindre signe de familiarité était considéré comme horriblement présomptueux. Même s'il s'agissait d'un de vos proches amis, il n'en fallait rien laisser paraître. Nous finîmes par assimiler ce rigoureux protocole, mais en une ou deux occasions, je commis des impairs. Un jour, un docteur, irascible comme ils le sont tous en milieu hospitalier — non parce qu'ils le sont vraiment, à mon avis, mais parce que c'est l'attitude que le personnel médical attend d'eux — s'emporta contre une infirmière :

— Non, non, pas ces pinces-là, voyons ! fit-il avec agacement. Passez-moi le...

J'ai oublié le nom de l'instrument, mais il se trouve que j'en avais un sur mon plateau. Je le lui tendis directement. L'infirmière m'en rebattit les oreilles pendant toute la journée :

— Vraiment, mademoiselle, vous mettre ainsi en avant ! Passer *vous-même* les pinces au docteur !

— Je suis désolée, murmurai-je avec contrition. Mais que fallait-il que je fasse ?

— Il serait temps que vous le sachiez. Quand le docteur a besoin d'un instrument qui se trouve sur votre plateau, vous me le passez à moi, et c'est *moi* qui le lui remets.

Je lui promis que j'y veillerais à l'avenir.

L'exode des aides-soignantes les plus âgées fut accéléré par le fait que les premiers blessés arrivaient directement des tranchées avec leurs pansements de fortune et des poux plein la tête. La plupart des dames de Torquay n'avaient jamais vu de poux de leur vie — c'était mon cas — et la découverte de cette vermine causa à ces âmes sensibles un choc qu'elles ne purent supporter. Les plus jeunes, en revanche, acceptèrent cela sans sourciller. « J'ai fait toutes mes têtes », avions-nous l'habitude de nous dire gaiement au moment de la relève en brandissant notre peigne fin.

Il y eut un cas de tétanos dans le premier arrivage de blessés qui nous parvint. Ce fut notre premier décès, et cela nous secoua toutes. Mais finalement, à l'issue de trois semaines, c'était comme si j'avais soigné des soldats toute ma vie, et, au bout d'un mois, j'étais passée maître en l'art de déjouer leurs petits subterfuges.

— Johnson, qu'est-ce que vous avez marqué sur votre fiche de traitement ?

Chaque patient avait en effet sa fiche de traitement épinglée avec son graphique des températures sur un panneau au pied du lit.

— Moi ? fit-il avec un air d'innocence outragée. Rien, voyons. Qu'est-ce que vous voulez que je marque ?

— Quelqu'un y a inscrit un régime assez bizarre. Je ne crois pas que ce soit l'infirmière ou le médecin qui vous ait recommandé du porto ?

Ou encore cet autre qui geignait :

— Je crois que je suis très malade, mademoiselle. Sûr que j'ai de la fièvre.

Et, le visage rubicond qui respirait la santé, de me tendre son thermomètre : 40 passés !

— Ces radiateurs sont bien utiles, n'est-ce pas ? Mais méfiez-vous : s'ils sont trop chauds, le mercure risque de claquer.

— Ah ! mademoiselle, s'extasiait-il avec un large sourire, on ne vous la fait pas, hein ? Vous, les jeunes, vous êtes beaucoup plus dures que les vieilles. Quand elles voyaient une température de 40, elles se mettaient dans tous leurs états et couraient tout de suite chercher la chef.

— Vous devriez avoir honte.

— C'était juste pour rigoler.

Ils devaient parfois passer des radios à l'autre bout de la ville, ou aller à des séances de rééducation. L'une d'entre nous les accompagnait par groupes de six, et il fallait se méfier des demandes soudaines de traverser, du genre : « Juste pour acheter une paire de lacets. » En regardant de l'autre côté de la rue, vous vous aperceviez qu'il y avait bien un magasin de chaussures, mais fort opportunément situé à côté du pub local, *The George and Dragon*. Je parvins malgré tout à toujours ramener mes six ouailles à bon port sans qu'aucun ne me file entre les doigts pour rentrer plus tard, hilare. Ils étaient adorables, tous autant qu'ils étaient.

Il y avait un Écossais qui me chargeait de rédiger ses lettres. Je trouvais ahurissant qu'il ne sût ni lire ni écrire, lui qui était peut-être le plus intelligent de l'hôpital. Et pourtant si, il m'avait dévolue à cette tâche. Il se redressait sur son séant et attendait que je commence.

— Cette fois, on écrit à mon père, mademoiselle, fit-il un jour d'un ton sans réplique.

— D'accord. « Cher papa », commençai-je. Et après ?

— Oh ! ben, vous avez qu'à mettre ce que vous aimeriez qu'on vous dise.

— Euh, je voudrais quand même que vous précisiez un peu.

— Mais non, je suis sûr que vous ferez ça très bien.

J'insistai néanmoins pour qu'un minimum d'éléments me soient fournis. Certains détails furent alors décrits : l'hôpital dans lequel il se trouvait, la nourriture qu'on lui servait, etc. Puis il s'interrompit et décréta :

— Je crois que c'est tout.

— « Votre fils qui vous aime affectueusement ? » suggérai-je.

Il sembla profondément choqué :

— Ah ! non, mademoiselle ! Vous pouvez trouver mieux que ça, j'espère.

— Pourquoi ? Qu'est-ce qui ne va pas ?

— Il faut dire : « Votre fils respectueux ». L'amour et l'affection... pas à son père.

Je fis amende honorable.

La première fois que je dus accompagner un patient en salle d'opération, je fus en dessous de tout. Les murs se mirent soudain à tourner, et il n'y eut que le bras ferme d'une autre infirmière pour me saisir par les épaules, m'entraîner au-dehors et me sauver du désastre. Il ne m'était jamais venu à l'esprit que la vue du sang ou des blessures pourrait me faire tourner de l'œil. Je n'osai pas regarder en face la chef Anderson lorsqu'elle ressortit un peu plus tard. Elle se montra pourtant, de façon inattendue, très gentille avec moi.

— Ne vous inquiétez pas, mademoiselle, fit-elle. C'est arrivé à bon nombre d'entre nous, la première fois. D'abord, vous n'êtes pas habituée à cette chaleur combinée à l'odeur de l'éther. Ça vous porte tout de suite au cœur. D'autant que, là, il s'agissait d'une impressionnante opération à l'abdomen : ce sont les plus pénibles à voir.

— Oh ! mais... croyez-vous que je tiendrai le choc, la prochaine fois ?

— Vous devrez tout faire pour cela, répondit-elle. Et continuer jusqu'à ce que vous y arriviez. D'accord ?

— D'accord.

La deuxième opération à laquelle elle m'envoya était une intervention beaucoup plus bénigne, et je parvins à passer le cap. Après cela, je n'eus plus le moindre problème, bien qu'il m'arrivât de détourner les yeux au moment où le scalpel entamait la peau. C'est cela qui me chavirait, car une fois la première incision faite, je pouvais regarder en toute quiétude et même m'intéresser à la suite des événements. La morale de l'histoire, c'est qu'on s'habitue vraiment à tout.

2

— Ma chère Agatha, je trouve tout à fait anormal qu'on vous fasse travailler à l'hôpital le dimanche, me dit un jour une vieille amie de ma mère. Le dimanche est le jour du repos. On devrait vous laisser libre.

— Et qui changerait les pansements des blessés ? demandai-je. Qui les laverait, leur passerait le bassin, ferait leur lit, leur apporterait le thé, si personne ne travaillait le dimanche ? Car enfin, ils ne pourraient pas rester vingt-quatre heures sans tout cela, n'est-ce pas ?

— Mon Dieu ! c'est vrai, je n'y avais pas pensé ! Mais quand même, il doit bien y avoir moyen de s'arranger, non ?

Trois jours avant Noël, Archie eut soudain une permission. Je me rendis avec ma mère à Londres pour l'accueillir. Je crois que j'avais dans l'idée que nous pourrions en profiter pour nous marier. Beaucoup de couples le faisaient alors.

— Je ne vois pas comment on peut continuer à se préoccuper de sécurité et d'avenir, dis-je, quand il y a tant de gens qui se font tuer autour de nous.

— C'est vrai, acquiesça ma mère. Je suis bien d'accord avec toi. Penser aux risques n'a plus de sens.

Nous n'en dîmes rien, mais les probabilités qu'Archie se fasse tuer étaient grandes. Les gens étaient déjà abasourdis par l'importance des pertes. Un grand nombre de mes amis, militaires, avaient été des mobilisés de la première heure, et il ne se passait pas de jour sans que les journaux ne nous annoncent la mort de quelqu'un que nous connaissions.

Il n'y avait que trois mois qu'Archie et moi ne nous étions vus, mais ils s'étaient en quelque sorte passés dans ce que l'on pourrait appeler une autre dimension du temps. Durant cette période, j'avais vécu des situations tout à fait nouvelles : la mort de certains de mes amis, les incertitudes, le chamboulement des données de la vie. Archie lui aussi avait connu des situations nouvelles, bien que placées sur un autre plan. Il avait été entouré par la mort, avait connu la défaite, la retraite, la peur. Nous avions chacun vécu une tranche de vie différente. Le résultat fut que nous nous retrouvâmes presque étrangers.

C'était comme si nous devions nous réapprendre complètement l'un l'autre. Notre différence sauta immédiatement aux yeux. Son attitude délibérément insouciante et désinvolte — sa gaieté presque — me choqua. J'étais trop jeune alors pour comprendre que c'était pour lui la meilleure manière d'affronter ses nouvelles conditions de vie. Moi, en revanche, j'étais devenue beaucoup plus posée, plus sensible, et j'avais laissé de côté ma propre légèreté de petite jeune fille heureuse. Nous donnions l'impression de deux êtres qui cherchent à se rejoindre et qui, à leur grand effroi, s'aperçoivent qu'ils ont oublié comment faire.

Archie s'était bien décidé, en tout cas, et me le fit savoir d'entrée de jeu : pas question de mariage.

— C'est vraiment la dernière des choses à envisager, dit-il. Tous mes amis sont de mon avis. C'est bien beau, de foncer tête baissée, mais après ? On s'en ramasse une, on y passe et on laisse sur le carreau une jeune veuve, avec peut-être un bébé en route. Non, c'est trop égoïste.

Je n'étais pas d'accord avec lui. Je défendis avec passion le point de vue opposé. Mais c'était l'un des traits du caractère d'Archie que d'être ancré dans ses certitudes. Certitudes sur ce qu'il devait faire, sur ce qu'il allait faire. Je ne dis pas qu'il ne changeait jamais d'avis — cela lui arrivait d'un coup et même très rapidement, parfois. Il pouvait en fait passer sans transition du blanc au noir et du noir au blanc. Mais sa volte-face n'entamait en rien sa résolution. Je finis par accepter sa décision et nous entreprîmes de profiter de ces instants précieux que nous avions à passer ensemble.

Notre idée était que, après un ou deux jours à Londres, je descende avec lui à Clifton pour passer les fêtes de Noël dans la maison de son beau-père et de sa mère. Tout cela paraissait bel et bien. Or, juste avant notre départ, nous eûmes ce qui ressemblait fort à une dispute. Une dispute ridicule, mais violente.

Archie arriva à l'hôtel, le matin de notre départ, avec un cadeau pour moi : une magnifique trousse de toilette entièrement garnie, un objet avec lequel un millionnaire aurait facilement pu débarquer au *Ritz*. À une bague ou un bracelet, même de prix, je n'aurais rien trouvé à redire : j'aurais accepté avec fierté et enthousiasme. La trousse de toilette, en revanche, pour une raison quelconque, me révolta. Je trouvais que c'était une folie extravagante, et dont je ne me servirais pas, en plus. À quoi cela rimait-il de rentrer à la maison et de reprendre mon travail à l'hôpital avec une trousse de toilette tout juste bonne à aller passer des vacances à l'étranger en temps de paix ? Je dis que je n'en voulais pas et qu'il pouvait la reprendre. Il se mit en colère. Moi aussi. Je l'obligeai à la remporter. Une heure plus tard, il revint et nous fîmes la paix. Nous nous demandâmes ce qui avait bien pu nous arriver. Comment pouvions-nous être si bêtes ? Il reconnut que c'était un cadeau ridicule. Et moi que j'avais été indélicate de le lui faire remarquer. Le résultat de cette dispute et de la réconciliation qui s'ensuivit fut de nous rapprocher.

Ma mère regagna le Devon, Archie et moi partîmes pour Clifton. Ma future belle-mère continua à me manifester son excessive chaleur tout irlandaise. Son second fils, Campbell, me dit un jour : « Maman est une femme très dangereuse. » Sur le moment, je ne compris pas, mais je crois savoir maintenant ce qu'il voulait dire. Son affection débordante pouvait s'inverser brusquement. Aujourd'hui, elle avait décidé d'aimer — et elle aimait — sa future bru. Demain, je pourrais être bonne à jeter aux chiens.

Le voyage à Bristol fut épuisant. C'était toujours la panique, dans les trains, qui comptaient généralement une bonne heure de retard. Nous finîmes malgré tout par arriver et reçûmes un accueil des plus chaleureux. Je me couchai anéantie par les émotions de la journée, par le voyage et aussi par mes efforts pour lutter contre ma timidité naturelle et me montrer sous mon meilleur jour à ma future belle-famille.

Une demi-heure devait avoir passé, peut-être une heure. Je m'étais mise au lit mais ne dormais pas encore lorsqu'on frappa doucement à la porte. Je me levai et ouvris. C'était Archie. Il entra, referma derrière lui et me déclara sans préambule :

— J'ai changé d'avis. Il faut qu'on se marie. Tout de suite. Nous le ferons demain.

— Mais vous disiez justement...

— Peu importe ce que je disais. Vous aviez raison et j'avais tort. C'est évidemment ce que nous avons de mieux à faire. Il nous restera deux jours ensemble avant que je reparte.

Je m'assis sur mon lit, les jambes quelque peu flageolantes.

— Mais vous aviez l'air tellement certain...

— Et alors ? J'ai changé d'avis.

— D'accord, mais...

Il y avait tant à dire. Pourtant, cela ne sortait pas : comme toujours, plus je voulais m'exprimer clairement, plus je restais bec cloué.

— Ça va poser des problèmes, balbutiai-je faiblement.

Je voyais toujours l'aspect des choses qu'Archie semblait ne pas prendre en considération : les mille et un désavantages d'une action quelle qu'elle soit. Lui ne s'intéressait qu'à l'essentiel. Au début, il lui était apparu que se marier en pleine guerre était une folie sans nom. Vingt-quatre heures plus tard, tout aussi catégorique, il affirmait que c'était la meilleure solution... et la seule. Que cela soulève des problèmes d'organisation et traumatise nos proches ne lui faisait ni chaud ni froid. Nous discutâmes, discutâmes comme nous l'avions fait la veille mais en soutenant chacun les points de vue inverses. Inutile de dire que, une fois encore, il gagna.

— Je ne crois pas qu'il soit possible de se marier d'un coup comme ça, objectai-je sur un ton dubitatif. Ça paraît très difficile.

— Bien sûr que si, on peut, répondit-il gaiement. Il suffit d'obtenir une autorisation spéciale, un truc comme ça, de l'archevêque de Canterbury.

— Ça coûte les yeux de la tête, non ?

— Je crois effectivement que c'est assez cher. Mais nous y arriverons, je suis sûr. Et puis il faudra bien, on n'a pas le temps de faire autrement. Demain, c'est la veille de Noël. Nous sommes donc bien d'accord ?

J'acceptai dans un souffle. Il quitta la chambre et je restai éveillée toute la nuit à me ronger les sangs : qu'allait dire maman ? Et Madge ? Et la mère d'Archie ? Si seulement il avait bien voulu que nous nous mariions quand nous étions à Londres, tout aurait été tellement plus simple. Enfin bref, c'était comme ça. Je finis par m'endormir d'épuisement.

Une grande partie des difficultés que j'avais prévues surgirent. En premier lieu, il fallait faire part de nos projets à Peg. Elle eut immédiatement une crise de nerfs, fondit en larmes et se retira dans sa chambre.

— Mon propre fils..., sanglotait-elle en montant l'escalier. Me faire ça à moi...

— Archie, dis-je, nous ne devrions pas. Votre mère est complètement bouleversée.

— Qu'est-ce que ça peut y changer, qu'elle soit bouleversée ? Voilà deux ans qu'on est fiancés, elle devrait avoir eu le temps de se faire à l'idée.

— Elle semble maintenant le prendre très mal.

— M'annoncer ça tout d'un coup comme ça ! continuait à haleter Peg, allongée sur son lit dans sa chambre plongée dans l'obscurité, un mouchoir imprégné d'eau de Cologne sur le front. Nous nous regardâmes comme deux garnements pris en faute.

Le beau-père d'Archie vint à la rescousse. Il nous fit redescendre de la chambre de Peggy et nous dit :

— Je crois que vous avez tout à fait raison, les enfants. Ne vous faites pas trop de souci pour Peg : elle est toujours toute retournée quand elle est surprise. Elle vous aime beaucoup, Agatha, et rien ne lui fera plus plaisir que ça ensuite. Mais ne vous attendez pas à ce qu'elle saute de joie aujourd'hui. Alors vous deux, maintenant, allez vous occuper de vos projets. Vous n'avez pas trop de temps, il me semble. Et souvenez-vous : je suis convaincu — absolument convaincu — que vous avez raison.

J'avais commencé la journée craintive et la gorge serrée. Deux heures plus tard, je me sentais gonflée à bloc. Les difficultés qui se mettaient en travers de notre union étaient de taille, mais plus elles paraissaient impossibles à surmonter, plus, comme Archie, j'étais déterminée à en venir à bout.

Il alla d'abord consulter un de ses anciens maîtres d'école qui était religieux. Celui-ci l'informa qu'une autorisation spéciale pouvait être obtenue du Collège des docteurs en droit civil pour le prix de vingt-cinq livres. Ni Archie ni moi ne disposions de cette somme, mais nous écartâmes ce problème, car nous pourrions sans aucun doute les emprunter. Le plus ennuyeux était plutôt que le document devait être retiré personnellement. Comme c'était chose impossible le jour de Noël, le mariage semblait hors de question avant le lendemain. Pas d'autorisation spéciale, donc. Nous nous rendîmes dans un bureau d'état civil : même échec. Il fallait publier les bans quinze jours à l'avance pour que la cérémonie puisse avoir lieu. Le temps filait. Finalement, au retour de sa pause-café, un sympathique employé d'état civil que nous n'avions pas encore vu nous apporta la solution.

— Dites, mon gaillard, fit-il à Archie, vous vivez ici, n'est-ce pas ? Votre mère et votre beau-père habitent ici ?

— Oui.

— Vous gardez bien quelques affaires chez eux : valises, vêtements, que sais-je ?

— Oui.

— Alors vous n'avez pas besoin des quinze jours de publication. Vous pouvez acheter une autorisation ordinaire et vous marier dans l'église de votre paroisse cet après-midi.

Laquelle autorisation coûtait huit livres. Huit livres, c'était dans nos cordes. À partir de là, ce fut une course effrénée.

Nous partîmes à la recherche du pasteur, à l'église du bout de la rue : il n'était pas là. Nous le trouvâmes chez un ami à lui. Un peu éberlué, il accepta de célébrer la cérémonie. Nous retournâmes à toute allure à la maison retrouver Peg et manger un morceau.

— Je ne veux rien entendre ! cria-t-elle. Pas un mot !

Et elle s'enferma de nouveau dans sa chambre.

Il n'y avait pas de temps à perdre. Nous reprîmes aussitôt le chemin de l'église — St Emmanuel, si je me souviens bien — mais découvrîmes qu'il fallait un témoin. Sur le point de demander au premier venu, j'eus la chance de rencontrer une jeune fille que je connaissais. J'avais passé quelques jours chez elle à Clifton deux années plus tôt. C'est ainsi qu'Yvonne Bush, un peu abasourdie, accepta d'être demoiselle d'honneur improvisée en même temps que témoin. Nous revînmes donc tout de suite à l'église. L'organiste était en train de travailler et nous proposa de jouer la *Marche nuptiale*.

Au moment où la cérémonie allait commencer, je songeai avec tristesse, l'espace d'un instant, que jamais mariée n'avait pris aussi peu soin de son apparence. Pas de robe blanche, pas de voile, pas même une toilette un peu élégante. Rien qu'une jupe et un manteau tout à fait ordinaires, et un petit chapeau en velours mauve. Je n'avais même pas eu le temps de me passer un peu d'eau sur les mains ou sur le visage. Nous en rîmes tous les deux.

La cérémonie se déroula sans encombre. Restait à négocier l'obstacle suivant. Peg étant toujours prostrée dans sa chambre, nous décidâmes d'aller à Torquay, de descendre au *Grand Hôtel* et de fêter Noël avec ma mère. Auparavant, bien sûr, il fallait que je l'appelle pour lui annoncer ce qui s'était passé. Il fut extrêmement difficile de s'expliquer au téléphone, et le résultat ne fut pas des plus heureux. Ma sœur était là, elle accueillit la nouvelle avec la plus vive irritation :

— Assener ça comme ça à maman ! Tu sais pourtant combien elle a le cœur fragile ! Tu n'as vraiment aucune sensibilité... et pas le moindre savoir-vivre !

Nous prîmes le train — qui était bondé — et arrivâmes enfin vers minuit à Torquay, où nous étions parvenus à réserver une chambre par téléphone. J'éprouvais encore un petit sentiment de culpabilité : nous avions causé un tel dérangement et si vivement contrarié les êtres que nous aimions le plus. Je ne crois pas qu'Archie ressentait la même chose que moi. Rien de tout cela ne dut lui effleurer l'esprit, ou alors peu lui importait. Tout le monde était bouleversé ? aurait-il dit. Mais pourquoi, grands dieux ? De toute façon, pour lui, nous avions agi comme il fallait, il en était convaincu. Une chose le tracassait pourtant, et le grand moment était arrivé. Nous montâmes dans le train et il fit soudain apparaître, un peu comme un prestidigitateur, une petite mallette supplémentaire.

— J'espère, dit-il à sa jeune épouse, que vous ne m'en voudrez pas ?

— Archie ! Mais c'est la trousse de toilette !

— Oui. Je ne l'ai pas rendue. Vous n'êtes pas fâchée ?

— Bien sûr que non, je ne suis pas fâchée. Je suis ravie de l'avoir, au contraire.

Ainsi donc, la fameuse trousse nous accompagnait, et pour notre voyage de noces, qui plus est. Archie parut extrêmement soulagé de cet épilogue : il avait, je crois, eu très peur que je lui jette son fameux cadeau à la tête.

Autant le jour de notre mariage avait été une longue lutte contre les obstacles et une série de crises, autant Noël fut calme et paisible. Chacun avait eu le temps de se remettre de ses émotions. Madge était redevenue affectueuse et avait oublié toute forme de critique. Ma mère avait récupéré de sa fatigue cardiaque et se montra profondément heureuse de notre bonheur. Peg, je l'espérais, irait mieux également — Archie m'assura que c'était sûrement le cas. Nous passâmes donc un excellent Noël.

Le lendemain, je raccompagnai Archie à Londres et lui dis au revoir. Il repartait pour la France. Je ne devais pas le revoir pendant six nouveaux mois de guerre.

Je repris mon travail à l'hôpital, où la nouvelle de mon changement d'état civil m'avait précédée.

— Infirrmièrre ! m'appela Scottie en roulant les *r* avec son accent d'Écossais bon teint et en frappant de sa canne le pied de son lit. Infirrmièrre, venez ici tout de suite. Qu'est-ce que j'apprends ? Vous avez convolé ?

— C'est exact.

— Vous entendez ça ? s'écria Scottie en prenant toute la rangée à témoin. L'infirmière Miller s'est mariée. Et comment que c'est-y donc que vous vous appelez, maintenant ?

— Christie.

— Ah ! joli nom écossais, Christie. Vous vous rendez compte, chef Anderson, voici l'infirmière Christie.

— Oui, j'ai appris ça, dit-elle. Je vous souhaite beaucoup de bonheur. Toute la salle en a parlé, vous savez.

— Vous avez touché le gros lot, fit un autre blessé. Vous avez épousé un officier, à ce qu'il paraît ? (Je reconnus m'être élevée dans ces hautes sphères.) Ah ! oui vraiment, vous vous êtes bien débrouillée ! Notez que ça m'étonne pas, une jolie fille comme vous.

Les mois passèrent. La guerre s'enlisa dans une sinistre impasse. La moitié de nos malades souffraient aux pieds de gelures des tranchées. L'hiver fut particulièrement rigoureux, cette année-là, et j'endurai moi-même de terribles engelures aux mains et aux pieds. L'incessant contact des alèses caoutchoutées n'est pas l'idéal quand on a les mains dans cet état. On me confia davantage de responsabilités à mesure que le temps s'écoulait, et j'aimais mon travail. On finissait par s'habituer à la routine et aux manies des médecins et des infirmières. On savait quels chirurgiens étaient vraiment respectables, quels docteurs étaient secrètement méprisés par le personnel. Il n'y avait plus de têtes à épouiller, plus de pansements d'urgence. Des hôpitaux de l'arrière avaient été établis en France. Nous tournions pourtant presque toujours à pleine capacité. Un jeune Écossais, qui nous était venu là avec une jambe cassée et que nous étions parvenues à remettre sur pied, partit en convalescence. Manque de chance, il fit, pendant le voyage, une chute sur un quai de gare. Il était tellement impatient de retrouver sa ville natale en Écosse qu'il prit bien soin de ne pas dire que sa fracture avait de nouveau cédé. Après avoir souffert mille morts, il parvint enfin à destination, où il fallut tout recommencer.

Ces événements deviennent un peu flous, maintenant, mais certains ressortent malgré tout. Je me souviens d'une nouvelle qui avait assisté à une opération et à qui on avait laissé le soin de tout ranger après l'intervention. Je me revois l'aider à descendre une jambe amputée à l'incinérateur : cela dépassait les forces de la pauvre petite. Ensuite, nous dûmes tout nettoyer, laver le sang. Elle était trop jeune et trop novice pour se voir confier aussi tôt, et seule, une tâche pareille.

Je me souviens également d'un sergent à l'air sérieux, qui me fit rédiger des lettres d'amour. Il ne savait ni lire ni écrire. Il me signala en gros ce qu'il voulait exprimer.

— Ah ! c'est absolument parfait, mademoiselle, fit-il bientôt avec un hochement de tête approbateur. Vous pourriez me la faire en trois exemplaires ?

— Trois exemplaires ?

— Ben oui, un pour Nellie, un pour Jessie et un pour Margaret.

— Ne vaudrait-il pas mieux y introduire quelques variantes ? proposai-je.

Il réfléchit, puis :

— Non, parce que je ne leur ai dit que ce qui compte.

Si bien qu'elles commençaient toutes trois ainsi : « J'espère que cette lettre te trouvera comme elle m'a laissé, mais en meilleure forme », et finissaient par : « À toi pour l'éternité, jusqu'à ce que l'enfer se transforme en mer de glace. »

— Ne risquent-elles pas de découvrir le pot aux roses ? demandai-je par curiosité.

— Non, je ne pense pas. Elles vivent dans des villes différentes, voyez-vous, elles ne se connaissent pas.

Je lui demandai s'il comptait en épouser une.

— Peut-être que oui, peut-être que non. Nellie est agréable à regarder, vraiment mignonne. Mais Jessie est plus sérieuse, et elle m'adore. Elle me porte aux nues, Jessie.

— Et Margaret ?

— Margaret ? Oh ! Margaret, elle est rigolote ! C'est un numéro, une fille très gaie. Enfin bref, on verra bien.

Je me suis souvent demandée s'il en avait effectivement épousé une des trois, ou s'il avait réussi à en trouver une qui soit jolie, attentionnée et gaie tout à la fois.

À la maison, les choses n'avaient guère changé. Lucy était venue remplacer Jane. Elle parlait toujours de Mrs Rowe avec une forme de crainte révérencielle :

— J'espère que je serai capable de remplir l'office de Mrs Rowe : c'est une telle responsabilité de prendre sa relève !

Son plus cher désir était de devenir notre cuisinière, à Archie et moi, après la guerre.

Un jour, très agitée, elle vint trouver ma mère :

— J'espère que vous ne m'en voudrez pas, Madame, mais je crois vraiment qu'il *faut* que j'aille rejoindre les auxiliaires féminines de l'armée de l'air. Surtout, ne le prenez pas mal.

— Pas du tout, Lucy, répondit ma mère. Je crois au contraire que vous avez raison. Vous êtes jeune, robuste, exactement le genre de personne dont ils ont besoin.

Lucy partit donc, en larmes au moment des adieux, souhaitant que nous puissions bien nous débrouiller sans elle, et ajoutant qu'elle ne savait trop ce que Mrs Rowe penserait de tout cela. Au même moment, la femme de chambre, la jolie Emma, nous quitta pour se marier. Elles furent remplacées par deux domestiques d'un certain âge qui n'arrivaient pas à croire aux privations de la guerre et prenaient fort mal d'y être soumises.

— Je suis désolée, Madame, fit au bout de deux jours la grisonnante Mary, tremblante de rage, mais c'est pas correct, la nourriture, ici. On a eu deux fois du poisson cette semaine, et puis de la tripaille. Moi, j'ai toujours fait au moins un bon repas par jour.

Ma mère essaya de lui expliquer que les denrées étaient à présent rationnées, qu'on était obligé de manger du poisson et de ce que l'on appelait joliment « abats » deux ou trois fois par semaine. Mary se borna à secouer la tête et à répéter :

— C'est pas correct. On traite pas les gens comme ça.

Elle ajouta qu'on ne lui avait encore jamais fait manger de margarine. Ma mère utilisa alors le truc que beaucoup de gens pratiquèrent pendant la guerre : envelopper la margarine dans le papier du beurre et le beurre dans celui de la margarine.

— Maintenant si vous les essayez tous les deux, fit-elle, je suis sûre que vous ne pourrez pas les distinguer.

Les deux vieilles toupies prirent un air hautain, puis goûtèrent. Elles n'eurent pas la moindre hésitation :

— C'est absolument évident, qu'on sait les reconnaître, M'dame. Pas le moindre doute.

— Vous trouvez vraiment tant de différence ?

— Oh ! pour ça, oui ! Je ne peux pas supporter le goût de la margarine — ma collègue non plus, d'ailleurs. Ça nous rend malades.

Elles rendirent la plaquette à ma mère avec dégoût.

— Et vous aimez l'autre ?

— Oh ! oui, M'dame. Rien à redire, avec celui-là.

— Eh bien laissez-moi vous préciser que ça, c'est la margarine, et ça le beurre.

Au début, elles ne voulurent pas le croire. Force leur fut pourtant de se rendre à l'évidence.

Ma grand-mère habitait à présent avec nous. Elle se faisait beaucoup de soucis quand elle me voyait revenir seule de l'hôpital la nuit :

— C'est dangereux, ma chérie, de rentrer seule. Il pourrait t'arriver n'importe quoi. Il faut que tu t'arranges autrement.

— Je ne vois pas comment, mamie. De toute façon, il ne m'est jamais rien arrivé et je fais ça depuis des mois déjà.

— Ce n'est pas bien. Quelqu'un pourrait t'aborder.

Je la rassurai du mieux que je pus. Mes heures de service allaient de 14 à 22 heures, et je ne pouvais guère quitter l'hôpital avant 22 h 30, quand l'équipe de nuit avait pris la relève. La maison était à près de trois quarts d'heures de marche et, il faut bien l'avouer, par des rues plutôt désertes. Je n'eus cependant jamais le moindre problème. Je rencontrai certes une fois un sergent fort ivre, mais il ne fit que chercher désespérément à se montrer galant.

— Vous faites du bon boulot, à l'hôpital, articula-t-il en titubant quelque peu tandis qu'il marchait. Du bon boulot. Je vais vous raccompagner, ma petite demoiselle. Jusqu'à chez vous, parce que je ne voudrais pas qu'il vous arrive du vilain.

Je lui répondis que ce n'était pas la peine mais que c'était très aimable à lui. Il me raccompagna néanmoins cahin-caha et me dit fort poliment au revoir devant notre grille.

Je ne me souviens plus avec exactitude du moment où ma grand-mère vint vivre avec nous. Peu après le début de la guerre, j'imagine. Sa cataracte l'avait rendue quasiment aveugle et elle était, bien entendu, trop âgée pour être opérée. C'était une femme très sensée, et bien que ce fût un véritable crève-cœur pour elle de quitter sa maison d'Ealing, ses amis et tout le reste, elle comprenait bien qu'elle serait incapable de vivre seule là-bas, d'autant que les domestiques ne resteraient sans doute pas. Le grand déménagement avait donc été effectué. Ma sœur était descendue pour aider maman, j'étais montée du Devon, et nous ne manquâmes pas d'ouvrage. Je ne crois pas que j'avais la moindre idée, à l'époque, du désarroi de mamie, mais maintenant, je la revois très bien assise, impuissante et à demi-aveugle, au milieu de ses affaires et de tous ses petits trésors, tandis que trois vandales s'agitaient autour d'elle, fouillaient, triaient, décidaient de la destination des divers objets. Elle lançait parfois quelques petits cris éperdus :

— Oh ! vous n'allez pas la jeter, celle-là : c'est ma robe de chez Mme Poncereau. Ma belle robe de velours.

Il était difficile de lui faire comprendre que ledit velours était tout mité et que la soie s'était désintégrée. Il y avait d'ailleurs des malles, des tiroirs entiers d'affaires mangées par les mites et devenues inutilisables. Pour ne pas la traumatiser, beaucoup furent gardées qui auraient dû être jetées. Il y avait des coffres entiers de journaux, de magazines de couture, de coupons de tissus imprimés pour les domestiques, de soie et de velours achetés dans des ventes : tant de merveilles qui auraient pu servir en leur temps, mais qui étaient désormais hors d'usage. Et la pauvre mamie, assise dans son grand fauteuil, pleurait.

Après les vêtements, nous nous étions attaquées à son placard à provisions. Des confitures qui avaient moisi, des bocaux de prunes qui avaient fermenté, des plaquettes de beurre et des paquets de sucre qui avaient glissé derrière d'autres denrées et qui avaient été attaqués par les souris : tous ces témoins de sa vie économe et prévoyante, toutes les victuailles qui avaient été achetées et stockées pour le futur, voilà que maintenant, cela se dressait devant elle en une montagne de gâchis ! Je crois que c'est cela qui la heurtait le plus : le gâchis. Il y avait là aussi ses liqueurs maison, mais elles au moins, grâce aux propriétés conservatrices de l'alcool, ne s'étaient pas gâtées. Trente-six dames-jeannes de cherry brandy, d'eau-de-vie de cerise ou de prune, etc., partirent dans le fourgon de déménagement. À l'arrivée, il n'y en avait plus que trente et une.

— Et dire, se lamenta mamie, que ces hommes prétendaient ne jamais toucher une goutte d'alcool !

Peut-être était-ce là une vengeance des déménageurs, mamie n'ayant pas été tendre avec eux pendant leur travail. Lorsqu'ils avaient voulu ôter les tiroirs du grand buffet en acajou, elle s'était moquée d'eux :

— Ôter les tiroirs ? Et pourquoi donc ? Le poids ! Des grands gaillards comme vous ! Ceux qui l'ont apporté jusqu'ici lui ont fait monter l'escalier sans rien retirer, eux ! Et il était plein à ras bord ! Quand je pense ! Les hommes n'ont plus rien dans les veines, de nos jours.

Ils jurèrent leurs grands dieux qu'ils n'y parviendraient pas. Mamie finit pas céder.

— Des mauviettes ! jeta-t-elle. Des mauviettes intégrales ! Pas un pour racheter l'autre !

Dans les caisses se trouvaient des produits comestibles achetés pour permettre à mamie de ne pas mourir de faim. La seule chose qui l'égaya un peu quand nous arrivâmes à Ashfield fut de leur trouver de bonnes cachettes. Deux douzaines de boîtes de sardines atterrirent ainsi sur le dessus d'un secrétaire Chippendale. Elles y restèrent tant et si bien qu'on les oublia complètement. Et lorsque ma mère, après la guerre, voulut vendre quelques meubles, l'homme qui vint les prendre toussota d'un air embarrassé :

— Je, euh... je crois qu'il y a des sardines, là-dessus.

— Des sardines ? Ah oui, c'est bien possible !

Elle ne donna aucune explication. L'homme n'en demanda pas. Les sardines furent enlevées.

— Je crois que nous ferions bien de jeter un coup d'œil sur le dessus de quelques autres meubles.

Des denrées de ce genre surgirent ainsi pendant de nombreuses années des coins les plus inattendus. Un vieux panier à linge, dans la chambre d'ami, était rempli de farine charançonnée. Les jambons, au moins, avaient été consommés à temps. Des pots de miel, des bocaux de reines-claudes et d'autres conserves, quoique peu nombreuses, firent donc leur apparition. Mamie était d'ailleurs contre les conserves : elle les soupçonnait d'être source d'intoxication alimentaire. Seuls ses propres bocaux présentaient pour elle toutes les garanties de sécurité.

Il faut dire que tout le monde éprouvait la même aversion pour les conserves, à l'époque de ma jeunesse. On mettait les filles en garde lorsqu'elles allaient à une soirée dansante :

— Fais bien attention à ne pas manger de homard, au dîner. On ne sait jamais : c'est peut-être de la conserve.

Et le mot « conserve » était prononcé avec horreur. Le crabe en boîte était un produit tellement affreux qu'on n'avait même pas besoin de vous prévenir. Si quelqu'un avait pu imaginer que viendrait un temps où l'on se nourrirait presque exclusivement de produits congelés et de légumes en conserve, il en aurait eu des frissons dans le dos.

Malgré toute mon affection et ma serviabilité, je compatissais fort peu aux souffrances de ma pauvre grand-mère. Même si l'on n'est pas à proprement parler égoïste, il n'en demeure pas moins que nous sommes tous parfaitement égocentriques. Je réalise maintenant combien il devait être dur pour elle, à plus de 80 ans, d'avoir eu à s'arracher à une maison où elle avait passé trente ou quarante ans puisqu'elle s'y était installée peu après la disparition de son mari. Et ce dont elle souffrait le plus n'était d'ailleurs peut-être pas tant le fait d'avoir quitté sa maison — déracinement déjà pénible en soi bien que tous ses meubles personnels eussent suivi : le lit à baldaquin, les deux grands fauteuils dans lesquels elle aimait tant s'asseoir — que d'avoir perdu par la même occasion tous ses amis. Beaucoup étaient morts, mais il en restait encore un certain nombre : des voisins qui venaient souvent la voir, des gens avec lesquels elle pouvait parler du bon vieux temps ou discuter les faits divers des quotidiens : affreux infanticides, viols, vices inavouables, tous sujets dont se délectent les personnes âgées. Nous lui faisions certes chaque jour la lecture des journaux, mais ne nous intéressions guère aux histoires de bébés abandonnés dans leur poussette ou de jeunes filles agressées dans les trains. Les affaires mondiales, en revanche, la politique, la sauvegarde de la morale, l'éducation, aucun des grands thèmes de l'époque ne l'intéressait vraiment. Non qu'elle fût sotte ni qu'elle se réjouît du malheur des autres, mais il lui fallait quelque chose qui vînt rompre la monotonie du quotidien, quelque drame dont elle serait elle-même protégée mais qui surviendrait malgré tout pas trop loin.

Ma pauvre grand-mère n'avait plus rien de bien passionnant dans sa vie, à l'exception des désastres dont on lui faisait lecture. Plus d'amis qui s'arrêtaient chez elle pour lui conter d'un air navré l'indignité de la conduite du colonel Machin envers sa femme, ou l'intéressante maladie dont un cousin souffrait et pour laquelle le médecin n'avait pas encore trouvé de remède. Je comprends maintenant combien cette solitude a dû lui peser. Je regrette de n'avoir pas été plus compréhensive.

Elle se levait lentement, le matin, après avoir pris son petit déjeuner au lit. Puis elle descendait vers 11 heures dans l'espoir que quelqu'un aurait le temps de lui lire les nouvelles. Comme elle n'arrivait pas à heure fixe, ce n'était pas toujours possible. Alors elle s'asseyait dans son fauteuil et prenait son mal en patience. Pendant un an ou deux, elle fut encore capable de tricoter, car elle n'avait pas besoin d'y voir beaucoup pour cela. Ensuite, sa vue continuant de baisser, elle dut tricoter de plus en plus gros, et même ainsi, elle perdait des mailles sans s'en apercevoir. Il nous arrivait de la retrouver en train de pleurer doucement dans son fauteuil parce qu'elle en avait perdu une quelques rangs plus bas et qu'il fallait tout défaire. C'est en général moi qui m'en chargeais : je rattrapais la maille et retricotais l'ouvrage pour qu'elle n'ait plus qu'à reprendre là où elle s'était arrêtée. Cela ne la consolait cependant pas du désespoir qu'elle éprouvait à l'idée de ne plus pouvoir se rendre utile.

Il était difficile de la décider à sortir même pour faire quelques pas sur la terrasse. Elle affirmait d'ailleurs que l'air du dehors était mauvais. Elle restait toute la journée assise dans la salle à manger parce que c'est là qu'elle s'était toujours assise dans son ancienne maison. Elle venait nous rejoindre l'après-midi pour le thé mais repartait aussitôt après. Parfois pourtant, surtout quand des jeunes gens venaient souper à la maison et que nous montions à la salle d'étude, elle faisait soudain son apparition après avoir péniblement gravi les marches de l'escalier. Dans ce genre d'occasions, elle n'allait pas se coucher tôt comme d'habitude. Elle voulait être incluse dans le groupe, entendre ce qui se passait, partager notre gaieté et nos rires. J'aurais préféré qu'elle ne vienne pas, bien sûr : elle n'était pas vraiment sourde, mais il fallait néanmoins lui répéter la plupart des choses, ce qui était un peu contraignant pour tout le monde. Je suis contente que nous ne l'ayons jamais dissuadée de venir. La vie était triste pour la pauvre mamie, malheureusement nous ne pouvions rien y faire. Ce qui la minait, comme il en va pour la majorité des personnes âgées, c'était la perte de son indépendance. Je crois que c'est cette impression d'avoir perdu leur place qui donne à tant de vieilles personnes l'illusion qu'on les empoisonne ou qu'on les spolie de leurs biens. Je ne pense pas qu'il s'agisse vraiment d'un affaiblissement des facultés mentales, seulement c'est d'un centre d'intérêt qu'elles ont besoin, d'une sorte de stimulant : la vie serait tellement plus excitante si l'on essayait vraiment de vous empoisonner. Petit à petit, mamie sombra dans ces fantasmes. Elle affirma à ma mère que les domestiques mettaient « des choses » dans sa nourriture :

— Elles veulent se débarrasser de moi !

— Mais enfin, tatie, pourquoi ? Elles vous aiment beaucoup.

— Ah ! c'est ce que tu crois, Clara. Mais... viens un peu plus près... elles écoutent toujours aux portes. Ça, je le sais. Mes œufs, hier : c'étaient des œufs brouillés, eh bien ils avaient un goût étrange. Un goût... de métal. Je le sais, moi !

Elle dodelina de la tête :

— La vieille Mrs Wyatt, elle a été empoisonnée par son major-dome et sa femme, elle.

— Bien sûr, mais c'est parce qu'elle leur avait laissé beaucoup d'argent. Vous n'en avez laissé à aucun des domestiques.

— Pas de danger, répondit-elle. De toute façon, Clara, je ne veux plus qu'un œuf dur au petit déjeuner. Avec un œuf dur, ils seront bien attrapés.

Mamie eut donc son œuf dur.

Ensuite, ce furent ses bijoux qui avaient disparu. Elle nous annonça l'événement en m'envoyant quérir :

— C'est toi, Agatha ? Entre et ferme la porte, chérie.

Je m'approchai du lit :

— Oui, mamie, qu'est-ce qu'il y a ?

Elle était assise sur son lit, en pleurs, un mouchoir sur ses yeux.

— Tout est parti, gémit-elle, tout. Mes émeraudes, mes deux bagues, mes belles boucles d'oreilles... tout ! Mon Dieu !

— Allons, mamie, je suis sûre qu'elles n'ont pas vraiment disparu. Voyons, où étaient-elles ?

— Dans ce tiroir, là, en haut à gauche, enveloppées dans une paire de mitaines. C'est là que je les cachais toujours.

— Bon, nous allons voir ça, d'accord ?

Je traversai la chambre jusqu'à la coiffeuse et ouvris le tiroir en question. Il y avait deux paires de mitaines roulées en boule, mais rien dedans. J'ouvris alors le tiroir du dessous et vis une autre paire de mitaines avec, ô bonheur ! quelque chose de dur à l'intérieur. J'apportai le tout au pied du lit et rassurai mamie : tout était là, les boucles d'oreilles, la broche d'émeraudes et les deux bagues.

— C'était dans le tiroir du dessous, expliquai-je.

— Alors c'est qu'elles ont dû les rapporter.

— Je ne crois pas qu'elles l'auraient pu, dis-je.

— En tout cas fais attention, Agatha chérie. Très attention. Ne laisse pas traîner ton sac. Maintenant, va à la porte sur la pointe des pieds et regarde si elles écoutent.

Je le fis et lui assurai que personne n'écoutait.

Quelle misère, pensai-je, que de vieillir ! Ça m'arriverait à moi aussi, bien sûr, mais ça ne me paraissait pas réel. On se dit toujours avec conviction : « *Moi*, je ne deviendrai pas vieille. *Moi*, je ne mourrai pas. » On sait bien que si, mais en même temps on est persuadé du contraire. Eh bien maintenant, je *suis* vieille. Je n'en suis pas encore à m'imaginer qu'on m'a volé mes bijoux ou qu'on m'empoisonne, mais il faut bien que je me dise que cela aussi finira par arriver. Peut-être qu'étant prévenue, je comprendrai à temps que je me rends ridicule.

Un jour, mamie crut entendre un chat quelque part vers l'escalier de service. Même s'il y avait eu effectivement un chat, le plus sensé aurait été soit de le laisser où il était, soit de le signaler à l'une des bonnes, à moi, ou à maman. Au lieu de quoi elle décida de se rendre compte par elle-même, avec pour résultat une chute dans l'escalier et une fracture du bras. Le docteur fit la moue. On pouvait espérer, dit-il, que cela se ressouderait bien, mais à cet âge, plus de 80 ans... Pourtant, mamie parvint brillamment à se sortir de ce mauvais pas. Elle retrouva un bon usage de son bras dans les délais prévus, sans plus pouvoir toutefois le lever au-dessus de sa tête. Vraiment, elle était solide, pour son âge. Les histoires qu'elle me racontait sur son extrême fragilité dans sa jeunesse, et le fait que les médecins aient plusieurs fois désespéré de sa vie entre 15 et 35 ans n'étaient, à mon avis, qu'une affabulation typiquement victorienne pour se rendre intéressante par le biais de la maladie.

Entre le temps consacré à mamie et les heures tardives à l'hôpital, ma vie était bien remplie.

En été, Archie eut une permission de trois jours et je partis le rejoindre à Londres. Ce ne fut pas un moment très heureux. Il était à cran, irritable, préoccupé par le déroulement de la guerre qui avait de quoi inquiéter. Les blessés commençaient à arriver en masse, et pourtant personne encore en Angleterre n'imaginait un seul instant que, loin de se terminer à Noël, le conflit durerait quatre ans. Lorsque vinrent les appels à la conscription — le décret Derby laissait le choix entre trois ans ou la durée des hostilités — il paraissait absurde d'opter pour trois ans.

Archie ne parlait jamais des hostilités ou du rôle qu'il y jouait. Il n'avait qu'une idée, à cette époque : oublier tout ça. Nous faisions des repas aussi agréables que nous pouvions — le système de rationnement était beaucoup plus équitable pendant la Première Guerre mondiale que pendant la seconde. Au cours de la première, que vous dîniez au restaurant ou chez vous, il fallait sortir vos tickets de viande si vous vouliez en manger. Alors que pendant la seconde, c'était bien plus immoral : si vous en aviez envie et que vous ayez les moyens, vous pouviez faire un repas de viande chaque jour de la semaine en allant au restaurant où on ne vous demandait rien du tout.

Nos trois jours passèrent en un éclair et nous laissèrent mal à l'aise. Nous avions tous deux envie de faire des projets pour l'avenir, mais sentions l'un comme l'autre que le moment était mal choisi. La seule éclaircie dans cette grisaille, pour moi, fut que, peu après cette permission, Archie ne devait plus voler. L'état de ses sinus ne le lui permettant plus, on lui avait confié la charge d'un dépôt. Il avait toujours été excellent organisateur et administrateur. Ayant reçu plusieurs citations, il se vit décerner l'ordre de St Michael et St George ainsi que la Médaille militaire. Mais sa plus grande fierté venait de ses premières citations au combat par le général French, tout au début. Celles-là, disait-il, représentaient vraiment quelque chose. Il reçut également une décoration russe, l'ordre de Saint-Stanislas, qui était si jolie que j'aurais bien aimé la porter moi-même lors des soirées.

Plus tard cette année-là, j'attrapai une mauvaise grippe, qui tourna en congestion pulmonaire et me tint éloignée de l'hôpital pendant trois semaines ou un mois. Lorsque je pus enfin revenir, un nouveau service avait été ouvert, celui du laboratoire de pharmacie, et on me proposa d'y travailler. Ce devait être ma seconde maison pendant deux ans.

Ce nouveau service était dirigé par Mrs Ellis, la femme du médecin, qui avait fait les préparations médicales pour son mari pendant des années, et par mon amie Eileen Morris. Je devais être leur assistante et étudier pour obtenir le diplôme de préparatrice qui me permettrait de travailler avec un médecin-major ou un pharmacien. Cela paraissait fort intéressant, y compris les horaires : nous fermions à 18 heures, et je serais de service alternativement les matins et les après-midi, ce qui m'arrangeait bien pour mes obligations à la maison.

Je ne peux cependant pas dire que cette activité me plaisait autant que donner des soins. Je crois que j'avais une véritable vocation d'infirmière, et j'aurais été heureuse d'évoluer dans un hôpital. Ma nouvelle occupation m'intéressa au début, puis elle devint monotone : je n'aurais jamais pu envisager d'en faire mon métier. D'un autre côté, c'était agréable d'être avec mes amies. J'éprouvais une grande affection pour Mrs Ellis. C'était l'une des femmes les plus posées et les plus calmes que j'aie jamais connues, avec une voix douce, lente, et un sens de l'humour qui se manifestait aux moments les plus inattendus. C'était aussi un excellent professeur qui comprenait les difficultés d'autrui et le fait qu'elle fût elle-même, comme elle le reconnaissait bien volontiers, passablement nulle en calcul, vous mettait assez vite à l'aise avec elle. Eileen était mon instructeur de chimie. Au début, franchement, j'avais beaucoup de mal à la suivre. Elle ne commença pas par le côté pratique mais par la théorie. Se trouver plongée directement dans le tableau périodique des éléments, les masses atomiques et les ramifications des dérivés du goudron de houille avait de quoi déconcerter. Je finis pourtant par reprendre pied et assimiler les bases. Après que nous eûmes fait sauter notre cafetière Cona en essayant de pratiquer le test de Marsh pour détecter l'arsenic, nous commençâmes vraiment à progresser.

Nous n'étions que des amateurs, mais cela nous rendit peut-être d'autant plus soigneuses et appliquées. Le travail était de qualité inégale, bien sûr. Chaque fois que nous arrivait un nouveau convoi de blessés, il fallait trimer comme quatre. Nous devions fournir des remèdes, des onguents, remplir des flacons et des flacons de lotions chaque jour. Après avoir œuvré en hôpital avec plusieurs docteurs, on découvre combien la médecine, comme toute chose en ce monde, est pour beaucoup liée à des questions de mode — et aussi aux manies personnelles de chaque praticien.

— Qu'avons-nous à préparer ce matin ?

— Bah ! cinq potions spéciales du Dr Whittick, quatre du Dr James et deux du Dr Vyner.

Le profane, ou la profane comme je suppose que je devrais m'appeler, s'imagine que le médecin étudie votre cas individuellement, cherche le médicament qui serait le plus adapté et rédige une ordonnance à cet effet. Je me rendis vite compte que les fortifiants prescrits par le Dr Whittick, le Dr James et le Dr Vyner étaient fort différents, et particuliers non pas au patient mais au médecin. Quand on y réfléchit, cela peut se comprendre, mais ne donne peut-être pas au malade l'impression d'avoir la même importance qu'auparavant. Pharmaciens et préparateurs prennent de leur côté un peu leurs distances par rapport aux médecins : eux aussi ont leurs opinions. Qu'on trouve les ordonnances du Dr James excellentes et celles du Dr Whittick en dessous de tout, il faut de toute façon les préparer de la même manière. Ce n'est que lorsqu'il s'agit d'onguents que les médecins expérimentent au coup par coup. Cela tient surtout à ce que les affections de la peau restent encore autant d'énigmes pour la profession médicale et pour tout le monde. L'application d'un produit au silicate de zinc peut avoir des effets spectaculaires sur Mrs D., alors que sur Mrs C., qui souffre pourtant de la même affection, le silicate se montrera inefficace et provoquera même une irritation supplémentaire. En revanche une préparation au goudron de houille, qui ne faisait qu'aggraver les choses chez Mrs D., réussit contre toute attente chez Mrs C. Le docteur doit donc continuer à faire des essais jusqu'à ce qu'il tombe sur la bonne préparation. À Londres, les malades de la peau ont leurs hôpitaux préférés.

— Vous avez essayé le Middlesex ? Parce que moi, j'y suis allée et ce qu'on m'a donné ne m'a rien fait du tout. Alors qu'ici, à l'UCH, je suis déjà presque complètement guérie.

— Eh bien moi, clame alors une amie, je commence à trouver qu'ils ne sont pas si mal, au Middlesex. Ma sœur a été traitée ici : zéro. Là-bas, ils l'ont remise sur pied en quarante-huit heures.

Encore aujourd'hui, j'en veux à un certain spécialiste de la peau, adepte systématique et éternellement optimiste de l'expérimentation, un des tenants de l'école du « tout essayer au moins une fois » qui n'avait rien trouvé mieux que de faire oindre d'une préparation à l'huile de foie de morue tout le corps d'un nourrisson à peine âgé de quelques mois. La mère et les autres membres de la famille doivent avoir trouvé la proximité du pauvre bébé bien difficile à supporter. Le traitement fut interrompu après les dix premiers jours, n'ayant eu d'autre effet que de faire de moi aussi un paria à la maison, car l'on ne peut manipuler de grandes quantités d'huile de foie de morue sans ramener chez soi une odeur pestilentielle de poisson.

Paria, je l'ai été plusieurs fois en 1916, notamment à cause de cette vogue de la pâte Bip qu'on appliquait sur toutes les blessures. C'était un mélange de bismuth et d'iodoforme liés par de l'huile de paraffine. Je trimballais avec moi l'odeur de l'iodoforme au travail, dans le tram, à la maison, à table et jusque dans mon lit. Ce sont des exhalaisons pénétrantes qui semblent se dégager de vos doigts, poignets, avant-bras, coudes, et qu'aucun lavage ne parvient à éliminer. Afin de ménager la sensibilité de ma famille, je prenais mes repas sur un plateau dans l'office. Vers la fin de la guerre, la pâte Bip passa de mode et fut supplantée par des préparations moins agressives et finalement remplacée par d'énormes bonbonnes de lotion hypochloreuse. Celle-ci, tirée du chlorure de calcium ordinaire avec de la soude entre autres éléments, imprégnait tous vos vêtements d'une forte odeur de chlore. La plupart des désinfectants actuels de sanitaires reposent sur le même principe et il suffit que j'en sente la moindre bouffée pour me trouver mal. Je m'en suis violemment prise à un domestique fort têtu que nous avions, à une époque :

— Qu'est-ce que vous avez mis dans l'évier de l'office, qui empeste comme ça ?

Il brandit fièrement une bouteille.

— C'est un désinfectant de première qualité, Madame.

— Mais nous ne sommes pas à l'hôpital ! m'écriai-je. Pourquoi ne pas tendre des draps au phénol, pendant que vous y êtes ? Contentez-vous donc de rincer cet évier à l'eau chaude toute simple avec juste un peu de soude de temps en temps s'il le faut. Et jetez-moi cet horrible produit au chlorure de calcium !

Je lui fis une leçon sur la nature des désinfectants, et lui expliquai que ce qui est mauvais pour les microbes l'est en général tout autant pour les tissus humains. Qu'il était donc préférable de bien nettoyer à fond plutôt que de désinfecter.

— Les germes, ça résiste, dis-je. Les désinfectants doux n'auront aucun effet sur eux. On en a même vu proliférer dans une solution de phénol au soixantième.

Il ne fut pas convaincu et continua à utiliser tranquillement sa malodorante mixture dès que j'avais le dos tourné.

Dans le cadre de mon apprentissage pour le certificat de préparatrice, on m'organisa un petit stage de formation à l'extérieur du service, dans une officine privée. L'un des plus grands pharmaciens de Torquay eut l'amabilité de m'inviter à venir certains dimanches pour me faire la main. J'arrivai donc, pleine d'appréhension, humble comme la violette mais farouchement avide d'apprendre.

Une officine de pharmacien, la première fois qu'on passe dans les coulisses, est une révélation. Nous autres amateurs, à l'hôpital, préparions chaque flacon de médicament avec la plus grande minutie. Si le médecin prescrivait 1,3 g de sels de bismuth pour une dose, c'est exactement 1,3 g que le patient recevait. Et pour des non-professionnelles, donc, je crois que c'était une bonne chose. Mais j'imagine que tout pharmacien, après ses cinq années d'étude et l'obtention de son diplôme, connaît aussi bien son affaire qu'une bonne cuisinière connaît la sienne. Il verse du contenu de ses différentes fioles au jugé, en pleine confiance, sans se préoccuper de mesurer ou de peser. Les poisons ou produits dangereux sont dosés avec précision, bien sûr, mais les autres entrent par rasades approximatives dans la préparation. Colorants et agents de saveur sont ajoutés de la même manière, ce qui fait que les malades reviennent parfois se plaindre que leur médicament n'a pas la même coloration que précédemment :

— Le mien est rose foncé, normalement, pas rose bonbon comme ça !

Ou bien :

— Il doit y avoir erreur. C'est la mixture à la menthe, qu'on me donne d'habitude... une bonne mixture à la menthe, pas cet affreux truc douceâtre et visqueux.

C'est là qu'on s'aperçoit que c'est de l'eau chloroformée qui a été ajoutée au lieu de la solution mentholée.

La majorité des malades, dans le service des consultations externes de l'hôpital de University College où j'ai travaillé en 1948, étaient très exigeants quant à la permanence de couleur et de goût de leurs préparations. Je revois cette vieille Irlandaise se pencher par la fenêtre du laboratoire, me glisser une demi-couronne dans la main et me chuchoter :

— Vous ne pourriez pas me le faire un peu plus fort, s'il vous plaît ? Ajoutez-y de la menthe, mon chou, plein de menthe.

Je lui rendis sa demi-couronne, disant avec hauteur que nous n'acceptions pas ce genre de tractation et qu'elle devait prendre son médicament exactement comme le praticien l'avait prescrit. Je lui remis pourtant une petite dose de cette menthe qui ne pouvait pas lui faire de mal, et dont elle semblait tellement raffoler.

Bien entendu, quand on est novice dans ce genre de travail, on a une peur phobique de commettre des erreurs. L'addition d'un produit toxique dans un remède est systématiquement faite sous contrôle d'un autre préparateur, mais il peut toujours y avoir des moments où l'on se donne des sueurs froides. Je me rappelle un des miens. J'avais préparé des onguents, cet après-midi-là, et pour l'un d'eux, j'avais placé dans le couvercle d'un pot un peu de phénol pur que j'ajoutais avec une pipette au mélange que j'étais en train de travailler sur ma paillasse. Quand celui-ci fut dûment bouilli, étiqueté et rangé, je me mis à d'autres tâches. Il était environ 3 heures, je crois, lorsque je m'éveillai en sursaut dans mon lit : « *Qu'ai-je fait du couvercle de ce pot à onguent ? Celui où j'ai mis le phénol ?* » me demandai-je. Plus j'essayais de me souvenir et moins je me voyais le reprendre et le laver. L'aurais-je utilisé pour reboucher un autre pot de pommade sans m'apercevoir qu'il contenait quelque chose ? Encore une fois, plus j'y songeais et plus il me semblait clair que je l'avais fait. J'avais dû le placer ensuite avec les autres sur l'étagère de service où le garçon de salle viendrait le chercher le lendemain matin dans son panier. Le pot d'onguent d'un des patients allait donc renfermer une couche de phénol pur sur le dessus. Morte d'angoisse, ne pouvant plus y tenir, je sortis du lit, m'habillai, filai à pied jusqu'à l'hôpital, entrai — heureusement, je n'avais pas à passer par la salle de garde puisque l'escalier du laboratoire était extérieur —, montai, examinai les pots que j'avais préparés, ouvris les couvercles, les reniflai bien tous. Encore aujourd'hui, je me demande si c'est le fruit de mon imagination, mais dans l'un d'eux je crus détecter une légère odeur de phénol là où il n'aurait pas dû y en avoir. J'ôtai par précaution la couche supérieure de l'onguent, puis ressortis sans faire de bruit et rentrai me coucher.

En général, ce ne sont pas les novices qui commettent des erreurs dans les pharmacies. Manquant d'assurance, elles demandent toujours conseil. Les cas les plus graves d'empoisonnement accidentel viennent plutôt de pharmaciens chevronnés qui travaillent depuis des années. Ils ont tellement l'habitude de ce qu'ils font qu'ils n'ont même plus besoin d'y réfléchir. C'est alors que, préoccupés peut-être par quelque souci personnel, ils commettent une erreur. Cela s'est produit avec le petit-fils d'un de mes amis. L'enfant était malade et le médecin établit une ordonnance qui fut apportée au pharmacien pour être préparée. Une dose du remède fut administrée. Dans l'après-midi, la grand-mère trouva que le gamin avait mauvaise mine. Elle en fit part à la nurse. « Je me demande ce qui cloche avec ce médicament », dit-elle. Après une deuxième dose, elle fut encore plus inquiète. « Je suis sûre qu'il y a quelque chose qui ne va pas. » Elle envoya quérir le docteur. Celui-ci examina le petit, puis le médicament, et intervint tout de suite. Les enfants tolèrent fort mal les préparations qui contiennent de l'opium. Le pharmacien s'était trompé et avait donné un produit beaucoup trop fort. Il était tout bouleversé, le pauvre homme. Il travaillait depuis quatorze ans dans cette officine et était un de leurs préparateurs les plus consciencieux et les plus compétents. Ce qui montre que cela peut arriver à n'importe qui.

Au cours de ma formation pharmaceutique, je me trouvai confrontée à un problème. Il appartenait aux candidats à l'examen de savoir utiliser les deux systèmes de mesure, l'habituel et le métrique. Mon pharmacien m'y entraîna en me donnant à effectuer des préparations suivant la formule métrique. Ni les médecins ni les pharmaciens n'aiment ce système dans la pratique. L'un de nos docteurs, à l'hôpital, n'a jamais réussi à savoir ce que « contenant 0,1 de... » signifiait exactement.

— Bon alors, disait-il, cette solution, elle est à 1 % ou à 1‰ ?

Le gros danger du système métrique est que, si vous vous trompez, vos erreurs sont multipliées par dix.

Un après-midi, ma leçon porta sur la fabrication des suppositoires, qui n'étaient guère utilisés à l'hôpital mais que j'étais censée connaître pour l'examen. Ils sont assez délicats à faire, surtout au moment de la fonte du beurre de cacao, qui est leur base. S'il est trop chaud, il ne prendra pas. S'il ne l'est pas assez, il ne sortira pas du moule avec la bonne forme. Ce jour-là donc, Mr P., le pharmacien, me faisait une démonstration personnelle sur la façon exacte de procéder avec le beurre de cacao, puis il ajouta un principe actif dosé en métrique. Il me fit voir à quel moment il fallait sortir les suppositoires, comment on les plaçait dans leur boîte et les étiquetait professionnellement : Produit X, 1 %. Après quoi il vaqua à d'autres occupations. Pourtant, quelque chose me préoccupait : j'étais persuadée que ce qui était entré dans la composition de ces suppositoires était à 10 %, donc à un pour dix et non pas pour cent. Je refis ses calculs : ils étaient effectivement faux ! En utilisant le système métrique, il avait mal placé sa virgule. Mais que pouvais-je faire, moi, la jeune étudiante ? Je n'étais qu'une petite novice, et lui, le plus grand pharmacien de la ville. Je ne me voyais pas lui dire : « *Mr P., vous vous êtes trompé.* » Mr P. était le genre de personne qui ne commet *pas* d'erreur, surtout devant une étudiante. C'est alors que, repassant devant moi, il me dit :

— Mettez donc tout cela en réserve. Il arrive qu'on nous en demande.

De mal en pis. Je ne pouvais pas laisser ces suppositoires aller en stock. Ils contenaient un produit dangereux. Certes, un produit dangereux perd de sa nocivité lorsqu'il est administré par voie rectale, mais tout de même... Je ne pouvais rester passive, alors que faire ? Même si je suggérais la possibilité d'une erreur de dosage, me croirait-il ? J'étais sûre de sa réponse :

— Mais non, voyons. Vous imaginez peut-être que je ne connais pas mon métier ?

Il ne restait plus qu'une solution. Avant que les suppositoires ne fussent refroidis, je trébuchai, perdis l'équilibre, renversai la tablette sur laquelle ils reposaient et les piétinai allégrement.

— Mr P., m'excusai-je, je suis vraiment désolée. J'ai fait tomber les suppositoires et j'ai marché dessus.

— Quel dommage ! s'écria-t-il, contrarié. Ah ! celui-ci a l'air bien.

Il en ramassa un qui avait effectivement échappé au poids de mes godillots de temps de guerre.

— Il est sale, affirmai-je en les jetant tous sans autre forme de procès à la poubelle. Je suis navrée.

— Ce n'est rien, ma petite. Ne vous en faites pas, fit-il en me tapotant tendrement l'épaule.

Il avait un peu trop tendance à ce genre de gestes : petites tapes, coups de coude, tentatives, parfois, de me caresser la joue. Je ne pouvais trop rien dire, car j'étais en stage de formation, mais je gardais autant que possible mes distances, et parvenais généralement à inclure l'autre préparateur dans nos conversations afin de ne pas me retrouver seule avec lui.

Étrange individu que ce Mr P. ! Un jour, sans doute dans le but de m'impressionner, il sortit de sa poche un petit cube de matière brunâtre et me le montra :

— Vous savez ce que c'est ?

— Non, répondis-je.

— C'est du curare, fit-il. Vous connaissez ?

Je répondis que j'avais lu quelque chose là-dessus.

— Ah ! il a des propriétés intéressantes. Très intéressantes. Ingéré par voie buccale, il est absolument inoffensif. En revanche, s'il entre dans le circuit sanguin, il vous paralyse et vous tue. Les primitifs l'utilisent pour empoisonner les pointes de leurs flèches. Vous savez pourquoi je l'ai toujours dans ma poche ?

— Non, fis-je. Non, je ne vois vraiment pas.

Cela me paraissait surtout une idée idiote, mais je gardai cette réflexion pour moi.

— Eh bien, me déclara-t-il avec componction, parce que cela me donne un sentiment de puissance.

Je le regardai mieux. C'était un drôle de petit bonhomme rond comme une bille et qui, avec son petit visage lui aussi rond et rose, faisait penser à un rouge-gorge. Il émanait de lui un air de satisfaction enfantine.

Mon stage de formation auprès de Mr P. touchait à sa fin, mais je me suis souvent interrogée à son sujet par la suite. En dépit de ses airs de chérubin, il m'avait fait l'effet d'un homme potentiellement dangereux. Il m'avait tant marquée que son souvenir ne cessa de m'habiter jusqu'au moment où germa dans mon esprit l'idée d'écrire mon roman *Le Cheval pâle* : ce qui a dû se passer, je crois bien, pas loin de cinquante ans plus tard.

L'idée d'écrire un roman policier me vint tandis que je travaillais au laboratoire de pharmacie de l'hôpital. Idée qui avait mûri dans mon esprit depuis le défi antérieur de Madge. Mon activité présente m'en offrait l'occasion : à la différence des travaux d'infirmerie qui ne vous laissent guère de répit, la préparation des remèdes faisait alterner les périodes de calme et d'intense activité. Lors de mon service de l'après-midi, je me retrouvais parfois seule et désœuvrée : quand on avait vérifié que tous les flacons étaient prêts, on avait liberté de faire ce qu'on voulait sauf de quitter le laboratoire.

Je me mis à réfléchir au type d'intrigue que je pouvais utiliser. Comme j'étais encore entourée de poisons, peut-être était-il assez naturel que je choisisse la mort par empoisonnement. Je trouvai une histoire qui me paraissait présenter un éventail de possibilités : je jouai avec l'idée, elle me plut, je la retins. Restait à m'occuper des personnages du drame. Qui allait être empoisonné ? Un homme ou une femme ? Par qui ? Quand ? Où ? Comment ? Pourquoi ? Et ainsi de suite. Ce devrait être un meurtre *intime*, vu la façon particulière dont il était commis : tout devrait se passer pour ainsi dire en famille. Naturellement, il faudrait un détective. À cette époque, j'étais tout imprégnée de la tradition de Sherlock Holmes. Quel détective, donc ? Pas un double de Sherlock Holmes, bien sûr : je devais en inventer un à moi, mais il devait aussi avoir un ami qui servirait de tête de Turc ou de faire-valoir — ça, ce ne serait pas trop difficile. Je revins donc à mes autres personnages. Qui allait être assassiné ? Un mari pouvait tuer sa femme — c'était sans doute le plus courant. Je pouvais certes imaginer un meurtre tout à fait inhabituel pour un mobile tout aussi inhabituel, mais cela, d'un point de vue artistique, ne me plaisait guère. Tout le problème d'un bon roman policier, c'est qu'il doit y avoir un coupable évident, dont on doit découvrir, pour une raison quelconque, que sa culpabilité n'est pas si évidente que ça et même qu'il n'a pas pu commettre le crime dont on l'accuse. Bien qu'au bout du compte, et cela va sans dire, ce soit bel et bien lui qui ait fait le coup. Arrivée là, les choses commencèrent à s'embrouiller dans ma tête : je m'en fus préparer deux bouteilles supplémentaires de lotion hypochlorique de façon à avoir du temps libre le lendemain.

Je continuai quelque temps à fignoler mon idée de départ. Elle commençait à prendre corps. Je voyais l'assassin, à présent. Il avait l'air assez sinistre, avec une barbe noire — les barbes noires me paraissaient fort sinistres, à l'époque. Des gens que nous connaissions étaient récemment venus s'installer près de chez nous : le mari avait une barbe noire et la femme, plus âgée que lui, était très riche. Oui, pensai-je, cela pourrait constituer une bonne base. J'y réfléchis un peu plus à fond. Pas mal, mais pas entièrement satisfaisant. L'homme en question, j'en étais sûre, ne tuerait jamais personne. Je m'en détournai donc, décidant une fois pour toutes qu'il n'était pas bon de penser à des gens existant vraiment : il faut créer soi-même ses personnages de toutes pièces. Un inconnu que l'on croise dans un tram, un train ou un restaurant peut constituer un point de départ, car on peut broder dessus autant qu'on veut.

Justement, le lendemain, dans un tram, je vis ce qu'il me fallait : *un homme à barbe noire, assis à côté d'une dame âgée qui jacassait comme une pie.* Je ne pensais pas l'utiliser *elle*, mais *lui* ferait admirablement l'affaire. Quelques sièges derrière eux se trouvait une grosse femme joviale qui parlait très fort de bulbes de fleurs de printemps. Elle avait un physique intéressant, elle aussi. Pourrais-je l'incorporer à l'intrigue ? Je quittai le tram en les emportant tous les trois avec moi dans ma tête pour travailler dessus et remontai Barton Road en marmonnant toute seule comme au temps des Chatons.

J'eus très rapidement une vision sommaire de certains de mes personnages. La grosse femme joviale en était, je connaissais même son prénom : Evelyn. Elle pourrait faire la parente pauvre, une jardinière, une dame de compagnie — une femme de charge, peut-être ? Bref, j'allais l'enrôler. Ensuite, il y avait l'homme à la barbe noire, dont je ne savais toujours pas grand-chose sinon qu'il avait une barbe noire, ce qui n'était pas beaucoup — à moins que ce ne soit suffisant ? Oui, peut-être. Car on ne verrait de cet homme que l'aspect extérieur, on ne percevrait que ce qu'il voulait montrer et non pas ce qu'il était vraiment : cela, ce serait déjà un indice en soi. L'épouse plus âgée serait assassinée davantage pour son argent que pour sa personnalité, aussi n'avait-elle qu'une importance relative. Je commençai alors à ajouter des personnages : un fils ? une fille ? un neveu, même ? Il fallait multiplier les suspects. La famille prenait bonne forme.

Je la laissai se développer, et revins au détective. Quelle sorte de détective choisir ? Je passai en revue ceux que j'avais admirés dans mes lectures. Pourquoi pas Sherlock Holmes, le seul, l'unique ? Je ne serais pas capable de rivaliser avec lui. Arsène Lupin ? Mais était-ce un détective ou un criminel ? De toute façon, ce n'était pas mon type. Rouletabille, le jeune journaliste du *Mystère de la chambre jaune* ? Voilà le style de héros que j'aurais bien aimé inventer : un personnage inédit. Qui prendre ? Un écolier ? Difficile. Un scientifique ? Que savais-je des scientifiques ? Je songeai tout à coup à nos réfugiés belges. Nous en avions une vraie colonie dans la paroisse de Tor. Tout le monde avait débordé de gentillesse et de compassion quand ils étaient arrivés. Les gens leur avaient meublé des maisons vides, s'étaient mis en quatre pour leur apporter un peu de confort. Il y avait eu, un peu plus tard, la réaction habituelle : les réfugiés ne s'étaient peut-être pas montrés assez reconnaissants de ce qui avait été fait pour eux et avaient commencé à se plaindre de ceci et de cela. Le fait que ces malheureux se soient sentis un peu perdus en pays étranger ne fut pas suffisamment pris en ligne de compte. Beaucoup d'entre eux étaient des paysans plutôt renfermés, qui n'avaient aucune envie d'être invités à prendre le thé ou de voir débarquer des gens chez eux. Ils voulaient qu'on les laisse tranquilles, s'occuper tout seuls de leurs affaires, mettre un peu d'argent de côté, bêcher et fumer leur jardin à leur façon à eux.

Pourquoi mon détective ne serait-il donc pas belge ? Il y en avait de toutes sortes, de ces réfugiés. Alors pourquoi pas un officier de police à la retraite ? Pas trop jeune. Quelle erreur je commettais là ! Le résultat, c'est que mon détective fictif doit être bien plus que centenaire à l'heure qu'il est.

Bref, je me décidai pour un détective belge. Je le laissai petit à petit s'installer dans le rôle. Il aurait été inspecteur, afin de posséder de solides connaissances en matière criminelle. Il serait méticuleux, très ordonné, me dis-je tandis que je faisais moi-même du rangement dans ma chambre en désordre. Je le voyais nettement comme un petit homme tiré à quatre épingles, aimant les choses qui vont par paires, carrées plutôt que rondes. Il serait très intelligent. Il ferait travailler ses petites cellules grises : c'était là une bonne phrase à retenir. Il aurait un nom qui sonne bien, dans le genre de ceux de Sherlock Holmes et de ses proches. Comment s'appelait-il, déjà, le frère de Sherlock ? Mycroft.

Pourquoi ne pas appeler mon petit homme Hercules ? Puisqu'il devait être petit, Hercules serait pour lui un bon prénom. Quant à Poirot, je ne sais pas comment je l'ai trouvé : dans ma tête, dans un journal, au cours d'une lecture ? Hercules écrit à l'anglaise n'allait pas avec Poirot. Ce serait donc Hercule. Quoi qu'il en soit Hercule Poirot sonnait bien... et j'étais débarrassée d'un gros souci.

Il me fallait à présent trouver des noms pour les autres, mais c'était moins important. Alfred Inglethorpe, par exemple : cela collerait bien avec une barbe noire. J'ajoutai quelques autres personnages. Un mari et sa femme — jolie — brouillés. Les ramifications de l'intrigue, à présent, les faux indices. Comme tous les jeunes auteurs, je voulus trop en mettre dans un seul livre. Trop de fausses pistes. Il y avait tant de fils à démêler que cela risquait de rendre l'énigme plus difficile à résoudre, donc plus difficile à suivre.

Pendant mes moments de loisir, des morceaux de mon roman tournoyaient dans ma tête. J'avais le début tout prêt, la fin était en ordre, mais des trous subsistaient entre les deux. Si Hercule Poirot s'intégrait de façon naturelle et plausible, restaient à trouver des raisons d'inclure les autres personnages. Tout cela était encore très embrouillé.

J'en devenais distraite à la maison. Ma mère me demandait sans cesse pourquoi je ne répondais pas aux questions, ou pourquoi je répondais à côté. Je me trompai plus d'une fois dans le tricot de mamie. J'oubliais la moitié des choses que j'étais censée faire, et j'envoyai plusieurs lettres à une mauvaise adresse. Vint pourtant le moment où je sentis enfin que je pouvais commencer à écrire. Je mis maman au courant de ce que j'allais faire. Elle montra son habituelle et totale confiance dans les capacités de ses filles.

— Ah bon ? dit-elle. Un roman policier ? Ça va te faire un bon dérivatif, n'est-ce pas ? Tu ferais bien de commencer tout de suite.

Il n'était pas possible de grappiller beaucoup de temps, mais j'y parvins. J'avais toujours la vieille machine à écrire — celle qui avait appartenu à Madge — et je m'acharnai dessus après avoir rédigé un premier brouillon à la main. Je tapais les chapitres à mesure que je les terminais. Mon écriture, à l'époque, était meilleure que maintenant et tout à fait lisible. J'étais surexcitée par cette nouvelle tâche. Jusqu'à un certain point, j'y pris plaisir. Mais, la fatigue me gagnant, mon humeur s'en ressentit. C'est un des effets de l'écriture, me semble-t-il. D'autre part, alors que je me trouvais empêtrée dans le milieu de mon roman, ce furent les difficultés qui prirent le meilleur sur moi au lieu du contraire. C'est alors que ma mère me fit une bonne suggestion.

— Tu es très avancée ? me demanda-t-elle.

— À peu près à la moitié, je crois.

— Eh bien je pense que, si tu veux vraiment arriver au bout, il faudra que tu le fasses pendant tes vacances.

— Je comptais effectivement m'y remettre à ce moment-là.

— D'accord, mais il me semble que tu devrais aussi partir de la maison pour pouvoir écrire sans être dérangée.

J'y réfléchis. Quinze jours de tranquillité absolue. Ce serait assez extraordinaire.

— Où aimerais-tu aller ? À Dartmoor ?

— Oh ! oui, fis-je, ravie. Dartmoor, ce serait parfait.

Je partis donc pour Dartmoor. Je réservai au *Moorland*, à Hay Tor. C'était un grand hôtel plutôt lugubre avec beaucoup de chambres. Il y avait peu de résidents. Je ne crois pas avoir lié conversation avec aucun d'entre eux, cela m'aurait déconcentrée. J'écrivais laborieusement toute la matinée jusqu'à ce que la main me fasse mal, puis je descendais déjeuner avec un bon livre. Ensuite, je sortais faire une grande promenade, de deux heures parfois, sur la lande. Je crois que c'est là que j'ai appris à l'aimer. J'adorais ses pitons rocheux, sa bruyère et ses paysages sauvages dès qu'on quittait la route. Tous ceux qui venaient dans cette région — bien entendu il n'y en avait pas beaucoup en temps de guerre — se cantonnaient autour de Hay Tor lui-même. Moi, je l'évitais au contraire soigneusement pour partir seule dans la campagne. Je marmonnais en marchant, répétais les dialogues des chapitres que j'allais écrire. J'étais John qui parlait à Mary, Mary qui répondait à John, Evelyn la patronne de Mary, etc. Je rentrais à l'hôtel tout excitée, dînais et m'écroulais dans mon lit pour une douzaine d'heures. Je me levais alors et me remettais fébrilement à écrire toute la matinée.

J'achevai vaille que vaille la seconde moitié du roman pendant ces deux semaines de vacances. Je n'étais pourtant pas au bout de mes peines, car il me fallait en revoir une bonne partie, surtout vers ce milieu si compliqué. Je parvins malgré tout à me sentir raisonnablement satisfaite, ce qui signifie que le résultat correspondait *grosso modo* à mes intentions. Ce n'était certes pas parfait, je le savais, mais ne voyant pas comment améliorer mon « ouvrage », je dus le laisser tel quel. Je refis certains chapitres mal ficelés entre Mary et son mari John qui s'étaient brouillés pour des vétilles, mais j'étais résolue à les réconcilier à la fin pour apporter une sorte de petite touche sentimentale. Personnellement, j'ai toujours trouvé les intrigues amoureuses terriblement barbantes dans les romans policiers. L'amour, c'est bon pour les romans à l'eau de rose. Introduire de force un élément passionnel dans ce qui devrait être un processus scientifique est un contresens. Cependant à cette époque, c'était une obligation. Alors voilà. Je fis de mon mieux avec John et Mary, mais ils restèrent des personnages médiocres. Après avoir fait correctement dactylographier mon manuscrit par une professionnelle et m'être assurée que je ne pouvais pas l'améliorer, je l'expédiai à un éditeur — Hodder Stoughton — qui me le retourna. Un refus pur et simple, sans prendre de gants. Je n'en fus pas surprise — je n'avais pas envisagé le succès —, mais je le réexpédiai néanmoins aussitôt chez un autre éditeur.

4

Archie vint passer sa deuxième permission à la maison. Je ne devais pas l'avoir vu depuis près de deux ans. Ce furent de bons moments, cette fois. Nous disposions d'une semaine entière et nous descendîmes dans la New Forest. Les feuilles s'étaient parées de délicieuses couleurs d'automne. Archie était moins nerveux, et nous entrevoyions l'un et l'autre l'avenir avec un peu moins d'appréhension. Nous fîmes de longues promenades à travers bois, nous sentant plus proches que nous ne l'avions jamais été. Il me confia qu'il avait toujours rêvé de suivre un certain sentier marqué « Sans issue ». Nous l'empruntâmes donc jusqu'à arriver à un verger qui regorgeait de pommes. Il y avait là une dame à qui nous demandâmes si nous pouvions lui en acheter.

— Pas besoin d'acheter, mes enfants, dit-elle. Je vois que monsieur est dans l'aviation : comme un de mes fils, qui a été tué. Alors servez-vous, mangez et emportez tout ce que vous voudrez.

Nous nous promenâmes gaiement dans le verger en croquant des fruits, puis retournâmes dans la forêt et nous assîmes sur un tronc d'arbre couché. Il pleuvait légèrement, mais nous étions heureux. Je ne parlai ni de l'hôpital ni de mon travail, Archie ne dit rien de la guerre en France, hormis une allusion au fait que nos retrouvailles ne seraient peut-être pas si lointaines.

Je lui appris que j'avais écrit un roman. Il le lut, y prit plaisir et le trouva bon. Un de ses amis dans l'aviation était directeur chez Methuen : Archie me proposa, si le livre m'était encore renvoyé, de me faire parvenir une lettre de cet ami pour que je la joigne au manuscrit et que j'expédie le tout chez Methuen.

Telle fut donc l'étape suivante de *La Mystérieuse Affaire de Styles*. Chez Methuen, sans doute par respect envers leur directeur, on me répondit de façon infiniment plus aimable. Ils gardèrent aussi le manuscrit beaucoup plus longtemps — environ six mois — mais, bien qu'ils l'eussent trouvé intéressant et pétri de qualités, ils étaient au regret de me dire qu'il n'entrait pas dans leur style de publications. En fait, je crois qu'ils avaient dû le trouver fort mauvais.

Je ne me souviens plus où je l'ai envoyé ensuite, mais une fois encore, il me revint. Je commençais vraiment à perdre espoir. John Lane, le directeur de The Bodley Head, avait récemment sorti un ou deux romans policiers — c'était un peu un nouveau départ pour cette maison d'édition. Alors pourquoi ne pas essayer de ce côté-là ? Je refis un paquet, le leur postai et n'y pensai plus.

Ce qui se passa ensuite fut aussi soudain qu'inattendu. Archie rentra à la maison : il avait été affecté au ministère de l'Air, à Londres. La guerre durait depuis si longtemps — près de quatre ans à ce moment-là — et je m'étais tellement accoutumée à travailler à l'hôpital et à habiter à la maison que la perspective de changer de vie me causa presque un choc.

Je montai à Londres. Nous prîmes une chambre à l'hôtel et je commençai à me mettre en quête d'un meublé où nous installer. Naïvement, au début, nous partîmes avec des idées de grandeur ; nous eûmes tôt fait de les réviser à la baisse d'un cran ou deux. Nous étions en temps de guerre.

En fin de compte, nos possibilités nous laissèrent le choix entre deux logements. L'un était situé à West Hampton et appartenait à une certaine miss Tunks — le nom est resté gravé dans ma mémoire. Elle se montra excessivement réticente à notre égard : les jeunes sont tellement peu soigneux, et elle tenait tant à ses affaires. C'était un joli petit appartement à trois guinées et demie par semaine. Le second que nous visitâmes se trouvait à St John's Wood, Northwick Terrace, tout près du quartier de Maida Vale — aujourd'hui détruit. Il n'avait que deux pièces au lieu de trois, au deuxième étage, assez pauvrement meublées mais agréables, avec des tentures en chintz et un jardinet au-dehors. La maison était une de ces grosses bâtisses anciennes où les pièces étaient vastes. De plus, il ne coûtait que deux guinées et demie par semaine au lieu de trois et demie. Nous nous décidâmes pour celui-là. Je rentrai à la maison et empaquetai toutes mes affaires. Mamie pleura, maman n'en était pas loin mais se retint.

— Maintenant tu vas vivre avec ton mari, ma chérie, dit-elle. C'est ta vie conjugale qui commence. J'espère que tout se passera bien.

— Et si les lits sont en bois, vérifie qu'il n'y ait pas de punaises, ajouta mamie.

Je rejoignis donc Archie à Londres, et nous emménageâmes au 5, Northwick Terrace. La kitchenette et la salle de bains étaient microscopiques. J'avais l'intention de faire un peu de cuisine. Au début, pourtant, nous allions avoir l'ordonnance d'Archie, Bartlett, très grand style, très « Jeeves » — la perfection même. Il avait auparavant servi chez des ducs. C'était seulement la guerre qui l'avait mis au service d'Archie, mais il était tout dévoué à « son » colonel et ne cessait de me parler de sa bravoure, de son importance, de son intelligence et de l'empreinte qu'il avait laissée. Bartlett était donc parfait. L'appartement, en revanche, avait ses inconvénients, le pire étant celui des lits dont on sentait tous les ressorts — je me demande comment un lit peut en arriver à être dans cet état. Nous y étions heureux cependant. Je m'inscrivis à des cours de sténographie et de comptabilité pour occuper mes journées. Adieu Ashfield, je commençais une nouvelle vie, ma vie de femme mariée.

L'un des grands attraits du 5, Northwick Terrace, c'était Mrs Woods. Je crois d'ailleurs que c'est en partie elle qui fit pencher la balance pour cet appartement plutôt que pour celui de West Hampstead. Grosse femme joviale et conviviale, elle régnait en maître sur le sous-sol. Elle avait une fille élégante qui travaillait dans un magasin élégant, et un mari invisible. C'était la gardienne des lieux, et si la tête des occupants des appartements lui revenait, elle leur « faisait le ménage ». Elle accepta de faire le nôtre. C'était une force de la nature. Pour mes achats, elle m'apprit un tas de petits trucs dont je n'avais pas idée.

— Le poissonnier vous a encore eue, ma chère, disait-elle. Il n'est pas frais, ce poisson. Vous ne l'avez pas testé avec le doigt comme je vous avais expliqué. Il faut le tâter, regarder l'œil, lui mettre le doigt dans l'œil.

Je considérai le poisson avec circonspection. Lui mettre le doigt dans l'œil me paraissait quelque peu cavalier.

— Posez-le debout sur sa queue, aussi, pour voir s'il s'affaisse ou s'il tient. Et ces oranges, là : je sais qu'on aime bien se faire plaisir avec une orange de temps en temps malgré le prix, mais celles-là, elles viennent d'être plongées dans l'eau bouillante pour leur donner un coup de jeune. Vous verrez, il n'y a pas de jus dedans.

Et il n'y en avait pas.

Mrs Woods et moi reçûmes le choc de notre vie quand Archie alla chercher ses premières rations. Une énorme pièce de bœuf apparut, la plus grosse que je voyais depuis le début de la guerre. Elle était sans forme et d'un morceau non identifiable — ni gîte, ni côte, ni faux filet — et semblait avoir été découpée au poids par un boucher de l'aviation. En tout cas, je n'avais rien vu d'aussi appétissant depuis des lustres. Cette viande reposait sur la table. Mrs Woods et moi tournâmes autour avec de grands yeux admiratifs. Comme il n'était pas question de la faire entrer dans mon minuscule four, MrsWoods accepta gentiment de la cuire pour moi.

— Elle est tellement immense que vous pourrez en prendre pour vous, dis-je.

— Ah ! vous êtes gentille. Sûr qu'un bon steak, c'est pas de refus. Pour le reste, on se débrouille : j'ai un cousin, Bob, qui est dans l'épicerie. On a du sucre et du beurre à volonté, *et* de la margarine. Pour des choses comme ça, la famille d'abord, n'est-ce pas ?

C'était l'une des premières fois que je voyais se vérifier cette règle vieille comme le monde qui s'applique à tous les domaines de la vie : l'important, c'est de connaître les gens qu'il faut. Du népotisme ouvert de l'Orient au copinage, légèrement plus discret, des « clubs des anciens des écoles et collèges » dans les démocraties occidentales, tout, en fait, tourne autour de cela. Ce n'est pas, remarquez, une recette de succès garanti. Freddy Untel décroche un emploi bien rémunéré parce que son oncle connaît l'un des directeurs de la firme. Mais si Freddy n'est pas à la hauteur, les appels à la complaisance amicale ou familiale ayant été satisfaits, il se fera pousser gentiment vers la sortie, peut-être même passer à un autre parent ou ami, mais en fin de compte, il se retrouvera au niveau qui est le sien.

Dans le cas de la viande et des autres produits de luxe en temps de guerre, les riches avaient certains avantages. Pour le reste, en général, je crois qu'il y en avait infiniment plus à appartenir aux classes laborieuses : presque tout le monde avait quelqu'un d'utile — cousin, ami, gendre — qui travaillait dans une laiterie, une épicerie ou un magasin de ce genre. Cela n'était pas possible avec les bouchers, autant que je sache, mais compter un épicier dans sa famille était certainement un atout considérable. Je ne crois pas avoir jamais vu personne, dans toute cette période, s'en tenir aux rations. C'était à qui partait avec une livre de beurre en plus, un pot de confiture, etc., sans y voir la moindre malhonnêteté. Solidarité familiale. Bob s'occupait de sa famille en premier, et de la famille de sa famille. C'est ainsi que Mrs Woods nous offrait toujours des petits extras de ceci ou de cela.

Cette première pièce de viande donna lieu à un grand festin. Je ne crois pas qu'elle ait été spécialement goûteuse ou tendre, mais j'étais jeune, j'avais de bonnes dents et c'était le repas le plus délicieux que je faisais depuis longtemps. Archie, bien sûr, fut étonné de ma voracité.

— Pas terrible, cette bidoche, commenta-t-il.

— Pas terrible ? Mais je n'ai rien vu d'aussi extraordinaire depuis trois ans !

Ce que je pourrais appeler la « cuisine sérieuse » nous était préparée par Mrs Woods. Moi, je me contentais de faire les repas légers, le souper. J'avais certes pris des cours de cuisine comme la plupart des filles, mais cela ne sert en fait pas à grand-chose. Il n'y a que la pratique quotidienne qui compte. J'avais confectionné des fournées de tourtes à la confiture, des crêpes à la saucisse, et autres babioles de ce genre, mais ce n'était pas ce dont nous avions réellement besoin alors. Il existait des cantines nationales dans la plupart des quartiers de Londres, et elles étaient très utiles. Vous y alliez, et vous receviez des plats tout prêts dans un récipient. Ils étaient correctement cuits — peu appétissants certes, mais ils vous calaient bien. Je me rappelle aussi les cubes de Soupe nationale avec lesquels nous commencions nos repas. Soupe « au sable et au gravier », comme disait Archie qui se rappelait sans doute la parodie de Stephen Leacock d'une petite histoire russe : « Yog ramassa du sable et des cailloux et les battit pour faire un gâteau. » Il y avait un peu de ça, effectivement. À l'occasion, je faisais une de mes spécialités, un soufflé très compliqué par exemple. Je ne me rendis pas compte, au début, qu'Archie souffrait fortement de dyspepsie nerveuse. Il rentrait souvent, le soir, incapable d'avaler quoi que ce soit. Ce qui était fort décourageant lorsque j'avais préparé un soufflé au fromage, ou quelque plat raffiné dont j'étais fière.

Nous avons tous nos manies culinaires quand on est malade. Celles d'Archie me paraissaient extraordinaires. Après être resté quelque temps à geindre affalé sur son lit, il demandait soudain :

— Je crois que j'aimerais bien un peu de mélasse et de sirop. Tu peux faire quelque chose avec ça ?

Je m'exécutais du mieux que je pouvais.

J'avais donc commencé des cours de comptabilité et de sténo pour occuper mes journées. Les jeunes mariées, tout le monde le sait aujourd'hui grâce à ces interminables articles dans les journaux du dimanche, se retrouvent souvent très seules. Ce qui m'étonne, c'est qu'elles n'aient pas été capables de le prévoir. Les maris travaillent, ils sont partis toute la journée. Une femme, quand elle se marie, se transporte généralement dans un environnement complètement différent. Elle doit commencer une nouvelle vie, se faire de nouvelles relations et de nouveaux amis, trouver de nouvelles occupations. Des amies, j'en avais eu à Londres, avant la guerre, mais toutes étaient dispersées, à présent. Nan Watts — devenue Pollock — y habitait, seulement j'étais assez réticente pour ce qui est de me rapprocher d'elle. Cela peut paraître ridicule — c'*était* ridicule —, mais nul ne saurait prétendre que les différences de revenus ne créent pas un fossé entre les gens. Ce n'est pas une question de snobisme ou de position sociale, mais de différence de train de vie. Si vos amis ont de gros moyens et vous de faibles, cela devient embarrassant.

Je me sentais bien un peu seule — la vie à l'hôpital, mes activités et les collègues que j'y avais me manquaient, l'atmosphère familiale de la maison aussi — mais je comprenais que c'était inévitable. On n'a certes pas besoin de compagnie tous les jours, mais la solitude est quelque chose qui croît en vous, peut vous enserrer et vous étouffer comme le lierre. Je pris plaisir à étudier la sténographie et la comptabilité. J'étais écœurée par la facilité avec laquelle des gamines de 14 ou 15 ans assimilaient la sténo. En comptabilité, en revanche, je me défendais bien, et je trouvais cela amusant.

Un jour, à l'école commerciale où je prenais mes cours, le professeur arrêta la leçon, sortit de la classe et revint en disant :

— Terminé pour aujourd'hui. La guerre est finie !

Cela semblait impossible à croire. Rien n'avait réellement laissé supposer une telle issue, pas avant six mois ou un an, en tout cas. La ligne de front, en France, semblait figée. Les gains ou les pertes de terrain n'étaient que de quelques mètres.

Je sortis dans les rues complètement abasourdie. J'assistai au plus curieux spectacle que j'eusse jamais vu. Et je m'en souviens presque avec effroi : partout, des femmes dansaient dans les rues. Les Anglaises ne sont pas du genre à s'exhiber ainsi en public : c'est une réaction qui correspondrait plutôt aux Françaises et à Paris. Pourtant, elles étaient là, à rire, à crier pêle-mêle, à faire des bonds même, dans une sorte d'orgie incontrôlée, presque brutale, de joie. C'était effrayant. On sentait que s'il y avait eu des Allemands dans les parages, les femmes se seraient précipitées sur eux et les auraient écharpés. Certaines devaient être ivres, mais toutes le paraissaient. Elles tanguaient, titubaient, braillaient. Je retournai à la maison pour trouver Archie déjà rentré du ministère de l'Air.

— Eh bien voilà, fit-il avec son calme et son impassibilité habituels.

— Tu pensais que ça arriverait si vite ? demandai-je.

— Ma foi, des bruits circulaient... on nous avait demandé de rester bouche cousue. Bon, maintenant, il faut qu'on décide de ce qu'on va faire.

— Comment ça, de ce qu'on va faire ?

— Je crois que le mieux, c'est que je quitte l'armée de l'air.

— Vraiment ? Tu veux quitter l'armée de l'air ? fis-je, aba-sourdie.

— Il n'y a aucun avenir là-dedans, tu dois le comprendre. Aucun. Pas de promotion envisageable avant des années.

— Qu'est-ce que tu vas faire, alors ?

— Travailler dans la City. Ça m'a toujours tenté. Et là, il y a des possibilités.

J'ai toujours eu la plus vive admiration pour le sens pratique d'Archie. Il acceptait les événements sans surprise et mettait cal-mement son cerveau, qui avait de la ressource, au travail sur le problème suivant.

Dans l'immédiat, armistice ou pas, rien ne changea. Archie allait tous les jours au ministère de l'Air. Le merveilleux Bartlett, en revanche, se trouva très vite démobilisé. Je suppose que ducs et comtes poussaient à la roue pour le reprendre à leur service. En remplacement, nous eûmes un incapable qui s'appelait Verrall. Je pense qu'il faisait de son mieux, mais il était inefficace et totale-ment inexpérimenté. Je n'avais jamais vu une telle quantité de crasse, de gras, de taches, laissée sur l'argenterie, la vaisselle et les couverts. Je fus vraiment soulagée lorsqu'il reçut lui aussi ses papiers de démobilisation.

Archie eut quelque congé et nous partîmes pour Torquay. Ce fut là que je ressentis ce que je pris tout d'abord pour un violent désordre gastrique et un malaise général. Il s'agissait de bien autre chose, cependant : c'étaient les premiers signes que j'allais avoir un bébé.

J'étais aux anges. Auparavant, je m'imaginais que les enfants venaient de façon quasi automatique. À la fin de chacune des permissions d'Archie, j'avais été fort déçue de constater que rien n'arrivait. Cette fois, je n'y avais même pas songé. J'allai consulter un médecin. Notre vieux Dr Powell ayant pris sa retraite, il me fallait en choisir un nouveau. Je n'avais guère envie de prendre un de ceux avec qui j'avais travaillé à l'hôpital — j'avais l'impres-sion de trop les connaître, eux et leurs méthodes. Je m'en remis donc à un médecin tout jovial qui portait le nom quelque peu sinistre de Stabb[1].

Il avait une fort jolie femme, dont mon frère avait été profon-dément amoureux dès l'âge de 9 ans.

— J'ai appelé mon lapin Gertrude, disait Monty, parce que Gertrude Huntley est la plus jolie demoiselle que j'aie jamais vue.

Laquelle Gertrude Huntley, future Mrs Stabb, eut l'amabilité

---

1. Poignarder. (*N.d.T.*)

de se trouver flattée et de le remercier de l'honneur qui lui était fait.

Le Dr Stabb se borna à me dire que je lui semblais une personne saine, et que tout devrait donc bien se passer. Il s'en tint là. Je ne puis m'empêcher de me réjouir qu'à mon époque il n'ait existé aucune de ces cliniques prénatales dans lesquelles on vous trimballe tous les deux mois. Personnellement, je trouve qu'on se débrouillait bien mieux sans elles. Le Dr Stabb me conseilla seulement de revenir le consulter — ou un de ses confrères à Londres — environ deux mois avant la date prévue de l'accouchement, juste pour s'assurer que tout se déroulait normalement. Il me dit que je continuerais peut-être à avoir des nausées le matin, mais que cela disparaîtrait au bout de trois mois. Là, j'ai le regret de dire qu'il s'était trompé : mes nausées ne disparurent jamais. Et elles n'étaient pas que matinales. J'étais malade quatre ou cinq fois par jour, ce qui rendait la vie à Londres difficile. Devoir quitter à la hâte un bus dans lequel vous veniez peut-être juste de monter et vomir dans le caniveau est humiliant pour une jeune femme. Pourtant, je dus m'y faire. Heureusement, personne, à cette époque, ne songeait à vous donner des remèdes comme la thalidomide. On acceptait simplement le fait que certaines femmes étaient plus malades que d'autres quand elles attendaient un bébé. Mrs Woods, comme toujours omnisciente sur tout ce qui touchait à la vie et à la mort, m'annonça :

— Moi, ma chère, je dirais que pour avoir des nausées comme ça, il faut que ce soit une fille. Les garçons, ça vous donne des vertiges et des évanouissements. Il vaut encore mieux des nausées.

Bien sûr, je n'étais pas de cet avis. Je trouvais que défaillir aurait eu plus de charme. Archie, qui n'avait jamais supporté la maladie et qui était toujours prêt à se défiler quand quelqu'un allait mal en marmonnant : « Bon, je ne vais pas vous embêter davantage », se montra cette fois d'une gentillesse tout à fait inattendue. Il cherchait par tous les moyens à me faire plaisir. Je me souviens d'un jour où il avait acheté un homard, luxe d'un prix fou à l'époque, et l'avait mis sur mon lit pour me faire la surprise. Je me revois encore entrer dans la chambre et trouver le homard, avec sa tête, sa queue et ses antennes sur l'oreiller. Je ris à en perdre haleine. Nous fîmes ensuite un merveilleux festin. Je ne pus le garder bien longtemps, mais au moins, nous avions eu le plaisir de le manger. Il eut aussi la délicate attention de me préparer de ces poudres nutritives Benger, qui avaient été recommandées par Mrs Woods comme susceptibles de mieux « rester » que quoi que ce soit d'autre. Je me souviens de sa mortification quand, après m'en avoir préparé et l'avoir laissée refroidir parce que je ne pouvais pas manger chaud, j'avais avalé, dit que c'était très bon — « Aucun grumeau, ce soir, tu l'as vraiment réussie. » — et que la catastrophe habituelle s'était produite une demi-heure plus tard.

— Alors là, s'était-il écrié d'un air outragé, à quoi ça sert que je te fasse des trucs comme ça ? Que tu les prennes ou pas, c'est du pareil au même.

Je craignais, dans mon ignorance, que tous ces vomissements ne finissent par menacer l'enfant de malnutrition. Ce fut loin d'être le cas. Bien que les nausées se fussent poursuivies jusqu'au jour de l'accouchement, je donnai naissance à une robuste petite fille de 3,800 kg. Et moi-même, qui semblais ne jamais pouvoir garder la moindre nourriture, j'avais plutôt pris que perdu du poids. Ma grossesse avait été comme un voyage de neuf mois sur un océan auquel je n'aurais jamais pu m'acclimater. Lorsque Rosalind fut arrivée, que le docteur et l'infirmière se penchèrent sur moi, le premier disant : « Voilà, vous avez une fille », et la seconde, plus expansive : « Oh ! quelle jolie petite fille ! », je répondis par le plus important :

— Je n'ai plus mal au cœur ! C'est merveilleux !

Archie et moi avions eu d'âpres discussions, le mois précédent, sur le prénom et le sexe que nous souhaitions. Archie voulait absolument une fille.

— Je ne veux pas d'un garçon, disait-il, sinon je sais que je pourrais devenir jaloux de lui. Je n'aimerais pas que tu t'en occupes trop.

— Mais je m'occuperais tout autant d'une fille.

— Non, ce ne serait pas pareil.

Ce fut ensuite au tour du prénom. Il voulait Enid. Moi Martha. Puis il passa à Elaine, je tentai Harriet. Ce ne fut qu'après l'accouchement que nous nous entendîmes sur Rosalind.

Je sais que toutes les mères sont folles de leurs rejetons, mais je dois dire, bien que je trouve personnellement les nouveau-nés tout à fait hideux, que Rosalind était bel et bien un joli bébé. Elle avait une abondante chevelure noire et ressemblait un peu à un Peau-Rouge : elle n'avait pas ce crâne chauve et cette peau rosâtre si déplaisants chez les nouveau-nés et s'annonçait, dès son plus jeune âge, à la fois gaie et déterminée.

J'avais une infirmière extrêmement gentille, qui trouva beaucoup à redire sur les habitudes de la maison. Rosalind était née, bien entendu, à Ashfield. Les mères n'allaient pas en clinique, à l'époque. Tous frais compris, l'accouchement, assistance médicale incluse, revenait à cinquante livres, ce que je trouve, en y réfléchissant maintenant, tout à fait raisonnable. Je gardai la nurse, sur les conseils de ma mère, pour qu'elle m'apprenne à m'occuper de Rosalind et aussi pour me laisser le temps de retourner à Londres chercher un autre appartement.

La nuit où nous sûmes que Rosalind allait venir fut assez étrange. Maman et la nurse Pemberton étaient comme deux femmes en train d'accomplir les rites de la nativité : heureuses, affairées, importantes, portant des draps ici, mettant les choses en ordre là. Archie et moi tournions en rond, un peu intimidés, un peu nerveux, comme deux enfants qui ne sont pas sûrs d'être les bienvenus. Nous étions l'un et l'autre pleins d'appréhension et tout chavirés. Archie était convaincu — comme il me l'avoua plus tard — que si je mourais, ce serait entièrement de sa faute. Je me disais aussi que je pouvais mourir et que, si cela se produisait, j'en serais très fâchée, moi qui m'amusais tant. En fait, c'était seulement l'inconnu qui était effrayant. Excitant, aussi. Quand on fait une chose pour la première fois, c'est toujours excitant.

Il nous fallait maintenant envisager l'avenir. Je laissai Rosalind à Ashfield avec la nurse Pemberton, qui était encore là, et me rendis à Londres pour trouver, *primo*, un nouveau toit, *secundo*, une nurse pour Rosalind, *tertio*, une bonne pour tenir la maison ou l'appartement que nous dénicherions. Ce dernier problème fut vite résolu, car un mois avant la naissance de Rosalind, voilà que refaisait une apparition soudaine ma chère Lucy du Devonshire, tout juste démobilisée des AFAA, volubile à en perdre le souffle, chaleureuse, exubérante : telle que nous l'avions connue, une force de la nature.

— J'ai appris la nouvelle, fit-elle. Il paraît que vous attendez un bébé. Alors je suis prête : dès que vous aurez besoin de moi, j'arrive avec mes valises.

Après avoir consulté ma mère, je décidai d'offrir à Lucy des gages tels que jamais, à notre connaissance à maman et moi, cuisinière ou bonne à tout faire n'en avait reçu : trente-six livres par an, une somme considérable à l'époque, mais Lucy les valait bien, et j'étais ravie de pouvoir compter sur elle.

À ce moment-là, environ un an après l'armistice, trouver à se loger était une des choses les plus difficiles du monde. Des centaines de jeunes couples sillonnaient Londres en quête d'un gîte qui leur conviendrait à un prix raisonnable. On imposait des reprises, en plus. Tout cela était fort difficile. Nous décidâmes de prendre d'abord un meublé en attendant de trouver quelque chose qui nous plairait vraiment. Les projets d'Archie se réalisèrent : dès qu'il fut démobilisé, il trouva un emploi dans une firme de la City. J'ai oublié le nom de son patron de l'époque. Disons que je l'appellerai Mr Goldstein. C'était un homme de forte stature, au teint jaunâtre. Quand je demandai à Archie de me le décrire, ce fut sa première remarque :

— Il est tout jaune. Gros, aussi, mais très jaune.

À cette époque, les firmes de la City étaient toutes prêtes à proposer des postes aux jeunes officiers démobilisés. Le salaire d'Archie devait être de cinq cents livres par an. J'en avais cent qui me venaient toujours du testament de mon grand-père. La prime de démobilisation d'Archie et ses économies lui rapportaient cent livres de plus par an. Ce n'était pas la fortune, même à cette époque. Loin de là, en fait, tant les loyers et les prix alimentaires avaient augmenté. Les œufs coûtaient huit *pence* pièce, cela faisait cher pour un jeune couple. Mais bon, nous n'avions jamais compté être riches, nous allions nous débrouiller.

En y réfléchissant maintenant, je trouve extravagant que nous ayons projeté d'avoir à la fois une nurse et une bonne, mais cela faisait partie des nécessités de la vie, à ce moment-là, et c'était la dernière chose dont nous aurions envisagé de nous passer. La folie d'acheter une voiture ne nous serait, en revanche, jamais venue à l'esprit. Seuls les riches en avaient. Parfois, dans les derniers temps de ma grossesse, alors que je me faisais bousculer en attendant le bus à cause de mes mouvements maladroits — les hommes n'étaient pas particulièrement galants à cette époque —, il m'arrivait de penser tout bas en voyant des autos passer devant moi : « Comme ce serait bon d'en avoir une un jour ! »

Je me souviens du commentaire amer d'un ami d'Archie :

— Personne ne devrait avoir le droit de posséder une voiture sauf en cas de nécessité absolue.

Je n'ai jamais partagé cette opinion. Je trouve qu'il est toujours exaltant de voir quelqu'un connaître la chance, quelqu'un être riche, avoir des bijoux. Les gamins des rues ne pressent-ils pas leur visage contre les fenêtres pour lorgner les grandes soirées, entrevoir les dames arborant des diadèmes de diamants ? Il faut bien que quelqu'un gagne à l'Irish Sweepstake. Si ça ne rapportait que trente livres, quel serait l'intérêt ? Le Calcutta Sweep, l'Irish Sweep, aujourd'hui les paris sur le football : tout cela fait rêver. C'est pour le rêve, aussi, que les foules se pressent sur le trottoir pour attendre l'arrivée des stars venues assister à la première de leur film. Les badauds voient en elles des héroïnes aux robes du soir magnifiques, maquillées jusqu'aux orteils, des objets de fascination. Qui voudrait d'un monde monotone où personne ne serait ni riche, ni important, ni beau, ni talentueux ? Jadis, on restait debout des heures pour voir des rois et des reines. Aujourd'hui, on préfère béer devant les stars de la pop, mais le principe est le même.

Ainsi que je le disais, nous étions prêts à engager une nurse et une bonne comme une folie nécessaire, mais l'achat d'une voiture ne nous serait jamais venu à l'esprit. Si nous allions au théâtre, c'était au parterre. J'avais peut-être une robe du soir, mais elle était noire pour ne pas trop montrer les taches de boue, et quand nous sortions par les soirs humides, je portais des chaussures noires pour la même raison. Nous ne prenions jamais de taxi. Il y a une question de mode et d'époque dans la façon de dépenser son argent ; il y a une question de mode en tout. Mon propos n'est pas de dire si notre façon de vivre était meilleure ou moins bonne. Elle impliquait moins de luxe, une nourriture et des vêtements plus ordinaires, et tout ce qui s'ensuit. En revanche, nous disposions de davantage de loisirs : on avait le temps de penser, de lire, de s'adonner à ses passe-temps et ses occupations. Je crois que j'ai eu de la chance d'être jeune à ce moment-là. On avait beaucoup plus de liberté de vie, beaucoup moins de tournis et de soucis.

Par chance, nous trouvâmes assez rapidement à nous loger, au rez-de-chaussée des Addison Mansions, deux grands blocs d'immeubles situés derrière Olympia. C'était un grand appartement, avec quatre chambres et deux salons. Nous le prîmes meublé pour cinq guinées par semaine. La femme qui nous le loua était une blonde terriblement décolorée de 45 ans, avec une immense poitrine proéminente. Elle se montra très liante et insista pour me raconter les problèmes féminins de sa fille. Le mobilier était particulièrement hideux, et il y avait les tableaux les plus mièvres que j'aie jamais vus. Je me promis tout bas que la première chose que nous ferions, Archie et moi, serait de les descendre et de les ranger soigneusement jusqu'au retour des propriétaires. Parmi toute la profusion d'objets en porcelaine et en verre se trouvait un service à thé coquille d'œuf qui me faisait peur, car il me semblait si fragile que j'étais certaine que nous allions le casser. Avec l'aide de Lucy, nous le mîmes en sécurité dans un placard dès que nous arrivâmes.

Je me rendis ensuite à l'agence de Mrs Boucher qui était alors — et je crois qu'elle l'est encore — le point de ralliement reconnu de tous ceux qui cherchent une nurse. Mrs Boucher eut tôt fait de me ramener sur terre. Elle fit la moue lorsque j'indiquai les gages que j'étais disposée à payer, s'enquit des conditions de travail et du personnel que j'avais à la maison, puis m'envoya dans une petite pièce où avaient lieu les entrevues avec les candidates. Une grande et grosse femme à l'air autoritaire se présenta. Au premier regard, elle me fit peur. Ce qui fut loin d'être son cas lorsqu'elle me toisa :

— Oui, Madame ? De combien d'enfants y a-t-il à s'occuper ?
Je lui expliquai qu'il n'y avait qu'un seul bébé.

— Qui n'a pas plus d'un mois, j'espère ? Je n'accepte jamais
de bébés de plus d'un mois. Car je veux les mettre dans le droit
chemin le plus tôt possible.
Je confirmai que la petite avait moins d'un mois.

— Et quel personnel avez-vous, Madame ?
J'avouai d'un air navré n'avoir qu'une bonne.

— Je crains que cette place ne puisse me convenir, fit-elle.
Voyez-vous, j'ai l'habitude que du personnel s'occupe de mes
nurseries, qu'elles soient bien entretenues, bien équipées, et
agréables.

Je reconnus que ce que j'avais à proposer ne correspondait pas
à ce qu'elle cherchait, et la vis partir avec un certain soulagement.
Trois autres se présentèrent et refusèrent pareillement.

Je retournai cependant à l'agence le lendemain pour d'autres
entrevues. J'eus de la chance, cette fois. Je rencontrai Jessie Swannell, 35 ans, langue acérée mais bon cœur, qui avait passé la
majeure partie de sa vie comme nurse dans une famille au Nigeria. Je lui annonçai tout doucement, une par une, les indignes
conditions que j'offrais : une seule domestique, une seule nursery
au lieu d'une salle de jeu et d'une chambre séparées. Elle n'aurait
pas à s'occuper du feu mais devrait faire elle-même le ménage
dans la pièce. Enfin — dernier point épineux — les gages.

— Bon, fit-elle, ça ne me paraît pas trop mal. Le travail ne
me fait pas peur, j'ai l'habitude. Une petite fille, donc ? J'aime
les petites filles.

C'est ainsi que Jessie Swannell et moi nous mîmes d'accord.
Elle resta deux ans à mon service, et je l'appréciai fort bien qu'elle
eût ses défauts. Elle faisait partie de ces femmes qui, par défini-
tion, ont un rejet pour les parents de l'enfant dont elles ont la
charge. Elle était la gentillesse même avec Rosalind, elle se serait
fait tuer pour elle, je crois. Mais moi, elle me considérait comme
une intruse, bien qu'elle finisse par faire, en ronchonnant, ce que
je voulais qu'elle fasse, même contre son gré. En revanche, dans
les moments difficiles, elle était formidable : gentille, prête à rendre service, gaie. Oui, j'ai du respect pour Jessie Swannell. J'espère que la vie lui aura été bonne et qu'elle aura pu réaliser ses
désirs.

Tout était donc réglé. Rosalind, moi-même, Jessie Swannell et
Lucy nous installâmes à Addison Mansions et dans notre vie de
famille. Non pas que ma quête fut achevée : il me restait à trouver
un appartement vide qui deviendrait notre maison définitive. Là,
bien sûr, ce n'était pas simple. C'était même horriblement diffi-

cile. Dès qu'on entendait parler de quelque chose, on se précipitait, on téléphonait, on écrivait, mais ça n'aboutissait jamais. Il
s'agissait parfois d'endroits tellement sales, sordides, décrépits,
qu'on ne pouvait s'imaginer vivre dedans. De temps à autre, ils
vous en filait un sous le nez. Nous ratissâmes tout Londres :
Hampstead, Chiswick, Pimlico, Kensington, St John's Wood.
Mes journées n'étaient plus qu'un long voyage en bus. Nous
fîmes le tour de toutes les agences immobilières. Cela devint vite
angoissant : le bail de notre meublé n'était que de deux mois.
Quand la blonde platinée, Mrs N., sa fille, son gendre et ses
petits-enfants reviendraient, ils ne seraient sans doute guère disposés à nous le prolonger. Nous devions *absolument* trouver
quelque chose.

La chance sembla enfin nous sourire. Nous avions retenu, de
façon plus ou moins ferme, un appartement du côté de Battersea
Park. Le loyer était raisonnable et la propriétaire, miss Llewellyn,
qui devait déménager un mois plus tard, était toute prête à partir
avant. Tout semblait aller pour le mieux, mais nous nous étions
réjouis trop tôt. Un coup terrible s'abattit sur nous. Une quinzaine de jours seulement avant le déménagement, miss Llewellyn
nous avisa qu'il lui était impossible de disposer de son nouvel
appartement parce que les gens qui l'occupaient ne pouvaient
entrer dans le leur ! C'était la réaction en chaîne.

Le coup fut rude. Tous les deux ou trois jours, nous télépho-
nions à miss Llewellyn pour avoir des nouvelles. Lesquelles n'allaient guère en s'améliorant. Il semblait que les autres personnes
rencontraient toujours plus de difficultés pour s'installer chez
elles, ce qui la mettait donc elle-même dans l'incertitude quant à
son départ. Il fut finalement question de trois ou quatre mois
d'attente pour nous, et encore n'était-ce peut-être qu'un minimum. Nous reprîmes donc fébrilement les petites annonces, les
coups de téléphone aux agents immobiliers et tout le tintouin.
Le temps passa, nous avions à présent le couteau sous la gorge.
C'est alors qu'un agent immobilier appela pour nous proposer
non pas un appartement, mais une maison dans Scarsdale Villas.
À vendre, pas à louer. Nous allâmes la visiter, Archie et moi.
C'était une maisonnette charmante. Cela impliquait d'engager
pratiquement tout le peu que nous possédions : un risque terrible.
Pourtant nous sentions bien que qui ne risque rien n'a rien :
nous nous décidâmes donc, signâmes une promesse d'achat et
rentrâmes pour faire le tri des valeurs que nous allions devoir
vendre.

Le surlendemain matin, au petit déjeuner, je jetais un coup
d'œil sur le journal en commençant par la colonne des apparte-

ments, habitude dont je ne pouvais plus me défaire, quand je vis une annonce : « Appartement vide à louer, 96, Addison Mansions, 90 livres/an. » Avec un cri rauque, j'avalai mon café d'un trait et lus tout haut l'annonce à Archie.

— Il n'y a pas une seconde à perdre ! m'écriai-je.

Je me levai de table d'un bond, traversai au galop la courette gazonnée qui séparait les deux blocs, me précipitai dans les escaliers de l'immeuble d'en face et grimpai les quatre étages comme une folle. Il était 8 h 15. Je sonnai au 96 : une jeune femme en robe de chambre ouvrit, l'air ahurie.

— Je viens pour l'appartement, dis-je avec autant de cohérence que le permettait mon essoufflement.

— Pour l'appartement ? Déjà ? Mais je n'ai mis l'annonce qu'hier, je n'attendais personne aussi rapidement.

— Puis-je le visiter ?

— C'est que... euh... il est un peu tôt.

— Je suis sûre qu'il nous conviendra, fis-je. Je crois que je vais le prendre.

— Bon, après tout, vous n'avez qu'à jeter un coup d'œil. C'est un peu en désordre.

Elle se recula.

Sans me préoccuper de ses hésitations, je fonçai et fis rapidement le tour des lieux : je ne voulais pas risquer de le rater, celui-là.

— Quatre-vingt-dix livres par an, donc ? demandai-je.

— Oui, c'est ça. Mais je dois vous prévenir que c'est un bail trimestriel, seulement.

Cela me fit réfléchir un moment, mais je ne changeai pas d'avis. Je voulais un endroit pour vivre, et *tout de suite*.

— Et quand peut-on emménager ?

— Oh ! quand vous voudrez, en fait. Disons dans une semaine ou deux ? Mon mari doit partir tout de suite pour l'étranger. Nous demanderons une reprise pour les linos et les installations que nous avons faites.

Linos qui étaient loin de m'enthousiasmer, mais quelle importance ? Quatre chambres, deux salons, une jolie vue sur la pelouse — quatre étages d'escalier à monter et à descendre, c'est vrai, mais beaucoup d'air et de lumière. Il avait besoin d'être rafraîchi, mais cela, nous pourrions le faire nous-mêmes. Vraiment, c'était merveilleux, un cadeau tombé du ciel.

— Je le prends, dis-je. C'est décidé.

— Vous êtes bien sûre ? Vous ne m'avez toujours pas dit votre nom.

Je le lui donnai, expliquai que j'habitais dans un meublé juste en face, et l'affaire fut conclue. J'appelai l'agence immobilière séance tenante : j'avais trop souvent été battue sur le fil auparavant. Dans les escaliers, je croisai trois couples qui montaient pour aller chacun — c'était visible — au 96. Cette fois, *nous* avions gagné. Je rentrai et l'annonçai triomphalement à Archie.

— Formidable, dit-il.

Le téléphone sonna à ce moment précis. C'était miss Llewellyn :

— Je crois que l'appartement sera libre d'ici un mois. Vous pouvez compter dessus.

— Ah ! fis-je. Ah ! très bien.

Je raccrochai.

— Mon Dieu, tu te rends compte ? s'écria Archie. Nous voilà avec *deux* appartements, plus une maison sur les bras !

Gros problème, effectivement. Je m'apprêtais à rappeler miss Llewellyn pour lui dire que nous renoncions à l'appartement lorsque j'eus une meilleure idée.

— Essayons de nous retirer de l'achat de la maison de Scarsdale Villas, dis-je, mais prenons l'appartement de Battersea, nous en tirerons une reprise de quelqu'un d'autre. Ce qui paiera la reprise de celui-ci.

Archie applaudit des deux mains à cette idée, et j'estime aussi que c'était un trait de génie financier de ma part, car il nous eût été bien difficile de trouver les cent livres de reprise qu'on nous demandait. Nous retournâmes ensuite à l'agence où nous avions acheté la maison de Scarsdale Villas. Ils furent vraiment très compréhensifs, disant qu'ils trouveraient facilement à la vendre, en fait, plusieurs personnes s'étaient montrées fort déçues qu'elle ne fût plus disponible. Nous nous en tirâmes donc bien, juste avec quelques petits honoraires pour les agents.

Ainsi, nous avions un appartement, dans lequel nous emménageâmes en quinze jours. Jessie Swannell fut vraiment chic : elle ne rouspéta pas une seule fois d'avoir à monter et à descendre quatre étages, ce que je n'aurais jamais osé espérer d'une nurse de Mrs Boucher.

— Vous savez, fit-elle, j'ai l'habitude de trimballer des poids. Remarquez, un Nègre ou deux ne seraient pas de trop. C'est ça qui est bien, au Nigeria : les Nègres, il y en a en veux-tu en voilà.

Nous adorâmes notre nouvel appartement, et nous nous mîmes avec enthousiasme aux travaux de décoration. Une bonne partie de la prime de démobilisation d'Archie passa dans l'achat de meubles : un mobilier moderne de chez Heal pour la nursery de Rosalind, de bons lits de même marque pour nous, et beaucoup de choses en provenance d'Ashfield qui regorgeait de tables, de chaises, d'argenterie et de linge. Nous allâmes également à des ventes où nous nous procurâmes des commodes sans style et de vieilles armoires pour une bouchée de pain.

Il fallait aussi tout de suite retapisser et repeindre l'appartement. Nous exécutâmes nous-mêmes une partie du travail. Pour le reste, un petit peintre-décorateur nous donna un coup de main. Les deux salons — un grand séjour et une salle à manger plus petite — donnaient sur la cour, mais faisaient face au nord. Je préférais les pièces qui se trouvaient sur l'arrière, au bout d'un long couloir. Elles étaient moins vastes, mais ensoleillées et gaies. Nous décidâmes par conséquent d'établir notre séjour et la nursery de Rosalind dans les deux pièces du fond. La salle de bains leur faisait face, ainsi qu'une petite chambre de bonne. Nous installâmes la nôtre dans la plus vaste des deux grandes pièces, et dans la plus petite, une salle à manger avec possibilité de transformation en chambre d'amis en cas d'imprévu. Archie choisit la décoration de la salle de bains : un papier à carreaux vernissés rouge écarlate et blanc. Notre décorateur-tapissier fut extrêmement gentil avec moi. Il m'apprit à couper et plier les lés, à les enduire de colle et, comme il disait, « à y aller franchement » lors de la pose sur les murs :

— Tapez bien dessus comme ça, voyez ? Vous y ferez pas de mal. Si ça se déchire, un coup de colle et c'est réparé. Vous découpez d'abord aux mesures, vous numérotez derrière. Voilà, c'est bon. Tapez. Pour éjecter les bulles, prenez une brosse à cheveux, c'est ce qu'il y a de mieux.

Je finis par devenir experte. Je lui laissai cependant les plafonds : je ne me sentais pas encore prête à m'y attaquer.

Les murs de la chambre de Rosalind étaient peints en jaune pâle. Là encore, j'appris quelque chose en matière de décoration. Ce que notre mentor ne m'avait pas indiqué, c'est que si on n'enlevait pas immédiatement les éclaboussures de peinture à l'eau sur le plancher, elles durcissaient et on ne pouvait plus ensuite les éliminer qu'au racloir. Enfin, on apprend vite, sur le tas. La nursery fut tapissée d'un papier fort cher de chez Heal, avec une frise d'animaux tout en haut. Dans le salon, j'optai pour un très léger rose laqué sur les murs, et un papier noir brillant à motif d'aubépine au plafond. Cela me donnerait l'impression d'être à la campagne, pensai-je. D'autre part, la pièce paraîtrait plus basse, et j'aimais les plafonds bas, qui faisaient plus cottage. Le papier du plafond devait être posé par le professionnel, bien sûr, mais contre toute attente, il se montra réticent :

— Attendez un peu, ma petite dame. C'est l'inverse, qu'il faudrait, vous savez : le plafond rose clair et le papier noir sur les murs.

— Non, non, répondis-je. Je veux le papier noir en haut et la détrempe rose sur les murs.

— Mais c'est pas comme ça qu'on fait, *normalement*. Ici, votre regard monte du clair au foncé. C'est le contraire, qu'il faut : le foncé en bas et le clair en haut.

— On n'est quand même pas obligé d'aller du foncé au clair si on préfère aller du clair au foncé, insistai-je.

— Tout ce que je peux vous dire, M'dame, c'est que c'est pas beau et que personne ne fait jamais ça.

Je répondis que moi, j'allais le faire.

— Ça va vous descendre le plafond, vous allez voir. Ça va être oppressant. Votre pièce va paraître basse comme tout.

— Je *veux* qu'elle paraisse basse.

Il abandonna avec un haussement d'épaules. Quand le travail fut terminé, je lui demandai s'il n'aimait pas.

— Ben, fit-il, ça fait bizarre. Je ne peux pas dire que j'*aime*, non, mais enfin... c'est pas mal, quand on est assis dans un fauteuil et qu'on regarde en l'air.

— C'est exactement ce que je voulais.

— Alors à votre place, si vous cherchiez ce genre d'effet, j'aurais choisi du papier bleu avec des étoiles.

— Je n'ai pas envie d'avoir l'impression d'être dehors la nuit, dis-je. Je préfère me croire sous un cerisier en fleur ou sous une aubépine.

Il secoua tristement la tête.

Nous fîmes faire la plupart des rideaux. J'avais décidé de m'occuper moi-même des housses de fauteuil. Ma sœur Madge — à présent rebaptisée Punkie par son fils — m'assura avec son optimisme habituel que c'était un jeu d'enfant.

— Tu n'as qu'à épingler et couper sur l'envers, dit-elle, puis tu couds et tu retournes sur l'endroit. C'est simple comme bonjour.

J'essayai donc. Le résultat ne fut pas professionnel, je ne tentai pas le moindre passepoil, mais mes housses étaient jolies et égayaient la pièce. Tous nos amis admiraient notre appartement, et nous ne fûmes jamais aussi heureux que lorsque nous nous installâmes. Lucy le trouvait merveilleux et y goûtait un bonheur de tous les instants. Jessie Swannell n'arrêtait pas de grogner, mais se montrait étonnamment utile. Peu m'importait qu'elle ne nous aimât pas — ou plutôt qu'elle ne m'aimât pas, car je ne crois pas qu'Archie lui déplût autant.

— Après tout, lui expliquai-je un jour, s'il n'y avait pas de parents, il n'y aurait pas de bébés, alors vous n'en auriez plus à garder.

— Bon, c'est pas faux, admit-elle avec un sourire torve.

Archie avait pris son travail dans la City. Il disait l'aimer et paraissait vraiment enthousiaste. Il était ravi d'avoir quitté l'aviation, dans laquelle, ne cessait-il de répéter, il n'y avait aucune perspective d'avenir. Il était décidé à gagner plein d'argent. Le fait que nous étions pour l'instant démunis ne nous inquiétait pas. À part quelques sorties occasionnelles au palais de la danse de Hammersmith, nous nous passions en général de divertissements, car nous n'avions pas de quoi nous en offrir. Nous étions un jeune couple tout à fait ordinaire, mais heureux. La vie semblait toute tracée devant nous. Nous n'avions pas de piano, ce qui me manquait beaucoup, et je me rattrapais en jouant comme une forcenée chaque fois que j'allais à Ashfield.

J'avais épousé l'homme que j'aimais, nous avions un enfant, nous avions un toit, et je ne voyais aucune raison pour que notre bonheur ne fût pas éternel.

Une lettre m'arriva, un jour. Je l'ouvris presque machinalement et la lus d'abord sans vraiment comprendre. Elle venait de John Lane, des éditions The Bodley Head, qui me demandait si je voudrais bien passer à son bureau au sujet d'un manuscrit que je leur avais soumis, intitulé *La Mystérieuse Affaire de Styles*.

À vrai dire, j'avais totalement oublié *La Mystérieuse Affaire de Styles*. Elle devait être chez eux depuis près de deux ans déjà, mais les émotions de la fin de la guerre, le retour d'Archie et le début de notre vie commune m'avaient fait complètement oublier écriture et manuscrits.

Pleine d'espoir, j'allai donc à ce rendez-vous. Après tout, mon roman devait leur plaire un peu, sinon ils ne m'auraient pas demandé de venir. On me fit entrer dans le bureau de John Lane, et il se leva pour m'accueillir. C'était un petit homme à barbe blanche qui faisait un peu élisabéthain. Il semblait cerné de tableaux. Il y en avait partout : sur les fauteuils, appuyés contre les tables, tous apparemment de maîtres du passé, avec leur lourd vernis et leur patine brunâtre. Je songeai, plus tard, que je le verrais fort bien lui-même dans un de ces cadres, avec une collerette autour du cou. Il avait un air tout doux, tout gentil, mais des yeux bleus perçants qui auraient peut-être pu m'avertir qu'il n'était pas commode en affaires. Il m'accueillit donc et me pria courtoisement de m'asseoir. Je regardai autour de moi : impossible, chaque siège était encombré d'un tableau. Il s'en aperçut soudain et se mit à rire.

— Grands dieux, il n'est pas facile de s'asseoir ici, n'est-ce pas ?

Il descendit un portrait sombre et poussiéreux et je pris place.

Il commença alors à me parler du manuscrit. Certains membres de son comité de lecture, m'apprit-il, l'avaient trouvé prometteur. On *devrait* pouvoir en tirer quelque chose à condition de lui apporter des modifications considérables. Le dernier chapitre, par exemple, que je faisais se dérouler au tribunal, était inexploitable rédigé ainsi. Il n'évoquait en rien une véritable séance au tribunal. Tel quel, il apparaîtrait ridicule. Pourrais-je songer à une autre manière d'amener mon dénouement ? Peut-être en me faisant aider de quelqu'un pour la partie juridique, mais ce ne serait pas commode, ou en changeant la fin de quelconque façon ? Je répondis immédiatement par l'affirmative. J'allais y réfléchir — peut-être envisager un cadre différent — mais de toute façon, j'essayerais. Il souleva quelques autres points de détail, mais rien de véritablement sérieux à part ce dernier chapitre.

Puis il aborda l'aspect financier de l'affaire, faisant ressortir les risques que prenait un éditeur à publier le roman d'un jeune auteur inconnu, et le peu d'argent qu'il tirerait de l'opération. Il sortit du tiroir de son bureau un contrat qu'il me proposa de signer. Je n'avais vraiment pas envie d'ergoter sur les termes d'un contrat ni même de demander à réfléchir : il allait publier mon livre. Après avoir, depuis plusieurs années déjà, abandonné tout espoir de sortir autre chose qu'une nouvelle ou un poème de temps en temps, l'idée d'avoir un roman édité me fit tourner la tête. J'aurais signé n'importe quoi. Ledit contrat stipulait que je ne percevrais rien sur les deux mille premiers exemplaires, et qu'ensuite des droits minimes me seraient versés. La moitié des droits de reproduction en feuilleton ou d'adaptation théâtrale iraient à l'éditeur. Cela m'importait peu. Tout ce qui comptait pour moi, c'est que mon roman allait être publié.

Je ne remarquai même pas la présence d'une clause qui me liait à lui pour mes cinq prochains ouvrages, avec des droits d'auteur à peine augmentés. Pour moi, c'était le succès et une énorme surprise. Je signai avec enthousiasme. Puis je repris mon manuscrit pour rectifier les défauts du dernier chapitre. J'y parvins sans grande difficulté.

C'est ainsi que j'ai commencé ma longue carrière — sans imaginer, à ce moment-là, qu'elle serait longue. Au diable la clause sur les cinq prochains romans, ce devait être pour moi une seule et unique expérience. J'avais été mise au défi d'écrire un roman policier, j'avais écrit un roman policier, il avait été accepté et allait être publié. Pour moi donc, l'aventure s'arrêtait là. Il est certain que je n'envisageais pas alors d'écrire d'autres romans. Si l'on m'avait posé la question, j'aurais répondu que j'écrirais probablement encore des nouvelles de temps en temps. J'étais l'amateur au sens strict du terme. J'écrivais pour le plaisir.

Je rentrai à la maison, jubilante, et racontai tout à Archie. Ce soir-là, nous allâmes au palais de la danse de Hammersmith pour fêter l'événement.

Je ne le savais pas, mais il y avait un troisième convive avec nous ce soir-là : Hercule Poirot, mon héros belge, fruit de mon imagination, me collait déjà à la peau.

5

Après avoir remanié comme il le fallait le dernier chapitre de *La Mystérieuse Affaire de Styles*, je renvoyai le manuscrit à John Lane puis, quand j'eus répondu à quelques autres requêtes et consenti à certaines modifications supplémentaires, mon enthousiasme se trouva relégué au second plan. La vie continua comme pour n'importe quel couple de jeunes mariés heureux, amoureux, sans le sou mais guère affectés par cet état de fait. Nous passions nos moments de liberté, le week-end, à prendre le train, aller à la campagne et effectuer de longues marches. Nous faisions parfois un circuit complet.

Le seul gros ennui qui survint fut que ma chère Lucy me quitta. Elle paraissait soucieuse et préoccupée depuis quelque temps, et finit par venir me voir un jour pour me dire, d'un air tout triste :

— Je suis vraiment désolée de vous laisser tomber, m'selle Agatha — euh, M'dame, excusez-moi — et je sais pas ce que Mrs Rowe penserait de moi, mais... enfin voilà, je vais me marier.

— Vous marier, Lucy ? Et avec qui ?

— Oh ! quelqu'un que je connaissais d'avant la guerre. J'ai toujours eu le béguin pour lui.

Ce fut ma mère qui m'apporta des éclaircissements.

— Ce n'est pas encore ce Jack, au moins ? s'écria-t-elle aussitôt que je lui eus appris la nouvelle.

Apparemment, elle ne portait pas « ce » Jack dans son cœur. Il ne s'était pas fait apprécier, comme prétendant de Lucy, et la famille de la jeune femme avait été fort soulagée de voir le couple se quereller et rompre. Seulement voilà, ils s'étaient réconciliés. Lucy était restée fidèle à « ce » Jack, et le résultat était là : ils allaient se marier, et moi devoir chercher une autre bonne.

C'était devenu une gageure, à cette époque. On n'en trouvait nulle part. Pourtant enfin, par l'intermédiaire d'une agence ou d'une amie, je ne me souviens plus, je rencontrai une fille qui s'appelait Rose. Elle avait tous les avantages : d'excellentes références, une bonne bouille ronde de chérubin, un gentil sourire et paraissait disposée à travailler pour nous. Le seul problème, c'est qu'elle semblait répugner à entrer dans toute maison où il y avait une nurse et un enfant. Je sentis qu'il allait falloir se montrer persuasif. Elle avait servi chez des gens de l'armée de l'air, et lorsqu'elle apprit qu'Archie en avait lui-même fait partie, elle se radoucit manifestement. Il devait sûrement connaître ses anciens employeurs, dit-elle, le commandant G. Je me précipitai à la maison :

— Ce nom te dit quelque chose ? demandai-je à Archie.

— Pas que je me souvienne, répondit-il.

— Eh bien il faut que tu te souviennes. Il faut que tu dises que tu l'as rencontré, que vous étiez bons copains, ou n'importe quoi de ce genre : il nous faut cette fille. Elle est extraordinaire. Si tu savais quelles horribles créatures j'ai pu voir, à part elle !

C'est ainsi que Rose fut favorablement impressionnée. Je la présentai à Archie. Il débita quelques paroles aimables sur le commandant G., ce qui acheva de la convaincre d'accepter de travailler pour nous.

— Seulement j'aime pas les nurses, prévint-elle cependant. Les enfants, passe encore, mais les nurses, ça fait toujours des histoires.

— Oh ! je suis sûre que miss Swannell n'en fera pas.

Je n'étais pas si sûre que ça, en fait, mais j'espérais que tout se passerait bien dans l'ensemble. La seule personne à qui Jessie pouvait s'en prendre, c'était moi, et cela ne me gênait plus, à présent. Rose et elle s'entendirent d'ailleurs fort bien. Jessie raconta à Rose sa vie au Nigeria et le plaisir qu'elle avait pris à commander à un nombre incalculable de Nègres. Rose raconta à Jessie combien elle avait souffert dans ses différentes places.

— Morte de faim, que j'étais des fois, me dit-elle un jour. Vous savez ce qu'ils me donnaient, au petit déjeuner ?

Je répondis que non.

— Du poisson, fit-elle sur un ton lugubre. Vous vous rendez compte, un seul hareng fumé avec du thé, des toasts, du beurre et de la confiture. C'est bien simple, je dépérissais à vue d'œil.

En tout cas, elle ne semblait plus dépérir, elle était même joliment rondelette. Je veillai cependant à ce qu'elle ait deux ou même trois harengs fumés lorsque nous en servions au petit déjeuner, ainsi que des œufs et du bacon à profusion. Je pense qu'elle était heureuse avec nous, et qu'elle aimait bien Rosalind.

Ma grand-mère décéda peu après la naissance de ma fille. Elle était pratiquement restée elle-même jusqu'à la fin, mais elle attrapa une mauvaise bronchite et son cœur n'était plus assez costaud pour qu'elle s'en remît. Elle avait 92 ans et, presque aveugle mais pas trop sourde, aurait pu encore profiter de la vie. Sa rente, comme celle de ma mère, avait été réduite après la faillite de Chaflin à New York, mais, grâce aux conseils de Mr Bailey, elle avait pu en sauver une partie qui revenait à présent à ma mère. Ce n'était pas beaucoup, car certaines des actions s'étaient dépréciées pendant la guerre. Il restait quand même trois cents ou quatre cents livres par an qui, additionnées à la pension volontaire qu'elle recevait de Mr Chaflin, lui permettaient de souffler un peu. Bien sûr, la vie était devenue beaucoup plus chère, dans les années qui avaient suivi l'armistice. Elle parvint néanmoins à garder Ashfield. J'étais très chagrinée de ne pouvoir, comme ma sœur Madge, apporter ma contribution à l'entretien de la maison, mais c'était vraiment impossible dans notre cas : nous avions besoin du moindre sou que nous gagnions.

Un jour, m'entendant parler avec préoccupation des difficultés qu'elle avait à entretenir Ashfield, Archie me dit fort justement :

— Tu sais, je crois que ce serait beaucoup mieux pour ta mère de vendre et d'aller vivre ailleurs.

— Vendre Ashfield ! m'étranglai-je presque avec horreur.

— Je ne vois pas quel profit tu en tires. Tu ne peux même pas y aller souvent.

— Je ne pourrais pas supporter de vendre Ashfield. J'aime cette maison. C'est... c'est... elle représente tout pour moi.

— Alors pourquoi n'essaies-tu pas d'agir ? fit Archie.

— Comment cela, agir ?

— Écrire un autre bouquin, par exemple.

Je le regardai, surprise :

— Je suppose que je pourrais en écrire un autre un de ces jours, mais quel rapport avec Ashfield ?

— Ça rapporterait beaucoup d'argent.

Je trouvai cela peu vraisemblable : *La Mystérieuse Affaire de Styles* s'était vendu à près de deux mille exemplaires, ce qui n'était pas mal à l'époque pour un roman policier d'un auteur inconnu. Il m'avait rapporté la maigre somme de vingt-cinq livres — qui n'étaient même pas des droits d'auteur, mais la moitié des droits de reproduction en feuilleton qui avaient été vendus, contre toute attente, au *Weekly Times* pour cinquante livres. Très bon pour mon prestige, avait estimé John Lane. C'était une excellente chose pour un jeune auteur de paraître en feuilleton dans le *Weekly Times*. Certes, mais vingt-cinq livres de gains au total pour avoir écrit un roman ne m'incitaient guère à penser que je pourrais gagner beaucoup d'argent dans une carrière littéraire.

— Si un bouquin est assez bon pour être pris par un éditeur et que celui-ci en tire quelque bénéfice — ce qui me semble être le cas —, il en voudra un autre. Et ça devrait te rapporter un peu plus chaque fois.

J'écoutai ces arguments et les trouvai convaincants. J'étais pleine d'admiration pour le flair financier d'Archie. Je considérai l'hypothèse d'un second roman. Si je décidais de le faire, quel en serait le sujet ?

La réponse me fut donnée un jour où je prenais le thé dans un *ABC*. Deux personnes, à une table voisine, parlaient d'une certaine Jane Fish. Ce nom me frappa. Je le trouvai fort intéressant et partis en le gardant dans ma mémoire. Jane Fish : bon début pour un livre, ce nom entendu dans un salon de thé. Il n'était pas commun et il suffisait de l'entendre pour le retenir. Peut-être que Jane Finn serait encore meilleur. J'optai pour Jane Finn et me mis aussitôt à écrire. J'intitulai d'abord ce nouvel ouvrage *La Joyeuse Aventure*, puis *Les Jeunes Aventuriers* et finalement *The Secret Adversary*, lequel adversaire secret deviendrait en français *Mr Brown*.

Archie avait eu parfaitement raison de chercher un travail avant de quitter l'aviation. La plupart des jeunes gens se trouvaient dans une situation désespérée : ils sortaient de l'armée et n'avaient pas d'emploi. Ils sonnaient sans cesse à votre porte pour essayer de vous vendre des bas ou quelque gadget ménager. C'était un spectacle affligeant. Ils faisaient tellement pitié qu'on leur achetait souvent une paire de bas — assez atroces — juste pour leur mettre un peu de baume au cœur. Eux, qui avaient été lieutenants dans la marine ou dans l'armée, se voyaient à présent réduits à cela. Parfois même, ils écrivaient des poèmes et essayaient d'en tirer trois sous.

L'idée me vint de concevoir deux personnages de ce genre : une fille qui aurait appartenu aux auxiliaires de l'armée de terre ou à l'Aide volontaire aux blessés, et un jeune démobilisé. Ils seraient tous deux sans ressources, chercheraient un emploi et se rencontreraient — peut-être même se connaissaient-ils auparavant ? Et ensuite ? Ensuite, pensai-je, ils se trouveraient embringués dans... oui, dans une affaire d'espionnage. C'est cela : ce serait un roman d'espionnage, un *thriller* sans énigme. Ce serait un changement après le travail de détective de *La Mystérieuse Affaire de Styles*. J'esquissai donc mon histoire à grands traits. Dans l'ensemble, ce fut beaucoup plus amusant et, comme toujours, beaucoup plus facile à écrire qu'un roman policier.

Quand je l'eus terminé — et ce ne fut pas tout de suite —, je l'apportai chez John Lane qui ne se montra guère enthousiaste : il était très différent de mon premier ouvrage et ne se vendrait certainement pas aussi bien. Ils hésitèrent même à le publier. Ils le firent pourtant. Et j'eus, cette fois, moins de modifications à apporter.

Autant que je me souvienne, il se vendit fort honorablement. Il me rapporta quelques droits d'auteur, ce qui était déjà quelque chose et, de nouveau, le *Weekly Times* acheta les droits de reproduction en feuilleton. Pour le coup, ce furent cinquante livres que John Lane me lâcha. Il y avait du mieux, mais pas assez cependant pour me permettre de voir grand et d'en faire un métier.

Mon troisième roman s'intitula *Le Crime du golf.* Je dus l'écrire, je crois, peu après un fait divers qui avait défrayé la chronique en France. Je ne me rappelle plus le nom des acteurs, maintenant, mais il s'agissait d'hommes masqués qui s'étaient introduits dans une maison, avaient tué le propriétaire et bâillonné la femme — la belle-mère aussi était morte, mais seulement, semblait-il, de s'être étouffée avec son dentier. Bref, on finit par avoir des doutes sur la version de la femme : on la soupçonna d'avoir tué son mari et de s'être fait ligoter par un complice. Cela me parut un bon point de départ sur lequel greffer ma propre histoire : la nouvelle vie de l'épouse qui commencerait après son acquittement. Une femme mystérieuse apparaîtrait quelque part, des années après avoir été l'héroïne d'une affaire criminelle. Je situai cette fois l'action en France.

Hercule Poirot avait eu du succès dans *La Mystérieuse Affaire de Styles.* On me conseilla donc de conserver le personnage. Parmi ceux qui l'aimèrent se trouvait Bruce Ingram, à l'époque rédacteur en chef au *Sketch.* Il entra en contact avec moi et me suggéra d'écrire une série d'aventures de Poirot pour son journal. J'en fus tout excitée : enfin, je commençais à connaître le succès. Paraître dans le *Sketch*, quoi de plus extraordinaire ? Ingram fit aussi exécuter par l'illustrateur W. Smithson Brodhead un portrait de Poirot, qui n'était pas trop différent de ma conception du personnage, bien qu'il apparût un peu plus élégant et aristocratique que je ne l'imaginais. Bruce Ingram voulait une série de douze nouvelles. J'en écrivis huit assez vite, et l'on pensa au début que ce serait suffisant, mais finalement, il fut décidé d'aller jusqu'à douze, ce qui m'obligea à venir à bout des quatre dernières plus hâtivement que je ne l'aurais souhaité.

Je ne m'étais pas rendu compte que j'étais désormais enchaînée, non seulement au roman policier, mais aussi à deux personnages : Hercule Poirot et son Watson, le capitaine Hastings. J'aimais bien le capitaine Hastings. C'était une création stéréotypée, mais Poirot et lui correspondaient à ma conception d'un tandem de détectives. J'écrivais encore dans la tradition de Sherlock Holmes : un héros excentrique assisté d'un faire-valoir, avec un inspecteur de Scotland Yard du type Lestrade : Japp — trio auquel j'ajoutai à présent un « limier », l'inspecteur Giraud, de la police française. Lequel Giraud méprise Poirot qu'il trouve vieux et dépassé.

Je comprenais à présent l'erreur monumentale que j'avais commise en faisant Hercule Poirot si vieux dès le départ. J'aurais dû l'abandonner au bout de trois ou quatre romans pour prendre un héros beaucoup plus jeune.

Le Crime du golf était légèrement moins dans la lignée des Sherlock Holmes et davantage inspiré, me semble-t-il, du *Mystère de la chambre jaune*. Il avait ce style d'écriture plus fleuri et ampoulé. Quand on débute dans le métier, on est toujours très influencé par le dernier auteur lu ou apprécié.

Je trouve que, bien qu'un peu mélodramatique, *Le Crime du golf* était un exemple passable du genre abordé. J'offris cette fois une histoire d'amour à Hastings. S'il fallait absolument en caser une dans le roman, autant en profiter pour marier Hastings ! À dire la vérité, je crois que je commençais à en être un peu fatiguée. Déjà encombrée de Poirot, quel besoin avais-je de m'encombrer de Hastings par-dessus le marché ?

Au Bodley Head, on aima bien *Le Crime du golf*. J'eus pourtant un petit accrochage avec eux au sujet de la jaquette qu'ils avaient dessinée pour le livre. Non seulement ses couleurs étaient horribles, mais le graphisme laissait à désirer. Elle représentait, pour autant que je puisse distinguer, un homme en pyjama agonisant d'une crise d'épilepsie sur un terrain de golf. Comme le mort, dans l'histoire, avait été poignardé tout habillé, j'élevai des objections. Si une jaquette de livre peut ne pas refléter l'intrigue, elle doit au moins ne pas en montrer une fausse. Cela entraîna quelques échanges assez vifs, mais j'étais vraiment furieuse et il fut convenu qu'à l'avenir la jaquette me serait d'abord présentée pour approbation. J'avais d'ailleurs déjà eu un différend avec The Bodley Head, lors de la publication de *La Mystérieuse Affaire de Styles*, à propos de l'orthographe du mot *cacao* (en anglais : *cocoa*), que la maison écrivait *coco*. C'est ainsi qu'une tasse de cacao devenait chez eux une tasse de *coco*. Ce qui, comme l'aurait dit Euclide, était absurde. Je rencontrai l'opposition farouche de miss Howse, le dragon chargé des problèmes orthographiques au Bodley Head. Ils écrivaient toujours *coco* dans leurs publications, expliqua-t-elle : c'était l'orthographe correcte, de règle dans la maison. J'eus beau apporter force boîtes de cacao et même des dictionnaires, rien n'y fit. Cela s'écrivait *coco*. Ce ne fut que bien des années plus tard, au cours d'une conversation, que je dis à Allen Lane, neveu de John Lane et créateur des Penguin Books :

— Savez-vous que j'ai eu des batailles épiques avec miss Howse sur l'orthographe du mot *cacao* ?

Il eut un large sourire :

— Ça ne m'étonne pas. Avec l'âge, elle devenait de plus en plus dogmatique sur bien des sujets. Elle se disputait avec les auteurs et ne voulait jamais céder.

Un nombre incalculable de gens m'écrivirent pour me dire : *Je ne comprends pas, Agatha : pourquoi dites-vous « coco » pour « cacao », dans votre livre ? C'est vrai que l'orthographe n'a jamais été votre fort.*

Quelle injustice ! D'accord, je n'ai jamais été bonne en orthographe, d'accord, je ne le suis toujours pas, mais j'ai toujours écrit *cacao* correctement. Non, j'ai seulement fait preuve de faiblesse. C'était mon premier livre et je pensais que eux savaient mieux que moi ce qui convenait.

Quelques bonnes critiques avaient accueilli *La Mystérieuse Affaire de Styles*. Celle que j'appréciai le plus vint du *Pharmaceutical Journal*. Il faisait l'éloge de « ce roman policier fort bien renseigné sur le maniement des poisons, et qui ne se contente pas, comme c'est trop souvent le cas, de cette ineptie de la substance inconnue et indécelable. Miss Agatha Christie, poursuivait-il, connaît son métier. »

J'avais voulu écrire mes livres sous un pseudonyme — Martin West ou Mostyn Grey — mais John Lane avait insisté pour que je garde mon patronyme, Agatha Christie. Surtout à cause de mon prénom :

— Agatha, c'est peu courant et ça reste gravé dans la mémoire.

Je dus donc renoncer à Martin West et signer Agatha Christie. Je croyais qu'un nom féminin serait un handicap, surtout dans le domaine du roman policier, que Martin West ferait plus viril et percutant. Seulement quand vous publiez un livre pour la première fois, comme je l'ai dit, vous vous pliez à tout ce que l'on vous suggère, et dans ce cas précis, je crois que John Lane a eu raison.

J'avais donc maintenant écrit trois romans, j'étais heureuse en ménage, et ce qui me tenait à cœur était de vivre à la campagne. Or, Addison Mansions se trouvait loin du parc. Pousser le landau jusque-là et revenir n'était pas une mince affaire, ni pour Jessie

Swannell ni pour moi. De plus restait un problème, définitif celui-là : les appartements étaient voués à la démolition. Ils appartenaient à Lyons, qui avait l'intention de bâtir de nouveaux locaux sur le site. C'est pourquoi les baux n'étaient que trimestriels. À tout moment, nous pouvions recevoir l'avis de destruction prochaine. En fait, trente ans plus tard, notre immeuble d'Addison Mansions était toujours debout — bien qu'il ait disparu, aujourd'hui. Cadby Hall y règne à sa place.

Parmi nos autres activités du week-end, Archie et moi partions parfois en train pour East Croydon afin d'y jouer au golf. Je n'avais jamais été experte et lui-même n'avait que fort peu pratiqué, mais il se prit de passion pour ce sport. Au bout de quelque temps, nous allions presque tous les week-ends à East Croydon. Je n'y voyais pas d'objection, si ce n'est que la découverte de nouveaux endroits et la diversité de nos longues promenades me manquaient. Ce choix dans nos loisirs allait finir par changer radicalement le cours de notre existence.

Archie et Patrick Spence — un ami qui travaillait aussi chez Goldstein — devenaient tous deux assez pessimistes au sujet de leur emploi : les perspectives d'avenir promises, ouvertement ou non, tardaient à se réaliser. On leur proposait bien certains postes de direction, mais il s'agissait toujours de firmes déjà malades ou au bord de la faillite.

— Ces gens-là sont une bande d'escrocs, dit un jour Spence. Le tout en parfaite légalité, bien sûr, mais ça sent mauvais, tu ne trouves pas ?

Archie répondit que certains agissements n'étaient peut-être pas des plus honorables, en effet.

— J'aimerais bien, fit-il pensivement, changer un peu d'air.

Il aimait la vie dans la City, avait les qualités pour réussir, mais à mesure que le temps passait, il devenait de moins en moins enthousiaste vis-à-vis de ses employeurs.

C'est alors qu'un événement tout à fait imprévu se produisit.

Archie avait un ami qui avait été professeur à Clifton, un certain major Belcher, un sacré personnage doté d'un incontestable talent de bluffeur. Il avait, selon ses dires, obtenu à l'estomac le poste de « contrôleur des pommes de terre » pendant la guerre. Quelles étaient la part d'invention et la part de vrai dans les histoires de Belcher, difficile à dire, mais celle-ci était bien bonne : il avait une quarantaine ou une cinquantaine d'années quand la guerre éclata, et la planque qu'on lui avait offerte au ministère de la Guerre ne l'intéressait pas. Un soir qu'il dînait avec une haute personnalité, la conversation vint sur les pommes de terre, qui constituaient effectivement un gros problème pendant la guerre de 1914-1918 : autant que je me rappelle, elles disparurent très vite. Je sais qu'à l'hôpital nous n'en avions jamais. Que cette pénurie fût entièrement due à la gestion de Belcher, je ne saurais l'affirmer. Mais je n'en serais pas surprise.

— Ce vieux fou pompeux qui me parlait, raconta Belcher, me disait que la situation de la pomme de terre allait devenir sérieuse, critique même. Je lui ai répondu qu'il fallait agir, que trop de gens faisaient n'importe quoi, que les choses devaient être prises en main par un seul gars qui contrôle tout. D'accord, qu'il me dit. Mais je le préviens : attention, il faudra le payer gros. Vous ne pourrez pas trouver quelqu'un de bien avec un salaire de misère. C'est un as dont vous avez besoin. À mon avis, ça va chercher au moins dans les...

Et il cita une somme de plusieurs milliers de livres.

— C'est énorme, fit le haut personnage.

— Il ne s'agit pas de prendre n'importe qui, répondit Belcher. Et encore, moi, à ce prix-là, je dirais non.

Ce fut l'argument choc. Quelques jours plus tard, Belcher se voyait offrir le poste de contrôleur des pommes de terre aux conditions qu'il avait lui-même fixées.

— Mais vous y connaissiez quelque chose, en patates ? demandai-je.

— Pas du tout. Mais j'allais faire en sorte que ça ne se sache pas. On peut toujours se débrouiller : il suffit de prendre un second qui soit un peu au courant, de lire quelques bons bouquins, et le tour est joué !

C'était un homme qui savait merveilleusement impressionner son monde. Il avait une confiance inébranlable en ses dons d'organisation et il fallait parfois un bon bout de temps avant qu'on s'aperçoive des dégâts qu'il causait. En vérité, il n'y a jamais eu pire organisateur que lui. Son idée, comme celle de nombreux politiciens, était de tout chambarder d'abord, dans l'industrie ou quoi que ce soit, puis, une fois le chaos bien installé, de rassembler les morceaux « plus près des désirs de son cœur », comme Omar Khayyam aurait pu dire. Le problème, c'est qu'en matière de réorganisation, Belcher était nul, mais les gens s'en apercevaient rarement avant qu'il ne fût trop tard.

À un moment de sa carrière, il partit pour la Nouvelle-Zélande. Là, il impressionna tellement les autorités d'une école avec son plan de réorganisation qu'ils se dépêchèrent de l'engager comme principal. Un an plus tard, on lui offrait une énorme somme d'argent pour qu'il quitte son emploi, non pas pour une quelconque faute professionnelle, mais à cause de la pagaille qu'il avait mise, de la haine qu'il suscitait chez les autres, et de son goût personnel pour ce qu'il appelait « une administration tournée vers l'avenir, moderne et progressiste ». Comme je l'ai dit, c'était un personnage. Tantôt on le détestait, tantôt on l'adorait.

Belcher vint dîner chez nous un soir. Il n'était plus dans son job des pommes de terre et nous expliqua dans quoi il se lançait à présent :

— Vous êtes au courant de cette grande Exposition commerciale de l'Empire que nous allons avoir dans dix-huit mois ? Naturellement, elle réclame une bonne organisation. Il faut solliciter les dominions, les faire bouger, les amener à coopérer. Je pars en mission — la mission de l'Empire britannique — autour du monde, et ce à partir de janvier.

Il expliqua ses plans dans le détail.

— Je cherche quelqu'un qui m'accompagne comme conseiller financier, dit-il. Qu'en pensez-vous, Archie ? Vous avez toujours eu la tête sur les épaules, vous avez été élu élève de l'année à Clifton, et de plus, vous avez acquis toute une expérience à la City. Vous êtes exactement l'homme qui me convient.

— Je ne peux pas quitter mon boulot, fit Archie.

— Pourquoi pas ? Présentez les choses comme il faut à votre patron, faites par exemple ressortir combien cela élargira le champ de vos compétences. Je suis sûr qu'il gardera votre poste au chaud pour votre retour.

Archie répondit qu'il doutait fort que Mr Goldstein fasse une chose pareille.

— En tout cas, réfléchissez-y, mon garçon. J'aimerais bien vous avoir avec moi. Agatha pourrait venir aussi, évidemment. Elle aime voyager, n'est-ce pas ?

— Oui.

Monosyllabe qui était vraiment une litote.

— Je vais vous dire quel sera notre itinéraire. D'abord, l'Afrique du Sud. Vous, moi, et un secrétaire, bien sûr. Les Hyam se joindraient à nous. Je ne sais pas si vous le connaissez, Hyam : c'était un des rois de la pomme de terre d'East Anglia. Un type très bien, un excellent ami à moi. Il viendrait avec sa femme et sa fille, mais seulement jusqu'en Afrique du Sud. Il ne peut pas aller plus loin parce qu'il est trop pris par ses affaires ici. Ensuite, nous poussons en Australie. Après l'Australie, la Nouvelle-Zélande. Là, je compte m'arrêter un peu : j'ai un tas d'amis, là-bas, et c'est un pays que j'aime bien. Nous pourrions prendre un mois de vacances, par exemple, et vous iriez jusqu'à Hawaï, à Honolulu.

— Honolulu..., balbutiai-je.

Ce mot sonnait comme une vision de rêve.

— Puis on continue par le Canada, et enfin retour au bercail. Le tout prendrait neuf à dix mois. Qu'en pensez-vous ?

Nous comprîmes enfin qu'il était sérieux. Nous considérâmes la chose très soigneusement. Archie partirait, bien entendu, tous frais payés et recevrait en plus un salaire de mille livres. Si j'accompagnais le groupe, pratiquement tous mes frais de voyage seraient pris en charge puisque je venais en tant qu'épouse d'Archie et que nous bénéficierions de la gratuité sur les réseaux nationaux des bateaux et des trains des pays que nous traverserions.

Nous travaillâmes furieusement la question financière. Il semblait en gros que nous arriverions à boucler notre budget. Les mille livres d'Archie devraient suffire à couvrir mes frais d'hôtels ainsi que notre mois de vacances à deux à Honolulu. Ce serait juste, mais nous pensions que c'était faisable.

Archie et moi étions allés deux fois à l'étranger pour de courtes vacances : d'abord dans le sud de la France, dans les Pyrénées, et ensuite en Suisse. Nous adorions tous les deux voyager, goût qui m'avait certainement été donné par cette expérience précoce que j'avais eue à l'âge de 7 ans. Or, il me paraissait hautement improbable que je puisse jamais assouvir mon désir de voir le monde. Nous étions à présent tous deux plongés dans la vie active, et un homme d'affaires, pour autant que je sache, n'obtenait jamais plus de quinze jours de congé par an. Vous n'alliez pas loin, en quinze jours. Je brûlais d'envie de voir la Chine, le Japon, l'Inde, Hawaï, et tant d'autres endroits encore. Mais ce rêve demeurait, et demeurerait sans doute à jamais, un vœu pieux.

— Le tout est de savoir, fit Archie, si le vieux Face Jaune va voir ça d'un bon œil.

Je lui dis avoir bon espoir, parce qu'il tenait beaucoup à lui. Archie pensait au contraire qu'il n'aurait aucun mal à être remplacé par quelqu'un de si compétent — des tas de gens tournaient encore à la recherche de travail. En tout état de cause, Face Jaune n'entra pas dans le jeu : il répondit qu'il pourrait éventuellement le réembaucher à son retour — ça dépendrait — mais qu'il ne garantirait certainement pas de lui garder son poste. Cela, c'était trop demander. Il y avait un risque pour Archie de trouver quelqu'un à sa place quand il rentrerait. Nous en débattîmes.

— C'est un risque, dis-je. Un risque terrible.

— Oui, c'en est un. Je pense que nous allons sans doute rentrer en Angleterre sans un sou en poche, avec juste un peu plus de cent livres par an à nous deux pour subsister, que les boulots seront durs à décrocher, peut-être même encore plus qu'aujourd'hui. D'un autre côté, bon... si on ne prend pas de risque, on ne va jamais nulle part, n'est-ce pas ? Alors ça dépend plutôt de toi. Que va-t-on faire avec Teddy ?

Teddy était le diminutif que nous donnions à Rosalind, peut-être parce que, une fois, nous l'avions appelée, pour nous amuser, le Têtard.

— Punkie — comme nous surnommions maintenant Madge — pourrait s'en occuper. Ou bien maman. Elles seraient ravies. D'autre part, il y a la nurse. Oui, de ce côté-là, ça pourrait s'arranger. C'est la seule chance que nous aurons jamais, ajoutai-je d'un air mélancolique.

Nous réfléchîmes, réfléchîmes encore.

— Bien sûr, tu pourrais partir seul, fis-je en me forçant à l'abnégation, et je t'attendrais ici.

Je le regardai. Il me regarda.

— Je ne te laisserai pas ici, dit-il. Sinon, je n'en profiterais pas. Non, soit tu prends le risque et tu viens aussi, soit tu ne le prends pas, c'est toi qui décides. En fait... en fait, le risque est plus grand pour toi que pour moi.

Nous nous rassîmes donc et nous remîmes à réfléchir. Je rejoignis l'opinion d'Archie.

— Tu as raison, dis-je. C'est une chance unique. Si nous la laissons passer, nous le regretterons toujours. Comme tu dis, la vie ne vaut pas la peine d'être vécue si on n'ose pas sauter sur une occasion quand elle se présente.

Nous n'avions jamais été gens à jouer la sécurité. Nous nous étions mariés envers et contre tout, et maintenant, nous étions déterminés à voir le monde et à en accepter les conséquences à notre retour.

Les dispositions matérielles ne furent pas difficiles à prendre. L'appartement d'Addison Mansions pourrait être loué un bon prix, ce qui pourvoirait aux gages de Jessie. Ma mère et ma sœur furent ravies d'accueillir Rosalind et la nurse. Il n'y eut qu'une seule anicroche, au dernier moment, lorsque nous apprîmes que mon frère Monty rentrait d'Afrique en permission. Ma sœur fut outrée que je ne reste pas en Angleterre pour le voir.

— Ton seul frère, blessé pendant la guerre, revient après des années d'absence, et voilà le moment que tu choisis pour faire le tour du monde ! C'est honteux. Tu devrais faire passer ton frère d'abord.

— Eh bien moi, je ne trouve pas, répondis-je. C'est mon mari que je dois faire passer en premier. Il participe à ce voyage, je pars avec lui. Une femme doit suivre son mari.

— C'est ton frère, et ta seule chance de le revoir avant encore des années, peut-être.

Elle finit par me troubler, mais ma mère se mit franchement de mon côté.

— Le devoir d'une femme est de suivre son mari, dit-elle. Il doit passer d'abord, même avant les enfants. Le frère vient encore après. Souviens-toi que si tu n'es pas avec ton mari, si tu le laisses trop seul, tu finiras par le perdre. Surtout un homme comme Archie.

— Oh ! ce n'est pas vrai ! me récriai-je avec indignation. Archie est le mari le plus fidèle du monde.

— On ne peut jamais être sûre d'aucun homme, dit ma mère avec son esprit le plus victorien. Une femme doit être auprès de son mari et le suivre en tout lieu : si elle ne le fait pas, il considère alors à juste titre qu'il a le droit de l'oublier.

SIXIÈME PARTIE

Autour du monde

1

Faire le tour du monde fut l'un des événements les plus palpitants de mon existence. Un cadeau de la vie si extraordinaire que je ne cessais de me répéter : « Je vais faire le tour du monde, je vais faire le tour du monde. » Avec en point d'orgue, bien sûr, l'idée de nos vacances à Honolulu. Que j'aille dans une des îles des mers du Sud dépassait mes rêves les plus fous. Il est difficile d'imaginer ce qu'on pouvait ressentir, à l'époque, maintenant que croisières et voyages à l'étranger sont monnaie courante, à des prix raisonnables et pratiquement à la portée de tous.

Quand Archie et moi nous étions rendus dans les Pyrénées, nous avions voyagé en seconde classe, assis toute la nuit. (La troisième classe, sur les chemins de fer étrangers, correspondait à l'entrepont sur un bateau. D'ailleurs, même en Angleterre, les dames seules n'auraient jamais voyagé en troisième. On y trouvait à tout le moins, selon mamie, des punaises, des poux et des pochards. Même les femmes de chambre voyageaient toujours en seconde.) Nous nous étions déplacés à pied d'une localité à l'autre dans les Pyrénées, choisissant les hôtels les plus modestes. Et nous n'étions même pas sûrs, une fois rentrés, d'avoir les moyens de recommencer l'année suivante.

Or, voilà que se profilait devant nous un voyage absolument somptueux. Belcher, bien sûr, avait tout organisé grand style. Rien n'était assez bon pour la mission de l'Exposition commerciale de l'Empire britannique. Nous étions tous sans exception ce qu'on appelle aujourd'hui des VIP.

Mr Bates, le secrétaire particulier de Belcher, était un jeune homme sérieux et naïf. Il excellait dans son métier, mais, avec ses cheveux noirs, son regard farouche et son aspect général sinistre, avait le physique du méchant de mélodrame.

— Il fait vraiment brute épaisse, n'est-ce pas ? dit Belcher. On jurerait qu'il est prêt à vous égorger à tout moment. N'empêche que c'est le type le plus honnête qui soit.

Avant même que nous ne fussions rendus au Cap, nous nous demandions comment diable Bates pouvait supporter d'être le secrétaire de Belcher. Celui-ci le tyrannisait, l'obligeait, au gré de sa fantaisie, à travailler à n'importe quelle heure du jour et de la nuit : il devait développer des pellicules, prendre sous la dictée, écrire et réécrire des lettres que Belcher modifiait sans cesse. J'imagine qu'il était bien payé : rien d'autre n'aurait pu lui faire endurer cela, je suis sûre, vu qu'il ne manifestait pas un amour particulier pour les voyages. En fait, il était toujours angoissé à l'étranger — il avait notamment peur des serpents que nous ne manquerions pas de rencontrer en grand nombre dans chaque pays où nous allions, et qui, de leur côté, ne manqueraient pas de s'en prendre spécialement à lui.

Si nous étions partis avec enthousiasme, mon plaisir, pour dire le moins, fut immédiatement gâché : le temps était atroce. À bord du *Kildonian Castle*, tout semblait devoir être parfait jusqu'à ce que la mer s'en mêle. Le golfe de Gascogne était en furie. Je restai allongée dans ma cabine à geindre, malade, incapable de garder la moindre nourriture. Archie finit par quérir le médecin du bord pour venir m'examiner. Je ne crois pas que ce docteur ait jamais pris le mal de mer au sérieux. Il me donna un remède qui, selon son expression, « devrait calmer les choses ». Mais comme je le rendis aussitôt ingéré, il n'eut guère le temps de me faire du bien. Je continuai donc à râler comme si j'étais à l'article de la mort, et sans doute à le paraître, car une dame qui logeait dans une cabine toute proche de la mienne et qui m'avait aperçue par la porte ouverte s'inquiéta auprès de la femme de chambre de bord :

— Elle est morte, la passagère d'en face ?

J'eus, un soir, une discussion sérieuse avec Archie :

— Si je suis encore de ce monde quand nous arriverons à Madère, je quitte le bateau.

— Bah ! je suppose que tu te sentiras bientôt beaucoup mieux.

— Non, je ne me sentirai jamais mieux. Je dois quitter ce bateau, revenir sur la terre ferme.

— Même si tu descendais à Madère, me fit-il remarquer, il faudrait bien que tu rentres un jour en Angleterre.

— Pas la peine. Je pourrais rester là-bas. Trouver du travail sur place.

— Quel travail ? demanda-t-il, sceptique.

Il est vrai qu'à cette époque les emplois féminins n'étaient pas légion. Les femmes étaient des filles entretenues par leurs parents, des épouses entretenues par leur mari, des veuves qui vivaient de ce que leur avait laissé le défunt ou de ce que famille et amis apportaient. Elles pouvaient se faire dame de compagnie pour personnes âgées ou gouvernante d'enfants. J'eus pourtant réponse à cet argument :

— Femme de chambre. Ça me plairait même beaucoup.

Les femmes de chambre, surtout de grande taille, étaient toujours recherchées. Elles n'avaient alors aucune difficulté à trouver une place — lisez le délicieux ouvrage de Margaret Sharp, *Cluny Brown* — et je considérais avoir les qualités requises : je savais quels verres à vin mettre sur la table, je savais ouvrir aux visiteurs, je savais nettoyer l'argenterie — nous nettoyions nous-mêmes nos cadres en argent et nos bibelots à la maison — et j'étais capable de servir raisonnablement bien à table.

— Femme de chambre, répétai-je d'une voix éteinte. Voilà.

— Bon, dit Archie, nous verrons quand nous serons à Madère.

Lorsque nous y arrivâmes, je me sentais tellement faible qu'il n'était même pas question de me lever de ma couchette. En fait, il m'apparaissait maintenant que la seule solution consistait à rester à bord et à attendre la mort qui surviendrait dans un jour ou deux. Or, le bateau n'était pas à quai depuis plus de cinq ou six heures que je me sentis soudain beaucoup mieux. Le lendemain matin, quand nous appareillâmes, la journée s'annonçait radieuse et la mer était calme. Je me demandai, comme on le fait souvent dans ces cas-là, pourquoi j'avais fait tant d'histoires. Ce n'était rien, en fait. Un simple mal de mer.

Il n'existe nulle part dans le monde fossé plus grand qu'entre quelqu'un qui a le mal de mer et quelqu'un qui ne l'a pas. Aucun des deux ne peut comprendre l'autre. Je ne devais d'ailleurs jamais m'en trouver vraiment guérie. On m'a toujours assuré qu'une fois passé les premiers jours, tout rentrait dans l'ordre. Tel ne fut pas le cas. Dès que la mer recommençait à bouger, je retombais malade, surtout si le bateau tanguait. Heureusement, comme nous eûmes beaucoup de beau temps au cours de notre croisière, je pus profiter du voyage.

Mes souvenirs de la ville du Cap sont plus nets que ceux d'autres endroits. Sans doute, je suppose, parce que c'était notre première véritable étape, et aussi parce que tout y était si nouveau, si étrange. Les Cafres, la montagne de la Table avec sa curieuse forme aplatie, le soleil, les succulentes pêches, les baignades — quelles merveilles ! Je n'y suis jamais retournée et je ne comprends vraiment pas pourquoi. J'ai tellement aimé cette ville ! Nous résidions dans l'un des meilleurs hôtels, où Belcher se fit d'ailleurs tout de suite remarquer : il entra en fureur à cause des fruits pas assez mûrs servis au petit déjeuner :

— Vous appelez ça des pêches ? tonna-t-il. Vous pouvez les flanquer par terre, elles rebondiront intactes.

Joignant le geste à la parole, il en fit tomber cinq :

— Vous voyez ? Elles ne s'écrasent même pas. Elles éclateraient, si elles étaient mûres.

C'est à ce moment que je commençai à pressentir qu'il ne serait peut-être pas aussi plaisant de voyager avec lui qu'il avait pu nous sembler un mois auparavant autour de la table de notre salle à manger.

Je ne vais pas faire un récit de voyage, simplement évoquer mes souvenirs les plus marquants : les moments qui ont compté pour moi, les lieux et événements qui m'ont ravie. L'Afrique du Sud m'a beaucoup impressionnée. Au Cap, notre groupe s'est divisé. Archie, Mrs Hyam et Sylvia se rendirent à Port Elizabeth et devaient nous rejoindre en Rhodésie. Belcher, Mr Hyam et moi allâmes visiter les mines de diamant de Kimberley et traversâmes la chaîne des Matopos pour atteindre Salisbury et retrouver les autres. Je me rappelle les journées de poussière, dans le train qui montait vers le nord par les plateaux du Karroo, la soif permanente, les limonades glacées. Les interminables lignes droites du chemin de fer au Bechuanaland. Quelques vagues images de Belcher en train de houspiller Bates et de se disputer avec Hyam. J'ai trouvé les Matopos extraordinaires, avec leurs énormes blocs ronds entassés comme s'ils avaient été jetés là par un géant.

À Salisbury, notre séjour fut agréable parmi des Anglais qui semblaient heureux. De là, Archie et moi effectuâmes un petit voyage rapide aux chutes Victoria. Je suis heureuse de n'y être jamais retournée, car ainsi je garde intacte la première vision que j'en ai eue. Les grands arbres, les nuées d'embruns aux couleurs de l'arc-en-ciel, les promenades avec Archie dans la forêt, tandis que, de temps à autre, le voile irisé de la brume se déchirait pour nous révéler, l'espace d'une seconde de rêve, le déversement des chutes dans leur majestueuse splendeur. Oui, je les range vraiment parmi mes sept merveilles du monde à moi.

Nous sommes allés à Livingstone et avons vu les crocodiles qui nageaient partout, et les hippopotames. Du voyage en train, j'ai rapporté des figurines d'animaux en bois qu'à chaque gare les gamins du coin nous tendaient à bout de bras pour trois ou six *pence*. Elles étaient ravissantes. J'en ai encore plusieurs, sculptées dans un bois tendre et noircies, je suppose, au fer chaud : élans du Cap, girafes, hippopotames, zèbres, toutes simples, frustes, mais avec un charme et une grâce bien à elles.

De Johannesbourg, je n'ai aucun souvenir. De Pretoria, la pierre dorée des Bâtiments de l'Union. À Durban, je fus déçue parce qu'il nous fallut nous baigner dans un enclos séparé de la haute mer. Ce sont les baignades, je crois, que j'ai le plus apprécié dans la province du Cap. Dès que nous pouvions grappiller un peu de temps — Archie, du moins —, nous prenions le train pour Muizenberg, et nous nous jetions sur nos planches pour faire du surf ensemble. Ces planches de surf, en Afrique du Sud, étaient faites d'un bois léger et mince, faciles à transporter, et l'on apprenait vite à chevaucher les vagues. Il arrivait parfois qu'on se blesse quand on piquait du nez sur le sable, mais dans l'ensemble, c'était un sport facile et très amusant. Nous pique-niquions sur place, dans les dunes. Je me rappelle aussi la beauté des fleurs — surtout, je crois, à la résidence de l'évêque — à moins que ce ne fût au palais où nous avions dû nous rendre pour une réception. Il y avait un jardin rouge, et un autre bleu avec de grandes fleurs. Le jardin bleu était particulièrement beau avec son arrière-plan de dentelaires — les fameux « plumbago du Cap ».

Financièrement, tout se déroula au mieux en Afrique du Sud, ce qui était bon pour notre moral. Nous étions les invités du gouvernement dans presque tous les hôtels et sur les chemins de fer, si bien que notre escapade personnelle aux chutes Victoria fut notre seule grosse dépense.

D'Afrique du Sud, nous fîmes route vers l'Australie. Ce fut un voyage long et gris. Je n'arrivais pas à comprendre pourquoi, comme l'expliquait le capitaine, le chemin le plus court consistait à descendre vers le pôle et à remonter sur l'Australie. Il dessina des courbes qui finirent par me convaincre, mais il est difficile de garder à l'esprit que la terre est ronde et a des pôles aplatis. C'est une vérité géographique, mais pas de celles qui vous marquent dans la vie courante. Nous ne vîmes guère le soleil, mais la traversée fut assez calme et agréable.

J'ai toujours jugé étrange qu'on ne retrouve jamais sur place la description qu'on vous a faite d'un pays. Les vagues idées que j'avais sur l'Australie comprenaient des kangourous en grande quantité, ainsi que d'immenses étendues désertiques. Ce qui me surprit le plus, lorsque nous arrivâmes à Melbourne, fut l'aspect extraordinaire des arbres, et la façon dont les eucalyptus australiens transformaient le paysage. Les arbres semblent toujours être la première chose que je remarque, dans un site nouveau, ainsi que la forme du relief. En Angleterre, on a l'habitude de voir des troncs sombres et des branches plus claires et feuillues. C'était le contraire, en Australie, et c'était saisissant. Il n'y avait partout qu'écorces d'un blanc argenté et feuilles sombres, ce qui donnait l'impression de voir le négatif d'une photo. Le paysage tout entier semblait inversé. Je fus aussi très impressionnée par les aras bleus, rouges et verts, qui sillonnaient le ciel en groupes immenses. Avec leurs merveilleuses couleurs, on eût dit des bijoux volants.

Nous n'étions à Melbourne que pour peu de temps. Nous effectuâmes quelques petites virées à partir de là. Je me souviens d'une en particulier à cause du gigantisme des fougères arborescentes. Cette sorte de feuillage de jungle tropicale était la dernière chose que je m'attendais à trouver en Australie — spectacle à la fois beau et fascinant. Rien de tel avec la nourriture. Sauf à l'hôtel de Melbourne où elle était excellente, on semblait ne nous servir que du bœuf ou de la dinde incroyablement durs. Les sanitaires, également, avaient de quoi mettre un peu mal à l'aise une personne d'éducation victorienne. Les dames du groupe étaient poliment conduites dans une pièce où trônaient isolément deux pots de chambre au beau milieu du plancher, prêts à être utilisés à volonté. Il n'y avait aucune intimité, et c'était vraiment délicat...

Je commis un impair au moment de prendre ma place à table, en Australie, puis de nouveau en Nouvelle-Zélande. La mission était généralement reçue par le maire ou le président de la chambre de commerce dans les différentes villes par lesquelles nous passions. La première fois que cela se produisit, j'allai m'asseoir, en toute innocence, à côté du maire ou de quelque autre personnalité. Une femme d'un certain âge vint me le faire remarquer d'un ton aigre-doux :

— Vous préférerez certainement être assise à côté de votre mari, Mrs Christie.

Confuse, je me hâtai de faire le tour de la table pour prendre ma place à côté d'Archie. L'usage voulait, à ces repas officiels, que chaque épouse se mette à côté de son mari. Je l'oubliai une fois de plus en Nouvelle-Zélande, mais après cela, je sus où était ma place et y allai directement.

Nous nous arrêtâmes en Nouvelle-Galles du Sud, dans un domaine qui s'appelait Yanga, je crois. Il m'en reste une ravissante image, un grand lac avec des cygnes noirs qui évoluaient dessus. Là, pendant qu'Archie et Belcher plaidaient pour l'Empire britannique, faisaient ressortir l'importance des flux migratoires et des échanges commerciaux en son sein, et tout le reste, on me laissa le loisir de passer une délicieuse journée de détente dans les orangeraies, installée sur une confortable chaise longue sous un soleil enchanteur. Autant que je m'en souvienne, j'ai mangé vingt-trois oranges, ce jour-là, choisissant avec soin les plus belles sur les arbres qui m'entouraient. Des oranges bien mûres cueillies directement sur l'arbre sont l'un des plus grands délices qu'on puisse imaginer. Je fis un tas de découvertes sur les fruits. Sur les ananas, par exemple, que j'imaginais gracieusement pendus au bout de leurs branches : je fus tout étonnée de découvrir que ce que je pensais être un immense champ de choux était, en fait, un champ d'ananas. Ce qui me causa une certaine déception : je trouvai cela une façon bien terre à terre de pousser pour un fruit aussi savoureux.

Nous utilisions beaucoup le train, mais une bonne partie de notre voyage s'effectuait en voiture. En traversant ces interminables pâturages plats, sans rien d'autre pour rompre la monotonie de l'horizon qu'une éolienne de temps à autre, j'éprouvais une forme de frayeur : comme il devait être facile de se perdre dans le *bush*, comme on disait. Le soleil était si haut au-dessus de votre tête qu'il était impossible de trouver le nord, le sud, l'est ou l'ouest. Rien pour vous orienter. Je n'avais jamais imaginé un désert de verdure — un désert, pour moi, ne pouvait être qu'une vaste étendue aride et sablonneuse, mais même là, il semblait y avoir davantage de points de repère et d'accidents de terrain par lesquels vous retrouver que dans la prairie australienne.

Nous allâmes à Sydney, où nous passâmes d'agréables moments, mais ayant entendu parler de Sydney et Rio comme des plus belles baies du monde, je fus un peu déçue. J'en attendais trop, je suppose. Heureusement, je ne suis jamais allée à Rio, de sorte que je puis toujours m'en faire une image idyllique.

C'est à Sydney que nous sommes pour la première fois entrés en contact avec la famille Bell. Quand je pense à l'Australie, immanquablement je pense à eux. Une jeune femme un peu plus âgée que moi m'aborda un soir à l'hôtel, se présenta comme étant Una Bell et m'annonça que nous devions tous venir sur leurs terres du Queensland à la fin de la semaine suivante. Étant donné qu'Archie et Belcher devaient au préalable faire une tournée de localités peu intéressantes, il avait été prévu que je vienne avec elle chez les Bell, dans leur domaine de Coochin Coochin, pour les y attendre.

Le voyage en train fut long, je me souviens — plusieurs heures. Il s'acheva en voiture et nous arrivâmes enfin à Coochin Coochin, près de Boona, dans le Queensland. J'étais encore à moitié endormie lorsque je me trouvai tout à coup plongée dans une scène de vie exubérante. Les pièces, toutes lampes allumées, étaient remplies de jolies filles assises un peu partout, qui vous offraient des boissons, chocolat, café, tout ce que vous vouliez, qui parlaient, babillaient et riaient toutes en même temps. J'étais dans cet état d'hébétude où l'on ne voit pas les choses en double, mais en quadruple. J'avais l'impression que la famille Bell se composait de vingt-six personnes. Le lendemain, je réduisis ce nombre à quatre filles et à peu près autant de fils. Grandes, le visage plutôt allongé, les filles se ressemblaient, à l'exception d'Una, aussi brune que les autres étaient blondes. Toutes avaient le geste gracieux, montaient merveilleusement à cheval et faisaient penser à de jeunes pouliches pleines de sève.

Ce fut une semaine extraordinaire. L'énergie des filles Bell était telle que je n'arrivais pas à suivre leur rythme. J'eus en revanche le béguin des frères l'un après l'autre : Victor, si gai et merveilleusement flirt, Bert, cavalier extraordinaire, qui avait des qualités plus solides, Frick, calme et amoureux de musique. Je crois que c'est de ce dernier que je m'épris le plus. Des années plus tard, son fils Guilford devait nous rejoindre, Max et moi, au cours de nos expéditions archéologiques en Irak et en Syrie. Et Guilford, je le considère presque encore comme un fils.

Le personnage dominant de la maisonnée était la mère, Mrs Bell, veuve depuis de nombreuses années. Elle avait quelque chose de la reine Victoria : petite, les cheveux gris, calme mais autoritaire, elle régissait tout en parfaite autocrate et était traitée en souveraine.

Parmi les domestiques, manœuvres, ouvriers agricoles du domaine, etc., dont la plupart étaient métis, se trouvaient un ou deux purs aborigènes. Aileen Bell, la plus âgée des filles de la maison, me dit, presque le matin du premier jour :

— Il faut que vous voyiez Susan.

Je demandai qui était Susan.

— Oh ! une des Noires !

Ils appelaient invariablement métis et Aborigènes « les Noirs ».

— Une des Noires, mais elle, c'est une vraie, absolument pure, et elle fait des imitations vraiment extraordinaires.

C'est ainsi que se présenta une vieille Aborigène toute courbée. C'était une reine dans son genre, tout autant que Mrs Bell dans le sien. Elle me fit des imitations de toutes les filles, de plusieurs des frères, des enfants, des chevaux. C'était une actrice-née et elle semblait s'amuser beaucoup. Elle chanta aussi des chants étranges aux sonorités inhabituelles.

— Allez, Susan, dit Aileen, imite ma mère quand elle sort voir les poules.

Mais Susan secoua la tête.

— Avec maman, elle refuse toujours, expliqua Aileen. Elle dit que ce ne serait pas respectueux et qu'elle ne pourrait jamais faire une chose pareille.

Aileen avait plusieurs kangourous et wallabies apprivoisés, ainsi qu'une grande quantité de chiens et, naturellement, des chevaux. Les Bell me pressèrent tous de monter, mais je trouvais que ma maigre expérience de chasse en amateur dans le Devon ne me permettait pas de me dire cavalière. De plus, j'avais toujours peur de monter les chevaux des autres de crainte de les blesser. Ils cédèrent donc, et nous sillonnâmes l'endroit en voiture. C'était passionnant de voir rassembler les troupeaux, et de découvrir les aspects de la vie dans une ferme australienne. Les Bell semblaient posséder de vastes parties des terres du Queensland, et Aileen disait que si nous avions eu le temps, elle m'aurait emmenée voir leur ferme du nord, qui était encore plus sauvage et plus primitive. Aucune des filles Bell ne cessait de parler. Elles adoraient leurs frères, en faisaient ouvertement des héros d'une façon tout à fait nouvelle pour moi. Elles étaient toujours en mouvement, passaient d'un domaine à l'autre, rendaient visite à des amis, descendaient à Sydney, assistaient à des meetings hippiques. Elles flirtaient avec divers jeunes gens qu'elles appelaient toujours des « tickets ». Une réminiscence de la guerre, sans doute.

Archie et Belcher ne tardèrent pas à nous rejoindre, l'air épuisés de travail. Nous profitâmes d'un week-end de gaieté et de détente, avec des activités inhabituelles, parmi lesquelles une expédition dans un petit tortillard dont je fus autorisée, sur quelques kilomètres, à conduire la locomotive. Il y avait aussi un groupe de parlementaires travaillistes australiens, et nous eûmes ensemble un déjeuner si bien arrosé que nous étions tous un peu gris, et lorsqu'ils conduisirent à leur tour la locomotive, nous nous trouvâmes en danger mortel tant elle était lancée à des vitesses vertigineuses.

C'est avec tristesse que nous prîmes congé de nos amis — pas de tous, en fait, car une partie d'entre eux devait nous accompagner à Sydney. Nous eûmes un bref aperçu des Montagnes bleues, et là encore, je fus transportée par le spectacle : je n'avais jamais vu paysage avec des couleurs pareilles. Au loin, les montagnes étaient vraiment bleues : bleu cobalt, pas cette sorte de gris-bleu que j'associe au relief. On eût dit qu'elles sortaient tout droit de la palette d'un peintre et qu'il venait de les coucher sur la toile.

Le séjour en Australie fut assez épuisant pour les membres de la mission britannique. Chaque jour avait eu son lot de discours, dîners, déjeuners, réceptions et longs voyages d'un endroit à l'autre. Je connaissais à présent par cœur les discours de Belcher. Il était bon orateur, parlait avec spontanéité et enthousiasme, comme si tout lui venait au fur et à mesure dans la tête. Archie faisait contraste avec lui, avec son air de prudence et de sagacité financière. Tout au début — en Afrique du Sud je crois —, les journaux l'avaient par erreur bombardé gouverneur de la Banque d'Angleterre. Rien de ce qu'il pût dire par la suite pour rectifier ne fut jamais imprimé : gouverneur de la Banque d'Angleterre il resta donc pour la presse.

D'Australie, nous passâmes en Tasmanie et nous rendîmes par la route de Launceston à Hobart. Hobart, incroyablement beau, avec son port, sa mer d'un bleu profond, ses fleurs, ses arbres et arbustes. Je me promis d'y revenir vivre un jour.

De Hobart, nous allâmes en Nouvelle-Zélande. Je me rappelle fort bien ce voyage, car nous tombâmes entre les griffes d'un personnage que nous connaissions tous comme « le Déshydrateur ». C'était l'époque où la nourriture déshydratée faisait fureur. Cet homme ne pouvait pas regarder un seul aliment sans se demander comment il pourrait le déshydrater. À chaque repas, il faisait parvenir des assiettes complètes à notre table en nous demandant de bien vouloir y goûter. C'est ainsi que nous essayâmes des carottes déshydratées, des prunes déshydratées, tout... Rien qui eût le moindre goût, naturellement.

— Si je dois encore manger de ces trucs, fit Belcher, je vais devenir fou.

Mais le Déshydrateur était un homme riche et puissant qui pouvait se montrer fort utile à l'Exposition commerciale de l'Empire britannique. Belcher dut contrôler ses sentiments et continuer à chipoter sur ses carottes et pommes de terre déshydratées.

À présent que l'enthousiasme initial de voyager ensemble s'était épuisé, Belcher n'était plus l'ami qui nous avait paru un si agréable compagnon de dîner. Il se montrait grossier, arrogant, tyrannique, sans égards pour autrui et mesquin sur des petites choses ridicules. Par exemple, il m'envoyait toujours lui acheter des chaussettes blanches en coton ou d'autres sous-vêtements, et je ne reçus jamais le moindre sou de remboursement.

Dès que quelque chose le contrariait, il devenait tellement impossible qu'on ne pouvait que le haïr de toutes ses forces. Il se comportait en méchant enfant gâté. Ce qu'il y avait de désarmant, c'est que lorsque tout allait bien de nouveau, il savait montrer tant de bonhomie et de charme que nous finissions par en oublier nos grincements de dents pour nous retrouver dans les meilleurs termes. Nous savions quand il entrait dans ses périodes de mauvaise humeur, car son visage gonflait lentement et devenait tout rouge comme celui d'un dindon. Alors tôt ou tard, il s'emportait contre quelqu'un. Dans ses bons moments, au contraire, il racontait des histoires de lion, dont il avait des réserves inépuisables.

Je pense toujours que la Nouvelle-Zélande est le plus beau pays que j'aie jamais vu. Ses paysages sont extraordinaires. Nous eûmes une journée splendide à Wellington, ce qui, aux dires de ses habitants, n'est pas si fréquent. Nous allâmes à Nelson, puis dans l'île du sud en passant par les gorges de Buller et de Kawarau. Partout la beauté du paysage était étonnante. Je me promis bien de revenir un jour, au printemps — leur printemps à eux, je veux dire, pas le nôtre — et voir les métrosidères en fleurs rouge et or. Je ne l'ai jamais fait. La Nouvelle-Zélande m'a toute ma vie parue trop lointaine. À l'heure actuelle, bien sûr, avec l'arrivée des transports aériens, elle n'est plus qu'à deux ou trois jours de distance, mais j'ai passé l'âge des voyages.

Belcher était ravi de retrouver la Nouvelle-Zélande. Il y comptait de nombreux amis et se montra heureux comme un gamin. Quand Archie et moi prîmes congé pour partir pour Honolulu, il nous souhaita bonne chance et nous recommanda de bien nous amuser. Ce fut un rêve pour Archie de ne plus avoir à se heurter à un collègue capricieux et mal embouché. Nous prîmes tout notre temps, faisant escale aux Fidji et dans d'autres îles avant d'arriver à Honolulu, que nous trouvâmes, avec ses quantités d'hôtels, de routes et d'automobiles, beaucoup mieux équipée que nous ne l'aurions cru. Nous débarquâmes en début de matinée, nous nous installâmes dans notre chambre d'hôtel puis, voyant par la fenêtre les gens qui surfaient à la plage, nous nous précipitâmes pour louer nos planches et plonger dans l'océan. Nous étions, bien entendu, complètement ignares. Ce n'était pas une bonne journée pour surfer — une de ces journées où seuls les experts se mettent à l'eau — mais nous, forts de notre expérience en Afrique du Sud, nous pensions tout savoir. Or, c'est très différent, à Honolulu. Votre planche, par exemple, est une grande plaque de bois, presque trop lourde à porter. Vous vous allongez dessus et pagayez doucement avec les bras en direction de la barre qui se trouve — ou me semblait se trouver — à environ un kilomètre et demi au large. Quand vous y êtes enfin, vous vous mettez en position et attendez que la vague propice arrive et vous propulse vers la plage. Ce n'est pas aussi facile qu'il y paraît. Il faut d'abord reconnaître les vagues, et surtout reconnaître les mauvaises, car si celles-là vous prennent, elles vous emmènent au fond, pauvre de vous !

Pagayant moins vite qu'Archie, il me fallut davantage de temps pour atteindre la barrière de corail. Arrivée là, j'avais perdu de vue mon mari, mais je supposais qu'il filait déjà tranquillement vers le rivage, comme faisaient les autres. Je me positionnai donc sur ma planche, en attente d'une vague. Il en vint une : elle était mauvaise. En un rien de temps, je me trouvai éjectée, violemment submergée, ballottée entre deux eaux. Lorsque je refis surface, essayant désespérément d'aspirer de l'air après avoir bu une bonne tasse d'eau salée, je vis ma planche qui flottait à plusieurs centaines de mètres de moi et partait vers la plage. Je me mis à nager laborieusement dans sa direction. Ce fut un jeune Américain qui me la récupéra :

— Dites donc, ma petite dame, je n'essaierais pas trop de surfer aujourd'hui, si j'étais vous. C'est beaucoup trop risqué. Alors reprenez votre planche et rentrez.

Je suivis son conseil.

Archie ne tarda pas à me rejoindre. Lui aussi s'était fait éjecter de sa planche, mais comme il nageait plus vite, il avait pu la rattraper plus rapidement. Il fit une ou deux tentatives supplémentaires et parvint à réaliser une fois une bonne glisse. Nous étions moulus, meurtris, écrasés de fatigue. Nous rendîmes nos planches, remontâmes laborieusement la plage, puis gagnâmes nos appartements pour nous affaler sur notre lit. Après avoir dormi près de quatres heures, nous étions tout aussi las au réveil.

— Je suppose que c'est un plaisir extrême de surfer, fis-je.

Puis, avec un soupir :

— Mais je regrette Muizenberg.

La deuxième fois que je descendis à l'eau, une catastrophe se produisit : mon beau costume de bain en soie, qui me couvrait des épaules jusqu'aux chevilles, se trouva pratiquement arraché par la force des vagues. À moitié nue, je m'enveloppai dans mon peignoir et me rendis tout de suite à la boutique de l'hôtel. J'en achetai un autre, merveilleux, très raccourci, en laine vert émeraude, qui m'emplit de joie. Je trouvai qu'il m'allait à ravir. Archie aussi était de cet avis.

Nous passâmes quatre jours de luxe à l'hôtel, après quoi nous dûmes chercher quelque chose de moins onéreux. Nous finîmes par louer un petit bungalow en bois, face à l'hôtel de l'autre côté de la rue, qui revenait pratiquement à moitié prix. Nous passions toutes nos journées à la plage, à faire du surf, et petit à petit nous devînmes experts — pour des Européens, du moins. Nous nous lacérions les pieds sur les coraux, aussi fallut-il acheter des bottines en caoutchouc souple qui se laçaient autour des chevilles.

Je ne peux pas dire que nous ayons vraiment pris plaisir à nos quatre ou cinq premières journées de surf — c'était beaucoup trop pénible — mais nous connaissions pourtant parfois quelques moments intenses. Nous apprîmes bientôt qu'il existait une solution de facilité, moi, en tout cas, car Archie se rendait toujours à la barrière de corail par ses propres moyens : la plupart des gens se faisaient remorquer par un boy hawaïen. Par son gros orteil, il agrippait la planche sur laquelle vous étiez allongée et nageait vigoureusement. Vous attendiez alors, pour vous mettre en position de départ, qu'il vous donne le signal :

— Non, pas celle-ci, M'dame. Pas celle-là non plus. Attendez... Attendez... Partez !

Vous partiez donc, et alors oui, c'était le paradis. Rien de tel que de filer sur les flots à ce qui vous semble être une vitesse de 200 à l'heure pour arriver en souplesse sur la plage et s'enfoncer doucement dans les vagues mourantes. C'est l'une des sensations physiques les plus parfaites que j'aie jamais éprouvées.

Au bout d'une dizaine de jours, je devins plus téméraire. Après avoir entamé ma glisse, je me hissais précautionneusement sur les genoux. Puis je tentai de me mettre debout. Mes six premières tentatives se soldèrent par autant de chutes, mais ce n'était pas douloureux : vous perdiez simplement l'équilibre et tombiez à l'eau. Bien sûr, vous aviez aussi perdu la planche, ce qui impliquait une fatigante séance de nage, mais avec un peu de chance, votre petit Hawaïen avait suivi et la récupérait. Auquel cas il vous remorquait de nouveau et vous essayiez de plus belle. Ah ! le sentiment de triomphe total le jour où je parvins à garder mon équilibre et à rallier la plage, toujours debout sur ma planche !

Une autre faute de débutant que nous commîmes eut de fâcheuses conséquences : nous ne nous rendions pas compte de la violence du soleil. Avec la fraîcheur de l'eau, nous ne mesurions pas l'incidence de ses rayons. Normalement, il faut bien entendu aller surfer le matin ou en fin d'après-midi, alors que nous, comme des idiots, sortions béatement en plein midi. Le résultat ne se fit guère attendre : des brûlures atroces toute la nuit sur les épaules et sur le dos, pour finir par d'énormes guirlandes de cloques. Au point de ne plus oser descendre dîner en robe du soir. Je devais porter un foulard léger comme de la gaze sur mes épaules. Archie bravait les regards goguenards et se rendait sur la plage en pyjama. Moi, je portais une sorte de chemisier blanc pour couvrir mes bras et mes épaules. Nous restions donc assis sur le sable à nous protéger du soleil et ne quittions ces vêtements qu'au moment d'entrer dans l'eau. Mais le mal était déjà fait et mes épaules mirent très longtemps avant de cicatriser. Il y a quelque chose d'humiliant à retirer des lambeaux entiers de sa peau.

Notre petit bungalow était tout entouré de bananiers, mais comme pour les ananas, je fus légèrement déçue : je m'étais imaginée qu'il suffisait de tendre la main pour prendre une banane et la manger. À Honolulu, c'est bien autre chose que cela : elles constituent une sérieuse source de profit et sont toujours cueillies vertes. Cependant, même s'il était impossible de se servir directement sur l'arbre, on avait quand même le plaisir du choix parmi une immense variété que l'on n'aurait jamais soupçonnée. Cela me rappelle que Nursie, lorsque j'étais une enfant de 3 ou 4 ans, me décrivait les bananes des Indes, et la différence entre les bananes sauvages, grosses et immangeables, et celles qui étaient petites et délicieuses, à moins que ce ne fût le contraire. Honolulu vous en offrait une dizaine de variétés. Il y en avait des rouges, des grosses, des petites qu'on appelait bananes-crème, blanches et duveteuses à l'intérieur, et les bananes à cuire. Les bananes-pommes avaient un autre goût, je crois. On finissait par devenir très difficiles.

Les Hawaïens eux-mêmes étaient quelque peu décevants. Je les avais imaginés d'une grande beauté. Je fus d'abord écœurée par la forte odeur d'huile de coco dont toutes les filles s'enduisaient. Et puis beaucoup d'entre eux n'étaient pas beaux du tout. Leurs énormes repas de ragoûts de viande ne correspondaient pas non plus à l'image qu'on se faisait de ces gens : j'avais toujours pensé que les Polynésiens se nourrissaient surtout de savoureux fruits de toutes sortes. Leur adoration du bœuf en ragoût me surprit énormément.

Nos vacances tiraient à leur fin, et nous soupirions à l'idée de devoir reprendre le collier. Nous commencions également à nous poser quelques questions sur nos finances. Honolulu s'était révélée fort chère : tout ce que vous mangiez ou buviez coûtait environ trois fois plus que prévu. La location des planches de surf, la rétribution du boy, rien n'était donné. Jusqu'à présent, nous nous en étions bien sortis, mais une légère angoisse de l'avenir commençait à nous tenailler. Il nous restait encore à faire le Canada et les mille livres d'Archie fondaient comme neige au soleil. La traversée en bateau était réglée, c'était déjà un souci en moins. J'avais de quoi aller au Canada et rentrer en Angleterre. Mais restaient mes frais de séjour : comment ferais-je ? Nous décidâmes de ne pas nous en préoccuper pour l'instant et de continuer à surfer furieusement pendant que nous en avions la possibilité. Beaucoup trop furieusement, même, en l'occurrence.

J'éprouvais depuis quelque temps déjà une douleur presque insupportable au cou et à l'épaule droite, qui me réveillait chaque matin vers 5 heures. Je souffrais de névrite, même si je n'employais pas encore ce terme à l'époque. Si j'avais eu une once de bon sens, j'aurais laissé reposer ce bras et arrêté le surf, mais je n'envisageai même pas pareille mesure. Il ne nous restait que trois jours et je ne voulais pas perdre un seul instant. Je surfais, debout sur ma planche, montrant mes prouesses jusqu'au bout. Je ne pouvais plus dormir de la nuit, à présent. Mais je pensais, optimiste quand même, que tout rentrerait dans l'ordre dès que je quitterais Honolulu et arrêterais le surf. Quelle erreur ! Cette névrite devait m'infliger des douleurs quasi intolérables pendant les trois semaines et même le mois à venir.

Belcher fut loin de se montrer compatissant lorsque nous le retrouvâmes. Il semblait nous reprocher nos vacances. Pas trop tôt qu'on se remette au travail, disait-il.

— Tout ce temps à se balader et à se tourner les pouces ! C'est quand même extraordinaire, sacrebleu, d'avoir à payer des gens à ne rien faire !

Il ne se souvenait plus que lui-même s'était octroyé du bon temps en Nouvelle-Zélande et se lamentait d'avoir dû quitter ses amis.

Comme la douleur devenait permanente, j'allai consulter un médecin. Il fut totalement inefficace, se contentant de me donner un onguent féroce à masser dans le creux de mon coude quand la douleur deviendrait trop vive. Ce devait être du piment, je suis sûre. Il me provoqua pratiquement un trou dans la peau pour un effet presque nul. J'étais dans un état déplorable. Une douleur continue vous abat complètement. Cela commençait au beau milieu de chaque nuit. Je me levais alors et marchais un peu, car cela semblait rendre le mal plus supportable. Il disparaissait une heure ou deux pour revenir avec une intensité redoublée.

Au moins, cette souffrance détournait mon esprit de nos difficultés financières grandissantes. Nous avions vraiment le couteau sous la gorge, à présent. Archie était presque au bout de ses mille livres, et il restait trois semaines à tenir. Nous décidâmes que la seule solution consistait pour moi à renoncer au déplacement en Nouvelle-Écosse et au Labrador, et à me rendre à New York dès que l'argent viendrait à manquer. Là, je pourrais rester chez tante Cassie ou May pendant qu'Archie et Belcher feraient le tour des industries du renard argenté.

Même ainsi, la situation restait difficile. Je pouvais payer ma chambre d'hôtel, mais les repas coûtaient les yeux de la tête. Je mis alors au point un bon plan : je ferais du petit déjeuner mon repas principal. Il valait un dollar — quatre shillings anglais, à l'époque. Je descendais donc au restaurant et prenais tout ce qu'il y avait au menu. Ça faisait beaucoup, je dois l'avouer : j'avais du pamplemousse, parfois de la papaye, de la galette de sarrasin, des gaufres avec du sirop d'érable, des œufs au bacon. Je sortais du petit déjeuner repue comme un boa constrictor, mais cela me durait jusqu'au soir.

Nous reçûmes plusieurs cadeaux au cours de notre séjour dans les dominions : pour Rosalind, une ravissante couverture bleu marine à motif d'animaux que j'avais hâte de mettre dans sa nursery, et d'autres choses : des foulards, une carpette, etc. Parmi ces cadeaux, un énorme bocal de concentré de viande de Nouvelle-Zélande. J'étais maintenant bien contente que nous l'ayons emporté, car il était clair que j'allais devoir subsister grâce à lui. Je regrettai amèrement de n'avoir pas assez flatté le Déshydrateur pour qu'il me submerge de carottes, bœuf, tomates et autres délices déshydratés de ce genre.

Quand Belcher et Archie partaient pour leurs dîners de chambres de commerce ou autres repas officiels, je me retirais dans ma chambre, sonnais, disais que je ne me sentais pas bien et réclamais un grand pot d'eau bouillante pour soigner mon indigestion. Dès que je l'avais, je mettais dedans du concentré de viande et me nourrissais de cela jusqu'au lendemain matin. Le bocal était si grand qu'il me dura une bonne dizaine de jours. Parfois, bien sûr, on m'invitait moi aussi aux déjeuners ou dîners officiels : c'étaient des jours à marquer d'une pierre blanche. J'eus particulièrement de la chance à Winnipeg où la fille d'une des autorités municipales vint me chercher à mon hôtel et m'emmena déjeuner dans un restaurant fort cher. Ce fut un repas somptueux. J'acceptai tous les mets les plus substantiels qui m'étaient proposés. Elle, en revanche, mangeait plutôt du bout des lèvres. Je me demande ce qu'elle a dû penser de mon appétit.

Ce fut à Winnipeg, je crois, qu'Archie accompagna Belcher dans une tournée des silos élévateurs de grain. Bien sûr, nous aurions dû savoir que lorsqu'on souffre de sinusite, on ne devrait jamais approcher un silo à grain, mais nous n'y pensâmes ni lui ni moi. Il revint, le soir, les yeux ruisselants de larmes, et l'air si malade que j'en fus vraiment inquiète. Il parvint le lendemain à aller jusqu'à Toronto, mais une fois là-bas, il s'effondra complètement et il ne fut plus question pour lui de continuer la tournée.

Belcher, bien sûr, était fou de rage. Il n'exprima pas la moindre compassion. Archie le laissait tomber, disait-il, et pour un homme jeune et fort comme lui, c'était grotesque de ne pas être plus résistant que ça. Oui, d'accord, Archie avait de la fièvre, mais s'il se savait si fragile, il n'aurait jamais dû partir. Maintenant, lui, Belcher, se retrouvait tout seul avec le bébé sur les bras. Bates ne lui servait à rien, c'était notoire. Il était tout juste bon à faire les valises, et encore, en dépit du bon sens. Il ne savait même pas plier un pantalon correctement, cet imbécile.

Sur les conseils de l'hôtel, j'appelai un médecin qui diagnostiqua pour Archie une congestion pulmonaire. Il ne devait pas bouger et ne pourrait reprendre la moindre activité avant au moins une semaine. Furibond, Belcher prit ses cliques et ses claques et me laissa en plan, presque sans un sou, dans un hôtel impersonnel, avec un malade qui à présent délirait : sa température dépassait les 40°. De plus, il fit une poussée d'urticaire. Il en était couvert des pieds à la tête et souffrait le martyre de démangeaisons autant que de sa fièvre.

Ce fut une période affreuse, et je suis heureuse d'avoir oublié le désespoir que j'éprouvai alors dans ma solitude. La nourriture de l'hôtel ne convenait pas à mon mari, je sortis quérir ce qu'il fallait à quelqu'un dans son état : de la tisane d'orge, du bouillon léger, et cela passa très bien. Pauvre Archie, je n'ai jamais vu un homme rendu fou à ce point par ce que cette affreuse urticaire lui faisait subir. Je le tamponnais des pieds à la tête sept ou huit fois par jour avec une faible solution de bicarbonate de soude, ce qui lui apportait un peu de soulagement. Le troisième jour, le médecin proposa de prendre un autre avis médical. Semblables à des hiboux, les deux hommes se tinrent de part et d'autre du lit d'Archie et secouèrent la tête d'un air docte en disant qu'il s'agissait d'un cas grave mais que, bon, on s'en relevait. Vint un matin où la température baissa et où l'urticaire sembla moins violente : il était manifestement sur la voie de la guérison. Moi, à ce moment-là, je me sentais aussi faible qu'un chaton, surtout, je crois, par angoisse.

Quatre ou cinq jours plus tard, Archie était sur pied, bien qu'encore pas très vaillant, et nous rejoignîmes le détestable Belcher. J'ai oublié maintenant quelle fut notre étape suivante. Peut-être Ottawa, que j'ai adoré. C'était l'automne et les forêts d'érables étaient merveilleuses. Nous séjournâmes dans une maison privée, chez un amiral d'un certain âge, un homme charmant qui possédait un splendide berger allemand. Il m'emmenait faire des promenades en dog-cart dans la forêt.

Après Ottawa, ce furent les Rocheuses, le lac Louise et Banff. Lac Louise fut longtemps ma réponse quand on me demandait quel était le plus bel endroit que j'avais jamais vu : un grand lac bleu tout en longueur, bordé de montagnes basses de chaque côté, toutes plus jolies de forme les unes que les autres et se rejoignant au fond par des sommets enneigés. À Banff, j'eus un grand coup de chance. Ma névrite me faisait encore beaucoup souffrir, et je résolus d'essayer les eaux chaudes sulfureuses dont plusieurs personnes m'avaient assuré qu'elles pourraient me faire du bien. Chaque matin, je m'y plongeais. C'était une sorte de petite piscine et, en remontant vers son extrémité, on atteignait la source d'eau chaude, à forte odeur de soufre. Je la laissais couler sur ma nuque et mon épaule. À ma grande joie, après quatre jours, ma névrite disparut effectivement pour de bon. Être délivrée de cette douleur fut un incroyable plaisir.

C'est à Montréal que nos routes, à Archie et moi, devaient se séparer : lui continuait avec Belcher pour effectuer une tournée des élevages de renards argentés, et moi je prenais le train du sud pour New York. Financièrement, j'étais complètement à sec.

Ce fut cette chère tante Cassie qui m'accueillit à New York. Tante Cassie, tellement bonne, gentille et affectueuse envers moi. Je m'installai avec elle, dans l'appartement qu'elle possédait à Riverside Drive. Elle devait déjà avoir un âge respectable, à l'époque, près de 80 ans, dirais-je. Nous allâmes voir sa belle-sœur, Mrs Pierpont Morgan, et quelques-uns des plus jeunes Morgan de la famille. Elle m'emmena également dans des restaurants somptueux et me fit goûter des plats exquis. Elle parla beaucoup de mon père et de sa jeunesse à New York. Mon séjour fut très heureux. Vers la fin, tante Cassie me demanda ce que je voulais faire pour mon dernier jour. Je répondis que ce qui me plairait vraiment beaucoup serait de prendre un repas dans une cafétéria. Celles-ci étaient inconnues en Angleterre, mais j'en avais entendu parler par les journaux à New York et j'aurais bien aimé en essayer une. Tante Cassie trouva ce désir tout à fait extraordinaire : elle ne voyait pas comment on pouvait avoir envie d'aller dans une cafétéria, mais elle était tellement animée du désir de faire plaisir qu'elle m'y accompagna. C'était, dit-elle, la première fois qu'elle y mettait les pieds. Je pris mon plateau et me servis moi-même au comptoir. Je trouvai tout cela fort amusant.

Vint le jour où Archie et Belcher devaient faire leur réapparition à New York. J'étais contente de leur arrivée, car, en dépit de toute la gentillesse de tante Cassie, je commençais à me sentir comme un oiseau en cage — même si la cage en question était dorée. Elle n'aurait pu concevoir de me laisser aller seule où que ce soit. Cela me semblait tellement extraordinaire, moi qui étais habituée à circuler librement dans Londres, que j'en ressentais comme une sorte de malaise.

— Mais pourquoi, tante Cassie ?

— Ah ! on ne sait jamais ce qui pourrait arriver à une jeune et jolie femme comme toi qui ne connaît pas New York !

J'avais beau l'assurer que cela ne me poserait pas de problème, elle n'en persistait pas moins soit à m'envoyer la voiture et un chauffeur, soit à m'accompagner elle-même. J'eus parfois la tentation de lui fausser compagnie pendant deux ou trois heures, mais je savais qu'elle serait morte d'inquiétude et je me retins. J'avais hâte de me retrouver à Londres et de pouvoir sortir à mon gré de chez moi chaque fois que je le désirerais.

Archie et Belcher passèrent une nuit à New York, et le lende-main, nous embarquâmes sur le *Berengaria* pour rentrer en Angle-terre. Je ne peux pas dire que la perspective de reprendre la mer m'enchantait, mais je ne fus que modérément malade cette fois. Le gros temps survint quand il ne fallait pas, cependant, car nous nous étions lancés dans un tournoi de bridge et Belcher avait insisté pour m'avoir comme partenaire. Je n'étais pas enthou-siaste, car bien qu'il fût excellent joueur, il détestait tellement perdre qu'il ne cessait de faire la tête ensuite. Mais bon, j'allais bientôt être débarrassée de lui, et nous prîmes part au tournoi. Contre toute attente, nous parvînmes en finale. C'était précisé-ment le jour où le vent se leva et où le bateau commença à tanguer. Je n'osais envisager de déclarer forfait et espérais seule-ment ne pas me couvrir de honte à la table de bridge. Les cartes furent distribuées pour ce qui semblait devoir être la dernière donne, et presque immédiatement Belcher, fort énervé, jeta ses cartes sur la table.

— Ce n'est vraiment pas la peine que je continue ! fulmina-t-il. Vraiment pas la peine !

Je crois qu'il était moins une qu'il n'abandonnât la partie à nos adversaires. Or, il se trouvait que j'avais moi-même ramassé presque tous les as et les rois du jeu. Je les jouai de façon atroce, mais heureusement les cartes se suffisaient à elles-mêmes. Je ne pouvais pas perdre. Entre deux nausées, je prenais la mauvaise carte, oubliais quel était l'atout, faisais tout en dépit du bon sens mais ma main était trop forte. Nous fûmes les grands triompha-teurs du tournoi. Après quoi je me retirai dans ma cabine et y restai à geindre comme une malheureuse jusqu'à l'arrivée en Angleterre.

J'ajouterai, en post-scriptum à cette année d'aventures, que nous ne tînmes pas notre promesse de ne plus jamais revoir Bel-cher. Je suis sûre que quiconque lira ces lignes comprendra. Les colères qui s'emparent de vous lorsque vous êtes cloîtré avec quel-qu'un disparaissent lorsque les moments de tension sont passés. À notre grande surprise, nous découvrîmes que nous l'aimions bien, en fait, que nous avions plaisir à être en sa compagnie. Il vint souvent dîner chez nous et nous allâmes maintes fois chez lui.

C'est ainsi que nous passâmes tout à fait amicalement en revue les différentes péripéties de notre voyage autour du monde, non sans lui rappeler, à l'occasion :

— Là, vous avez vraiment été odieux, je vous assure.

— Bon, d'accord, disait-il avec un grand geste de la main,

mais je suis comme ça, vous le savez. Et puis j'en ai vu de toutes les couleurs, moi aussi. Oh ! pas avec vous deux, ce n'est pas vous qui m'avez donné du souci, sauf cet animal d'Archie, assez idiot pour tomber malade. Complètement perdu, que j'étais, pendant les quinze jours où j'ai dû me passer de lui. Vous ne pouvez donc pas faire soigner votre nez et vos sinus ? À quoi ça vous avance, de rester comme ça ? Je ne pourrais pas, moi.

Si étonnant que cela puisse paraître, Belcher était revenu fiancé de son voyage. Une jolie personne, fille de l'un des fonctionnaires australiens, avait travaillé avec lui comme secrétaire. Belcher avait bien la cinquantaine, elle guère plus de 18 ou 19 ans, à mon avis. En tout cas, il nous l'annonça de but en blanc :

— Au fait, j'ai une nouvelle pour vous. J'épouse Gladys !

Et il épousa Gladys. Elle arriva par bateau peu après notre retour. Contre toute attente, je crois que ce fut un mariage heureux — pendant quelques années, en tout cas. Elle avait bon caractère, adorait vivre en Angleterre et savait remarquablement bien s'y prendre avec cet ours de Belcher. Ce n'est, je crois, qu'une huitaine ou une dizaine d'années plus tard que nous apprîmes qu'une procédure de divorce était engagée.

— Elle a trouvé un autre type qui lui plaît, annonça-t-il. Je ne peux pas vraiment la blâmer. Elle est très jeune, et moi, je suis pour elle un vieux tromblon. On est restés bons amis et je lui mets de côté une bonne petite somme. C'est une brave fille.

L'une des premières fois où nous dînâmes ensemble, après notre retour, je lui rappelai :

— Au fait, vous savez que vous me devez toujours pour 2 livres, 18 shillings et 5 *pence* de chaussettes blanches ?

— Mon Dieu ! mon Dieu ! fit-il. Vraiment ? Et vous comptez les récupérer ?

— Non, dis-je.

— Tant mieux. Parce que vous ne les aurez pas.

Et nous éclatâmes tous deux de rire.

2

La vie est comme un bateau, comme l'intérieur d'un bateau. C'est une juxtaposition de compartiments étanches. Vous émergez de l'un d'eux, verrouillez les portes, et vous vous retrouvez dans un autre. Ma vie, depuis le jour où nous avons quitté Southampton jusqu'à celui de notre retour en Angleterre, a été l'un de ces compartiments. Depuis, j'ai toujours éprouvé cette impression au sujet des voyages. Vous passez d'une vie à l'autre. Vous êtes vous-même, mais un vous-même différent. Et ce nouveau vous-même est libéré des centaines de toiles d'araignée et de filaments qui vous enferment dans le cocon de la vie domestique quotidienne : les lettres à écrire, les factures à régler, le ménage à faire, les amis à voir, les photos à développer, les vêtements à raccommoder, les nurses et les bonnes à amadouer, les commerçants et les blanchisseurs à réprimander. Votre vie de voyage a l'essence d'un rêve. Elle se situe en dehors du normal, et pourtant vous êtes dedans. Elle est peuplée de personnages que vous n'avez jamais vus et que, selon toute probabilité, vous ne reverrez jamais plus. Elle apporte son lot de nostalgie, de solitude et de soudains désirs de revoir une personne aimée : Rosalind, ma mère, Madge. Vous êtes comme les Vikings ou les capitaines au long cours de l'ère élisabéthaine qui sont entrés dans le monde de l'aventure et dont la maison n'est plus la maison jusqu'au moment du retour.

C'était palpitant de partir. Ce fut merveilleux de rentrer. Rosalind nous traita — nous le méritions certainement — comme de parfaits étrangers. Après nous avoir considérés d'un œil complètement froid, elle demanda :

— Où elle est, tatie Punkie ?

Ma sœur elle-même prit sa revanche sur moi en me donnant des instructions quant à la nourriture qui convenait au bébé, aux vêtements qu'il lui fallait, à la façon dont il convenait de l'élever, et ainsi de suite.

Passées les premières joies des retrouvailles, les petits ennuis furent révélés. Jessie Swannell, incapable de s'entendre avec ma mère, avait rendu son tablier. Elle avait été remplacée par une vieille nurse que nous avons toujours, entre nous, appelée Coucou. Je crois que ce surnom lui venait du fait que, lorsqu'elle avait pris le relais, après que Jessie Swannell était partie en larmes, elle crut entrer dans les bonnes grâces de sa nouvelle petite protégée en faisant irruption et en disparaissant à la porte de la nursery qu'elle ouvrait et refermait tour à tour en s'écriant gaiement : « Coucou ! Coucou ! » Rosalind, qui n'appréciait pas du tout, se mettait à hurler chaque fois que cela se produisait. Elle finit pourtant par devenir extrêmement attachée à sa nouvelle gardienne. Coucou était un véritable poison, et incompétente par-dessus le marché. Elle débordait d'amour et de gentillesse, mais perdait tout, cassait tout et faisait des remarques tellement idiotes qu'on avait peine à y croire. Rosalind adorait cela : c'est elle qui prit Coucou en charge et s'occupa de ses affaires.

— Allons bon ! entendais-je de la nursery. Où ai-je mis la brosse de la petite ? Ça alors ! Dans le panier à linge, peut-être ?

— Je vais te la trouver, Nanny, faisait la voix de Rosalind. Tiens, la voilà, sur ton lit.

— Par exemple, comment ai-je pu la laisser là ?

Rosalind retrouvait donc les affaires de Coucou, rangeait les affaires de Coucou, lui donnait même des conseils depuis son landau lorsqu'elles sortaient ensemble :

— Traverse pas maintenant, Coucou, il y a un bus qui arrive... Pas par là, Coucou... Je croyais que t'avais dit qu'on allait au magasin de laines, c'est pas le chemin.

Directives entrecoupées des : « C'est pourtant vrai, où avais-je la tête ? » de Coucou.

Les seules personnes qui la trouvaient difficile à supporter étaient Archie et moi. C'était un vrai moulin à paroles. Le meilleur remède consistait à se boucher les oreilles et à ne pas écouter, mais il arrivait qu'à bout de patience, vous deviez l'interrompre. Un simple trajet en taxi jusqu'à Paddington déclenchait un flot ininterrompu de remarques :

— Regarde, ma chérie. Regarde un peu par la vitre. Tu vois ce grand bâtiment ? C'est Selfridge's. Un magasin extraordinaire, Selfridge's. Tu peux y trouver tout ce que tu veux.

— Non, c'est Harrod's, rectifiais-je avec froideur.

— Mon Dieu que je suis bête ! Bien sûr que c'est Harrod's ! C'est drôle, on connaît pourtant bien, n'est-ce pas, ma chérie ?

— Je savais que c'était Harrod's, disait Rosalind.

Je crois maintenant possible que l'ineptie et l'impéritie de Coucou aient fait de Rosalind une enfant particulièrement débrouillarde. Heureusement, d'ailleurs : il fallait bien quelqu'un pour tenir un semblant d'ordre dans la nursery.

3

Si notre retour commença par de joyeuses réunions, l'horrible réalité montra vite le bout de son nez. Nous n'avions pas un sou vaillant. L'emploi d'Archie chez Goldstein n'était plus qu'un souvenir, un autre jeune homme avait pris le poste. Je disposais toujours, bien sûr, du petit pécule hérité de mon grand-père qui nous rapportait cent livres par an, mais Archie refusait absolument l'idée de toucher au capital. Il devait trouver une situation, n'importe laquelle et tout de suite, avant que ne commencent à tomber le loyer, les gages de Coucou et les factures alimentaires de la semaine. Le marché du travail était bouché — plus encore, en fait, que juste après la guerre. Mes souvenirs de cette période de crise se sont par chance estompés. Je me rappelle seulement que ce fut une époque malheureuse parce que Archie était malheureux et qu'il faisait partie de ces gens qui s'adaptent difficilement au malheur. Il en était bien conscient, lui qui m'avait prévenue dans les premiers temps de notre mariage :

— N'oublie pas que je ne suis bon à rien quand les choses ne vont pas comme il faut. Je ne supporte ni la maladie ni les gens qui ne sont pas bien dans leur peau.

Nous avions pris des risques en pleine connaissance de cause, et choisi gaiement de saisir notre chance. Il ne nous restait plus maintenant qu'à accepter le fait que les bons moments étaient passés et que nous commencions à payer la note en soucis, déconvenues, etc. Je ne me sentais pas du tout à la hauteur, moi non plus, tant j'étais de peu d'utilité à Archie. J'avais cru que nous ferions face ensemble. Or, je dus vite me résigner à le voir chaque jour soit les nerfs à fleur de peau, soit prostré dans son silence et sa mélancolie. Si j'essayais d'égayer l'atmosphère, il me reprochait de ne pas me rendre compte de la gravité de la situation. Si je me montrais plus sombre, il me disait :

— Pas la peine de faire une tête de six pieds de long. Tu savais à quoi tu t'exposais !

Tout ce que je faisais était donc mal fait.

Finalement, il m'annonça d'un ton ferme :

— Écoute, la seule chose que tu pourrais faire pour m'aider, ce serait de partir tout de suite.

— Partir tout de suite ? Et pour aller où ?

— Je ne sais pas. Chez Punkie, elle serait sûrement heureuse de vous accueillir, Rosalind et toi. Ou alors retourne chez ta mère.

— Voyons, Archie, je veux rester avec toi. Je veux les partager, ces problèmes. Pourquoi ne pas les affronter ensemble ? N'y a-t-il donc rien que je puisse faire ?

Aujourd'hui, je suppose que j'aurais pu dire : « Bon, je vais chercher du travail », mais ce n'est pas une idée qui nous serait venue en 1923. Pendant la guerre, il y avait eu des auxiliaires féminines dans l'armée de l'air et dans l'armée de terre, des emplois dans les usines de munitions ou les hôpitaux. Mais cela n'avait duré qu'un temps. À présent, on n'embauchait pas les femmes dans les bureaux ou les ministères. Les magasins étaient au complet. Pourtant, je m'entêtai et refusai de m'en aller. Je pouvais au moins faire la cuisine et le ménage. Nous n'avions pas de bonne. Je me tins donc coite et passai au large d'Archie, ce qui semblait être la seule attitude possible pour lui venir en aide.

Il passa au crible tous les bureaux de la City et rencontra plusieurs personnes susceptibles de lui indiquer un emploi vacant. Il finit par en trouver un. Qui ne lui plaisait pas trop : il avait quelques doutes sur la société qui l'employait. Des escrocs notoires, affirmait-il. Ils se tenaient tout juste dans la légalité, mais on ne savait jamais.

— En tout cas, dit-il, il faudra que je me méfie qu'ils ne me fassent pas porter le chapeau.

C'était un emploi, malgré tout, qui fit rentrer un peu d'argent, et le moral d'Archie remonta. Il arrivait même à trouver drôles certaines de ses aventures quotidiennes.

J'essayai de me remettre à écrire, sentant que c'était ma seule manière de gagner quelque argent. Je n'avais toujours pas l'idée d'en faire ma profession. Les nouvelles publiées dans le *Sketch* m'avaient encouragée : c'étaient des espèces sonnantes et trébuchantes tombées directement dans mon escarcelle. Mais ces nouvelles avaient été achetées, payées, et l'argent était maintenant dépensé. Je me préparai donc à écrire un nouveau livre.

Avant notre départ, Belcher m'avait fortement incitée, au cours d'un dîner auquel il nous avait conviés, à écrire un roman policier qui aurait pour cadre sa maison de Dorney, Le Moulin :

— *Le Mystère du moulin*, ça ferait un sacrément bon titre, vous ne trouvez pas ?

Je répondis par l'affirmative, que je trouvais que *Le Mystère du moulin*, ou *Meurtre au moulin* serait excellent et que j'allais y réfléchir. Lorsque nous commençâmes notre voyage, il revint souvent sur le sujet.

— Mais attention ! prévint-il. Si vous écrivez *Le Mystère du moulin*, je tiens à être dedans !

— Vous y mettre, je ne crois pas pouvoir. Je n'arrive jamais à rien avec des personnages réels, des gens que je connais. Mes personnages, il faut que je les imagine.

— Pas d'histoires, insista-t-il. Tant pis si ce n'est pas vraiment ressemblant, mais j'ai toujours rêvé d'être le héros d'un roman policier.

À intervalles réguliers, il revenait à la charge :

— Alors, ce bouquin, vous l'avez commencé ? Je suis dedans ?

Un jour, nous en étions venus à nous mettre l'un l'autre dans un tel état d'exaspération que je répondis :

— Oui. Vous êtes la victime.

— Hein ? Vous voulez dire que je suis le type qui se fait assassiner ?

— Absolument, confirmai-je non sans une certaine volupté.

— Je ne veux pas être la victime ! se récria-t-il. Pas question. En fait, je tiens absolument à être l'assassin.

— Pourquoi ?

— Parce que c'est toujours le personnage le plus intéressant de l'histoire. Alors vous devez faire de moi l'assassin, Agatha, vous comprenez ?

— Je comprends que vous voulez être l'assassin, fis-je en choisissant bien mes mots.

Comme de bien entendu, dans un moment de faiblesse, je capitulai et finis par lui promettre qu'il serait l'assassin.

J'avais établi les grandes lignes de l'intrigue pendant que j'étais en Afrique du Sud. Ce devait être encore, avais-je décidé, davantage un *thriller* qu'un roman à énigme, et qui se déroulerait en grande partie dans le contexte sud-africain. Une sorte de crise révolutionnaire avait eu lieu lors de notre séjour, et j'avais pris note de plusieurs faits intéressants. Mon héroïne serait une jeune femme gaie, hardie, une orpheline qui partirait en quête d'aventure. En essayant de rédiger un chapitre ou deux, je m'aperçus qu'il était terriblement difficile de dresser le portrait vivant de Belcher. Je n'arrivais pas à le décrire objectivement et à en faire autre chose qu'un complet imbécile. Tout à coup, une idée me vint. Le livre serait à la première personne et donnerait alternativement la parole à Anne, l'aventurière, et à Belcher, la crapule, le salaud de l'affaire.

— Je ne crois pas qu'il appréciera vraiment ce rôle, dis-je à Archie sur un ton dubitatif.

— Fais-en un noble, suggéra-t-il. Ça lui fera avaler la pilule.

C'est ainsi qu'il fut baptisé sir Eustache Pedler, et je m'aperçus que, en faisant écrire à sir Eustache lui-même son propre manuscrit, le personnage commençait à prendre vie. Ce n'était pas Belcher, naturellement, mais il employait certaines de ses expressions, et racontait certaines de ses histoires. Lui aussi était un maître dans l'art du bluff et, derrière ce bluff, on devinait aisément le personnage intéressant et dénué de scrupules. Je ne tardai d'ailleurs pas à oublier Belcher et à laisser sir Eustache lui-même manier la plume. C'est, je crois, la seule fois où j'aie essayé de mettre une personne réelle, que je connaissais bien, dans un de mes romans, et je ne pense pas y être parvenue. Ce n'est pas Belcher qui prit vie, mais sir Eustache Pedler lui-même. Ce livre commença soudain à m'apparaître amusant à mener à bien. Il ne me restait plus qu'à espérer qu'il plairait à The Bodley Head.

Ma principale gêne pour écrire venait de Coucou. Laquelle bien sûr, comme toute les nurses de l'époque, avait pour habitude de ne jamais toucher à aucune tâche ménagère, nettoyage ou cuisine. Elle ne s'occupait que de l'enfant : elle tenait propre la nursery, faisait la lessive de la petite chérie, et c'était tout. Je n'en attendais pas autre chose, et j'organisais fort bien ma journée. Archie ne rentrait que le soir, le déjeuner de Rosalind et de Coucou était fort simple à préparer. Ce qui me laissait, en tout, deux à trois heures de libres pendant que la nurse et ma fille sortaient au parc ou faisaient les magasins. Restaient, évidemment, les jours de pluie où elles étaient coincées dans l'appartement. Bien que le mot d'ordre fût : « Maman travaille », il était difficile de se débarrasser de Coucou. Elle se plantait à la porte de la pièce où je m'isolais et entretenait une sorte de soliloque prétendument adressé à Rosalind :

— Tu vois, ma chérie, on ne doit pas faire de bruit, oh ! non, parce que maman travaille. Il ne faut surtout pas la déranger, tu comprends ? J'aurais pourtant bien aimé lui demander si je dois porter ta petite robe à la blanchisserie : je ne saurai pas bien la laver, moi. Bon, on pensera à lui poser la question au moment du thé, d'accord, ma chérie ? On ne peut pas lui demander maintenant, hein, elle ne serait pas contente. Et puis il faut aussi que je lui parle de ton landau : tu sais qu'il a perdu un boulon, hier. Après tout, peut-être qu'on pourrait taper doucement à la porte ? Qu'est-ce que tu en penses, ma chérie ?

La plupart du temps, Rosalind donnait une brève réponse qui n'avait strictement rien à voir, ce qui me confortait dans l'idée qu'elle n'écoutait jamais ce que disait Coucou :

— Bleu Nounours va dîner, maintenant, déclarait-elle.

Elle avait reçu des poupées, une maison de poupées et divers autres joujoux, mais ne s'intéressait vraiment qu'aux animaux. Tout d'abord, Bleu Nounours, une drôle de créature en soie, un autre appelé Rouge Nounours, qui furent rejoints un peu plus tard par un troisième larron d'un mauve assez horrible et qui avait nom Nounours Edward. Parmi eux, Rosalind nourrissait un amour total et quasi passionnel pour Bleu Nounours. C'était un animal mou, fait de soie bleue pour bas, avec deux petits disques noirs en guise d'yeux sur sa tête plate. Il l'accompagnait partout, et je devais raconter des histoires de Bleu Nounours chaque soir. Rouge Nounours en était, lui aussi. Toutes les nuits, il leur arrivait une nouvelle aventure. Le premier était gentil, le second très, très méchant. Il faisait toujours des bêtises extraordinaires, comme de mettre de la glu sur la chaise de la maîtresse d'école qui, lorsqu'elle s'asseyait, ne pouvait plus se relever. Une autre fois, il avait caché une grenouille dans la poche de ladite maîtresse qui hurla et piqua une crise de nerfs. Ces histoires obtenaient un franc succès et je devais souvent les redire. Bleu Nounours était d'une vertu de petit saint à vous écœurer. Toujours premier en classe, jamais la moindre bêtise. Chaque jour lorsqu'ils partaient pour l'école, leur maman leur faisait promettre d'être bien sages. Rouge Nounours promettait. Au retour, la maman demandait :

— Tu as été sage, Bleu Nounours ?

— Oui maman, très sage.

— C'est bien, mon garçon. Et toi, Rouge Nounours ?

— Non maman, j'ai été très méchant.

Un jour, Rouge Nounours s'était battu avec des mauvais garçons et était rentré à la maison avec un énorme coquard. On appliqua dessus une tranche de steak cru et il fut envoyé au lit. Plus tard, il aggrava son cas en mangeant la pièce de viande placée sur son œil.

Il ne pouvait y avoir meilleur public que Rosalind. Elle pouffait, éclatait de rire, appréciait les moindres détails.

— Oui, ma chérie (Coucou, loin d'aider Rosalind à donner son dîner à Bleu Nounours, continuait son soliloque), peut-être qu'avant de partir, nous allons juste demander à ta maman, si ça ne la dérange pas, parce que tu sais, il faudrait vraiment que je sache, pour ton landau...

À bout de patience, je me levais de mon siège, perdant ainsi toutes mes idées et laissant Anne en danger de mort dans la forêt rhodésienne. J'ouvrais la porte à la volée :

— Eh bien, qu'est-ce qu'il y a encore, nurse ? Qu'est-ce qu'il vous faut ?

— Oh ! excusez-moi, M'dame. Je suis vraiment désolée. Je ne voulais pas vous déranger.

— Eh bien, maintenant, c'est fait. Alors ?

— Je n'ai pourtant pas frappé à la porte, ni rien.

— Vous parliez juste derrière et je peux entendre la moindre de vos paroles. Qu'est-ce qu'il a, le landau ?

— Ben je pense quand même, M'dame, qu'il faudrait absolument en acheter un neuf. Vous savez, j'ai un peu honte d'aller dans le parc avec celui-ci et de voir les beaux landaus des autres petites filles. C'est vrai, je trouve que mam'selle Rosalind elle devrait en avoir un aussi bien que les autres.

La nurse et moi ne cessions de nous quereller au sujet de ce landau. Nous l'avions acheté d'occasion. Il était en bon état et tout à fait confortable, mais n'avait certainement rien de ce qu'on pourrait qualifier d'élégant. C'est qu'il y avait une mode pour les landaus, ai-je appris, et presque tous les ans, il en sortait une nouvelle ligne, une nouvelle coupe, si l'on peut dire, exactement comme c'est le cas pour les automobiles d'aujourd'hui. Jessie Swannell ne s'était pas plainte, mais elle venait du Nigeria, et il était fort possible qu'on ne se préoccupait pas autant des landaus des voisins, là-bas.

C'est ainsi que je devais comprendre que Coucou appartenait à cette confrérie de nurses qui se retrouvaient dans les jardins de Kensington avec les petits dont elles avaient la garde et s'asseyaient pour comparer les mérites de leurs situations respectives, la beauté et l'intelligence de leur protégé. Celui-ci devait être bien habillé, selon les critères de la mode pour bébés du moment, sinon c'était la honte pour sa nurse. De ce côté-là, pas de problème. Les vêtements de Rosalind étaient gagnants à l'inspection. Les tabliers et robes que je lui avais confectionnés au Canada étaient du dernier cri des vêtements pour enfants. Les coqs, poules et pots de fleurs brodés sur fond noir remplissaient tout le monde d'admiration et d'envie. En revanche, en matière d'élégance de landaus, celui de la pauvre Coucou était regrettablement en dessous de la norme, et elle ne manquait jamais de me signaler quand quelqu'un était arrivé avec un tout nouveau véhicule.

— C'est la fierté d'une nurse, un landau comme celui-là !

Je restais inflexible. Nous étions dans une situation financière telle qu'il était hors de question de me mettre en frais uniquement pour satisfaire la vanité de Coucou.

— Je n'ai même plus confiance en celui-ci, gémissait-elle en une dernière tentative. Il y a toujours des boulons qui tombent.

— Vous n'arrêtez pas de lui faire monter et descendre le trottoir, rétorquais-je. Vous n'avez qu'à les resserrer avant de sortir. De toute façon, je n'achèterai pas de nouveau landau.

Je rentrais dans ma pièce et claquais la porte derrière moi.

— Mon Dieu ! mon Dieu ! geignait Coucou. Maman n'a pas l'air contente. Eh bien, ma petite chérie, j'ai l'impression que ce n'est pas demain que nous aurons une nouvelle voiture, hein ?

— Bleu Nounours veut son dîner, concluait Rosalind. Viens, Nanny.

4

En dépit des inévitables jérémiades de Coucou derrière ma porte, je parvins vaille que vaille à terminer *Le Mystère du moulin*. Pauvre Coucou ! Peu après, elle devait consulter un médecin et se faire hospitaliser pour un cancer du sein. Elle était beaucoup plus âgée qu'elle ne l'avait avoué et il ne fut plus question pour elle de reprendre une activité. Elle partit vivre, je crois, chez une de ses sœurs.

J'avais décidé que la prochaine nurse ne viendrait ni de l'agence de Mrs Boucher ni d'aucun établissement de cet acabit. Ce qu'il me fallait, c'était une aide maternelle.

À partir du moment où Site entra dans la maison, la chance sembla tourner de notre côté. J'eus avec elle une entrevue dans le Devonshire. C'était une solide fille, large de buste et de hanches, au visage rougeaud et aux cheveux noirs. Elle avait une voix profonde de contralto, et un accent tellement raffiné qu'on ne pouvait s'empêcher de penser qu'elle faisait du théâtre. Elle avait déjà travaillé dans deux ou trois maisons depuis quelques années à l'époque, et la façon dont elle parlait du monde de l'enfant rayonnait de compétence. Elle paraissait avoir un bon naturel, un heureux caractère et être pleine d'enthousiasme. Elle ne demandait pas un gros salaire et semblait disposée à effectuer tous travaux en tous lieux, comme on dit dans les petites annonces. Nous ramenâmes donc Site à Londres et elle devint le soulagement de ma vie.

Bien entendu, elle ne s'appelait pas Site, mais miss White. Seulement au bout de quelques mois, miss White devint « Swite » dans le langage raccourci de Rosalind. Nous l'appelâmes Swite pendant quelque temps. Puis Rosalind opéra une seconde contraction, et elle fut désormais Site. Ma fille l'aimait énormément, Site le lui rendait bien. Elle adorait tous les jeunes enfants, mais gardait sa dignité et, à sa manière, ne badinait pas avec la discipline. Elle ne tolérait pas la moindre désobéissance ni le plus petit manquement aux règles de la politesse.

Le rôle d'ange gardien et de contrôleur de Coucou manquait à Rosalind, et je la soupçonne maintenant d'avoir effectué un transfert sur moi, de m'avoir pris sous son aile protectrice : elle me retrouvait les choses que j'avais égarées, me faisait remarquer que j'avais oublié de timbrer une enveloppe, et ainsi de suite. Lorsqu'elle eut 5 ans, force me fut de reconnaître qu'elle était bien plus débrouillarde que moi. En revanche, l'imagination n'était pas son fort. Si nous jouions ensemble à un jeu à deux personnages, par exemple un monsieur sortant promener son chien — préciserai-je que c'était moi le toutou et elle le monsieur —, venait bien évidemment un moment où l'animal devait être mis en laisse.

— On n'a pas de laisse, disait-elle. Faut qu'on change l'histoire.

— Tu n'as qu'à faire comme si tu en avais une, suggérais-je.

— Mais comment, puisque j'ai rien dans la main ?

— Prends la ceinture de ma robe et décide que c'est une laisse.

— C'est pas une laisse, c'est une ceinture de robe.

Les choses, pour Rosalind, devaient être concrètes. À l'inverse de moi, elle n'apprécia jamais les contes de fées quand elle était enfant.

— Mais ils sont pas vrais, protestait-elle. Ils parlent de gens qu'existent même pas, alors ils peuvent pas arriver vraiment. Raconte-moi l'histoire de Rouge Nounours au pique-nique.

Le plus étrange, c'est que, vers l'âge de 14 ans, elle se mit à les adorer. Elle en lisait et relisait des volumes entiers.

Site s'intégra fort bien dans notre famille. Toute digne et compétente qu'elle fût, elle n'était guère plus cuisinière que moi. Elle n'avait jamais fait qu'aider. À présent, nous allions nous épauler l'une l'autre. Bien que nous sachions toutes deux faire certains plats à peu près correctement — moi, le soufflé au fromage, la sauce béarnaise et la vieille crème sabayon anglaise, Site, les tartelettes à la confiture et les harengs marinés, ni l'une ni l'autre n'étions capables de confectionner ce que l'on appelle, je crois, un « repas équilibré ». Pour faire tout ensemble une viande, un légume tel que carottes, choux de Bruxelles, pommes de terre, et un pudding ensuite, nous nous heurtions au fait que nous ne connaissions pas le temps de cuisson exact de chacun de ces différents éléments. Les choux de Bruxelles devenaient une purée infâme, les carottes étaient dures. Cependant, avec la pratique, nous finîmes par apprendre.

Nous nous répartissions les tâches. Un matin, je m'occupais

de Rosalind et nous allions jusqu'au parc avec le landau, toujours aussi pratique que démodé — encore que, à présent, nous utilisions davantage la poussette — pendant que Site préparait le déjeuner et faisait les lits. Le lendemain, c'est moi qui restais à la maison et me chargeais des corvées tandis que Site sortait au parc. Tout bien considéré, je trouvais la première activité plus fatigante que la seconde. Le chemin était long, jusqu'au parc, et une fois sur place, vous ne pouviez même pas vous asseoir tranquillement et ne penser à rien : il fallait faire la conversation à Rosalind et jouer avec elle, ou bien s'assurer qu'elle s'amusait sagement, qu'un autre enfant ne lui emportait pas son bateau ou ne la houspillait pas. En vaquant à mes tâches ménagères, au contraire, je pouvais complètement me détendre l'esprit. Robert Graves m'a dit un jour que faire la vaisselle était une des occupations les plus favorables à la création. Je crois qu'il voyait très juste. Il y a de la monotonie dans les tâches domestiques, si bien que, si elles vous occupent physiquement, elles vous libèrent l'esprit et lui permettent de s'envoler vers les pensées et les inventions qu'il désire. Ce n'est pas le cas quand on cuisine, en revanche, car cela mobilise toute votre créativité et votre attention.

Site était un havre de paix, après Coucou. Rosalind et elle s'occupaient gentiment sans que je les entende, soit dans la nursery, soit en bas, sur la pelouse. Ou alors, elles allaient faire des courses.

Six mois après son arrivée, j'eus un choc en découvrant son âge. Je ne le lui avais pas demandé. Elle paraissait entre 24 et 28 ans, ce qui était à peu près ce qui me convenait, et je n'avais pas été chercher plus loin. Je fus donc sidérée d'apprendre qu'au moment où elle était entrée à mon service, elle n'avait que 17 ans et qu'elle en avait à présent tout juste 18. Cela semblait incroyable, tant il émanait d'elle un air de maturité. Mais elle avait travaillé comme aide maternelle depuis l'âge de 13 ans. Elle avait un penchant naturel pour exercer cette activité, s'y montrait fort compétente, et l'impression d'expérience qu'elle donnait reposait sur une pratique véritable, tout comme en acquiert l'aîné d'une famille nombreuse en s'occupant de ses petits frères et sœurs.

Si jeune qu'elle fût, je n'avais jamais la moindre hésitation à m'absenter pour de longs moments en lui laissant la garde de Rosalind. Elle était éminemment responsable. Elle savait appeler le médecin qu'il fallait, emmener un enfant à l'hôpital, voir si quelque chose n'allait pas, réagir en cas d'urgence. Son esprit était toujours axé sur son travail. Pour reprendre la bonne vieille expression, elle avait la vocation.

Je poussai un énorme ouf de soulagement lorsque je mis le point final au *Mystère du moulin*. Ce n'avait pas été un livre facile à écrire et je le trouvai assez inégal quand je l'eus terminé. Mais bon, il était là, il avait le mérite d'exister, avec le vieil Eustache Pedler et tout le ban et l'arrière-ban. Chez Bodley Head, on n'eut pas l'air très chaud. Ce n'était pas, firent-ils remarquer, une véritable histoire policière comme *Le Crime du golf*. Cependant, ils l'acceptèrent sans trop d'histoires.

C'est à peu près vers cette époque que je remarquai un imperceptible changement dans leur attitude. Ignorante et naïve quand je leur avais donné mon premier livre à publier, je m'étais quelque peu dégourdie depuis. Je n'étais pas non plus aussi sotte que d'aucuns avaient pu le croire. J'en avais appris long sur le monde de l'écriture et de l'édition. Je connaissais la Société des auteurs et j'avais lu leur périodique. J'avais compris qu'il fallait être très vigilant au moment de signer un contrat avec les éditeurs — avec certains, surtout. J'étais consciente, à présent, des mille et une manières dont ils tiraient injustement profit des écrivains. Sachant tout cela, j'élaborai mes plans en conséquence.

Peu avant de sortir *Le Mystère du moulin*, on me fit, chez Bodley Head, certaines propositions. C'est ainsi qu'ils suggérèrent d'annuler mon ancien contrat et de m'en établir un autre, toujours pour cinq ouvrages. Les termes en seraient beaucoup plus favorables. Je les remerciai poliment, dis que j'allais réfléchir, puis refusai, sans donner de raison précise. Je considérais qu'ils avaient mal agi envers moi. Ils avaient profité de mon inexpérience et de l'impatience de tout jeune auteur à se voir publier. Loin de moi le désir de polémiquer sur ce point. Après tout, la bêtise, c'est moi qui l'avais faite. Car c'en est une que de ne pas chercher à connaître la valeur exacte de son travail et de ne pas lutter pour en obtenir la juste rémunération. D'un autre côté, même forte de ma nouvelle sagacité, aurais-je refusé l'occasion de faire paraître *La Mystérieuse Affaire de Styles* ? Probablement pas. J'aurais malgré tout accepté les conditions qu'ils proposaient, mais sans me lier pour si longtemps et pour tant d'ouvrages. Si des gens vous roulent une fois, vous n'avez plus envie de leur faire confiance. Simple question de bon sens. J'allais donc terminer mon contrat, mais ensuite, c'était dit, je chercherais un nouvel éditeur. Sans doute aussi me faudrait-il un agent littéraire.

J'avais reçu, à peu près à cette époque, une lettre des impôts réclamant le détail de mes droits d'auteur. Je fus étonnée : je n'avais jamais considéré cela comme un revenu. Je n'en avais d'autre, d'après moi, que les cent livres d'intérêt annuel sur deux mille investies dans l'emprunt de guerre. Oui, répondirent-ils, ils étaient au courant, mais ils m'interrogeaient à présent sur ce que me rapportaient mes publications. J'expliquai qu'il ne s'agissait pas de rentrées fixes chaque année, que j'avais juste écrit trois romans en amateur, comme mes nouvelles et poèmes précédents. Je n'étais pas écrivain. Je ne comptais pas en faire ma carrière. Je qualifierais plutôt cela, dis-je en reprenant une expression que j'avais lue je ne sais où, d'« avantages occasionnels ». À quoi ils rétorquèrent qu'ils me considéraient maintenant comme un véritable auteur, même si je n'avais pas encore tiré grand profit de mes écrits. Ils voulaient donc le détail de mes gains. Ce que j'étais bien en peine de leur fournir, vu que je n'avais gardé aucun relevé de droits — si tant est qu'on me les ait jamais envoyés, je ne me rappelais pas. Je recevais bien un chèque par-ci par-là, mais je le touchais et le dépensais aussitôt. Je régularisai du mieux que je pus. Le percepteur fut assez conciliant, mais me conseilla de mieux tenir mes comptes à l'avenir. C'est alors que je décidai de prendre un agent.

Comme je n'en connaissais pas, je me dis que le mieux était de retourner voir celui que m'avait, tout au début, recommandé Eden Phillpotts : Hughes Massie. J'y allai donc. Ce n'était plus lui — il était mort, m'apprit-on. À sa place, je fus reçue par un jeune homme au léger bégaiement, qui s'appelait Edmund Cork. Il fut loin de m'intimider autant que l'avait fait Hughes Massie, à dire vrai, je me sentis même tout à mon aise pour lui parler. Il se montra comme de juste atterré par mon ignorance et s'offrit à guider mes pas à l'avenir. Il m'indiqua le montant précis de ce que serait sa commission, et évoqua la possibilité de droits de reproduction en feuilleton, de publication en Amérique, de droits d'adaptation dramatique, et de toutes sortes de choses improbables — du moins à ce qu'il me semblait. Ce fut une démonstration de savoir fort impressionnante. Je plaçai mes affaires entre ses mains, sans réserve, et quittai son bureau soulagée. J'eus l'impression qu'un poids énorme avait été retiré de mes épaules.

Ainsi débuta une amitié de plus de quarante ans.

Un événement presque incroyable se produisit alors. L'*Evening News* m'offrit cinq cents livres pour les droits de reproduction en feuilleton du *Mystère du moulin*. Qui ne s'appelait plus *Le Mystère du moulin* : je l'avais rebaptisé *L'Homme au complet marron*, car le premier titre me paraissait trop proche du *Crime du golf*. L'*Evening News*, de son côté, m'en proposa encore un autre : *Anna l'aventurière*, le titre le plus idiot que j'aie jamais entendu, pensais-je, mais je ne pipai mot ; après tout, ils étaient disposés à me payer cinq cents livres, et si je pouvais montrer certains états d'âme quant au titre d'un roman, qui se soucierait de celui d'un feuilleton dans un journal ? Cela paraissait un coup de chance absolument invraisemblable. Je n'arrivais pas à y croire, Archie n'arrivait pas à y croire, Punkie n'arrivait pas à y croire. La seule à l'admettre sans peine fut bien sûr maman : qu'une de ses filles pût gagner sans coup férir cinq cents livres pour un feuilleton dans l'*Evening News* n'avait pour elle rien de surprenant.

C'est la loi des séries : dans la vie, les bonnes choses, comme les mauvaises, semblent toujours se présenter ensemble. J'avais eu mon coup de chance avec l'*Evening News*, c'était au tour d'Archie d'avoir le sien. Il reçut une lettre d'un ami australien, Clive Baillieu, qui lui avait déjà proposé, longtemps auparavant, de venir travailler au sein de sa société. Archie alla le voir et se vit offrir l'emploi qu'il espérait depuis tant d'années. Il se libéra avec le plus vif plaisir de son poste du moment et rejoignit Clive Baillieu dans ses bureaux londoniens. Ce fut immédiatement le bonheur, merveilleux, total. Là, au moins, les activités étaient saines, point de pratiques malhonnêtes : il entrait vraiment par la grande porte dans le monde de la finance. Nous étions au septième ciel.

Tout de suite, je revins avec insistance sur le projet qui me tenait depuis longtemps à cœur mais qu'Archie n'avait jusque-là reçu qu'avec indifférence. Nous essayerions de trouver une petite maison à la campagne, pas trop loin pour qu'il puisse se rendre à la City tous les jours, et entourée d'un jardin où Rosalind pourrait s'ébattre en toute liberté au lieu qu'il faille l'accompagner au parc ou la confiner aux étroites bandes de pelouse qui s'étiraient entre les bâtiments. Je mourais d'envie d'habiter à la campagne. Il fut décidé que nous déménagerions si nous trouvions un petit cottage pas trop cher.

L'accord immédiat d'Archie vint en grande partie, je crois, du fait que le golf prenait de plus en plus d'importance pour lui. Il avait récemment été coopté au club de Sunningdale, et nos week-ends ensemble, qui consistaient à prendre le train et à faire de grandes excursions à pied, ne l'intéressaient plus guère. Il ne pensait qu'au golf. Il jouait avec divers amis à Sunningdale, et méprisait à présent les terrains moins cotés. Il n'éprouvait aucun plaisir à jouer avec une novice comme moi, si bien que petit à petit, mais sans m'en apercevoir encore, je devenais ce personnage bien connu : une « veuve de golf ».

— Je n'y vois pas d'inconvénient, dit-il. En fait, je crois même que ça me plairait assez, sans compter que ce serait bon pour Rosalind. Site aime la campagne, et toi aussi, je le sais. Alors dans ce cas, je ne vois vraiment qu'un endroit où aller : Sunningdale.

— Sunningdale, répétai-je avec une pointe de consternation,

car ce n'était pas vraiment mon idée de la campagne. Ce doit être hors de prix. Il n'y a que les riches qui vivent là-bas.

— Bah ! ce serait bien le diable si nous n'arrivions pas à dénicher une bicoque quelconque, répondit-il avec optimisme.

Un ou deux jours plus tard, il me demanda à quoi je comptais consacrer mes cinq cents livres de l'*Evening News*.

— C'est une grosse somme. Je pense, répondis-je — certes du bout des lèvres et sans conviction —, que nous devrions les mettre de côté pour les temps de vaches maigres.

— Ma foi, je ne crois plus que nous ayons trop à nous faire de souci pour ça. Du côté Baillieu, j'ai de bonnes perspectives d'avenir, et toi-même, tu as l'air de te débrouiller pas mal du tout avec tes bouquins.

— C'est vrai. Cet argent, je pourrais le dépenser. En partie, du moins, dis-je avec de vagues idées de nouvelle robe du soir, de chaussures argentées ou dorées pour remplacer les noires, et de quelque chose de vraiment bien pour Rosalind, comme un vélo d'enfant.

La voix d'Archie interrompit net ma rêverie :

— Pourquoi n'achèterais-tu pas une voiture ?

— Une voiture ?

Je le regardai avec ahurissement. Une voiture était la dernière chose à laquelle j'aurais pensé. Personne, dans notre cercle d'amis, n'en avait. J'étais toujours pénétrée de cette idée que les voitures étaient pour les riches. Elles vous dépassaient comme des bolides à des 50, 60, 70, 80 kilomètres à l'heure, fonçant vers des endroits extravagants avec à leur bord des passagères dont les chapeaux devaient être retenus par d'épaisses voilettes.

— Acheter une voiture ? répétai-je, plus abasourdie que jamais.

— Pourquoi pas ?

Pourquoi pas, en effet. C'était après tout possible. Moi, Agatha, je pouvais m'offrir une voiture. *Ma* voiture. Et je dois avouer ici que, des deux choses qui ont le plus marqué ma vie, la première a été celle-là : ma Morris Cowley grise, avec son nez rond.

Et la seconde, quarante ans plus tard, fut de dîner avec la reine à Buckingham Palace.

Ces deux événements, voyez-vous, ce fut chaque fois comme un conte de fées. Jamais je n'aurais imaginé qu'ils puissent m'arriver : posséder une voiture bien à moi et dîner avec la reine d'Angleterre.

Petit chat, petit chat, d'où reviens-tu à peine ?
Je suis allé à Londres rend'visite à la reine.

C'était presque aussi bien qu'être née lady Agatha !

Petit chat, petit chat, qu'as-tu fait chez la reine ?
J'ai chassé une souris d'en dessous de sa traîne.

Je n'ai pas, moi, chassé de souris d'en dessous de la traîne d'Élisabeth II, mais j'ai en revanche passé avec elle une fort bonne soirée. Elle était si menue, si gracieuse dans sa robe de velours rouge sombre toute simple ornée d'un unique bijou. Elle a montré tellement de gentillesse et d'aisance dans sa conversation. Je me souviens d'une anecdote qu'elle nous a contée : un soir, alors qu'ils se trouvaient dans un petit salon où la famille avait coutume de se réunir, une phénoménale dégringolade de suie dans la cheminée les avait tous obligés à battre en retraite au plus vite. Il est réconfortant d'apprendre que les désastres domestiques en tous genres peuvent se produire *aussi* en très haut lieu.

SEPTIÈME PARTIE

Le pays du bonheur perdu

1

Tandis que nous cherchions notre petite maison à la campagne, de mauvaises nouvelles nous arrivèrent d'Afrique au sujet de mon frère Monty. Nous l'avions tous plus ou moins perdu de vue depuis la période d'avant-guerre où il avait envisagé de monter un service de cargos sur le lac Victoria. Il avait, à l'époque, transmis à Madge des lettres de différentes personnalités locales toutes enthousiasmées par le projet. Si elle pouvait juste lui avancer un peu d'argent... Ma sœur estimait que c'était là un domaine où Monty pouvait réussir. Dès qu'il s'agissait de bateaux, il était à son affaire. Elle lui paya son billet de retour en Angleterre. Le plan consistait à mettre en construction un navire de faible tonnage dans un chantier de l'Essex. Il est vrai que le débouché existait pour ce type de bateau. Il n'y avait pas de petits cargos sur le lac Victoria. Le point faible de l'entreprise, en revanche, c'est que mon frère devait en être le capitaine, et que nul ne lui faisait confiance pour ce qui est de respecter les horaires et d'assurer un service sérieux.

— L'idée est excellente, ça peut rapporter plein de picaillons. Mais ce brave Miller... imaginez qu'il n'ait pas envie de se lever un matin ? Ou que la tête de quelqu'un ne lui revienne pas ? Il ne fait jamais que ce qui lui chante.

Pourtant ma sœur, éternelle optimiste, accepta d'investir la majeure partie de son capital dans la construction du bateau.

— James m'alloue des mensualités très confortables, au point que je peux en consacrer une bonne part à l'entretien d'Ashfield. Alors les revenus que je tirais de ce capital ne me manqueront pas.

Mon beau-frère était fou de rage. Monty et lui ne pouvaient se voir en peinture. Il était sûr que Madge ne reverrait jamais son argent.

Le bateau fut mis en chantier. Madge se rendit plusieurs fois en Essex. Tout semblait bien se passer.

La seule chose qui la tourmentait était de voir Monty venir sans cesse à Londres, descendre dans un hôtel fort cher de Jermyn Street, acheter des quantités de pyjamas de soie, faire confectionner sur mesure quelques uniformes de capitaine, lui offrir un bracelet de saphirs, un sac du soir travaillé au petit point, et d'autres cadeaux de prix.

— Mais, Monty, cet argent, c'est pour le bateau, pas pour me faire des cadeaux !

— Allons, ça me fait plaisir. Tu n'achètes jamais rien pour toi.

— Et ça, sur le rebord de la fenêtre, qu'est-ce que c'est ?

— Un bonsaï japonais.

— Ils ne sont pas horriblement chers ?

— Il était à soixante-quinze livres. J'ai toujours voulu en avoir un. Regarde cette forme. Il est superbe, tu ne trouves pas ?

— Oh ! Monty, comment peux-tu faire des choses pareilles ?

— Ton problème, à toi, c'est que, à force de vivre avec le vieux James, tu ne sais même plus ce que c'est que se faire plaisir.

À sa visite suivante, le bonsaï avait disparu.

— Tu l'as rendu au marchand ? demanda-t-elle, pleine d'espoir.

— Le rendre ? s'étrangla Monty, horrifié. Jamais de la vie. Non, je l'ai donné à la réceptionniste de l'hôtel. Une fille adorable. Elle l'admirait tellement, et elle a tant de soucis avec sa mère.

Madge ne trouvait pas les mots.

— Viens déjeuner, dit Monty.

— Bon... mais chez *Lyons*, alors.

— Entendu.

Ils sortirent dans la rue. Monty demanda au portier de lui héler un taxi. Ce qu'il fit. En montant, il lui donna une demi-couronne et demanda au chauffeur de les conduire au *Berkeley*. Madge éclata en sanglots.

— Ce qui se passe, me dit Monty un peu plus tard, c'est que le gars James est tellement radin que la pauvre Madge est complètement déphasée. Elle n'a qu'une obsession en tête, faire des économies.

— Et toi, il ne serait pas temps que tu commences à y songer un peu ? Suppose que l'argent vienne à manquer avant que le bateau soit fini ?

Monty eut un ricanement sardonique :

— Pas grave. C'est le vieux James qui casquera.

Monty passa cinq jours difficiles chez eux, et but une quantité énorme de whisky. Madge sortit discrètement, acheta plusieurs bouteilles supplémentaires et les lui mit dans sa chambre, ce qui amusa beaucoup Monty.

Lequel était très attiré par Nan Watts. Il l'emmena au théâtre et dans des restaurants de luxe.

— Ce bateau n'arrivera jamais en Ouganda, se désespérait parfois Madge.

Il aurait pu, cependant. Ce fut entièrement la faute de Monty si cela ne se fit pas. Il aimait le *Batenga*, comme il l'avait baptisé. Voulant que ce soit plus qu'un vulgaire cargo, il commanda des équipements en ébène et ivoire, des lambris de teck pour sa cabine, et de la vaisselle en porcelaine à feu marron spécialement estampillée *Batenga*. Tout cela retarda la livraison du bateau.

C'est alors que la guerre éclata. Impossible dès lors de le faire partir pour l'Afrique. Il fallut le vendre au gouvernement à bas prix. Monty retourna à l'armée, cette fois chez les fusiliers royaux d'Afrique.

Ainsi s'acheva la saga du *Batenga*.

Il m'en reste encore deux tasses à café.

Or, voici que la lettre d'un médecin venait d'arriver. Monty, nous le savions, avait été blessé au bras pendant les hostilités. Il semblait qu'une infection se soit déclarée lors de son traitement à l'hôpital, à cause de la négligence d'une aide-soignante indigène. La blessure avait mal guéri et l'infection était revenue même après sa démobilisation. Il avait poursuivi ses activités de chasseur, jusqu'à ce qu'on doive finalement le transporter d'urgence, très sérieusement malade, dans un hôpital français dirigé par des religieuses.

Il avait d'abord préféré ne communiquer avec personne de la famille. À présent, il devait se sentir au bout du rouleau — le corps médical lui accordait six mois au maximum — et tenait absolument à finir à la maison. Peut-être aussi le climat de l'Angleterre lui accorderait-il un sursis.

Toutes les dispositions furent vite prises pour son rapatriement depuis Mombasa. Ma mère fit des préparatifs à Ashfield pour l'accueillir. Elle était folle de joie : elle allait s'occuper de lui avec dévotion — son cher garçon ! Elle commençait à imaginer une relation mère-fils qui, j'en étais sûre, était totalement irréaliste. L'harmonie n'avait jamais régné entre eux. Dans bien des domaines, ils étaient trop semblables. Chacun ne voulait en faire qu'à sa tête, et Monty était l'une des personnes les plus difficiles à vivre qui soit.

— Ce ne sera pas pareil, cette fois, affirma maman. Tu oublies combien il est malade, le pauvre.

Je pensais, quant à moi, que mon frère malade serait aussi pénible que mon frère en bonne santé. On ne se refait pas. Dieu sait pourtant si je souhaitais que tout se passe bien.

Maman eut quelque difficulté à faire admettre à ses deux vieilles servantes la présence du domestique noir africain de Monty à la maison.

— Vraiment, Madame, je ne crois pas que nous pourrons dormir sous le même toit qu'un *Noir*. Ma sœur et moi n'avons pas été habituées à ça.

Ma mère décida alors d'user des grands moyens. Il était, dans ces cas-là, difficile de lui résister. Elle réussit à les convaincre de rester, l'argument final qu'elle leur fit miroiter étant la possibilité de convertir l'Africain de l'islam au christianisme. Les deux femmes étaient en effet confites en dévotion.

— Nous pourrions même lui lire la Bible, s'émurent-elles soudain, les yeux allumés de plaisir.

Maman, en attendant, prépara une suite indépendante de trois pièces avec une nouvelle salle de bains.

Archie proposa très gentiment d'aller accueillir Monty au bateau quand il accosterait à Tilbury. Il lui avait aussi réservé un petit appartement à Bayswater où il pourrait descendre avec son domestique.

Au moment où il partait pour Tilbury, je le rappelai :

— S'il veut que tu l'emmènes au *Ritz*, ne te laisse pas faire.

— Qu'est-ce que tu dis ?

— De ne pas te laisser faire s'il veut que tu l'emmènes au *Ritz*. Moi, je vais m'assurer que l'appartement est bien prêt, avertir la propriétaire et mettre des provisions.

— Tout est paré, alors.

— J'espère. Mais il pourrait préférer aller au *Ritz*.

— T'en fais pas. Je l'aurai installé avant le déjeuner.

La journée passa. À 18 h 30, Archie rentra, l'air épuisé.

— C'est bon. Je l'ai installé. Ça n'a pas été très facile de le faire débarquer. Ses valises n'étaient pas finies, ou je ne sais quoi : il n'y avait pas le feu, pourquoi se presser ? Tout le monde était descendu du bateau, on n'attendait plus que lui, il s'en fichait royalement. Dieu merci, ce Shebani est un brave type très serviable. C'est lui qui a réussi à le faire bouger, à la fin.

Il s'interrompit et se racla la gorge :

— En fait, je ne l'ai pas emmené à Powell Square. Il semblait tenir absolument à descendre dans un hôtel de Jermyn Street. Il a dit que ça ferait beaucoup moins de dérangement pour tout le monde.

— Alors, il est là-bas, finalement ?

— Eh bien... oui.

Il sentit mon regard peser sur lui.

— Tu sais, fit-il, il a présenté les choses de façon tellement logique...

— C'est justement là qu'il est fort, expliquai-je.

Il fut emmené chez un spécialiste des maladies tropicales auprès de qui il avait été recommandé. Ce médecin donna toutes ses instructions à ma mère. Une chance de guérison partielle subsistait : du bon air, des bains chauds le plus souvent possible, une vie calme. Un problème pouvait néanmoins se présenter : ayant été considéré pratiquement perdu, on l'avait mis sous de telles doses de drogues qu'il aurait à présent du mal à s'en passer.

Nous installâmes Monty et Shebani dans l'appartement de Powell Square au bout d'un jour ou deux et ils s'y firent très bien, encore que Shebani causât un certain émoi dans les bureaux de tabac du voisinage quand il s'emparait d'une cartouche de cinquante cigarettes en disant : « C'est pour mon maître » et quittait la boutique : le système de crédit en vigueur au Kenya était diversement apprécié à Bayswater.

Lorsque les traitements qu'il devait suivre à Londres furent terminés, Monty et Shebani déménagèrent à Ashfield, et le concept du fils « finissant ses jours en paix auprès de sa vieille mère » fut mis à l'essai. Il faillit tuer maman. Monty continuait à vivre à l'africaine. Il demandait ses repas quand il avait faim, fût-ce à 4 heures, un de ses horaires favoris. Il sonnait, appelait les domestiques, commandait steaks et côtelettes.

— Que j'aie de la « considération pour les domestiques », maman ? Ils sont payés pour faire la cuisine, non ?

— Oui... mais pas en plein milieu de la nuit.

— Une heure avant le lever du soleil. Je me levais toujours à ce moment-là : c'est le véritable début de la journée.

Ce fut Shebani qui réussit vraiment à arrondir les angles. Les deux vieilles domestiques l'adoraient. Elles lui lisaient la Bible et il les écoutait avec la plus grande attention. À son tour, il leur contait des histoires sur la vie en Ouganda et les exploits de son maître à la chasse aux éléphants.

Il fit gentiment des remontrances à Monty sur la façon dont il traitait sa mère :

— C'est votre maman, Bwana. Il faut lui parler avec respect.

Au bout d'un an, Shebani dut retourner en Afrique auprès de sa femme et de sa famille, et la vie redevint difficile. Aucun domestique masculin ne fit l'affaire, tant auprès de Monty que de ma mère. Madge et moi venions à tour de rôle pour essayer d'apaiser les tensions.

La santé de mon frère s'améliorait et, par voie de conséquence, il devenait de plus en plus difficile à contrôler. Comme il s'ennuyait, il trouva une nouvelle occupation : tirer au pistolet par la fenêtre. Les commerçants et les gens qui venaient voir maman se plaignirent. Monty n'exprima aucun repentir :

— C'est cette vieille fille qui descendait l'allée en tortillant du croupion. Je n'ai pas pu résister : un pruneau à droite, un pruneau à gauche. Elle a détalé comme un lapin !

Il canarda ainsi Madge, un jour, dans le jardin. Elle fut terrorisée.

— Je ne vois pas pourquoi ! s'offusqua Monty. Elle ne risquait rien. Elle croit peut-être que je ne sais pas tirer ?

Quelqu'un porta plainte, et nous eûmes la visite de la police. Monty produisit son permis de port d'arme et expliqua fort sensément sa vie de chasseur au Kenya et son désir de garder la main. Une espèce de folle s'était imaginée qu'il la visait elle, alors qu'il avait vu un lapin. C'était tout Monty, cela : il s'en sortit. La police accepta ses raisons et trouva cela tout à fait naturel pour un homme qui avait mené la vie du capitaine Miller.

— En fait, ma petite, je ne supporte plus d'être cloîtré ici, ni cette existence insipide. Si seulement je pouvais avoir un petit cottage sur la lande de Dartmoor, c'est ça qui serait bien. De l'air, de l'espace... de la place pour respirer.

— C'est vraiment ce que tu veux ?

— Bien sûr, que c'est ça. Cette pauvre vieille maman me rend fou. Toutes ces tracasseries : manger à heure fixe, toujours tout organiser à l'avance... je ne suis pas habitué à ça, moi.

Je lui dénichai un petit pavillon en granit. Nous trouvâmes aussi, par une sorte de miracle, la gouvernante idéale pour s'occuper de lui. C'était une femme de 65 ans, et quand nous la vîmes pour la première fois, elle ne parut pas du tout convenir. Elle avait des cheveux jaune vif décolorés, des bouclettes, du rouge à l'excès. Elle était vêtue de soie noire. Elle avait passé la plus grande partie de sa vie en France et avait eu treize enfants.

Elle avait dû, en fait, nous être envoyée par la providence : elle savait mieux s'y prendre avec Monty qu'aucune d'entre nous. Elle se levait et lui faisait ses côtelettes au beau milieu de la nuit s'il en avait envie. Au point qu'il vint me dire, au bout de quelque temps :

— Je ne fais plus ça, tu sais, c'est un peu dur pour Mrs Taylor. C'est une chic femme, mais elle n'est plus toute jeune.

Sans qu'on le lui demande, d'elle-même, elle bêcha le petit jardin et fit pousser des pois, des pommes de terre nouvelles et des haricots verts. Elle écoutait Monty quand il avait envie de parler et pensait à autre chose quand il préférait le silence. C'était merveilleux.

Maman recouvra la santé. Madge cessa de se faire du souci. Monty adorait recevoir des visites de la famille, et se conduisait parfaitement en ces occasions, toujours très fier des délicieux repas que Mrs Taylor concoctait.

Les huit cents livres que cette bicoque nous avaient coûté n'étaient vraiment pas cher payé.

2

Archie et moi finîmes par dénicher notre cottage à la campagne, à ceci près que ce n'était pas un cottage. Sunningdale, comme je l'avais craint, était un quartier très riche, plein de luxueuses résidences bâties autour du golf, mais de cottage, point. Nous trouvâmes en revanche une grande maison victorienne, Scotswood, sise dans un vaste jardin et lotie en quatre appartements. Deux étaient déjà occupés — les deux du rez-de-chaussée — mais ceux du haut étaient en cours de réfection et nous les visitâmes. Chacun se composait de trois pièces au premier et de deux à l'étage du dessus, plus bien sûr une cuisine et une salle de bains. Le plus beau avait des pièces mieux agencées et une plus jolie vue, mais l'autre possédait une petite pièce de plus tout en étant moins cher : c'est donc pour celui-là que nous optâmes. Les locataires avaient la jouissance du jardin et l'eau chaude à volonté. Le loyer dépassait à peine celui d'Addison Road. Il était, je crois, de cent vingt livres. Nous signâmes donc un bail et nous préparâmes à nous y installer.

Nous venions constamment sur place pour suivre le travail des peintres et décorateurs, qui en faisaient toujours beaucoup moins que promis. Chaque fois, nous trouvions un détail qui clochait. Si la tapisserie murale ne posait guère de problèmes — parce que, à moins de se tromper carrément de papier, il est difficile de faire de trop grosses bêtises — on peut au contraire mal doser sa teinte de peinture, et nous n'étions pas toujours sur place pour surveiller ce qui se passait. Mais tout fut prêt à temps. Nous avions un grand salon avec de nouveaux rideaux en cretonne lilas confectionnés par mes soins. La petite salle à manger en avait reçu d'assez chers à tulipes sur fond blanc, parce que nous en étions tombés amoureux. Ceux de la grande pièce de Rosalind et Site, derrière, étaient à boutons d'or et marguerites. À l'étage supérieur se trouvaient le cabinet de toilette d'Archie, une pièce aux couleurs violentes — coquelicots et bleuets — pouvant servir de chambre d'amis dans les cas d'urgence, et notre chambre pour laquelle j'avais choisi des rideaux de campanules — choix malheureux en l'occurrence, car la pièce était orientée au nord et le soleil venait rarement les traverser. On ne les voyait vraiment faire effet qu'en restant au lit jusqu'en milieu de matinée alors qu'ils recevaient directement la lumière du jour. Repoussés de chaque côté de la fenêtre, ou vus la nuit, leur bleu ternissait. Un peu comme les vraies campanules : dès que vous les rentrez dans une maison, elles deviennent grisâtres, anémiques, et piquent du nez. C'est une fleur qui refuse d'être captive et qui n'est gaie que dans les bois. Je me suis consolée en écrivant une ballade sur elle :

BALLADE DE MAI

Le roi s'est allé promener un beau matin de mai
Las, s'est allongé, puis endormi à ce qu'il paraît
Lorsque s'est éveillé, le soir magique ouvrait son dais
Et la campanule, sauvage, dans le bois dansait.

Le roi aux fleurs donna banquet. Toutes vinrent à une près,
Celle que devant ses yeux avides, justement désirait.
La rose en parure de satin, et le lys, il voyait,
Mais la campanule sauvage, dans le bois dansait.

Le roi fronça sourcil. À tirer son épée fut prêt.
Envoya ses hommes quérir la belle qui se refusait.
Avec des liens de soie devant leur roi la ramenaient
Elle, la campanule sauvage, qui dans le bois dansait.

Le roi se leva pour accueillir celle qu'il convoitait,
Ôta sa couronne d'or et sur son front la posait
Lorsqu'il la vit qui pâlissait, la vit qui frissonnait,
Et les courtisans effarés leur souffle retenaient
Devant la campanule qui ternissait et défaillait.

Ô roi, ta couronne est trop lourde, ma tête courberait.
Les murs de ton palais de l'air libre me priveraient.
Que vent et que soleil pour uniques amants n'aurai.
Toi, de la campanule, ta reine ne feras jamais.

Le roi en peine resta un an, que rien ne soulageait.
Le long du sentier des amoureux, qui au bois menait,
Errait sans sa couronne d'or, que oncques ne ceignait,
Cherchait la campanule, sauvage et libre, qui dansait.

L'Homme au complet marron se vendit vraiment fort bien. The Bodley Head revint à la charge pour me faire signer un nouveau contrat, un contrat sensationnel. Je refusai. L'ouvrage suivant que je leur envoyai était tiré d'une longue nouvelle relevant du fantastique et du surnaturel que j'avais écrite nombre d'années auparavant et que personnellement j'aimais bien. J'étoffai un peu l'histoire, ajoutai quelques personnages, et le leur expédiai. Ils n'en voulurent pas. Je l'aurais parié. Or, rien dans mon contrat ne m'obligeait à ne leur proposer que des policiers ou des livres à suspense. Il stipulait seulement : « le prochain roman », ce qu'était devenue — tout juste — ma nouvelle. Libre à eux d'accepter ou de refuser. Ils refusèrent. Je ne leur devais donc plus qu'un seul ouvrage. Après cela, ce serait la liberté. La liberté avec les conseils éclairés de Hughes Massie pour me dire ce qu'il fallait faire et — plus important encore — ne pas faire.

Mon livre suivant fut très léger, dans le genre de *Mr Brown*. Ce style de roman était plus amusant, plus rapide à écrire, et d'une légèreté en harmonie avec mon humeur à cette période de ma vie où tout allait si bien : mon existence à Sunningdale, la joie de voir Rosalind évoluer chaque jour, devenir de plus en plus amusante et intéressante. Je n'ai jamais compris les gens qui voudraient que leurs enfants restent des bébés et regrettent chaque année de les voir grandir. Moi, au contraire, j'étais parfois même impatiente de voir comment Rosalind serait dans un an, et un an après cela, et ainsi de suite. Je crois qu'il n'est rien de plus fascinant au monde que d'avoir un enfant bien à soi et de voir combien il demeure pourtant si mystérieusement étranger. Vous êtes sa porte d'entrée dans le monde, vous en aurez la charge pendant un certain temps, après quoi il vous quittera pour s'épanouir en toute liberté et il ne vous restera plus qu'à le regarder évoluer dans la vie qu'il s'est choisie. C'est une étrange plante que vous avez rapportée et plantée à la maison : vous avez grande hâte de voir ce qu'elle deviendra.

Rosalind s'adapta fort bien à Sunningdale. Elle s'amusait comme une folle avec son petit vélo à stabilisateurs sur lequel elle pédalait frénétiquement tout autour du jardin. Elle tombait parfois mais ne s'en souciait guère. Site et moi lui avions bien recommandé de ne pas franchir le portail, mais sans jamais prononcer d'interdiction formelle, je crois. En tout cas, elle le franchit bel et bien, un matin, alors que nous étions toutes deux occupées dans l'appartement, et dévala à toute vapeur la pente en direction de la grand-route. Heureusement si l'on peut dire, elle se cassa la figure juste avant d'y parvenir. La chute lui enfonça les deux dents de devant et je craignis que cela n'ait des répercussions sur sa future denture. Je la conduisis chez le dentiste. Elle vint sans mot dire, mais une fois installée dans le fauteuil, scella ses lèvres l'une contre l'autre et n'aurait ouvert la bouche devant ni dieu ni diable. Tout ce que je pus dire, ou Site, ou le dentiste, ne fut d'aucun effet : la bouche resta hermétiquement close. Il ne me resta plus qu'à la ramener. J'étais furieuse. Rosalind reçut tous mes reproches en silence. Après s'être fait autant sermonner par Site que par moi, elle annonça, au bout de deux jours, qu'elle voulait bien retourner chez le dentiste.

— Tu es sérieuse, Rosalind, ou est-ce que ce sera la même comédie que l'autre fois ?

— Non, là, je vais ouvrir ma bouche.

— Tu as eu peur, je suppose ?

— Ben, on ne sait jamais ce qu'on va te faire ? répondit-elle.

C'était vrai, mais je lui assurai que tous les gens qu'elle connaissait et que je connaissais en Angleterre allaient chez le dentiste, ouvraient la bouche et le laissaient travailler sur leurs dents pour mieux se sentir après. Elle vint donc et se conduisit parfaitement cette fois. Le dentiste lui enleva les dents déchaussées et lui dit qu'elle aurait peut-être à porter un appareil plus tard, mais que ce n'était pas sûr du tout.

Les dentistes, trouvais-je, n'étaient plus de la même trempe qu'à l'époque de mon enfance. Le nôtre, Mr Hearn, était un petit bonhomme excessivement dynamique, et d'une personnalité telle qu'il domptait tout de suite ses patients. On emmena ma sœur chez lui pour la première fois à l'âge tendre de 3 ans. Aussitôt installée dans le fauteuil, Madge se mit à pleurer.

— Allons voyons, gronda Mr Hearn, qu'est-ce que c'est que ça ? Je ne permets jamais à mes patients de pleurer.

— Ah ? balbutia Madge, tellement surprise qu'elle s'arrêta instantanément.

— Non, poursuivit Mr Hearn, ce n'est pas beau, alors je le défends.

Nous fûmes tous absolument ravis de nous retrouver à Scotswood et à la campagne : Archie parce qu'il était maintenant à deux pas du terrain de golf de Sunningdale, Site parce que cela lui évitait ces interminables déplacements jusqu'au parc, Rosalind parce qu'elle avait tout le jardin pour elle et son vélo d'enfant. Tout le monde était donc heureux. Cela en dépit du fait que, lorsque nous arrivâmes avec le camion de déménagement, rien n'était prêt. Les électriciens creusaient encore des saignées dans les couloirs et nous eûmes les pires difficultés à faire entrer nos meubles dans la maison. Les problèmes de baignoire, de robinets et d'éclairage électrique étaient continuels, l'impéritie générale absolument incroyable.

Anna l'aventurière avait alors paru dans l'*Evening News* et j'avais acheté ma Morris Cowley, une très bonne voiture, bien plus fiable et de meilleure fabrication que celles d'aujourd'hui. Il ne me restait plus que d'apprendre à la conduire.

Presque aussitôt, la grève générale s'abattit sur nous, et alors que je n'avais pas eu plus de trois leçons de conduite avec lui, Archie m'annonça que je devais l'emmener à Londres.

— Mais je ne peux pas, je ne sais pas conduire !

— Bien sûr que si, voyons. Tu te débrouilles très bien.

Archie était bon professeur et il n'était en outre pas question, à cette époque, de permis à passer ni de conduite accompagnée. À partir du moment où vous preniez les commandes d'un véhicule, vous en étiez responsable.

— Je ne sais pas faire les marches arrière, hésitai-je, la voiture ne va jamais où je crois qu'elle va.

— Tu n'auras pas à reculer, assura Archie. Tu manies très bien le volant. Si tu roules à vitesse raisonnable, tu n'auras pas de problème. Tu sais mettre le frein ?

— C'est ce que tu m'as appris en premier.

— Ça va de soi. Ainsi donc, je ne vois pas ce qui pourrait t'arriver.

— Mais, la circulation..., balbutiai-je.

— Non, au début, tu n'auras pas à t'y trouver.

Il avait appris que des trains électriques partiraient de la gare de Hounslow. Ma tâche consisterait donc à l'y accompagner, lui étant au volant, puis il mettrait la voiture en position pour le retour et me laisserait rentrer par mes propres moyens tandis qu'il rejoindrait la City.

La première fois que j'effectuai ce déplacement fut l'une des épreuves les plus pénibles que j'aie jamais connues. Je tremblais de peur, mais je parvins néanmoins à m'en tirer à peu près bien. Je calai une ou deux fois en freinant plus violemment qu'il ne fallait, et j'hésitais sans doute trop pour effectuer les dépassements, mais cela valait certainement mieux. Bien sûr, la circulation de l'époque n'avait rien de comparable avec celle d'aujourd'hui et ne réclamait aucun talent spécial. À partir du moment où vous saviez tourner le volant comme il fallait et n'aviez pas à vous garer, à faire demi-tour, ou trop à reculer, tout allait bien. Le pire moment fut celui où il me fallut tourner pour entrer à Scotswood et me ranger dans un garage extrêmement étroit à côté de la voiture de nos voisins. Ces gens — les Rawncliffe, un jeune couple — habitaient l'appartement au-dessous du nôtre.

— J'ai vu la dame du premier revenir au volant de sa voiture ce matin, rapporta la femme à son mari. Je ne crois pas qu'elle ait jamais tenu un volant de sa vie. Elle tremblait de tous ses membres pour entrer dans le garage, et elle était blanche comme un linge. J'ai bien cru qu'elle allait percuter le mur, mais elle s'est arrêtée juste avant !

Nul autre qu'Archie, me semble-t-il, n'aurait pu me donner de l'assurance dans des conditions pareilles. Il me tenait toujours pour capable d'accomplir les choses dont je doutais le plus.

— Bien sûr que tu peux le faire, disait-il. Pourquoi pas ? Ce n'est pas en partant toujours battue d'avance que tu y arriveras.

Je pris donc un peu confiance et, au bout de trois ou quatre jours, j'étais capable de m'aventurer légèrement plus loin dans Londres et de braver les dangers de la circulation. Ah ! les joies que cette voiture me procura ! Je ne crois pas qu'on puisse comprendre aujourd'hui comme cela changeait la vie. Pouvoir aller où bon vous semblait, là où vos jambes ne pouvaient vous porter, élargissait tout votre horizon. L'un de mes plus grands plaisirs était de descendre à Ashfield et d'emmener maman en promenade. Elle adorait cela dans un élan de passion semblable au mien. Nous nous rendions dans toutes sortes d'endroits — sur la lande de Dartmoor, chez des amis qu'elle ne pouvait plus voir à cause des difficultés de transport — et le seul attrait du voyage nous comblait déjà toutes deux. Je crois que rien ne m'aura apporté autant de ravissement, de bonheur accompli, que ma chère Morris Cowley avec son nez rond.

Bien qu'il m'aidât beaucoup dans la vie pratique, Archie ne m'était guère utile dans mon travail d'écrivain. Il m'arrivait parfois de ressentir l'envie de lui soumettre une idée que j'avais pour une nouvelle histoire, ou l'intrigue d'un nouveau livre. Dite d'une voix ânonnante et peu assurée, elle me semblait alors, même à moi, extraordinairement banale, futile... et toute une liste d'adjectifs que je ne citerai pas. Archie écoutait avec toute la bonne volonté dont il savait faire preuve quand il avait décidé d'accorder son attention à autrui.

— Qu'est-ce que tu en penses ? finissais-je par m'enquérir timidement. Tu crois que ça ira ?

— Ma foi, peut-être, répondait-il sur un ton à vous décourager à tout jamais. Mais enfin l'histoire est un peu maigre, et ça manque d'action.

— En conclusion, ce n'est pas bon ?

— Je trouve que tu peux faire beaucoup mieux.

Son compte ainsi réglé, l'intrigue était à jamais morte et enterrée, pensais-je alors. Or, en fait, il se trouve que je la ressuscitais le plus souvent — ou plutôt qu'elle renaissait d'elle-même de ses cendres — cinq ou six ans plus tard. Cette fois non soumise à critique avant d'avoir vu le jour, elle s'épanouissait de façon tout à fait satisfaisante et devenait l'un de mes meilleurs romans. Le problème, c'est qu'il est affreusement difficile pour un écrivain d'expliciter ses idées au cours d'une conversation. Le stylo à la main ou assise devant votre machine à écrire, les mots viennent d'eux-mêmes comme il faut, mais on ne peut pas décrire les choses que l'on n'a pas encore écrites. Du moins, moi, je ne le peux pas. J'ai ainsi fini par apprendre qu'il ne fallait jamais rien dire d'un roman avant de l'avoir couché sur le papier. La critique *a posteriori* est constructive. Vous pouvez être ou ne pas être d'accord, vous savez au moins ce qu'en pense un lecteur. Alors que si vous racontez ce que vous allez écrire, cela paraîtra si léger que tout avis négatif vous convaincra aussitôt de laisser tomber.

Je refuserai en outre toujours les centaines de demandes qui me parviennent de lire le manuscrit de quelqu'un. D'abord bien sûr parce qu'on ne ferait plus que ça si l'on commençait à accepter ! Mais la véritable raison est que je ne trouve pas qu'un auteur soit bien placé pour jouer les critiques. Vos remarques montreront forcément que vous auriez rédigé le livre de telle ou telle autre manière, lesquelles ne seraient d'ailleurs pas nécessairement les bonnes pour un autre écrivain. Nous avons chacun notre manière personnelle de nous exprimer.

Il y a également l'idée angoissante que vous allez peut-être démoraliser quelqu'un à tort. L'une de mes premières nouvelles fut ainsi montrée par une amie bien intentionnée à une femme écrivain connue. Son commentaire fut clair et net : elle regrettait beaucoup, mais l'auteur de cette nouvelle ne ferait jamais carrière. Ce qu'elle voulait dire, en fait, bien qu'elle ne le sût pas consciemment parce qu'elle était écrivain et non critique, c'est que l'auteur en question était une personne encore immature et insuffisamment préparée pour produire quoi que ce soit de publiable. Un critique ou un éditeur aurait sans doute été plus clairvoyant, car cela fait partie de leur métier de savoir reconnaître le grain qui germera. Je n'aime donc pas me livrer à la critique, je crois que cela peut facilement faire beaucoup plus de mal que de bien.

Le seul reproche que je saurais faire à un écrivain en herbe serait de ne pas avoir calibré son produit en fonction du marché. Il ne sert à rien de sortir un livre de deux cent mille signes, qui n'est pas une longueur facile à publier à l'heure actuelle. « Oh ! mais, rétorquera le novice, ce livre doit avoir cette taille-là ! » Certes, un génie pourra l'imposer, mais il y a davantage de chances que vous ne soyez qu'un modeste artisan. Vous sentez qu'il y a quelque chose que vous savez bien faire, que vous aimez bien faire : vous voudrez aussi le bien vendre. Si tel est le cas, donnez-lui les dimensions et l'aspect requis. Si vous étiez menuisier, il serait ridicule de fabriquer une chaise dont le siège se trouverait à un mètre cinquante du sol : ce n'est pas ce que les gens veulent pour s'asseoir. Et il ne servirait à rien d'affirmer qu'elle est plus belle ainsi. De même pour écrire un livre, vous devez vous renseigner sur les dimensions normales et œuvrer à l'intérieur de ces limites. Si vous optez pour un certain type de nouvelle dans un certain type de magazine, il faudra respecter les critères de longueur et de style de ce magazine. Si vous écrivez pour votre propre compte, c'est différent : vous pouvez faire comme bon vous semble, mais vous devrez probablement vous contenter du seul plaisir de l'avoir écrite. Il n'est pas bon de se prendre dès le départ pour un génie-né — ils sont très rares. Non, nous sommes des artisans, les artisans d'un commerce fort honorable. Il faut en apprendre les techniques, et là, dans le cadre de ce commerce, vous pourrez appliquer vos propres idées créatrices. Tout en vous soumettant à la discipline de la forme.

C'était seulement maintenant que commençait à poindre en moi l'idée que je pourrais devenir écrivain professionnel. Encore que je n'en sois pas tellement sûre. Je voyais toujours l'écriture comme un succédané naturel de la broderie au petit point.

Avant de quitter Londres pour la campagne, j'avais pris des leçons de sculpture. Je nourrissais une grande admiration pour cet art — beaucoup plus que pour la peinture — et j'avais un véritable désir de devenir sculpteur. Cet espoir fut vite déçu : je compris qu'il n'entrait pas dans mes capacités, car je n'avais pas l'œil pour visualiser les formes. Je ne savais pas dessiner, je ne pouvais donc pas sculpter. J'avais cru qu'il en irait autrement, que le contact manuel avec la matière pourrait aider à régler ce problème de forme. Je me rendis compte que je ne voyais pas vraiment les choses. Un peu comme un musicien qui n'aurait pas d'oreille.

Je fis quelques chansons par pure vanité, mettant quelques-uns de mes poèmes en musique. Je jetai un nouveau coup d'œil sur la valse que j'avais composée et la trouvai parfaitement insipide. Quelques-unes de mes chansons pouvaient passer. Certains couplets de la série des Pierrot et Arlequin me plaisaient bien. Dommage que je n'aie jamais étudié l'harmonie et l'art de la composition. Non, l'écriture paraissait tout indiquée pour être mon commerce et mon véritable mode d'expression.

J'écrivis une pièce fort sombre où il était surtout question d'inceste. Elle fut catégoriquement refusée par tous les directeurs de théâtres auxquels je l'envoyai : « Le sujet en est par trop déplaisant », me fut-il répondu. Le plus curieux, c'est que c'est justement le genre de pièce susceptible de les intéresser de nos jours.

J'en ai également écrit une, historique celle-là, sur Akhenaton. Je l'aimais énormément. John Gielgud fut plus tard assez aimable pour m'écrire que ma pièce ne manquait pas d'intérêt mais qu'elle reviendrait trop cher à produire et qu'elle manquait un peu d'humour. Je n'avais pas vu Akhenaton sous l'angle humoristique, mais je compris que j'avais eu tort : l'humour existait en Égypte autant qu'ailleurs, comme il existe dans la vie, partout et toujours : la tragédie a le sien, elle aussi.

3

Nous avions connu tant de soucis à l'issue de notre tour du monde qu'il nous semblait merveilleux d'entrer dans cette période de bonheur paisible. C'est peut-être là que j'aurais dû nourrir quelques appréhensions. Tout allait trop bien. Archie faisait un métier qui lui plaisait, avec un employeur qui était un ami et des collègues qu'il aimait infiniment. Comme il l'avait toujours désiré, il appartenait à un club de golf de première classe et jouait tous les week-ends. Mes activités d'écrivain marchaient bien, et je commençais à me dire que je pourrais les poursuivre de façon lucrative.

Découvris-je qu'il pouvait y avoir quelque chose de faux dans le déroulement tranquille de notre existence ? Je ne pense pas. Pourtant, bien que je ne me le sois sans doute jamais défini clairement, j'éprouvais comme un manque. Notre complicité des premiers temps, à Archie et moi, me faisait défaut, de même que je regrettais les week-ends où nous partions ensemble en bus ou en train pour découvrir de nouveaux horizons.

Ils étaient devenus des moments de grand ennui pour moi. J'avais souvent envie de revoir certains de nos amis de Londres et de les inviter à passer les deux jours chez nous. Archie m'en découragea, car cela lui gâcherait ses week-ends à lui. Si nous avions du monde, il devrait rester davantage à la maison, et peut-être sacrifier son second parcours de la journée. Je lui suggérai de faire parfois un peu de tennis à la place du golf, puisqu'il avait déjà joué avec plusieurs d'entre nos amis sur des courts publics à Londres. Cette idée l'horrifia. Le tennis, disait-il, fausserait complètement son coup d'œil pour le golf. Il prenait alors ce jeu tellement au sérieux qu'on eût dit qu'il s'agissait d'une religion.

— Bon, écoute, fais venir tes copines tant que tu veux, mais pas de couples, surtout. Sinon, je vais être coincé moi aussi.

Ce qui n'était pas si facile, vu que la plupart de nos connaissances étaient des couples mariés et que je ne pouvais décemment pas inviter la femme sans le mari. Je me faisais des amis à Sunningdale, mais la société s'y composait de deux branches principales : les gens d'un certain âge, qui étaient fous de jardinage et ne parlaient pratiquement jamais d'autre chose, et les riches qui passaient leur temps à s'amuser, à chasser ou pêcher, qui buvaient beaucoup, donnaient des cocktail-parties, et qui n'étaient pas du tout mon genre, ni celui d'Archie, d'ailleurs.

Le seul couple qui put et vint effectivement passer le week-end chez nous était Nan Watts et son second mari. Elle avait épousé pendant la guerre un dénommé Hugo Pollock dont elle eut une fille, Judy. Le mariage avait mal tourné et elle avait fini par divorcer. Elle s'était remariée à George Kon. Comme il était lui aussi passionné de golf, cela solutionnait le problème : George et Archie jouaient ensemble pendant que Nan et moi papotions tout en tapant distraitement dans la balle sur le parcours des dames. Nous montions ensuite retrouver les hommes au foyer du club et y prenions un verre. En fait, Nan et moi apportions notre propre boisson : une demi-pinte de crème fraîche allongée de lait, comme au bon vieux temps de la ferme d'Abney.

Ce fut un grand choc lorsque Site nous quitta. Elle prenait sa carrière au sérieux, et depuis quelque temps rêvait d'un poste à l'étranger. Rosalind, fit-elle remarquer, allait entrer à l'école l'année suivante et aurait donc moins besoin d'elle. Site avait entendu parler d'une bonne place à l'ambassade de Bruxelles qui la tentait beaucoup. Elle regrettait vivement de nous laisser, mais elle avait vraiment envie de voyager le plus possible comme gouvernante afin d'élargir sa connaissance de la vie. Je ne pouvais que comprendre ce point de vue et, la mort dans l'âme, nous convînmes qu'elle devait partir pour la Belgique.

Je me dis alors, me rappelant combien j'avais aimé Marie et apprécié d'apprendre le français sans larmes, que je pourrais chercher une gouvernante française pour Rosalind. Punkie m'écrivit avec enthousiasme qu'elle avait justement la personne qu'il fallait, mais qu'elle était suissesse, pas française. Elle l'avait déjà rencontrée, et une de ses amies connaissait sa famille en Suisse.

— C'est une gentille fille, Marcelle. Très douce.

Elle pensait qu'elle irait très bien avec Rosalind, qu'elle fondrait en voyant la petite aussi timide et émotive, qu'elle s'en occuperait bien. Je ne crois pas que Punkie et moi ayons jamais eu la même vision du caractère de Rosalind !

Marcelle Vignou arriva donc. J'éprouvai tout de suite quelques appréhensions. Punkie l'avait décrite comme une petite créature charmante et délicate. Elle me fit une tout autre impression. Je la voyais léthargique, brave fille certes, mais paresseuse et insignifiante. Le genre de personne incapable de s'occuper d'enfants. Rosalind, qui se montrait raisonnablement bien élevée, polie et somme toute agréable dans la vie de tous les jours, devint en deux semaines à peine, je ne trouve pas d'autres mots, possédée du démon.

C'était à n'y pas croire. Je compris alors ce que certainement la plupart des éducateurs savent d'instinct, que les enfants réagissent exactement comme un chien ou tout autre animal : ils respectent l'autorité. Marcelle n'en avait aucune. Elle se contentait de secouer doucement la tête de temps à autre en disant : « Rosalind ! Non, non ! » sans le moindre effet.

Les voir se promener ensemble était un spectacle navrant. Marcelle, comme j'allais bientôt le découvrir, avait les deux pieds couverts de cors et d'oignons. Elle ne pouvait que clopiner à une vitesse d'enterrement. Quand je m'en aperçus, je l'envoyai tout de suite chez le pédicure, mais cela ne la fit guère aller plus vite. Rosalind, qui débordait d'énergie, marchait devant, l'air très britannique, le menton levé, et Marcelle se traînait misérablement derrière en suppliant :

— Attendez... attendez-moi !

— Mais nous partons nous promener, non ? jetait Rosalind par-dessus son épaule.

Marcelle, tout à fait stupidement, essayait alors de faire la paix avec Rosalind en lui achetant des chocolats à Sunningdale. C'était la dernière chose à faire. La petite prenait les chocolats, disait poliment : « Merci » et redevenait aussi impossible qu'avant. À la maison, c'était une véritable peste. Elle enlevait ses chaussures pour les lancer à Marcelle, lui faisait des grimaces, refusait de prendre son dîner.

— Qu'est-ce que je peux faire ? demandai-je à Archie. Elle est tout bonnement impossible. Je la punis, mais ça n'a aucun effet. On dirait qu'elle prend plaisir à torturer cette pauvre fille.

— Elle s'en moque, je crois. Je n'ai jamais vu quelqu'un d'aussi apathique.

— J'espère que les choses vont s'arranger, dis-je.

Elles ne s'arrangèrent pas, elles empirèrent. J'étais vraiment inquiète, car je ne voulais pas voir ma fille se transformer en furie. Après tout, si Rosalind avait pu se conduire correctement avec deux nurses et une gouvernante, le problème ne devait pas se trouver de son côté pour qu'elle se montre si méchante avec celle-là.

— Tu n'as donc pas de pitié pour cette pauvre Marcelle, qui

vient dans un pays étranger et où personne ne parle sa langue ? lui demandai-je.

— C'est elle qu'a voulu venir, répondit Rosalind. Elle était pas obligée. Et puis elle parle bien anglais. Non, en fait, elle est bête comme tout, une vraie gourde.

Certes. Rien n'était plus vrai.

Rosalind apprenait un peu de français, mais guère. Parfois, les jours où il pleuvait, je leur suggérais de faire des jeux ensemble, mais Rosalind affirma qu'il était impossible d'apprendre à Marcelle à jouer à la bataille.

— Elle arrive même pas à reconnaître les cartes, jeta-t-elle avec mépris.

J'expliquai à Punkie que ce n'était pas un franc succès.

— Mon Dieu, moi qui pensais qu'elle allait adorer Marcelle !

— Eh bien c'en est loin, fis-je. Elle cherche tout ce qu'elle peut pour tourmenter la pauvre fille, elle lui lance des objets à la figure.

— Rosalind lui lance des objets ?

— Oui, fis-je. Et ça va de mal en pis.

Je finis par décider que la coupe était pleine. Pourquoi nous gâcher ainsi la vie ? Je parlai à Marcelle, lui expliquai que cela n'allait pas et qu'elle serait peut-être plus heureuse dans une autre maison. Je lui promis de la recommander et de l'aider à trouver une autre place, à moins qu'elle ne préfère retourner en Suisse. Imperturbable, elle répondit qu'elle avait été ravie de connaître l'Angleterre, mais que, tout bien réfléchi, elle rentrerait à Berne. Je lui glissai un mois de gages en prime et me résolus à chercher quelqu'un d'autre.

Ce qu'il me fallait maintenant, pensais-je, serait une personne qui ferait à la fois office de secrétaire et de gouvernante. Rosalind irait en classe tous les matins quand elle aurait 5 ans, dans une petite école communale, et j'aurais ainsi une secrétaire sténodactylo à ma disposition pendant quelques heures. Peut-être arriverais-je à dicter mes œuvres littéraires ? Cela paraissait une bonne idée. Je mis une annonce dans le journal pour demander une personne pouvant s'occuper d'une fillette de 5 ans sur le point d'entrer à l'école, et susceptible d'effectuer des travaux de sténodactylographie. J'ajoutai : « Écossaise de préférence » ; j'avais en effet remarqué, à force de voir d'autres enfants avec leur gouvernante, que les Écossaises semblaient particulièrement bien réussir avec les jeunes. Les Françaises étaient nulles sur le chapitre de la discipline et se faisaient immanquablement dominer par les gamins dont elles avaient la charge. Les Allemandes étaient bonnes et méthodiques, mais ce n'était pas vraiment l'allemand que j'avais envie que Rosalind apprenne. Les Irlandaises étaient gaies de caractère mais créaient des problèmes à la maison. Les Anglaises pouvaient être tout l'un ou tout l'autre. Non vraiment, il me fallait une Écossaise.

Après avoir effectué un tri parmi les réponses que je reçus à mon annonce, je me rendis à Londres pour avoir une entrevue avec une miss Charlotte Fisher dans une petite pension de famille du côté de Lancaster Gate. Miss Fisher me plut dès que je la vis. Elle était grande, châtaine, et devait avoir, au jugé, dans les 23 ans. Elle avait déjà de l'expérience avec les enfants, paraissait extrêmement capable. Un agréable pétillement de malice pointait derrière son allure générale de grande correction. Son père était l'un des aumôniers du roi à Édimbourg, et recteur de St Colomba dans cette même ville. Elle connaissait la sténo et la dactylographie mais n'avait pas pratiqué la sténo récemment. L'idée d'une place où pourraient alterner travail de secrétariat et garde d'enfant la séduisait.

— Reste un petit problème, ajoutai-je avec quelque hésitation. Est-ce que, euh... pensez-vous... enfin, savez-vous vous débrouiller avec les vieilles dames ?

Miss Fisher me lança un regard un peu étrange. Je me rendis compte soudain que nous étions assises dans une pièce où se trouvaient une vingtaine de vieilles dames en train de tricoter, de faire du crochet ou de lire des journaux illustrés. Leurs regards convergèrent lentement vers moi lorsqu'elles m'entendirent. Miss Fisher se mordit les lèvres pour ne pas rire. J'avais complètement oublié mon entourage tant je m'étais concentrée sur la façon de formuler ma question. Ma mère était devenue vraiment difficile à vivre — c'est souvent le cas quand on prend de l'âge, mais elle, qui avait toujours été très indépendante et se lassait si vite des gens, l'était encore plus que la moyenne. Jessie Swannell, en particulier, ne l'avait pas supporté.

— Il me semble, oui, répondit Charlotte Fisher d'une voix posée. Je n'ai jamais eu de problème.

Je lui expliquai que maman était très âgée, un peu excentrique, qu'elle avait tendance à croire toujours tout savoir, et que par-dessus tout elle n'était pas très commode. Mais comme cela ne paraissait pas inquiéter Charlotte, nous convînmes qu'elle commencerait avec moi dès qu'elle pourrait se libérer de son emploi présent qui était, je crois, de garder les enfants d'un riche personnage de Park Lane. Elle avait une sœur aînée qui vivait à Londres, et Charlotte demanda si celle-ci pourrait de temps en temps descendre lui dire bonjour. Bien sûr, répondis-je.

C'est ainsi que Charlotte Fisher devint ma secrétaire. Mary

Fisher venait donner un coup de main quand c'était nécessaire, et elles restèrent avec moi en tant qu'amies, secrétaire, gouvernante et bonne à tout faire pendant de nombreuses années. Charlotte est encore aujourd'hui l'une de mes meilleures amies.

L'arrivée de Carlo — comme Rosalind se mit à l'appeler au bout d'un mois — fut un véritable miracle. Elle n'avait pas plutôt franchi le seuil de Scotswood que Rosalind redevint mystérieusement la petite fille qu'elle était du temps de Site. Comme si elle avait été aspergée d'eau bénite ! Elle gardait ses chaussures aux pieds, ne les lançait plus à personne, répondait poliment et semblait beaucoup apprécier la compagnie de Carlo. La furie avait disparu.

— Elle m'a pourtant donné l'impression d'un petit animal sauvage quand je suis arrivée, me dit plus tard Charlotte. Peut-être parce qu'on ne lui avait pas coupé sa frange depuis longtemps : ça lui cachait les yeux et elle regardait à travers.

C'est ainsi que commença la période de bonheur paisible. Dès que Rosalind entra à l'école, je me préparai à dicter un livre. J'en éprouvais une telle appréhension que je repoussais de jour en jour. Finalement vint le moment décisif : Charlotte et moi nous assîmes l'une en face de l'autre, elle avec son bloc et son crayon. Je fixai d'un air égaré le manteau de la cheminée et commençai à articuler quelques phrases hésitantes. C'était horrible. Je ne pouvais pas dire un mot sans bégayer et m'arrêter. Rien de ce que je disais ne sonnait naturel. Longtemps après, Carlo m'avoua qu'elle-même avait redouté la mise en route du travail littéraire. Bien qu'elle eût suivi un cours de sténo, elle n'avait jamais beaucoup pratiqué dans ce domaine, sauf à essayer de prendre des sermons pour se faire la main. Elle craignait que je ne parle à une vitesse impossible mais personne n'aurait éprouvé la moindre difficulté à prendre ce que je disais. On aurait même pu me suivre en écriture normale.

Après ce départ calamiteux, les choses s'améliorèrent, encore que je me sente généralement plus à l'aise soit d'écrire *in extenso*, soit de taper à la machine. Il est curieux de voir combien le fait d'entendre sa propre voix est embarrassant et vous rend incapable de vous exprimer. Il n'y a guère que cinq ou six ans, lorsqu'un poignet brisé me priva de l'usage de ma main droite, que je me décidai à utiliser un Dictaphone et à m'habituer à m'entendre. Le défaut d'un Dictaphone ou d'un magnétophone, c'est qu'il vous encourage à la verbosité.

Il est indéniable que l'effort de la dactylographie ou de l'écriture à la main m'aide à la concision. L'économie de mots est, je crois, particulièrement nécessaire dans le roman policier. Il ne faut pas rabâcher la même chose trois ou quatre fois. Or, la tentation est grande, lorsqu'on parle au Dictaphone, de répéter les idées avec des mots légèrement différents. Certes, on peut toujours couper ensuite, mais c'est assommant, et cela détruit la fluidité de texte à laquelle on arrive au premier jet. Il est important de profiter de la paresse naturelle de l'être humain qui le pousse à ne pas écrire davantage que le strict nécessaire pour véhiculer ce qu'il veut dire.

Bien sûr, il y a une juste longueur pour tout. Je crois personnellement que celle d'un roman policier est de trois cent cinquante mille signes. Je sais que les éditeurs trouvent cela trop court. Peut-être les lecteurs eux-mêmes estiment-ils qu'à trois cent cinquante mille signes ils n'en ont pas pour leur argent, disons que quatre cent cinquante ou cinq cent mille signes sont plus acceptables. Si votre roman dépasse cela, vous vous apercevrez la plupart du temps, je crois, qu'il aurait gagné à être plus court. Cent cinquante mille signes est en général la taille parfaite pour une longue nouvelle à suspense. Malheureusement, il y a de moins en moins de demande pour des œuvres de cette dimension, et on a tendance à mal payer leurs auteurs. On se sent par conséquent amené à étoffer l'histoire pour en faire un roman. À mon avis, la technique de la nouvelle ne s'adapte pas du tout au policier. Au suspense peut-être, mais au policier, non.

Dans cet ordre d'idées, la série des Mr Fortune, de H.C. Bailey, était bonne parce qu'elle était plus longue que la moyenne des nouvelles de magazine.

Hughes Massie m'avait fait entrer chez un nouvel éditeur, William Collins, chez qui je suis toujours à l'heure où j'écris ces lignes.

Mon premier livre pour eux, *Le Meurtre de Roger Ackroyd*, fut de loin mon plus grand succès jusqu'à ce jour. En fait, on en parle et on le cite toujours. Là, j'avais trouvé une bonne formule, et je la dois en partie à mon beau-frère James qui avait dit d'un air maussade, quelques années auparavant :

— Maintenant, tout le monde peut se révéler coupable, dans un roman policier, même le détective. Moi, ce que j'aimerais, c'est un Watson coupable.

C'était une idée fort originale, et j'y repensai souvent. Il se trouva qu'une suggestion très similaire me fut faite par celui qui était alors lord Louis Mountbatten. Il m'écrivit pour me demander si je ne pourrais pas envisager une histoire racontée à la première personne par quelqu'un qui se montrerait ensuite être l'assassin. J'étais sérieusement malade quand la lettre arriva et, encore aujourd'hui, je ne suis même pas sûre de lui avoir répondu.

L'idée me paraissait ingénieuse, et j'y réfléchis longuement. Elle présentait d'énormes difficultés, bien sûr. Mon esprit rechignait à imaginer que Hastings pût tuer qui que ce soit, et de toute façon, il ne serait pas facile de monter une telle histoire sans tricher. Certes, beaucoup prétendent que *Le Meurtre de Roger Ackroyd* est une tricherie. Mais qu'ils le lisent avec attention, et ils verront qu'ils se trompent. Une phrase ambiguë permet de dissimuler les inévitables sauts dans le temps. Quant au Dr Sheppard, il éprouve un malin plaisir à n'écrire que la vérité : pas toute la vérité, mais la vérité tout de même.

En dehors du *Meurtre de Roger Ackroyd*, la réussite fut au rendez-vous tout au long de cette période. Rosalind entra dans sa première école et s'y plut énormément. Elle avait de gentilles amies, nous avions un bel appartement et un jardin agréable, j'avais ma délicieuse Morris au nez rond, j'avais Carlo Fisher et la paix à la maison. Archie pensait au golf, parlait, rêvait de golf, dormait et vivait pour le golf. Ses problèmes digestifs s'estompaient et il souffrait beaucoup moins de dyspepsie nerveuse. Tout était pour le mieux dans le meilleur des mondes possibles, comme disait l'heureux Dr Pangloss.

Il ne manquait qu'une chose dans notre vie : un chien. Le brave vieux Joey était mort pendant que nous étions à l'étranger. Nous achetâmes donc un bébé terrier à poils durs que nous appelâmes Peter. Peter, bien sûr, devint le chouchou de la maison. Il dormait dans le lit de Carlo et grignota tout un assortiment de pantoufles et de balles pour chien prétendues indestructibles.

L'absence de soucis financiers était vraiment douce, après tout ce que nous avions subi dans le passé et cela nous est peut-être un peu monté à la tête. Il nous venait des idées qui normalement ne nous auraient même pas effleuré l'esprit. Ainsi, Archie me stupéfia un beau jour en m'annonçant tout de go qu'il aimerait bien une voiture vraiment rapide. Il avait été séduit, je pense, par la Strachans' Bentley.

— On en a déjà une, voyons ! me récriai-je, choquée.

— Ah ! mais celle-là, elle serait vraiment spéciale !

— Et si on avait un autre bébé ?

C'était une idée que je caressais déjà depuis quelque temps avec attendrissement.

Archie balaya d'un geste le second bébé.

— Je ne veux que Rosalind et personne d'autre, dit-il. Elle me comble et me suffit amplement.

Archie était fou de Rosalind. Il adorait jouer avec elle, et elle allait jusqu'à lui nettoyer ses clubs de golf. Il existait davantage de complicité entre eux, je crois, qu'entre elle et moi. Ils avaient le même sens de l'humour, chacun comprenait le point de vue de l'autre. Il aimait son petit caractère et son scepticisme : rien, pour elle, n'allait de soi. Au début, il avait vu l'arrivée de la petite d'un œil inquiet, craignant, comme il disait, que plus personne ne s'intéresse à lui.

— C'est pour ça que j'espère qu'on aura une fille, affirmait-il. Un garçon, ce serait bien pire. Je pourrais à la rigueur supporter une fille. Un garçon, sûrement pas.

Il n'avait pas varié depuis :

— Un garçon, non merci. De toute façon, ajoutait-il, on a bien le temps.

J'en convins, et accédai bon gré mal gré à son désir d'acheter la Delage qu'il avait déjà repérée. Cette voiture nous procura à tous deux beaucoup de plaisir. J'adorais la conduire, Archie aussi bien sûr, même si le golf prenait tellement de place dans sa vie qu'il lui restait fort peu de temps pour en profiter.

— Sunningdale est l'endroit idéal pour vivre, disait-il. On y trouve tout ce dont on a besoin. C'est juste à la bonne distance de Londres, et maintenant qu'on va ouvrir le terrain de golf de Wentworth et développer le domaine qu'il y a là-bas, je pense qu'on pourrait vraiment avoir une maison à nous.

Idée ô combien séduisante. Si confortable qu'elle fût, Scotswood présentait quelques inconvénients. Les gestionnaires n'étaient pas des plus sérieux. L'installation électrique nous causait des problèmes. L'eau chaude à volonté n'était ni chaude ni à volonté, et la maison souffrait d'un manque d'entretien général. Nous fûmes donc séduits par l'idée d'être propriétaires de notre chez-nous.

Nous envisageâmes tout d'abord de faire construire sur le domaine de Wentworth, qui venait d'être repris par un promoteur. Deux terrains de golf allaient y être aménagés — en attendant sans doute un troisième plus tard — le reste des trente hectares bâti en maisons de toutes dimensions et de toutes sortes. Archie et moi passâmes d'agréables soirées d'été à nous promener dans Wentworth pour repérer un emplacement qui nous conviendrait. Notre choix se limita en fin de compte à trois sites possibles. Nous entrâmes alors en contact avec le promoteur. Il nous fallait environ un hectare de terrain. Boisé de pins, de préférence, afin d'éviter les soucis d'entretien d'un jardin. Le promoteur se montra fort obligeant. Nous lui expliquâmes que nous voulions seulement une maisonnette — je ne sais pas ce que nous imaginions que cela coûterait : environ deux mille livres, je suppose. Il nous montra les plans d'un petit pavillon d'un remarquable mauvais goût, doté de ces ornementations modernes si désagréables à l'œil et pour lequel il réclamait le prix colossal de cinq mille trois cents livres. Nous tombions de notre haut. Il semblait n'y avoir aucune possibilité de construire à moins, c'était le prix plancher. La mort dans l'âme, nous dûmes renoncer. Nous décidâmes cependant que j'achèterais une obligation de cent livres de Wentworth, ce qui me donnerait le droit de jouer le samedi et le dimanche sur les terrains de golf du domaine, une sorte de gage pour l'avenir. Après tout, comme deux terrains étaient prévus, il y en aurait bien un sur lequel on pourrait s'amuser sans avoir l'air trop bête.

Il se trouva d'ailleurs que, à ce moment précis, mon intérêt pour le golf connut une soudaine flambée : je gagnai, mais oui, un concours. Pareille aventure ne m'était jamais arrivée — et ne devait jamais plus se produire. Mon handicap, à l'Association féminine de golf, était de 35, le maximum, mais même ainsi, il semblait fort improbable que je puisse un jour gagner quoi que ce soit. Pourtant, je me retrouvai en finale avec une certaine Mrs Burberry, une très gentille dame de quelques années plus âgée que moi. Elle avait également un handicap de 35, et était aussi nerveuse et peu sûre que moi.

Nous nous rencontrâmes avec plaisir, tout heureuses l'une et l'autre d'en être arrivées à ce stade. Nous fîmes jeu égal au premier trou. Ensuite, à sa grande surprise et à mon grand dépit, Mrs Burberry réussit à gagner non seulement le trou suivant, mais celui d'après, et ainsi de suite jusqu'au neuvième, où elle avait un avantage de huit. Tout espoir de faire au moins bonne figure m'avait désertée, et après avoir ainsi touché le fond, je me sentis beaucoup plus détendue. Je pouvais désormais continuer le parcours sans me faire trop de souci jusqu'au moment, certainement très proche, où Mrs Burberry gagnerait le match. C'est alors qu'elle commença à se désunir. L'angoisse la prit. Elle se mit à perdre trou après trou, et moi, toujours aussi désinvolte, à les gagner. L'incroyable se produisit. Je remportai les neuf derniers, et donc le match, avec un point d'avance au dernier green. Je crois que j'ai encore quelque part ma coupe en argent.

Un ou deux ans plus tard, après avoir visité un nombre incalculable de maisons — ce qui a toujours été un de mes passe-temps favoris —, notre choix se trouva réduit à deux. L'une était assez loin du centre, pas trop grande et possédait un beau jardin. L'autre se trouvait près de la gare. On aurait dit une suite royale du *Savoy* transférée à la campagne et décorée sans regarder à la dépense. Les murs étaient lambrissés, il y avait une multitude de salles de bains, chaque chambre était dotée d'un lavabo et de tout le luxe possible. Elle avait plusieurs fois changé de mains au cours des dernières années, et avait la réputation de porter malheur : tous ceux qui l'habitaient connaissaient des revers de fortune. Le premier propriétaire avait perdu tout son argent, le deuxième, sa femme. J'ignore ce qu'il advint au troisième couple, mais ils se séparèrent juste avant leur départ. Bref, étant sur le marché depuis quelque temps déjà, elle serait sûrement d'un prix abordable. Il y avait un joli jardin tout en longueur, comprenant d'abord une pelouse, ensuite un petit ruisseau avec de nombreuses plantes aquatiques, puis un espace laissé libre planté d'azalées et de rhododendrons, et ainsi de suite jusqu'au fond où se trouvait un bon et solide potager terminé par un enchevêtrement d'ajoncs.

Que nous puissions ou non nous l'offrir était une autre affaire. Bien que nous ayons tous deux de bons revenus — les miens peut-être un peu plus aléatoires, ceux d'Archie plus stables —, nous étions désespérément loin du compte. Mais nous prîmes une hypothèque et, le moment venu, emménageâmes.

Nous achetâmes tous les rideaux et tapis supplémentaires dont nous avions besoin. Nous nous embarquions dans un train de vie qui était incontestablement au-dessus de nos moyens, même si, sur le papier, nos comptes paraissaient sains. Nous avions les deux voitures, la Delage et la Morris, à entretenir, davantage aussi de domestiques : un couple marié et une bonne. La femme du couple marié avait été fille de cuisine dans une maison ducale, et l'on pensait, bien que cela n'eût jamais vraiment été dit, que son mari y avait été maître d'hôtel. Or, autant sa femme était excellente cuisinière, autant il s'avéra qu'il ne connaissait rien au service. Nous finîmes par découvrir qu'il avait simplement été porteur de bagages. Sa paresse était phénoménale. Il passait le plus clair de ses journées allongé sur son lit, et à part servir — fort mal — à table, il n'avait pratiquement aucune activité. Il entrecoupait parfois aussi ses siestes de descentes au pub. Nous en vînmes à nous demander si nous n'allions pas nous en séparer. Tout bien considéré, cependant, l'aspect culinaire nous parut le plus important, et nous les gardâmes.

Nous continuâmes donc sur nos idées de grandeur, et ce qui devait arriver arriva. Les soucis commencèrent au bout d'un an. Notre compte en banque semblait fondre comme neige au soleil. En réalisant quelques économies, cependant, nous disions-nous l'un à l'autre, nous devrions nous en tirer.

À l'instigation d'Archie, nous baptisâmes la maison *Styles*, puisque le roman à m'avoir mis le pied à l'étrier était *La Mystérieuse Affaire de Styles*. Au mur, nous suspendîmes la peinture qui avait été faite pour la jaquette du livre et qui m'avait été offerte par The Bodley Head.

Mais Styles se montra égale à sa réputation : c'était une maison qui portait malheur. Je l'avais senti la première fois que j'étais entrée. J'avais aussitôt mis cette impression sur le compte de la surcharge d'ornementations trop voyantes et peu naturelles pour la campagne. Quand nous aurions les moyens de la faire refaire en style rustique, sans tous ces lambris, peintures et dorures, m'étais-je imaginé, alors elle dégagerait des ondes différentes.

4

L'année suivante est l'une de celles qui me sont le plus pénibles à évoquer. Comme souvent dans la vie, quand une chose va mal, tout va mal. Environ un mois après mon retour de brèves vacances en Corse, ma mère contracta une très mauvaise bronchite. Elle était à Ashfield, à l'époque. J'allai l'assister, puis Punkie vint me remplacer. Presque tout de suite après, celle-ci m'envoya un télégramme pour me dire qu'elle faisait monter maman à Abney, où elle pensait qu'on pourrait mieux s'en occuper. Son état parut en effet s'améliorer, mais elle ne fut plus jamais la même. Elle sortait très peu de sa chambre. Je suppose que les poumons avaient été touchés, et elle avait 72 ans à l'époque. Je n'imaginais pas que c'était aussi sérieux — Punkie non plus, sans doute. Toujours est-il qu'une semaine ou deux plus tard, elle m'appela d'urgence par télégramme, alors qu'Archie était en voyage d'affaires en Espagne.

C'est dans le train qui m'emmenait à Manchester que je compris soudain que ma mère était morte. Un grand froid m'envahit. Et je me dis : « Maman est morte. »

Je ne me trompais pas. En la regardant étendue sur son lit, je songeai qu'on avait bien raison de dire qu'une fois morts, ce n'est que notre enveloppe qui reste. Toute la personnalité de ma mère, son ardeur, sa chaleur, son impulsivité, avaient disparu. Elle m'avait dit plusieurs fois, au cours des dernières années : « On finit par avoir hâte de sortir de ce corps terrestre, si usé, si vieux, si inutile. On n'a qu'une envie : se libérer de cette prison. » C'est ce que je ressentais maintenant en la voyant : elle s'était libérée de sa prison. Pour nous restait la tristesse de son trépas.

Archie, encore en Espagne, ne put assister à l'enterrement. J'étais de retour à Styles lorsqu'il revint, une semaine plus tard. Je savais depuis toujours qu'il avait une véritable phobie de la maladie, de la mort et des problèmes quels qu'ils puissent être.

Mais cela faisait partie des choses que l'on sait et dont on ne prend vraiment conscience, auxquelles on ne prête véritablement attention, que dans les moments de crise. Je le vois encore entrer dans la pièce, tellement embarrassé qu'il ne sut prendre qu'un air de fausse jovialité, du genre : « Salut, me voilà. Bon eh bien maintenant, on va essayer de retrouver le moral, hein ? » C'est très dur à supporter quand vous venez de perdre l'une des trois personnes que vous aimez le plus au monde.

— J'ai une bonne idée, enchaîna-t-il. Que dirais-tu de... je dois retourner en Espagne la semaine prochaine, alors que dirais-tu de venir avec moi ? On pourrait s'y amuser un peu, je suis sûr que ça te changerait les idées.

Je ne voulais pas me changer les idées. Je voulais rester avec mon chagrin et apprendre à vivre avec lui. Je le remerciai donc et répondis que je préférais ne pas bouger. Je découvre maintenant que j'ai eu tort. Ma vie avec Archie s'ouvrait devant moi. Nous étions heureux ensemble, sûrs l'un de l'autre et il ne serait jamais venu à l'idée de l'un de nous que nous pourrions nous séparer un jour. Mais comme il ne supportait pas cette atmosphère de douleur à la maison, il devint sensible à d'autres influences.

Il y eut ensuite le problème de remettre Ashfield en ordre. Pendant les quatre ou cinq dernières années, toutes sortes de choses inutiles s'y étaient accumulées. Les affaires de ma grand-mère, celles dont ma mère ne savait pas quoi faire étaient enfermées là. Faute d'argent, les réparations n'avaient pas été effectuées : le toit s'affaissait, et la pluie s'infiltrait dans certaines des pièces. Ma mère, à la fin, n'en utilisait plus que deux. Quelqu'un devait se rendre sur place pour s'occuper de tout cela, et ce quelqu'un ne pouvait être que moi. Ma sœur, bien qu'elle eût promis de descendre deux ou trois semaines en août, était trop enfermée dans ses propres soucis. Archie pensa que nous aurions intérêt à louer Styles pour l'été, ce qui nous rapporterait un bon loyer et nous ferait sortir du rouge. Lui séjournerait dans son club à Londres, et moi j'irais à Torquay pour ranger Ashfield. Il m'y rejoindrait en août, et quand Punkie arriverait, nous lui laisserions Rosalind et partirions pour l'étranger. Nous nous décidâmes pour l'Italie, dans un endroit où nous n'étions jamais allés auparavant : Alassio.

Je laissai donc Archie à Londres et descendis à Ashfield.

Je suppose que j'étais déjà un peu à plat moralement et physiquement. Mais de mettre cette maison sens dessus dessous, les souvenirs remués, l'énormité de la tâche, les nuits sans sommeil, tout cela me plongea dans un tel état de nerfs que je ne savais plus guère ce que je faisais. Je travaillais dix ou onze heures par jour, ouvrais toutes les pièces, transportais des affaires. C'était effrayant : les vêtements mangés aux mites, les vieilles malles de mamie pleines de ses anciennes robes — toutes ces choses que personne n'avait voulu jeter mais dont il fallait à présent se débarrasser. Nous dûmes glisser une pièce aux éboueurs, chaque semaine, pour qu'ils emportent tout. Il y avait des cas délicats, par exemple cette grande couronne de fleurs en cire, sous un immense dôme de verre, en souvenir de mon grand-père. Je ne voulais pas m'encombrer toute ma vie de cet impressionnant objet commémoratif, mais qu'en faire ? On ne jette pas une relique pareille. Finalement, on trouva une solution. Mrs Potter, la cuisinière de maman, s'était toujours extasiée devant. Je la lui donnai et elle fut ravie.

Ashfield était la première maison dans laquelle papa et maman avaient vécu après leur mariage. Ils s'y étaient installés environ six mois après la naissance de Madge pour n'en plus jamais bouger, accumulant les placards de rangement. Petit à petit, toutes les pièces de la maison étaient devenues des débarras. La salle d'étude, théâtre de tant de jours heureux de ma jeunesse, était maintenant un grenier : tous les cartons et malles que mamie n'avait pu caser dans sa chambre avaient été montés là.

Un autre mauvais coup du sort fut le départ de ma chère Carlo. Son père et sa belle-mère étaient en Afrique. La nouvelle lui parvint tout à coup du Kenya que son père était très malade et que le médecin avait diagnostiqué un cancer. Lui n'était pas au courant, mais la belle-mère de Carlo savait, et aussi qu'on ne lui donnait que six mois à vivre. Carlo devait donc remonter à Édimbourg aussitôt que son père serait de retour et rester à ses côtés pour ses derniers mois. Je lui dis adieu les larmes aux yeux. Elle était navrée de m'abandonner dans une telle confusion et au milieu de mon chagrin, mais il s'agissait d'un de ces cas de force majeure contre lesquels on ne peut rien. Enfin, dans six semaines environ, j'aurais terminé, et je pourrais recommencer à vivre.

Je me mis à travailler comme une damnée tellement j'avais hâte d'en finir. Chaque malle, chaque caisse devait être examinée à fond, car on ne peut pas éliminer juste comme ça. Dans les affaires de mamie, on ne savait jamais sur quoi on allait tomber. Elle avait tenu à faire elle-même la plupart de ses paquets quand elle avait quitté Ealing, convaincue que nous allions jeter ses plus chers trésors. Les vieilles lettres abondaient. J'étais sur le point de tout mettre au panier lorsque je découvris, dans une enveloppe chiffonnée, une douzaine de billets de cinq livres ! Mamie avait fait comme l'écureuil, cachant ses petites noisettes ici et là pour les protéger des aléas de la guerre. Je trouvai même une fois une broche de diamants enveloppée dans un vieux bas.

Je commençai à me sentir submergée et à ne plus savoir où j'en étais. Je n'avais jamais faim et mangeais de moins en moins. Il m'arrivait parfois de m'asseoir, la tête entre les mains pour essayer de me rappeler ce que j'étais en train de faire. Si Carlo avait été là, j'aurais pu passer de temps en temps un week-end à Londres et voir Archie, mais je ne pouvais pas laisser Rosalind seule à la maison, et je n'avais aucun autre point de chute.

J'écrivis à Archie de venir un week-end ou deux : cela ferait toute la différence. Il répondit que ce serait absurde. Le voyage était cher. Comme il ne pouvait pas partir avant le samedi et devait être rentré le dimanche soir, cela ne valait vraiment pas le coup. Je le soupçonnai surtout de ne pas vouloir manquer un de ses sacro-saints week-ends de golf, mais je repoussai cette pensée indigne. De toute façon, il n'y en avait plus pour longtemps, ajoutait-il avec entrain.

Une terrible sensation de solitude m'envahissait. Je ne crois pas m'être rendu compte que, pour la première fois de ma vie, je me trouvais sérieusement malade. J'avais toujours été extrêmement robuste et j'ignorais tout de la façon dont chagrin, souci et surmenage peuvent affecter votre santé physique. Je m'inquiétai vraiment, en revanche, le jour où, au moment de signer un chèque, je m'aperçus que je ne me rappelais pas comment signer. Je me sentis exactement comme Alice au pays des merveilles au moment de toucher l'arbre.

— Allons voyons, dis-je, bien sûr que je sais mon nom, mais... qu'est-ce que c'est, déjà ?

Je restai assise, le stylo à la main, avec une sensation d'impuissance extraordinaire. Par quelle lettre commençait-il ? Était-ce Blanche Armory ? Oui, cela me disait quelque chose. Je me souvins alors qu'il s'agissait d'un personnage secondaire de *Pendennis*, un livre que je n'avais pas rouvert depuis des années.

J'eus une autre alerte, un ou deux jours plus tard. Je voulais démarrer la voiture à la manivelle, comme cela se faisait généralement — je me demande d'ailleurs si toutes les voitures ne démarraient pas ainsi, à l'époque. Je m'escrimai donc, mais rien ne se produisit. Les larmes aux yeux, je finis par me précipiter dans la maison et me jeter sur le sofa, secouée de sanglots. C'est cela qui m'inquiéta. Me mettre à pleurer parce qu'une voiture ne partait pas : je devais être folle.

Bien des années plus tard, quelqu'un qui traversait une période difficile me dit :

— Vous savez, je me demande ce que j'ai. Je me mets à pleurer pour un rien. L'autre jour, le blanchisseur n'est pas passé et j'ai éclaté en sanglots. Le lendemain, c'est la voiture qui ne voulait pas partir...

Cela me remua.

— Je crois que vous devriez faire très attention, dis-je. Vous êtes probablement au bord de la dépression nerveuse. Vous auriez intérêt à voir quelqu'un à ce sujet.

Je ne connaissais rien de tout cela, à l'époque. Je savais que j'étais extrêmement fatiguée, et que le chagrin d'avoir perdu ma mère était toujours profond en moi malgré mes efforts — peut-être excessifs — pour me l'ôter de l'esprit. Si seulement Archie, Punkie, quelqu'un pouvait venir auprès de moi !

J'avais Rosalind, mais je ne pouvais évidemment rien montrer qui pût la bouleverser, ni lui dire que j'avais de la peine, des soucis ou que j'étais malade. Elle était très heureuse, se plaisait beaucoup, comme toujours, à Ashfield, et m'aidait énormément dans mes travaux : elle adorait descendre des vieilleries au rez-de-chaussée, les mettre à la poubelle en se servant parfois au passage.

— Personne ne voudra de ça, on pourrait en faire quelque chose de chouette.

Le temps passa. Tout commençait à se mettre en place et je pouvais enfin voir le bout du tunnel. Le mois d'août arriva. L'anniversaire de Rosalind était le 5. Punkie descendit deux ou trois jours avant. Archie nous rejoignit le 3. Rosalind était ravie à l'idée d'avoir sa tata Punkie avec elle pendant la quinzaine où Archie et moi serions en Italie.

5

Que pourrais-je bien faire pour éloigner / Ces souvenirs de devant mes yeux ? a écrit Keats. Mais doit-on éloigner les souvenirs ? Si l'on décide de se retourner sur le chemin parcouru dans ce voyage qu'est la vie, a-t-on le droit d'ignorer les images qui nous déplaisent ? Ou bien est-ce de la lâcheté ?

Je crois qu'il vaut mieux, peut-être, leur jeter un regard rapide et conclure : « Oui, ce fut une page de ma vie. Mais elle est tournée. C'est l'un des brins de fil qui tissent la tapisserie de mon existence. Je dois l'admettre parce qu'il s'agit d'une partie de moi. Seulement il est inutile de m'y appesantir. »

Quand Punkie rejoignit Ashfield, je me sentis merveilleusement heureuse. Puis vint Archie.

Je crois que la description la plus approchante que je puisse faire de ce que j'ai ressenti à ce moment-là est d'évoquer mon vieux cauchemar d'enfance : l'horreur d'être assise à la table du goûter, de dévisager ma meilleure amie et de découvrir soudain que la personne que j'avais en face de moi m'était en réalité totalement étrangère. Voilà, je crois, ce qui résume le mieux l'impression que j'eus lorsque Archie arriva.

Il me fit les salutations d'usage, mais ce n'était carrément plus Archie. Je ne comprenais pas ce qu'il avait. Punkie s'en aperçut, qui me demanda :

— Archie a l'air tout bizarre. Il est malade, ou quoi ?

Je répondis que c'était possible. Il affirma pourtant que non. Il ne nous parlait guère, sortait souvent seul. Je lui rappelai nos billets pour Alassio.

— Ah ! euh, oui... Oui, c'est réglé. Je t'en parlerai plus tard.

Il restait quand même un étranger. Je me torturai les méninges pour essayer de déterminer ce qui pouvait lui être arrivé. Je craignis un instant un problème professionnel. Était-il possible qu'il eût détourné de l'argent ? Non, je ne pouvais le croire. Se serait-il, en revanche, embarqué dans une transaction pour laquelle il n'avait pas autorité ? Se trouvait-il dans un trou financier ? Dans quelque affaire dont il ne voulait pas me parler ? N'y tenant plus, je finis par lui poser la question :

— Qu'est-ce qui ne va pas, Archie ?

— Oh ! rien de spécial.

— Il y a bien quelque chose, quand même.

— Oui, bon, il faut que je te dise. Nous... Je... je n'ai pas pris les billets pour Alassio. Je n'ai plus envie de partir.

— On ne part plus ?

— Non. Je te dis que je n'en ai plus envie.

— Ah ! tu préfères rester ici et jouer avec Rosalind, c'est ça ? Eh bien, je trouve que c'est une très bonne idée.

— Tu ne comprends rien à rien ! s'écria-t-il, énervé.

Il fallut encore vingt-quatre heures, je crois, avant qu'il me dise tout.

— Je suis vraiment désolé de ce qui arrive, fit-il. Tu te souviens de cette fille brune qui était la secrétaire de Belcher ? Celle qui est venue ici avec lui un week-end, l'année dernière, et qu'on a revue une ou deux fois à Londres ?

Je ne me rappelais plus son nom, mais je savais de qui il parlait.

— Oui ?

— Eh bien je l'ai revue depuis que je suis seul à Londres, et nous sommes souvent sortis ensemble...

— Et alors, dis-je, quel mal y a-t-il à ça ?

— Tu le fais exprès, ou quoi ? Je suis tombé amoureux d'elle et je voudrais que tu m'accordes le divorce aussi vite que possible.

Ces paroles marquaient sans doute la fin de toute une partie de ma vie : la partie du bonheur, de la confiance, de la réussite. Ce ne fut pas aussi rapide que cela, bien sûr, car je ne parvenais pas à y croire. Je pensais qu'il ne s'agissait que d'une toquade, d'un de ces engouements passagers comme il peut en survenir au cours de l'existence. Jamais l'ombre d'un soupçon de ce genre ne s'était encore profilé dans notre vie. Nous avions été heureux ensemble, toujours en parfaite harmonie. Jamais il ne s'était montré homme à courir la prétentaine, comme on disait autrefois. À quoi fallait-il attribuer ce soudain écart ? Peut-être au simple fait qu'il n'ait plus retrouvé, depuis quelques mois, la compagne gaie et enjouée qu'il avait connue par le passé.

— Je t'avais bien dit, il y a longtemps, que je ne supportais pas les gens toujours malades ou malheureux. Ça me gâche tout, à moi.

C'est vrai, pensai-je, j'aurais dû toujours garder cela en tête. Si j'avais été un peu plus lucide, si j'avais mieux connu mon mari

— ou fait l'effort de mieux le connaître —, au lieu de me contenter de l'idéaliser et de le considérer plus ou moins parfait... alors peut-être tout cela ne serait-il pas arrivé. Si une seconde chance m'avait été offerte, aurais-je été capable d'éviter la catastrophe ? Si je n'étais pas allée à Ashfield, si je ne l'avais pas laissé seul à Londres, il ne se serait sans doute jamais intéressé à cette fille. Pas à celle-là, en tout cas. Mais peut-être à une autre, cependant, parce que je n'avais manifestement pas été à la hauteur : je n'avais pas su remplir sa vie. Archie, à son insu peut-être, devait être mûr pour tomber amoureux. Ou bien ne pouvait-il le faire que de cette fille en particulier ? Et était-il inscrit dans son destin de s'éprendre d'elle à ce moment précis ? Car elle ne l'avait certainement pas ému, les quelques fois où nous l'avions précédemment rencontrée. Il avait même été fâché que je l'invite, disant que cela allait lui gâcher son golf. Et pourtant, il était tombé amoureux d'elle avec la même soudaineté qu'il l'avait fait avec moi. Peut-être était-ce donc effectivement écrit.

Les amis et la famille ne sont que de peu de secours dans des moments pareils. Leur réaction fut la suivante :

— Mais c'est ridicule. Vous avez toujours été tellement heureux ensemble ! Ça va lui passer. Ça arrive à des tas de maris, ce genre de fantaisie. Ils en reviennent.

C'est ce que je pensais aussi. Que ça lui passerait. Mais ça ne lui passa pas. Il quitta Sunningdale. Carlo était revenue à mes côtés, à ce moment-là — les spécialistes anglais ayant déclaré que son père n'avait finalement pas le cancer —, et sa présence me fut un réconfort inappréciable. Elle se montra plus perspicace que moi. À son avis, Archie ne ferait pas machine arrière. Quand il boucla définitivement ses valises et s'en alla, je ressentis presque une impression de soulagement : il avait fait son choix.

Il revint pourtant au bout de quinze jours. Peut-être s'était-il trompé, disait-il, peut-être avait-il commis une erreur. Certainement, répondis-je, vis-à-vis de Rosalind, car enfin, il aimait sa fille, non ? Il le reconnut : il adorait Rosalind.

— Elle t'aime, toi aussi. Plus que moi. Bien sûr, c'est moi qu'elle appelle quand elle est malade, mais tu es celui des deux qu'elle aime vraiment, sur qui elle compte. Tu as le même sens de l'humour, le courant passe beaucoup mieux entre vous qu'avec moi. Tu dois essayer de te reprendre. Je sais que ces choses-là arrivent.

Mais son retour était, je crois, une erreur en ce qu'il lui confirma l'intensité de ses sentiments. Il ne cessait de me répéter :

— Je ne supporte pas de ne pas avoir ce que je veux, et je ne supporte pas de ne pas être heureux. Tout le monde ne peut pas être heureux. Il y en a forcément un des deux qui doit être malheureux.

Je parvins à me retenir de lui demander pourquoi j'appartiendrais à la seconde catégorie plutôt que lui. Ce genre de remarque n'arrange jamais rien.

Ce que je n'arrivais pas à comprendre, c'était, pendant cette période, sa dureté continuelle envers moi. Il me parlait à peine, ne répondait pas quand je m'adressais à lui. J'y vois plus clair, maintenant, car j'ai connu d'autres couples en route pour l'abîme et en ai appris long sur la vie. Il était malheureux parce qu'il avait au fond de lui-même, je crois, beaucoup d'affection pour moi et qu'il voulait sincèrement m'éviter de souffrir. Aussi force lui était-il de se convaincre que cela ne me ferait pas souffrir, que ce serait bien mieux pour moi en fin de compte, que je mènerais une vie heureuse, que je voyagerais et que j'avais, après tout, mon métier d'écrivain pour me consoler. Pour l'excellente raison que sa conscience le travaillait, il ne pouvait s'empêcher de se comporter avec une certaine dureté. Ma mère m'avait toujours dit qu'elle le trouvait dur. Moi, j'avais surtout retenu ses nombreux actes de gentillesse, sa bonté naturelle, sa serviabilité lorsque Monty était rentré du Kenya, le mal qu'il se donnait pour autrui. S'il était dur, maintenant, c'est aussi parce qu'il luttait pour son bonheur. J'avais auparavant admiré sa fermeté. Je voyais désormais le revers de la médaille.

Et c'est ainsi, après la maladie, qu'étaient venus la peine et le désespoir du cœur. Inutile de s'étendre là-dessus. Je tins bon un an, espérant un revirement qui ne se produisit pas.

C'est comme ça que sonna le glas de mon premier mariage.

6

En février de l'année suivante, Carlo, Rosalind et moi embarquâmes pour les îles Canaries. J'avais de la difficulté à me remettre de ce choc, mais je savais que mon seul espoir de recouvrer un jour une certaine sérénité consistait à m'éloigner de tout ce qui avait contribué au naufrage de mon existence. Il ne pouvait plus y avoir de paix pour moi en Angleterre après tout ce que j'avais subi. Le soleil de ma vie était Rosalind. Si je parvenais à me retrouver seule avec elle et mon amie Carlo, les plaies se cicatriseraient et j'arriverais à regarder l'avenir en face.

Mon horreur de la presse, des journalistes et de la foule doit, je suppose, remonter à cette époque. C'était sûrement injuste mais normal, il me semble, étant donné les circonstances. Je me sentais comme un renard traqué, mes terriers violés, une meute de chiens hurlant à mes trousses. Moi qui avais toujours eu horreur de toute forme de vacarme public, voilà qu'on m'en imposait une telle dose qu'à certains moments je trouvais difficile de continuer à vivre.

— Tu pourrais être tranquille, à Ashfield, suggéra ma sœur.

— Non, répondis-je, c'est impossible. Si je restais seule là-bas, je ne ferais que me rappeler... me rappeler l'un après l'autre tous les jours heureux et les bonheurs que j'y ai connus.

Ce qu'il faut surtout, quand vous avez subi un choc, c'est ne pas penser aux bons moments. Les mauvais, oui, vous pouvez, ça n'a pas d'importance. Tout ce qui vous rappellera un instant ou un événement heureux, en revanche, vous brisera le cœur.

Archie continua quelque temps à habiter à Styles, mais il essayait de vendre — avec mon accord, bien entendu, vu que la maison m'appartenait pour moitié. J'avais un cruel besoin d'argent, car j'étais de nouveau dans une passe financière délicate.

Depuis la mort de ma mère, j'avais été incapable d'écrire un seul mot. Je devais produire un livre cette année, toutes mes dépenses pour Styles m'ayant laissée sans un sou vaillant : le peu de capital dont je disposais avait été englouti dans son achat. Je n'avais d'autre source de revenu que le fruit de mon travail. Il était donc vital que je sorte un autre livre aussi rapidement que possible et que j'obtienne une avance dessus.

Mon beau-frère — le frère d'Archie — Campbell Christie, garçon adorable avec qui j'avais toujours été très amie, me donna un sérieux coup de main à ce moment-là. Il suggéra de réunir en un seul volume les douze dernières nouvelles parues dans le *Sketch* de façon à leur donner la dimension d'un roman. Cela servirait de bouche-trou. Il m'aida dans cette tâche, car j'étais toujours incapable de m'attaquer à pareille entreprise. L'ouvrage fut publié sous le titre *Les Quatre* et devait connaître un réel succès. Je me dis alors que, une fois partie et apaisée, je pourrais, avec l'aide de Carlo, me remettre à écrire.

La seule personne qui m'approuvait sans réserve, et qui me confortait dans tout ce que je faisais, était mon beau-frère James.

— Tu as raison, Agatha, disait-il de sa voix calme. Tu sais ce qui est bon pour toi et je ferais de même à ta place. Il faut que tu partes. Il est possible qu'Archie change d'avis et revienne — je te le souhaite — mais je n'y crois guère. Je ne pense pas que ce soit son genre. Quand il prend une décision, c'est pour de bon, aussi, je ne compterais pas trop dessus.

Je répondis que je n'y comptais pas non plus, mais que j'estimais de mon devoir, vis-à-vis de Rosalind, d'attendre au moins un an afin de donner à son père le temps de bien réfléchir à ce qu'il faisait.

J'avais bien sûr été élevée, comme tout le monde à mon époque, avec l'horreur du divorce, et elle ne m'a pas quittée. Aujourd'hui encore, je me sens coupable d'avoir cédé devant son insistance. Chaque fois que je regarde ma fille, je me dis que j'aurais dû résister, peut-être même refuser. On ne sait pas quoi faire quand la décision ne vient pas de vous. Moi, je ne voulais pas divorcer d'Archie — je le faisais contre mon gré. Briser un mariage est mal — de cela je suis sûre — et j'ai suffisamment vu de séparations, suffisamment reçu de confidences pour savoir que, si le divorce n'est pas grave quand il n'y a pas d'enfant, il l'est quand il y en a.

Quand je rentrai en Angleterre, j'étais de nouveau moi-même. Un moi plus dur, plus méfiant du monde mais plus en harmonie avec lui. Je pris un petit appartement à Chelsea, avec Rosalind et Carlo, puis j'allai avec mon amie Eileen Morris, dont le frère était à présent principal de l'école Horris Hill, visiter différentes institutions pour filles. Comme Rosalind avait été déracinée de sa maison et de ses amies et que je connaissais maintenant fort peu d'enfants de son âge à Torquay, il serait préférable pour elle d'être interne. C'était son souhait, de toute façon. Eileen et moi en vîmes dix. J'en avais la tête farcie à la fin, bien que certaines nous eussent vraiment fait rire. Personne, évidemment, ne pouvait en savoir moins que moi en matière d'écoles primaires, et ce pour l'excellente raison que je n'y avais jamais mis les pieds. Je n'avais par ailleurs aucune préférence en matière d'éducation, ni jamais souffert de ma non-scolarisation. D'un autre côté, pensais-je, peut-être as-tu manqué quelque chose, qu'en sais-tu ? Peut-être serait-il préférable d'en donner la possibilité à ta fille ?

Comme Rosalind possédait le plus grand bon sens du monde, je la consultai sur le sujet. Elle fut enthousiasmée. Elle aimait bien l'externat qu'elle fréquentait à Londres, mais elle se réjouissait d'avance à l'idée d'entrer comme pensionnaire dans une école privée l'automne suivant. Ensuite, elle aimerait passer dans une grande école secondaire, la plus grande possible. Pour cette étape ultérieure, nous portâmes provisoirement notre choix sur Cheltenham, la plus importante que je connaissais, et convînmes que je me mettrais en quête le moment venu.

Dans l'immédiat, mieux valait que je me cantonne à la recherche d'une école primaire susceptible de retenir mon attention. La première qui m'intéressa se trouvait à Bexhill. Dirigée par miss Wynne et son associée, miss Barker, la Caledonia était un établissement conventionnel, manifestement fort bien tenu, et miss Wynne me plut. Elle avait de l'autorité et de la personnalité. Les règles de l'école paraissaient strictes, mais judicieuses, et Eileen avait entendu dire par des amis que la nourriture y était exceptionnellement bonne. À première vue, les élèves me faisaient également bonne impression.

L'autre école qui me parut valable était d'un style tout à fait opposé. Les petites avaient le droit d'amener leur poney et leurs animaux familiers si elles le désiraient. Elles pouvaient aussi plus ou moins choisir les matières qu'elles allaient étudier. On leur laissait une grande liberté d'action et on ne les contraignait pas à faire ce dont elles n'avaient pas envie, de sorte, disait la directrice, qu'elles en venaient à tout entreprendre de leur plein gré. Il y avait une bonne dose d'apprentissage artistique et, cette fois encore, la directrice me plut. C'était une femme à l'esprit original, chaleureuse, enthousiaste et pleine d'idées.

Je rentrai à la maison, réfléchis, puis décidai finalement d'aller les revoir l'une et l'autre avec Rosalind. Ce que nous fîmes. Je lui laissai ensuite vingt-quatre heures pour réfléchir puis lui demandai :

— Alors, laquelle préfères-tu ?

Rosalind, Dieu merci, a toujours su ce qu'elle voulait.

— Oh ! la Caledonia, sans hésiter. Je ne me plaisais pas dans l'autre. On a trop l'impression d'être à la fête. On ne va pas à l'école pour faire la fête, quand même ?

Nous choisîmes donc la Caledonia, et ce fut un grand succès. L'enseignement y était excellent et les élèves s'intéressaient à ce qu'elles apprenaient. Tout y était rigoureusement organisé, et Rosalind était le genre d'enfant qui avait besoin d'une organisation rigoureuse. Comme elle le répétait avec délectation pendant les vacances : « On n'a pas une minute à nous. » À moi, Dieu sait que ça ne m'aurait pas plu du tout !

Parfois, les réponses de ma fille à mes questions me semblaient tout à fait extraordinaires :

— À quelle heure te lèves-tu le matin, Rosalind ?

— J'sais pas. Quand la cloche sonne.

— Et ça ne t'intéresse pas de savoir à quelle heure elle sonne ?

— Pour quoi faire ? Il faut se lever, c'est tout. Et puis on a le petit déjeuner une demi-heure après, je crois.

Miss Wynne savait mettre les parents au pas. Je lui demandai un jour si Rosalind pourrait sortir le dimanche avec nous dans ses vêtements de tous les jours au lieu de garder sa robe de soie, car nous allions pique-niquer et faire une balade dans les dunes.

— Toutes mes élèves sortent le dimanche en vêtements de dimanche, répliqua-t-elle.

Il n'y avait pas à discuter. Carlo et moi mîmes alors les affaires de campagne de Rosalind dans un sac de façon qu'elle puisse, au premier bosquet, quitter sa robe de soie de chez Liberty, son chapeau de paille et ses belles chaussures et se mettre plus à l'aise pour le pique-nique. Nous ne nous fîmes jamais surprendre.

C'était une femme d'une étonnante personnalité. Je l'interrogeai une fois sur ce qu'elle faisait le jour de la fête des sports s'il pleuvait.

— Pleuvoir ? s'écria miss Wynne sur un ton de surprise. Il n'a jamais plu le jour de la fête des sports, que je sache.

Elle pouvait, semblait-il, commander même aux éléments. Ou alors, comme le disait une camarade de Rosalind :

— Elle doit avoir le bon Dieu dans sa manche !

J'étais parvenue à écrire la majeure partie d'un nouveau roman, *Le Train bleu*, pendant que nous étions aux Canaries. Cela n'avait pas été facile, surtout avec Rosalind. Celle-ci n'était pas, comme sa mère, une enfant qui pouvait s'amuser en faisant simplement marcher son imagination : il lui fallait quelque chose de concret.

Qu'on lui donne une bicyclette, et on ne la revoyait plus pendant une demi-heure. Un puzzle quand il pleuvait, et elle s'y mettait tout de suite. Mais dans le jardin de l'hôtel d'Oratava, à Tenerife, elle n'avait rien d'autre à faire que déambuler autour des plates-bandes, ou à la rigueur faire courir un cerceau. Mais, encore une fois à la différence de sa mère, un cerceau n'était jamais pour elle qu'un cerceau.

— Écoute, Rosalind, tu ne dois surtout pas me déranger. J'ai du travail. Il faut que j'écrive un nouveau roman. Carlo et moi allons être occupées pendant à peu près une heure. Ne nous interromps pas.

— Bon, d'accord, grognait-elle avant de s'éloigner.

Je regardais Carlo assise en face de moi, le crayon en attente, et me mettais à réfléchir, réfléchir, réfléchir... à me creuser, comme on dit, la cervelle. Mais au bout de quelques minutes, quand je commençais enfin à ânonner quelques mots, Rosalind était de nouveau plantée devant nous, juste de l'autre côté de l'allée.

— Qu'est-ce qu'il y a, Rosalind ? Qu'est-ce que tu veux ?

— Ça fait pas une heure ?

— Non, pas encore. Seulement neuf minutes. Va jouer.

— Oh ! bon.

Et de s'éloigner tandis que je reprenais mon hésitante dictée. Quelques instants plus tard, elle était de retour.

— Je t'appellerai quand ce sera l'heure. Ce n'est pas encore fini.

— Dis, je peux pas rester ici ? Si je fais pas de bruit ?

— Allons, reste, accordais-je à contrecœur avant de me remettre au travail.

Mais le regard de Rosalind fixé sur moi me faisait l'effet de celui d'une Gorgone. J'avais plus que jamais l'impression que ce que je disais était complètement idiot — c'était d'ailleurs en grande partie le cas ! Je balbutiais, bégayais, hésitais, me répétais. Vraiment, comment je vins à bout de ce satané bouquin, je me le demande encore !

Pour commencer, je n'éprouvais aucune joie à l'écrire, je ne ressentais aucun élan. J'avais travaillé l'intrigue, une intrigue conventionnelle, en partie adaptée d'une de mes précédentes nouvelles. Je savais, pourrait-on dire, où j'allais, mais je n'arrivais pas à visualiser les scènes, et les personnages ne prenaient pas vie. Seule me poussait la terrible nécessité d'écrire un livre pour gagner de l'argent.

C'est à ce moment-là que, d'amateur, je devins professionnelle. En assumant le fardeau d'une professionnelle, qui est de continuer à écrire même quand vous n'en avez pas envie, quand vous n'aimez pas trop ce que vous écrivez et que ce que vous écrivez n'est pas particulièrement bon. J'ai toujours détesté *Le Train bleu*, mais je l'ai écrit et envoyé à mes éditeurs. Il s'est aussi bien vendu que mon ouvrage précédent. Je dus donc faire contre mauvaise fortune bon cœur, même si je ne puis dire que j'en aie été fière.

Oratava était une délicieuse localité. Une grande montagne la dominait. Des fleurs magnifiques poussaient dans le parc de l'hôtel. Avec deux désagréments, cependant. Après une belle matinée ensoleillée, brumes et brouillards descendaient de la montagne vers midi et le reste de la journée était gris. Il pleuvait même, parfois. Et pour les amateurs de bains de mer, c'était l'horreur. Il fallait s'allonger à plat ventre sur une plage volcanique pentue, bien ancrer ses doigts dans le sol, laisser les vagues venir vous recouvrir. Et encore, pas trop, car des tas de gens avaient été entraînés et noyés. Il était impossible d'entrer dans la mer. Seuls les meilleurs nageurs pouvaient s'y risquer et même l'un d'entre eux avait péri l'année précédente. Au bout d'une semaine, nous partîmes donc pour Las Palmas, dans la Grande Canarie.

Las Palmas reste toujours pour moi l'endroit idéal où passer les mois d'hiver. J'imagine que c'est aujourd'hui un centre touristique qui a perdu son charme d'antan. On y trouvait le calme et la paix, à l'époque. Très peu de gens y venaient, à l'exception des rares hivernants qui le préféraient à Madère. Les deux plages étaient parfaites. La température aussi : 21° en moyenne, ce qui pour moi est une température estivale. Une agréable brise soufflait presque toute la journée, et il faisait suffisamment bon pour s'asseoir à la fraîche, le soir, après dîner.

C'est lors de ces soirées que Carlo et moi nous fîmes deux très bons amis, le Dr Lucas et sa sœur, Mrs Meek. Elle était beaucoup plus âgée que son frère et avait trois fils. Lui était spécialiste de la tuberculose, marié à une Australienne et avait un sanatorium sur la côte Est. La maladie l'avait handicapé dans sa jeunesse — tuberculose ou polio, je ne sais — et il était resté légèrement bossu et de santé délicate. Il avait malgré cela des dons naturels de guérisseur et connaissait d'extraordinaires réussites avec ses patients.

— Vous savez, nous dit-il une fois, mon associé, de par ses qualifications et ses connaissances, est meilleur médecin que moi, mais il n'a pas le même type d'action auprès des malades. Quand je m'éloigne, ils s'affaiblissent et rechutent. Moi, je les force à aller bien.

Toute sa famille l'appelait toujours Père. Carlo et moi en fîmes bientôt autant. J'avais la gorge à vif pendant notre séjour là-bas. Il vint me voir et me dit :

— Quelque chose vous rend très malheureuse, n'est-ce pas ? Qu'est-ce que c'est ? Un problème conjugal ?

Je confirmai et lui contai un peu ce qui s'était passé. Il me remonta le moral et me réconforta.

— Il reviendra si vous le voulez, dit-il. Laissez-lui le temps. Beaucoup de temps. Et quand il reviendra, ne lui faites aucun reproche.

Je répondis que je n'escomptais pas son retour, que ce n'était pas son genre.

— C'est vrai, reconnut-il, il y a des gens comme ça. Ce n'est pourtant pas la majorité, je vous assure. Je suis parti, je suis revenu. Enfin, quoi qu'il arrive, acceptez et allez de l'avant. Vous avez beaucoup de force de caractère et de courage. Vous avez encore beaucoup à attendre de la vie.

Cher Père. Je lui dois tant. Il avait une immense compassion pour la douleur et les faiblesses humaines. Quand il mourut, cinq ou six ans plus tard, j'eus l'impression d'avoir perdu un de mes meilleurs amis.

La grande frousse de Rosalind était que la femme de chambre espagnole s'adresse à elle !

— Mais pourquoi ? lui demandai-je. Tu peux lui parler, toi aussi.

— Non, je peux pas. Elle est *espagnole*. Elle me traite de *señorita*, et après, elle me dit un tas de trucs auxquels je comprends rien.

— Allons, ne sois pas sotte, Rosalind.

— Bon, d'accord. Tu peux aller dîner. Ça m'est égal de rester seule, du moment que je suis au lit. Parce que comme ça, je peux fermer les yeux et faire semblant de dormir si elle vient.

Les réactions des enfants sont déroutantes. Quand nous prîmes le bateau pour rentrer, la mer était mauvaise, et un marin espagnol, immense et affreusement laid, prit Rosalind sans ménagement dans ses bras pour bondir sur la passerelle. Je pensais qu'elle allait hurler sa désapprobation, mais pas du tout. Elle lui adressa son sourire le plus amène.

— Lui aussi est étranger, dis-je, et ça ne t'a rien fait.

— D'abord, il m'a pas parlé. Et puis j'aimais bien sa tête : il est laid comme un pou, mais comme un *gentil* pou.

Un seul incident notable se produisit lors de notre retour de Las Palmas en Angleterre. Quand nous arrivâmes à Puerto de la Cruz pour prendre le bateau de l'Union Castle, nous nous aperçûmes que Bleu Nounours avait été oublié. Le visage de Rosalind se décomposa aussitôt.

— Je partirai pas sans mon nounours.

Nous allâmes voir le chauffeur du car qui nous avait amenées. Je lui glissai presque de force un pourboire auquel il sembla à peine s'intéresser. Bien sûr, qu'il repartirait chercher la peluche bleue de la petite fille, bien sûr qu'il la trouverait et reviendrait à toute vitesse. Il était persuadé que les marins feraient attendre le bateau jusqu'à son retour, qu'on ne lèverait pas l'ancre avant que l'enfant n'ait retrouvé son joujou préféré. Je n'étais pas de cet avis : je pensais que le bateau partirait, au contraire. C'était un navire anglais en provenance d'Afrique du Sud. S'il s'était agi d'un espagnol, c'est sûr, ils auraient attendu deux heures au besoin. Enfin, tout s'arrangea : au moment où la sirène du départ retentissait et où l'on priait les non-passagers de descendre, on vit le car approcher dans un nuage de poussière. Le chauffeur sauta à terre et tendit Bleu Nounours à Rosalind sur la passerelle. Elle le serra contre son cœur. Une conclusion heureuse à notre séjour là-bas.

7

Mon plan de vie était désormais plus ou moins tracé, mais il me restait une dernière décision à prendre.

Archie et moi nous donnâmes rendez-vous. Je lui trouvai mauvaise mine et l'air fatigué. Nous parlâmes de choses et d'autres, des gens que nous connaissions. Puis je lui demandai dans quel état d'esprit il se trouvait à présent, s'il était absolument sûr de ne pouvoir revenir vivre avec Rosalind et moi. Je lui redis une fois encore combien elle tenait à lui et combien elle avait été troublée par son absence.

Elle m'avait fait une fois cette remarque, avec l'accablante franchise des enfants : « Je sais que papa m'aime bien et qu'il voudrait être avec moi. C'est toi qu'il a l'air de pas aimer. »

— Cela te montre, dis-je à Archie, à quel point elle a besoin de toi. Tu ne peux vraiment pas revenir ?

— Non, dit-il, je ne peux pas. La seule chose que je désire éperdument, c'est d'être heureux, et je ne le serai pas si je n'épouse pas Nancy. Elle est partie faire le tour du monde depuis dix mois parce que sa famille, elle aussi, espérait lui ôter ça de la tête, mais en vain. Je ne veux ni ne peux rien faire d'autre.

C'était définitivement réglé. J'écrivis à mes avocats et allai les consulter. La machine était lancée. La suite n'était plus de mon ressort, sinon de décider ce que j'allais faire de moi. Rosalind était pensionnaire, elle avait Carlo et Punkie pour lui rendre visite. J'avais donc jusqu'aux vacances de Noël : je choisis d'aller chercher le soleil aux Antilles et à la Jamaïque. Je me rendis à l'agence Cook pour faire établir mon billet. Tout était prêt.

Là encore, nous en revenons au destin. Deux jours avant mon départ, je sortis dîner avec des amis à Londres. Des gens que je connaissais assez peu, mais c'était un couple charmant. Un autre couple, jeune, se trouvait là : un officier de marine, le commandant Howe, et sa femme. J'étais assise à côté du commandant pendant le dîner, et il me parla de Bagdad. Il rentrait juste de là-bas, car il avait été en poste dans le golfe Persique. Après le dîner, sa femme vint s'asseoir à côté de moi et nous conversâmes. Elle me dit que, contrairement aux personnes qui trouvaient Bagdad horrible, son mari et elle avaient été enchantés par cette ville. Au fur et à mesure qu'ils m'en parlèrent, je sentis mon enthousiasme grandir.

— On y va par la mer, je suppose ? demandai-je.

— Par le train aussi : l'Orient-Express.

— L'Orient-Express ?

Toute ma vie, j'avais rêvé de prendre l'Orient-Express. Souvent, en me rendant en France, en Espagne, en Italie, je l'avais admiré à quai, à Calais, et j'avais eu une envie folle de monter dedans ! Simplon-Orient-Express — Milan — Belgrade — Istanbul...

J'étais conquise. Le commandant Howe me dressa une liste d'endroits que je devais absolument aller voir à Bagdad :

— Ne vous laissez pas trop piéger dans la colonie anglaise d'Alwiyah et des Madame Sahib[1]. Vous devez aller à Mossoul, Bassora, et bien sûr voir l'antique cité d'Ur.

— Ur ? répétai-je.

Je venais de lire dans l'*Illustrated London News* le récit des merveilleuses découvertes de Leonard Woolley à Ur. J'avais toujours eu, bien que je n'y entendisse rien, une certaine attirance pour l'archéologie.

Le lendemain, je me précipitai chez Cook, annulai mon billet pour les Antilles et pris place et réservation pour un voyage à bord du Simplon-Orient-Express jusqu'à Istanbul, puis d'Istanbul à Damas, et enfin de Damas à Bagdad par le désert. J'étais au comble de l'excitation. Il fallait quatre ou cinq jours pour obtenir les visas et effectuer le reste des formalités, après quoi ce serait le grand départ.

— Toute seule ? fit Carlo, un peu incrédule. Toute seule au Proche-Orient dont vous ne connaissez rien ?

— Oh ! ça ira. Après tout, il faut bien un jour voler de ses propres ailes, non ?

Cela ne m'était jamais arrivé — et cela ne me tentait pas vraiment —, mais je me dis : « C'est maintenant ou jamais. Ou bien je m'accroche à la sécurité de ce que je connais, ou bien je fais davantage preuve d'esprit d'initiative et je me jette à l'eau. »

Et c'est ainsi que, cinq jours plus tard, je partais pour Bagdad.

---

1. Terme de respect utilisé pour une femme mariée européenne. (*N.d.T.*).

C'est de ce nom, je crois, que nous vient cette fascination. Non que je me sois jamais fait de Bagdad une image précise. Je ne m'attendais certes pas à trouver la ville d'Haroun al-Rachid. C'était seulement pour moi un endroit où je n'avais jamais pensé aller, si bien qu'il se retrouvait du même coup paré de tous les attraits de l'inconnu.

J'avais fait le tour du monde avec Archie. J'étais allée aux îles Canaries avec Carlo et Rosalind. Maintenant, je partais seule. C'est là que j'allais voir quel genre de personne j'étais, si j'étais devenue entièrement dépendante des autres, comme je le redoutais. Je pouvais assouvir ma passion des voyages, aller partout où je voulais, changer d'avis au dernier moment comme je l'avais fait en choisissant Bagdad au lieu des Antilles. Je n'avais personne à prendre en compte que moi-même. À moi de voir comment cela me plairait. Je ne connaissais que trop mon tempérament de toutou : les chiens ne vont pas se promener à moins qu'on ne les y emmène. Allais-je toujours être comme ça ? J'espérais que non.

HUITIÈME PARTIE

Second printemps

1

J'ai toujours adoré les trains. Il est dommage que nous n'ayons plus ces bonnes vieilles locomotives à vapeur qui semblaient tellement amicales.

Je pris possession de mon compartiment de wagon-lit à Calais. Débarrassée du voyage à Douvres et de l'ennuyeuse traversée de la Manche, je m'installai confortablement dans le train de mes rêves. C'est alors que je fus exposée à l'un des premiers dangers des voyages. Avec moi, dans le compartiment, se trouvait une dame d'un certain âge, bien vêtue, apparemment habituée à se déplacer, accompagnée de nombreuses valises et cartons à chapeau — oui, nous trimballions encore des cartons à chapeau en ce temps-là — et elle lia conversation avec moi. Ce qui n'avait rien que de très naturel, vu que nous allions partager le compartiment qui, comme tous ceux de seconde classe, était doté de deux couchettes. Il était dans un sens plus pratique de voyager en seconde qu'en première, car les compartiments y étaient beaucoup plus spacieux et on avait la place de bouger.

Où allais-je ? me demanda-t-elle d'emblée. En Italie ? Non, plus loin que ça. Eh bien *où*, alors ? À Bagdad. Elle réagit aussitôt. Elle-même vivait à Bagdad. Quelle coïncidence ! Si je devais séjourner chez des amis, comme elle le supposait, elle était presque sûre de les connaître. Non, je n'allais pas chez des amis.

— Où allez-vous loger, alors ? Parce que l'hôtel, à Bagdad, il n'y faut pas songer.

Je demandai pourquoi. Les hôtels étaient bien faits pour ça, non ? C'est du moins ce que je pensais tout bas.

Les hôtels ? Fi donc !

— Vraiment, vous n'y pensez pas. Je vais vous dire ce que vous allez faire : vous allez descendre chez nous.

Je fus quelque peu abasourdie.

— Si, si. Je n'admettrai pas de refus. Combien de temps aviez-vous l'intention de rester là-bas ?

— Oh ! pas longtemps, sans doute.

— Bon, de toute façon, vous venez à la maison pour commencer. Ensuite, nous verrons comment vous confier à d'autres.

C'était très gentil, très généreux et dénotait un grand sens de l'hospitalité, mais je me sentis immédiatement envahie d'un sentiment de révolte. Je commençais à comprendre ce que le commandant Howe avait voulu dire quand il m'avait conseillé de ne pas me laisser enfermer dans le cercle social de la colonie britannique. Je me voyais déjà pieds et poings liés. J'essayai, en balbutiant, de lui décrire tout ce que j'avais l'intention de faire et d'aller visiter, mais Mrs C. — elle m'avait dit son nom et expliqué que son mari se trouvait déjà à Bagdad, dont elle-même était l'une des plus anciennes résidentes — balaya d'autorité mes beaux projets :

— Allons donc ! Vous verrez tout cela d'un autre œil quand vous serez sur place. C'est la vie facile. Beaucoup de tennis, beaucoup de loisirs. Je suis sûre que vous serez emballée. Les gens disent que Bagdad est affreux, mais je ne peux pas être d'accord. On a des jardins superbes, vous savez.

J'acquiesçai complaisamment à tout.

— Je suppose que vous allez à Trieste, et que là, vous prenez le bateau pour Beyrouth ?

Je répondis que non, que je restais dans l'Orient-Express jusqu'au bout. Elle secoua légèrement la tête :

— Je ne vous l'aurais pas conseillé, vous savez. Vous allez trouver ça pénible. Seulement vous ne pouvez sans doute plus changer, maintenant. De toute façon, nous nous retrouverons là-bas, j'espère. Je vais vous donner ma carte. Télégraphiez-moi quand vous quitterez Beyrouth, mon mari ira vous chercher à votre arrivée à Bagdad et vous amènera directement à la maison.

Que pouvais-je faire d'autre que me confondre en remerciements et ajouter que je n'avais encore rien arrêté de définitif ? Dieu merci, me dis-je, Mrs C. ne devait pas rester tout le temps avec moi — sinon elle ne se serait jamais arrêtée de parler. Elle descendait à Trieste pour prendre le bateau de Beyrouth. J'avais prudemment tu mon intention de faire étape à Damas et Istanbul, si bien qu'elle penserait probablement que j'avais abandonné mon projet d'aller à Bagdad. Nous nous séparâmes dans les termes les plus amicaux le lendemain à Trieste, et je me préparai à profiter de mon voyage.

Celui-ci tint ses promesses. Après Trieste, ce fut la Yougoslavie, les Balkans et le fascinant spectacle d'un monde entièrement différent : la traversée de gorges dans les montagnes, les pittoresques chars à bœufs, les groupes de gens sur les quais des gares, les quelques arrêts, à Niš et à Belgrade, où l'on voyait retirer les grosses locomotives et arriver de nouveaux monstres aux inscriptions et sigles totalement différents. Naturellement, je fis de nouvelles connaissances pendant le trajet, mais aucune, par bonheur, qui voulût m'accaparer à l'instar de la première. La journée se passa agréablement avec une missionnaire américaine, un ingénieur hollandais et deux dames turques. Avec ces dernières, la conversation était difficile, mais nous parvînmes à échanger quelques bribes de français. Je me sentis vraiment en état d'infériorité de n'avoir eu qu'un enfant et une fille, par-dessus le marché : une des deux Turques jubilait en m'annonçant, si je comprenais bien, qu'elle en avait eu treize, dont cinq étaient morts, et au moins trois sinon quatre fausses couches. Total devant lequel elle paraissait admirative, encore qu'elle ne semblât point avoir abandonné l'espoir d'augmenter son record de fertilité. Elle me donna force conseils pour étoffer ma petite famille. Parmi les recettes destinées à me stimuler : tisanes de plantes, décoctions d'herbes, utilisation d'un certain condiment dont je conjecturai qu'il pouvait s'agir d'ail, et finalement l'adresse d'un gynécologue parisien « absolument fantastique ».

Il faut avoir voyagé seul pour apprendre combien le monde extérieur est susceptible de se montrer protecteur et amical à votre endroit plus que vous ne le voudriez, parfois. La dame missionnaire voulut à toute force me donner différents remèdes intestinaux : elle avait toute une provision de sels laxatifs. L'ingénieur hollandais me posa mille questions sur l'endroit où j'allais descendre à Istanbul et m'avertit de tous les dangers de cette ville.

— Il va vous falloir faire attention, me prévint-il. Vous êtes une personne de grande éducation, habituée à vivre en Angleterre, toujours protégée, j'imagine, par votre mari ou votre famille. Ne croyez pas tout ce qu'on vous dira. N'allez pas dans les établissements de loisir sans savoir où on vous emmène.

En fait, il me traitait comme une gamine innocente de 17 ans. Je le remerciai et l'assurai que je serais sur mes gardes.

Afin de me soustraire aux pires dangers, il m'invita à dîner le soir où j'arriverais.

— Le *Tokatlia*, dit-il, est un excellent hôtel. Là, vous serez en sécurité. Je passerai vous prendre vers 21 heures pour vous emmener dans un très bon restaurant, très sélect. Il est tenu par des dames russes — des Russes blanches, toutes de haute naissance. Elles cuisinent fort bien et sont très à cheval sur la correction de leur établissement.

J'affirmai que je serais ravie, et tout fut comme il avait dit.

Le lendemain, après son travail, il vint me chercher, me montra certains des monuments d'Istanbul et me trouva un guide.

— Ne prenez pas celui de chez Cook, il est trop cher. Je puis vous assurer que celui-ci est tout à fait respectable.

Après une autre très agréable soirée, où les dames russes évoluaient majestueusement autour de nous et s'empressaient auprès de mon ami ingénieur avec leur sourire aristocratique, il me montra d'autres curiosités d'Istanbul et me raccompagna une fois encore au *Tokatlia*.

— Je me demande..., commença-t-il en hésitant sur le seuil, je me demande si maintenant...

Sa question se fit plus pressante tandis qu'il guettait ma prévisible réaction. Puis il poussa un soupir :

— Non, je crois qu'il serait plus sage que je ne vous demande rien.

— Je pense comme vous. Et vous êtes très gentil.

Il soupira de nouveau :

— Je regrette vraiment qu'il ne puisse en être autrement, mais je vois bien que... oui, c'est mieux ainsi.

Il me pressa chaleureusement la main, l'éleva à ses lèvres et disparut de ma vie pour toujours. C'était un homme très bien, la bonté même, et je lui dois d'avoir vu Constantinople dans les meilleures conditions.

Le lendemain, des représentants de Cook très comme il faut passèrent me prendre pour me faire traverser le Bosphore et me conduire à Haidar Pasha, où je repris mon voyage. J'étais heureuse d'avoir mon guide avec moi, car rien ne pouvait davantage ressembler à un asile de fous que la gare d'Haidar Pasha. Chacun criait, braillait, faisait du bruit pour attirer l'attention des officiers des douanes. C'est alors que je fus initiée à la technique des drogmans de Cook.

— Donnez-moi un billet d'une livre. Tout de suite.

J'obéis. Il sauta aussitôt sur l'un des plateaux de la douane et se mit à vociférer en brandissant le billet au-dessus de sa tête :

— Holà ! Par ici ! Hé !

Ses cris se révélèrent efficaces. Un officier des douanes, tout couvert de galons dorés, se précipita dans notre direction, traça de grandes croix à la craie sur mes bagages, me dit : « Je vous souhaite bon voyage » et s'en retourna tourmenter ceux qui n'avaient pas encore adopté le système Cook à une livre.

— Et maintenant, je vais vous installer dans le train, fit le guide.

— Oui ?

Je ne savais trop combien lui donner, cette fois, mais alors que

Bordereau date de retour/Due date slip

Usager / Patron : 23872000242862

Date de retour/Date due: 20 Apr 2016
La danse de la mouette /

Date de retour/Date due: 20 Apr 2016
L'art de se réinventer /

Date de retour/Date due: 20 Apr 2016
Un meurtre chez les francs-maçons : une

Date de retour/Date due: 20 Apr 2016
Micmac moche au Boul'Mich : Les nouveaux

Date de retour/Date due: 20 Apr 2016
La toile d'araignée /

Date de retour/Date due: 20 Apr 2016
Le visiteur inattendu / Agatha Christie

Date de retour/Date due: 22 Apr 2016
Une autobiographie /

Total : 7

HORAIRE / OPENING HOURS
Lundi / Monday
13:00 - 21:00
Mardi - vendredi / Tuesday - Friday
10:00 - 21:00
Samedi / Saturday
10:00 - 17:00
Dimanche / Sunday
13:00 - 17:00
HORAIRE DE PÂQUES / EASTER HOURS
FERMÉ / CLOSED
Vendredi 25 mars 2016 ET dimanche 27 mar
Friday, March 25 AND Sunday, March 27, 2
beaconsfieldbiblio.ca

je cherchais dans mon argent turc — de la monnaie, en fait, qui m'avait été donnée dans le wagon-lit — il m'arrêta non sans une certaine fermeté :

— Il vaut mieux garder cet argent, cela pourra toujours vous servir. Donnez-moi plutôt une autre livre.

Guère convaincue, mais me disant que seule l'expérience permet d'apprendre, je lui lâchai de nouveau un billet. Il me quitta alors avec moult salutations et bénédictions.

Je perçus une subtile différence au passage de l'Europe à l'Asie. C'était comme si le temps avait perdu de sa signification. Poursuivant son bonhomme de chemin, le train longea la mer de Marmara, escalada des montagnes — toute cette contrée était incroyablement belle. Les passagers du train apparaissaient eux aussi différents, à présent, bien qu'il soit difficile de situer cette différence. Je me sentais coupée de mon monde, mais en même temps fascinée par celui dans lequel je m'engouffrais. Quand nous nous arrêtions à des gares, je me délectais du spectacle des foules bigarrées, des paysans qui se pressaient sur le quai et des étranges aliments — brochettes grillées enveloppées dans des feuilles de vigne, œufs durs multicolores et autres — que des marchands ambulants tendaient aux voyageurs. Lesquels aliments devenaient par ailleurs de plus en plus épicés, gras et indigestes à mesure qu'on avançait vers l'est.

Le deuxième soir, nous nous arrêtâmes et tout le monde descendit du train pour admirer le col des Portes de Cilicie. Ce fut un moment d'incroyable splendeur. Je ne l'ai jamais oublié. Je devais repasser souvent par cet endroit lors de mes allées et venues au Proche-Orient, et, selon les variations d'horaire du train, à différents moments de la journée : parfois tôt le matin, et c'était magnifique, parfois à 18 heures, comme pour ce premier voyage, parfois malheureusement en pleine nuit. Pour cette première, donc, j'eus de la chance. Je sortis avec les autres et restai là à me gorger les yeux du spectacle offert. Le soleil se couchait. C'était d'une indicible beauté. J'étais tellement heureuse d'être venue là que j'en fus emplie de gratitude et de joie. Je remontai dans le train, les sifflets retentirent et nous commençâmes la descente le long d'une gorge de la montagne, passant d'un flanc à l'autre pour finir par déboucher sur la rivière en contrebas. C'est ainsi que nous traversâmes lentement la Turquie pour arriver en Syrie à Alep.

Avant Alep, cependant, j'eus une brève période de malchance. Je fus dévorée — bras, nuque, chevilles et genoux — par ce que je croyais être des moustiques. J'étais encore si peu rompue aux voyages à l'étranger que je ne compris pas que ce n'étaient pas des moustiques qui m'avaient attaquée, mais des punaises, et que j'allais être toute ma vie particulièrement sensible à ce genre de piqûres. Elles proliféraient dans les vieux wagons en bois et se nourrissaient avec voracité des succulents voyageurs. Ma température monta jusqu'à 39°, mes bras enflèrent. Finalement, avec l'aide d'un aimable voyageur de commerce français, je fendis les manches de mon chemisier et de mon manteau : mes bras avaient tellement gonflé que c'était la seule solution. J'avais la fièvre, mal à la tête, je ne me sentais vraiment pas bien et je songeais en moi-même : « Quelle folie j'ai faite de m'embarquer dans ce voyage ! » Pourtant, mon ami français se montra très secourable. Il descendit m'acheter des grappes de raisin — de ces petits raisins sucrés que l'on trouve dans ces régions.

— Je vois que vous avez la fièvre, me dit-il, et que vous ne devez guère avoir d'appétit. Alors ces raisins passeront sans doute mieux.

Cette fois, je fis foin des conseils de ma mère et de mes grands-mères de toujours, à l'étranger, laver la nourriture avant de la manger. J'avalais quelques grains tous les quarts d'heure, et ils firent retomber une bonne partie de ma fièvre. Je n'avais bien sûr envie d'aucune autre nourriture. Mon gentil Français me dit au revoir à Alep et, le lendemain, j'avais désenflé et me sentais beaucoup mieux.

J'arrivai enfin à Damas, après une interminable journée dans un tortillard qui semblait ne jamais dépasser le 10 à l'heure et s'arrêtait à tout bout de champ dans des endroits que l'on distinguait à peine de la campagne environnante mais s'intitulaient gare. Je me trouvai plongée dans le tohu-bohu de porteurs qui m'arrachèrent mes bagages en braillant, d'autres qui les leur arrachèrent à leur tour, les plus forts venant à l'assaut des plus faibles. J'aperçus enfin, garé juste devant la gare, un joli petit car marqué *Orient Palace Hotel*. Un imposant personnage en livrée nous récupéra, mes bagages et moi, et, en compagnie d'un ou deux autres voyageurs hébétés, nous nous empilâmes dans le petit car et fûmes conduits à l'hôtel où une chambre m'avait été réservée. C'était un établissement absolument splendide avec ses vastes halls aux marbres luisants, mais à l'éclairage électrique si faible qu'on voyait à peine autour de soi. Après avoir été conduite à un immense appartement en haut d'un escalier de marbre, je m'enquis de la possibilité de prendre un bain auprès d'une femme de chambre à la mine bienveillante qui répondit à mon coup de sonnette et qui semblait baragouiner quelques mots de français.

— *Un homme... un type... il va arranger*, fit-elle avec un hochement de tête rassurant avant de disparaître.

J'avais quelque appréhension sur ce qu'elle entendait par « un type », mais il se trouva en fin de compte que c'était le garçon de bain, le plus modeste des employés, habillé des pieds à la tête de coton rayé, qui conduisit ma silhouette emmitouflée dans un peignoir jusqu'à une sorte d'appartement en sous-sol. Là, il tourna robinets et manettes. De l'eau bouillante s'écoula aussitôt sur le sol de pierre, tandis qu'un nuage de vapeur emplissait l'air et cachait tout à ma vue. Avec un hochement de tête, un sourire et un geste de la main, il me fit comprendre que c'était prêt et se retira. Il avait fermé tous les robinets avant de partir, et l'eau était partie par la rigole d'évacuation. Je ne savais ce que j'étais censée faire. Je n'osais rouvrir les robinets d'eau chaude. Il y avait environ une dizaine de manettes et boutons aux murs, chacun pouvant, imaginais-je, déclencher un phénomène différent tel qu'une douche brûlante sur ma tête. À la fin, j'ôtai mes pantoufles et mes autres vêtements, et me lavai à la vapeur plutôt que de risquer les pièges de l'eau. Pendant un moment, je ressentis le mal du pays. Dans combien de temps reverrais-je nos bons vieux appartements, avec leurs papiers brillants aux murs, une solide baignoire blanche en porcelaine et des robinets marqués CHAUD et FROID que chacun pouvait tourner à son goût ?

Si je me souviens bien, je suis restée à Damas trois jours, que je passai comme de juste en visites, pilotée par l'inestimable guide de chez Cook. À un moment, je partis en excursion avec un ingénieur américain — les ingénieurs semblaient décidément être partout au Proche-Orient — et un très vieux clergyman voir un château des croisés. Nous nous rencontrâmes pour la première fois lorsque nous prîmes nos places dans la voiture à 8 h 30. Le vieux clergyman, dans son infinie bonté, s'imaginait que l'ingénieur américain et moi étions mari et femme, et il s'adressait à nous comme tels.

— J'espère que cela ne vous gêne pas ? me glissa l'ingénieur.

— Me gêner ? Pas du tout, répondis-je. Je suis seulement navrée qu'il vous prenne pour mon mari.

La phrase était tellement chargée d'ambiguïté que nous éclatâmes tous deux de rire.

Le vieux clergyman nous fit un grand sermon sur les bienfaits de la vie conjugale, sur la nécessité de donner avant de prendre, et nous souhaita le plus de bonheur possible. Nous abandonnâmes toute explication, ou tentative d'explication. Il parut tellement désolé lorsque l'ingénieur américain lui cria dans le tuyau de l'oreille que nous n'étions pas mariés que nous jugeâmes préférable de laisser les choses en l'état.

— Qu'est-ce que vous attendez, alors ? insista-t-il en secouant la tête. C'est mal de vivre dans le péché, vous savez, très mal.

Je vis la superbe Baalbek, visitai les bazars, ce qu'on appelait la rue Droite, achetai beaucoup de ces jolies assiettes en cuivre qui se font là-bas. Toutes étaient martelées à la main et agrémentées du motif particulier de la famille qui les réalisait : un poisson, par exemple, avec un entrelacs de fils d'argent et de cuivre. Il y a quelque chose d'émouvant à penser que chaque famille se transmettait son dessin de père en fils, sans que jamais quiconque en fasse des copies ni qu'on les fabrique en masse. J'imagine que, si vous alliez à Damas aujourd'hui, vous ne trouveriez plus guère de ces artisans et de leurs familles encore en place : ils ont dû être remplacés par des usines. Déjà à cette époque, les boîtes et les tables en bois incrusté étaient devenues stéréotypées et reproduites partout : toujours faites à la main, mais d'une façon et selon un modèle conventionnels.

J'ai aussi rapporté une commode, énorme, incrustée de nacre et d'argent, le genre de meuble qui semble sortir d'un conte de fées. Le drogman qui me servait de guide fit la moue.

— Pas bon travail, ça, dit-il. Très vieux, cinquante ou soixante ans, peut-être plus. Complètement démodé, vous comprenez ? Pas neuf.

Je répondis que je savais que ce n'était pas du neuf, mais qu'il n'y en avait pas beaucoup de ce genre. Peut-être n'en ferait-on plus jamais de semblable.

— Non. Plus personne fait ça maintenant. Venez, regardez cette boîte. Vous voyez ? Ça, très bon travail. Tenez, une autre commode, ici. Fabriquée avec beaucoup de bois différents. Vous savez combien de bois différents ? Quatre-vingt-cinq.

Pour un résultat net, à mon avis, hideux. Je voulais ma commode incrustée de nacre, d'ivoire et d'argent.

La seule chose qui me faisait souci, c'était de la rapporter chez moi en Angleterre. En fait, paraît-il, cela ne posait pas de problème. Cook m'adressa à quelqu'un d'autre, qui me renvoya à l'hôtel, qui me renvoya à un transporteur maritime, avec pour résultat, après maints démarches et calculs, de voir débarquer dans le sud du Devon, neuf ou dix mois plus tard, une commode presque oubliée, incrustée de nacre, d'ivoire et d'argent.

L'histoire ne s'arrêta pas là. Bien qu'elle fût splendide à contempler et très spacieuse à l'intérieur, elle produisait un bruit étrange au milieu de la nuit, comme si de grandes mâchoires grignotaient quelque chose. Qui était en train de dévorer ma belle commode ? Je sortis les tiroirs et les examinai : il semblait n'y avoir aucune trace suspecte, aucun trou. Pourtant, nuit après nuit, passée l'heure fatale de minuit, j'entendais : « Crric, crric, crric ».

Je finis par prendre un des tiroirs et par l'emporter à Londres, chez des spécialistes des parasites tropicaux du bois. Ils constatèrent immédiatement qu'une œuvre sinistre était en cours dans les profondeurs du bois. La seule solution consistait à ôter et remplacer toutes les parties attaquées. Cela, je puis le dire, allait ajouter lourdement à la dépense — en fait, probablement multiplier par trois le prix de la commode elle-même et par deux celui du transport en Angleterre. Mais moi, je ne pouvais plus supporter ce lugubre grignotement.

Environ trois semaines plus tard, je reçus un coup de téléphone. À l'autre bout du fil, une voix tout excitée me dit :

— Madame, pourriez-vous passer au magasin ? J'ai ici quelque chose qu'il faut absolument que je vous montre.

J'étais à Londres à ce moment-là, et j'accourus aussitôt : on me montra une répugnante créature qui tenait à la fois du ver et de la limace. Elle était grosse, blanche, obscène, et avait manifestement profité de son régime de bois au point de devenir d'une inimaginable obésité. Elle avait mangé presque toute la matière autour d'elle dans deux des tiroirs. Au bout de quelques semaines supplémentaires, ma commode me fut retournée et mes nuits redevinrent silencieuses.

Après un programme chargé de visites qui ne fit qu'accentuer ma détermination de revenir un jour à Damas où il me restait tant à découvrir, vint le jour où je dus entreprendre mon voyage à travers le désert pour rejoindre Bagdad. À l'époque, c'est à bord d'une flotte de voitures et de cars à six roues de la Nairn Line que s'effectuait le passage. Deux frères, Gerry et Norman Nairn, dirigeaient la compagnie. Ils étaient australiens, et les plus sympathiques des hommes. Je fis leur connaissance la nuit qui précéda mon départ, au moment où ils confectionnaient de façon fort artisanale les cartons-repas pour le déjeuner, et où ils m'invitèrent à leur donner un coup de main.

Les cars partaient à l'aube. Deux jeunes et robustes chauffeurs devaient assurer le service, et lorsque j'arrivai, suivie de mes bagages, ils étaient en train de dissimuler à bord deux fusils sous une brassée de couvertures négligemment jetées.

— On ne peut pas le crier sur les toits, mais je n'imagine pas une traversée du désert sans ça, dit l'un d'eux.

— Paraît qu'on a la duchesse d'Alwiyah, cette fois, dit l'autre.

— Grands dieux ! s'exclama le premier. Eh bien ça promet ! Qu'est-ce qu'elle va vouloir encore, à ton avis ?

— Le contraire de ce qui est fait.

Juste à ce moment, tout un équipage arrivait au bas des marches de l'hôtel. À ma grande surprise et, je le crains, guère à mon grand plaisir, la personne qui descendit en premier n'était autre que Mrs C., que j'avais quittée à Trieste. Je pensais qu'elle serait déjà arrivée à Bagdad, puisque j'avais pris mon temps pour visiter.

— Je savais bien que je vous retrouverais ici, fit-elle avec de grandes effusions. Tout est arrangé, je vous emmène à Alwiyah. Je ne pouvais vraiment pas vous laisser dans un hôtel de Bagdad.

Que répondre à cela ? J'étais prise au piège. Je n'étais jamais allée à Bagdad, je ne connaissais pas les hôtels là-bas. Après tout, peut-être grouillaient-ils de puces, de punaises, de serpents et de cette sorte de cafards pâles que j'abhorre particulièrement. Je ne pus que bredouiller quelques remerciements. Nous nous installâmes, et je compris que la fameuse « duchesse d'Alwiyah » n'était autre que mon amie Mrs C. Elle refusa d'emblée le siège qu'on lui avait alloué parce que trop à l'arrière du car, où elle était toujours malade. Il lui fallait celui qui était juste derrière le chauffeur. Seulement il avait été réservé depuis des semaines par une dame arabe. La duchesse d'Alwiyah fit un signe dédaigneux de la main. Personne ne comptait, apparemment, que Mrs C. Elle donnait l'impression d'être la première femme européenne à avoir jamais daigné mettre le pied à Bagdad, et qu'il fallait satisfaire jusqu'au moindre de ses caprices. La dame arabe arriva et défendit son siège. Son mari s'en mêla et une splendide bagarre s'ensuivit. Une autre dame, française, réclama elle aussi, tandis qu'un général allemand, à son tour, faisait des difficultés. Je ne sais quelle était la valeur des arguments, mais comme toujours sur cette terre, ce furent quatre des gens les plus conciliants qui furent dépossédés des meilleures places et plus ou moins rejetés à l'arrière du car. Le général allemand, la dame française, la dame arabe, drapée dans ses voiles, et Mrs C., s'en tirèrent avec les honneurs de la guerre. N'ayant jamais eu l'esprit combatif, je n'avais aucune chance, bien que mon numéro de siège m'eût normalement donné droit à une de ces places si convoitées.

Le car s'ébranla enfin. Après avoir été fascinée par les ondulations jaunes du désert, avec ses dunes et ses rochers, la monotonie du paysage finit par m'obnubiler et j'ouvris un livre. Je n'avais jamais été malade en voiture de ma vie, mais les mouvements d'un véhicule à trois essieux, lorsque vous êtes assise à l'arrière, sont très semblables à ceux d'un bateau, et entre cela et la lecture, je fus prise de vomissements avant même de me rendre compte de ce qui m'arrivait. J'en fus profondément mortifiée, mais

Mrs C. se montra très gentille avec moi et affirma que cela prenait souvent les gens au dépourvu. La prochaine fois, elle veillerait à ce que j'aie un des sièges avant.

Cette traversée de quarante-huit heures à travers le désert était à la fois fascinante et assez oppressante. On éprouvait l'étrange impression d'être enfermée dans le vide plutôt qu'entourée par lui. L'une des premières choses dont je pris conscience, c'est que, à midi, il était impossible de savoir si vous alliez au nord, au sud, à l'est ou à l'ouest, et j'appris que c'était à cette heure-là que les six-roues s'écartaient le plus souvent de la piste. Cela se produisit effectivement lors de l'un de mes voyages ultérieurs. Le chauffeur, pourtant des plus expérimentés, s'aperçut, au bout de deux ou trois heures, qu'il roulait en direction de Damas et tournait le dos à Bagdad. Cela arriva à l'endroit où les pistes se divisent. Il y avait un écheveau de traces partout sur le sol. Une voiture apparut au loin en tirant des coups de fusil. Le chauffeur quitta son chemin habituel, puis crut rejoindre la piste alors qu'en fait il roulait dans la direction opposée.

Entre Damas et Bagdad, il n'y a aucun repère, rien qu'une grande étendue de désert et une seule halte : le grand fort de Rutbah. Nous l'atteignîmes, je crois bien, vers minuit. Nous vîmes une lumière tremblotante percer soudain à travers les ténèbres : nous étions arrivés. Les solides grilles du fort furent débarrées. De part et d'autre de l'entrée, fusils levés, les gardes méharistes étaient prêts à intervenir contre d'éventuels bandits déguisés en honnêtes voyageurs. Leurs farouches visages sombres étaient assez effrayants. Nous fûmes scrutés de près, puis autorisés à entrer et les grilles se refermèrent derrière nous. Il y avait là quelques chambres pourvues de lits métalliques, et nous eûmes droit à trois heures de repos à cinq ou six femmes par chambre. Puis nous repartîmes.

Vers 5 ou 6 heures, aux premières lueurs du jour, nous prîmes le petit déjeuner dans le désert. Le meilleur petit déjeuner du monde, que ces quelques saucisses cuites sur un réchaud, à l'aube, en plein désert. Cela, plus quelques tasses d'un thé noir et fort, était tout ce que l'on pouvait désirer et suffisait à raviver les éner-gies défaillantes. Combinés à la vivacité de l'air, les délicieux pas-tels du désert — des roses, des abricot, des bleus — formaient un merveilleux ensemble. J'étais en extase. Là, je trouvais ce que j'avais tant désiré. Là, j'étais vraiment coupée de tout. Cet air pur et vivifiant, ce silence vierge même de chants d'oiseaux, ce sable qui vous coule entre les doigts, le soleil qui se lève et le goût des saucisses et du thé : que pouvait-on attendre d'autre de la vie ?

Nous reprîmes la route et arrivâmes enfin à Felujah, sur

l'Euphrate, franchîmes le pont de bateaux, passâmes la base aérienne de Habbaniyah et poursuivîmes notre chemin jusqu'à ce que nous commencions à voir des palmeraies et à rouler sur une vraie route. Au loin, sur la gauche, s'élevaient les dômes dorés de Kadhimain. Nous franchîmes ensuite un nouveau pont de bateaux sur le Tigre et entrâmes à Bagdad par une rue bordée de bâtiments délabrés, avec une belle mosquée aux dômes turquoise qui me semblait s'élever au milieu de la rue.

Je n'eus même pas la possibilité de voir à quoi ressemblait un hôtel : je fus immédiatement transférée par Mrs C. et son mari, Eric, dans une voiture confortable, puis conduite le long de cette unique grand-rue qu'est Bagdad. Nous passâmes la statue du général Maude et sortîmes de la ville par une route bordée de chaque côté de grandes rangées de palmiers. Des troupeaux de splendides buffles noirs s'ébattaient dans des trous d'eau. Je n'avais rien vu de tel auparavant.

Nous arrivâmes alors à des maisons et des jardins remplis de fleurs — moins cependant qu'ils devaient l'être plus tard dans l'année... Et voilà, j'y étais, dans ce que je me rappelais parfois plus tard comme le quartier des Madame Sahib.

2

Tout le monde se montra si gentil avec moi, à Bagdad, si sympathique et obligeant, que je me sentis presque honteuse de la sensation d'emprisonnement dont je souffrais. Alwiyah fait maintenant partie d'une agglomération ininterrompue, sillonnée de bus et d'autres moyens de transport, mais éloignée de plusieurs kilomètres de la ville. Pour s'y rendre, il faut que quelqu'un vous y conduise. Un trajet toujours fascinant.

Un jour, on m'a emmenée visiter Buffalo Town, que l'on peut encore voir du train quand on arrive à Bagdad par le nord. Pour un œil non averti, c'est une horreur, un vaste enclos plein de buffles et de leurs déjections. La puanteur y est épouvantable, et les cabanes faites de bidons d'essence portent à croire qu'il s'agit d'un exemple extrême de pauvreté et de dégradation. En fait, ce n'est pas du tout le cas. Les propriétaires de buffles sont loin d'être miséreux. Bien qu'ils vivent dans la fange, un de ces animaux vaut plus de cent livres — sans doute beaucoup plus même aujourd'hui. Ceux qui en possèdent s'estiment heureux, et les femmes qui pataugent dans la boue ont souvent de beaux bracelets d'argent et de turquoise qui ornent leurs chevilles.

J'appris très vite que rien, au Proche-Orient, n'est ce qu'il paraît. Les règles de vie et de conduite, les critères d'observation et de comportement doivent tous être inversés et réappris. Quand vous voyez quelqu'un vous faire avec véhémence signe de vous éloigner, vous battez en retraite, alors qu'il vous invitait à vous approcher. En revanche, si vous croyez qu'il vous appelle, son but est en fait de vous prier de déguerpir. Les violentes interpellations que se lancent deux hommes d'une extrémité à l'autre d'un champ pourraient laisser supposer qu'ils s'en veulent à mort. Pas du tout. Ce sont deux frères qui discutent pour passer le temps et qui braillent parce que trop paresseux pour se rapprocher. Mon mari, Max, m'a dit une fois que, lors de son premier voyage, il avait été tellement choqué de la brusquerie avec laquelle tout le monde s'adressait aux Arabes qu'il s'était juré de ne jamais hausser la voix devant eux. Pourtant, il ne mit pas longtemps à s'apercevoir, avec ses ouvriers, que toute remarque émise à voix normale n'était pas entendue, non qu'ils fussent sourds, mais ils considéraient que tout homme qui parlait aussi bas ne pouvait que se parler à lui-même et que, si vous vouliez qu'on vous comprenne, il fallait prendre la peine d'être audible.

À Alwiyah, je reçus la plus charmante hospitalité. Je jouai au tennis, allai aux courses, on m'emmena visiter la ville, faire les magasins : j'avais l'impression d'être en Angleterre. Géographiquement, je me trouvais à Bagdad, mais dans l'esprit, je n'étais pas partie. Comme le but de mon voyage était de me dépayser et de voir d'autres contrées, je décidai de réagir.

Je voulais visiter Ur. Je me renseignai et fus ravie de constater qu'on m'encourageait à m'y rendre plutôt que de m'en dissuader. Mon voyage fut organisé pour moi avec — je devais le découvrir plus tard — un luxe de détails superflus.

— Il faudra vous faire accompagner d'un serviteur indigène, bien sûr, insista Mrs C. Nous allons prendre votre réservation de train et télégraphier à la gare de raccordement d'Ur pour prévenir Mr et Mrs Woolley de votre arrivée et de votre désir de visiter les fouilles. Vous pourrez passer une ou deux nuits sur place au relais local, et Eric viendra vous attendre à votre retour.

Je les remerciai fort de la peine qu'ils se donnaient tout en me gardant bien — non sans un sentiment de culpabilité — de leur dire que je prenais d'autres dispositions pour mon retour.

Au moment prévu, je partis. J'observai mon serviteur avec une certaine appréhension. C'était un homme grand, mince, qui donnait l'impression d'avoir accompagné des Madame Sahib dans tout le Proche-Orient et de savoir mieux qu'elles ce dont elles avaient besoin. Superbement vêtu, il m'installa dans un compartiment assez dénudé et peu confortable, me salua et se retira en m'expliquant qu'il viendrait me chercher à une gare où il y aurait un buffet convenable.

Mon premier geste, quand je me retrouvai seule, fut extrêmement malheureux : je baissai la vitre. L'atmosphère confinée du compartiment était insupportable. J'avais besoin d'air frais. Celui qui entra était en fait plus chaud que frais, et chargé de poussière ainsi que d'une cohorte d'environ vingt-six gros frelons. J'étais terrorisée. Ils vrombissaient autour de moi de façon menaçante. J'hésitais entre laisser la vitre ouverte dans l'espoir qu'ils ressortent, et la refermer pour me limiter aux vingt-six déjà entrés. Ne sachant où me mettre, je restai tassée dans un coin pendant environ une heure et demie, jusqu'à ce que mon serviteur me tire d'affaire en venant me récupérer pour aller au buffet de la gare.

Le repas était plus gras que savoureux, et nous disposions de peu de temps pour le prendre. La cloche du départ retentit, mon fidèle serviteur vint me chercher et je regagnai ma place. La vitre avait été remontée et les frelons expropriés. Après cela, j'y regardai à deux fois avant de toucher quoi que ce soit. J'étais seule dans mon compartiment — ce qui semblait normal ici — et je trouvais le temps long, car il était impossible de lire tant il y avait de secousses. Le paysage ne montrait que quelques broussailles rabougries ou le sable du désert. Ce fut un long et ennuyeux voyage, entrecoupé de repas et d'un sommeil inconfortable.

Les heures d'arrivée à la gare de raccordement d'Ur ont sans doute varié pendant les nombreuses années où j'ai effectué le voyage, mais elles n'ont jamais été pratiques. Cette fois-là, je crois que c'était à 5 heures. Réveillée, je descendis, me dirigeai vers le relais et me reposai dans une chambre austère, mais propre, jusqu'à ce que je me sente dispose pour le petit déjeuner à 8 heures. Peu après, une voiture arriva qui, m'apprit-on, venait me chercher pour me conduire sur le lieu des fouilles, à environ trois kilomètres de là. Sans que je le sache, c'était un grand honneur qu'on me faisait ainsi. Après des années de pratique personnelle sur les sites de fouilles, je comprends maintenant — je n'en avais pas du tout conscience à l'époque — combien on honnissait les visiteurs. Ils débarquaient toujours au mauvais moment, voulaient qu'on leur montre ceci, qu'on leur explique cela, faisaient perdre un temps précieux et étaient le plus souvent des gêneurs. Sur une fouille aussi importante que celle d'Ur, chaque minute comptait et tout le monde travaillait d'arrache-pied. Se retrouver avec un groupe de bonnes femmes qui s'agitent et vadrouillent dans tous les coins était la chose la plus exaspérante qui soit. Mais là, avec les Woolley, tout était bien organisé : les gens se déplaçaient en groupe, on leur montrait ce qu'il y avait à voir et on les réexpédiait ensuite. Tandis que moi, je fus reçue avec la plus grande gentillesse, comme un hôte de marque, ce que j'aurais dû apprécier beaucoup plus que je ne le fis.

Ce traitement de faveur était entièrement dû au fait que Katharine Woolley, la femme de Leonard Woolley, venait de terminer un de mes livres, *Le Meurtre de Roger Ackroyd*, qui l'avait tellement enthousiasmée que je reçus l'accueil réservé aux grandes personnalités. Ceux des membres de l'expédition qui répondirent non quand on leur demanda s'ils avaient lu mon roman furent sévèrement réprimandés. Leonard Woolley, avec sa gentillesse coutumière, conduisit lui-même une partie de ma visite, l'autre l'étant par le père Burrows, un jésuite épigraphiste. Lui aussi était un personnage original, et la façon dont il me présenta les choses fit un délicieux contraste avec celle de Leonard Woolley. Ce dernier voyait l'antique cité avec les yeux de l'imagination, comme si nous étions quinze cents ans avant Jésus-Christ. Il donnait vie à la moindre pierre, et, à l'écouter, je ne doutais pas un seul instant que cette maison, là au coin, avait été celle d'Abraham. Il reconstituait le passé à sa façon, il y croyait, et tous ceux qui l'écoutaient y croyaient comme lui. La technique du père Burrows était entièrement différente. Avec un air navré, il vous décrivait la grande cour, une enceinte de temple ou une rue commerçante, et, juste au moment où votre curiosité était piquée, il ajoutait toujours :

— Bien sûr, nous ne savons pas si c'était vraiment comme ça. On ne peut avoir de certitude. Mais personnellement, non, je ne crois pas.

Ou alors, de la même manière :

— Oui, sans doute, il y avait des boutiques, mais je ne pense pas qu'elles ressemblaient à ce que nous croyons. Pas du tout, même.

Il s'ingéniait à tout dénigrer. C'était un homme intéressant. Intelligent, sympathique, mais distant : il y avait quelque chose de légèrement déshumanisé en lui.

Une fois, il vint de but en blanc me trouver pendant le déjeuner pour me parler d'une sorte de roman policier à son sens tout à fait adapté à ma plume et qu'il me conseillait fort d'écrire. J'étais alors à mille lieues d'imaginer qu'il pût s'intéresser à ce genre de littérature. L'intrigue qu'il esquissa, bien qu'assez vague en fait, semblait malgré tout passablement prenante, et je sus que je m'en servirais un jour. De nombreuses années passèrent, et puis soudain, vingt-cinq ans après peut-être, l'idée me revint et j'écrivis, non pas un roman, mais une longue nouvelle fondée sur l'enchaînement de circonstances auquel il avait songé. Le père Burrows était mort depuis longtemps, mais j'espérai que, quelque part, il saurait que je lui étais reconnaissante de sa suggestion. Comme pour tout écrivain, cette idée devint mienne et finit par ne plus ressembler que de très loin à l'original. Ce fut pourtant son inspiration qui fut à la base de tout.

Katharine Woolley, qui devait devenir au bout de quelques années une de mes grandes amies, était un personnage extraordinaire qui provoquait des réactions diamétralement opposées ; soit on la détestait farouchement, soit on l'adorait — sans doute parce qu'elle était sujette à de telles sautes d'humeur qu'on ne savait jamais comment la prendre. Les gens qui juraient qu'elle était impossible et qu'ils ne voulaient plus rien avoir à faire avec elle se retrouvaient d'un coup de nouveau ensorcelés. Je suis en tout cas absolument sûre d'une chose, c'est que si vous cherchiez une femme avec qui vous en aller vivre sur une île déserte, ou dans quelque lieu où personne d'autre ne pourrait vous distraire, nulle autre qu'elle ne saurait mieux tenir votre intérêt en éveil. Ses sujets de conversation n'étaient jamais ordinaires. Elle stimulait votre esprit en lui faisant suivre des voies qui ne s'étaient jamais révélées à vous auparavant. Elle était capable de grossièreté, elle pouvait se montrer d'une insolence incroyable quand elle le voulait, mais si elle se mettait en tête de vous séduire, elle y parvenait toujours à tout coup.

Je tombai amoureuse d'Ur, avec sa beauté vespérale, sa ziggourat qui se dressait, légèrement dans l'ombre, et cette vaste mer de sable aux délicieux pastels abricot, roses, bleus et mauves qui changeaient à chaque instant. J'aimais voir ces ouvriers, ces contremaîtres, les petits porteurs de paniers, les hommes qui maniaient la pioche, toute cette technique, toute cette vie. Je succombai à l'attrait du passé. L'éclat doré d'un poignard qui émergeait lentement du sable m'emplissait d'une émotion romantique, la délicatesse avec laquelle poteries et objets étaient sortis du sol me faisaient regretter de ne pas être archéologue moi-même. Quel dommage, pensai-je, d'avoir toujours mené une vie si frivole ! À ce moment, j'eus honte de me rappeler comment, au Caire, ma mère avait tout fait pour me convaincre d'aller à Louxor et Assouan voir les merveilles de l'Égypte ancienne, et comment la jeune fille que j'étais ne s'intéressait qu'aux jeunes gens et à danser jusqu'au petit matin. Enfin, il y a, je suppose, un temps pour tout.

Katharine Woolley et son mari insistèrent pour que je reste un jour de plus afin d'assister à d'autres fouilles, ce que je m'empressai d'accepter. Le serviteur indigène que Mrs C. avait commis à mes côtés était à présent tout à fait inutile. Katharine Woolley lui donna pour instructions de repartir à Bagdad et de dire que la date de mon retour n'était pas encore fixée. J'espérais bien, de cette manière, rentrer à l'insu de mon aimable ancienne hôtesse et m'installer pour de bon au *Tigris Palace Hotel* — s'il s'appelait bien ainsi à ce moment-là, car il a tellement souvent changé de nom que le premier m'échappe.

Ce plan ne fonctionna pas, car Mrs C. avait envoyé son sacré mari m'attendre chaque jour au train d'Ur. Je parvins pourtant à m'en débarrasser très facilement. Je le remerciai immensément, lui dis combien j'appréciais la gentillesse de sa femme, mais que je pensais préférable pour moi d'aller à l'hôtel, que j'avais d'ailleurs déjà pris mes dispositions. Il m'y conduisit donc. Je m'installai, remerciai Mr C. une fois de plus et acceptai une invitation à jouer au tennis dans trois ou quatre jours. C'est ainsi que j'échappai à l'esclavage des mondanités à l'anglaise. Je n'étais plus une Madame Sahib, j'étais devenue une vraie touriste.

L'hôtel n'était pas mal du tout. Vous passiez d'abord par une zone de profonde pénombre : un grand salon et la salle à manger, où les rideaux étaient tirés en permanence. Au premier étage, une sorte de véranda courait tout autour des chambres d'où j'avais l'impression que n'importe qui pouvait vous voir et venir faire causette avec vous pendant que vous étiez au lit. Un des côtés de l'hôtel donnait sur le Tigre, délicieuse vision de rêve avec les *ghufas* et autres bateaux qui y voguaient. À l'heure des repas, vous descendiez dans la pénombre du *sirdab* à peine éclairé par des lumières électriques. Là, vous aviez plusieurs repas en un seul. Tous les plats se ressemblaient étrangement : de grosses boulettes de viande et de riz frits, des petites pommes de terre qui craquaient sous la dent, des omelettes aux tomates, d'énormes choux-fleurs blanchâtres et caoutchouteux, et ainsi de suite, à volonté.

Les Howe, ce charmant couple qui m'avait lancée dans ce voyage, m'avaient munie d'une ou deux lettres d'introduction. Celles-là m'étaient précieuses, car il ne s'agissait pas de relations mondaines : elles étaient adressées à des gens qu'ils avaient eux-mêmes beaucoup appréciés, qui leur avaient fait découvrir certaines des parties les plus intéressantes de la ville. Bagdad, en dehors de son quartier très anglais d'Alwiyah, était la première ville orientale que je voyais et elle était vraiment orientale. Vous pouviez quitter Rachid Street et déambuler dans d'étroites ruelles, ainsi que dans différents souks : le bazar aux cuivres, avec ses artisans qui martelaient et guillochaient le métal, le bazar aux épices, avec ses pyramides d'aromates de toutes sortes.

L'un des amis des Howe, un Anglo-Indien du nom de Maurice Vickers, qui semblait mener une vie solitaire, se montra très gentil avec moi aussi. Il me fit voir de près les dômes dorés de Kadhimain depuis une pièce élevée, il m'emmena dans certaines parties du souk où l'on ne va pas d'habitude, me fit visiter le quartier des potiers et bien d'autres endroits encore. Nous descendîmes à pied jusqu'au fleuve en traversant palmeraies et plantations de dattiers. Peut-être appréciai-je davantage sa conversation que ce qu'il me montra. C'est lui qui le premier m'apprit à réfléchir au temps, ce que je n'avais jamais fait auparavant, pas de cette façon impersonnelle du moins. Pour lui, le temps et les rapports au temps avaient une signification particulière :

— Quand vous pensez au temps et à l'infini, les questions personnelles cessent de vous affecter de la même manière. Le chagrin, la douleur, toutes les déceptions de la vie vous apparaissent sous une perspective entièrement différente.

Il me demanda si j'avais lu *Expérience autour du temps*, de Dunne. Non. Il me le prêta, et je me rends compte que c'est à partir de ce moment-là qu'un changement s'opéra en moi. Pas dans mes convictions intimes, pas vraiment dans mes conceptions, mais cette lecture me fit, en quelque sorte, ramener les choses à leur juste proportion : je me vis beaucoup moins importante, simple facette d'un tout dans le vaste monde, avec des centaines d'interdépendances. Il arrive parfois qu'on ait conscience de s'observer, depuis un autre plan, en train d'exister. Tout cela était un peu simpliste au début, mais j'ai effectivement éprouvé depuis lors une grande sensation de confort, et une meilleure appréhension de la sérénité que jamais auparavant. C'est à Maurice Vickers que je dois cette initiation à une vision élargie de la vie. Il avait une bibliothèque très fournie en ouvrages philosophiques et autres. C'était, je crois, un jeune homme remarquable. Je me demandais parfois si nous allions jamais nous revoir, mais j'estimai finalement préférable d'en rester là. Nous étions deux navires qui s'étaient croisés dans la nuit. Il m'avait fait un cadeau que j'avais accepté, le genre de cadeau que je n'avais jamais reçu auparavant : un cadeau venant de l'intellect, de l'esprit, et pas seulement du cœur.

Il ne me restait plus guère de temps à passer à Bagdad, car j'étais pressée de rentrer pour préparer Noël. On me conseilla d'aller à Bassora, et surtout à Mossoul — Maurice Vickers me recommanda particulièrement cette dernière et me dit que, s'il trouvait le temps, il m'y conduirait lui-même. L'une des particularités les plus surprenantes de Bagdad, et de l'Irak en général, c'est qu'il y avait toujours quelqu'un pour vous accompagner. En dehors des voyageuses notoires, les femmes se déplaçaient rarement seules. Dès que vous manifestiez l'intention d'aller quelque part, on dénichait toujours un cousin, un ami, un mari ou un oncle qui trouverait le temps de vous accompagner.

À l'hôtel, je fis la connaissance d'un certain colonel Dwyer, des fusiliers royaux d'Afrique. Il avait sillonné le monde. C'était un homme d'un certain âge, mais il y avait peu de choses qu'il ne sût sur le Proche-Orient. Notre conversation tomba par hasard sur le Kenya et l'Ouganda, et je lui indiquai que j'avais un frère qui avait vécu là-bas pendant de nombreuses années. Il me demanda son nom : Miller, répondis-je. Je vis alors ses yeux s'arrondir de surprise et une expression de doute incrédule envahir son visage :

— Vous voulez dire que vous êtes la sœur de Miller ? Teuf-teuf Billy était votre frère ?

Je n'avais jamais entendu le surnom de « Teuf-teuf Billy ».

— Il était un peu falabrac ? demanda-t-il.

— Ça, oui, acquiesçai-je avec entrain, vous pouvez le dire !

— Et vous êtes sa sœur ! Mon Dieu, il a dû vous en faire voir, à certains moments !

Je ne pus que confirmer.

— Un personnage comme j'en ai rarement rencontré, dit-il. Pas question de lui faire faire ce qu'il ne voulait pas, vous savez, ni de le faire changer d'avis. Têtu comme une mule. On ne pouvait pourtant pas s'empêcher de le respecter. Un des types les plus courageux que j'aie connus.

Je réfléchis et répondis qu'effectivement il était sans doute courageux.

— Mais très dur à manier, pendant une guerre. Remarquez, j'ai commandé son régiment un peu plus tard, et j'ai pris sa mesure dès le début. J'ai souvent rencontré ce genre de gars qui parcouraient le monde tout seuls. Ce sont des excentriques, des têtes de lard, presque des génies, ce qui en fait généralement des ratés. Ils ont beaucoup de conversation mais seulement quand ils sont bien lunés. Sinon, ils ne vous répondront même pas, impossible de leur tirer un mot.

Tout cela était rigoureusement vrai.

— Vous êtes beaucoup plus jeune que lui, n'est-ce pas ?

— De dix ans.

— Il est parti pour l'étranger quand vous étiez encore gamine, alors ?

— Oui. Je ne l'ai jamais vraiment bien connu. Il ne passait que ses permissions à la maison.

— Qu'est-il devenu, en fin de compte ? La dernière fois que j'en ai entendu parler, il était malade dans un hôpital.

Je lui contai les péripéties de la vie de Monty, comment il avait finalement été renvoyé mourant dans ses foyers mais avait réussi à survivre plusieurs années en dépit de tous les pronostics des médecins.

— M'étonne pas, fit-il. Billy n'était pas du genre à mourir s'il ne l'avait pas décidé. Je me rappelle : on devait le mettre au train, le bras en écharpe, pour aller se faire soigner une sale blessure à l'hôpital... Or, il s'était mis dans la tête qu'il n'irait pas. Quand on le faisait entrer d'un côté, il s'échappait de l'autre. Il leur a donné du fil à retordre. Ils sont enfin arrivés à l'y emmener, mais le troisième jour, il s'est fait la paire, ni vu ni connu. Vous savez qu'une bataille porte son nom ?

Je répondis que j'en avais vaguement entendu parler.

— Il était mal vu de son supérieur. Pas étonnant, d'ailleurs, c'était un type de la vieille école, un peu collet monté, pas du tout le genre de Miller. Celui-ci avait la garde des mulets, à l'époque — il avait vraiment le don, avec eux, Billy. Bref, voilà qu'il décide tout d'un coup que c'est là qu'il fallait livrer bataille aux Allemands, et que ses mulets feraient halte ici et pas ailleurs, que c'était l'endroit idéal. L'officier le menaça de l'accuser de mutinerie : il devait obéir aux ordres, sinon... Billy s'assit par terre en disant qu'il ne bougerait pas, et ses mulets non plus. Les mulets, c'est sûr, n'auraient pas bougé tant que Miller ne leur aurait pas donné le feu vert. Il était bon pour la cour martiale. Juste à ce moment-là, voilà les Allemands qui rappliquent en force.

— Et il y a eu bataille ? demandai-je.

— Je pense bien — et on a gagné ! La victoire la plus éclatante depuis le début de la campagne ! Seulement je ne vous dis pas la colère du colonel Machin — comment qu'il s'appelait-il, ce vieux schnoque ? Rush, quelque chose comme ça. Rendez-vous compte, il avait dû livrer bataille à cause de l'insubordination d'un officier qu'il ne pouvait même pas traduire en cour martiale vu la façon dont les choses avaient tourné. Dur à avaler. Enfin, tout le monde parvint à sauver la face, mais l'événement est resté connu sous le nom de « bataille de Miller ».

— Est-ce que vous l'aimiez bien ? me demanda-t-il un jour abruptement.

Difficile question.

— À certains moments, oui, répondis-je. Je ne crois pas l'avoir connu assez longtemps pour éprouver une véritable affection fraternelle. Parfois je désespérais de lui, parfois il me rendait folle, parfois... il me fascinait, me charmait.

— Il savait fort bien charmer les femmes, acquiesça le colonel Dwyer. Elles venaient lui manger dans la main. Elles voulaient l'épouser, généralement. Vous savez, l'épouser et l'assagir, le « réformer » et l'installer dans un bon travail stable. J'imagine qu'il n'est plus de ce monde ?

— Non, il est mort voici quelques années.

— C'est malheureux. Mais est-ce que ça l'est vraiment, après tout ?

— Je me le suis souvent demandé.

Où se situe la frontière entre l'échec et le succès ? Selon toute apparence, la vie de mon frère Monty avait été un désastre. Il n'avait rien réussi de ce qu'il avait tenté. Mais peut-être cet échec n'était-il que financier ? Ne devait-on pas reconnaître que, malgré tout, il s'était la plupart du temps bien amusé ?

— Je suppose, m'avait-il dit un jour gaiement, que ma vie est un fiasco. Je dois un tas d'argent partout dans le monde. J'ai fait les quatre cents coups dans de nombreux pays. Amassé et planqué un joli petit lot d'ivoire illégal quelque part en Afrique. Tout le monde le sait, mais personne ne pourra le trouver ! J'en ai fait voir de toutes les couleurs à cette pauvre maman et à Madge. Crois-moi, petite sœur, j'ai bien rigolé, je me suis sacrément payé du bon temps. Je ne choisissais que ce qu'il y avait de mieux.

Là où Monty a vraiment eu de la chance, c'est que jusqu'à la vieille Mrs Taylor, il s'est toujours trouvé une femme pour venir s'occuper de lui quand il en avait besoin. Mrs Taylor et lui ont vécu paisiblement ensemble sur le Dartmoor. Puis elle attrapa une mauvaise bronchite. Comme elle se remettait difficilement, le docteur ne voyait pas d'un très bon œil qu'elle passe un autre hiver sur le plateau. Il lui conseilla d'aller où il faisait chaud, peut-être dans le midi de la France.

Monty était aux anges. Il se fit envoyer toutes les brochures possibles et imaginables. Madge et moi étions bien d'accord que nous ne pouvions pas demander à Mrs Taylor de rester sur le Dartmoor, bien qu'elle nous eût assuré qu'elle y était tout à fait prête.

— Je ne veux pas laisser tomber maintenant le capitaine Miller.

C'est ainsi que, pour faire au mieux, nous restreignîmes Monty dans ses idées les plus extravagantes et réservâmes des chambres dans une petite pension du Midi pour Mrs Taylor et lui. Je vendis le petit pavillon de granit et les accompagnai au Train bleu. Ils semblaient radieux de bonheur. Hélas ! Mrs Taylor prit froid pendant le voyage, fit une pneumonie et décéda à l'hôpital quelques jours plus tard.

On hospitalisa également Monty à Marseille. Il était anéanti par la mort de Mrs Taylor. Madge partit en sachant qu'il faudrait trouver une solution, mais laquelle ? L'infirmière qui s'occupait de lui se montra compréhensive et pleine de bonne volonté. Elle dit qu'elle verrait ce qu'elle pourrait faire.

Une semaine plus tard, nous reçûmes un télégramme du directeur de la banque chargée des transactions financières nous informant qu'un bon arrangement avait été trouvé. Madge ne pouvant se libérer, c'est moi qui fis le déplacement. Le directeur m'accueillit et m'invita à déjeuner. Personne n'aurait pu se montrer plus gentil ni plus compatissant. Il resta cependant curieusement évasif et je ne voyais pas pourquoi. La cause de son embarras ne tarda pas à apparaître. Il appréhendait la réaction des sœurs de Monty à la proposition qui était faite : l'infirmière, prénommée Charlotte, offrait de le prendre chez elle et de se charger de lui. Le directeur redoutait manifestement une explosion de pruderie offusquée de notre part. S'il avait su ! Madge et moi en aurions sauté de gratitude au cou de ladite Charlotte. Madge finit par la connaître et par s'attacher à elle. Charlotte s'y prenait bien, avec Monty, et lui l'aimait beaucoup. Elle tenait les cordons de la bourse tout en prêtant une oreille pleine de bon sens à ses grandioses projets d'aller vivre sur un yacht, et ainsi de suite.

Il mourut un jour subitement d'une hémorragie cérébrale dans un café du front de mer. Charlotte et Madge pleurèrent ensemble à l'enterrement. Il fut inhumé au cimetière militaire de Marseille.

Connaissant Monty, je crois qu'il a dû s'amuser jusqu'à la fin.

Le colonel Dwyer et moi devînmes bons amis après cela. Parfois, je sortais dîner avec lui, parfois c'est lui qui venait à mon hôtel, et nos conversations semblaient toujours tourner autour du Kenya, du Kilimandjaro, de l'Ouganda et de son lac, des histoires de mon frère.

D'une façon impérieuse et toute militaire, le colonel organisa mes loisirs pour mon prochain voyage à l'étranger.

— J'ai projeté pour vous trois bons safaris, dit-il. Quand je pourrai partir, je vous arrangerai cela au moment qui vous conviendra. Je crois que le mieux sera de nous retrouver quelque part en Égypte. Là, je prévoirai une traversée de l'Afrique du Nord par caravane à dos de chameau. Ça prendra deux mois, mais ce sera un voyage merveilleux, quelque chose que vous n'oublierez jamais. Moi, je vous emmènerai là où aucun de ces guides à la noix ne serait capable de le faire, je connais ce pays comme ma poche. Ensuite, il y a l'intérieur.

Il m'exposa alors les grandes lignes d'autres projets de voyage, la plupart en char à bœufs.

De temps en temps, je doutais dans ma tête d'être suffisamment forte pour mener à bien de tels programmes. Peut-être savions-nous tous les deux qu'ils étaient du domaine des vœux pieux. Le colonel Dwyer était un homme très seul, je pense. Sorti du rang, il avait mené une carrière militaire honorable et s'était peu à peu éloigné de sa femme qui refusait de quitter l'Angleterre — tout ce qu'elle voulait, disait-il, c'était vivre dans une jolie petite maison au bord d'une jolie petite route — et ses enfants s'étaient montrés très distants quand il rentrait en permission. Ils avaient trouvé ses idées de voyage dans des contrées inhospitalières complètement stupides et irréalistes.

— À la fin, je lui envoyais à la maison l'argent dont elle avait besoin pour elle et pour l'éducation des gamins. Ma vie, à moi, c'est là qu'elle est, en Afrique, en Égypte, en Afrique du Nord, en Irak, en Arabie Saoudite, tout ça. La voilà, la vie qu'il me faut.

En dépit de sa solitude, je pense qu'il était satisfait. Il était doté d'un humour assez mordant, et il me raconta plusieurs histoires extrêmement drôles sur les différentes intrigues en cours. En même temps, il se montrait, dans bien des domaines, tout à fait conventionnel. Très père-la-vertu, religieux, avec des idées très rigides sur le bien et sur le mal. Un vieux presbytérien, voilà ce qui le décrirait le mieux.

C'était novembre, à présent, et le temps commençait à changer. Les journées n'étaient plus écrasées par la chaleur brûlante du soleil, il tombait même parfois un peu de pluie. J'avais fait mes réservations pour rentrer en Angleterre, et je m'apprêtais à quitter Bagdad avec regret — pas trop, malgré tout, car je formais déjà des plans pour y revenir. Les Woolley avaient plus ou moins pris date avec moi pour l'année suivante, quitte à ce que j'effectue une partie du voyage de retour avec eux. J'avais reçu d'autres invitations et encouragements à le faire.

Le jour vint enfin où je dus une fois de plus monter à bord du véhicule à six roues, en ayant pris soin cette fois de m'assurer un siège à l'avant pour ne plus me mettre en situation embarrassante. Nous partîmes, et je ne tardai pas à apprendre quelques-uns des tours que peut jouer le désert. La pluie vint et, comme il est habituel en ce pays, le sol bien ferme à 8 h 30 se transforma en quelques heures en véritable marécage. À chaque pas, une énorme galette de boue d'une dizaine de kilos se collait à vos pieds. Le six-roues, lui, dérapait sans cesse, faisait des embardées et finalement s'embourba. Les chauffeurs sautèrent dehors, on sortit des pelles, des planches furent calées sous les roues pour commencer l'opération de désenlisement du car. Au bout d'une bonne quarantaine de minutes d'efforts, une première tentative fut faite. Le car frémit, se souleva puis retomba. Finalement, comme la pluie redoublait de violence, nous fûmes contraints de faire demi-tour et de rentrer à Bagdad. Notre second départ, le lendemain, fut le bon. Nous eûmes encore à nous désembourber une ou deux fois, mais, passé Ramadi, lorsque nous parvînmes à la forteresse de Rutbah, nous retrouvâmes le vrai désert et nos difficultés cessèrent.

3

L'un des meilleurs moments, dans un voyage, est celui du retour à la maison. Rosalind, Carlo, Punkie et sa famille : j'eus un plaisir renouvelé à les revoir tous.

Nous passâmes Noël chez Punkie dans le Cheshire. Après quoi nous redescendîmes sur Londres où nous devions recevoir une amie de Rosalind, Pam Druce, dont nous avions rencontré les parents pour la première fois aux Canaries. Lesquels parents projetaient présentement un voyage je ne sais où. Nous décidâmes d'assister à un spectacle de Noël, après quoi Pam nous accompagnerait dans le Devon jusqu'à la fin des vacances.

Le soir de son arrivée s'écoula fort agréablement. Au beau milieu de la nuit, cependant, je fus réveillée par une petite voix qui disait :

— Je peux venir dans votre lit, Mrs Christie ? Je crois que je fais des rêves bizarres.

— Bien sûr, Pam.

J'allumai la lampe, et elle vint se glisser à côté de moi avec un soupir. J'étais un peu étonnée, car cette enfant ne m'avait pas paru craintive. Pourtant, elle sembla vraiment réconfortée et nous nous rendormîmes toutes deux jusqu'au matin.

Quand on eut tiré mes rideaux et apporté mon thé, j'allumai ma lampe de chevet et regardai Pam. Je n'ai jamais vu un visage couvert d'autant de boutons. Elle dut remarquer quelque chose d'étrange dans mon expression.

— Vous me regardez d'un drôle d'air, fit-elle en effet.

— Eh bien, oui, un peu.

— Moi non plus, ajouta-t-elle, j'en reviens pas. Comment ça se fait que je me retrouve dans votre lit ?

— Tu es venue pendant la nuit en me disant que tu faisais des mauvais rêves.

— Ah ? Je me rappelle pas. Je vois pas ce que je fabrique ici.

Elle s'interrompit un moment, puis m'interrogea de nouveau :

— Il y a autre chose ?

— Euh, j'ai peur que oui. Tu sais, Pam, je crois que tu as la rougeole.

Je lui apportai un miroir et elle examina son visage.

— Mon Dieu, j'ai une de ces têtes !

J'acquiesçai.

— Qu'est-ce que je vais faire, maintenant ? reprit-elle. Est-ce que je vais pouvoir aller au spectacle, ce soir ?

— Je crains que non, tu sais. Je pense qu'avant tout il faut téléphoner à ta maman.

J'appelai Beda Druce, qui vint tout de suite. Elle annula immédiatement son départ et emmena Pam. Quant à moi, je mis Rosalind dans la voiture, et nous descendîmes dans le Devonshire. Là, nous attendrions dix jours pour voir si elle avait contracté ou non la rougeole. Le trajet ne fut pas aisé, car j'avais moi-même été vaccinée contre la variole la semaine précédente et ma jambe était tout endolorie.

Au bout des dix jours, ce fut moi qui fus prise de violents maux de tête et de tous les symptômes de la fièvre.

— Tu vas peut-être avoir la rougeole à ma place, suggéra Rosalind.

— Impossible, répondis-je. Je l'ai déjà eue, et carabinée, à l'âge de 15 ans.

Cependant, je n'étais pas trop rassurée. On avait vu des gens avoir la rougeole deux fois, et pourquoi me sentirais-je si malade, autrement ?

J'appelai ma sœur. Madge, toujours prête à voler au secours des gens, me dit que, sur un simple télégramme, elle descendrait immédiatement s'occuper de moi, ou de Rosalind, ou des deux à la fois, et de tout ce qu'il faudrait. Le lendemain, je me sentais encore plus mal et Rosalind se plaignait d'un rhume : elle avait les yeux larmoyants et éternuait.

Punkie arriva, pleine de son enthousiasme habituel de saint-bernard. Le Dr Carver fut vite appelé. Il annonça que Rosalind avait la rougeole.

— À nous, maintenant, me fit-il ensuite. Qu'est-ce qui se passe ? Vous ne paraissez pas dans votre assiette.

Je répondis que je ne me sentais pas bien du tout et que je devais avoir de la fièvre. Il me posa encore quelques questions.

— Ah ! vous avez été vaccinée et vous êtes quand même descendue en voiture ici ? On vous l'a fait à la cuisse, dites-vous ? Pourquoi pas au bras ?

— Parce que les vaccins, c'est horrible quand on est en robe du soir.

— Il n'y aucun mal à se faire vacciner à la cuisse, mais c'est vraiment déraisonnable de conduire ensuite sur plus de trois cents kilomètres. Voyons un peu ça.

Il regarda.

— Diable, cette jambe est très enflée ! s'exclama-t-il. Vous ne vous en étiez donc pas aperçue ?

— Si, bien sûr. Je croyais que c'était une petite réaction au vaccin.

— Une petite réaction ? C'est bien plus que cela ! Prenons votre température.

Ce qu'il fit.

— Seigneur ! Vous ne l'aviez donc pas prise toute seule ?

— Si, hier. J'avais 38,8 mais je pensais qu'elle baisserait. C'est vrai que je me sens un peu patraque.

— Un peu patraque ! Rien d'étonnant ! Vous avez près de 40 ! Mettez-vous au lit immédiatement et attendez que je prenne quelques dispositions.

Il revint en disant que je devais entrer tout de suite en clinique et qu'il allait envoyer une ambulance. Une ambulance, cela me paraissait exagéré. Pourquoi pas simplement une voiture ou un taxi ?

— Vous allez faire comme on vous dit ! s'écria le Dr Carver qui n'en était peut-être pas très sûr. Auparavant, je voudrais dire un mot à Mrs Watts.

Punkie revint et dit :

— Je vais m'occuper de Rosalind pendant qu'elle a la rougeole. Le Dr Carver semble te trouver assez mal en point. Qu'est-ce qu'ils t'ont fait ? Ils t'ont empoisonnée avec leur vaccin ?

Punkie me rassembla quelques affaires et je m'allongeai sur mon lit en attendant l'ambulance. J'avais du mal à réunir mes pensées. J'avais l'horrible impression de me trouver sur l'étal d'un poissonnier : tout autour de moi se trouvaient des poissons en filets, d'autres encore frémissants, sur la glace, mais en même temps j'étais enchâssée dans un rondin de bois qui flambait tout en dégageant des tourbillons de fumée, combinaison d'images des plus fâcheuses. De temps en temps, au prix d'un énorme effort, je m'extirpais de ce pénible cauchemar et me disais : « Je suis juste Agatha, je suis sur mon lit, il n'y a pas de poissons ici, pas de poissonnerie, et je ne suis pas un rondin incandescent. » Presque aussitôt, je me sentais glisser sur une peau de mouton gluante et me retrouvais entourée des têtes de poisson. Il y en avait une particulièrement déplaisante, je m'en souviens encore : celle d'un grand turbot aux yeux protubérants, à la gueule béante, qui me lorgnait d'une façon tout à fait désagréable.

La porte s'ouvrit alors et une femme en uniforme d'infirmière entra dans la chambre, ainsi que ce qui semblait être un ambulancier avec une sorte de fauteuil portatif. Je protestai énergiquement : je refusais d'être emmenée où que ce soit dans un fauteuil. Je pouvais très bien descendre l'escalier et monter dans une ambulance. L'infirmière ne voulut rien savoir.

— Ordre du docteur, fit-elle, très pète-sec. Asseyez-vous là-dedans, nous allons vous sangler.

Je ne me souviens pas d'expérience plus effrayante que d'être ainsi véhiculée au bas de marches raides jusque dans le hall. D'autant que je pesais mon petit poids — dans les 70 kilos — et que l'ambulancier était un gringalet. L'infirmière et lui m'installèrent donc dans le fauteuil et entreprirent de me descendre. Le siège craquait et menaçait de se désintégrer, l'ambulancier trébuchait à chaque marche et était obligé de se retenir à la rampe. Le moment arriva où le fauteuil commença à se disloquer pour de bon.

— Mon Dieu, haleta l'ambulancier à l'infirmière, le v'là qui s'déglingue !

— Laissez-moi descendre ! hurlai-je. Je peux marcher toute seule.

Ils durent céder. Ils défirent la sangle. J'empoignai la rampe et descendis vaillamment les marches. Je me sentis bien plus en sécurité ainsi, et je me retins de leur dire leurs quatre vérités.

L'ambulance démarra et j'arrivai à la clinique. Une mignonne petite infirmière stagiaire toute rousse me mit au lit. Les draps étaient frais, mais pas assez. Les visions de poissons sur la glace revinrent, en même temps que celle d'un chaudron entouré de flammes.

— Ooh ! s'extasia l'élève-infirmière en regardant ma jambe. La dernière fois qu'on a vu une jambe comme ça, il a fallu amputer au bout de trois jours.

Par chance, j'étais à ce moment-là dans un tel état que je ne faisais plus vraiment attention aux mots, peu importait alors qu'on me coupât les deux jambes et même la tête. Il me vint toutefois à l'esprit, tandis que la petite rouquine arrangeait mon lit et me bordait étroitement, qu'elle s'était trompée de vocation, que sa façon de parler ne serait peut-être pas appréciée de tous les malades dans un hôpital.

Heureusement, on ne m'amputa pas de ma jambe le troisième jour. Après quatre ou cinq jours d'une fièvre de cheval et de délire venant d'un empoisonnement du sang, les choses commencèrent à s'arranger. J'étais convaincue, et je le suis toujours, que certains lots de vaccins avaient été conditionnés à double dose. Les médecins, eux, attribuaient entièrement cela au fait que je n'avais pas été vaccinée depuis ma plus tendre enfance, et que j'avais fatigué ma jambe en conduisant depuis Londres.

Au bout d'une semaine, j'étais plus ou moins redevenue moi-même. Je m'intéressai de nouveau à ma fille. J'appris au téléphone que sa rougeole, comme celle de Pam, avait déclenché une superbe éruption, et que Rosalind avait vivement apprécié les soins de sa tatie Punkie. Presque chaque soir, elle l'appelait de sa voix flûtée :

— Tatie Punkie, tu pourrais pas m'éponger le front comme t'as fait hier soir ? J'ai trouvé que ça faisait vraiment du bien.

Je revins donc peu après à la maison, toujours avec un impressionnant pansement sur la cuisse gauche, et la convalescence, toutes trois ensemble, fut fort gaie. Rosalind manqua la rentrée d'une bonne quinzaine, le temps d'être tout à fait rétablie et d'avoir retrouvé tout son allant. Quant à moi, je m'octroyai une semaine supplémentaire pour bien laisser à ma jambe le temps de guérir, et je partis moi aussi, d'abord pour l'Italie. Mon séjour à Rome fut d'ailleurs plus bref que je l'avais prévu, car je devais prendre mon bateau pour Beyrouth.

4

Cette fois, j'effectuai la traversée sur un navire de la Lloyd Triestino pour rejoindre la capitale libanaise, où je passai quelques jours avant de franchir à nouveau le désert par la Nairn Transport. La mer avait été assez agitée le long de la côte, depuis Alexandrette, et je ne m'étais pas sentie très bien. J'avais également remarqué une autre femme sur le bateau. Sybil Burnett, la personne en question, me dit plus tard qu'elle n'avait pas été trop gaillarde non plus dans la houle. En me voyant, elle s'était dit : « Voilà une des femmes les plus désagréables que j'ai jamais vues. » Simultanément, je m'étais fait sur elle les mêmes réflexions : « Je n'aime pas cette bonne femme. Je n'aime pas son chapeau, je n'aime pas ses bas couleur de champignon. »

C'est avec ce flot d'antipathie réciproque que nous nous apprêtâmes à traverser le désert ensemble. Nous devînmes amies presque tout de suite, pour le rester pendant de nombreuses années. Sybil, qu'on surnommait généralement « Bauff », était l'épouse de sir Charles Burnett, général de division aérienne à l'époque, qu'elle allait rejoindre. C'était une femme d'une grande originalité, qui disait tout cru ce qu'elle pensait, adorait les voyages à l'étranger, avait quatre filles et deux fils d'un premier mariage et possédait une superbe maison à Alger ainsi qu'une inépuisable joie de vivre. Avec nous se trouvait un groupe de catholiques anglaises, des dames que l'on conduisait en Irak pour une visite guidée de différents lieux bibliques. La responsable du groupe était une créature à l'air farouche, une certaine miss Wilbraham. Avec ses grands pieds et son énorme casque colonial, Sybil trouvait qu'elle ressemblait exactement à un scarabée, et j'étais bien d'accord. C'était le genre de personne que l'on ne peut s'empêcher de contredire. Ce que Sybil s'empressa de faire.

— J'ai quarante dames avec moi, fit miss Wilbraham, je crois que je peux vraiment être fière. Toutes des sahibs de la bonne

société sauf une. C'est tellement important, ces distinctions-là,
vous ne trouvez pas ?

— Non, fit Sybil Burnett, ce doit être terriblement ennuyeux.
Il faut de la variété, au contraire.

Miss Wilbraham ne releva pas. C'était cela, sa force : elle ne
prêtait pas la moindre attention à ce qu'on lui disait.

— Oui, vraiment, je crois que je peux être fière.

Bauff et moi nous creusâmes la tête pour essayer de voir si
nous pouvions repérer la brebis galeuse, celle qui avait échoué au
test de sahib et était marquée pour le reste du voyage.

Miss Wilbraham était secondée de son assistante et amie,
miss Amy Ferguson. Miss Ferguson se vouait corps et âme à
toutes les causes catholiques anglaises, et plus encore à miss Wilbraham qu'elle considérait comme une super-femme. La seule
chose qui la navrait était sa propre incapacité à suivre le rythme
de son chef.

— Le problème, confiait-elle, c'est que Maude est extraordinairement robuste. Moi, j'ai une bonne santé, mais je dois reconnaître que, certaines fois, je me sens vraiment fatiguée. Pourtant
je n'ai que 65 ans alors que Maude approche des 70.

— Une excellente fille, disait miss Wilbraham d'Amy. Très
capable, très dévouée. Malheureusement, elle est toujours fatiguée, c'est énervant au possible. Ce n'est pas sa faute, la pauvre,
j'imagine. Moi, poursuivait miss Wilbraham, la fatigue, je n'ai
jamais su ce que c'était.

Nous n'en doutions pas un seul instant.

Nous arrivâmes à Bagdad. Je retrouvai certains vieux amis, restai sur place quatre ou cinq jours à me distraire, puis reçus un
télégramme des Woolley et descendis à Ur.

Je les avais vus à Londres au mois de juin précédent, lorsqu'ils
étaient rentrés au pays. En fait, je leur avais loué la petite maison,
aménagée dans des anciennes écuries, que je venais d'acheter à
Cresswell Place. Une délicieuse habitation, à mon avis du moins :
c'était l'un des quatre ou cinq bâtiments faisant partie des écuries
à avoir été édifiés en forme de cottage. Quand j'en fis l'acquisition, elle était encore équipée de stalles et de mangeoires disposées
tout autour du mur, avec également une sellerie au rez-de-chaussée et une petite chambre coincée entre les deux. Un escalier en
forme d'échelle menait à l'étage qui comprenait deux pièces, une
salle de bains rudimentaire et une autre pièce minuscule. Avec
l'aide d'un entrepreneur coopératif, elle avait été transformée.
Dans la grande écurie du bas, les stalles et autres boiseries avaient
été repoussées contre les murs, et au-dessus, j'avais fait mettre un
papier à bordure herbacée, très à la mode à ce moment-là, si bien

qu'en entrant on avait l'impression de se trouver dans une petit jardin de cottage. La sellerie devint le garage et la pièce entre les deux la chambre de bonne. En haut, la salle de bains s'orna de dauphins verts qui s'ébattaient partout sur les murs et d'une baignoire en porcelaine verte. La plus grande des deux chambres se transforma en salle à manger, avec un divan qui servait de lit la nuit. La toute petite pièce fut la cuisine, et l'autre une seconde chambre.

C'est pendant que les Woolley se trouvaient dans cette maison qu'ils mirent au point un merveilleux projet pour moi. Je devais les rejoindre à Ur une semaine environ avant la fin de la saison, pendant qu'ils rangeaient le matériel, et effectuer le voyage de retour avec eux en passant par la Syrie, la Grèce et, une fois en Grèce, Delphes. Cette perspective m'enthousiasma.

J'arrivai à Ur en pleine tempête de sable. J'en avais déjà essuyé une lors de ma première visite, mais celle-ci fut bien pire et dura quatre ou cinq jours. Je n'avais jamais imaginé que le sable pouvait s'infiltrer à ce point partout. Fenêtres fermées, moustiquaires mises, il y en avait plein votre lit le soir. Après l'avoir bien secoué sur le sol, vous vous couchiez et en retrouviez toute une couche sur votre visage le lendemain matin, dans votre cou, partout. Ces cinq jours furent presque une torture. Nous eûmes cependant d'intéressantes conversations, tout le monde était très gentil et ce séjour me plut énormément.

Le père Burrows se trouvait là de nouveau, et Whitburn, l'architecte, ainsi que l'assistant de Leonard Woolley, Max Mallowan, qui travaillait avec lui depuis cinq ans mais avait été absent l'année précédente lorsque j'étais venue. C'était un jeune homme brun, mince, très calme. Il parlait peu mais répondait à tout ce qu'on attendait de lui.

Je remarquai alors une chose qui ne m'avait pas frappée auparavant : l'extraordinaire silence qui régnait à table. Comme si chacun avait peur de dire un mot. Au bout d'un ou deux jours, je commençai à comprendre pourquoi. Katharine Woolley était une femme très changeante, capable avec une égale facilité de mettre les gens soit à l'aise soit très mal. Je me rendis compte qu'on était aux petits soins pour elle : il se trouvait toujours quelqu'un pour lui proposer un peu plus de lait dans son café, davantage de beurre sur ses toasts, lui passer la marmelade, et ainsi de suite. Pourquoi, me demandais-je, ont-ils tellement peur ?

Un matin où elle était de mauvaise humeur, j'en découvris un peu plus.

— Évidemment, il n'y a personne pour me passer le sel, maugréa-t-elle.

Quatre mains empressées lui poussèrent aussitôt la salière, manquant la renverser dans l'opération. Un silence s'ensuivit, puis Mr Whitburn se pencha pour lui offrir timidement des toasts.

— Vous ne voyez pas que j'ai la bouche pleine, Mr Whitburn ? obtint-il en guise de remerciement.

Il se rassit, rougit d'embarras, et chacun se servit fébrilement avant de lui en reproposer. Elle refusa.

— Mais je trouve quand même, ajouta-t-elle, que vous pourriez parfois attendre que Max ait eu le temps de se servir avant de les finir tous.

Je regardai Max. Le dernier toast lui fut tendu. Il le prit vivement sans piper mot. En fait, il en avait déjà eu deux et je me demandai pourquoi il ne le disait pas. Cela aussi, je devais mieux le comprendre plus tard.

Mr Whitburn me donna la clé de certains de ces mystères.

— Voyez-vous, dit-il, elle a toujours des préférés.

— Mrs Woolley ?

— Oui. Ça change, remarquez. C'est tantôt l'un, tantôt l'autre. Je veux dire que ce que vous faites est soit très mal, soit très bien. En ce moment, c'est moi qui suis la tête de Turc.

Il était également clair que Max Mallowan était présentement la personne qui faisait tout bien. Peut-être à cause de son absence, la saison précédente, ce qui lui donnait l'avantage de la nouveauté sur les autres, mais je crois que c'est parce que, au cours de ses cinq années de collaboration, il avait appris comment se comporter avec les deux Woolley. Il savait quand se taire et quand parler.

Je me rendis vite compte qu'il avait le don, avec les gens. Avec les ouvriers et, beaucoup plus difficile pourtant, avec Katharine Woolley.

— C'est vrai, me disait-elle, Max est l'assistant parfait. Je me demande ce que nous aurions fait sans lui toutes ces années. Je crois qu'il vous plaira beaucoup. Je vous ferai accompagner par lui à Nejef et Kerbala. Nejef est la ville sainte des morts pour les musulmans, et Kerbala possède une superbe mosquée. Alors quand nous bouclerons tout ici pour aller à Bagdad, il vous y emmènera. Vous pourrez voir Nippur au passage.

— Oh ! mais... ne préférera-t-il pas aller à Bagdad lui aussi ? demandai-je. Il a sûrement des amis à voir avant de rentrer en Angleterre.

J'étais consternée à l'idée d'être imposée à un jeune homme qui avait sans doute fort besoin de prendre un peu de liberté et de bon temps à Bagdad après les trois mois d'effort d'une saison à Ur.

— Pas du tout, affirma péremptoirement Katharine. Max sera ravi.

Je ne pensais pas qu'il le serait vraiment, même si je n'avais pas le moindre doute qu'il n'en laisserait rien paraître. Mal à l'aise, j'en parlai à Whitburn, que je considérais comme un ami puisqu'il était déjà là l'année précédente.

— Vous ne trouvez pas que c'est tyranniser ce garçon ? J'ai horreur de faire des choses pareilles. Je pourrais dire que je n'ai pas envie d'aller à Nejef et Kerbala, qu'en pensez-vous ?

— Je crois que vous devriez vraiment y aller. Ne vous faites pas de souci, ça n'ennuiera pas Max. D'ailleurs on ne revient pas sur ce que Katharine a décidé, voyez-vous.

Je voyais, et un immense sentiment d'admiration s'empara de moi. Ce devait être merveilleux d'être ce genre de femme qui, une fois qu'elle avait pris une décision, pouvait constater que tout son entourage obtempérait sans rechigner, comme s'il s'agissait de la chose la plus naturelle du monde.

Des mois plus tard, je me souvins d'avoir dit à Katharine tout le bien que je pensais de Len, son mari :

— C'est merveilleux, fis-je, de voir combien il est attentionné. La façon dont il se lève la nuit, sur le bateau, et va vous préparer une tasse de Benger ou de la soupe chaude. Il n'y a pas beaucoup de maris qui feraient ça.

— Non ? fit Katharine, l'air surpris. Mais Len trouve que c'est un privilège !

C'est vrai que pour Len c'était un privilège. En réalité, dès qu'on faisait quelque chose pour Katharine, on avait toujours l'impression, sur le moment en tout cas, que c'était un privilège. Bien sûr, le jour où vous rentriez chez vous en vous apercevant que les deux livres que vous aviez tant envie de lire et que vous veniez tout juste de vous procurer à la bibliothèque, vous les lui aviez prêtés comme par inadvertance parce qu'elle se lamentait d'être à court de lectures, vous compreniez combien cette femme était remarquable.

Seuls des gens exceptionnels ne tombaient pas sous son emprise. Ce fut le cas de Freya Stark. Katharine était malade, un jour, et ne cessait de réclamer qu'on aille lui chercher ceci ou qu'on fasse cela pour elle. Freya Stark, qui résidait avec elle, lui dit, sur un ton gai et amical mais ferme :

— Je vois que vous n'êtes pas bien du tout, ma chère, mais je suis totalement inefficace avec un malade. Alors le mieux que je puisse faire pour vous, c'est de partir pour la journée.

Et de joindre le geste à la parole. Le plus surprenant, c'est que Katharine ne lui en voulut pas. Elle vit seulement là un magnifique exemple de la force de caractère de Freya, et c'en était effectivement un.

Pour en revenir à Max, tout le monde semblait trouver parfaitement naturel qu'un jeune homme, qui avait travaillé dur sur des fouilles difficiles, qui était sur le point de se voir accorder un peu de repos et de loisir, se sacrifie pour partir au diable vauvert montrer les différents sites du pays à une étrangère bien plus âgée que lui et à peu près nulle en archéologie. Pour lui aussi, cela paraissait aller de soi. Son air sérieux me mettait légèrement mal à l'aise. Je me demandais si je devais lui présenter une forme d'excuse. Je fis bien une tentative en balbutiant quelques mots sur le fait que l'idée de cette excursion ne venait pas de moi, mais Max n'y voyait aucun inconvénient. Il n'avait rien de spécial à faire. Il comptait rentrer au pays par étapes : voyager d'abord avec les Woolley puis, étant déjà allé à Delphes, les quitter pour monter voir le temple de Bassæ et d'autres endroits de Grèce. Lui-même aurait grand plaisir à se rendre à Nippur. C'était un site fort intéressant qu'il revoyait toujours avec plaisir, comme Nejef et Kerbala qui valaient le déplacement.

Vint donc le jour de notre départ. La journée à Nippur, bien qu'extrêmement fatigante, me plut beaucoup. Nous roulâmes pendant des heures sur un sol bosselé, et fîmes à pied le tour de fouilles qui semblaient s'étendre sur des hectares. Je ne crois pas que j'aurais trouvé cela très intéressant si je n'avais été accompagnée de quelqu'un pour tout m'expliquer. En fait, je devenais plus passionnée que jamais.

Finalement, vers 19 heures, nous arrivâmes à Diwaniya où nous devions passer la nuit chez les Ditchburn. Bien qu'ivre de sommeil, je parvins vaille que vaille à me brosser les cheveux pour en ôter le sable, à me laver le visage, à me poudrer le bout du nez et à enfiler un semblant de robe du soir.

Mrs Ditchburn adorait recevoir. C'était une grande causeuse : en fait, elle n'arrêtait pas de parler, de sa voix claire et pleine d'entrain. Je fus présentée à son mari et placée à côté de lui. Il paraissait assez renfermé, ce qui pouvait se comprendre, et, pendant un long moment, nous demeurâmes dans un silence pesant. Je fis quelques commentaires insignifiants sur les différentes visites que j'avais effectuées, auxquels il ne répondit même pas. Mon autre voisin était un missionnaire américain. Du genre taciturne, lui aussi. En l'observant du coin de l'œil, je m'aperçus qu'il tortillait ses mains sous la table et qu'il mettait un mouchoir en pièces. Je trouvai cela un peu inquiétant et me demandai ce qui pouvait bien motiver cette attitude. Sa femme était assise de l'autre côté de la table et paraissait elle aussi en état de grande nervosité.

Ce fut une étrange soirée. Mrs Ditchburn s'ébattait dans ses conversations, bavardait avec ses voisins, parlait à Max et à moi, lequel Max répondait raisonnablement bien. Les deux missionnaires, le mari et la femme, n'ouvraient pas la bouche, la femme regardant d'un air désespéré son mari qui continuait à déchirer son mouchoir en lambeaux de plus en plus petits.

Dans les brumes rêveuses d'une semi-somnolence, l'idée d'un sensationnel roman me vint à l'esprit : un missionnaire devient lentement fou sous l'effet d'une certaine tension nerveuse. Tension nerveuse due à quoi, mystère, mais bien réelle, en tout cas. Et partout où il est passé, des mouchoirs déchirés, réduits en lambeaux, sont autant d'indices. Indices... mouchoirs... lambeaux... la pièce commença à tournoyer autour de moi et je faillis tomber de ma chaise, endormie.

À ce moment, une voix acerbe résonna dans mon oreille gauche.

— Tous les archéologues sont des menteurs, articula Mr Ditchburn avec une sorte d'aigreur venimeuse.

Je m'éveillai aussitôt et le considérai en réfléchissant à ce qu'il venait de dire. Il m'avait jeté ces mots de la façon la plus provocatrice qui soit. Ne me sentant pas suffisamment compétente pour défendre l'honnêteté de la profession, je me bornai à répondre :

— Qu'est-ce qui vous fait penser cela ? Sur quoi mentent-ils ?

— Sur tout. Tout. Quand ils disent qu'ils connaissent la date des objets et des événements : que ceci a sept mille ans, cela trois mille, que tel roi a régné à tel moment, tel autre après ! Des menteurs, je vous dis ! Tous autant qu'ils sont !

— Ce n'est pas possible, voyons !

— Pas possible ?

Mr Ditchburn émit un rire sardonique avant de se replonger dans son silence.

Je fis une nouvelle tentative auprès de mon missionnaire, mais je n'obtins guère plus de succès de ce côté. Puis Mr Ditchburn rompit de nouveau le silence et dévoila incidemment l'une des raisons possibles de son ressentiment :

— Comme d'habitude, bien sûr, il a fallu que je laisse mon *dressing-room* à cet archéologue de malheur !

— Oh ! fis-je, mal à l'aise, je suis navrée. Je ne savais pas...

— C'est toujours la même chose, poursuivit-il, elle fait chaque fois le coup — ma femme, je veux dire. Elle ne peut pas s'empêcher d'inviter des gens à la maison. Vous, ce n'est pas le problème, vous êtes dans une des chambres d'amis normales. On en a trois, mais ça n'est pas encore assez pour Elsie. Non, elle remplit toutes les pièces disponibles, et ensuite elle réquisitionne mon *dressing* en plus. Comment j'arrive à supporter ça, je me le demande.

Je lui répétai que j'étais désolée. J'étais au comble de l'embarras, mais, au bout de quelques instants, je me vis de nouveau dans l'obligation de battre le rappel de toute mon énergie pour rester éveillée. J'y parvins à peine.

À la fin, je demandai la permission de me retirer. Mrs Ditchburn fut très déçue, elle qui avait prévu une bonne partie de bridge, mais mes yeux se fermaient tout seuls et il ne me resta que la force de monter l'escalier en titubant, ôter mes vêtements et m'écrouler sur mon lit.

Nous repartîmes à 5 heures le lendemain. Ce voyage en Irak fut ma première expérience d'un style de vie assez rigoureux. Nous visitâmes Nejed, un endroit vraiment merveilleux : une véritable nécropole, une cité des morts, avec la silhouette sombre et voilée des femmes musulmanes en lamentation qui se déplaçaient furtivement. C'était un repaire d'extrémistes et il n'était pas toujours possible de s'y rendre. Il fallait d'abord informer la police qui se tenait alors sur ses gardes afin qu'aucune explosion de fanatisme ne se produise.

De Nejed nous allâmes ensuite à Kerbala, à la superbe mosquée au dôme turquoise et doré. C'était la première fois que je la voyais de si près. Nous passâmes la nuit sur place, au poste de police. Je déroulai à même le sol d'une petite cellule le nécessaire de couchage que Katharine m'avait prêté. Max en occupa une autre et me pria de ne pas hésiter à demander son aide si nécessaire au cours de la nuit. À l'époque de mon éducation victorienne, j'aurais trouvé absolument extraordinaire d'être obligée de réveiller un jeune homme que je connaissais à peine pour lui demander d'avoir la gentillesse de m'accompagner aux toilettes, et pourtant cela me parut bientôt tout naturel. Je réveillai Max, qui appela un policier, lequel alla chercher une lanterne, puis nous longeâmes tous trois des couloirs pour arriver enfin à une petite pièce à l'odeur pestilentielle et au centre de laquelle il y avait un trou. Max et le policier attendirent poliment à la porte pour m'éclairer le chemin du retour.

Le dîner avait été servi sur une table à l'extérieur du poste, à la lumière de la pleine lune et au coassement incessant et monotone, quoique musical, des grenouilles. Chaque fois que j'entends des grenouilles, à présent, je pense à Kerbala et à cette soirée. Le policier s'était assis avec nous. De temps à autre, il risquait prudemment quelques mots en anglais, mais, la plupart du temps, il parlait arabe avec Max, lequel me traduisait à l'occasion les quelques paroles qui m'étaient destinées. Après l'un de ces silences reposants qui font partie intégrante de tous les contacts en Orient et s'accordent si harmonieusement avec les sentiments de chacun, notre compagnon reprit soudain la parole.

— « Salut à toi, brillant esprit, commença-t-il, simple oiseau jamais tu ne fus. »

Je le regardai, surprise, tandis qu'il achevait le poème.

— J'ai appris ça, dit-il. Très joli en anglais.

Oui, vraiment très beau, acquiesçai-je. Cela sembla mettre fin à cette partie de la conversation. Je n'aurais jamais imaginé faire tout ce chemin jusqu'en Irak pour entendre l'*Ode à une alouette* de Shelley m'être récitée par un policier irakien dans le jardin du poste à minuit !

Nous prîmes le petit déjeuner tôt le lendemain matin. Un jardinier, qui cueillait des roses, s'avança avec un bouquet. Je l'attendis, prête à le remercier de mon sourire le plus avenant lorsque, à ma grande confusion, il passa devant moi sans un regard et les tendit avec une profonde révérence à Max. Celui-ci me fit remarquer en riant que nous étions en Orient, où les cadeaux étaient présentés aux hommes et non aux femmes.

Nous embarquâmes avec toutes nos affaires — couchage, provisions de pain frais, et les roses — puis reprîmes notre route. Nous avions prévu de faire un détour, en revenant sur Bagdad, pour voir la ville arabe d'Ukhaidir, qui se trouve en plein désert. Le paysage était monotone et, pour passer le temps, nous chantâmes des chansons en puisant dans un répertoire que nous connaissions tous les deux, commençant par *Frère Jacques* pour continuer par différentes autres ballades et vieux refrains. Nous vîmes Ukhaidir, merveilleux dans son isolement. Une ou deux heures après l'avoir quittée, nous arrivâmes à un lac du désert, à l'eau claire et d'un bleu étincelant. Il faisait une chaleur atroce et je n'eus qu'une envie : me baigner.

— Vraiment ? demanda Max. Eh bien pourquoi pas ?

— Je peux ?

Je regardai d'un air pensif mes affaires de couchage et ma petite valise.

— Mais je n'ai pas de costume de bain...

— N'auriez-vous pas quelque chose qui puisse, euh... remplacer ? demanda délicatement Max.

Je réfléchis et, en fin de compte, décidai de me vêtir d'une combinaison en soie et de deux culottes. J'étais prête. Le chauffeur, la politesse et la délicatesse mêmes comme d'ailleurs tous les

Arabes, s'éloigna. Max, en short et maillot de corps, me rejoignit et nous nageâmes ensemble dans les flots bleus.

Ce fut le paradis. Le monde paraissait merveilleux, du moins jusqu'à ce que nous voulions faire repartir la voiture : elle s'était doucement enfoncée dans le sable et refusait de bouger. Je pris conscience, alors, de certains des risques de la conduite dans le désert. Max et le chauffeur sortirent grilles de roue et autres outils du véhicule, essayèrent de nous tirer de là, mais en vain. Les heures se succédèrent. Il faisait toujours une chaleur suffocante. Je m'allongeai à l'ombre maigre d'un côté de la voiture et m'endormis.

Max me révéla plus tard — vrai ou non — que c'est à ce moment-là qu'il décida que je ferais une excellente épouse pour lui.

— Tu ne t'es même pas énervée ! expliqua-t-il. Tu ne t'es pas plainte, tu n'as pas dit que c'était ma faute, que nous n'aurions jamais dû nous arrêter là. Tu ne semblais pas t'inquiéter de savoir si on allait repartir ou non. C'est là que j'ai commencé à te trouver merveilleuse.

Depuis qu'il m'a fait cette remarque, j'essaie d'être digne de la réputation que je m'étais forgée. Je crois parvenir assez bien à prendre les choses comme elles viennent et à ne pas me mettre dans tous mes états. Il est vrai que j'ai aussi cette faculté bien pratique de pouvoir m'endormir à n'importe quel moment, en n'importe quel lieu.

Nous n'étions pas là sur une piste à caravanes et il se pouvait que ni camion ni personne ne vienne de ce côté avant plusieurs jours, peut-être une semaine. Nous avions un garde méhariste avec nous. Il finit par proposer d'aller chercher du secours, ce qui prendrait vingt-quatre heures, quarante-huit au plus. Il nous laissa ce qui lui restait d'eau.

— Nous les méharistes, déclara-t-il avec hauteur, pouvons, dans les cas d'urgence, nous passer de boire.

Il s'éloigna à pas majestueux, et je le suivis des yeux, non sans quelque appréhension. Nous étions en pleine aventure, et j'espérais qu'elle ne tournerait pas mal. Nos réserves d'eau ne semblaient pas énormes, et la seule idée d'en manquer me donnait déjà soif. Un miracle se produisit. Une heure plus tard, une Ford T avec quatorze passagers pointa à l'horizon. Assis à côté du chauffeur se trouvait notre ami garde méhariste qui agitait son fusil avec exubérance.

À plusieurs reprises sur le chemin du retour de Bagdad, nous nous arrêtâmes à des tells, en fîmes le tour et ramassâmes des tessons de poterie. J'étais particulièrement séduite par tous ces fragments vernis aux couleurs vives : vert, turquoise, bleu, et un qui portait une sorte de motif à l'or fin. Tous étaient d'une période bien postérieure à celle qui intéressait Max, mais il se montra compréhensif pour mon engouement et nous en ramassâmes un grand sac.

Quand nous fûmes arrivés à Bagdad et qu'on m'eût reconduite à mon hôtel, j'étendis mon mackintosh à terre, trempai tous les tessons dans de l'eau et les disposai en un dégradé chatoyant de couleurs. Max se prêta aimablement à ma lubie, apporta son propre imperméable et ajouta quatre fragments à l'étalage. Je le surpris à me regarder avec l'air bienveillant du maître en face d'un enfant espiègle mais pas désagréable et je crois vraiment que c'est ainsi qu'il me considérait à cette époque. J'ai toujours adoré ramasser des coquillages, des pierres de couleur, tous les petits trésors que les enfants aiment à collectionner. Une jolie plume d'oiseau, une feuille diaprée : voilà, me dis-je souvent, les véritables trésors de la vie, ceux que l'on préfère aux topazes, aux émeraudes ou aux œufs de Fabergé.

Katharine et Len Woolley étaient déjà arrivés à Bagdad et n'apprécièrent pas du tout nos vingt-quatre heures de retard dues au détour par Ukhaidir. J'échappai aux reproches, n'ayant été que le paquet qu'on trimballait d'un endroit à l'autre et ne sachant rien de son itinéraire.

— Max aurait dû se douter que nous nous ferions du souci, dit Katharine. Nous aurions pu lancer des recherches, ou entreprendre quelque chose qu'il ne fallait pas.

Max répéta patiemment qu'il était navré, qu'il n'avait pas imaginé qu'ils s'inquiéteraient.

Deux jours plus tard, nous quittâmes Bagdad par le train pour Kirkuk et Mossoul, première étape de notre retour. Mon ami le colonel Dwyer vint à la gare de Bagdad Nord pour nous dire au revoir.

— Il ne faudra pas vous laisser faire, me glissa-t-il à part.

— Me laisser faire ? Comment cela ?

— Par Sa Majesté, là, fit-il en désignant d'un signe de tête Katharine Woolley qui s'entretenait avec un ami.

— Mais elle est tellement gentille avec moi !

— Ah ! je vois que vous êtes sous le charme. Nous l'avons tous été à un moment ou à un autre. Pour être franc, je le subis encore. Cette femme pourrait me faire aller où elle veut quand elle veut, mais vous, comme je vous le disais, il ne faut pas vous laisser faire. Elle attirerait un poisson hors de l'eau en lui faisant croire que c'est normal.

Le train émit un de ces étranges ululements de lémure qui, je l'appris bientôt, étaient particuliers aux chemins de fer irakiens. Un son perçant, lugubre. L'appel d'une femme à un amant diabolique, voilà exactement ce qu'il évoquait. Ce n'était rien d'aussi romantique, pourtant : juste une locomotive impatiente de partir. Nous montâmes — Katharine et moi partagions un compartiment couchettes, Max et Len le second — et le départ fut donné.

Nous atteignîmes Kirkuk le lendemain matin et prîmes le petit déjeuner au relais avant de repartir pour Mossoul en voiture. Le trajet, presque entièrement sur des routes défoncées, prenait de six à huit heures à l'époque, y compris la traversée de la rivière Zab par le bac. Lequel bac était si primitif qu'on avait l'impression de monter à bord d'une embarcation biblique.

À Mossoul aussi, nous descendîmes au relais, lequel était nanti d'un charmant petit jardin. Mossoul, qui allait être par la suite, pendant des années, le centre de ma vie, m'impressionna peu sur le moment, surtout parce que nous n'eûmes guère le temps de le visiter.

C'est là que je fis la connaissance du Dr et de Mrs MacLeod, qui dirigeaient l'hôpital et qui allaient devenir de très bons amis. Ils étaient tous deux médecins et, tandis que Peter MacLeod s'occupait de l'hôpital, sa femme Peggy venait parfois l'assister pour certaines opérations. Celles-ci se déroulaient de façon assez spéciale vu qu'il était interdit à Peter de voir ou de toucher les patientes. Une femme musulmane ne pouvait, en effet, être opérée par un homme, tout médecin soit-il. Un système de paravents, je crois, devait être érigé. Le Dr MacLeod se tenait derrière, et, de là, indiquait à sa femme de l'autre côté comment procéder. À son tour, elle lui décrivait l'état des organes quand elle les atteignait, ainsi que tous les détails de l'opération.

Après deux ou trois jours à Mossoul, nos véritables pérégrinations commencèrent. Nous passâmes une nuit au foyer d'accueil de Tell Afar, à deux heures environ de Mossoul, puis à 5 heures le lendemain, nous partîmes pour une expédition en voiture à travers le pays. Nous visitâmes quelques sites sur l'Euphrate et prîmes la direction du nord à la recherche du vieil ami de Len Woolley, Basrawi, qui était le cheik d'une des tribus locales. Après avoir de nombreuses fois traversé des oueds, perdu et retrouvé notre chemin, nous arrivâmes enfin. Nous fûmes accueillis avec enthousiasme, on nous servit un merveilleux repas, à l'issue duquel nous pûmes enfin nous retirer pour la nuit. Deux pièces décrépies dans une maison en boue séchée nous furent attribuées, chacune équipée de deux petits lits de fer disposés en diagonale dans un angle. Une difficulté surgit alors. Dans l'une des deux pièces, un lit était bien protégé par une portion saine de plafond :

aucune eau ne pouvait donc goutter sur lui, ce qui était immédiatement vérifiable, car il s'était remis à pleuvoir. L'autre lit, en revanche, se trouvait en plein courant d'air et se faisait inonder. Nous jetâmes un coup d'œil à la seconde pièce. Celle-là aussi, plus petite, avait un plafond en piteux état, les lits y étaient plus étroits et il y avait moins d'air et de lumière.

— Katharine, fit Len, je crois qu'Agatha et toi devriez prendre la petite maison avec les deux lits au sec. Nous, nous irons dans l'autre.

— Moi, répliqua Katharine, j'estime que je dois avoir la grande pièce et le bon lit. Je ne pourrai pas fermer l'œil de la nuit si l'eau me dégouline sur le visage.

Elle se dirigea d'un pas décidé vers le coin privilégié et posa ses affaires sur le lit.

— Je pourrais bouger un peu mon lit pour éviter le plus gros du déluge, dis-je.

— Je ne vois vraiment pas, poursuivit Katharine, pourquoi Agatha serait obligée de prendre ce mauvais lit sous le plafond troué. L'un de vous, messieurs, pourrait s'y mettre et l'autre aller dans l'autre pièce avec Agatha.

Cette proposition faite, elle réfléchit à celui, de Len ou de Max, qui pourrait lui sembler le compagnon le plus utile. Son tendre Len fut l'heureux élu et elle envoya Max partager avec moi la petite pièce. Seul notre hôte, goguenard, sembla amusé par cet arrangement et fit à Len quelques remarques égrillardes en arabe.

— Allez, faites-vous plaisir, dit-il, répartissez-vous comme vous voudrez : de toute façon, l'homme sera heureux.

Le lendemain matin, en fait, personne n'était heureux. Je me réveillai à 6 heures, la pluie ruisselant sur mon visage. Dans l'autre coin de la pièce, Max recevait un déluge. Il tira mon lit hors d'atteinte de la plus grosse fuite et sortit également le sien de son coin. Katharine ne s'en était pas mieux tirée que les autres : elle aussi avait sa fuite, à présent. Nous déjeunâmes, puis Basrawi nous emmena faire le tour de son domaine et nous nous remîmes une fois de plus en route. Le temps était devenu vraiment atroce. Certains des oueds avaient beaucoup grossi et étaient difficiles à franchir.

Trempés et exténués, nous arrivâmes enfin à Alep, dans le luxe — par comparaison — de l'hôtel *Baron*. Nous fûmes accueillis par le fils de la maison, Coco Baron. Il avait une grosse tête ronde, le teint un peu jaune et l'œil sombre et mélancolique.

Ce dont j'avais surtout envie, c'était d'un bain chaud. Voyant que la salle de bains était de style mi-occidental, mi-oriental je parvins à trouver le robinet d'eau chaude qui, comme d'habitude, cracha des nuages de vapeur tout à fait effrayants. Je voulus fermer le robinet, mais n'y parvins pas et dus appeler Max au secours. Il arriva dans le couloir, maîtrisa l'eau et me dit de retourner à ma chambre. Il m'appellerait quand le bain serait prêt. Je rentrai donc chez moi et attendis. Longtemps. Toujours rien. J'opérai finalement une sortie en peignoir, ma serviette éponge fermement coincée sous le bras. La porte était fermée. Max apparut à ce moment.

— Où en est mon bain ? demandai-je.

— Oh ! Katharine Woolley est dedans, répondit-il.

— Katharine ? Vous l'avez laissée prendre *mon* bain, un bain que vous faisiez couler pour *moi* ?

— Euh... oui. Elle le voulait, dit-il en guise d'explication.

Il me regarda droit dans les yeux, avec une certaine fermeté. Je compris que je me dressais devant quelque chose comme la loi des Mèdes ou des Perses.

— Eh bien je trouve que ce n'est pas juste. J'étais là la première. C'était *mon* bain.

— Oui, je sais, répondit Max. Mais Katharine le voulait.

Je retournai à ma chambre et repensai aux paroles du colonel Dwyer.

J'eus encore matière à me les rappeler le lendemain. Katharine ne se sentait pas bien et resta allongée avec une affreuse migraine. Sa lampe de chevet ne fonctionnait pas. De ma propre initiative cette fois, je lui proposai de faire l'échange avec la mienne. Je la lui apportai dans sa chambre, la branchai et la lui laissai. Comme il semblait y avoir pénurie d'ampoules, je dus me contenter pour lire, la nuit suivante, de la faible lumière du plafond, tout en haut au-dessus de moi. Le lendemain une certaine indignation me gagna. Katharine avait décidé de quitter sa chambre pour en prendre une qui serait moins exposée au bruit de la circulation. Dans la nouvelle pièce, la lampe de chevet fonctionnait parfaitement. Or, elle ne prit même pas la peine de me rapporter la mienne qui resta donc à la disposition d'une troisième personne. Katharine était ainsi, c'était à prendre ou à laisser. Je décidai, à l'avenir, de veiller un peu plus sur mes intérêts.

Le lendemain, bien qu'elle n'eût pratiquement pas de fièvre, elle affirma se sentir beaucoup plus mal. Elle était d'une humeur telle qu'elle ne pouvait supporter qu'on s'approchât d'elle.

— Si vous pouviez tous simplement disparaître, gémit-elle. Disparaître et me laisser tranquille. Je ne peux pas supporter ce va-et-vient dans ma chambre, toute la journée, de gens qui viennent me demander si j'ai besoin de quelque chose. On me tarabuste sans arrêt. Si on pouvait seulement me ficher la paix, sans personne pour m'embêter, je suis sûre que j'irais beaucoup mieux ce soir.

Je comprenais sa réaction, car je ressens exactement la même chose quand je suis mal : je veux qu'on me fiche la paix. Comme le chien qui va se réfugier dans un coin retiré où il espère ne plus être dérangé jusqu'à ce que le miracle se produise et qu'il redevienne lui-même.

— Je ne sais pas quoi faire, se lamentait Len. Vraiment, je ne sais pas quoi faire pour l'aider.

— Ne vous inquiétez pas, le consolai-je, car j'aimais beaucoup Len. Je crois qu'elle sait ce qui est le mieux pour elle. Elle veut rester seule : eh bien je serais d'avis de la laisser seule jusqu'à ce soir, et là, on verrait si elle a récupéré.

Ce qui fut fait. Max et moi partîmes ensemble visiter le château des Croisés à Kalaat Siman. Len préféra rester à l'hôtel pour le cas où Katharine aurait besoin de quelque chose.

Nous fûmes tout heureux de sortir. Le temps s'était remis au beau et la route en voiture fut des plus agréables. Nous franchîmes des collines couvertes de broussailles parsemées d'anémones rouges au milieu desquelles paissaient des troupeaux de moutons et, au fur et à mesure que nous montions, des chèvres noires accompagnées de leurs chevreaux. Nous parvînmes enfin à Kalaat Siman et pique-niquâmes pour déjeuner. Tranquillement assis à admirer le paysage, Max me conta un peu plus de lui, de sa vie et de la chance qu'il avait eue d'obtenir ce poste auprès de Leonard Woolley juste au sortir de l'université. Nous ramassâmes quelques fragments de poterie ici et là et prîmes le chemin du retour au coucher du soleil.

À peine rentrés à l'hôtel, les ennuis recommencèrent. Katharine était absolument furieuse que nous soyons partis sans elle.

— Mais vous avez dit que vous vouliez rester seule, protestai-je.

— On dit n'importe quoi quand on n'est pas bien. Quand je pense que vous avez pu, Max et vous, partir égoïstement comme ça ! Bon, que vous, vous ne compreniez pas, passe encore, mais Max ! Max qui me connaît si bien ! Il sait que j'aurais pu avoir besoin de quelque chose, n'importe quoi ! S'en aller de cette manière...

Elle ferma les yeux et ajouta :

— Il vaut mieux me laisser, maintenant.

— Ne peut-on vous être utile ? Vous tenir compagnie ?

— Non, vous ne pouvez pas m'être utile. Vraiment, tout cela m'a fait beaucoup de peine. Quant à Len, sa conduite a été absolument inqualifiable.

— Qu'est-ce qu'il a fait ? ne pus-je m'empêcher de demander.

— Il m'a laissée sans rien à boire — pas même une goutte d'eau ou de citronnade, rien — clouée au lit et mourant de soif.

— Vous auriez pu sonner et vous faire apporter un peu d'eau.

C'était la chose à ne pas dire. Elle me foudroya du regard :

— Décidément, vous ne comprenez rien à rien. Je n'aurais jamais cru Len à ce point sans cœur ! Une femme y aurait pensé, à sa place. Ça ne se serait pas passé comme ça !

Nous osions à peine l'approcher, le lendemain matin, mais, dans le plus pur style katharinien, elle était de charmante humeur, souriante, ravie de nous voir, disant merci à tout ce que nous faisions pour elle, gracieuse même si elle jouait un peu les grandes âmes, et tout se passa bien.

C'était vraiment une femme remarquable. J'appris à la comprendre un peu mieux, au fil des années, mais elle demeura pour moi toujours aussi imprévisible. Je crois qu'elle aurait dû être une grande artiste, une chanteuse ou encore une actrice, car alors ses sautes d'humeur auraient été naturellement jugées en rapport avec le personnage. D'ailleurs, artiste, elle l'était presque : elle avait sculpté une tête de la reine Shubad qui était exposée ceinte du fameux collier et ornée de sa coiffe.

Elle réalisa une belle tête de Hamoudi, une de Leonard Woolley lui-même, et une autre non moins réussie d'un jeune garçon, mais, peu sûre de ses talents, elle avait tendance à toujours solliciter de l'aide ou à se plier à l'opinion des autres. Leonard Woolley était aux petits soins, rien n'était assez beau pour elle. Je crois qu'elle le méprisait un peu pour cela. Toutes les femmes réagiraient sans doute ainsi, car elles n'aiment pas les carpettes, et Len, qui pouvait se montrer très autoritaire sur le chantier de fouilles, fondait littéralement devant Katharine.

Un dimanche au petit matin, avant que nous ne quittions Alep, Max m'emmena faire un tour des différents lieux de culte. Ce fut épuisant.

Nous vîmes les maronites, les catholiques syriens, les Grecs orthodoxes, les nestoriens, les jacobites, et d'autres encore dont je ne me souviens pas. Certains étaient ce que j'appelle des prêtres « tête d'oignon » à cause de ces espèces de coiffes rondes en forme d'oignon qu'ils ont sur la tête. Où j'eus le plus peur, ce fut chez les Grecs orthodoxes, car là, je fus d'autorité séparée de Max, dirigée avec les autres femmes vers un côté de l'église. On nous poussa dans ce qui ressemblait à des stalles à chevaux. Une sorte de longe passée autour de la taille nous retenait au mur. Ce fut un office merveilleusement mystérieux qui se déroula en grande partie derrière un rideau ou voile d'autel. De là provenaient des sons riches et intenses qui emplissaient l'église, accompagnés de nuages d'encens. Tout le monde s'inclinait et baissait la tête à des moments précis. À la fin, Max vint me récupérer.

Quand je me remémore ma vie, il semble que ce qui m'a le plus marquée, et qui revient le plus clairement dans mon esprit, ce sont les lieux où je suis allée. Un frisson de plaisir m'envahit quand je me rappelle un arbre, une colline, une maison blanche blottie quelque part près d'un canal, la découpe des hauteurs, au loin. Il me faut parfois quelques instants avant de situer où et quand c'était. Puis l'image se précise, et je trouve.

Je n'ai, en revanche, jamais tellement eu la mémoire des gens. Mes amis me sont très chers, mais les personnes que je rencontre incidemment me sortent presque aussitôt de l'esprit. Avec moi, ce n'est pas « je n'oublie jamais un visage », mais « je ne me rappelle jamais un visage ». Alors que les sites restent profondément gravés dans mon esprit. Souvent, si je retourne quelque part après cinq ou six ans, je me souviens fort bien de la route à prendre, même si je ne l'ai empruntée qu'une seule fois auparavant.

J'ignore pourquoi ma mémoire des lieux est si bonne et celle des gens si mauvaise. Peut-être parce que je suis presbyte. Je l'ai toujours été, et donc de près, les gens ont des contours assez flous, alors que je vois mieux les paysages, plus éloignés.

Je suis parfaitement capable de ne pas aimer un endroit parce que les collines n'ont pas la forme qu'il faut. C'est très très important pour des collines, d'avoir la forme qu'il faut. Pratiquement toutes celles du Devonshire l'ont. La plupart de celles de Sicile ne l'ont pas, si bien que la Sicile ne m'enchante guère. Celles de Corse, en revanche, sont un pur délice. Les collines galloises, aussi, sont jolies. En Suisse, collines et montagnes vous serrent de trop près. Les montagnes à neige peuvent être incroyablement monotones : elles ne doivent leur charme éventuel qu'aux effets variés de la lumière. Les « belles vues » peuvent être insipides, elles aussi. Vous gravissez un sentier jusqu'à un sommet, et là, un panorama s'étend devant vous. Mais tout est là. Il n'a rien d'autre à offrir. Vous le regardez : « Superbe », dites-vous. Point final. Il est à vos pieds. Vous vous en êtes, en quelque sorte, rendu maître.

5

À partir d'Alep, nous poursuivîmes notre périple en bateau vers la Grèce et fîmes plusieurs escales. Je me souviens notamment d'être allée à terre avec Max à Mersin, d'y avoir passé une fort agréable journée sur la plage et de m'être baignée dans une mer délicieusement chaude. C'est ce jour-là qu'il me cueillit d'énormes quantités de soucis jaunes. J'en fis un collier qu'il me passa autour du cou, et nous pique-niquâmes au milieu d'un océan de soucis jaunes.

J'étais fort impatiente, tant ils en parlaient avec un ravissement lyrique, de voir Delphes avec les Woolley. Ils avaient insisté pour que j'y sois leur invitée, ce que je trouvai extrêmement aimable de leur part. Je me suis rarement sentie aussi heureuse et avide de m'emplir les yeux que lorsque nous débarquâmes à Athènes.

Mais les choses surviennent toujours à un moment où on ne les attend pas. Je revois encore le réceptionniste de l'hôtel me tendre mon courrier avec, par-dessus, une pile de télégrammes. Une bouffée d'angoisse m'étreignit aussitôt, car sept télégrammes ne peuvent être annonciateurs que de catastrophes. Nous avions été coupés de tout contact pendant les quinze derniers jours au moins, et maintenant, les mauvaises nouvelles me rattrapaient. J'en ouvris un — mais c'était en fait le dernier de la série. Je les remis donc dans l'ordre. Ils m'informaient que Rosalind avait une pneumonie. Ma sœur avait pris sur elle de la rapatrier de l'école et de l'emmener dans le Cheshire. Les télégrammes suivants décrivaient son état comme sérieux. Le dernier, celui que j'avais ouvert en premier, annonçait une certaine amélioration.

Aujourd'hui, bien sûr, avec les liaisons aériennes quotidiennes à partir du Pirée, j'aurais pu être à la maison en moins de douze heures. Mais en 1930, il n'y avait rien de tout cela. Au plus tôt, en admettant que je puisse réserver une place, le premier Orient-Express ne m'amènerait pas à Londres avant quatre jours.

Mes trois amis réagirent à cette mauvaise nouvelle avec la plus extrême gentillesse. Len laissa tomber tout ce qu'il était en train de faire pour courir les agences de voyages et me trouver une place sur le premier départ possible. Katharine me parla avec beaucoup de compassion. Max n'en dit guère, mais il accompagna Len aux agences de voyages.

En marchant dans la rue, à demi-étourdie par le choc, je mis le pied dans un de ces trous carrés où les arbres paraissaient sempiternellement devoir être plantés dans les rues d'Athènes. Je me fis une mauvaise entorse et me trouvai incapable de marcher. Ramenée à l'hôtel, tout en recevant les commisérations de Len et de Katharine, je me demandai où était passé Max. Il ne tarda pas à arriver, avec deux grandes bandes Velpeau et un rouleau d'Elastoplast. Il expliqua tranquillement qu'il pourrait s'occuper de moi pendant le voyage et prendre soin de ma cheville.

— Mais n'allez-vous pas au temple de Bassæ ? objectai-je. Vous n'aviez pas quelqu'un à voir ?

— Bah ! j'ai changé mes plans, fit-il. Je crois vraiment qu'il faut que je rentre chez moi, de sorte que nous voyagerons ensemble. Je pourrai vous aider à aller au wagon-restaurant, ou vous apporter vos repas, faire tout ce qu'il faudra.

Cela semblait trop beau pour être vrai. Je découvris alors, et cela ne se démentit jamais par la suite, la personne merveilleuse qu'est Max. Un homme très discret. Qui n'exprime pas sa sympathie par des mots, mais par des actes. Il fait exactement ce que vous attendez, et c'est le meilleur réconfort qui soit. Ainsi, il ne s'apitoya pas avec moi sur le sort de Rosalind, ne me dit pas que tout irait bien, qu'il ne fallait pas m'inquiéter. Il prit comme tel le fait que j'allais traverser une période difficile. Les sulfamides n'existaient pas, à l'époque, et la pneumonie représentait une véritable menace.

Nous partîmes, lui et moi, le lendemain. Pendant le voyage, il me parla beaucoup de sa famille, de ses frères, de sa mère qui était française, artiste et grand amateur de peinture, de son père qui paraissait ressembler un peu à mon frère Monty mais aux finances plus stables, heureusement pour lui.

À Milan, il nous arriva une mésaventure. Le train était en retard. Nous descendîmes — je pouvais clopiner un peu, maintenant, la cheville soutenue par l'Elastoplast. Nous demandâmes au contrôleur des wagons-lits combien de temps durerait l'arrêt.

— Vingt minutes, répondit-il.

Max suggéra que nous allions acheter quelques oranges. Nous nous dirigeâmes donc vers l'étal d'un marchand de fruits puis revînmes vers le quai. Nous ne nous étions guère absentés plus de cinq minutes, et pourtant le train avait disparu. On nous expliqua qu'il était parti.

— Parti ? Je croyais que l'arrêt était de vingt minutes, m'étonnai-je.

— Certainement, *signora*, mais il était très *in ritardo*, alors il ne s'est arrêté que peu de temps.

Max et moi nous regardâmes, consternés. Un officiel des chemins de fer vint à notre aide et nous suggéra de louer une puissante voiture : nous aurions ainsi une chance de rattraper le convoi à Domodossola.

Une véritable course-poursuite de cinéma s'engagea alors. Tantôt nous avions de l'avance sur lui, tantôt il reprenait l'avantage. Au gré des méandres des routes de montagne et selon que le train s'engouffrait dans des tunnels et ressortait devant ou derrière nous, nous passions alternativement des affres du désespoir à la joie la plus folle. Nous atteignîmes enfin Domodossola environ trois minutes après son entrée en gare. Tous les passagers, semblait-il, en tout cas tous ceux de notre wagon, étaient aux fenêtres pour applaudir notre arrivés.

— *Ah ! madame*, s'exclama en français un auguste vieillard en m'aidant à grimper dans le train, *que d'émotions vous avez dû éprouver !*

Les Français ont vraiment une façon merveilleuse de dire les choses.

La location d'une voiture aussi chère, sans avoir eu le temps de marchander, nous laissa, Max et moi, pratiquement sans le sou. Sa mère devait le retrouver à Paris, et il pensa que j'aurais quelque chance de me faire avancer un peu d'argent par elle. Je me suis souvent demandée ce que ma future belle-mère avait pu penser de cette jeune femme qui sauta du train avec son fils et qui, après quelques politesses réduites à leur plus simple expression, lui avait emprunté tout ce qu'elle avait dans son sac. J'avais à peine eu le temps de lui fournir des explications, car je devais reprendre aussitôt le train pour l'Angleterre. Aussi, après quelques excuses confuses, je disparus en serrant contre moi l'argent ainsi soutiré. Cela n'a guère dû, je crois, lui donner une bonne image de moi.

Je me rappelle peu de choses de ce voyage avec Max, hormis son extraordinaire gentillesse, son tact et sa compassion. Il parvint à me distraire en me parlant beaucoup de ce qu'il faisait, de ce qu'il pensait. Il fit et refit mon bandage, m'aida à aller au wagon-restaurant que je n'aurais sans doute pu atteindre par mes propres moyens, surtout avec les secousses de l'Orient-Express lorsqu'il prenait de la vitesse. Je me souviens pourtant d'une de ses

remarques. Nous longions la mer, sur la Riviera italienne. Je som-
nolais à moitié, assise dans mon coin. Max était venu me
rejoindre dans mon compartiment et s'était installé en face de
moi. Je m'éveillai et le trouvai en train de me détailler d'un air
pensif.

— Je trouve que vous avez vraiment un visage noble, dit-il.

Cette étonnante remarque me tira un peu plus de ma torpeur.
Je n'aurais jamais songé à me décrire de cette manière, et personne d'autre ne l'avait jamais fait. Un visage noble, moi ? Je ne
voyais pas pourquoi. Une pensée me vint tout à coup.

— Je suppose que vous dites ça parce que j'ai le nez un peu
aquilin, fis-je.

Oui, pensai-je, le nez aquilin : ça pourrait me donner un profil
légèrement noble. Cette idée ne me plaisait qu'à moitié, d'ailleurs,
car c'est le genre de caractéristique difficile à assumer. Je suis
beaucoup de choses : douce de caractère, exubérante, farfelue,
étourdie, timide, affectueuse, dénuée de toute confiance en moi,
modérément altruiste. Mais noble... non, je n'arrive pas à me voir
noble. Ce qui ne m'empêcha pas de me rendormir en essayant
de présenter mon nez aquilin sous son meilleur angle : de face
plutôt que de profil.

6

Instant terrible que celui où, à peine arrivée à Londres, je décrochai le téléphone. Je n'avais pas eu de nouvelles depuis cinq jours. Quel soulagement lorsque la voix de ma sœur m'informa que Rosalind allait beaucoup mieux, qu'elle était hors de danger et récupérait rapidement ! Six heures plus tard, j'étais dans le Cheshire.

Bien qu'elle fût manifestement en pleine convalescence, la vue de la petite me causa un choc. Je n'avais eu jusqu'alors que peu d'exemples de la rapidité avec laquelle les enfants sombrent dans la maladie et s'en relèvent. Presque toute mon expérience d'infirmière s'était déroulée en milieu d'adultes, et cette affolante façon qu'ont les gamins de paraître à moitié morts à un certain moment, puis frais comme des gardons l'instant suivant, m'était pratiquement inconnue. Rosalind me donnait l'impression d'avoir énormément grandi et maigri, et la façon avachie dont elle était renversée dans son fauteuil ne ressemblait pas du tout à ma petite fille.

Une de ses caractéristiques les plus frappantes, c'était son énergie. C'était le genre d'enfant qui ne pouvait rester en place cinq minutes. Capable, si vous veniez de rentrer d'un long et épuisant pique-nique, de vous demander, pleine d'allant :

— Il reste une demi-heure avant le dîner. Qu'est-ce qu'on fait ?

Il n'était pas rare de tourner le coin de la maison et de la voir en train de faire le poirier.

— Mais qu'est-ce que tu fabriques comme ça, Rosalind ?

— Ben, j'sais pas, c'est juste pour passer le temps. Il faut bien faire quelque chose, non ?

Or, là, je voyais une Rosalind molle comme une chiffe, l'air fragile et délicat, totalement vidée de son dynamisme coutumier.

— Tu aurais dû la voir il y a une semaine, dit simplement ma sœur. On aurait vraiment dit une morte.

Elle se remit néanmoins d'aplomb remarquablement vite. Moins d'une semaine après mon retour, elle descendait dans le Devonshire, à Ashfield, et semblait pratiquement redevenue elle-même bien que je fisse mon possible pour l'empêcher de retomber dans cet état de perpétuelle agitation vers lequel elle tendait de nouveau.

Apparemment, elle était retournée à l'école en bonne santé et dans d'excellentes dispositions d'esprit. Tout s'était bien passé jusqu'à ce qu'une épidémie de grippe s'abatte sur l'école et que la moitié des élèves se retrouve au lit. Je suppose que c'est cette grippe qui, combinée à la faiblesse générale ayant naturellement suivi la rougeole, avait dégénéré en pneumonie. Tout le monde se faisait du souci pour elle, mais l'on se montra quelque peu sceptique sur la décision de ma sœur de l'emmener en voiture vers le nord. Punkie avait néanmoins insisté, affirmant que c'était ce qu'il y avait de mieux à faire. Et elle ne s'était pas trompée.

Personne n'aurait pu se remettre mieux que Rosalind. Le médecin la déclara aussi robuste et vigoureuse qu'avant, sinon plus.

— Elle pète le feu, commenta-t-il.

Je lui assurai que cette résistance avait toujours été une de ses qualités. Elle ne voulait jamais admettre qu'elle était malade. Aux Canaries, elle avait eu une amygdalite mais n'en avait soufflé mot si ce n'est en ronchonnant :

— J'ai pas envie de rire, aujourd'hui.

Et je savais par expérience que quand Rosalind disait cela, de deux choses l'une : ou elle était malade, ou elle était effectivement de mauvaise humeur et jugeait préférable de nous en avertir.

Les mères ont bien sûr toujours un faible pour leurs enfants — pourquoi n'en auraient-elles pas ? — mais je ne puis m'empêcher de penser que ma fille était plus amusante que la plupart. Elle avait le don des réponses inattendues. Bien souvent, on sait à l'avance ce qu'un gamin va dire. Rosalind, elle, me surprenait presque toujours. C'était peut-être son sang irlandais : la mère d'Archie était irlandaise, et je crois que c'est de ce côté-là qu'elle tirait cette imprévisibilité.

— D'accord, disait Carlo avec cet air d'impartialité qu'elle aimait se donner, Rosalind est vraiment énervante et me met parfois hors de moi. Mais à côté, je dois dire que je trouve les autres enfants parfaitement insipides. Avec elle, au moins, on ne s'ennuie jamais.

Cela, je crois, a été le cas toute sa vie.

Nous restons tous ce que nous étions à 3, 6, 10 ou 20 ans. Surtout, peut-être, 6 ou 7 ans, parce que, à cet âge-là, on ne cherche pas à paraître comme à 20, où l'on met toujours un masque quelconque en fonction de la mode du moment. Si la tendance est l'intellectualisme, vous vous faites intellectuelle. Si les autres filles sont légères et frivoles, vous vous faites légère et frivole. Mais au fur et à mesure où vous avancez dans la vie, vous trouvez lassant de vous conformer à cette image fabriquée, alors vous retombez dans l'individualité et redevenez vous-même un peu plus chaque jour. C'est parfois déconcertant pour l'entourage, mais un grand soulagement pour la personne concernée.

Je me demande s'il en va de même pour l'écriture. C'est vrai que, au début, vous êtes en général en pleine crise d'admiration pour un auteur quelconque dont vous ne pouvez vous empêcher de copier le style. Un style qui ne vous convient pas, le plus souvent, alors vous écrivez mal. Mais à mesure que le temps passe, vous vous laissez moins influencer. Vous admirez toujours certains auteurs, regrettez peut-être même de ne pouvoir écrire comme eux, mais savez pertinemment que cela vous est impossible : vous avez appris l'humilité littéraire. Si j'avais la plume d'Elizabeth Bowen, de Muriel Spark ou de Graham Greene, je bondirais de joie, mais ce n'est pas le cas, et il ne me viendrait jamais à l'idée d'essayer de les imiter. J'ai appris que je suis moi, que j'arrive à faire les choses, si je puis dire, que ce moi peut faire, mais pas celles que ce moi voudrait faire. Comme dit la Bible : « Qui, par son seul désir, a jamais pu ajouter un pouce à sa stature ? »

Je revois souvent en un éclair l'assiette suspendue au mur de ma chambre d'enfant et que j'avais dû gagner au jeu de massacre à l'une des régates. Elle portait l'inscription : « Sois bon mécanicien si tu ne sais pas conduire le train. » Il n'y a jamais eu meilleure devise de vie et je crois que je l'ai faite mienne. Bien sûr, j'ai effectué quelques tentatives ici et là, mais je ne me suis jamais entêtée sur les choses que je fais mal ou pour lesquelles je n'ai aucune disposition naturelle. C'est Rumer Godden, qui dans un de ses livres, dressa un jour la liste de ce qu'elle aimait et de ce qu'elle n'aimait pas. Trouvant cela amusant, j'établis aussitôt ma propre liste. Je pense que je pourrais la compléter aujourd'hui par celle de ce que je sais faire et de ce dont je suis incapable. Bien entendu, la seconde catégorie est de loin la plus longue.

Je n'ai jamais été douée pour les jeux. Pas plus que je ne le suis et ne le serai jamais pour la conversation. Je suis tellement facilement influençable que je dois m'isoler avant de savoir ce que je pense vraiment ou ce que je dois faire. Je ne sais pas dessiner. Je ne sais pas peindre. Ni modeler, ni sculpter. Je ne sais pas me hâter sans paniquer. J'ai beaucoup de difficulté à dire ce que je veux dire mais j'ai plus de facilité à l'écrire. Je peux me montrer intransigeante sur des questions de principe, mais sur rien d'autre. Même si je suis convaincue que demain est mardi, qu'on vienne me soutenir plus de quatre fois que c'est mercredi, je l'accepterai et agirai en conséquence.

Qu'est-ce que je sais faire ? Eh bien je sais écrire. Je pourrais être une musicienne acceptable, mais pas professionnelle. Je suis bonne accompagnatrice pour le chant. Je sais me débrouiller en cas de difficultés, ce qui s'est montré bien utile : vous n'avez pas idée de ce que j'arrive à faire avec une épingle à cheveux ou de nourrice pour résoudre des problèmes domestiques. Ainsi, c'est moi qui ai fabriqué une boulette collante avec de la mie de pain, l'ai plantée sur une épingle à cheveux, ai fixé l'épingle à cheveux au bout d'une perche avec de la cire à cacheter, et ai réussi à ramener le dentier de maman qui était tombé sur le toit de la serre ! Moi aussi qui ai chloroformé un hérisson pour le libérer du filet de tennis où il s'était pris. Je crois pouvoir affirmer que je suis utile partout dans la maison. Et ainsi de suite. Venons-en à ce que j'aime et à ce que je n'aime pas.

Je n'aime pas les foules, être coincée contre des gens, les voix fortes, le bruit, les discussions qui s'éternisent, les réceptions, surtout les cocktails, la fumée de cigarette et la fumée en général, les alcools sauf pour faire la cuisine, la marmelade d'orange, les huîtres, la nourriture tiède, le ciel gris, les pattes d'oiseau ni aucun contact d'oiseau. Dernière et plus violente aversion : le goût et l'odeur du lait chaud.

J'aime le soleil, les pommes, pratiquement toute sorte de musique, les trains, les énigmes avec des chiffres et tout ce qui a trait aux chiffres, aller à la mer, me baigner et nager, le silence, dormir, rêver, manger, l'odeur du café, le muguet, la plupart des chiens, et aller au théâtre.

Je pourrais faire de bien meilleures listes, beaucoup plus grandiloquentes, plus imposantes. Mais là encore, ce ne serait pas moi. Et je crois qu'il faut que je me résigne à être moi.

À présent que je renaissais à la vie, il fallait que je fasse le compte de mes amis. Toutes les épreuves que je venais de traverser constituaient un test décisif. Carlo et moi établîmes deux ordres : l'Ordre des salopards et l'Ordre des chiens fidèles. Nous disions parfois de quelqu'un : « Oh ! oui, celui-là, c'est un Chien fidèle de première classe. » Ou alors : « Bon, lui, ce sera le Salopard de troisième catégorie. » Il n'y avait pas beaucoup de Salopards, mais certains fort inattendus : des personnes que vous preniez pour de vrais amis et qui vous tournaient le dos à la moindre incartade. Cette découverte, bien sûr, me marqua et me donna plus encore l'envie de m'éloigner des gens. En revanche, je découvris beaucoup de vrais amis, tout aussi inattendus, d'une loyauté à toute épreuve et qui me manifestèrent plus d'affection et de gentillesse qu'ils ne l'avaient jamais fait auparavant.

Je crois que j'admire la loyauté plus que toute autre vertu. Loyauté et courage sont parmi les plus belles choses qui soient. Toute forme de courage, physique ou moral, force mon admiration. C'est l'une des valeurs les plus importantes à avoir dans sa vie. Si vous arrivez à supporter de vivre, vous pouvez supporter de le faire avec courage. C'est une nécessité.

Je trouvai une bonne partie des honorables membres de l'Ordre des chiens fidèles parmi mes amis hommes. Il y a de bons vieux toutous dans l'existence de la plupart des femmes, et je fus particulièrement touchée de voir l'un d'eux arriver avec son galop de brave Médor. Il m'envoya d'énormes bouquets de fleurs, m'écrivit des lettres et finalement me demanda de l'épouser. Il était veuf et plus âgé que moi de quelques années. Il me dit que, lorsqu'il m'avait rencontrée pour la première fois, il m'avait trouvée beaucoup trop jeune, mais que présentement il pouvait me rendre heureuse et m'offrir un bon foyer. J'en fus très touchée, mais je n'avais, et n'ai jamais eu, aucun sentiment de ce genre à son égard. Il avait été un ami très bon, très gentil, et c'était tout. Cela réchauffe le cœur de savoir qu'un homme sur terre se préoccupe de vous mais il serait fou de l'épouser simplement parce que vous avez besoin d'être réconfortée, ou d'avoir une épaule sur laquelle pleurer.

De toute façon, je n'avais nulle envie d'être réconfortée. J'avais peur du mariage. Je m'apercevais, comme bien des femmes doivent être amenées à le découvrir tôt ou tard, que la seule personne qui peut vraiment vous faire souffrir dans la vie est un mari. Nul autre n'est suffisamment proche pour cela. De nul autre vous ne dépendez autant pour la compagnie et l'affection au quotidien, et pour tout ce qui fait la vie de couple. Jamais plus, me suis-je promis, je ne me mettrai à la merci de qui que ce soit.

Un de mes amis de l'armée de l'air, à Bagdad, m'avait dit quelque chose qui m'avait troublée. Après avoir discuté de ses propres problèmes conjugaux, il avait conclu ainsi :

— Vous croyez avoir bien arrangé votre vie et pouvoir suivre votre petit bonhomme de chemin comme vous l'entendez, mais vous serez amenée en fin de compte à choisir entre deux possibilités : prendre un amant, ou en prendre plusieurs. Ce sera l'un ou l'autre.

J'avais parfois la désagréable impression qu'il avait raison. Plutôt cette alternative, me dis-je, que le mariage. Plusieurs amants ne peuvent pas vous faire de mal. Un seul, si, mais pas de la même façon qu'un mari. Les maris, je ne voulais plus en entendre parler. Pas plus que d'aucun homme, en ce moment mais cela, m'avait promis mon ami aviateur, ne durerait pas.

Ce qui me surprit, pourtant, fut le nombre d'avances qu'on me fit dès que je me trouvai dans la position légèrement équivoque de la personne séparée ou divorcée. Un jeune homme que j'avais fermement repoussé me dit qu'il me trouvait tout à fait déraisonnable :

— Enfin, vous êtes séparée de votre mari, sans doute en train de divorcer, n'est-ce pas ? Alors à quoi d'autre pouvez-vous vous attendre, maintenant ?

Au début, je n'arrivais pas à déterminer si j'étais heureuse ou fâchée de ces attentions. En gros, plutôt heureuse, songeai-je. On n'est jamais trop âgée pour aimer ce genre d'offense. D'un autre côté, cela entraînait parfois de pénibles complications, ainsi une fois avec un Italien. Je m'étais fourrée dans ce guêpier par ma méconnaissance des conventions italiennes. Il me demanda si le bruit du ravitaillement en charbon du bateau ne m'empêchait pas de dormir, la nuit. Je répondis que non parce que ma cabine était à tribord, à l'opposé du quai.

— Ah bon ! fit-il, je croyais que vous étiez à la 33.

— Pas du tout, répondis-je, la mienne a un numéro pair : 68.

Conversation, de mon point de vue, tout à fait innocente, n'est-ce pas ? Or, j'ignorais que demander le numéro de votre cabine était manière, pour un Italien, de solliciter la permission de vous y rendre visite. Notre dialogue s'arrêta là, mais, peu après minuit, le voilà qui apparut. Une scène tout à fait cocasse s'ensuivit. Je ne parlais pas sa langue, il connaissait à peine quelques mots d'anglais, ce qui donna lieu à un furieux échange de chuchotements en français, moi pour exprimer mon indignation, lui la sienne, mais d'une autre nature. D'où une altercation du genre :

— Comment osez-vous venir à ma cabine ?

— Vous m'y avez invité.

— Jamais de la vie !

— Si. Vous m'avez dit que votre numéro était le 68.

— Et alors ? C'est vous qui me l'avez demandé.

— Bien sûr ! Et si je vous l'ai demandé, c'était justement pour venir à votre cabine. Vous m'avez même dit que je pouvais.

— Absolument pas.

Cela se poursuivit un certain temps, avec quelques éclats plus véhéments qui m'obligèrent à lui faire baisser la voix : j'étais persuadée que le très guindé médecin d'ambassade et sa femme qui occupaient la cabine voisine de la mienne imaginaient les pires turpitudes. Je lui enjoignis vertement de déguerpir. Lui insista pour rester. Son indignation s'éleva au point de surpasser la mienne, et c'est moi qui finis par m'excuser auprès de lui de ne pas m'être aperçue que sa question était en fait une proposition. Il me laissa enfin, toujours vexé mais admettant malgré tout que je n'étais pas la mondaine expérimentée qu'il supposait. Je lui expliquai également, ce qui parut le calmer encore davantage, que j'étais anglaise et donc froide de nature. Il compatit avec moi, et l'honneur — son honneur — fut sauf. La femme du médecin d'ambassade me lança un regard glacial le lendemain matin.

Ce ne fut que bien plus tard que je découvris que Rosalind s'était depuis le début livrée à une évaluation minutieuse de mes admirateurs selon des critères très pragmatiques.

— Je savais que t'allais forcément te remarier un jour, expliqua-t-elle. Alors naturellement, je me suis sentie un peu concernée.

Max était à présent rentré de son séjour en France avec sa mère. Il dit qu'il allait travailler au British Museum et espérait que je le préviendrais si je montais à Londres. Ce qui me semblait peu probable, car j'étais installée à Ashfield à ce moment-là. Or, il se trouva qu'un de mes éditeurs, Collins, organisa une grande réception au *Savoy*, à laquelle il était particulièrement désireux que j'assiste pour rencontrer mes éditeurs américains et d'autres personnalités. La journée s'annonçait chargée, aussi décidai-je de monter par le train de nuit et d'inviter Max à prendre le petit déjeuner avec moi à ce que j'appelais désormais « ma maison des écuries ».

J'étais ravie à l'idée de le revoir. Mais bizarrement, je fus frappée de timidité dès qu'il arriva. Après le voyage que nous avions fait ensemble et les relations d'amitié qui s'étaient établies entre nous, je ne comprenais vraiment pas ce qui me paralysait à ce point. Lui aussi, je crois, était intimidé. Cependant, à la fin du petit déjeuner que j'avais préparé pour lui, la glace était de nouveau rompue. Je lui demandai s'il ne pourrait pas venir nous voir dans le Devon, et nous décidâmes d'un week-end qu'il viendrait passer à la maison. J'étais très heureuse de ne pas perdre contact avec lui.

Après *Le Meurtre de Roger Ackroyd*, j'avais enchaîné avec *Les Sept Cadrans*, lui-même une suite d'un autre livre, *Le Secret de*

Chimneys. Il faisait partie de ce que j'appelais les « *thrillers* légers ». Ceux-ci étaient toujours plus faciles à écrire et ne demandaient pas une intrigue et une composition trop élaborées.

Je gagnais à présent en confiance pour écrire. Je sentais que je n'aurais aucun mal à sortir un titre chaque année, et peut-être quelques nouvelles en plus. Ce qui était bien, à cette époque, c'est que je pouvais établir un rapport direct entre mes livres et l'argent. Si je décidais d'écrire un roman, je savais que cela me rapporterait, mettons, soixante livres, dont je déduisais les impôts — quatre ou cinq shillings par livre sterling à ce moment-là — ce qui me laissait quarante-cinq livres. Cela me stimulait énormément dans mon rendement. Je me disais : « J'aimerais bien faire transformer la serre en une véranda où l'on pourrait s'asseoir à l'aise. Combien cela coûterait-il ? » Je me faisais faire un devis, m'installais devant ma machine à écrire, prenais ma tête à deux mains, et, en moins d'une semaine, une histoire s'élaborait dans mon esprit. Le moment venu, je la rédigeais et j'avais ma véranda.

Les choses ont bien changé, depuis dix ou vingt ans. Je ne sais jamais combien je dois. Je ne sais jamais combien j'ai. Je ne sais jamais combien j'aurai. Mon comptable trouve toujours quelque problème vieux de plusieurs années qui n'a jamais été « régularisé ». Que peut-on faire, dans des conditions pareilles ?

C'était le temps du bon sens, ce que j'ai toujours appelé ma période ploutocratique. Je commençais à être publiée en feuilletons en Amérique, et l'argent que je recevais de là-bas, outre qu'il dépassait de loin tout ce que les feuilletons avaient pu me rapporter comme droits en Grande-Bretagne, n'était pas imposable à cette époque, car considéré comme mouvement de capitaux. Cela n'atteignait certes pas les sommes que je devais recevoir plus tard, mais c'était toujours bon à prendre et j'avais l'impression qu'il me suffirait d'être ardente au travail pour encaisser la monnaie.

Maintenant, au contraire, je me dis souvent que je ferais peut-être aussi bien de ne plus écrire un seul mot, car cela ne peut me créer que des complications.

Max vint dans le Devon. Nous nous retrouvâmes à Paddington et descendîmes par le train de nuit. Il se passait toujours quelque chose quand je n'étais pas là. Rosalind nous accueillit toute guillerette, comme d'habitude, puis annonça le désastre :

— Peter a mordu Freddie Potter au visage.

Que le cher enfant de votre chère cuisinière-gouvernante se soit fait mordre au visage par votre cher toutou est la dernière des bonnes nouvelles que vous désirez entendre quand vous rentrez à la maison.

Rosalind expliqua que Peter n'était pas vraiment fautif : elle avait prévenu Freddie Potter de ne pas approcher sa tête ni de crier trop près du chien.

— Il a foncé sur Peter en faisant un bruit de moteur, alors bien sûr, le chien l'a mordu.

— Bien sûr, fis-je, mais je suppose que Mrs Potter n'a pas dû tellement apprécier.

— Elle n'a pas trop fait d'histoires mais, évidemment, elle n'est pas contente.

— Évidemment.

— Bref, poursuivit Rosalind, Freddie a été très courageux. Comme toujours, ajouta-t-elle pour prendre fidèlement la défense de son compagnon de jeu.

Freddie Potter, le petit garçon de la cuisinière, avait trois ans de moins que Rosalind, et elle adorait le commander, s'occuper de lui, jouer aussi bien les protecteurs généreux qu'être tyrannique pour décider à quoi ils allaient jouer.

— C'est quand même de la chance, hein, que Peter lui ait pas arraché le nez ? Parce que sinon, j'aurais dû le chercher, et le recoller je sais pas comment. Il faut le stériliser d'abord, non ? Mais comment qu'on fait pour stériliser un nez ? On le fait quand même pas bouillir ?

Ce fut une de ces journées dont le temps indécis pouvait tourner au beau, mais qui, pour ceux qui ont l'habitude du Devonshire, allait presque certainement amener la pluie. Rosalind proposa que nous fassions un pique-nique sur la lande. Je trouvai que c'était une bonne idée et Max acquiesça, avec plaisir semblat-il.

Quand j'y repense, je m'aperçois que l'une des choses que mes amis ont toujours eu à supporter par affection pour moi était mon optimisme à propos du temps, et ma certitude dépourvue du moindre fondement que, sur la lande, il ferait meilleur qu'à Torquay. En fait, c'est l'inverse qui se produisait presque immanquablement. Je prenais ma fidèle Morris Cowley, qui était bien sûr une voiture de tourisme découverte. Sa vieille capote était pleine de trous, si bien qu'à l'arrière, l'eau vous dégoulinait en permanence dans le cou. Bref, aller en pique-nique avec les Christie n'était pas une sinécure.

Nous partîmes donc et il se mit à pleuvoir. Je persistai, cependant, et décrivis à Max les innombrables beautés de la lande — qu'il ne pouvait guère voir à cause de la brume et de la pluie. C'était un excellent test pour mon nouvel ami du Proche-Orient. Fallait-il qu'il me soit très attaché pour supporter cela en ayant l'air d'y prendre plaisir !

Une fois rentrés à la maison et séchés, et après nous être retrempés ensuite dans des bains chauds, nous jouâmes à des tas de jeux avec Rosalind. Le lendemain, comme il faisait toujours humide, nous enfilâmes nos imperméables et sortîmes pour de vivifiantes promenades sous la pluie, avec le non-repenti Peter, qui d'ailleurs était de nouveau dans les meilleurs termes avec Freddie Potter.

J'étais très heureuse de me retrouver avec Max. Je découvrais combien notre amitié avait été profonde, combien nous semblions nous comprendre mutuellement presque avant même d'avoir ouvert la bouche. Pourtant, j'éprouvai un véritable choc lorsque, après nous être souhaité une bonne nuit, on frappa doucement à ma porte alors que j'étais au lit en train de lire, et que Max fit son entrée. Il tenait à la main un livre que je lui avais prêté.

— Merci pour le livre, dit-il. Je l'ai bien apprécié.

Il le posa à côté de moi, s'assit au pied du lit, me regarda pensivement et me dit qu'il voulait m'épouser.

Aucune demoiselle victorienne s'écriant : « Ciel, monsieur, ceci est tellement soudain ! » n'aurait pu paraître aussi interloquée que moi. La plupart des femmes, bien entendu, savent pertinemment d'où le vent souffle, en fait, elles voient venir les propositions des jours à l'avance et peuvent réagir de deux manières : se montrer tellement rébarbatives et désagréables qu'elles découragent le soupirant, ou le laisser doucement monter à ébullition et dire ce qu'il a sur le cœur. Eh bien, maintenant, je sais qu'on peut s'écrier en toute sincérité : « Ciel, monsieur, ceci est tellement soudain ! »

Il ne m'était jamais venu à l'esprit que Max et moi voudrions ou pourrions un jour avoir ce genre de relations. Nous étions amis, et cette amitié était plus spontanée et plus profonde, me semblait-il, que toutes celles que j'avais connues auparavant.

Nous eûmes alors une conversation un peu ridicule qu'il ne paraît pas très intéressant de retranscrire ici. Je répondis tout de suite que je ne pouvais pas. Pourquoi ? demanda-t-il. Pour toutes sortes de raisons. J'étais bien plus âgée que lui : certes, reconnut-il, mais il avait toujours voulu épouser une femme plus âgée. Je lui dis que c'était stupide et certainement pas une bonne chose. De plus, je fis remarquer qu'il était catholique, mais il avait réfléchi à cela aussi : en fait, il avait réfléchi à tout. Le seul motif que je n'invoquai pas, et que j'aurais naturellement avancé si je l'avais voulu, c'est que je n'avais pas envie de l'épouser : car je sentis tout à coup que rien au monde ne me paraîtrait aussi délicieux que d'être sa femme. Si seulement il avait eu quelques années de plus, ou moi de moins !

Nous discutâmes, je crois, près de deux heures. Il finit par user peu à peu ma résistance, non pas tant par des protestations que par une douce pression.

Il repartit le lendemain matin par le premier train. Au moment de nous séparer, il me dit :

— Je crois que vous accepterez de m'épouser, vous savez, quand vous aurez bien réfléchi.

L'heure était trop matinale pour que je puisse de nouveau rassembler tous mes arguments. Quand je l'eus quitté, je revins à la maison dans un état de totale indécision.

Je demandai à Rosalind si elle l'aimait bien.

— Oh ! oui, répondit-elle. Beaucoup plus que le colonel R. et Mr B.

On pouvait faire confiance à Rosalind pour être au courant de tout ce qui se passait, et avoir la discrétion de ne pas en parler ouvertement.

Les quelques semaines qui suivirent furent véritablement atroces. J'étais malheureuse comme les pierres, indéterminée, complètement perdue. Je décidai d'abord qu'il n'était pas question de me remarier, que je devais me mettre à l'abri, définitivement, de toute nouvelle souffrance. Qu'il était stupide d'épouser un homme tellement plus jeune que moi, bien trop jeune pour être sûr de lui. Que ce ne serait même pas juste envers lui, il valait mieux qu'il trouve une gentille fille de son âge. Que je commençais à peine à profiter de ma vie indépendante. Puis, imperceptiblement, je sentis mon raisonnement changer. Il était certes beaucoup plus jeune que moi, mais nous avions tellement de choses en commun. Il n'aimait pas les réceptions, ni les amusements, ni aller danser : j'aurais eu beaucoup de mal à suivre le rythme de quelqu'un de ce genre. En revanche, je pouvais courir les musées aussi bien que n'importe qui, y porter davantage d'intérêt et d'intelligence qu'une femme plus jeune. J'étais capable de faire tout le tour des églises d'Alep et d'y prendre plaisir, d'écouter Max parler des auteurs classiques, d'apprendre l'alphabet grec et de lire des traductions de l'*Énéide*, en fait, je m'intéressais bien plus aux travaux de Max et à ses idées qu'aux affaires d'Archie dans la City.

« Tu ne dois pas te remarier, me dis-je. Ne fais pas cette folie. » Tout cela s'était passé tellement insidieusement. Si j'avais considéré Max comme un mari possible dès notre première rencontre, j'aurais été sur mes gardes. Je ne me serais jamais laissée glisser dans une aussi confortable et heureuse relation. Tandis que là, je n'avais rien vu venir, et nous nous sentions parfaitement

bien ensemble, trouvant la communication entre nous aussi plaisante et facile que si nous étions déjà mariés.

En désespoir de cause, je consultai mon oracle domestique :

— Rosalind, qu'en penserais-tu si je me remariais ?

— Je suppose que ça t'arrivera un jour, répondit-elle avec l'air
de quelqu'un qui envisage toujours toutes les possibilités. C'est
naturel, non ?

— Oui, peut-être.

— J'aurais pas aimé que ce soit avec le colonel R., poursuivit-
elle d'un air songeur.

Remarque que je trouvai intéressante, ce colonel s'étant toujours mis en quatre pour Rosalind, laquelle s'était apparemment
montrée ravie des jeux auxquels il l'avait conviée.

Je mentionnai alors le nom de Max.

— C'est le mieux, et de loin, affirma-t-elle. Je pense même
que ce serait épatant, si tu l'épousais.

Puis elle ajouta :

— On pourrait avoir un bateau à nous, tu ne crois pas ? Et
puis Max, il serait bien pour des tas de raisons. Il est bon au
tennis, hein, alors il pourrait jouer avec moi ?

Avec le plus grand naturel, elle énuméra toutes les qualités
qu'elle lui voyait — uniquement de sa fenêtre à elle.

— Et puis Peter l'aime bien.

Ce fut là son approbation finale.

Et pourtant, cet été-là fut l'un des plus difficiles de ma vie.
L'un après l'autre, chacun se montra opposé à cette idée. Peut-
être cela m'encouragea-t-il, au fond. Ma sœur était farouchement
contre. Cette différence d'âge ! Mon beau-frère James lui-même
joua la note de la prudence :

— Ne crois-tu pas que tu as pu être influencée par cette vie
qui t'a tellement plu, la vie archéologique ? Que tu as pu
confondre le plaisir éprouvé chez les Woolley à Ur avec des sentiments qui ne sont pas aussi profonds que tu le penses ?

Mais je savais, moi, que ce n'était pas le cas.

— Bien entendu, c'est entièrement ton affaire, ajouta-t-il avec
douceur.

Cette brave Punkie, comme de juste, n'était pas du tout de cet
avis, elle trouvait au contraire que c'était la sienne de m'empêcher
de faire une grosse bêtise. Carlo, ma très chère Carlo, et sa sœur
me soutinrent comme deux forteresses inébranlables — uniquement par loyauté envers moi, semble-t-il. Elles aussi devaient
trouver que c'était une erreur, mais elles n'en auraient jamais rien
dit, car elles n'étaient pas femmes à vouloir influencer quelqu'un
dans ses choix. Elles regrettaient sûrement que je n'aie pas plutôt

eu envie d'épouser le séduisant colonel de 42 ans, mais puisque j'en avais décidé autrement, bon, elles me soutiendraient.

J'annonçai finalement la nouvelle aux Woolley. Elle parut leur faire plaisir. À Len, en tout cas. Avec Katharine, c'était toujours plus difficile de savoir.

— Simplement, fit-elle sur un ton ferme, vous ne devez pas l'épouser avant au moins deux ans.

— Deux ans ? répétai-je, effarée.

— Absolument. Ce serait une erreur fatale.

— Eh bien, moi, je trouve ça ridicule. Je suis déjà bien plus âgée que lui. À quoi diable servirait-il d'attendre que je le sois encore davantage ? Autant qu'il puisse profiter de ce qui me reste de jeunesse.

— Je pense que ce serait très mauvais pour lui, dit Katharine. Très mauvais pour lui, à son âge, de croire qu'il peut avoir tout ce qu'il veut tout de suite. J'estime qu'il vaudrait mieux le faire mijoter un peu. Le temps qu'il fasse son apprentissage.

Je ne pouvais pas partager un tel point de vue, qui me semblait inutilement sévère et puritain.

À Max, je répondis qu'il faisait fausse route en voulant m'épouser, qu'il réfléchisse bien.

— Que croyez-vous que je fasse depuis trois mois ? s'écria-t-il. J'ai réfléchi à peu près tout le temps que je suis resté en France, et je me suis dit : « Bon, je saurai vraiment quand je la reverrai si je me suis trompé ou non. » Eh bien, je ne me suis pas trompé : je vous ai retrouvée exactement comme je me rappelais, exactement comme je vous veux.

— C'est un risque terrible.

— Pas pour moi. Vous pouvez estimer que c'en est un pour vous. Et après ? Où va-t-on si on ne prend jamais de risque ?

Là, j'étais bien de son avis. Je n'ai jamais renoncé à faire quoi que ce soit au nom de la sécurité. Je me sentis alors plus rassurée. Je me disais : « D'accord, je prends un risque, mais j'estime que le jeu en vaut la chandelle quand il s'agit de trouver son bonheur avec quelqu'un. Je serais navrée pour lui si ça ne marchait pas, mais là c'est un risque qu'il prend lui, et il me semble considérer la question avec bon sens. » Je lui suggérai un délai de six mois. Il ne voyait pas ce que cela changerait.

— D'ailleurs, ajouta-t-il, je dois repartir pour l'étranger, pour Ur. Moi, j'estime qu'on devrait se marier en septembre.

J'en parlai à Carlo et nous dressâmes nos plans.

Il y avait eu tant de publicité autour de moi, et j'en avais tellement souffert, que je voulais que tout se fasse le plus discrètement possible. Nous décidâmes que Carlo, Mary Fisher, Rosalind et moi irions passer trois semaines dans l'île de Skye. Nous publierions les bans là-bas et le mariage serait discrètement célébré à l'église St Columba à Édimbourg.

Puis j'emmenai Max rendre visite à Punkie et James, lequel montra une triste résignation tandis que Punkie essayait par tous les moyens d'empêcher ce mariage.

En fait, je fus bien près de tout annuler juste avant, dans le train qui nous emmenait chez eux, au moment où, alors que je lui décrivais ma famille, Max dressa soudain l'oreille :

— James Watts, avez-vous dit ? J'étais à l'université à New College avec un Jack Watts. Ce ne pourrait pas être son fils ? Un comédien extraordinaire, il faisait des imitations sensationnelles.

Je me sentis complètement effondrée à l'idée que Max et mon neveu puissent être de la même génération. Notre mariage paraissait impossible.

— Vous voyez bien que vous êtes trop jeune ! m'écriai-je avec désespoir. Trop jeune !

Cette fois, il sembla vraiment alarmé.

— Pas du tout. C'est parce que je suis entré très tôt à l'université. De plus, tous mes amis étaient très sérieux, je ne faisais pas partie de la bande de joyeux drilles de Jack Watts.

Le trouble était cependant entré dans mon esprit.

Punkie fit de son mieux pour raisonner Max, et je commençai à craindre qu'il ne la prenne en grippe. C'est le contraire qui se produisit. Il la trouva très sincère, terriblement soucieuse de mon bonheur, et, ajouta-t-il, rigolote comme tout.

Ce qui était d'ailleurs toujours le verdict final sur ma sœur :

— Ma chère maman, disait mon neveu Jack à sa mère, je t'aime très fort. Tu es si gentille et si rigolote !

Description parfaite au demeurant.

À la fin de la visite, Punkie versa un torrent de larmes et se retira dans sa chambre. James se montra très gentil avec moi. Heureusement que mon neveu Jack n'était pas là : c'eût été le chien dans un jeu de quilles.

— J'ai compris tout de suite que ta décision de l'épouser était prise, dit mon beau-frère, et je sais que tu ne changes pas d'avis.

— Oh ! Jimmy, tu ne peux pas savoir ! J'ai l'impression d'en changer toutes les cinq minutes !

— Non, je ne crois pas. Enfin, j'espère que tout ira bien. Ce n'est pas le choix que j'aurais fait pour toi, mais tu as toujours montré beaucoup de bon sens et c'est le genre de jeune homme qui pourrait aller loin.

Comme je l'aimais, ce cher vieux James, d'une patience et d'une tolérance jamais démenties !

— Ne te tracasse pas pour Punkie, dit-il. Tu sais comment elle est : elle changera complètement d'avis quand tout sera fini.

En attendant, nous gardâmes le secret.

Je demandai à Punkie si elle voulait venir à Édimbourg assister à notre mariage. Elle pensa préférable de ne pas monter.

— Je n'arrêterais pas de pleurer, dit-elle, et ça attristerait tout le monde.

Je fus plutôt soulagée. J'avais mes deux bonnes et apaisantes amies écossaises pour m'apporter l'élément de solidité dont j'avais besoin. Je partis donc pour Skye avec elles et Rosalind.

Je trouvai l'île ravissante. Je regrettais bien sûr, parfois, qu'il pleuve tous les jours, mais c'était une sorte de crachin qui ne comptait pas vraiment. Nous fîmes des kilomètres de promenade sur la lande et la bruyère, et il flottait une délicieuse odeur de terre, dans laquelle pointait celle de la tourbe.

Une des réflexions de Rosalind provoqua un certain effet au restaurant de l'hôtel, un jour ou deux après notre arrivée. Peter, qui était avec nous, se voyait naturellement interdire l'accès à la salle à manger pendant les repas, mais Rosalind, au beau milieu du déjeuner, s'écria tout haut en s'adressant à Carlo :

— Tu sais, Carlo, Peter devrait être ton mari : il couche dans ton lit, non ?

La clientèle de l'hôtel était surtout constituée de vieilles dames. Tous les regards convergèrent en un seul mouvement vers Carlo.

Rosalind me donna d'ailleurs à moi aussi quelques conseils sur le chapitre du mariage :

— Tu sais, fit-elle, que quand tu seras mariée avec Max, il faudra que tu dormes dans le même lit que lui ?

— Je le sais.

— Bien sûr, je m'en doutais, parce que, après tout, tu as été mariée avec papa. Mais je me suis dit que tu n'y avais peut-être pas réfléchi.

Je lui assurai que j'avais réfléchi à tout ce qui avait trait à la situation.

Les semaines passèrent. Je me promenais sur la lande et, à certains moments de détresse, je me disais que je commettais une erreur, que j'allais gâcher la vie de Max.

Lequel, pendant ce temps, s'était jeté à corps perdu dans le travail, au British Museum et ailleurs, apportant la touche finale à ses dessins de poteries et à son travail archéologique. La dernière semaine avant le mariage, il resta jusqu'à 5 heures chaque nuit sur ses planches. Je soupçonne Katharine Woolley d'avoir incité Len à lui rendre le travail plus pénible qu'il aurait pu être : elle était très fâchée que je n'aie pas repoussé le mariage.

Avant que nous ne quittions Londres, Len était venu me voir. Il était dans ses petits souliers et je ne comprenais pas pourquoi.

— Vous savez, dit-il, cela va peut-être nous compliquer un peu les choses. À Ur et à Bagdad, je veux dire. Parce que, enfin — vous comprenez, j'espère ? — vous ne pourrez en aucun cas faire partie de l'expédition. Il n'y a de place que pour les archéologues.

— Oh ! non ! répondis-je, je comprends fort bien, nous en avons déjà parlé. Je n'ai aucune connaissance utile. Max et moi pensons que ce serait bien mieux que nous n'y allions pas, mais il n'a pas voulu vous laisser le bec dans l'eau juste au début de la saison, où vous n'auriez pas le temps de trouver quelqu'un pour le remplacer.

— Seulement il me semble... Je sais que... (Il s'interrompit.) Je me suis dit que les gens trouveraient peut-être bizarre que vous ne l'accompagniez pas à Ur.

— Je ne vois pas pourquoi ils penseraient ça. D'ailleurs, j'irai à la fin de la saison à Bagdad.

— Bien sûr, et j'espère que vous passerez quelques jours à Ur.

— D'accord. C'est entendu comme ça, alors ? fis-je pour l'encourager.

— Ce que je pensais... ce que nous pensions... je veux dire ce que Katharine, bref, ce que nous avons pensé tous les deux...

— Oui ?

— ... c'est qu'il vaudrait beaucoup mieux aussi que vous ne veniez pas à Bagdad maintenant. Parce que, bon, si vous vous déplacez jusque là-bas, qu'il aille à Ur et que vous rentriez à la maison, ne croyez-vous pas que ça paraîtrait un peu étrange ? Les administrateurs des fouilles risquent de tiquer.

La moutarde commença soudain à me monter au nez. J'étais tout à fait d'accord pour ne pas m'incruster à Ur. Je ne l'aurais jamais demandé parce que je n'avais rien à y faire. En revanche, je ne voyais pas pourquoi je n'irais pas à Bagdad si j'en avais envie.

Max et moi avions en fait déjà décidé que je ne l'accompagnerai pas jusqu'à Bagdad : ce serait un voyage inutile. Nous allions passer notre lune de miel en Grèce. À Athènes, il prendrait la route de l'Irak, et moi, je rentrerais en Angleterre. C'était donc bien prévu ainsi, mais je n'avais pas l'intention de le rassurer pour l'instant.

Je lui répondis avec une certaine aigreur :

— Je trouve qu'il ne vous appartient pas vraiment de me dire où je dois circuler ou non au Proche-Orient, Len. Si j'ai envie d'aller à Bagdad, j'irai à Bagdad avec mon mari. Et cela n'a aucun rapport avec les fouilles ni avec vous.

— Oh ! bon, bon, excusez-moi. C'est juste que Katharine pensait...

J'étais sûre qu'il y avait du Katharine là-dessous plutôt que du Len. Je l'aimais bien, Katharine, mais je n'allais pas la laisser me dicter ma vie. Quand je revis Max, par conséquent, je lui expliquai pourquoi, bien que n'ayant pas l'intention d'aller à Bagdad, j'avais pris bien soin de n'en rien dire à Len. Max était furieux. Je dus le calmer.

— J'ai presque envie de vous demander de venir exprès, dit-il.

— Ce serait bête. Ça entraînerait des tas de frais, et me rendrait la séparation encore plus pénible.

C'est alors qu'il m'apprit qu'il avait été sollicité par le Dr Campbell-Thompson, et qu'il y avait une chance qu'il participe aux fouilles de Ninive, au nord de l'Irak, l'année suivante. Selon toute probabilité, je serais autorisée à l'y accompagner.

— Rien n'est définitif, cependant, dit-il. Il reste encore des tas de détails à régler. Ce qui est sûr, c'est que je ne veux plus que nous soyons séparés ainsi pendant six mois à partir de la saison prochaine.

À Skye, les jours passèrent. Lecture des bans fut faite comme il convenait à l'église, et les vieilles dames présentes m'adressèrent leurs grands sourires attendris de circonstance.

Max se rendit à Édimbourg. Carlo, Mary, Rosalind et moi, accompagnées de Peter, fîmes de même depuis Skye. Nous fûmes mariés dans la petite chapelle de l'église St Columba. La réussite fut totale : aucun journaliste n'était présent, le secret avait été bien gardé. Le jeu de cache-cache se poursuivit d'ailleurs puisque nous nous séparâmes, comme le dit la chanson, à la sortie de l'église. Max retourna trois jours à Londres pour finir ses travaux sur Ur, tandis que je prenais dès le lendemain avec Rosalind le chemin de Cresswell Place où je fus accueillie par ma fidèle Bessie qui avait été mise, elle, dans le secret. Max se garda de s'y montrer. Deux jours plus tard, il arrivait devant la porte au volant d'une Daimler de location. De là, nous partîmes pour Douvres et traversâmes la Manche prenant la direction de la première étape de notre lune de miel : Venise.

Lune de miel que Max avait tenu à organiser tout seul : ce devait être une surprise. Je suis sûre que personne n'en a jamais passé d'aussi merveilleuse que la nôtre. Avec une seule fausse note : à bord de l'Orient-Express, dès le tout début du voyage, bien avant Venise, nous fûmes de nouveau attaqués par les punaises.

NEUVIÈME PARTIE

La vie avec Max

1

Notre lune de miel nous mena à Dubrovnik, puis de là à Split. Split, je ne l'ai jamais oublié et ne l'oublierai jamais. Nous aimions, à la tombée de la nuit, quitter notre hôtel pour errer dans la ville. Et c'est ainsi qu'un soir, au détour d'une rue, nous débouchâmes sur l'une des places, celle où se dresse contre le ciel la silhouette sombre de saint Grégoire de Nysse, l'une des plus belles œuvres du sculpteur Mestrovic. Elle dominait tout. C'est l'une de ces images qui, comme un repère, vous restent à jamais gravées dans la mémoire.

Nous eûmes là-bas d'interminables fous rires à cause des menus. Ils étaient invariablement rédigés en serbo-croate, et nous n'avions bien évidemment pas la moindre idée de ce qu'ils annonçaient. Nous prîmes l'habitude de désigner du doigt un plat au hasard sur la liste et d'attendre non sans une certaine angoisse de voir ce qui allait nous être servi. Nous fûmes ainsi gratifiés un jour d'une colossale assiette de poulet, une autre fois d'œufs pochés nageant dans une béchamel où le piment semblait avoir pris la place de la farine, une autre fois encore d'une sorte de super-goulasch. Les portions étaient toujours énormes et aucun restaurant ne semblait pressé de vous voir régler la note.

— Pas ce soir, pas ce soir, murmurait le garçon dans un français, anglais ou italien approximatif. Revenez demain, vous paierez à ce moment-là.

J'ignore ce qui se passait quand des gens consommaient ainsi à l'œil avant de reprendre le bateau. C'est dans cet ordre d'idée que, le matin de notre départ, nous eûmes les pires difficultés pour faire accepter notre argent à notre restaurant préféré.

— Bah ! vous paierez plus tard, dirent-ils.

Nous expliquâmes, ou tentâmes d'expliquer, que ce ne serait pas possible :

— Nous ne pourrons pas, nous partons par le bateau de midi.

Le jeune serveur poussa un soupir résigné à l'idée de devoir se livrer à des calculs compliqués. Il se retira dans un petit bureau, se gratta la tête, essaya plusieurs crayons, grogna et, au bout de cinq minutes environ, nous apporta ce qui semblait une addition plus que raisonnable pour les énormes quantités que nous avions ingurgitées. Puis il nous souhaita bonne chance et nous nous en allâmes.

Notre voyage se poursuivait en longeant la côte dalmate, puis la côte grecque jusqu'à Patras. Là, nous devions prendre un petit caboteur, m'expliqua Max. Nous attendîmes sur le quai son arrivée et commençâmes à nous inquiéter. C'est alors que nous aperçûmes une embarcation minuscule, véritable coque de noix dont nous avions peine à croire que c'était celle que nous attendions. Ce bateau avait un nom bizarre ne comportant que des consonnes, le *Srbn* — je n'ai jamais su comment cela se prononçait. En tout cas, c'était bien le nôtre. Nous étions quatre passagers : il y avait une cabine pour nous, et une autre pour deux personnes qui débarquèrent au port suivant, si bien que nous nous retrouvâmes seuls à bord.

Je n'ai jamais mieux mangé que sur ce bateau. De délicieuses côtelettes d'agneau tendres à souhait, de succulents légumes, du riz, une sauce divine et de savoureuses brochettes. Nous causâmes avec le capitaine en un italien approximatif.

— Vous aimez nourriture ? s'enquit-il. Bon, moi content. Ça nourriture anglaise que j'ai commandée pour vous. Très nourriture anglaise.

J'espérai sincèrement qu'il n'irait jamais en Angleterre, de peur qu'il ne découvre ce qu'était la réalité de la cuisine anglaise. Il nous expliqua qu'on lui avait offert la promotion de commander un plus gros navire, mais qu'il avait préféré rester sur celui-ci parce qu'il y avait un bon cuisinier et qu'il tenait à sa tranquillité : là au moins, les passagers ne l'embêtaient pas.

— Sur grand bateau, c'est toujours problèmes, expliqua-t-il. Alors je préfère pas de promotion.

Nous passâmes quelques jours de bonheur sur ce petit caboteur serbe. Nous nous arrêtâmes dans plusieurs ports : Santa Anna, Santa Maura, Santi Quaranta. Quand nous allions à terre, le capitaine nous disait qu'il donnerait un coup de sirène une demi-heure avant le départ. C'est ainsi que, en promenade dans une oliveraie ou assis au milieu des fleurs, nous entendions tout à coup l'appel et faisions immédiatement demi-tour pour rejoindre le bateau. Quel délice que de se sentir si paisibles, si heureux d'être ensemble sous ces vieux arbres ! C'était un jardin de l'Éden, un paradis sur terre.

Nous arrivâmes enfin à Patras, fîmes des adieux chaleureux au capitaine et prîmes place dans un curieux petit train qui devait nous amener à Olympie. Nous n'étions pas les seuls à l'avoir emprunté, il y avait aussi toute une cohorte de punaises. Cette fois, elles grimpèrent sous le pantalon que je portais. Le lendemain, je dus fendre l'étoffe tellement mes jambes avaient enflé.

Nul besoin de décrire la Grèce. Olympie était aussi beau que je l'avais imaginé. Vingt-quatre heures plus tard, nous partîmes à dos de mulet pour nous rendre jusqu'à Andritsena, et cela, je dois bien l'avouer, faillit mettre un terme prématuré à notre vie conjugale.

Sans aucun entraînement préalable, un voyage de quatorze heures à dos de mulet fut pour moi un martyre indescriptible. J'en arrivai à un stade où je ne savais plus ce qui me faisait le plus mal : chevaucher le mulet ou marcher à côté. Lorsque nous arrivâmes enfin, je me laissai choir à terre. J'étais endolorie au point de ne plus pouvoir mettre un pied devant l'autre. J'en fis l'amer reproche à Max :

— Si tu ne te rends pas compte de l'état dans lequel on peut se retrouver après une équipée pareille, tu n'es vraiment pas mûr pour le mariage !

En fait, il était lui-même perclus de courbatures et de douleurs. Ses explications selon lesquelles la randonnée n'aurait pas dû, d'après ses calculs, excéder huit heures furent mal reçues. Il me fallut plusieurs années avant de me rendre compte que ses estimations, en termes de voyages, étaient toujours nettement inférieures à ce qu'elles se montraient dans la réalité, si bien qu'il fallait systématiquement augmenter d'un tiers toutes ses prévisions.

Deux jours de repos complet à Andritsena nous furent nécessaires pour nous remettre de l'épreuve. Après quoi je condescendis à reconnaître ne pas regretter tant que ça de l'avoir épousé, mais lui conseillai néanmoins d'apprendre à être plus attentionné envers sa femme — de ne pas l'entraîner dans des expéditions à dos de mulet avant d'avoir soigneusement calculé les distances. Nous en effectuâmes une autre plus raisonnable — elle n'excéda pas cinq heures — jusqu'au temple de Bassæ, et cette fois je ne me sentis pas fatiguée du tout.

Nous allâmes à Mycènes, à Épidaure, et passâmes la nuit dans ce qui paraissait être la suite royale d'un hôtel de Nauplie : il y avait des tentures de velours rouge, un énorme lit à baldaquin avec des rideaux brochés d'or. Nous prîmes le petit déjeuner sur un balcon pas très sûr mais très décoré qui donnait sur une île, puis nous descendîmes à la mer nous baigner, pas très rassurés au milieu des méduses.

Je trouvai Épidaure d'une beauté particulièrement remarquable, mais ce fut là que, pour la première fois, je me rebellai contre l'esprit archéologique. Il faisait un temps divin et je montai tout en haut du théâtre, ayant laissé Max au musée où il examinait une inscription. Un temps interminable s'écoula sans qu'il vienne me rejoindre. Je finis par m'impatienter et redescendis au musée : Max était toujours le nez collé au sol, plongé, au comble de l'extase, dans le déchiffrement de son inscription.

— Tu lis encore ce machin ? rouspétai-je.

— Oui, c'est un texte tout à fait inhabituel. Regarde, tu veux que je t'explique ?

— Non, répondis-je sur un ton ferme. Il fait très beau, dehors, un temps superbe.

— Oui, sans doute, fit-il d'un air absent.

— Ça ne t'ennuierait pas si je ressortais ?

Il parut légèrement surpris.

— Oh ! non... pas du tout. Je croyais seulement que cette inscription pourrait t'intéresser.

— Il y a d'autres choses qui m'attirent davantage, dis-je avant de remonter m'asseoir en haut du théâtre.

Max m'y rejoignit environ une heure plus tard, ravi d'avoir déchiffré une obscure phrase grecque, ce qui, pour ce qui le concernait, suffisait apparemment à son bonheur.

Delphes fut pourtant le point fort du voyage. Je fus tellement frappée par son incroyable beauté que nous passâmes notre temps à essayer de trouver un site où nous pourrions un jour faire construire une petite maison. Nous en retînmes trois, je m'en souviens. C'était un joli rêve : je ne pense pas que nous y ayons véritablement cru nous-mêmes. Quand j'y suis retournée il y a un an ou deux, et que j'ai vu ces grands bus sillonner la ville où fourmillaient cafés, magasins de souvenirs et touristes, je me suis dit que j'étais bien contente que nous n'ayons pas bâti notre maison là-bas.

Nous étions en permanence à la recherche de terrains à construire. Cela venait en grande partie de moi, qui avais eu de tout temps la passion des maisons. À un certain moment de ma vie, un peu avant la Seconde Guerre mondiale, je me retrouvai même l'heureuse propriétaire de huit d'entre elles. Je m'étais fait une marotte de dénicher des bicoques délabrées et pouilleuses à Londres, de les transformer, de les décorer et de les meubler. Quand vint la guerre et qu'il me fallut les assurer, ce fut beaucoup moins drôle. Mais en fin de compte, elles se révélèrent toutes d'un bon rapport quand je les revendis. Ce fut une agréable distraction le temps que cela dura, et j'ai toujours plaisir, quand je passe devant « mes » maisons, de voir comment elles sont entretenues et d'essayer de deviner quelle sorte de gens les occupent à présent.

Le dernier jour, nous descendîmes à pied de Delphes jusqu'à la mer, à Itea. Un Grec nous accompagna pour nous montrer le chemin ; Max, qui a l'esprit très curieux et ne peut pas se trouver avec un autochtone sans lui poser un tas de questions, engagea la conversation. Ce jour-là, il demanda au guide le nom des différentes fleurs. Notre charmant Grec ne fut que trop empressé de le renseigner. Max lui montrait du doigt une fleur, il en disait le nom et Max le notait sur son carnet. Quand il en eut inscrit une bonne vingtaine, il s'aperçut qu'il y avait un certain nombre de répétitions. Ainsi, le mot grec qui venait de lui être indiqué pour une fleur bleue hérissée d'épines était le même qui lui avait déjà été donné pour l'une des premières fleurs, un grand souci jaune. Il découvrit alors que, dans son ardeur à faire plaisir, l'homme n'avait fait que débiter tous les noms de fleurs qu'il connaissait. Comme il n'en connaissait pas beaucoup, il recommençait pour chaque nouvelle plante. Au grand dam de Max qui comprit alors que sa précieuse liste de fleurs sauvages ne lui serait jamais d'aucune utilité.

Nous aboutîmes enfin à Athènes, et là, à quatre ou cinq jours seulement de notre séparation, le désastre frappa les habitants du paradis. Je fus prise de maux de ventre que je crus d'abord être une de ces banales affections gastro-intestinales qui vous guettent souvent au Proche-Orient, la diarrhée, plus communément appelée « courante » : courante de Bagdad, courante de Téhéran, etc. J'avais donc, j'en étais persuadée, la courante d'Athènes. Ce fut bien pire que cela.

Je me relevai au bout de quelques jours, mais au cours d'une excursion, je me sentis si mal qu'il fallut me ramener immédiatement. J'avais une fièvre de cheval, et en fin de compte, malgré mes protestations et après que tous les autres remèdes eurent échoué, nous appelâmes un médecin. Nous n'en pûmes trouver qu'un grec. Il parlait français et je m'aperçus vite que bien que je puisse correctement tenir une conversation dans cette langue, je ne connaissais aucun terme médical.

Il attribua mes maux aux têtes de rougets que j'avais mangées, lesquelles, d'après lui, renfermaient un grand danger surtout pour les étrangers qui ne savaient pas disséquer ce poisson avec tout le doigté requis. Il me raconta l'histoire épouvantable d'un ministre du gouvernement qui avait failli en mourir et n'avait été sauvé qu'à la toute dernière extrémité. De fait, je me sentais suffisamment mal en point pour rendre l'âme à tout moment ! J'avais plus de 40 de fièvre et je ne pouvais rien garder de ce que j'avalais. Les remèdes de mon docteur finirent pourtant par produire leur effet. Je me sentis soudain, du fond de mon lit, redevenir un être humain. L'idée de nourriture m'était toujours aussi insupportable et j'avais l'impression que tout mouvement me serait désormais impossible, mais mon état s'améliorait et je le savais. J'assurai à Max qu'il pourrait partir le lendemain.

— Mais c'est affreux, comment puis-je t'abandonner dans un état pareil ?

Le problème était qu'il avait été chargé de se rendre à Ur suffisamment tôt pour faire ajouter quelques extensions à la maison en briques cuites de l'expédition, de façon à pouvoir accueillir les Woolley et les autres membres de l'équipe quand ils y débarqueraient, une quinzaine de jours plus tard. Il devait notamment prévoir une nouvelle salle à manger ainsi qu'une nouvelle salle de bains pour Katharine.

— Je suis sûr qu'ils comprendront, poursuivit Max d'un air fort peu convaincu.

J'étais persuadée du contraire. Cela me tourmenta au plus haut point, car je savais pertinemment que c'était sur moi qu'ils rejetteraient en partie l'abandon de poste de Max. Nous mîmes donc tous deux un point d'honneur à ce qu'il arrive sur place au moment prévu. Je l'assurai que tout irait bien maintenant, que je resterais tranquillement allongée à me remettre une semaine encore peut-être, puis que je rentrerais ensuite directement à la maison par l'Orient-Express.

Le pauvre Max se trouvait en proie à un affreux dilemme. Lui aussi était doté d'un sens aigu, terriblement anglais, du devoir. Or, Leonard Woolley lui avait dit avec la plus grande fermeté :

— Je vous fais confiance, Max. Amusez-vous tant que vous voudrez, mais il est absolument impératif que vous me donniez votre parole d'être sur place à la date prévue pour vous charger de tout.

— Tu sais ce que Len va dire, lui fis-je remarquer.

— Mais c'est la vérité, que tu es malade !

— Je sais bien, que c'est la vérité, seulement eux, ils ne le croiront pas. Ils s'imagineront que c'est moi qui te retiens, et ça, je ne le veux surtout pas. D'ailleurs si tu continues à discuter, tu vas faire remonter ma température et je serai encore plus malade.

C'est ainsi que finalement, faisant tous deux acte d'héroïsme, nous nous séparâmes et que Max suivit l'appel du devoir.

La seule personne à ne pas être du tout d'accord fut le médecin grec. Il leva les bras au ciel et déversa un torrent d'indignation en français :

— Ah ! ils sont bien tous les mêmes, ces Anglais ! J'en ai connu beaucoup, vous savez, beaucoup, et ils sont tous pareils. Il n'y a que le travail qui compte. C'est quoi, le travail, c'est quoi, le devoir, comparés à des *êtres humains* ? Et une épouse, c'est un être humain, non ? Alors quand elle est malade, il n'y a rien d'autre qui compte. *Rien*. C'est un être humain en détresse !

— Vous ne comprenez pas, fis-je. C'est vraiment très important. Il a donné sa parole qu'il serait là-bas. Il a de très grosses responsabilités.

— Bah ! quelles responsabilités ? Qu'est-ce que le travail, le devoir ? Ce n'est rien, le devoir, en face de l'affection. Mais les Anglais sont comme ça. Quelle indifférence, quelle froideur ! Quelle horreur d'être mariée à un Anglais ! Je ne le souhaiterais à aucune femme. Ah ! ça non, alors !

J'étais vraiment trop à plat pour discuter davantage, mais j'assurai que tout se passerait bien pour moi.

— Vous devrez faire très attention, me prévint-il. Il ne faut pas raisonner comme ça. Ce ministre dont je parle, vous savez combien de temps il lui a fallu pour reprendre le travail ? Un mois entier.

Loin de me démonter, je répondis que les estomacs anglais étaient spéciaux, qu'ils récupéraient très vite. Le docteur leva une fois encore les bras au ciel, tempêta de nouveau en français puis s'en alla, se lavant plus ou moins les mains de mon cas. Si je m'en sentais l'envie, ajouta-t-il, je pourrais maintenant prendre une petite assiette de macaronis sans beurre et sans sel. Je n'avais envie de rien. Surtout pas de macaronis sans beurre et sans sel. Je restai allongée comme un bout de bois au milieu des quatre murs verts de ma chambre, malade comme un chien, l'estomac et le ventre en feu, et si faible que je ne pouvais pas bouger un doigt. Je commandai néanmoins les macaronis. J'en avalai à peu près trois et repoussai l'assiette. Je croyais ne jamais pouvoir retrouver l'appétit.

Je pensais à Max. Il devait être arrivé à Beyrouth, à présent. Le lendemain, il traverserait le désert par le convoi Nairn. Le pauvre, quel souci il allait se faire pour moi !

Fort heureusement, du souci, je ne m'en faisais plus de mon côté. Je sentais en fait s'éveiller en moi la détermination de faire quelque chose ou d'aller quelque part. J'avalai un peu plus de macaronis, m'enhardis jusqu'à mettre une tombée de fromage râpé dessus, fis trois fois le tour de ma chambre chaque matin pour que mes jambes reprennent un peu de force. Lorsque le médecin vint me rendre visite, je lui annonçai que je me sentais beaucoup mieux.

— C'est bien. Oui, je vois, vous remontez la pente.

— En fait, je pourrai rentrer chez moi après-demain.

— Ah ! ne dites pas de bêtises pareilles ! Je vous ai expliqué que le ministre...

Il commençait à m'énerver, avec son ministre. J'appelai le concierge de l'hôtel et lui demandai de me réserver une place dans l'Orient-Express qui partirait trois jours plus tard. Je ne fis part de mon intention au médecin que le soir précédant mon départ. Il leva derechef les bras au ciel, m'accusa d'ingratitude et d'imprudence et me prévint que je risquais de me faire débarquer du train et de mourir sur un quai de gare. Je savais très bien que mon cas n'était pas aussi désespéré. Les estomacs anglais, lui répétais-je, récupèrent très vite.

Le moment venu, je partis donc, mes pas chancelants soutenus par le portier de l'hôtel jusqu'au train. Je m'écroulai sur ma couchette pour n'en pratiquement plus bouger. Je demandai de temps en temps qu'on m'apporte un bol de soupe chaude du wagon-restaurant, mais elle était presque toujours trop grasse et ne me disait rien du tout. Pareille abstinence eût été excellente pour ma silhouette quelques années plus tard, mais à cette époque, j'étais encore mince, et j'arrivai à la maison comme un véritable sac d'os. Ce fut un délice de me retrouver chez moi et de pouvoir me laisser choir sur mon propre lit. Il me fallut quand même un bon mois pour me remettre sur pied et retrouver tous mes moyens.

Max était bien arrivé à Ur, non sans s'être rongé les sangs pour moi, envoyant télégramme sur télégramme en route, attendant les miens qui ne venaient jamais. Puis il se mit au travail avec une ardeur telle qu'il en fit bien plus que ce à quoi les Woolley s'étaient attendus.

— Je vais leur montrer ! se répétait-il.

Il construisit la salle de bains de Katharine entièrement à son idée, aussi petite et restreinte que possible, mais en y apportant, ainsi qu'à la salle à manger, tous les agréments qu'il jugea utiles.

— On ne vous demandait pas de faire tout cela ! s'exclama Katharine lorsqu'ils arrivèrent.

— Autant avancer puisque j'étais ici, répondit Max d'un air sombre.

Il expliqua qu'il m'avait laissée à Athènes entre la vie et la mort.

— Vous auriez dû rester auprès d'elle, déclara Katharine.

— Sans doute, mais vous aviez tous les deux tellement insisté sur l'importance de ce travail !

Katharine s'en prit alors à Len, lui disant que la salle de bains n'était pas du tout à son goût, qu'il faudrait la démolir et la reconstruire — ce qui fut fait, avec les complications considérables que cela occasionna. Plus tard cependant, elle félicita Max pour avoir si bien réussi la salle à manger, ce qui lui avait changé la vie.

À mon âge, aujourd'hui, je sais fort bien comment m'y prendre avec les lunatiques de tout poil : acteurs, producteurs, architectes, musiciens, et les personnages de star comme Katharine Woolley. La mère de Max était une star à sa manière. Ma mère n'en était pas loin : elle faisait des caprices incroyables, mais avait systématiquement tout oublié le lendemain.

— Vous aviez l'air de tellement y tenir ! lui disais-je.

— Moi ? s'écriait-elle, au comble de la surprise. J'ai donné cette impression ?

Plusieurs de nos amis acteurs peuvent, comme tout un chacun, avoir leurs humeurs. Un jour que Charles Laughton répétait le rôle d'Hercule Poirot dans *Alibi* et qu'il dégustait une glace avec moi au cours d'une pause, il m'expliqua sa tactique :

— Il est toujours bon de faire semblant d'être en colère même quand ce n'est pas vrai. Ça aide. Les gens se disent : « Attention, avec lui, il vaut mieux filer doux. Vous connaissez ses colères ! »

Et d'ajouter :

— C'est fatigant, parfois, surtout si vous n'en avez pas envie. Mais ça paye. À tous les coups.

2

Mes activités littéraires de l'époque restent étrangement vagues dans mon souvenir. Je ne crois pas que, même à ce moment-là, je me sois considérée comme un véritable auteur. J'écrivais, certes, des romans, des nouvelles, qui étaient publiés, et je commençais à m'accoutumer au fait que je pouvais compter dessus comme source régulière de revenus. Jamais pourtant, quand je remplissais un formulaire et que j'en arrivais à la rubrique « activité professionnelle », il ne me serait venu à l'esprit de répondre par autre chose que l'expression consacrée « mère de famille ». J'étais mère de famille de mon état et c'était cela, mon activité professionnelle. Parallèlement, j'écrivais des romans, mais il ne me serait pas venu à l'idée de baptiser cela « carrière », bien grand mot que j'aurais trouvé ridicule.

Ma belle-mère n'arrivait pas à le comprendre :

— Vous écrivez si bien, ma chère Agatha ! D'ailleurs, vous devriez vraiment entreprendre quelque chose de... euh... de plus sérieux, non ?

Quelque chose qui « vaille la peine », voulait-elle dire. Et je trouvais fort difficile de lui faire comprendre — je n'essayais d'ailleurs pas vraiment — que je n'écrivais que pour divertir.

Je voulais être un bon auteur de romans policiers, oui, ce que d'ailleurs, à cette époque, j'avais la prétention de me croire effectivement. Certains de mes romans me satisfaisaient et me plaisaient bien. Jamais en totalité, bien sûr, car je crois qu'à cela on ne parvient pas. Rien ne tourne exactement comme vous l'imaginiez quand vous griffonnez les premiers brouillons du premier chapitre, ou quand vous vous marmonnez l'histoire à vous-même et vous en déroulez le film au cours d'une promenade.

Ma chère belle-mère aurait bien aimé, je crois, me voir écrire la biographie d'un personnage célèbre. Je ne sais pas à quoi je pourrais être plus mauvaise qu'à cela. Il me restait quand même suffisamment de modestie pour répondre spontanément, de temps à autre :

— Oui, mais je ne suis pas un véritable écrivain, moi.

Ce qui était immédiatement contré par Rosalind :

— Mais si, tu l'es, maman. Tu l'es pour de vrai, maintenant.

Le pauvre Max se voyait infliger une véritable punition par le mariage. Il n'avait, pour autant que j'aie pu le découvrir, jamais lu le moindre roman. Katharine Woolley lui avait pratiquement mis de force *Le Meurtre de Roger Ackroyd* entre les mains, mais il avait réussi à se défiler : quelqu'un ayant discuté le dénouement en face de lui, il s'était écrié :

— À quoi sert de lire un livre quand vous en connaissez la fin ?

À présent qu'il était mon mari, il s'attelait vaillamment à la tâche.

J'avais alors déjà écrit une bonne dizaine de livres, et il essayait de combler son retard. Quand on pense que les ouvrages les plus érudits sur l'archéologie ou sur les grands sujets classiques représentaient de la lecture facile pour Max, il était assez amusant de voir le mal qu'il se donnait pour venir à bout d'œuvres légères de fiction. Il s'accrocha pourtant et je suis fière de pouvoir dire qu'à la fin, il sembla prendre plaisir au pensum qu'il s'imposait à lui-même.

Le plus curieux, c'est que je me rappelle peu les livres que j'ai écrits juste après mon mariage. Sans doute retirais-je tant de satisfactions de la vie de tous les jours que je ne me mettais à l'ouvrage que par à-coups. Je n'eus jamais une pièce qui fût à moi, dans laquelle je me retirais spécialement pour écrire. Ce qui d'ailleurs devait ultérieurement me poser bien des problèmes, car chaque fois que je devais recevoir un journaliste, sa première demande était toujours de me prendre en photo au travail :

— Montrez-moi où vous écrivez vos livres.

— Oh ! n'importe où !

— Mais vous avez bien un endroit de prédilection ?

Non, je n'en avais pas. Tout ce qu'il me fallait, c'était une table bien stable et une machine à écrire. Je m'étais mise à taper directement, sauf les premiers chapitres, et d'autres à l'occasion, que je rédigeais encore à la main avant de les dactylographier. Une table de toilette à dessus de marbre faisait parfaitement l'affaire, de même que la table de la salle à manger entre les repas.

On savait en général, à la maison, quand une période d'activité s'annonçait.

— Regardez, la patronne est en train de cogiter !

Carlo et Mary m'appelaient toujours la patronne, dans le prétendu langage de Peter le chien, et Rosalind elle-même utilisait ce mot plutôt que maman. Bref, tout le monde voyait quand quelque chose couvait, on me regardait avec espoir et on m'encourageait à m'enfermer quelque part pour me mettre au travail.

Beaucoup d'amis m'ont dit :

— Je me demande quand vous écrivez vos romans, car je ne vous ai jamais vue la plume à la main ou vous retirer pour travailler.

Je dois faire un peu comme les chiens avec leur os : ils s'éclipsent une demi-heure par-ci par-là et reviennent d'un air emprunté avec de la boue sur la truffe. Pareil pour moi. Je me sentais légèrement embarrassée quand j'allais écrire. Une fois que j'avais pu m'isoler, en revanche, refermer la porte et m'arranger pour qu'on ne m'interrompe pas, alors je fonçais, complètement absorbée par ce que je faisais.

Ma production semble avoir été particulièrement bonne dans les années 1929 à 1932. En plus de deux romans, j'avais publié deux recueils de nouvelles. L'un rassemblait les histoires de Mr Quinn. Ce sont mes nouvelles préférées. Je n'en écrivais pas très souvent : une tous les trois ou quatre mois. Je les espaçais parfois davantage. Les magazines semblaient en être friands, et je les aimais beaucoup moi-même, mais je repoussai toutes les propositions d'en faire une série pour les périodiques. Je ne voulais pas faire de Mr Quinn le héros d'une série : je voulais seulement écrire une de ses aventures quand l'envie m'en prenait. C'était pour moi comme le prolongement de mes poèmes de jeunesse sur Arlequin et Colombine.

Mr Quinn était un personnage qui ne faisait que passer dans une histoire, un catalyseur. Sa seule présence affectait la vie des autres. Un fait anodin, ou une phrase apparemment sans grande importance, suffisait à révéler sa vraie nature : celle d'un homme montré sous une lumière d'arlequin, derrière le prisme d'une vitre. Un mirage aussi prompt à apparaître qu'à disparaître. Toujours en lutte pour les mêmes causes, c'était l'ami des amoureux et, avec lui, la mort n'était jamais loin. Le petit Mr Satterthwaite, qui était, si l'on peut dire, l'émissaire de Mr Quinn, est aussi devenu l'un de mes personnages préférés.

J'ai également publié un recueil de nouvelles intitulé *Le crime est notre affaire*. Chacune y était rédigée à la manière d'un détective particulier de l'époque. Il y en a certains que je ne reconnais même plus aujourd'hui. Je me souviens de Thomas Colton, le détective aveugle, d'Austin Freeman, naturellement, de Freeman Wills Croft avec ses merveilleux indicateurs des chemins de fer, et bien sûr de Sherlock Holmes. D'une certaine façon, il est intéressant de voir lesquels, parmi les douze auteurs que j'ai choisis, sont encore connus : certains nous sont restés familiers, d'autres sont plus ou moins tombés dans l'oubli. Tous m'avaient paru bien écrits et de façon distrayante, chacun à sa manière. *Le crime est notre affaire* reprenait mes deux jeunes limiers, Tommy et Tuppence, qui avaient été les personnages principaux de mon premier *thriller*, *Mr Brown*. C'était amusant de revenir à eux, pour changer un peu.

L'Affaire Protheroe a été publiée en 1930, mais je ne me rappelle ni où, ni quand, ni comment je l'ai écrite, ce qui m'a incitée à l'écrire ou même à choisir un nouveau personnage — miss Marple — pour tenir le rôle du détective dans l'histoire. Je suis certaine de n'avoir jamais eu, à ce moment-là, l'intention de continuer à l'utiliser pour le restant de mes jours. J'ignorais qu'elle allait devenir la rivale d'Hercule Poirot.

On ne cesse de me suggérer, aujourd'hui, une rencontre entre miss Marple et Hercule Poirot — mais *pourquoi* se rencontreraient-ils ? À mon avis, cela ne leur plairait pas du tout. Hercule Poirot, le parfait égocentrique, n'apprécierait pas qu'une vieille fille vienne lui apprendre son métier. Détective professionnel, il ne serait pas du tout à sa place dans le monde de miss Marple. Non, ce sont des stars chacun de leur côté, et sans rien devoir à personne. Je ne les ferai donc pas se rencontrer, à moins que je n'en ressente la soudaine et inattendue nécessité.

Il est possible que miss Marple soit née du plaisir que j'avais pris à brosser le portrait de la sœur du Dr Sheppard dans *Le Meurtre de Roger Ackroyd*. Elle avait été mon personnage préféré dans le livre, une vieille fille caustique, curieuse, sachant tout, entendant tout : la parfaite détective à domicile. Quand l'ouvrage fut adapté au théâtre, l'une des choses qui m'attristèrent le plus fut la disparition de ce personnage de Caroline. On donna à sa place une sœur beaucoup plus jeune au docteur — une jolie fille qui pouvait réveiller les penchants romanesques de Poirot.

Je n'imaginais pas, lorsque cette idée d'adaptation me fut donnée pour la première fois, les affres par lesquelles on passe à cause des altérations qu'impose le théâtre. J'avais déjà écrit une pièce policière — je ne me souviens pas exactement quand. On s'était montré plutôt réticent chez Hughes Massie — en fait, on m'avait même conseillé de n'y plus penser du tout, et je n'avais pas insisté. Je l'avais intitulée *Café noir*. Une histoire d'espionnage toute conventionnelle et, bien qu'elle fût bourrée de clichés, je ne la trouve pas si mauvaise. Elle reçut un jour sa juste récompense. Un de mes amis du temps de Sunningdale, Mr Burman, qui avait des liens avec le *Royalty Theatre*, me dit qu'elle pourrait sans doute être montée.

Il m'a toujours semblé extraordinaire que Poirot soit systématiquement interprété par des hommes de fort gabarit. Charles Laughton était très corpulent, Charles Sullivan, massif et approchait 1,90 m. C'est lui qui joua Poirot dans *Café noir*. Je crois que la première représentation eut lieu à l'Everyman de Hampstead et que le rôle de Lucia était tenu par Joyce Bland, que j'ai toujours trouvée très bonne actrice.

Café noir tint juste quatre ou cinq mois quand elle arriva enfin dans le West End, mais elle fut reprise une vingtaine d'années plus tard avec des altérations mineures, et tint fort bien l'affiche dans le théâtre de répertoire.

Les pièces à suspense ont souvent des intrigues assez semblables. Ce qui change, c'est l'Ennemi. Il y a un gang international à la Moriarty — ce furent d'abord les Allemands, les Huns de la Première Guerre mondiale, puis les communistes, eux-mêmes supplantés par les fascistes. Que ce soit avec les Russes ou avec les Chinois, on en revient au gang international, et le Grand Maître du Crime qui veut la suprématie mondiale est toujours parmi nous.

Alibi, la première pièce à avoir été tirée d'un de mes romans, *Le Meurtre de Roger Ackroyd*, a été adaptée par Michael Morton. C'était un spécialiste en la matière. Sa première idée, qui consistait à rajeunir Poirot d'une vingtaine d'années, à le prénommer Beau et à en faire un bourreau des cœurs me déplut fortement. J'étais déjà à l'époque tellement attachée au personnage que je savais qu'il me suivrait toute ma vie. Je refusai donc de le laisser complètement dénaturer. En fin de compte, avec l'aide de Gerald Du Maurier, le metteur en scène, qui me soutint, nous convînmes d'enlever cet excellent personnage qu'était Caroline, la sœur du docteur, et de la remplacer par une jeune et jolie fille. Comme je l'ai dit, la disparition de Caroline fut un crève-cœur : j'aimais le rôle qu'elle jouait dans la vie du village, et j'aimais le concept de cette vie dans un village perçue à travers le personnage du médecin et la forte personnalité de sa sœur.

Je crois que c'est à ce moment qu'à St Mary Mead, bien que je ne le sache pas encore, naquit miss Marple, et avec elle miss Hartnell, miss Wetherby, le colonel et Mrs Bantry : ils étaient tous alignés là à l'orée de mon imagination, prêts à s'animer et à faire leur entrée en scène.

En relisant *L'Affaire Protheroe* aujourd'hui, je n'en suis plus aussi satisfaite que je l'étais à l'époque. Il y a, je crois, beaucoup trop de personnages et d'intrigues secondaires. Mais celle qui constitue le cœur du roman est bonne. Le village est aussi réel qu'il pouvait l'être pour moi — et il en existe effectivement plusieurs qui lui ressemblent tout à fait. Les petites bonnes venant de l'orphelinat, les domestiques stylées aux grandes ambitions, ont disparu, mais les femmes de ménage qui sont venues les remplacer sont tout aussi réelles et humaines — bien qu'étant loin, je dois le dire, de posséder la qualité de leurs aînées.

Miss Marple se glissa si rapidement dans ma vie que je m'aperçus à peine de son arrivée. Devant écrire une série de six nouvelles pour un périodique, je choisis six personnes qui me paraissaient pouvoir se rencontrer une fois par semaine dans un petit village et discuteraient d'un crime non élucidé. Je commençai par miss Jane Marple, le genre de vieille créature que j'aurais bien vu parmi les amies de grand-mère à Ealing et dont j'ai rencontré tant de spécimens dans les villages de ma jeunesse. Miss Marple n'a cependant, en aucun cas, été un portrait de ma grand-mère : elle s'est toujours montrée la reine des faiseuses d'embarras, ce que mamie n'a jamais été. Son seul point commun avec elle, cependant, c'est que bien que plutôt gaie de caractère, mamie s'attendait toujours au pire avec les gens et les choses, et que, avec une sûreté de jugement parfois effrayante, elle avait la plupart du temps raison.

— Je ne serais pas surprise qu'il arrive tel genre de tuile, disait ma grand-mère en dodelinant de la tête d'un air sombre.

Et bien qu'elle n'eût rien sur quoi fonder ses affirmations, c'était exactement le genre de tuile en question qui arrivait. Ou bien encore :

— Ce garçon-là a un air qui ne me revient pas, faisait-elle remarquer. Ce n'est pas à lui que je confierais mon porte-monnaie.

De fait, lorsque, plus tard, le petit employé de banque modèle se faisait prendre la main dans le sac, elle ne paraissait pas du tout surprise et se contentait de hocher la tête :

— Oui, j'en ai connu un ou deux comme lui.

Nul n'aurait pu soutirer le moindre sou à ma grand-mère ou la berner d'une quelconque manière. Ses petits yeux malins auraient radiographié l'impudent et elle aurait décrété plus tard :

— On ne me la fait pas. Je connais ce genre de type et je sais ce qu'il cherchait. Je crois que je vais rassembler quelques amies pour le thé et leur signaler qu'un aigrefin rôde dans les parages.

On redoutait les prophéties de mamie. Mon frère et ma sœur avaient gardé à la maison un écureuil apprivoisé pendant près d'un an lorsque, un jour, mamie, après l'avoir retrouvé avec une patte cassée dans le jardin, dit d'une voix sentencieuse :

— Rappelez-vous ce que je vous dis : cet animal finira par filer par la cheminée un de ces quatre matins.

Ce qu'il fit exactement cinq jours plus tard.

Il y eut aussi l'épisode de la potiche sur l'étagère au-dessus de la porte du salon.

— Je la mettrais ailleurs, si j'étais toi, Clara, prévint-elle. Il suffirait que quelqu'un claque la porte ou que le vent la fasse battre pour qu'elle dégringole.

— Mais enfin, ça fait des mois qu'elle est là.

— Comme tu voudras.

Quelques jours plus tard, nous eûmes un orage, la porte battit et la potiche dégringola. Peut-être mamie avait-elle un don de double vue. Quoi qu'il en soit, je dotai miss Marple de certaines de ses facultés prophétiques. Il n'y avait aucune méchanceté en miss Marple, elle ne faisait simplement pas confiance à autrui. Bien qu'elle s'attendît au pire, elle se montrait souvent aimable avec les gens en dépit de ce qu'ils étaient.

Miss Marple naquit à l'âge de 60 ou 70 ans, ce qui, comme dans le cas de Poirot, se révéla tout à fait malencontreux dans la mesure où elle allait devoir durer une bonne partie de mon existence. Si j'avais eu, moi, tant soit peu le don de double vue, j'aurais fait d'un écolier précoce mon premier détective. Nous aurions alors pu commodément vieillir ensemble.

Je donnai à miss Marple cinq collègues pour ma série de six nouvelles. D'abord son neveu, romancier moderne qui traitait dans ses livres de sujets corsés. Inceste, sexe, descriptions sordides de chambres à coucher et de bidets : Raymond West voyait vraiment l'aspect hideux de la vie. Il entourait sa chère vieille tante Jane, toute coquette et froufroutante, d'une tendresse indulgente, comme si elle ignorait tout de la vie. Je créai ensuite une jeune femme peintre qui entamait justement des rapports très spéciaux avec Raymond West. Vinrent ensuite Mr Petherick, notaire local, vieux bonhomme desséché et rusé, puis le médecin du village — personnage intéressant qui devait connaître un tas d'affaires donnant matière à problèmes à résoudre au cours des soirées, et enfin un pasteur.

L'histoire racontée par miss Marple portait un titre un peu ridicule : *L'Empreinte de saint Pierre*, qui faisait référence au poisson. Un peu plus tard, j'écrivis six autres nouvelles avec miss Marple. L'ensemble des douze, plus une treizième, fut publié en Angleterre sous le titre *Les Treize Problèmes*, en Amérique *Les Meurtres du Club du mardi*... pour devenir en France *Miss Marple au Club du mardi*.

Mon livre *La Maison du péril* m'a laissé si peu d'impressions que je ne me rappelle même pas l'avoir écrit. Il est possible que j'en aie ressassé l'intrigue quelque temps — cela a toujours été une habitude chez moi, ce qui fait que je me perds souvent dans les dates d'écriture ou de publication de mes œuvres. L'idée d'une intrigue me vient toujours dans les moments les plus inattendus. En pleine promenade dans la rue, ou quand je suis en arrêt devant la vitrine d'un magasin de chapeaux, un trait de génie me passe par l'esprit et je me dis : « Voilà qui serait une bonne façon de brouiller les pistes. » Bien entendu, tous les détails sont encore à régler et les personnages devront lentement prendre forme dans ma tête, mais je note bien vite mon idée géniale sur un cahier.

Jusque-là, tout va bien, mais ce qui arrive invariablement, c'est que je perds le cahier. J'en ai généralement une demi-douzaine entamés, sur lesquels sont consignés des idées intéressantes, des détails sur des poisons ou des drogues, sur une ingénieuse escroquerie lue dans les journaux. Il va de soi que classer et soigneusement étiqueter ces documents m'éviterait bien des problèmes. Pourtant, il est parfois amusant, en feuilletant vaguement une pile de cahiers, de tomber sur un griffonnage du genre : *Intrigue possible — bricoleur — jeune fille et pas vraiment sœur — août*, accompagné d'une ébauche d'intrigue. Je ne me rappelle plus du tout maintenant de quoi il s'agissait. Mais cela m'incite souvent sinon à reprendre cette même trame, du moins à écrire autre chose.

Et puis il y a aussi les intrigues qui stimulent mon imagination, celles auxquelles j'aime penser, avec lesquelles j'aime jouer, sachant qu'un jour j'en ferai un roman. *Roger Ackroyd* m'a ainsi trotté dans la tête un bon moment avant que je n'arrive à en régler tous les détails. Une autre idée me vint un jour après avoir vu jouer Ruth Draper. Je songeai à son intelligence et à la qualité de ses interprétations, j'admirai l'habileté avec laquelle elle entrait dans ses personnages, la façon merveilleuse dont elle passait de l'épouse acariâtre à la jeune paysanne agenouillée dans une cathédrale. C'est en pensant à elle que j'en suis venue à concevoir *Le Couteau sur la nuque*.

Quand je me suis mise à écrire des romans policiers, il ne me venait pas à l'esprit de les considérer d'un œil critique ou de réfléchir sérieusement au phénomène du crime. Un roman policier, c'était l'histoire d'une traque. Une histoire très morale, en fait, le bon vieux conte moral de papa : pourchasser le Mal et faire triompher le Bien. À cette époque — la guerre de 1914 —, celui qui faisait le mal n'était pas un héros : l'*ennemi* était le mauvais, le *héros* le bon, aussi simple que ça. Nous n'avions pas encore commencé à nous vautrer dans la psychologie. J'étais, comme tous ceux qui écrivaient des romans ou en lisaient, *contre* le criminel et *pour* l'innocente victime.

À une exception près, cependant : le héros populaire Raffles, grand joueur de cricket et ouvreur de coffres accompli, avec son associé Bunny qui ressemblait à un lapin. Je crois que j'ai toujours été un peu choquée par Raffles, et je le suis plus encore aujourd'hui quand j'y repense, bien qu'il ait certainement été dans la tradition du passé une sorte de Robin des Bois. Mais Raffles était une joyeuse exception. Personne n'aurait imaginé que viendrait un temps où les romans policiers seraient lus par amour de la violence, par amour sadique de la brutalité pure et simple. On aurait pu penser que la société se serait insurgée d'horreur contre une telle dérive, mais la cruauté semble aujourd'hui quasiment devenue notre pain quotidien. Je me demande pourtant comment cela est possible. Surtout lorsque l'on considère que la vaste majorité des gens que nous connaissons, jeunes et moins jeunes, se montrent extraordinairement gentils et serviables : prêts à aider leurs aînés, prêts à se rendre utiles. La minorité, ceux que j'appelle « les haineux », est très restreinte, mais comme toutes les minorités, elle se fait beaucoup plus remarquer que la majorité.

Le corollaire d'écrire des policiers, c'est de s'intéresser à l'étude de la criminologie. J'éprouve un attrait particulier pour les ouvrages de ceux qui ont été en contact avec des criminels, surtout ceux qui ont essayé de leur venir en aide ou de les « redresser », comme on disait autrefois — j'imagine qu'on utilise de bien plus grands mots aujourd'hui ! Il semble certain qu'il y a ceux, comme Richard III tel que Shakespeare le présente, qui proclameront : « Le Mal est mon dieu. » Ils ont choisi le Mal, je crois, un peu comme le faisait le Satan de Milton : il voulait être grand, il voulait être puissant, il voulait être l'égal de Dieu. Comme il n'y avait pas d'amour en lui, il n'y avait pas d'humilité. Je me dis, à force d'observer la vie de tous les jours, que là où il n'y a pas d'humilité, les gens périssent.

L'un des plaisirs que l'on éprouve à écrire des romans policiers réside dans l'infinie diversité du genre. On peut choisir entre le petit *thriller* léger, tellement agréable à faire, l'énigme compliquée, techniquement intéressante, qui exige beaucoup de travail, mais qui est toujours gratifiante, et puis ce que je ne peux autrement décrire que comme le roman policier sous-tendu par une certaine passion, la passion d'aider à préserver l'innocence : car c'est l'innocence qui importe, pas la culpabilité.

Je peux surseoir à mon jugement sur ceux qui tuent, mais je pense qu'ils sont nuisibles pour la société : ils en retirent le maximum et ne lui apportent en retour rien d'autre que de la haine.

Je suis prête à admettre qu'ils sont ainsi faits, qu'ils sont nés avec un handicap pour lequel on devrait, à la limite, les plaindre. Les plaindre mais pas leur faire grâce, pas plus qu'on ne faisait grâce, au Moyen Âge, à celui qui sortait en chancelant d'un village frappé par la peste et s'en allait ainsi contaminer les petits enfants, innocents et jusque-là en bonne santé, d'un village voisin. Les *innocents* doivent être protégés. Ils doivent pouvoir vivre dans la paix et dans l'amour du prochain.

Ce qui m'effraie et me stupéfie, c'est l'apparente indifférence que l'humanité en général manifeste précisément à l'égard de l'innocent. Quand on lit une affaire de meurtre, personne ne semble horrifié par l'image de la vieille et fragile tenancière d'un tabac qui, en se retournant pour prendre un paquet de cigarettes demandé par une jeune brute, se fait agresser et battre à mort. Personne ne semble se préoccuper de sa terreur et de sa douleur avant qu'elle ne sombre dans la délivrance de l'inconscient. Personne ne semble prendre en compte le martyre de la *victime*. Tout se passe comme si l'on réservait sa pitié au seul tueur sous le douteux prétexte de sa jeunesse.

Pourquoi ne devrait-il pas être châtié ? Quand nous avons exterminé les loups dans ce pays, nous n'avons pas essayé d'apprendre aux loups à dormir à côté des agneaux — je doute d'ailleurs que nous eussions pu y parvenir. Nous avons de même chassé le sanglier dans les montagnes avant qu'il n'en descende et ne vienne tuer nos enfants près du ruisseau. Ils étaient nos ennemis et nous les avons éliminés.

Que pouvons-nous faire à ceux qui sont souillés des germes de la cruauté et de la haine, ou pour qui la vie d'autrui ne compte pas ? Ce sont souvent des individus issus de familles sans problèmes, qui ont reçu une bonne éducation, qui ont eu leur chance, et qui pourtant, comme on dit en langage ordinaire, sont de la « mauvaise graine ». Existe-t-il, outre l'éradication, un traitement pour la mauvaise graine ? Que peut-on faire d'un tueur ? Pas l'emprisonner à vie, c'est sûrement plus cruel que la coupe de ciguë de la Grèce antique. La meilleure réponse que nous ayons jamais trouvée était, à mon avis, l'exil, la relégation. Une vaste terre vierge, peuplée seulement d'êtres humains primitifs au sein d'un environnement réduit à sa plus simple expression.

Reconnaissons pourtant que ce que nous considérons aujourd'hui comme des vices rédhibitoires devait compter jadis au nombre des qualités. Sans férocité, sans cruauté, sans une totale absence de pitié, l'homme aurait peut-être cessé d'exister : il aurait été rapidement balayé de la surface de la Terre. L'homme mauvais d'aujourd'hui est peut-être le héros du passé. Seulement s'il était nécessaire à l'époque, il ne l'est plus de nos jours : il est maintenant devenu un danger pour l'humanité.

La seule possibilité, à mon avis, serait de condamner un tel être à effectuer des travaux d'intérêt général. On pourrait, par exemple, lui laisser le choix entre boire la coupe de ciguë ou s'offrir à la recherche. Il est de nombreux domaines, en médecine par exemple, où un sujet humain serait d'une importance vitale que les animaux ne peuvent remplacer. De nos jours, le savant lui-même, le chercheur fervent, risque sa propre vie. Il pourrait donc y avoir des cobayes humains qui accepteraient un certain laps de temps d'expériences à la place de la peine de mort, et qui, s'ils survivaient, se seraient alors rachetés et pourraient redevenir des hommes libres, la marque de Caïn enfin effacée de leur front.

Il est possible que cela ne les change guère. Qu'ils se bornent alors à penser : « J'ai eu de la chance. Je m'en suis bien tiré. » Néanmoins, le fait que la société leur soit redevable *pourrait* changer un petit quelque chose. Il ne faut jamais se faire d'illusions, mais on peut toujours garder un peu d'espoir. Ils auraient au moins eu la possibilité d'accomplir une bonne action et d'échapper au châtiment qu'ils s'étaient attiré. À eux donc de prendre un nouveau départ. Ne pourraient-ils alors redémarrer différemment, et même éprouver un certain sentiment de fierté ?

Dans le cas contraire, il ne resterait plus qu'à leur souhaiter une chose : que Dieu ait pitié d'eux. Sinon, dans cette vie, il leur sera peut-être, dans l'autre, donné de « remonter la pente ». Mais l'essentiel reste toujours l'innocent : ceux qui vivent sans peur et sans reproche l'âge présent, qui attendent d'être protégés et préservés du mal. Ce sont eux qui importent.

Peut-être trouvera-t-on un remède physique à la méchanceté. On sait nous recoudre le cœur, nous congeler : il se peut qu'un jour on parvienne à remanier nos gènes, à modifier nos cellules. Pensez au nombre d'idiots qui existaient autrefois, dont le développement intellectuel a dépendu de la découverte soudaine des effets qu'une thyroïde, déficiente ou hyperactive, peut avoir.

Tout cela semble m'avoir menée bien loin des romans policiers mais explique peut-être pourquoi je m'intéresse davantage à mes victimes qu'à mes criminels. Plus la victime est passionnée par la vie, plus éclatante est l'indignation que j'éprouve en son nom, et je suis emplie d'un délicieux sentiment de triomphe lorsque je parviens à délivrer de la vallée de l'ombre, antichambre de la mort, une victime prête à succomber.

Quittons cette sombre vallée pour revenir à des questions plus matérielles. J'ai décidé de ne pas trop remettre d'ordre dans ce livre, de ne pas trop le retoucher. D'abord parce que je suis âgée.

Rien n'est plus lassant que de revenir sur ce que l'on a déjà écrit pour essayer de retrouver la chronologie des faits ou pour tenter de les exprimer d'une autre manière. Je me parle peut-être à moi-même — on a souvent tendance à le faire quand on est écrivain. On marche dans une rue, on passe sans s'arrêter devant les magasins ou les bureaux où l'on était censés aller, et on se fait la conversation — pas trop fort, pas à voix trop haute, j'espère, mais sans pouvoir refréner les mimiques expressives. C'est là qu'on s'aperçoit que les gens nous regardent un tantinet de travers et se tiennent un peu à l'écart en nous prenant manifestement pour des fous.

Disons que c'est comme quand j'avais 4 ans et que je parlais aux Chatons. Tout compte fait, c'est encore aux Chatons que je parle.

3

En mars de l'année suivante, comme prévu, je me rendis à Ur. Max vint me chercher à la gare. J'avais craint de me sentir intimidée — après tout, nous n'étions mariés que depuis peu au moment de notre séparation. À ma grande surprise, ce fut comme si nous nous étions quittés la veille. Max m'avait écrit des lettres très détaillées, et je me sentais aussi bien informée des progrès archéologiques effectués pendant cette année de fouilles que pouvait l'être une non-initiée sur le sujet. Avant notre retour au pays, je passai quelques jours dans la maison de l'expédition. Len et Katharine m'accueillirent chaleureusement, et Max me fit résolument visiter tout le site.

Nous n'eûmes pas de chance avec le temps, car une tempête de sable soufflait. C'est là que je m'aperçus que les yeux de Max étaient insensibles au sable. Alors que j'avançais en trébuchant à sa traîne, aveuglée par cette horreur charriée par le vent, lui, les yeux apparemment grands ouverts, me montrait ceci, cela, et différents points intéressants. Mon premier mouvement aurait normalement été de retourner à l'abri de la maison en courant, mais je tins vaillamment le coup parce qu'en dépit des souffrances infligées, je tenais absolument à voir tout ce que Max avait mentionné dans ses lettres.

La saison de la campagne de fouille étant terminée, nous décidâmes de rentrer en passant par la Perse. Une petite compagnie aérienne — allemande — venait juste d'ouvrir une ligne entre Bagdad et la Perse, et nous l'empruntâmes. Il s'agissait d'un appareil monomoteur avec un seul pilote, mais nous prîmes notre courage à deux mains. Il y avait cependant de quoi frémir : nous avions l'impression, à chaque instant, d'être sur le point de percuter les pics montagneux qui nous environnaient de toutes parts.

La première escale eut lieu à Hamadan, la seconde à Téhéran.

De Téhéran, nous nous envolâmes pour Chiraz, et je me souviens de la beauté de cette ville : on eût dit un merveilleux joyau vert émeraude dans un désert de sables gris et marron. Au fur et à mesure de nos cercles d'approche, la couleur émeraude crût en intensité et nous descendîmes enfin pour découvrir une ville oasis tout entière constellée de palmeraies et de jardins. Je n'aurais pas cru qu'il y eût tant d'étendues désertiques en Perse, et je comprends maintenant pourquoi les Perses apprécient tant les jardins : parce qu'il est extrêmement difficile d'en avoir.

Nous visitâmes une belle maison, je me souviens. Des années plus tard, lors de notre deuxième visite à Chiraz, je fis tout mon possible pour la retrouver, mais n'y parvins pas. La troisième fois, si. Je la reconnus parce que, dans l'une des pièces, il y avait différentes images peintes dans des médaillons au plafond et sur les murs. L'une d'elles représentait le viaduc de Holborn. Apparemment, un chah de l'époque victorienne, après avoir visité Londres, y avait envoyé un de ses artistes avec pour instructions de réaliser différents médaillons des scènes qu'il désirait contempler. Et c'est ainsi que parmi eux se trouvait toujours le viaduc de Holborn, un peu meurtri et égratigné par le temps. Bien que déjà délabrée, et inhabitée à ce moment-là, la maison était encore belle, même s'il était dangereux de s'y aventurer. Je l'utilisai pour une nouvelle intitulée *La Maison de Chiraz*.

De là, nous partîmes en voiture pour Ispahan. Ce fut un long trajet sur une piste cahoteuse, à travers des étendues désertiques ininterrompues, sauf par quelques maigres villages ici ou là. Nous dûmes nous arrêter pour la nuit dans un relais extrêmement rudimentaire. Il nous fallut, pour dormir, nous contenter des couvertures de la voiture jetées sur de simples planches. Le patron était une sorte de bandit douteux, aidé par des paysans à la mine patibulaire.

Nous passâmes une nuit des plus pénibles. La dureté d'une planche, quand on dort dessus, est incroyable : on n'imaginerait jamais que nos hanches, nos coudes et nos jambes puissent se meurtrir autant en quelques heures. Un jour, à Bagdad, l'inconfort m'empêchant de trouver le sommeil dans ma chambre d'hôtel, j'en cherchai la cause et découvris que l'on avait glissé, sous le matelas, une planche épaisse pour empêcher les ressorts de s'affaisser. Le boy m'expliqua que la dernière occupante de la chambre était une dame irakienne qui n'arrivait pas à dormir à cause de la mollesse du lit, et qu'on lui avait mis cette planche afin qu'elle puisse passer une bonne nuit de repos.

Nous reprîmes notre route et arrivâmes, assez fatigués, à Ispahan que j'ai classé, depuis, comme l'une des plus belles villes du monde. Je n'ai jamais rien vu de tel que ses couleurs resplendissantes, ses roses, ses bleus, ses ors, ses fleurs, ses oiseaux, ses arabesques, ses ravissants bâtiments de contes de fées, et partout, ses jolis carreaux ornementaux multicolores — oui vraiment, tout était d'une beauté féerique. Après cette première fois, je ne devais pas y revenir pendant près de vingt ans, et j'appréhendais terriblement d'y retourner de peur de la trouver complètement changée. Heureusement, il n'en était rien. Bien sûr, les rues avaient été modernisées, certains magasins un peu aussi, mais les nobles bâtiments islamiques, les cours, les carreaux ornementaux, tout était encore là. Les gens semblaient moins fanatiques à ce moment-là, et l'on pouvait visiter beaucoup d'intérieurs de mosquées inaccessibles auparavant.

Max et moi décidâmes que nous poursuivrions notre voyage de retour en traversant la Russie, si cela ne devait pas poser trop de problèmes de transports, de visas, d'argent et de tout ce qui s'ensuit. Nous nous rendîmes donc à la banque d'Iran. Ce bâtiment est tellement magnifique qu'on aurait plutôt eu tendance à le prendre pour un palais que pour un établissement financier et nous eûmes d'ailleurs des difficultés à trouver où, à l'intérieur, se déroulait l'activité bancaire. Lorsque, enfin, après avoir suivi des couloirs parsemés de fontaines, nous parvînmes à une vaste antichambre, nous aperçûmes au loin un comptoir derrière lequel des jeunes gens élégamment vêtus de costumes à l'européenne étaient occupés à écrire sur des registres. Mais au Proche-Orient, autant que je puisse savoir, on ne traitait jamais ses affaires au guichet d'une banque. On vous conduisait toujours à un directeur, à un sous-directeur, ou, à tout le moins, à quelqu'un qui pouvait passer pour un directeur.

Un employé faisait signe à l'un des grooms de la banque, très pittoresque dans ses attitudes et dans son costume, qui vous invitait à prendre place sur l'une des immenses banquettes de cuir qui garantissaient le confort des lieux. Ce premier devoir de civilité accompli, il s'éclipsait, réapparaissait bientôt, vous faisait signe de le suivre, vous gravissiez dans son sillage un somptueux escalier de marbre et arriviez à ce qui pouvait passer pour la porte de quelque sanctuaire. Votre guide frappait alors, entrait en vous laissant attendre dehors, revenait l'instant d'après avec un grand sourire, ravi que vous ayez passé le test avec succès. Vous entriez en vous sentant au moins aussi important qu'un prince d'Éthiopie.

Un charmant *gentleman*, généralement assez corpulent, se levait sur ces entrefaites et vous accueillait dans un anglais ou un français parfaits, vous désignait un siège, vous offrait de choisir entre du thé ou du café, vous demandait quand vous étiez arrivé, si vous aimiez Téhéran, d'où vous veniez, et enfin — presque incidemment — ce qu'il pouvait faire pour vous. Vous parliez de chèques de voyage : il faisait alors sonner un petit timbre sur son bureau, un autre groom entrait, qui devait mander « Mr Ibrahim ». Le café arrivait, la conversation reprenait sur les voyages, la politique internationale, l'état des récoltes.

Mr Ibrahim, la trentaine, vêtu d'un costume européen brun-rouge, faisait bientôt son entrée. Le directeur lui expliquait ce que vous désiriez, et vous indiquiez dans quelle monnaie. Il vous donnait une bonne demi-douzaine de formulaires différents à signer. Mr Ibrahim disparaissait et suivait alors un autre long intermède.

C'est à ce moment, cette fois-là, que Max commença à parler de nos projets d'aller en Russie. Le directeur de la banque soupira avec un geste navré des mains.

— Vous allez rencontrer des difficultés, prévint-il.

Max répondit qu'il en était conscient, mais que difficile ne signifiait pas impossible, n'est-ce pas ? Les frontières n'étaient pas fermées, tout de même ?

— Vous n'avez, en ce moment, pas de représentation diplomatique dans ce pays, je crois. Pas de consulats.

Max confirma qu'il n'y en avait pas, il le savait, mais que, à sa connaissance, rien n'interdisait à des Anglais d'entrer dans le pays s'ils le voulaient.

— Aucune interdiction, non. Seulement il faudra que vous emportiez de l'argent.

— Naturellement, fit Max, il faudrait en emporter.

— Aucune transaction financière que vous effectuerez avec nous ne sera légale, annonça tristement le directeur.

Ce qui me surprit quelque peu. Max n'était pas novice dans la façon orientale de traiter les affaires, mais moi, si. Je trouvais extraordinaire que dans une banque, une transaction financière soit à la fois illégale et pratiquée.

— Vous comprenez, expliqua le directeur, les lois n'arrêtent pas de changer, et de toute façon, elles se contredisent. D'un côté, on vous indique que vous n'avez pas le droit de sortir d'argent sous telle forme donnée, et de l'autre que c'est sous cette seule forme que vous pouvez en sortir. Alors qu'est-ce qu'il faut faire ? On agit au mieux, au jour le jour. Je vous signale tout cela, expliqua-t-il, de façon à vous faire comprendre d'entrée de jeu que même si je peux mener à bien une transaction, si je peux vous trouver dans le bazar le genre d'argent dont vous aurez besoin, ce sera illégal.

Max répondit qu'il comprenait fort bien. Le visage du directeur s'éclaira. Il se dit persuadé que ce voyage nous plairait beaucoup.

— Voyons un peu : vous voulez descendre jusqu'à la Caspienne en voiture, n'est-ce pas ? Oui ? C'est une route superbe. Vous allez à Resht, et de là, il y a un bateau pour Bakou. Un bateau russe. De lui, je ne peux rien vous dire, rien du tout, mais je sais que des gens le prennent, ça oui.

Au ton de sa voix, on aurait dit que ceux qui l'empruntaient disparaissaient dans l'espace et qu'on n'entendait plus jamais parler d'eux.

— Il vous faudra non seulement emporter de l'argent, poursuivit-il, mais aussi de la nourriture. Je ne sais pas si on peut s'en procurer en Russie. En tout cas, dans le train de Bakou à Batoumi, je sais que non : il faudra donc vous munir de tout le nécessaire.

Nous abordâmes la question des hôtels et d'autres problèmes : rien ne paraissait facile.

Un autre homme en costume brun-rouge arriva. Il était plus jeune que Mr Ibrahim et s'appelait Mr Mahomet. Ce dernier apporta de nouveaux formulaires, que Max signa, et demanda différentes petites sommes d'argent pour les cachets requis. Un groom fut appelé et envoyé dans le bazar pour se procurer les devises.

Mr Ibrahim reparut alors. Il déposa devant nous l'argent que nous avions demandé, mais en grosses coupures au lieu des petites que nous désirions.

— Ah ! c'est toujours très difficile ! fit-il d'un air navré. Très difficile. Ça dépend des jours : des fois on a des petits billets, des fois des gros. C'est une question de chance.

Il ne nous restait manifestement qu'à accepter notre malchance ce jour-là.

Pour essayer de nous consoler, le directeur renvoya chercher du café puis se tourna vers nous.

— Le mieux serait que vous emportiez avec vous tout l'argent que vous pouvez en tomans. Les tomans, ajouta-t-il, sont illégaux en Perse, mais c'est la seule monnaie que nous puissions utiliser par ici parce que c'est la seule qui soit acceptée au bazar.

Il dépêcha un autre de ses séides dans le bazar pour changer une grande partie de nos nouvelles devises en tomans. Lesquels se trouvèrent être en fait des dollars Maria-Theresa en argent massif extrêmement lourds.

— Vos passeports sont en règle ? demanda-t-il.

— Oui.

— Valables pour l'Union soviétique ?

Nous répondîmes par l'affirmative : valables pour l'ensemble des pays européens y compris l'Union soviétique.

— Parfait. Le visa ne posera certainement pas de problème. C'est bien compris, donc ? Il vous faut vous trouver une voiture — l'hôtel s'en chargera pour vous — et vous devez emporter de la nourriture pour trois ou quatre jours. Le voyage de Bakou à Batoumi est long.

Max indiqua qu'il aimerait également faire étape à Tiflis.

— Ah ! pour cela, il faudra vous renseigner au moment où vous irez chercher votre visa. Je ne crois pas que ce soit possible.

Ce qui contraria quelque peu Max, mais il se fit une raison. Nous prîmes congé du directeur et le remerciâmes. Deux heures et demie s'étaient écoulées.

Nous rentrâmes à notre hôtel, où le menu était plutôt monotone. Quoi que nous commandions, quoi que nous puissions demander, le serveur répondait invariablement :

— Il y a très bon caviar, aujourd'hui. Très bon et très frais.

Nous faisions une cure de caviar. Il était incroyablement bon marché et bien que nous en prenions des quantités énormes, c'était toujours cinq shillings. Nous rechignions un peu devant, en revanche, au petit déjeuner. Le caviar à cette heure-là, ça ne passe pas toujours.

— Qu'est-ce que vous avez, ce matin ? demandais-je.

— Caviar. Très frais.

— Non, je ne veux pas de caviar. Qu'avez-vous d'autre ? Des œufs ? Du bacon ?

— Rien. Que du pain.

— Rien ? Même pas des œufs ?

— Caviar, très frais, s'entêtait le serveur.

Nous prenions donc un tout petit peu de caviar avec beaucoup de pain. La seule autre chose qu'on nous proposait au déjeuner était ce qu'ils appelaient « la tourte », sorte de grande tarte très sucrée à la confiture, lourde mais de goût agréable.

Nous demandâmes à ce serveur ce qu'il pensait que nous devrions emporter comme nourriture en Russie. Surtout du caviar, recommanda-t-il. Nous convînmes d'en prendre deux énormes boîtes. Il suggéra également six canards cuits. Auxquels furent adjoints du pain, une boîte de biscuits, des pots de confiture et une livre de thé. « Pour la machine », expliqua le serveur. Nous ne voyions pas très bien le rapport avec la machine. Peut-être la coutume voulait-elle qu'on offre le thé au conducteur de la locomotive ? Bref, nous prîmes le thé et de l'extrait de café.

Après le dîner ce soir-là, nous entrâmes en conversation avec un jeune Français et sa femme. Il s'intéressa à nos projets de voyage et secoua la tête avec horreur :

— *C'est impossible ! Impossible pour Madame. Ce bateau, le bateau de Resht à Bakou, ce bateau russe, c'est infect ! Infect, Madame !*[*]

Le français est une langue merveilleuse. Il prononça le mot *infect*[*] avec une telle répulsion qu'il parvint presque à m'en dégoûter à l'avance.

— Vous ne pouvez pas emmener madame là-bas, insista le Français.

Mais Madame ne se laissa pas impressionner.

— Je ne crois pas que ce soit aussi *infect*[*] qu'il le dit, fis-je remarquer à Max plus tard. Et puis après tout, nous avons des tas de produits contre les punaises et autres désagréments de ce genre.

Le moment venu, nous partîmes donc, lestés de tous nos tomans et munis des autorisations officielles du consulat russe, qui refusa en revanche catégoriquement de nous laisser débarquer à Tiflis. Nous louâmes une bonne voiture et prîmes la route.

Ce fut un voyage magnifique pour descendre jusqu'à la Caspienne. Nous grimpâmes d'abord des massifs arides et rocailleux, puis basculâmes de l'autre côté dans un monde complètement différent pour arriver enfin, par un temps doux et pluvieux, à Resht.

On nous conduisit jusqu'au bateau russe *infect*[*] sur lequel nous embarquâmes avec quelque appréhension. Tout tranchait avec ce que nous avions connu en Perse et en Irak. D'abord, le bateau était d'une propreté scrupuleuse, comme dans un hôpital. Il avait un peu d'un hôpital, d'ailleurs, avec ses petites cabines équipées de hauts lits de fer et de rudes paillasses avec des draps nets en coton grossier, d'un simple broc en fer et d'une cuvette. Les membres de l'équipage étaient comme des robots, paraissant tous dépasser 1,80 m, blonds, le visage impassible. Ils nous traitaient avec politesse, mais comme si nous n'étions pas vraiment *là*. Max et moi nous sentions exactement comme le couple de suicidés, dans la pièce *Le Grand Départ*, qui errent sur le bateau comme des fantômes. Personne ne nous parlait, ne nous regardait ou ne nous accordait la moindre attention.

Bientôt cependant, nous vîmes que l'on servait à manger dans le salon. Nous nous approchâmes, pleins d'espoir, pour regarder de plus près. Personne ne sembla se préoccuper de notre présence. Finalement, Max prit son courage à deux mains et demanda si nous pouvions avoir quelque nourriture. On ne comprit manifestement pas sa question. Il essaya le français, l'arabe et le peu de persan qu'il connaissait, mais sans succès. Finalement, il pointa le doigt vers le bas de sa gorge en ce geste vieux comme le monde qui ne peut pas ne pas être compris. Immédiatement, l'homme approcha deux sièges, nous nous mîmes à table et on nous servit. La nourriture était bonne bien que très simple et coûtait incroyablement cher.

Nous arrivâmes à Bakou. Là, nous fûmes rejoints par un agent d'Intourist. Il était charmant et nous donna une foule de renseignements, car il parlait couramment français. Il avait pensé, nous dit-il, que nous aimerions assister à une représentation de *Faust* à l'Opéra. Ce qui ne me tentait guère, en l'occurrence : je n'étais pas venue en Russie pour aller entendre *Faust*. Il prévoirait donc d'autres distractions, promit-il. C'est ainsi qu'à la place de *Faust* nous fûmes contraints de visiter divers bâtiments et immeubles en cours de construction.

Quand nous quittâmes le bateau, le processus fut simple. Six porteurs se présentèrent comme des automates par ordre d'ancienneté. Le prix, indiqua l'homme d'Intourist, était d'un rouble par bagage. Ils avancèrent et chacun des porteurs en prit un. Le plus malchanceux hérita de la valise de Max pleine de livres, le plus veinard d'un seul parapluie, mais tous deux devaient être payés le même prix.

L'hôtel où nous descendîmes était curieux, lui aussi. Vestige d'une époque plus fastueuse, j'imagine. Le mobilier était grandiose mais démodé. Il avait été peint en blanc et orné de roses et de chérubins sculptés. Pour une raison étrange, tout se trouvait au milieu de la pièce, comme si les déménageurs avaient juste posé là une armoire, une table et une commode avant de s'en aller. Même les lits n'étaient pas contre le mur. Des lits superbes, très confortables, mais habillés de draps en coton grossier et trop petits pour couvrir le matelas.

Le lendemain matin, Max demanda de l'eau chaude pour se raser. Il n'eut guère de succès. « Eau chaude » étaient les seuls mots qu'il connaissait en russe, à part « s'il vous plaît » et « merci ». La femme à laquelle il s'adressa secoua vigoureusement la tête et nous apporta un grand broc d'eau froide. Max répéta plusieurs fois le mot « chaude » dans l'espoir de se faire comprendre en expliquant, par un geste du rasoir sur son menton, à quoi il la destinait. Elle secoua de nouveau la tête d'un air choqué et désapprobateur.

— Ça doit passer pour un luxe d'aristocrate de demander de l'eau chaude pour se raser, fis-je. Tu ne devrais pas insister.

Tout, à Bakou, ressemblait à un dimanche en Écosse. Rien pour se distraire dans les rues. La plupart des magasins étaient fermés. De longues files s'étiraient devant les quelques rares boutiques restées ouvertes, et les gens attendaient patiemment leur tour pour obtenir des produits sans aucun attrait.

Notre ami d'Intourist nous raccompagna jusqu'au train. La queue pour obtenir des billets était immense.

— Je vais vous retenir des places assises, dit-il en s'éloignant.

Nous nous joignîmes lentement à la file d'attente. Soudain, quelqu'un nous tapota le bras. C'était une femme du début de la queue. Elle affichait un grand sourire. En fait, tous ces gens semblaient prêts à sourire à la moindre occasion. Ils étaient la gentillesse même. Puis, avec force mimiques, elle nous invita à passer devant elle. Nous ne voulions pas le faire et restâmes où nous étions, mais toute la queue insista, nous encouragea du geste et de la voix jusqu'à ce qu'un homme nous prenne par le bras et nous y mène vigoureusement. La femme s'effaça pour nous laisser passer et nous salua avec un nouveau sourire. Nous achetâmes nos billets au Surchet.

L'agent de l'Intourist revint.

— Bon, vous êtes prêts, fit-il.

— Ces braves gens nous ont laissé passer, expliqua Max d'un air gêné. J'aimerais que vous leur disiez que nous ne voulions pas.

— Ah ! mais ils font ça tout le temps ! répondit l'autre. En fait, ils adorent se retrouver à la fin de la queue. C'est leur occupation principale et ils la font durer le plus longtemps possible. Ils sont toujours très polis avec les étrangers.

Effectivement. Ils nous saluèrent de la tête et de la main lorsque nous nous éloignâmes. Le quai était plein de monde. Nous nous aperçûmes plus tard, cependant, que nous étions pratiquement les seuls à monter dans le train. Ils étaient juste venus là pour se distraire et passer l'après-midi. Nous arrivâmes enfin à notre wagon. L'homme de l'Intourist nous dit adieu, nous assura que quelqu'un d'autre viendrait s'occuper de nous à Batoumi dans trois jours, et que tout se passerait bien.

— Vous n'avez pas de théière avec vous, à ce que je vois, fit-il. Mais il y aura sûrement une dame pour vous en prêter une.

Je compris le sens de ces paroles quand le train fit sa première halte au bout de deux heures. Une vieille femme de notre compartiment me donna alors sans ménagement une tape sur l'épaule, me montra sa théière et m'expliqua, avec l'aide d'un jeune garçon, dans le coin, qui parlait allemand, qu'il fallait mettre une pincée de thé dans sa théière et la porter jusqu'à la locomotive où le conducteur fournirait de l'eau chaude. Nous avions des tasses avec nous, la femme assura qu'elle se chargeait de la manœuvre. Elle revint avec deux tasses de thé fumantes, et nous ouvrîmes nos provisions. Nous en offrîmes à nos compagnons et le voyage se poursuivit dans les meilleures conditions.

Nos victuailles se tinrent modérément bien — c'est-à-dire que nous vînmes heureusement à bout des canards avant qu'ils ne se gâtent, et nous mangeâmes du pain de plus en plus rassis. Nous pensions pouvoir en acheter en route, mais cela ne fut pas possible. Nous avions, bien entendu, tout de suite attaqué le caviar. Notre dernier jour nous vit dans un état de semi-famine, car il ne nous restait qu'une aile de canard et deux pots de confiture d'ananas. C'est plutôt écœurant d'avaler un pot entier de confiture d'ananas, mais cela apaisa nos crampes d'estomac.

Nous arrivâmes à Batoumi à minuit sous des trombes d'eau. Nous n'avions, bien entendu, aucune réservation d'hôtel. Nous sortîmes de la gare dans la nuit avec tous nos bagages. Nulle trace de quiconque de l'Intourist. Un *droshki* attendait dehors, vieux fiacre délabré semblable à une ancienne victoria. Très obligeant, comme d'habitude, le cocher nous aida à monter et empila nos bagages partout, y compris sur nos genoux. Nous lui expliquâmes que nous cherchions un gîte : il hocha la tête d'un air encourageant, fit claquer son fouet et nous partîmes d'un trot cahotant à travers les rues.

Nous arrivâmes bientôt à un hôtel, et le cocher nous fit signe de descendre d'abord. Nous comprîmes rapidement pourquoi. À peine entrés, on nous signifia qu'il n'y avait pas de place. Nous demandâmes où nous pourrions aller, mais l'homme secoua simplement la tête sans comprendre. Nous fîmes ainsi sept hôtels : ils étaient tous complets.

Au huitième, Max dit que nous devions prendre des mesures radicales, qu'il *fallait* que nous trouvions où dormir. En entrant dans l'établissement, nous nous laissâmes choir sur le douillet divan du hall et prîmes un air ahuri en faisant mine de ne pas comprendre quand on nous dit qu'il n'y avait plus de place. À la fin, réceptionnistes et employés levèrent les bras au ciel en nous regardant d'un air désespéré. Nous nous obstinâmes à ne pas comprendre en répétant dans les langues que nous pensions avoir une chance d'être comprises que nous voulions une chambre pour la nuit. Ils finirent par nous laisser là. Le cocher entra à son tour, déposa nos bagages et nous dit gaiement au revoir.

— Tu ne crois pas qu'on a brûlé notre dernier vaisseau ? demandai-je à Max d'un air perplexe.

— C'est notre seul espoir, répondit-il. À partir du moment où nous n'avons plus de moyen de transport avec tous nos bagages ici, je crois qu'ils feront quelque chose pour nous.

Vingt minutes passèrent, et tout à coup, un ange salvateur

arriva sous la forme d'un homme de grande taille — un bon 1,85 m — qui, avec sa terrifiante moustache noire et ses bottes de cheval, semblait tout droit issu d'un ballet russe. Je le regardai, admirative. Il nous sourit, nous tapa familièrement sur l'épaule et nous invita à le suivre. Il monta deux étages et, parvenu tout en haut, poussa une trappe dans le toit et mit une échelle. Pas très orthodoxe, mais nous n'avions pas le choix. Max m'aida à grimper après lui et nous nous retrouvâmes sur le toit. Toujours souriant, notre hôte nous fit signe de continuer à le suivre. Nous passâmes ainsi sur le toit de la maison voisine, dans laquelle il redescendit par une autre trappe. Nous arrivâmes enfin dans une grande pièce mansardée fort joliment meublée, avec deux lits. Il nous les désigna et disparut. Peu après, nos bagages nous rejoignaient. Heureusement, nous n'en avions guère à ce moment-là : le plus gros nous avait été retiré à Bakou où l'agent de l'Intourist nous avait indiqué qu'ils nous attendraient à Batoumi. Nous espérions bien que ce serait pour le lendemain. Pour l'heure, tout ce que nous voulions, c'était un lit et dormir.

Le matin, nous voulûmes trouver le bateau français en partance pour Istanbul et à bord duquel nos places étaient réservées. Malgré tous nos efforts pour le lui expliquer, notre hôte ne comprenait pas, les autres personnes présentes non plus, d'ailleurs. Nous sortîmes donc pour essayer différentes rues nous-mêmes. Je n'avais jamais découvert combien il est difficile de trouver la mer quand on ne peut voir la moindre colline. Nous prîmes une direction, puis une autre, puis une troisième en demandant à l'occasion « bateau ? », « port ? », « quai ? » dans toutes les langues que nous connaissions. Mais nul ne comprenait le français, l'allemand ou l'anglais. À la fin, nous parvînmes malgré tout à retrouver le chemin de l'hôtel.

Max dessina une silhouette de bateau sur un morceau de papier, et notre hôte montra tout de suite qu'il avait compris. Il nous fit monter dans un petit salon au premier, nous installa sur un sofa et nous signifia par gestes que nous devions attendre là. Au bout d'une demi-heure, il revint accompagné d'un très vieil homme, coiffé d'une casquette à visière, qui parlait français. Ce vieillard avait apparemment été jadis portier dans un hôtel, et il s'occupait toujours des visiteurs étrangers. Il se montra tout disposé à nous conduire à notre bateau et à transporter nos bagages.

D'abord, il nous fallait récupérer ceux qui devaient être arrivés de Bakou. Le vieil homme nous emmena droit à ce qui avait toutes les apparences d'une prison. On nous fit pénétrer dans une cellule aux lourds barreaux, au centre de laquelle se trouvaient bien sagement nos bagages. Notre guide les prit et nous conduisit au port.

Il ne cessa de se plaindre tout au long du chemin, ce qui nous mettait en porte à faux, car nous ne pouvions nous permettre de critiquer le gouvernement d'un pays où nous n'avions pas de consul pour nous rapatrier en cas d'ennuis.

Nous essayâmes de le tempérer, mais rien n'y fit.

— Ah ! les choses ne sont plus ce qu'elles étaient, disait-il. Tenez, par exemple, vous voyez ce manteau que je porte ? C'est un beau vêtement, d'accord, mais est-ce qu'il m'appartient ? Non, il appartient à l'Etat. Dans le temps, je n'avais pas qu'un seul manteau, j'en avais quatre. Peut-être pas aussi beaux que celui-ci, mais ils étaient à *moi*. Quatre : un d'hiver, un d'été, un pour la pluie et un du dimanche. Quatre manteaux, que j'avais !

Il baissa enfin légèrement la voix et dit :

— Les pourboires sont strictement interdits ici. Alors si jamais il vous venait à l'idée de me donner quelque chose, il vaudrait mieux le faire pendant que nous descendons cette petite rue.

Impossible de ne pas saisir l'allusion. Comme il nous avait rendu un immense service, nous lui glissâmes une généreuse somme d'argent. Il exprima son approbation, pesta encore un peu contre le gouvernement, puis finalement nous montra, le geste fier, les docks où un fort joli bateau des Messageries maritimes attendait à quai.

Le voyage sur la mer Noire fut excellent. Ce dont je me souviens le mieux, c'est de l'escale dans le port d'Inebolu, où l'on embarqua une dizaine d'adorables oursons bruns. J'appris qu'ils étaient destinés au zoo de Marseille, ce qui me fit de la peine : on aurait tellement dit des ours en peluche ! Mais après tout, ils auraient pu connaître un sort bien pire : être abattus, empaillés, ou autre destin aussi funeste. Là au moins, ils avaient droit à un beau voyage sur la mer Noire. Je souris encore au souvenir de ce rude marin français les nourrissant avec solennité l'un après l'autre au biberon.

4

Le premier événement d'importance qui suivit dans ma vie fut le week-end de tests que je dus passer chez le Dr et Mrs Campbell-Thompson pour être autorisée à aller à Ninive. Max était maintenant pratiquement assuré de participer aux fouilles avec eux l'automne et l'hiver suivants. Les Woolley n'appréciaient guère de le voir quitter Ur, mais lui était déterminé à changer.

C.T., comme on l'appelait familièrement, faisait passer les gens par certaines épreuves. La randonnée tout terrain était l'une d'elles. Quand il avait des visiteurs dans mon genre, il les faisait sortir par le temps le plus humide possible en pleine campagne, observait le type de chaussures qu'ils mettaient, s'ils résistaient à la fatigue, s'ils acceptaient de bonne grâce de se frayer un chemin à travers les haies, de crapahuter dans les forêts. Après toutes les promenades et explorations que j'avais faites à Dartmoor, j'étais en mesure de réussir cet examen. La randonnée tout terrain ne m'effrayait pas. Heureusement quand même qu'il ne s'agissait pas de marcher uniquement dans des champs fraîchement labourés : eux, je les trouve épuisants.

L'épreuve suivante consistait à voir si j'étais difficile sur le chapitre de la nourriture. C.T. comprit vite que je pouvais manger de tout, et cela aussi lui plut. D'autre part, il aimait mes romans policiers, ce qui me faisait bénéficier d'un préjugé favorable. Convaincu alors que je pourrais certainement m'adapter à Ninive, tout fut vite organisé. Max devait y aller fin septembre et moi le rejoindre fin octobre.

Je décidai alors de consacrer quelques semaines à écrire et à me reposer à Rhodes, puis je me rendrais en bateau à Alexandrette où je connaissais le consul britannique. Là, je louerais une voiture pour rejoindre Alep, d'où je prendrais le train pour Nisibin, sur la frontière turco-irakienne. Il resterait alors huit heures de route pour Mossoul.

C'était un bon plan, et il convint à Max. Il viendrait me chercher à Mossoul, mais, au Proche-Orient, les choses se déroulent rarement comme elles sont prévues. La mer peut être très mauvaise, en Méditerranée, et, après l'escale de Mersin, les vagues étaient si grosses que je me retrouvai clouée sur ma couchette et vagissante. Le steward italien se montra très compatissant et fort inquiet de me voir refuser toute nourriture. De temps à autre, il passait la tête par la porte et essayait de me tenter par quelque plat figurant au menu du jour :

— Je vais vous apporter délicieux spaghetti. Avec sauce tomate bien belle, bien nourrissante. Vous allez aimer beaucoup.

— Ooh ! gémissais-je, la seule pensée de spaghetti baignant dans une sauce tomate grasse m'achevant presque.

Il revenait un peu plus tard :

— J'ai quelque chose que vous aimez, maintenant. Des feuilles de vigne farcies avec riz dans huile d'olive. Ça très bon.

Nouveaux gémissements de ma part. Il m'apporta bien une fois un bol de bouillon, mais il était recouvert d'une telle couche de gras que j'en redevins verte une fois de plus.

Lorsque nous approchâmes d'Alexandrette, je parvins à me mettre debout, à m'habiller et à refaire mes valises, après quoi je montai, les jambes flageolantes, sur le pont pour respirer un peu d'air frais. Le souffle vif du large commençait à me ranimer lorsqu'on m'apprit que j'étais demandée dans la cabine du capitaine. Ce dernier m'expliqua que le vapeur ne pourrait pas s'arrêter à Alexandrette.

— La mer est trop mauvaise, dit-il. Là-bas, il n'est pas facile d'accoster.

La situation était grave. D'autant qu'il apparaissait que je ne pouvais même pas prévenir le consul.

— Que vais-je faire ? demandai-je.

Le capitaine haussa les épaules.

— Vous devrez aller jusqu'à Beyrouth. Il n'y a pas d'autre solution.

J'étais consternée. Beyrouth était à l'opposé de ma route. Pourtant, force était de me résigner.

— Nous ne vous compterons pas de supplément, précisa le capitaine en guise de consolation. Ne pouvant vous débarquer ici, nous vous emmenons au port suivant.

Le mer s'était quelque peu calmée lorsque nous arrivâmes à Beyrouth, mais elle était encore grosse. On me transféra dans un tortillard extrêmement lent qui m'amena à Alep. Il me fallut, si je me souviens bien, toute la journée et même davantage — seize heures au moins — pour y parvenir. Il n'y avait pas de toilettes dans ce train, et, quand on s'arrêtait, on ne savait pas si la gare en était équipée ou non. Je dus me retenir pendant seize heures, mais heureusement, je possède une certaine capacité de ce côté-là.

Le lendemain, je pris l'Orient-Express jusqu'à Tel Kochek, qui était à l'époque le terminus sur la ligne Berlin-Bagdad. Là, la malchance ne me quitta pas. Le mauvais temps avait été tel que la piste de Mossoul avait été noyée en deux endroits et que les oueds étaient en crue. Je dus passer deux jours au relais, un endroit des plus primitifs, où il n'y avait absolument rien à faire. Je contournais un enchevêtrement de fils de fer barbelés, marchais un peu dans le désert et revenais sur mes pas. Le menu était immuable : œufs au plat et poulet coriace. Je lus le dernier livre qui me restait. Après cela, j'en fus réduite à méditer !

J'arrivai enfin au foyer d'accueil de Mossoul. La nouvelle semblait s'être mystérieusement transmise, car Max m'attendait sur les marches.

— N'étais-tu pas mort d'inquiétude, demandai-je, il y a trois jours, quand tu as vu que je n'arrivais pas ?

— Oh ! non ! fit Max. Ça arrive souvent.

Nous partîmes en voiture pour la maison que les Campbell-Thompson avaient retenue près du grand tumulus de Ninive. Elle était à deux bons kilomètres de Mossoul, et absolument ravissante : une maison dont je garderai toujours un souvenir attendri. Elle avait un toit plat avec une pièce carrée en tourelle sur un côté, et un joli porche de marbre. Max et moi occupions la chambre d'en haut. Elle était à peine meublée de quelques caisses vides et de deux lits de camp. La maisonnette était entourée d'une quantité de rosiers en buissons tout en boutons prêts à éclore lorsque nous arrivâmes. Demain matin, me dis-je, ils seront en fleur, ce sera superbe. Pas du tout, le lendemain, ils étaient toujours en boutons. Je ne comprenais pas ce phénomène de la nature : un rosier n'est après tout pas comme ces fleurs de cierges qui ne s'épanouissent que la nuit ! La clé de l'énigme ne tarda pas néanmoins à m'être fournie : mes fameux rosiers étaient destinés à la confection de l'essence de roses, et les hommes venaient à 4 heures les cueillir juste quand elles ouvraient. Au lever du jour, il ne restait plus que les boutons de la récolte suivante.

Dans son travail, Max devait pouvoir se déplacer à cheval. Je doute qu'il eût déjà beaucoup monté à cette époque, mais lui affirmait que si, et qu'il avait pris des cours dans une école d'équitation à Londres avant de venir. Il aurait sans doute été un peu plus circonspect s'il avait su que C.T. avait la passion de l'épargne — bien que fort généreux dans beaucoup de domaines, il payait ses ouvriers le moins possible. L'une de ses grandes économies était d'acquérir des chevaux au plus bas prix, si bien que les animaux qu'il achetait avaient toutes les chances de présenter une particularité des plus désagréables qui n'apparaissait qu'une fois le marché conclu : en général, ils se cabraient, ruaient, se dérobaient ou autre fantaisie de même acabit. Celui-là ne faisait pas exception à la règle. Aussi, être obligé de grimper par un sentier boueux et glissant jusqu'en haut du tertre chaque matin était une véritable épreuve, d'autant que Max devait afficher un air de parfaite décontraction. Tout se passa bien, cependant, et il ne fit *jamais* la moindre chute. C'eût véritablement été la honte suprême.

— Souvenez-vous, lui avait dit C.T. avant de quitter l'Angleterre, que si vous tombez de cheval, pas un seul ouvrier ne gardera le moindre respect pour vous.

Le rituel commençait à 5 heures. C.T. montait sur le toit de la maison. Max l'y rejoignait et, après consultation, faisait des signaux avec sa lampe au veilleur de nuit, en haut du tumulus de Ninive. Ce message indiquait si le temps permettait de travailler. L'automne étant la saison des pluies, c'était en effet un sujet de préoccupation. La grande majorité des ouvriers vivaient de deux à cinq kilomètres à la ronde, et ils attendaient le signal lumineux sur le tumulus pour savoir s'ils devaient ou non sortir de chez eux. Le moment venu, Max et C.T. enfourchaient leurs montures et se rendaient au sommet du tertre.

Barbara Campbell-Thompson et moi y montions à notre tour vers 8 heures et y prenions le petit déjeuner ensemble : des œufs durs, du thé et du pain local. La température était douce, en ces jours d'octobre, mais un mois plus tard, il se mit à faire beaucoup plus froid et nous dûmes commencer à nous emmitoufler. La campagne alentour était délicieuse. Environnées de collines, on apercevait au loin des montagnes : le menaçant djebel Makloub et, par temps clair, les montagnes kurdes avec leurs sommets enneigés. En se retournant, on bénéficiait d'une vue plongeante sur le Tigre et la ville de Mossoul avec ses minarets. Nous redescendions ensuite à la maison et remontions plus tard pour un nouveau pique-nique à l'heure du déjeuner.

J'eus un différend, un jour, avec C.T. Il céda par galanterie, mais je crois que je baissai dans son estime. Ce que je voulais, simplement, c'était m'acheter une table au bazar. Passe encore de ranger mes affaires dans des caisses à oranges, de m'asseoir sur des caisses à oranges, d'avoir à mon chevet une caisse à oranges, mais ce qu'il me *fallait* pour mon propre travail, c'était une bonne table bien solide sur laquelle taper à la machine et sous laquelle rentrer mes genoux. Il n'était pas question que C.T. débourse un sou pour cette table — c'est *moi* qui la payais — mais il me reprochait de gaspiller de l'argent pour un objet qui n'était pas de toute première nécessité. Je lui fis valoir que *c'était* de toute première nécessité.

Mon métier à moi, expliquai-je, était d'écrire des livres, et j'avais besoin pour cela de certains outils : une machine à écrire, un crayon, une table à laquelle m'asseoir. C.T. céda donc, mais pas de gaieté de cœur. Je voulais également qu'elle soit solide, ma table, que ce ne soit pas une simple planche sur quatre pieds qui tanguerait dès qu'on la toucherait, si bien qu'elle me coûta dix livres — une somme inouïe. Je crois qu'il lui fallut plus d'une quinzaine de jours pour me pardonner cette extravagance. Cependant, je fus très heureuse d'avoir ma table, et C.T. s'enquit régulièrement de la progression de mon travail. Le roman en chantier était *Le Couteau sur la nuque* — et un squelette que l'on mit au jour dans une tombe du tumulus fut promptement baptisé lord Edgware.

L'intérêt de la campagne à Ninive, pour Max, était de pouvoir creuser une fosse profonde dans le grand tertre. C.T. était loin de partager cet enthousiasme, mais ils étaient convenus au préalable que Max ferait un essai. En archéologie, la protohistoire était brusquement devenue à la mode. Presque toutes les fouilles, jusqu'alors, avaient été de nature historique, mais tout le monde à présent se passionnait pour les civilisations protohistoriques, sur lesquelles on savait si peu de choses.

On examinait d'obscurs petits tertres partout dans le pays, on ramassait des fragments de poterie peinte, on les étiquetait, on les mettait dans des sacs, on en étudiait les motifs — c'était d'un intérêt sans cesse renouvelé. Bien que ce fût si vieux, c'était si *nouveau* !

L'écriture n'ayant pas été inventée lorsque ces objets avaient été faits, il était extrêmement difficile de les dater. Difficile de dire si tel style de poterie précédait ou suivait tel autre. Woolley, à Ur, avait creusé jusqu'aux niveaux correspondant à l'époque du déluge, et même plus bas, et l'on se perdait en conjectures sur les extraordinaires poteries du tell 'Ubaid. Max était tout autant que les autres atteint du virus et le creusement de notre fosse profonde à Ninive donna d'excellents résultats : il apparut que l'énorme tertre, haut de trente mètres, était aux trois quarts protohistorique, ce que personne n'avait jamais soupçonné jusqu'alors. Seuls les niveaux supérieurs étaient assyriens.

La fosse devint quelque peu effrayante au bout de quelque temps, car il fallut creuser trente mètres pour retrouver un sol vierge. Elle fut terminée juste à la fin de la saison. C.T., qui était un homme courageux, se faisait un point d'honneur de descendre lui-même une fois par jour avec les ouvriers. Sujet qu'il était au vertige, c'était pour lui un supplice. Max, qui n'avait pas ce problème, était tout heureux de monter et descendre. Les ouvriers, comme tous les Arabes, ne connaissaient pas le vertige : ils dévalaient et remontaient quatre à quatre l'étroit passage en spirale à flanc de paroi, humide et glissant le matin, se lançaient des paniers l'un à l'autre, charriaient la terre, se poussaient et chahutaient à quelques centimètres du bord.

— Mon Dieu ! gémissait C.T., incapable de regarder en bas et se cachant le visage dans les mains. Il y en a un qui va se tuer, un de ces jours.

Mais personne ne se tua. Ils avaient le pied aussi sûr qu'une mule.

Lors d'un de nos jours de repos, nous décidâmes de louer une voiture et d'aller voir le grand tertre de Nimrud, qui avait été fouillé pour la dernière fois par Layard, près d'une centaine d'années auparavant. Max eut quelques difficultés à y accéder, car les routes étaient très mauvaises. Il fallait la plupart du temps rouler hors piste. En outre, les oueds et fossés d'irrigation étaient souvent impossibles à franchir. Nous finîmes néanmoins par y parvenir et pique-niquâmes sur place. Quel spectacle extraordinaire ! Le Tigre coulait à quinze cents mètres de là, et sur le grand tertre de l'acropole, d'énormes têtes assyriennes en pierre émergeaient du sol. À un endroit, se dressait l'aile gigantesque d'un immense génie. C'était un lieu impressionnant, paisible, romantique, imprégné du passé.

J'entends encore Max dire :

— C'est ici que j'aimerais faire des fouilles, des fouilles de grande envergure. Ça demanderait beaucoup d'argent, mais si j'en disposais, c'est ce site que je choisirais parmi tous ceux qui existent au monde.

Il poussa un soupir :

— Enfin, ça n'arrivera jamais, j'imagine.

J'ai devant moi, maintenant, le livre de Max : *Nimrud et ses vestiges*. Que je suis heureuse qu'il ait pu réaliser un rêve aussi cher à son cœur ! Nimrud s'est réveillé de son sommeil de cent ans. Layard a commencé le travail, mon mari l'a achevé.

Il y a découvert de nouveaux secrets : le grand fort de Salmanasar, aux limites mêmes de la ville, les autres palais en d'autres endroits du tertre. L'histoire de Kalah, capitale militaire d'Assyrie, a été reconstituée. Nimrud est maintenant connue pour sa fonction historique, mais aussi pour avoir fourni certains des plus beaux objets jamais façonnés par des artisans — ou plutôt des artistes, comme je préférerais les appeler — aux musées du monde entier. Ses ivoires si délicatement sculptés sont de telles splendeurs !

J'ai pris part au nettoyage de beaucoup de ces pièces. J'avais mes outils préférés, comme tout professionnel : un bâtonnet de manucure, parfois une aiguille à tricoter très fine — une saison, ce fut un instrument qu'un dentiste voulut bien me prêter, ou plutôt me donner — et un pot de crème de beauté que je trouvai plus efficace que n'importe quoi d'autre pour extirper doucement la terre des fissures sans écailler le friable ivoire. En fait, il y eut une telle ruée sur ma crème que je n'eus plus rien à mettre sur mon pauvre visage au bout de quinze jours !

Tout cela était passionnant : cette patience, ce soin, cette délicatesse de toucher qu'il fallait. Le summum vint le jour — l'un des plus extraordinaires de ma vie — où les ouvriers qui travaillaient à dégager un puits assyrien se précipitèrent à la maison en criant :

— On a trouvé une femme dans le puits ! Il y a une femme dans le puits !

Et ils exhibèrent, sur un morceau de toile à sac, une grosse forme boueuse.

C'est moi qui eus le plaisir de laver précautionneusement la boue dans une grande cuvette. Petit à petit, la tête émergea, protégée par sa gangue de terre depuis près de deux mille cinq cents ans. Et voilà, c'était le plus grand ivoire jamais trouvé : un satiné brun clair, des cheveux noirs, des lèvres légèrement colorées avec le sourire énigmatique des vierges de l'acropole. La Dame du Puits — la Joconde, comme le conservateur irakien des Antiquités insista pour l'appeler — a maintenant sa place au nouveau musée de Bagdad : c'était une des plus belles découvertes qui devaient être faites.

Il y eut de nombreux autres ivoires, certains parfois plus beaux que la tête, même si moins impressionnants. Des petits bas-reliefs montraient des vaches en train de lécher leur veau, des femmes qui regardaient par la fenêtre, manifestement comme Jézabel la débauchée. Sur deux autres, magnifiques, un Noir se fait tuer par une lionne. Étendu sur le sol dans son pagne doré et ses cheveux constellés d'or, il dresse la tête dans ce qui semble être une sorte d'extase au moment où la lionne, au-dessus de lui, s'apprête à l'égorger dans un jardin au feuillage et aux fleurs de lapis, de cornaline et d'or. Quel bonheur que ces deux bas-reliefs aient été retrouvés ! L'un se trouve à présent au British Museum, l'autre à Bagdad.

On éprouve une certaine fierté à appartenir à la race humaine quand on voit les merveilles que les hommes ont su modeler de leurs mains. Ils ont été des créateurs — et doivent posséder un peu de la sainteté du Créateur qui fit le monde, tout ce qu'il contient, et vit que cela était bon. Mais il a laissé des choses à faire. À faire par la main des hommes. Pour que ce soit les *hommes* qui les façonnent, qu'ils suivent sa voie puisqu'il les a créés à son image, qu'ils contemplent leur œuvre et voient que cela était bon.

La fierté de créer est un sentiment extraordinaire. Même le menuisier qui fabriqua un porte-serviettes particulièrement hideux pour l'une de nos maisons d'expédition avait l'esprit créateur. Lorsque nous lui demandâmes pourquoi il avait fait des pieds aussi énormes en dépit des instructions qu'il avait reçues, il répondit d'un ton réprobateur :

— Il fallait parce que c'est comme ça que c'est beau !

Pour nous, c'était affreux, mais c'était beau pour lui, et il l'avait fait dans l'esprit de la création parce que c'était beau.

L'homme peut être mauvais — plus mauvais que ses frères les animaux — mais il peut aussi s'élever jusqu'au ciel par l'extase de la création. Les cathédrales d'Angleterre sont des témoignages de l'adoration de l'homme pour ce qui est au-dessus de lui. J'aime cette rosace Tudor — qui se trouve, je crois, sur l'un des chapiteaux de la chapelle du King's College de Cambridge — où le sculpteur, malgré les ordres reçus, plaça le visage de la Madone en plein milieu parce qu'il trouvait les rois Tudor trop adulés alors que le Créateur, pour qui on érigeait ce lieu de culte, n'était pas assez honoré.

Ce devait être la dernière saison du Dr Campbell-Thompson. Il était, bien sûr, surtout un épigraphiste, et pour lui, le mot écrit, le témoignage historique étaient beaucoup plus intéressants que l'aspect archéologique des fouilles. Comme tous les épigraphistes, il rêvait toujours de découvrir un trésor de tablettes cunéiformes.

On avait tellement creusé, à Ninive, qu'il était difficile de reconstituer le puzzle de tout ce qui avait été mis au jour. Pour Max, les bâtiments du palais n'offraient rien de palpitant : seule sa fosse dans la période protohistorique l'intéressait vraiment, car c'était une époque encore fort méconnue.

Il avait déjà formé le plan, que je trouvais passionnant, de fouiller pour son propre compte un petit tertre dans ce secteur. Petit, car il aurait du mal à rassembler beaucoup d'argent, mais il pensait que c'était réalisable, donc qu'il *devait* absolument le faire. C'est pourquoi il portait un intérêt spécial, à mesure que le temps passait, à la progression en profondeur de sa fosse vers le sol vierge. Lorsqu'il y parvint, la base du trou n'était plus qu'une minuscule parcelle de terre de quelques dizaines de centimètres de diamètre. On avait trouvé quelques fragments — guère, vu l'exiguïté du lieu — qui étaient d'une période différente de ceux retrouvés plus haut. À partir de ce moment, le site de Ninive fut reclassé, de bas en haut, en Ninive 1, la première couche au-dessus du sol vierge, Ninive 2, Ninive 3, Ninive 4 et Ninive 5, période où la poterie était faite au tour, les motifs à la fois peints et ciselés. Les récipients en forme de coupe en étaient caractéristiques, les peintures vigoureuses et charmantes. Pourtant, la poterie elle-même — sa texture — n'était pas de qualité aussi fine que celle qui l'avait précédée peut-être de plusieurs milliers d'années, ces délicats objets en terre de couleur abricot, presque identiques à la poterie grecque au toucher, avec leur surface lisse et satinée et leurs nombreuses décorations géométriques, en particulier à motifs de points. Elle se rapprochait, d'après Max, de la poterie retrouvée au tell Halaf, en Syrie, mais qu'on avait toujours crue très postérieure, et en tout cas, celle-ci était beaucoup plus fine.

Il demanda aux ouvriers de lui rapporter divers fragments venant des villages où ils vivaient tous, dans un rayon de un à douze kilomètres. Sur certains tertres, la poterie était de qualité Ninive 5, et, en plus de la variété peinte, il y en avait une très belle de pots aux dessins gravés et d'un travail délicat. Enfin, on trouvait des poteries rouges d'une période antérieure, d'autres grises, toutes deux ordinaires et sans peinture.

Bien entendu, un ou deux des petits monticules qui bourgeonnaient dans tout le nord du pays jusqu'aux montagnes avaient été abandonnés à des époques antérieures, bien avant qu'il fût question de fabrication au tour : et cette jolie poterie ancienne était faite à la main. Ainsi, en particulier, un tout petit monticule appelé Arpachiyah, à guère plus d'une demi-douzaine de kilomètres à l'est de la grande ceinture de Ninive. Sur ce petit tertre, aucune trace d'objet qui fût postérieur aux jolis fragments peints de Ninive 2. C'était apparemment sa dernière grande période d'occupation.

Max était très attiré par ce site. J'abondais en ce sens parce que je trouvais cette poterie si jolie que je brûlais d'envie d'en savoir davantage sur elle. Ce serait un pari, m'expliqua Max. Il devait s'agir d'un village minuscule qui n'avait jamais pu être bien important, et il était douteux qu'on pût y trouver grand-chose. Mais enfin les créateurs de cette poterie avaient sûrement occupé cet endroit. Une occupation primitive peut-être, même si leur poterie ne l'était pas : elle était de la meilleure qualité. Or ils ne pouvaient pas l'avoir faite pour la grande cité voisine de Ninive, comme une sorte de Swansea ou Wedgwood locale, puisque Ninive n'existait pas à l'époque où ils pétrissaient leur glaise — et elle ne devait pas exister avant des milliers d'années. Pourquoi donc faisaient-ils cette poterie ? Pour le simple plaisir de produire quelque chose de si beau ?

Naturellement, C.T. trouvait que Max avait tort d'attacher autant d'importance à la période protohistorique, et à tout cet « engouement moderne » pour les poteries. Les témoignages historiques, disait-il, il n'y a que ça : un homme racontant son histoire non pas oralement, mais par écrit. Ils avaient, en un sens, tous deux raison. C.T., parce que les témoignages historiques étaient effectivement les plus révélateurs, Max, parce que pour découvrir quelque chose de nouveau sur l'histoire de l'homme, il faut se servir de ce que celui-ci peut vous exprimer, en l'occurrence par ce qu'il a fait de ses mains. J'avais raison, aussi, d'être frappée et intriguée par la beauté de la poterie de ce minuscule hameau. Et de me demander sans cesse « pourquoi ? » car, pour des gens comme moi, c'est ce genre de question qui rend l'existence intéressante.

Ma première expérience de vie sur un site de fouilles archéologiques me plut énormément. J'avais aimé Mossoul. Je m'étais fortement attachée à C.T. et à Barbara. J'avais enfin réussi à envoyer lord Edgware *ad patres* et à retrouver son meurtrier. Lors d'une visite chez C.T. et sa femme, je leur avais lu le manuscrit entier et ils s'étaient montrés très élogieux. Je crois que ce sont les seuls auxquels j'aie jamais lu un manuscrit, à l'exception de ma propre famille, bien sûr.

Je parvins à peine à y croire lorsque, en février de l'année suivante, Max et moi nous retrouvâmes de nouveau à Mossoul, dans une pension de famille, cette fois. Les négociations étaient en cours pour que nous puissions faire des fouilles dans notre tertre minuscule d'Arpachiyah — une taupinière, à dire vrai, plutôt qu'un tertre —, ce petit Arpachiyah qui n'avait encore intéressé personne ou que nul ne connaissait, mais qui n'allait pas tarder à se faire un nom dans le monde de l'archéologie. Max avait persuadé John Rose, ancien architecte d'Ur, de travailler avec nous. Max et moi l'aimions beaucoup : c'était un excellent dessinateur, un garçon qui ne disait jamais un mot plus haut que l'autre mais qui était doté d'un sens de l'humour que je trouvais irrésistible. John hésita tout d'abord à venir nous rejoindre : il ne voulait pas retourner à Ur, de cela il était certain, mais se demandait s'il allait continuer à travailler dans l'archéologie ou retourner à sa pratique de l'architecture. Pourtant, comme Max le lui fit remarquer, la campagne ne serait pas longue — deux mois tout au plus — et la tâche sans doute pas écrasante.

— En fait, dit-il sur un ton persuasif, vous pouvez considérer cela comme des vacances. C'est la meilleure période de l'année, le climat est agréable — pas de tempêtes de sable comme à Ur —, il y a de jolies fleurs, des collines et des montagnes. Vous allez adorer. Ce sera le repos total pour vous.

John fut convaincu.

C'était pour Max un coup de dés et une période d'angoisse, car cela engageait sa jeune carrière. Il avait pris sur lui de faire ce choix, et de son résultat dépendrait sa réussite ou son échec.

Au début, tout se ligua contre lui. Le temps était détestable. Il pleuvait des cordes, il était presque impossible de se rendre où que ce soit en voiture. De plus, il se montra fort difficile de trouver à qui appartenait le terrain sur lequel nous nous proposions de creuser. Les questions de propriété, au Proche-Orient, sont toujours un véritable casse-tête. Quand elles sont suffisamment éloignées des villes, les terres sont sous la juridiction d'un cheik, et c'est avec lui qu'il faut arriver à des arrangements financiers ou autres — avec un zeste d'appui gouvernemental pour vous donner du poids. Toute terre classée *tell* — c'est-à-dire qui était habitée pendant l'Antiquité — appartient au gouvernement et non au propriétaire des lieux. Il était cependant peu probable qu'une simple motte de terre comme Arpachiyah ait été enregistrée, si bien que nous dûmes prendre contact avec le propriétaire du terrain.

Cela ne semblait pas devoir poser de problème : un immense bonhomme tout jovial se présenta en assurant qu'il était le maître de céans. Mais le lendemain, autre son de cloche : le véritable propriétaire était un petit-cousin de sa femme. Le surlendemain, le terrain n'appartenait plus au seul petit-cousin mais il y avait plusieurs personnes concernées. Au troisième jour de pluie ininterrompue, alors que tout le monde lui avait compliqué les choses, Max se laissa choir sur son lit en gémissant.

— Tu te rends compte ? fit-il. Il y a *dix-neuf propriétaires* !

— Dix-neuf propriétaires pour ce lopin de terre ? demandai-je, incrédule.

— Il paraît.

Nous parvînmes à démêler l'écheveau et à trouver la véritable propriétaire : il s'agissait de la petite cousine de la tante du mari de la cousine de la tante de quelqu'un, et qui, incapable de traiter elle-même, devait se faire représenter par son mari et divers parents. Avec l'aide du mutassarif de Mossoul, du service des Antiquités de Bagdad, du consul de Grande-Bretagne et de quelques autres appuis, l'affaire fut conclue et un contrat extrêmement rigoureux établi. Des pénalités fort sévères étaient prévues au cas où l'une des deux parties faillirait à ses engagements. L'un des grands motifs de fierté du mari de la propriétaire fut l'insertion d'une clause stipulant que, si notre travail de fouilles était en quoi que ce soit entravé, ou le contrat dénoncé, il aurait à payer une compensation de mille livres. Il alla immédiatement s'en vanter auprès de tous ses amis.

— C'est une affaire tellement importante, se rengorgeait-il, que si je ne leur apporte pas toute l'assistance possible et ne tiens pas toutes les promesses faites au nom de ma femme, je perds mille livres.

Tout le monde en fut fort impressionné.

— Mille livres ! s'exclamèrent-ils. Une astreinte de mille livres ! Vous avez entendu ça ? On pourrait le ponctionner de mille livres si quoi que ce soit tourne mal !

Je dois ajouter que si une pénalité financière quelconque avait dû être appliquée à ce brave homme, il n'aurait guère pu s'acquitter que d'une dizaine de dinars.

Nous louâmes une petite maison très semblable à celle que nous avions eue avec les C.T. Elle se trouvait un peu plus loin de Mossoul et plus près de Ninive, mais elle avait le même toit plat, une véranda et des encadrements de fenêtres en marbre de Mossoul qui lui donnaient un petit air monastique, avec des tablettes, en marbre également, sur lesquelles on pouvait disposer de la poterie. Nous avions une cuisinière, un jeune domestique, une grande chienne qui aboyait farouchement à l'adresse de ses congénères du voisinage et de quiconque approchait de la maison — chienne qui finit néanmoins par mettre bas six chiots. Nous avions aussi une petite camionnette et un Irlandais, Gallagher, comme chauffeur. Il était resté sur place, après la guerre, et n'était plus jamais rentré chez lui.

Personnage extraordinaire que ce Gallagher. Il nous racontait parfois des histoires merveilleuses. Ainsi le récit épique de sa capture d'un esturgeon sur les rives de la Caspienne : comment un ami et lui avaient réussi à l'amener à terre, l'avaient empaqueté dans la glace, transporté par les montagnes jusqu'en Iran où ils l'avaient vendu à prix d'or. On aurait cru, à cause des innombrables aventures qui leur arrivèrent en chemin, entendre l'*Iliade* et l'*Odyssée*.

Il nous donna des renseignements aussi utiles que le prix exact de la vie d'un homme.

— En Irak, c'est meilleur marché qu'en Iran, dit-il. En Iran, pour tuer quelqu'un, ça vous coûte sept livres au comptant. En Irak, seulement trois.

Gallagher avait encore des réminiscences de son temps de guerre, et il dressait toujours les chiens d'une façon très militaire. Les six chiots étaient appelés l'un après l'autre et venaient à la cuisine en bon ordre. Swiss Miss, la préférée de Max, était toujours appelée en premier. Ces chiots étaient absolument affreux mais avaient le charme de tous les bébés chiens du monde. Ils venaient régulièrement sous la véranda après le thé, et nous les débarrassions de leurs tiques avec le plus grand soin. Ils en avaient tout autant le lendemain, mais nous faisions de notre mieux.

Gallagher se révéla également lecteur omnivore. Ma sœur m'envoyait chaque semaine des paquets de livres, et je les lui passais ensuite. Il lisait rapidement et ne semblait pas avoir de préférence spéciale : biographies, romans, histoires d'amour, policiers, œuvres scientifiques, pratiquement tout. Il était un peu comme l'homme qui meurt de faim : peu importe ce qu'il mange, du moment qu'il mange. Lui, il voulait de la nourriture mentale.

Il nous parla une fois de son « oncle Fred ».

— Un crocodile l'a tué à Burma, nous confia-t-il tristement. Je ne savais pas quoi faire. Puis nous avons pensé que le mieux serait de faire empailler le crocodile. C'est ce qu'on a fait, et on l'a envoyé à sa femme.

Il raconta cela tranquillement, d'une voix neutre. Je crus d'abord qu'il brodait, mais je finis par en venir à la conclusion que pratiquement tout ce qu'il disait était vrai. En somme, le genre d'homme à qui il arrive des aventures extraordinaires.

Ça n'en était pas moins, pour nous, une période d'angoisse. Jusqu'à présent, rien n'indiquait que le pari de Max allait réussir. Nous ne mettions au jour que quelques bâtisses sans valeur et décrépites — même pas en briques de terre : des murs en pisé, difficiles à identifier. On trouvait de fort jolis débris de poterie un peu partout, de très beaux couteaux d'obsidienne noire aux tranchants délicatement dentelés, mais rien qui sortît pour l'instant de l'ordinaire.

John et Max se remontaient mutuellement le moral, disant qu'il était trop tôt pour se prononcer, et qu'avant l'arrivée du Dr Jordan, le directeur allemand des Antiquités à Bagdad, nous aurions au moins déjà bien mesuré et marqué nos niveaux, ce qui montrerait que le chantier avait été mené dans les règles et scientifiquement.

Tout à coup, sans crier gare, le grand jour arriva. Max rentra en trombe à la maison pour venir me chercher, occupée que j'étais à restaurer quelque poterie.

— Une découverte merveilleuse ! m'expliqua-t-il. Nous avons trouvé une échoppe de potier brûlée. Il faut que tu viennes avec moi, tu n'as jamais rien vu d'aussi beau.

C'était vrai. Un coup de chance extraordinaire. L'échoppe de potier se trouvait là tout entière sous la terre. Elle avait été abandonnée quand elle avait brûlé, et ce feu l'avait préservée. Il y avait des plats merveilleux, des vases, des coupes, des assiettes, de la poterie polychrome, étincelante au soleil avec ses rouges, ses noirs et ses oranges : un spectacle magnifique.

À partir de ce moment, ce fut de la frénésie, nous ne savions plus où donner de la tête. Récipients et vases sortaient de terre les uns après les autres. Ils avaient été brisés par l'effondrement du toit, mais les morceaux étaient là, et on pouvait presque tout reconstituer. Certains se trouvaient légèrement carbonisés, mais les murs éboulés par-dessus les avaient protégés et ils étaient restés là à peu près six mille ans sans être touchés. Un énorme plat verni, d'un somptueux rouge sombre, avec en son centre les pétales d'une rosette entourée de jolis motifs géométriques, était en soixante-seize morceaux. Nous les retrouvâmes et les assemblâmes tous, et c'est maintenant un merveilleux spectacle que de le voir dans le musée où il est exposé. Il y avait aussi un bol que j'adorais, entièrement recouvert d'un motif un peu semblable à celui du drapeau anglais. Il était d'une douce couleur de mandarine.

J'étais folle de joie. Max également, et John aussi, à sa manière plus pondérée. Mais Dieu que nous travaillâmes, depuis ce moment jusqu'à la fin de la saison !

Je m'y étais un peu préparée, cet automne, en essayant d'apprendre à dessiner à l'échelle. J'étais allée à l'école secondaire du quartier et y avais pris des cours avec un charmant petit homme qui était resté stupéfait devant mon ignorance.

— Vous ne semblez même pas savoir ce qu'est un angle droit, avait-il fait d'un air désapprobateur.

Force m'avait été de reconnaître que non.

— Ça ne va pas faciliter les choses, en avait-il conclu.

Je parvins pourtant à mesurer et calculer, à dessiner aux deux tiers, ou à quelque cote que ce soit. Maintenant le temps était venu d'appliquer ce que j'avais appris. Il y avait tellement à faire que nous devions tous nous y mettre. Il me fallait bien entendu deux ou trois fois plus de temps qu'aux autres, mais John avait besoin d'une assistance que je fus capable de lui apporter.

Max restait toute la journée sur le chantier tandis que John dessinait sans discontinuer. Le soir, il descendait dîner d'un pas chancelant et se lamentait :

— Je crois que je deviens aveugle. Mes yeux me font une impression bizarre et j'ai la tête qui tourne tellement que c'est à peine si j'arrive à tenir sur mes jambes. Je dessine sans arrêt comme un fou depuis ce matin 8 heures.

— Il va pourtant nous falloir continuer ce soir après souper, le prévenait Max.

— Et vous, grondait John sur un ton accusateur, vous qui prétendiez que ce serait des vacances !

Pour fêter la fin de la saison des fouilles, nous décidâmes d'organiser une course pour les hommes. Cela ne s'était encore jamais fait. Il devait y avoir plusieurs fort jolis prix et la course était ouverte à tous.

Cela fit grand bruit. D'abord, certains, parmi les plus âgés et les plus sérieux, se demandèrent s'ils n'allaient pas perdre leur dignité en prenant part à une telle compétition. La dignité était toujours le maître mot. Se mesurer à des jeunes gens, peut-être même encore imberbes, n'était pas convenable pour un homme digne, un homme de bien. Tous finirent cependant par accepter, et la course fut organisée. Le parcours était d'environ cinq kilomètres. Ils devaient traverser le fleuve Khosr juste derrière le tertre de Ninive. Les règles furent définies avec le plus grand soin. La première était une règle de discipline : ne pas jeter un adversaire à terre, le bousculer, lui couper la route, ou le gêner en quoi que ce fût. Nous ne comptions guère qu'elle soit respectée à la lettre, mais nous espérions au moins éviter les pires excès.

Les prix étaient, pour le premier, une vache et son veau, pour le deuxième, un mouton, et pour le troisième, une chèvre. Suivaient plusieurs prix moins importants : des poules, des sacs de farine, puis des lots d'une centaine à une dizaine d'œufs. Tout participant se voyait gratifier d'une poignée de dattes et d'autant de halva qu'un homme pouvait en tenir dans ses deux mains. L'ensemble de ces prix, puis-je le préciser, nous coûta dix livres. C'était le bon temps, il n'y a pas à dire.

Nous la baptisâmes la course de l'AAAA : l'Association athlétique amateur d'Arpachiyah. Le fleuve était en crue à ce moment-là. Personne ne pouvait traverser le pont pour assister à l'épreuve, mais la RAF fut invitée à la suivre d'en haut.

Le grand jour arriva, et ce fut un spectacle mémorable. Ce qui se produisit tout d'abord, bien sûr, fut une ruée générale au coup de pistolet de départ, et la plupart piquèrent une tête dans le Khosr. Les autres parvinrent à s'extirper de la mêlée et continuèrent à courir. Il n'y eut pas trop de gestes déloyaux : personne ne fut jeté à terre. De nombreux paris avaient été engagés sur la course, mais aucun des favoris n'arriva, même placé. Ce furent trois outsiders qui l'emportèrent sous un tonnerre d'applaudissements. Le premier était un robuste et athlétique gaillard. Le deuxième — une arrivée très applaudie — un homme très pauvre qui paraissait toujours à moitié mort de faim. Le troisième, un jeune garçon. Il y eut de grandes réjouissances, cette nuit-là : les chefs d'équipe dansèrent, les hommes dansèrent, et celui qui avait gagné le deuxième prix tua immédiatement son mouton et en régala toute sa famille et ses amis. Une apothéose pour l'Association athlétique amateur d'Arpachiyah.

Notre départ fut salué par les cris de « Dieu vous bénisse ! », « Revenez chez nous ! », « À la grâce de Dieu ! », etc. Nous prîmes alors la direction de Bagdad, où toutes nos trouvailles nous attendaient au musée. Max et John Rose les désempaquetèrent et le partage eut lieu. Nous étions alors en mai et il faisait plus de 40 à l'ombre. John supportait mal la chaleur et paraissait de plus en plus malade chaque jour. Moi, j'avais la chance de ne pas faire partie de l'équipe de déballage : je pus donc rester à la maison.

La situation politique se dégradait progressivement à Bagdad, et, malgré notre désir de revenir l'année suivante, soit pour fouiller un autre tertre soit pour creuser un peu plus à Arpachiyah, nous commencions déjà à nous demander si ce serait possible. Après notre départ, des complications apparurent pour faire sortir des antiquités du pays, et nous eûmes les pires difficultés à récupérer nos caisses. Difficultés qui finirent par être aplanies, mais au prix de nombreux mois d'efforts et de démarches — raison pour laquelle on nous déconseilla de toutes parts d'y retourner. Pendant plusieurs années, du reste, personne n'effectua plus de fouilles archéologiques en Irak. Tout le monde allait en Syrie. Nous aussi donc, la saison suivante, décidâmes de choisir un site convenable en Syrie.

L'une des dernières scènes dont je me souvienne encore fut comme un sinistre présage des événements à venir. Nous prenions le thé chez le Dr Jordan à Bagdad. Il était bon pianiste et, ce jour-là, assis à son piano, il nous jouait du Beethoven. Il avait un beau visage et, en le regardant, je songeais quel homme exquis c'était, toujours aimable et attentionné. Puis quelqu'un parla, tout à fait fortuitement, des Juifs. Son expression changea aussitôt, changea d'une façon extraordinaire, comme je n'avais jamais vu aucun visage changer.

— Vous ne comprenez pas, fit-il. Vos Juifs sont peut-être différents des nôtres. Chez nous, ils représentent en tout cas un danger majeur et il va falloir les exterminer. Il n'y a vraiment pas d'autre solution.

Je le regardai, incrédule. Et pourtant non, il ne plaisantait pas. J'étais pour la première fois exposée aux prémices de ce qui allait plus tard survenir en Allemagne. Ceux qui s'y étaient rendus devaient déjà, je suppose, en être conscients et pressentir le drame, mais le commun des mortels, en 1932-1933, n'en avait pas la moindre idée.

Ce jour-là, dans le salon du Dr Jordan qui jouait du piano, je vis mon premier nazi — et je devais découvrir plus tard que sa femme en était une plus farouche encore. Ils avaient un devoir à accomplir au Proche-Orient : non seulement assurer la direction des Antiquités à Bagdad et sans doute faciliter ainsi l'envoi d'œuvres d'art vers l'Allemagne, mais aussi espionner leur propre ambassadeur en Irak. Il est des choses, dans la vie, qui vous plongent dans la désolation même si vous éprouvez de la difficulté à les croire.

5

Nous rentrâmes en Angleterre, tout auréolés de nos succès, et Max se lança pendant l'été dans la rédaction du compte rendu de la campagne. Une exposition de certaines de nos trouvailles eut lieu au British Museum. Le livre de Max sur Arpachiyah sortit cette année-là ou la suivante — il ne faut pas perdre de temps, disait-il : tous les archéologues ont tendance à remettre leurs publications à plus tard, alors que leurs connaissances devraient être diffusées aussi vite que possible.

Pendant la Seconde Guerre mondiale, à l'époque où je travaillais à Londres, j'écrivis un mémoire sur notre séjour en Syrie. Je l'intitulai *Dis-moi comment tu vis*. J'ai plaisir à le parcourir de temps en temps et à me rappeler nos séjours là-bas. Une saison sur un chantier de fouilles est très semblable à une autre — il s'y déroule toujours le même genre d'activités — et les répéter ne servirait guère. Ce furent des années heureuses, nous prîmes un plaisir immense et connûmes un grand succès dans nos recherches.

Ces années-là, entre 1930 et 1938, représentèrent une période de plénitude parce que aucun nuage ne vint les assombrir. Lorsque la pression du travail, et surtout du succès, se fait plus forte, les loisirs ont tendance à se raréfier. Là pourtant, c'était encore un temps d'insouciance, avec une bonne dose de labeur, certes, mais pas au point de nous absorber totalement. J'écrivais des romans policiers, Max, des ouvrages archéologiques, des rapports et des articles. Nous étions occupés, mais sans surtension nerveuse aucune.

Comme il était difficile pour Max de descendre dans le Devonshire autant qu'il le voulait, nous y passions les vacances de Rosalind mais vivions la plupart du temps à Londres, naviguant de l'une à l'autre de mes maisons pour essayer de détermi-

ner laquelle nous plaisait le plus. Pendant que nous étions en
Syrie, une année, Carlo et Mary s'étaient mises en quête pour en
trouver une qui nous convînt vraiment et me remirent toute une
liste d'adresses. Je devais absolument visiter le 48, Sheffield Terrace. Dès que je la vis, j'eus le coup de foudre comme jamais pour
une maison. Elle était parfaite, hormis peut-être le fait qu'elle
comportait un sous-sol. Elle ne possédait pas beaucoup de pièces,
mais elles étaient toutes vastes et bien proportionnées. Exactement ce dont nous avions besoin. En entrant, on trouvait à droite
une grande salle à manger. Lui faisant face sur la gauche, un salon
de belle taille. À l'entresol, une salle de bains et des toilettes, et,
au premier, à droite, au-dessus de la salle à manger, une pièce de
même dimension qui ferait la bibliothèque de Max, avec toute la
place voulue pour mettre de grandes tables sur lesquelles étaler
papiers et morceaux de poterie. À gauche, au-dessus du salon, se
trouvait une grande chambre double pour nous. À l'étage supérieur, encore deux grandes pièces séparées par une plus petite.
Cette dernière allait devenir la chambre de Rosalind, et la grande
au-dessus du cabinet de travail de Max ferait une belle chambre
d'amis au besoin. Celle de gauche, décrétai-je, deviendrait *mon*
cabinet de travail et salon personnel. Ce qui surprit tout le
monde, vu que je n'avais jamais manifesté de désir de ce genre.
Mais chacun s'accorda néanmoins à reconnaître qu'il était temps
que la pauvre vieille patronne ait son chez-elle.

Je voulais disposer d'un endroit où je ne serais pas dérangée.
Là, pas de téléphone. Un piano à queue, une grande table bien
solide, un canapé ou un divan confortable, une chaise droite et
dure pour taper à la machine, un fauteuil de repos, *et rien d'autre*.
Je m'achetai un Steinway et me plus énormément dans « ma pièce ». Personne n'avait le droit de passer l'aspirateur à cet étage
tant que j'étais à la maison, ou de venir me déranger à moins
qu'il n'y eût le feu. J'avais enfin un endroit à moi, et j'en profitai
pendant cinq ou six ans, jusqu'à ce que la maison fût bombardée
pendant la guerre. Je ne sais pourquoi je ne retrouvai jamais semblable tanière par la suite. Sans doute me réhabituai-je trop facilement à utiliser comme par le passé la table de la salle à manger
ou le coin de la table de toilette.

Le 48, Sheffield Terrace était une maison où j'allais être heureuse. Je le sentis à la minute où j'y pénétrai. Je suppose que,
lorsqu'on a été élevé dans de grandes pièces, comme à Ashfield,
le besoin d'espace se fait toujours sentir très fort. J'avais vécu dans
de charmantes maisonnettes — celles de Campden Street et des
Écuries — mais il leur manquait toujours un léger quelque chose.
Ce n'est pas une question de prestige : vous pouvez avoir un

minuscule appartement très chic, ou louer un grand presbytère tout délabré et prêt à tomber en ruine pour un prix bien moindre. Ce qui compte, c'est l'impression d'espace autour de vous, la possibilité de vous... déployer. D'ailleurs, si vous faites votre ménage vous-même, il est beaucoup plus facile de nettoyer une grande pièce que de se contorsionner pour aller dans les coins d'une petite, éviter les meubles, et heurter partout votre postérieur.

Max se fit plaisir en dirigeant personnellement les travaux de construction d'une nouvelle cheminée dans sa bibliothèque. Il avait tellement fait et vu faire d'âtres et de cheminées en briques cuites au Proche-Orient qu'il s'estimait qualifié. L'entrepreneur regarda ses plans d'un œil dubitatif. D'après lui, avec les cheminées et les conduits, on ne peut jamais savoir. Tout paraît fait dans les règles, et puis elles ne tirent pas.

— Je peux d'ailleurs vous garantir que celle-là ne fonctionnera jamais, affirma-t-il à Max.

— Construisez-la exactement comme je vous le demande et vous verrez, répondit ce dernier.

Mr Withers, à sa grande confusion, vit bel et bien. La cheminée de Max ne fuma pas une seule fois. Sertie dans le manteau, une grande plaque assyrienne aux caractères cunéiformes montrait que, de toute évidence, cette pièce ne pouvait être que l'antre d'un archéologue.

Un problème, à Sheffield Terrace, me préoccupait néanmoins : une odeur envahissante se dégageait dans notre chambre. Max ne sentait rien, Bessie croyait que c'était mon imagination, mais je soutins que non : il y avait une odeur de *gaz*. Or, comme le fit remarquer Max, le gaz n'était pas installé à la maison.

— Je n'y peux rien, insistai-je, je le sens quand même.

Je fis venir des entrepreneurs, des employés du gaz. Ils se mirent tous à quatre pattes pour renifler sous le lit et me dirent que j'avais rêvé.

— En fait, la seule chose envisageable — si chose il y a parce que moi, je ne sens rien —, fit l'employé du gaz, ce serait une souris morte, ou un rat. Un rat, non, moi aussi je le sentirais, mais une souris, peut-être, une *toute petite* souris.

— Toute petite si vous voulez. Mais alors vraiment *très* morte !

— Nous allons soulever les lames du plancher.

Ce qu'ils firent. Ils ne trouvèrent pas de souris morte, ni grande ni petite. Et pourtant, l'odeur persistait.

Je continuai à battre le rappel des entrepreneurs, employés du gaz, plombiers, et tous ceux auxquels je pouvais songer. À la fin, ils ne pouvaient plus me voir. Et tout le monde était excédé :

Max, Rosalind, Carlo répétaient en chœur : « C'est l'imagination de maman. » Mais maman savait reconnaître une odeur quand elle la sentait, et elle n'en démordit pas. C'est ainsi que, après avoir rendu mon entourage presque fou, j'obtins finalement gain de cause. Sous le plancher de ma chambre, par une ancienne conduite, le gaz continuait à s'échapper. Sur quel compteur était-il débité, mystère, mais il y avait bien là un vieux tuyau désaffecté toujours relié et par lequel le gaz sourdait tout doucement. J'étais si fière d'avoir eu raison que je fus invivable pendant quelque temps — et plus que jamais, je dois bien l'avouer, convaincue de l'excellence de mon odorat.

Avant l'acquisition de Sheffield Terrace, Max et moi avions acheté une maison à la campagne. Nous voulions quelque chose de petit, un cottage, car les allées et venues entre Londres et Ashfield tous les week-ends étaient peu pratiques. Un petit cottage pas trop éloigné de Londres ferait donc bien l'affaire.

Les deux régions préférées de Max étaient les environs de Stockbridge, où il avait vécu enfant, et ceux d'Oxford. La période qu'il avait passée à Oxford comptait parmi les plus heureuses de sa vie. Il connaissait tous les environs et adorait la Tamise. Nous cherchâmes donc aussi le long des rives du fleuve, du côté de Goring, Wallingford, Pangbourne. Trouver des maisons au bord de la Tamise n'était pas chose facile, car il s'agissait soit d'affreuses bâtisses en victorien tardif, soit de cottages invariablement inondés chaque hiver.

Nous commencions à désespérer quand je vis une annonce dans le *Times*. C'était en automne, une semaine à peu près avant notre départ pour la Syrie.

— Regarde, Max. Il y a quelque chose à Wallingford. Tu te rappelles comme nous avions aimé, là-bas ? Si c'était une de ces maisons qui sont près du fleuve ? Il n'y avait rien de disponible quand nous y sommes allés.

Nous appelâmes l'agence et descendîmes à toute allure.

Nous découvrîmes une délicieuse petite maison d'époque Queen Anne, assez proche de la route mais derrière laquelle se trouvait un jardin, avec une section potagère — plus grande que nous le souhaitions — entourée d'un muret, et plus bas encore, ce qui avait toujours été l'idéal de Max : des prés descendant jusqu'au fleuve. C'était une jolie partie de la Tamise, à un ou deux kilomètres hors de Wallingford. La bâtisse comprenait cinq chambres, trois salons et une cuisine remarquablement belle. Par la fenêtre du salon principal, au travers de trombes d'eau, car il pleuvait des hallebardes, nous distinguâmes un superbe cèdre du Liban. Il était en fait dans le champ, mais celui-ci arrivait au pied d'un saut-de-loup près de la maison : je me dis que, en mettant du gazon au-delà du saut-de-loup, et donc en repoussant le pré d'autant, le cèdre se trouverait au milieu de la pelouse et que nous pourrions ainsi prendre le thé dessous par les chaudes journées d'été.

Nous n'avions pas le temps de tergiverser. La maison était remarquablement bon marché, à vendre en propriété libre, aussi notre décision fut-elle prise séance tenante. Nous appelâmes l'agence, signâmes des papiers, contactâmes notaires et experts, et achetâmes sous réserve d'obtention des certificats de conformité habituels.

Malheureusement, nous ne pouvions revoir notre acquisition avant neuf mois. Nous partions pour la Syrie et cela nous hanta pendant toute la durée de notre séjour : n'avions-nous pas fait une folie ? Nous voulions un petit cottage, au lieu de quoi nous avions acheté cette maison Queen Anne, avec ses jolies fenêtres et ses formes harmonieuses. Mais Wallingford était agréable. Mal desservi par le train, l'endroit n'était pas envahi par les gens d'Oxford ou de Londres.

— Je crois, conjectura Max, que nous allons y être très heureux.

Et c'est vrai que nous y sommes très heureux, depuis près de trente-cinq ans, maintenant, il me semble. La bibliothèque de Max a été agrandie du double, et de toute sa longueur il peut voir le fleuve. Winterbrook House, à Wallingford, est et a toujours été la maison de Max, comme Ashfield a été ma maison et, je crois, celle de Rosalind.

C'est ainsi que notre vie s'écoula. Max avec son travail d'archéologie, qui l'enthousiasmait, et moi avec l'écriture de mes romans, qui devenait de plus en plus professionnelle et donc, du même coup, beaucoup moins enthousiasmante.

Ç'avait pourtant été passionnant, au début. En partie parce que, comme je ne me sentais pas un véritable écrivain, j'étais chaque fois étonnée d'arriver à produire des livres effectivement *publiés*. À présent, j'œuvrais de façon beaucoup plus routinière. C'était mon métier que d'écrire des livres. On les publiait et, qui plus est, on me pressait d'en écrire davantage. Mais l'éternelle envie de m'essayer à quelque chose de différent ne pouvait heureusement pas cesser de venir me titiller — sans quoi, la vie serait monotone.

Ce que je désirais maintenant, c'était m'essayer à un autre genre que le policier. Aussi, non sans un certain sentiment de culpabilité, je m'amusai à écrire un roman tout court, *Le Pain du géant* [en français : *Musique barbare*]. Il traitait de musique et trahissait çà et là certaines de mes lacunes techniques sur le sujet. Il reçut néanmoins de bonnes critiques et se vendit raisonnablement bien pour ce qu'on croyait un « premier roman » : j'utilisai le pseudonyme de Mary Westmacott, et personne ne savait que j'en étais l'auteur. Je parvins à garder le secret pendant une quinzaine d'années.

J'écrivis, un an ou deux plus tard, un autre roman sous le même « nom de plume » : *Portrait inachevé*. Une seule personne perça mon secret : Nan Watts, maintenant Nan Kon. Elle avait une excellente mémoire, et une formule que j'avais utilisée à propos d'enfants, ainsi qu'un poème dans le premier roman, lui mirent la puce à l'oreille. Elle pensa tout de suite : « C'est Agatha qui a écrit ça, j'en mettrais ma main au feu. »

Un jour, elle me poussa du coude et me glissa d'une voix légèrement affectée :

— J'ai lu un roman qui m'a beaucoup plu, l'autre jour. Comment s'appelait-il, déjà ? Ah ! oui : *La Tartine du nain*, c'est ça. *La Tartine du nain*.

Et elle m'adressa le clin d'œil le plus malicieux qui soit.

— Dites-moi, fis-je en la reconduisant à la maison, comment avez-vous deviné, pour *Le Pain du géant* ?

— Ce n'est pas sorcier. Je connais par cœur votre façon de vous exprimer.

J'écrivais des chansons, de temps en temps, surtout des ballades, mais l'idée ne m'effleurait pas que j'allais avoir la chance formidable d'entrer de plain-pied dans une forme d'écriture totalement différente, et à un âge, qui plus est, où il n'est pas facile d'entreprendre de nouvelles aventures.

Ce qui me décida, je crois, fut l'irritation de voir des gens adapter mes livres pour le théâtre d'une façon qui ne me plaisait pas. Bien qu'ayant écrit *Café noir*, je n'avais jamais envisagé sérieusement de devenir auteur dramatique. Je m'étais régalée à faire *Akhenaton*, mais je ne pensais pas qu'une telle pièce pût un jour être montée. Il me vint alors à l'idée que si je n'aimais pas la façon dont les autres adaptaient mes romans, je devrais essayer de le faire *moi-même*. Il me semblait que ces versions scéniques de mes livres passaient mal parce qu'elles collaient beaucoup trop au texte original. Un roman policier est foncièrement différent d'une pièce de théâtre, donc beaucoup plus difficile à adapter qu'un roman ordinaire. Son intrigue est si compliquée, il comporte généralement tant de personnages et de fausses pistes que le tout devient forcément lourd et confus. Ce qu'il fallait, c'était *simplifier*.

Dix Petits Nègres, je l'avais écrit comme une gageure, et ce pour l'excellente raison que l'effarante difficulté de sa conception me fascinait. Dix personnages devaient mourir l'un après l'autre sans que cela paraisse le moins du monde ridicule ni que l'identité du meurtrier soit trop évidente. Je passai à la rédaction après un énorme travail préparatoire et je fus satisfaite du résultat. Déconcertante, l'histoire l'était, mais sans cesser pour autant d'être limpide et sans détours. Quant au dénouement, il était parfaitement raisonnable. Cependant, il y fallait l'adjonction d'un épilogue afin d'expliquer ce qui s'était passé. Le roman connut la faveur du public et de la critique, mais ce fut moi qu'il combla le plus, car je savais mieux que personne les difficultés qu'il avait représentées.

J'allais donc franchir un nouveau pas. Je me dis qu'il serait passionnant de voir si je serais capable de tirer une pièce de ce roman. À première vue, l'entreprise semblait vouée à l'échec parce qu'il ne resterait aucun survivant pour raconter l'histoire. Force me serait donc de la retoucher quelque peu. Il m'apparut qu'il suffirait d'une seule modification de la version d'origine pour parvenir à un résultat parfaitement honorable : innocenter deux des personnages et les réunir à la fin, sortis sains et saufs de l'aventure. Cela ne serait pas contraire à l'esprit de la comptine des *Dix Petits Nègres* qui sous-tendait l'histoire, car l'une de ses multiples versions se termine par :

Deux petits Nègres se retrouvèrent tout esseulés,
Se marier ils décidèrent d'aller
— n'en resta donc plus... du tout.

J'écrivis la pièce. Les commentaires ne furent guère encourageants : « Impossible à monter », tel était le verdict général. Charles Cochran, pourtant, fut séduit. Il fit tout son possible pour trouver un producteur, mais ne parvint pas à convaincre ses commanditaires. C'était toujours le même refrain : impossible à monter, injouable, cela ne ferait que provoquer les fous rires, il n'y aurait aucun suspense... et j'en passe. Cochran soutint fermement le contraire, mais en vain.

— J'espère que vous aurez plus de chance une autre fois, me dit-il de guerre lasse, parce que j'aimerais vraiment voir représenter cette pièce.

Je devais avoir cette chance. Elle se réalisa grâce à Bertie Mayer, qui avait déjà monté *Alibi* avec Charles Laughton. Iren Henschell fit la mise en scène — remarquablement, à mon avis. J'observai avec intérêt ses méthodes, tellement différentes de celles de Gerald Du Maurier. Au début, à mes yeux de profane, elle parut tâtonner comme si elle n'était pas sûre d'elle. Puis, en la voyant procéder, je compris combien sa technique était solide. Elle commençait, si je puis dire, par *prendre la mesure* de la scène, *visuellement* et non auditivement. Elle réglait les mouvements, l'éclairage, l'aspect *physique* de l'ensemble. C'est alors, presque après coup, qu'elle se concentrait sur le texte proprement dit. C'était très efficace, très impressionnant, avec un bon suspense, et son éclairage par trois spots d'une scène où tout le monde est assis une chandelle à la main à cause d'une panne de courant se montra remarquable.

Grâce également à une bonne interprétation des acteurs, on sentait la tension monter, la peur et la méfiance s'installer entre les personnages. Les meurtres étaient si bien amenés que jamais, toutes les fois où j'ai vu représenter la pièce, elle n'a donné dans le grotesque ou le mélo. Je ne dis pas que ce soit mon meilleur roman ou ma meilleure pièce, ni même mon œuvre préférée, mais que c'est d'une certaine manière la mieux imaginée *techniquement*. J'estime aussi que ce sont les *Dix Petits Nègres* qui ont fait de moi un auteur dramatique. Je décidai alors qu'à l'avenir je ne laisserais plus à personne le soin de toucher à mes livres : je choisirais moi-même les titres à adapter, et uniquement ceux qui s'y prêteraient.

Le second sur lequel je me fis la main, quelques années plus tard, fut *Le Vallon*. L'idée me vint brusquement un jour qu'il pourrait donner une bonne pièce. J'en parlai à Rosalind qui jouait le rôle précieux dans ma vie de celle qui essaie éternellement de me décourager sans y parvenir.

— *Le Vallon* au théâtre, maman ! s'écria-t-elle, horrifiée. C'est un bon roman, je l'aime bien, mais tu ne peux *pas* en faire une pièce, voyons.

— Oh ! si, je peux, fis-je, stimulée par ce désaveu.

— Eh bien je préférerais vraiment que tu ne t'y essaies pas, répondit-elle avec un soupir.

Je pris néanmoins beaucoup de plaisir à coucher quelques idées sur le papier pour *Le Vallon*. C'est évidemment, et à bien des égards, davantage un roman tout court qu'un roman policier. Et j'ai toujours estimé que j'avais gâché ce livre en y introduisant Poirot. J'avais tellement l'habitude de le rencontrer dans mes histoires qu'il était tout naturellement venu se fourvoyer dans celle-là où sa présence causait plus de tort que de bien. Il y jouait certes fort convenablement sa partie et pourtant, ne cessais-je de me répéter, comme ce roman serait meilleur sans lui ! Aussi, quand j'en vins à ébaucher la pièce, il disparut.

La pièce *Le Vallon* fut donc écrite, et ce en dépit de l'opposition de Rosalind à laquelle se joignirent bien d'autres personnes. Dieu merci, elle eut l'heur de plaire à Peter Saunders, qui a monté tant de mes pièces depuis.

Le Vallon fut un succès. J'avais le vent en poupe. Je savais, bien sûr, que le roman était ma véritable profession, que je pourrais continuer à inventer des intrigues et à écrire jusqu'à ce que je sombre dans le gâtisme. Je n'ai jamais redouté la panne d'imagination.

Il y a toujours, bien sûr, un cap de trois semaines ou un mois terrible à franchir quand on essaie de commencer une nouvelle histoire. C'est vraiment l'angoisse. Vous restez dans votre coin à mordiller vos crayons, à contempler votre machine à écrire, à arpenter la pièce, à vous laisser choir sur un sofa avec l'envie de pleurer toutes les larmes de votre corps. Vous sortez, alors, et vous allez déranger quelqu'un qui est occupé — Max, généralement, parce qu'il a si bon caractère — et vous dites :

— C'est affreux, Max, mais je ne sais plus aligner trois mots. Je n'y arrive *plus* ! Je n'écrirai plus jamais *une ligne* !

— Bien sûr que si, voyons, répondait-il pour me consoler.

Cela, il le disait au début non sans une certaine inquiétude. Désormais, ses yeux reviennent sur son travail et il me rassure sans s'émouvoir.

— Je t'assure que non. Je ne trouve pas d'idée. Ou plutôt, j'en avais une, mais elle ne marche pas.

— C'est juste une étape à passer. Ce n'est pas la première fois. Tu l'as dit l'an dernier. Tu l'as dit l'année d'avant.

— C'est différent cette fois, affirmais-je, catégorique.

Ce n'était pas différent, bien sûr, c'était exactement pareil. On oublie chaque fois, quand on les éprouve de nouveau, qu'on a déjà ressenti cette détresse, ce désespoir, ce blocage de toute créativité. Pourtant, il semble obligatoire de passer par cette phase de souffrance. C'est un peu comme mettre les furets pour faire sortir le lapin de son terrier. Tant que vous n'aurez pas subi cette turbulence souterraine, tant que vous n'aurez pas passé des heures et des heures d'impuissance, vous ne reviendrez pas à la normale. Vous ne savez pas ce que vous voulez écrire. Si vous prenez un livre, vous n'arrivez pas à le lire convenablement. Vous essayez les mots croisés et vous ne trouvez pas une seule des définitions. Vous êtes paralysée par le désespoir.

Soudain, pour une raison inconnue, un starter intérieur vous donne le signal du départ. Vous commencez à fonctionner, vous sentez que le brouillard se lève, vous découvrez, en fait, que « ça vient ». Vous voyez maintenant, avec une absolue certitude, ce que A veut dire à B. Vous pouvez sortir de chez vous, marcher sur la route, vous parler frénétiquement à vous-même, répéter la conversation que Maud, disons, va avoir avec Alwyn, déterminer exactement où ils se trouveront, de quel endroit précis, derrière les arbres, l'autre homme les observera, comment le petit faisan mort, par terre, rappelle à Maud quelque chose qu'elle avait oublié, et ainsi de suite, ainsi de suite. Vous rentrez alors à la maison en jubilant. Vous n'avez encore rien fait, mais *vous y êtes*, vous triomphez.

À cette époque-là, écrire des pièces me ravissait, simplement parce que ce n'était pas mon travail, parce que je n'avais pas l'impression d'être *obligée* d'en inventer une : je n'avais qu'à rédiger celle que j'avais déjà en tête. Les pièces de théâtre sont beaucoup plus faciles à *mettre en texte* qu'un livre, car on peut les *visualiser* dans son esprit, on n'est pas empêtrée dans toutes ces descriptions qui vous entravent si terriblement dans un roman et vous empêchent de dérouler le fil de l'action. Les limites restreintes de la scène vous simplifient le travail. Vous n'avez pas à suivre l'héroïne qui monte ou descend l'escalier, sort jouer au tennis et en revient, ni à imaginer les pensées qu'elle peut avoir. Vous n'avez à vous occuper que de ce qui peut être vu, entendu, et fait. Regarder, écouter, ressentir : voilà votre seul souci.

Je devais toujours produire mon livre annuel — cela, c'était sûr. Le théâtre serait mon aventure — et le serait toujours. Ce serait également toujours du pile ou face. Vous pouvez fort bien sortir série de pièces à succès, et puis tout d'un coup, sans raison, une série de fours. Pourquoi ? Allez savoir ! C'est arrivé, je l'ai vu, à beaucoup de dramaturges : une pièce qui, à mes yeux, était aussi valable sinon plus que certains de leurs succès faisait un bide, tout simplement parce qu'elle n'accrochait pas avec le public. Ou parce qu'elle était écrite au mauvais moment. Ou parce que la distribution gâchait tout. Non, l'écriture de théâtre n'est certainement pas quelque chose de sûr. C'est chaque fois un magnifique coup de dés, et c'est ainsi que cela me plaisait.

Je savais, après *Le Vallon*, que j'aurais envie d'en écrire une autre avant longtemps. Si possible, me dis-je, qui ne serait pas une adaptation d'un de mes romans. Une pièce conçue comme une pièce.

L'école Caledonia avait été excellente pour Rosalind. C'était, je crois, un des établissements scolaires les plus remarquables que j'aie jamais connus. Les enseignants semblaient les plus compétents de la corporation. Ils surent faire ressortir toutes les qualités de ma fille. Elle termina avec le prix d'excellence, bien qu'elle m'eût fait remarquer que ce n'était pas juste parce qu'il y avait une petite Chinoise qui était bien meilleure qu'elle.

— Moi, je sais, dit-elle : ils veulent que ce soit une Anglaise qui soit prix d'excellence de leur école.

Elle n'avait sans doute pas tort.

Après la Caledonia, elle entra à la Benenden. Elle s'y ennuya tout de suite. J'ignore pourquoi, car c'était, aux dires de tout un chacun, une excellente école. Apprendre pour le plaisir ne l'intéressait pas : il n'y avait rien de l'érudit en elle. Elle se fichait des matières qui, moi, m'auraient passionnée. L'histoire, par exemple. Mais elle était bonne en mathématiques. Quand j'étais en Syrie, je recevais des lettres d'elle me suppliant de la laisser quitter Benenden.

« Je ne pourrai jamais tenir encore un an dans cette boîte ! » écrivait-elle.

J'estimais pourtant que, s'étant lancée dans un cycle d'études, elle devait au moins le terminer correctement. Je lui répondis donc que, une fois qu'elle aurait passé le diplôme de l'école, elle pourrait quitter Benenden et s'orienter vers une autre forme d'éducation.

Miss Sheldon, sa directrice, m'avait écrit pour me dire que, bien que Rosalind veuille absolument présenter son diplôme à la fin du trimestre prochain, elle ne lui voyait aucune chance de réussite, mais qu'il n'y avait pas de raison de l'empêcher d'essayer. Miss Sheldon avait tort : Rosalind le décrocha comme une fleur... et je me retrouvai avec la lourde responsabilité d'envisager ce que serait la suite des études d'une fille d'à peine 15 ans.

Nous étions toutes les deux d'accord pour qu'elle aille à l'étranger. Max et moi dûmes alors nous atteler à la tâche, hautement angoissante à mes yeux, d'aller sur place inspecter différentes possibilités pour parfaire son éducation : une famille à Paris, un établissement d'Évian pour un petit groupe de filles soigneusement triées sur le volet, au moins trois éducateurs chaleureusement recommandés à Lausanne et une institution à Gstaad où les filles pouvaient pratiquer le ski et autres sports d'hiver. Je ne savais pas interroger les gens. Dès que je m'asseyais en face d'eux, je perdais ma langue et mes moyens. Les questions que je *me* posais, c'était : « Vais-je vous confier ma fille ou non ? Comment puis-je savoir comment vous êtes *vraiment* ? Comment diable puis-je savoir si *elle* aimerait être avec *vous* ? Bref, qu'avez-vous à me proposer ? » Au lieu de quoi je bredouillais quelques « Euh... euh... » ainsi que des questions qui, pas plus tôt formulées, me paraissaient complètement idiotes.

Après de nombreux conciliabules familiaux, nous nous décidâmes pour la pension de Mlle Tschumi à Gstaad. Ce fut un fiasco. Je recevais au moins deux fois par semaine des lettres de Rosalind :

C'est un endroit atroce, maman. Absolument atroce. Les filles, ici, tu n'as pas idée : elles portent des serre-tête, c'est pour te dire !

Ça ne me disait rien. Je ne voyais pas pourquoi les filles ne porteraient pas de serre-tête, d'autant que j'ignorais ce que pouvaient bien être les serre-tête en question.

Et puis on doit marcher en rangs par deux — en rangs par deux, tu imagines ! À notre âge ! On n'a même pas le droit d'aller une seconde au village pour faire un achat dans un magasin. Atroce, je te dis ! La prison totale. En plus, on ne nous apprend rien. Quant à ces salles de bains dont tu parles, c'est une vaste blague ! On ne les utilise jamais. Aucune d'entre nous n'a encore pris un seul bain ! D'ailleurs, il n'y a même pas l'eau chaude ! Pour le ski, on est beaucoup trop bas. On en fera peut-être un peu en février, mais je doute qu'on nous y emmène même à ce moment-là.

Nous allâmes tirer Rosalind de sa geôle pour l'envoyer d'abord dans une pension à Château d'Œx, puis dans une famille délicieusement vieille France à Paris. C'est là que nous la récupérâmes à notre retour de Syrie, en lui disant que nous espérions qu'elle parlait à présent français.

— Plus ou moins, répondit-elle en faisant bien attention de ne pas nous en faire entendre le moindre mot.

Il se trouva alors que le chauffeur de taxi qui nous menait de la gare de Lyon chez Mme Laurent fit un détour tout à fait inutile. Rosalind baissa la vitre d'un geste rageur, sortit la tête, et lui en fit la remarque en quelques tournures idiomatiques bien senties. Elle lui demanda pourquoi diable il prenait ces petites rues, et lui indiqua l'itinéraire direct. Il se fit tout petit et obtempéra. Je fus ravie de cet incident sans lequel j'aurais peut-être eu quelques difficultés à pouvoir affirmer que *Rosalind parlait français.*

Mme Laurent et moi eûmes une amicale conversation. Elle m'assura que Rosalind se conduisait extrêmement bien, qu'elle savait se montrer toujours *très comme il faut.* « Seulement, Madame, ajouta-t-elle, *elle est d'une froideur — mais d'une froideur excessive ! C'est peut-être le flegme britannique.** » Mme Laurent m'expliqua encore une fois qu'elle avait pourtant essayé d'être une mère pour Rosalind.

— *Mais cette froideur, cette froideur anglaise** !

Et Mme Laurent de soupirer au souvenir de la façon dont les élans démonstratifs de son cœur avaient été repoussés.

Rosalind avait encore six mois, peut-être un an, d'études à

faire. Elle les passa dans une famille, près de Munich, pour apprendre l'allemand. Après quoi devait venir la saison mondaine de Londres.

Là, elle remporta un indiscutable succès. On la désigna comme une des plus jolies débutantes de son année et elle s'amusa beaucoup. Je crois que cela lui fit le plus grand bien, lui donna de l'assurance et peaufina ses manières. Lui passa aussi tout désir fou de poursuivre indéfiniment ces extravagances mondaines. Elle dit qu'elle ne le regrettait pas en tant qu'expérience, mais qu'elle n'avait plus la moindre intention de se prêter jamais à ce genre de balivernes.

Je soulevai avec elle et sa grande amie Susan North la question d'un travail.

— Il va falloir que tu te décides à faire quelque chose, dis-je sur un ton dictatorial à Rosalind. Peu m'importe quoi. Pourquoi ne suivrais-tu pas une formation de masseuse ? Ça pourrait te servir, plus tard. Ou alors de composition florale ?

— Bof ! tout le monde fait ça, dit Susan.

Finalement, les filles vinrent me trouver et m'annoncèrent qu'elles voulaient se lancer dans la photo. Je fus transportée de joie. J'aurais tellement aimé l'étudier moi-même. Sur le chantier de fouilles, c'est moi qui prenais la plupart des clichés, et je trouvais qu'il m'aurait été très utile de prendre quelques leçons d'initiation à la photo en studio, dont je ne connaissais pratiquement rien. Bon nombre des objets que nous découvrions devaient être photographiés en plein air, donc pas dans des conditions de studio. Comme certains devaient rester en Syrie, il était indispensable que nous en ayons les meilleures vues possibles. Je m'étendis avec enthousiasme sur le sujet, et les filles furent prises de fou rire.

— Nous ne parlons pas de la même chose, s'esclaffèrent-elles. Nous, c'est pas *apprendre* la photo, qu'on veut dire.

— Qu'est-ce que vous voulez dire, alors ? demandai-je, ahurie.

— Oh ! poser en maillot de bain, des trucs comme ça, pour des réclames !

Je fus horriblement choquée et le fis bien voir.

— Il n'est *pas question* que vous posiez pour des réclames de maillots de bain, décrétai-je. Je ne veux pas en entendre parler.

— Maman, tu retardes, soupira Rosalind. Des tas de filles le font. Elles se battraient même pour ça.

— Et puis on connaît déjà certains photographes, renchérit Susan. Je suis sûre qu'on pourrait en persuader un de choisir l'une de nous pour une marque de savon.

Je continuai à m'opposer à ce projet. Rosalind finit par accepter de réfléchir à l'école de photo. Après tout, elle pourrait suivre des cours pour être modèle, il n'y avait pas que des maillots de bain à présenter.

— Ça pourrait être des vêtements normaux, boutonnés jusqu'au cou, si tu y tiens !

Je me rendis donc un jour à l'école Reinhardt de photo publicitaire et trouvai cela tellement intéressant que, de retour à la maison, je dus avouer que c'était *moi* que j'avais inscrite pour un cours, et pas *elles*. Elles se tordirent.

— Ça y est, c'est maman qui s'y colle à notre place, ricana Rosalind.

— Oh ! la pauvre ! fit Susan. Vous allez être épuisée.

Épuisée, je le fus ! Après une première journée passée à monter et descendre un escalier aux marches de pierre pour développer et refaire mes clichés, j'étais à bout de forces.

L'école Reinhardt avait de nombreuses sections, y compris une de photo publicitaire dans laquelle j'avais un cours. La grande passion du moment consistait à prendre les sujets de façon qu'ils ressemblent à tout sauf à ce qu'ils étaient. On mettait six cuillers sur une table, on montait en haut d'un escabeau, on se penchait par-dessus et on prenait des vues plongeantes. Ou on faisait des flous. Il y avait aussi la tendance qui consistait à décentrer le sujet sur l'angle gauche, par exemple, à en faire un cadrage partiel, à ne prendre d'un visage qu'une seule partie. Tout cela était du dernier cri. J'emportai une tête sculptée en bois de hêtre à l'école et fis des essais dessus en utilisant toutes sortes de filtres — rouge, vert, jaune — pour voir les différents effets que l'on pouvait obtenir.

Celui qui ne partageait pas mon enthousiasme était ce satané Max. Il voulait ses photos à l'opposé de ce que je faisais à ce moment-là. Les sujets devaient apparaître exactement tels qu'ils étaient, avec le plus de détails possible, sans écart de perspective, et ainsi de suite.

— Tu ne trouves pas que ce collier fait un peu tristounet, comme ça ?

— Non, répondait Max. À la façon dont tu l'as pris, il est complètement flou et déformé.

— Ah ! mais ça lui donne tellement de caractère !

— Je ne veux pas qu'on lui donne du caractère, je le veux exactement tel qu'il est. De plus, tu aurais dû mettre un témoin de dimension à côté.

— L'aspect artistique de la photo sera complètement gâché si tu mets un témoin de dimension. C'est horrible.

— Il faut montrer la véritable taille de l'objet. C'est primordial.

— On pourrait la signaler en dessous du cliché, dans le cartouche ?

— Ce n'est pas pareil. Il faut absolument qu'on ait une idée exacte de ses dimensions.

Avec un profond soupir, je compris que mes fantaisies artistiques m'avaient trahie et détournée de mon but initial, aussi demandai-je à mon professeur de me donner des cours particuliers pour m'apprendre à photographier mes sujets avec la plus grande exactitude possible. Ce qui ne l'enchanta guère, pour des résultats contraires à ses principes. Mais qui devaient être d'une grande utilité pour moi.

J'avais au moins appris une chose : ne jamais tirer une seule photo d'un sujet, pour la recommencer ensuite si la première ne sortait pas bien. Personne, à l'école Reinhardt, ne prenait moins d'une dizaine de négatifs *quel que soit le sujet*. Beaucoup allaient jusqu'à vingt. C'était particulièrement fatigant et je rentrais à la maison tellement épuisée que je regrettais de m'être lancée dans cette entreprise. Le lendemain matin, il n'y paraissait plus.

Rosalind vint en Syrie, une année, et je crois qu'elle se plut beaucoup sur notre chantier de fouilles. Max lui confia quelques dessins à faire. Elle dessinait extrêmement bien et elle accomplit un excellent travail. Le problème est que, contrairement à son insouciante de mère, Rosalind est très perfectionniste. Si elle n'arrive pas au résultat impeccable qu'elle recherche, elle déchire immédiatement la feuille. Elle fit donc une série de ces dessins et annonça à Max :

— Ils ne sont pas bons. Je vais les balancer.

— Pas question, fit Max.

— Si, je vais les balancer.

S'ensuivit une dispute monumentale. Rosalind tremblait de rage. Max était vraiment en colère, lui aussi. Les dessins de poteries peintes furent finalement sauvés et parurent dans le livre de Max sur Tell Brak, mais Rosalind les dénigra toujours.

On se procura des chevaux auprès du cheik et Rosalind fit des promenades accompagnée de Guilford Bell, le jeune neveu architecte de mon amie australienne, Aileen Bell. C'était un garçon délicieux, et il réalisa de fort belles représentations de nos amulettes de Brak. Il s'agissait de jolis petits animaux — grenouilles, lions, béliers, taureaux — et le délicat ombré de ses dessins au crayon les mettait parfaitement en valeur.

Cet été-là, Guilford vint passer quelque temps chez nous à

Torquay, et un jour, nous vîmes en vente une maison que j'avais connue dans mon enfance : Greenway House, sur la Dart. Une propriété que ma mère avait toujours trouvée — et j'étais bien d'accord — la plus parfaite des environs.

— Allons-y, dis-je. J'aimerais beaucoup la revoir, je n'y suis pas retournée depuis que je passais par là avec ma mère quand j'étais gamine.

Nous nous rendîmes donc à Greenway : la maison et la propriété étaient vraiment superbes. C'était un grand édifice georgien, blanc, des années 1780-1790, entouré de bois qui descendaient jusqu'à la Dart en contrebas, avec de jolis arbres et des arbustes partout : la maison idéale, une maison de rêve. Comme nous étions munis d'un permis de visite, je demandai le prix, juste pour savoir. Je crus avoir mal entendu :

— *Seize* mille, avez-vous dit ?

— Six mille.

— Six mille ?

Je n'en croyais pas mes oreilles. Nous ne parlâmes que de cela pendant tout le trajet du retour.

— C'est donné, dis-je. Il y a treize hectares de terrain et le bâtiment paraît en bon état. Il est à rafraîchir, c'est tout.

— Pourquoi ne l'achètes-tu pas ? demanda Max.

Je fus tellement surprise d'entendre cela de la bouche de mon mari que j'en restai sans voix.

— Ashfield te cause du souci, maintenant.

Je savais ce qu'il voulait dire. Ashfield, ma maison, avait changé. Les villas semblables à la nôtre qui nous entouraient jadis avaient fait place à une grosse école secondaire qui s'élevait à présent entre la mer et nous, occultant complètement la vue du côté le plus étroit du jardin. Les journées y étaient désormais ponctuées par les vociférations d'enfants braillards. Quant à l'autre côté, il était maintenant dévolu à une clinique psychiatrique. Des bruits étranges en provenaient parfois, et il n'était pas rare que des malades fissent irruption dans le jardin. Comme ils n'étaient pas internés, j'imagine qu'ils étaient libres de leurs mouvements, mais nous avions eu à subir plusieurs incidents désagréables. Ainsi, ce vigoureux colonel qui avait débarqué un beau matin en pyjama, faisant des moulinets avec un club de golf, déterminé à tuer toutes les taupes du jardin. Un autre jour, il s'en prit à un chien qui avait aboyé. Les infirmiers venaient régulièrement le récupérer en s'excusant et en affirmant qu'il était juste « un peu dérangé ». Il y avait pourtant de quoi s'inquiéter et, une ou deux fois, des enfants qui séjournaient chez nous avaient eu la peur de leur vie.

Autrefois, c'était la campagne tout autour de Torquay : il y avait trois villas en haut de la colline, et la route se perdait dans les champs. Les prés verdoyants où j'allais voir les agneaux, au printemps, avaient cédé la place à une zone pavillonnaire. Plus personne, parmi les gens que nous avions connus, n'habitait encore notre rue. Ashfield avait perdu son âme.

Ce n'était quand même pas une raison pour acheter Greenway House. Que j'en avais envie, pourtant ! Je savais depuis le début que Max n'aimait pas beaucoup Ashfield. Il ne me l'avait jamais dit ouvertement, mais je le savais. Je crois qu'il en était en quelque sorte jaloux parce qu'il s'agissait d'une partie de ma vie que je n'avais pas partagée avec lui — c'était mon jardin à moi. Aussi n'avait-il pas eu besoin de se forcer pour me demander, en parlant de Greenway :

— Pourquoi ne l'achètes-tu pas ?

Nous poussâmes donc nos investigations plus avant. Guilford nous y aida. Il examina la maison d'un œil professionnel et conclut :

— Eh bien, si vous voulez mon avis, j'en démolirais la moitié.

— En démolir la moitié !

— Oui, voyez-vous, toute cette aile, à l'arrière, est victorienne. Vous pourriez vous en tenir à la construction de 1790 et supprimer radicalement les ajouts : la salle de billard, le cabinet de travail, le bureau de maître, ces chambres et les nouvelles salles de bains au premier. L'ensemble y gagnerait beaucoup en légèreté. La maison d'origine est très belle, en fait.

— Mais nous n'aurons plus de salles de bains, si on démolit l'aile victorienne !

— Vous pourrez facilement en faire à l'étage supérieur. Sans compter que cela diminuera beaucoup vos impôts locaux.

Nous achetâmes donc Greenway. Nous chargeâmes Guilford des transformations pour rendre à la maison ses lignes premières. Nous ajoutâmes des salles de bains au second, un petit vestiaire en bas, mais le reste fut laissé en l'état. Je regrette maintenant que nous n'ayons pas eu le don de prévoir l'avenir, car alors nous aurions modifié une *autre* partie de la maison : le grand garde-manger, les caves de salage du porc, la réserve à bois, les souillardes. A leur place, je me serais fait une jolie petite cuisine, avec accès facile par quelques marches à la salle à manger, et utilisable sans aide domestique. Mais comment imaginer, alors, qu'un jour viendrait où il n'y aurait plus de domestiques ? Nous laissâmes donc l'aile des cuisines telle quelle. Quand les modifications eurent été effectuées, nous emménageâmes.

Nous étions à peine installés, tout à la joie de notre nouvelle demeure, que la Seconde Guerre éclata. Pas de façon aussi inattendue que celle de 1914. Il y avait eu des signes avant-coureurs, il y avait eu Munich. Mais nous avions cru aux paroles rassurantes de Chamberlain, cru à la « paix pour notre temps ».

De paix pour notre temps, il ne devait pas y en avoir.

DIXIÈME PARTIE

La Seconde Guerre

1

Nous étions donc de nouveau en temps de guerre. Mais d'une guerre qui ne ressemblait pas à la précédente. On l'attendait, car on estime toujours que l'histoire ne peut que se répéter. La première avait causé un choc, c'était un événement incompréhensible, inouï, impossible, quelque chose qui ne s'était jamais produit de mémoire de vivant et qui ne pourrait jamais se produire. Cette guerre-ci était différente.

Dans un premier temps, nous eûmes la surprise presque incrédule de voir qu'il ne se passait rien. Tout le monde s'attendait à apprendre que Londres avait été bombardé dès la première nuit. Londres ne fut pas bombardé cette nuit-là.

Tout le monde, me semble-t-il, tenta frénétiquement de téléphoner à tout le monde. Peggy MacLeod, mon amie médecin de l'époque de Mossoul, nous appela de la côte est, où elle et son mari exerçaient, pour me demander si je pouvais prendre ses enfants chez moi.

— Nous avons tellement peur, expliqua-t-elle. Il paraît que c'est par chez nous que ça va commencer. Si vous pouvez héberger les enfants, je saute dans la voiture et je prends la route tout de suite.

Je lui répondis que cela ne posait pas de problème, qu'elle pouvait nous les amener, et la nurse aussi si elle voulait. C'était donc convenu.

Peggy MacLeod arriva le lendemain, après avoir roulé tout le jour et toute la nuit pour traverser l'Angleterre avec Crystal, ma filleule, qui avait 3 ans, et David, âgé de 5 ans. Peggy était à bout de forces.

— Je ne sais pas ce que j'aurais fait sans Benzédrine, dit-elle. D'ailleurs j'en ai une seconde boîte ici. Je vais vous la donner : ça pourra vous être utile, le jour où vous aurez vraiment un gros coup de pompe.

J'ai encore cette Benzédrine dans sa petite boîte en fer-blanc. Je ne l'ai jamais utilisée. Je l'ai gardée, sans doute en prévision du jour où j'aurais *vraiment* un gros coup de pompe.

Nous nous organisâmes plus ou moins, et nous attendîmes sans bouger que quelque chose se passe. Comme rien n'arrivait, nous reprîmes petit à petit nos occupations en y ajoutant quelques activités de guerre.

Max rejoignit les volontaires pour la défense du territoire. Une véritable bouffonnerie à ce moment-là : il n'y avait presque pas d'armes — un fusil pour huit hommes, je crois. Max sortait tous les soirs avec eux. Certains prenaient du bon temps, et les femmes commençaient à se poser des questions sur ce que faisaient leur maris sous prétexte de défendre le pays. Il est vrai que, comme les mois passaient sans que rien ne se produise, leurs réunions se transformaient en vastes rassemblements joyeux et tapageurs. Au bout d'un moment, Max décida d'aller à Londres. Comme tout le monde, il réclamait à cor et à cri d'être envoyé sur le continent — ou, à tout le moins, qu'on lui donne quelque chose à faire. Mais la réponse était invariablement la même : ce n'était pas le moment, on n'avait besoin de personne.

Je me rendis à l'hôpital de Torquay et demandai s'ils accepteraient de me laisser travailler au service de pharmacie centrale, afin de rafraîchir mes connaissances pour le cas où je pourrais leur être utile plus tard. Comme on s'attendait à recevoir des blessés à tout instant, la pharmacienne-chef m'accueillit volontiers. Elle me mit au courant des différents remèdes et médicaments que l'on prescrivait de nos jours. Dans l'ensemble, c'était bien plus simple qu'au temps de ma jeunesse : beaucoup de pilules, cachets, poudres et autres arrivaient déjà conditionnés en flacons.

Les attaques commencèrent — lorsqu'elles commencèrent — non pas à Londres ou sur la côte est, mais dans notre secteur. David MacLeod, gamin fort intelligent, était fou d'avions et fit tout ce qu'il put pour m'apprendre à en reconnaître les différents modèles. Il me montra des images de Messerschmitt et autres, puis me fit voir les Hurricane et les Spitfire dans le ciel.

— Vous y arrivez, maintenant ? demandait-il anxieusement. Par exemple, qu'est-ce qui vient, là au-dessus de nous ?

C'était si loin que je ne voyais qu'un point dans le ciel, mais je hasardai avec espoir un Hurricane.

— C'est pas possible ! s'écria David, dégoûté. Vous êtes toujours pas cap' de faire la différence. C'est un Spitfire.

Le lendemain, il scruta le ciel et annonça :

— Voilà un Messerschmitt qui s'amène.

— Mais non, mon chéri, me récriai-je, ce n'est pas un Messerschmitt ! C'est un des nôtres, un Hurricane.

— C'est pas un Hurricane.

— Un Spitfire, alors.

— C'est pas un Spitfire, c'est un Messerschmitt. Vous pouvez même pas reconnaître un Hurricane ou un Spitfire d'un Messerschmitt ?

— Mais ça ne peut pas être un Messerschmitt, voyons...

À ce moment, l'appareil largua deux bombes sur le flanc de la colline.

David paraissait au bord des larmes.

— Je vous avais bien dit que c'était un Messerschmitt, fit-il d'une petite voix éteinte.

Cet après-midi-là, alors que les enfants traversaient le fleuve par le bac avec la nurse, un avion se mit en piqué et mitrailla toutes les embarcations. Les balles avaient sifflé tout autour d'eux, et la nurse revint à la maison assez secouée.

— Je crois que vous feriez bien de téléphoner à Mrs MacLeod, dit-elle.

J'appelai donc Peggy, et nous nous demandâmes que faire.

— Il ne s'est encore rien passé chez nous, dit Peggy. Bien sûr, ça pourrait toujours commencer à tout moment. Je ne crois pas qu'il faille rapatrier les enfants, tout de même ?

— Peut-être que ça ne se produira plus.

David, très excité par les bombes, voulait absolument voir où elles étaient tombées. Deux s'étaient abattues sur Dittisham, à côté du fleuve, d'autres sur la colline derrière nous. Nous en trouvâmes une après nous être frayé un chemin parmi haies et orties : trois fermiers contemplaient un cratère en plein milieu du champ, ainsi qu'une autre bombe qui était apparemment tombée sans exploser.

— Vacherie, grommela un des fermiers en décochant un coup de pied à l'engin. C'est vraiment des salauds, pour nous balancer des trucs comme ça sur la tête !

Il lui décocha un second coup de pied. Je trouvai pour ma part qu'il aurait peut-être mieux valu la laisser tranquille, mais il tenait à manifester son mépris pour Hitler et ses œuvres.

— Même pas fichues d'exploser, fit-il avec dédain.

C'étaient, bien entendu, de tout petits engins, comparés à ceux que nous devions recevoir plus tard, mais voilà : les hostilités avaient commencé. Le lendemain, nous apprîmes qu'à Cornworthy, petit village plus en amont sur la Dart, un avion avait piqué et mitraillé la cour de l'école où les enfants étaient en train de jouer. L'une des maîtresses avait été touchée à l'épaule.

Peggy m'appela de nouveau et m'annonça qu'elle s'était arrangée pour que les enfants aillent à Colwyn Bay, où habitait leur grand-mère. Cela semblait plus calme, là-bas.

Ils partirent donc, et je fus bien triste de les perdre. Peu après, une Mrs Arbuthnot m'écrivit en me demandant de lui louer la maison. À présent que les bombardements avaient commencé, on évacuait les enfants dans diverses parties d'Angleterre. Elle souhaitait donc disposer de Greenway pour y installer une nursery au bénéfice des petits évacués de St Pancras.

La guerre semblait s'être déplacée vers d'autres régions que la nôtre. Il n'y eut plus de bombardements. Au moment prévu, Mr et Mrs Arbuthnot arrivèrent, réquisitionnèrent mon maître d'hôtel et sa femme, installèrent deux infirmières d'hôpital et dix enfants de moins de 5 ans. J'avais décidé d'aller à Londres rejoindre Max qui travaillait aux Secours turcs.

J'y arrivai juste après les premiers raids, et Max, qui était venu m'attendre sur le quai de la gare de Paddington, me conduisit dans un appartement de Half Moon Street.

— Je te préviens, c'est vraiment moche, fit-il comme pour s'excuser. Il faudra chercher autre chose.

Ce qui me fit une impression désagréable, lorsque je découvris la maison, c'est qu'elle se dressait comme un chicot parmi des maisons effondrées. Elles avaient été détruites, paraît-il, par un bombardement une dizaine de jours plus tôt, c'est pourquoi Max avait pu trouver cet appartement à louer, ses propriétaires ayant promptement déguerpi. Je ne saurais dire que je me sentais très à l'aise dans cette maison. Il y régnait une détestable odeur de crasse, de graisse et de parfum à bon marché.

Une semaine plus tard, nous nous installions, Max et moi, à Park Place, qui donnait sur St James Street et avait été un établissement très coté de résidence avec service. Nous y vécûmes un petit bout de temps, au rythme des bombes qui pleuvaient tout autour de nous. Je plaignais vraiment les garçons qui devaient servir le dîner, chaque soir, et rentrer chez eux au milieu des raids aériens.

Puis nos locataires de Sheffield Terrace demandèrent à résilier leur bail. Nous nous y réinstallâmes.

Rosalind avait rempli, mais sans grand enthousiasme, un dossier pour rejoindre les auxiliaires féminines de l'armée de l'air. En fait, elle aurait préféré intégrer le corps des travailleuses agricoles.

Elle eut donc une entrevue avec les AFAA et fit preuve d'un déplorable manque de tact. À la question de savoir ce qui motivait sa démarche, elle répondit :

— Parce qu'on ne peut pas rester sans rien faire, alors ça ou autre chose...

Ce qui bien entendu, tout en ayant le mérite de la franchise, ne dut pas être bien reçu. Quelque temps plus tard, après une brève période à livrer des repas aux écoles et à effectuer des travaux administratifs pour un quelconque bureau militaire, elle songea à rejoindre les auxiliaires de l'armée de terre qui, pensait-elle, marchaient moins à la baguette que les AFAA. Elle constitua donc un nouveau dossier.

C'est alors que Max, à sa grande joie, fut rattaché à l'aviation, aidé en cela par notre ami Stephen Glanville, professeur d'égyptologie. Max et lui avaient travaillé ensemble au ministère de l'Air, et partagé un bureau où tous deux fumaient comme des pompiers (Max fumait la pipe). L'atmosphère y était telle que leurs amis l'avaient surnommée « la petite fumerie ».

Les événements se succédèrent en ordre confus. Je me souviens que Sheffield Terrace fut bombardée, un week-end où nous nous trouvions hors de Londres. Une mine tomba juste en face, de l'autre côté de la rue, et détruisit complètement trois maisons. L'effet que cela eut sur la nôtre, au 48, fut de ravager le sous-sol, qu'on aurait pu croire l'endroit le plus à l'abri, et d'endommager le toit et l'étage supérieur alors que le rez-de-chaussée et le premier étage demeuraient pratiquement intacts. Mon Steinway ne devait jamais plus être vraiment le même après cela.

Comme Max et moi dormions toujours dans notre chambre et ne descendions jamais nous réfugier au sous-sol, nous n'aurions pas souffert physiquement si nous avions été présents. Personnellement, d'ailleurs, je ne suis jamais descendue dans un seul abri de toute la guerre. J'ai toujours eu la hantise d'être coincée sous terre, et je dormais normalement dans mon lit, où que je sois. Je finis par m'habituer aux alertes aériennes sur Londres, au point de ne même plus me réveiller complètement ; je me disais seulement, dans un demi-sommeil, en entendant les sirènes et les bombes les plus proches : « Allons bon, les revoilà encore ! » Et, avec un grognement, je me retournais dans mon lit.

L'un des gros problèmes occasionnés par le bombardement de Sheffield Terrace venait du fait qu'il était alors pratiquement impossible de trouver où que ce soit à Londres de la place pour entreposer les meubles. Dans l'état où elle se trouvait à présent, il était difficile de pénétrer dans la maison par la porte d'entrée, et on n'y avait accès que par une échelle. Finalement, j'eus l'idée de regrouper le mobilier à Wallingford dans le court de squash que nous avions fait construire un an ou deux auparavant et trouvai un déménageur. Tout fut donc emporté. Je fis superviser l'opération par des ouvriers pour le cas où la porte du court de squash — et ses montants au besoin — devraient être enlevée, ce qui se montra nécessaire, le sofa et les fauteuils ne passant pas par l'étroite entrée.

De notre côté, nous nous installâmes dans un immeuble de Hampstead — Lawn Road Flats — et je commençai à travailler au laboratoire de l'hôpital de University College.

Lorsque Max m'annonça ce qu'il savait, je crois, depuis quelque temps déjà — à savoir qu'il était envoyé au Proche-Orient, probablement en Afrique du Nord ou en Égypte —, je fus heureuse pour lui. Je n'ignorais pas qu'il bouillait d'impatience de partir, et il semblait également normal qu'on utilisât sa connaissance de l'arabe. Ce devait être notre première séparation en dix ans.

Lawn Road Flats était, en l'absence de Max, une résidence parfaite. Les gens y étaient sympathiques. Il y avait aussi un petit restaurant, à l'atmosphère gaie et bon enfant. La fenêtre de ma chambre, au deuxième étage, donnait sur un talus planté d'arbres et d'arbustes qui longeait l'immeuble. Juste devant moi, un grand cerisier blanc s'élevait en pyramide. L'effet de ce talus rappelait celui du deuxième acte de *Cher Brutus*, de Barrie, lorsqu'ils se tournent vers la fenêtre et s'aperçoivent que la forêt de Lob s'est approchée jusqu'aux vitres. Ce cerisier faisait mon bonheur : c'était un signe du printemps qui m'égayait le cœur chaque matin au réveil.

Un petit jardin se trouvait à l'une des extrémités de l'immeuble, et, les soirs d'été, on pouvait y prendre les repas ou s'y asseoir à la fraîche. Hampstead Heath, en plus, n'était qu'à une dizaine de minutes à pied de là, et j'avais l'habitude de m'y rendre et de promener James, le sealyham de Carlo. Je gardais le chien avec moi parce que Carlo travaillait à présent dans une usine de munitions et ne pouvait pas le prendre. À l'hôpital de University College, on se montra nettement plus compréhensif et on me permit de l'amener. James eut une conduite exemplaire. Il allongeait son corps blanc en forme de saucisse sous les étagères où se trouvaient les bouteilles et restait là sans bouger, acceptant volontiers à l'occasion les caresses de la femme de ménage lorsqu'elle venait nettoyer.

Rosalind, apparemment toujours aussi indécise, avait réussi à ne pas se faire accepter par les AFAA et autres organisations de travaux de guerre. En vue de rejoindre les auxiliaires de l'armée de terre, elle avait rempli un nombre impressionnant de formulaires — dates, lieux, noms, et tous ces renseignements inutiles dont les officiels sont si friands. Or, voilà que, soudain, elle déclara :

— J'ai déchiré ce tas de paperasses ce matin. J'ai changé d'avis.

— Rosalind, vraiment ! fis-je avec sévérité, tu exagères ! Peu m'importe ce que ce sera, mais trouve quelque chose, quelque chose qui te plaise au lieu de commencer des démarches que tu ne finis pas.

— Justement, j'ai trouvé, répondit-elle.

Elle ajouta, avec l'extrême répugnance que tous les jeunes gens de sa génération semblent avoir à tenir leurs parents informés :

— Voilà, je vais épouser Hubert Prichard mardi prochain.

Ce qui, hormis le fait que la date ait été fixée au mardi de la semaine à venir, n'était pas totalement une surprise.

Hubert Prichard était commandant dans l'active, et gallois. Rosalind l'avait rencontré chez ma sœur, où il venait au début en tant qu'ami de mon neveu Jack. Il avait passé une fois quelques jours chez nous à Greenway et je l'aimais beaucoup. C'était un garçon brun, calme, extrêmement intelligent et qui possédait un grand nombre de lévriers. Rosalind et lui étaient amis depuis quelque temps déjà, mais j'avais abandonné l'idée qu'il en sortirait quelque chose.

— Je suppose que tu vas vouloir assister au mariage, maman ?

— Bien sûr, quelle question !

— C'est ce que je me disais... Mais tu sais, tout ce tintouin pour rien... Alors est-ce que ça ne serait pas plus simple et moins fatigant pour toi de ne pas te déplacer ? Parce qu'on va se marier à Denbigh, tu comprends, il ne peut pas avoir de permission.

— Parfait. Je viendrai à Denbigh, assurai-je.

— Tu es sûre que tu y tiens ? tenta une dernière fois Rosalind.

— Absolument, fis-je sur un ton ferme avant d'ajouter : Je suis d'ailleurs surprise que tu m'annonces ton mariage avant plutôt qu'après !

Elle rougit et je compris que j'avais vu juste :

— Je suppose que c'est Hubert qui a tenu à ce que tu me préviennes ?

— Euh... oui, avoua-t-elle. En quelque sorte. Surtout qu'il a dit que je n'avais pas encore 21 ans.

— Exactement : il vaudrait donc mieux que tu te résignes à ma présence.

Rosalind avait un désopilant côté huître quand son visage se fermait, et je ne pus m'empêcher de rire cette fois aussi.

Je fis le voyage avec elle par le train jusqu'à Denbigh. Hubert vint la prendre à l'hôtel le lendemain matin. Un de ses frères d'armes l'accompagnait, et nous nous rendîmes à la mairie où la cérémonie devait avoir lieu avec le minimum de décorum possible. La seule anicroche vint du vieil employé du service de l'état civil qui refusa tout net de croire que les nom et titres du père de Rosalind étaient correctement énoncés : colonel Archibald Christie, compagnon de l'ordre de St Michael et St George, croix de la Valeur militaire, officier des Forces aériennes, etc.

— Le grade de colonel n'existe pas dans les Forces aériennes, insistait-il.

— Mais si, fit Rosalind. Ce sont bien son grade et ses titres.

— Dans la Royal Air Force, il ne peut être que lieutenant-colonel.

Rosalind fit de son mieux pour lui expliquer que, vingt ans plus tôt, la Royal Air Force n'existait pas : l'employé de l'état civil maintint dur comme fer qu'il n'avait jamais entendu pareille énormité. J'ajoutai mon témoignage aux dires de Rosalind, et il finit, à contrecœur, par condescendre à effectuer ses écritures.

2

Le temps passa donc, moins comme un cauchemar que comme une situation qui aurait toujours existé, que nous aurions *toujours* connue. Nous nous étions en fait habitués à l'idée que nous pouvions mourir du jour au lendemain, que des êtres chers pouvaient disparaître, des amis aussi. Les fenêtres brisées, les bombes, les mines, et plus tard les V2, tout cela n'avait rien d'extraordinaire et faisait partie du quotidien. Après trois ans de guerre, il se passait quelque chose tous les jours. On n'arrivait même plus à imaginer une vie sans guerre.

J'avais de quoi me tenir occupée. Je travaillais deux jours pleins, trois demi-journées et un samedi matin sur deux à l'hôpital. Le reste du temps, j'écrivais.

J'avais décidé de mener de front deux livres à la fois. L'une des difficultés d'écrire un roman est qu'il ne tarde pas à perdre pour vous tout intérêt. Il faut alors le mettre de côté et passer à autre chose, mais je n'avais rien d'autre à faire. Ni aucune envie de rester assise à broyer du noir. Aussi me dis-je que commencer deux livres à la fois et les travailler alternativement pourrait préserver ma fraîcheur d'esprit. L'un fut *Le Cadavre dans la bibliothèque*, que j'avais en tête depuis un certain temps déjà, et l'autre *N. ou M.*, une histoire d'espionnage qui était en quelque sorte une continuation de mon deuxième roman, *Mr Brown*, où apparaissaient Tommy et Tuppence. À présent, père et mère d'un grand garçon et d'une grande fille, Tommy et Tuppence se morfondaient de se voir inutilisés pendant la guerre. Aussi effectuèrent-ils un retour tonitruant, en équipiers mûris par l'âge, pour traquer l'espion avec toujours le même enthousiasme.

Je n'ai jamais éprouvé, comme ce fut le cas pour certains, la moindre difficulté à écrire pendant la guerre. Sans doute parce que je parvenais à m'isoler dans un compartiment de mon esprit. Je pouvais vivre dans mon livre au milieu de mes personnages, marmonner tout haut leurs conversations, les voir arpenter le décor que j'avais inventé pour eux.

Une ou deux fois, je descendis passer quelques jours chez Francis Sullivan, le comédien, et sa femme. Ils possédaient, à Haslemere, une maison entourée de bois de châtaigniers.

J'ai toujours trouvé apaisante la compagnie de comédiens en temps de guerre, parce que, pour eux, le seul monde *réel* était celui des planches et du théâtre. Pour eux, la guerre n'était qu'un long cauchemar qui se prolongeait et les empêchait de vivre leur vie à leur manière, si bien que toutes leurs conversations étaient centrées sur les gens de théâtre, les choses du théâtre, ce qui se passait dans le monde du théâtre, qui allait rejoindre le Théâtre aux Armées : c'était merveilleusement rafraîchissant.

Ensuite, je rentrais à Lawn Road. La tête protégée par un oreiller pour me préserver des éclats de verre, mes deux biens les plus précieux — mon manteau de fourrure et une bouillotte en caoutchouc, objet irremplaçable en temps de guerre — sur une chaise à côté de moi, j'étais prête à parer à toute éventualité.

C'est alors que se produisit un événement inattendu. J'ouvris une lettre : c'était un avis de l'Amirauté qui annonçait la réquisition immédiate de notre Greenway.

J'y descendis tout de suite et trouvai sur place un jeune lieutenant de marine très courtois qui m'expliqua qu'il ne pouvait m'accorder aucun délai. Il était resté sourd aux supplications de Mrs Arbuthnot qui, après avoir dans un premier temps essayé de s'opposer aux ordres, tentait à présent de négocier un sursis pour contacter le ministère de la Santé et déterminer avec eux où transférer sa nursery. Lequel ministère de la Santé ne fut d'aucun poids face à l'Amirauté. Tout le monde prit ses cliques et ses claques et je me retrouvai Gros-Jean comme devant avec toute une maisonnée à déménager ! Grave problème : où caser tout cela ? Encore une fois, tous les entrepôts de déménageurs ou garde-meubles étaient pleins à ras bord. En fin de compte, je me tournai vers l'Amirauté qui reconnut mon droit à conserver l'usage d'une grande pièce où regrouper tous les meubles, et d'une petite pièce à l'étage du haut.

Pendant que s'effectuait l'opération de déplacement du mobilier, Hannaford, le jardinier, un vieux brigand fidèle qui se dévouait corps et âme à tous ceux qui l'employaient suffisamment longtemps, me prit à part :

— Venez voir ce que j'ai récupéré pour vous. C'est autant qu'« elle » n'a pas eu.

Je n'avais aucune idée de qui était cette « elle » dont il parlait, mais je le suivis jusqu'à la tour d'horloge, au-dessus des étables.

Là, il me fit entrer par une sorte de porte secrète et me montra avec une grande fierté une énorme quantité d'oignons étalés par terre sous une couche de paille, ainsi qu'un monceau de pommes.

— L'est venue me trouver avant de partir pour me demander si qu'y aurait pas des oignons et des pommes pour emporter. Mais j'allais pas les lui donner, pas de danger ! J'y ai dit que la récolte était perdue, et j'y en ai juste donné assez pour ses besoins à « elle ». Pensez, a z'ont poussé *ici*, ces pommes, et les oignons aussi, alors j'allais pas les lui laisser emporter dans les Midlands, sur la côte est, ou j'sais pas où !

Je fus touchée de l'esprit féodal de Hannaford, mais je ne pouvais pas être plus embarrassée. J'aurais mille fois préféré que Mrs Arbuthnot eût emporté toutes les pommes et tous les oignons. À présent, je me retrouvais avec toute la production sur les bras, et Hannaford était devant moi comme un gros toutou qui remue la queue, tout fier d'avoir repêché dans l'eau un objet inutile.

Nous fîmes des caisses de pommes, et je les envoyai à tous ceux que je connaissais et qui avaient des enfants susceptibles de s'en régaler. Quant au reste, je ne me voyais pas retourner à Lawn Road avec deux cents et quelques oignons. J'essayai de les caser dans différents hôpitaux de la région, mais il y en avait beaucoup trop pour que les gens sachent qu'en faire.

Bien que ce fût notre Amirauté qui conduisait les négociations, Greenway était destinée aux Américains. Maypool, la grande maison au-dessus de nous sur la colline, devait accueillir les matelots et le personnel subalterne tandis que les officiers de la flottille prendraient possession de la nôtre.

Je ne dirai jamais assez la gentillesse des Américains, et le soin qu'ils prirent de notre maison. Il était inévitable, bien sûr, que le quartier des cuisines soit plus ou moins sens dessus dessous — devant préparer les repas pour une quarantaine de personnes, ils avaient installé d'horribles et immenses fourneaux aux fumées grasses —, mais ils respectèrent nos portes en acajou : le capitaine les avait fait protéger par des feuilles de contreplaqué. Ils surent aussi apprécier la beauté du lieu : beaucoup venaient de Louisiane, et les grands magnolias, en particulier le *Magnolia grandiflora*, leur rappelaient leur terre d'origine.

Régulièrement depuis la fin de la guerre, des parents d'officiers ayant vécu à Greenway sont venus voir les lieux où un fils, un cousin, avaient séjourné. Ils m'ont dit en quels termes élogieux ils leur avaient décrit l'endroit dans leurs lettres. Je leur ai parfois fait faire le tour du jardin, pour essayer de retrouver certains coins qu'ils avaient particulièrement appréciés. Ce ne fut pas toujours facile, car tout a bien poussé depuis.

Vers la troisième année de la guerre, aucune de mes différentes maisons ne fut libre au moment où j'en avais besoin. Greenway était occupée par l'Amirauté, Wallingford remplie d'évacués, et dès que ceux-ci rentrèrent à Londres, deux de nos amis — un vieil invalide et sa femme — me la louèrent. Leur fille vint les y rejoindre en compagnie de ses enfants. Quant au 48, Campden Street, je l'avais vendu en réalisant une excellente opération. C'est Carlo qui avait dirigé la visite.

— Je ne descendrai pas en dessous de trois mille cinq cents livres, lui avais-je dit.

Cela nous paraissait une grosse somme, à l'époque. Carlo revint, toute contente d'elle-même.

— Je leur en ai collé pour cinq cents livres de plus, annonça-t-elle. Ils le méritaient bien.

— Comment cela, ils le méritaient bien ?

— C'étaient des malotrus, fit Carlo avec un dégoût très écossais pour ce qu'elle appelait l'insolence. Ils n'ont pas cessé de faire des réflexions dans mon dos, expliqua-t-elle. Ils auraient pu se les garder. Du genre : « *Quelle décoration hideuse ! Ce papier à fleurs est d'un goût... Je vais vite enlever tout ça ! Il y a tout de même des gens pas croyables : abattre cette cloison !* » Alors je me suis dit qu'ils méritaient une bonne leçon : j'ai relevé le prix de cinq cents livres.

Apparemment, ils les avaient allongées sans sourciller.

Je possède une sorte de monument commémoratif de la guerre, à Greenway. En haut des murs de la bibliothèque, qui leur servait de mess, un artiste peintre a dessiné une fresque autour de la pièce. Elle représente tous les endroits où cette flottille est allée — en partant de Key West, les Bermudes, Nassau, le Maroc, et ainsi de suite — pour se terminer par une représentation quelque peu idyllique des bois de Greenway et de la maison blanche qu'on distinguait à travers les arbres. Plus loin encore, on voit la silhouette inachevée d'une délicieuse nymphe — une pin-up nue — qui, je l'ai toujours supposé, symbolise les espoirs de houris à la fin du voyage, une fois la guerre enfin terminée. Le capitaine m'a écrit pour me demander si je voulais que cette fresque soit effacée et le mur remis dans son état d'origine. Je me hâtai de répondre que non, que je la garderais comme souvenir historique et que j'étais ravie de l'avoir. Sur le manteau de la cheminée trônaient les têtes grossièrement ébauchées de Winston Churchill, Staline et du président Roosevelt. J'aurais bien aimé connaître le nom de l'artiste.

Quand j'avais quitté Greenway, j'étais persuadée qu'elle serait bombardée et que je ne la reverrais plus jamais. Heureusement, tous mes pressentiments étaient faux et elle ne fut pas touchée. Quatorze latrines avaient en revanche été ajoutées en lieu et place du garde-manger, et je dus me battre avec l'Amirauté pour les faire enlever.

3

Mon petit-fils Mathew est né dans le Cheshire le 21 septembre 1943, dans une clinique toute proche de chez Punkie. Celle-ci, toujours aussi attachée à Rosalind, fut ravie qu'elle revienne pour la naissance du bébé. Ma sœur était la femme la plus infatigable que j'aie connue, une sorte de dynamo humaine. Depuis la mort de son beau-père, James et elle étaient allés vivre à Abney, qui, comme je l'ai déjà indiqué, était une maison énorme, avec quatorze chambres et une kyrielle de salons. Dans mes jeunes années, la première fois que j'y vins, seize domestiques y vivaient à demeure. Elle n'abritait plus personne à présent, à part ma sœur et une ancienne fille de cuisine, mariée depuis, qui venait quotidiennement préparer les repas.

Quand j'allais y passer quelques jours, j'entendais ma sœur commencer à s'activer vers 5 h 30 tous les matins. Elle faisait le ménage dans toute la maison — la poussière, le rangement, balayait, préparait les feux, astiquait les cuivres, cirait les meubles, puis apportait à tout le monde une tasse de thé au lit. Après le petit déjeuner, elle nettoyait les salles de bains et finissait par les chambres. Vers 10 h 30, le travail de maison était achevé. Elle se précipitait alors au potager — plein de pommes de terre nouvelles, de rangées de petits pois, de haricots verts, de fèves, d'asperges, de petites carottes, et tout le reste. Pas une seule mauvaise herbe n'osait pointer le nez dans le jardin de Punkie. Pas plus que dans les massifs de rosiers et parterres de fleurs qui entouraient la maison.

Elle avait recueilli un chow-chow que son maître, un officier, ne pouvait garder, et le chien dormait toujours dans la salle de billard. Un matin, elle descendit et vit le chow-chow tranquillement couché dans son panier, une énorme bombe délicatement posée sur le plancher à côté de lui. La nuit précédente, il y avait eu un grand nombre de bombes incendiaires sur le toit, et tout le monde était monté pour les éteindre. Celle-là avait traversé jusqu'à la salle de billard sans que, dans le vacarme général, personne ne l'entende, et n'avait pas explosé.

Ma sœur appela les artificiers, qui se précipitèrent. Après avoir examiné l'engin, ils décidèrent que les lieux devaient être évacués dans le quart d'heure qui suivait.

— N'emportez que l'essentiel.

— Et que crois-tu que j'aie emporté ? me demanda Punkie. On déraille *vraiment*, quand on est pris de panique.

— Eh bien ? fis-je.

— Tout d'abord, les affaires personnelles de Nigel et Ronnie (les deux officiers qui avaient un billet de logement chez elle) parce que j'aurais été navrée qu'il leur arrive malheur. Et puis ma brosse à dents et de quoi me laver, évidemment. Après, j'ai eu comme un trou : j'ai regardé partout dans la maison, mais mon cerveau n'arrivait plus à fonctionner. Alors, va savoir pourquoi, j'ai attrapé le gros bouquet de fleurs en cire du salon.

— Ah bon ? Je ne savais pas que tu lui portais un amour particulier.

— Mais non, justement, c'est bien ça qui est extraordinaire.

— Tu n'as pas pris tes bijoux ou un manteau de fourrure ?

— Pas pensé.

La bombe fut enlevée et on la fit exploser en lieu sûr. Heureusement, plus aucun incident de ce genre ne devait se reproduire.

Quand vint le moment, Punkie m'envoya un télégramme. Je me précipitai et trouvai Rosalind très fière d'elle-même, dans sa clinique. Elle ne cessait de vanter la force et la taille du bébé.

— C'est un phénomène ! clamait-elle, radieuse. Un bébé énorme, un vrai phénomène.

Je regardai le phénomène. Il avait l'air satisfait et heureux de vivre, le visage tout chiffonné et un léger sourire qui n'était sans doute qu'une grimace pour faire son rot mais pouvait passer pour de l'amabilité.

— Tu vois ? fit Rosalind. Je ne sais plus combien ils m'ont dit qu'il mesurait, mais c'est un phénomène !

Phénomène il y avait donc, et tout le monde était content. Lorsque Hubert et son fidèle ordonnance Barry arrivèrent pour voir le bébé, ce fut de la jubilation. Hubert était heureux comme un roi. Rosalind ravie.

Il avait été décidé qu'elle irait habiter au pays de Galles après la naissance du petit. Le père d'Hubert était mort en décembre 1942, et sa mère partait s'installer dans une maison plus petite des environs. Les choses, à présent, s'organisaient. Rosalind devait rester trois semaines dans le Cheshire après l'accouchement, puis une nurse, qui était « entre deux bébés » comme elle disait, l'accompagnerait et s'occuperait d'elle et de l'enfant pendant qu'elle emménagerait au pays de Galles. J'irais moi-même là-bas pour l'aider aussitôt qu'elle serait prête à partir.

Rien, bien sûr, n'était facile en temps de guerre. Rosalind et la nurse vinrent à Londres et je les installai au 47, Campden Street. Comme Rosalind était encore un peu faible, je venais de Hampstead leur faire à dîner, le soir. Au début, je leur préparais aussi le petit déjeuner le matin, mais la nurse, une fois établi qu'on respecterait son rôle de « nurse-d'hôpital-qui-n'est-pas-une-boniche », proposa elle-même de s'en charger. Malheureusement, les bombardements reprenaient de plus belle. Chaque nuit ou peu s'en fallait, nous étions dans l'angoisse. Quand l'alerte se déclenchait, nous poussions Mathew dans son porte-bébé sous une solide table en papier mâché recouverte d'une glace épaisse et qui nous paraissait le meilleur abri possible. Il y avait vraiment de quoi inquiéter une jeune mère, et je regrettais beaucoup de ne pas disposer de Winterbrook House ou de Greenway.

Max était à présent en Afrique du Nord. Après avoir commencé en Égypte, il se trouvait à Tripoli. Il devait descendre ensuite dans le désert du Fezzan. Le courrier était lent et il m'arrivait de ne pas avoir de nouvelles pendant plus d'un mois. Mon neveu Jack était lui aussi à l'étranger, en Iran.

Stephen Glanville se trouvait toujours à Londres, et j'étais heureuse de l'avoir à proximité. Il venait parfois me chercher à l'hôpital et m'emmenait dans sa maison de Highgate pour dîner. Nous faisions une petite fête quand l'un de nous recevait un colis de nourriture.

— J'ai reçu du beurre d'Amérique. Vous pourriez apporter une boîte de soupe ?

— On m'a envoyé deux boîtes de homard et une douzaine d'œufs — *de la ferme.*

Un jour, il annonça de vrais harengs frais de la côte est. Nous nous précipitâmes dans la cuisine et Stephen ouvrit son paquet. Hélas, trois fois hélas ! Il ne restait plus qu'une destination pour ces harengs qui auraient dû être fort bons : la chaudière. Triste soirée.

Amis et relations, à ce moment de la guerre, avaient commencé à disparaître. On ne pouvait plus rester en contact avec ses anciennes connaissances. On ne s'écrivait même plus.

Les deux amis proches que j'ai réussi à ne pas perdre de vue furent Sidney et Mary Smith. Lui était conservateur du service des Antiquités assyriennes et égyptiennes au British Museum. Malgré son caractère de star, c'était un homme des plus intéressants. Il avait sur tout des vues fort originales, et s'il m'arrivait de passer une demi-heure à parler avec lui, je repartais tellement stimulée par les idées qu'il m'avait mises en tête que j'avais l'impression de marcher sur un nuage. Il suscitait toujours de violentes résistances en moi, et je discutais pied à pied avec lui. Il ne pouvait ni ne voulait jamais être d'accord avec qui que ce soit. Une fois qu'il prenait quelqu'un en grippe, il ne revenait pas en arrière. Au contraire, si vous deveniez son ami, alors vous l'étiez vraiment. Mary était excellent peintre, et jolie femme de surcroît, avec de beaux cheveux gris et un long cou fin. Elle avait aussi un irrésistible bon sens, qui tranchait comme des épices sur un plat sans saveur.

Les Smith se montraient extrêmement gentils avec moi. Ils ne vivaient pas trop loin et, quand j'avais terminé à l'hôpital, j'étais toujours la bienvenue si je passais chez eux pour bavarder une heure avec Sidney. Il me prêtait des livres qu'il pensait devoir m'intéresser, et s'installait à la manière des anciens philosophes grecs tandis que je m'asseyais à ses pieds en humble disciple.

Il aimait mes romans policiers, bien que sa critique semblât toujours prendre le contre-pied des autres. À propos d'un passage que je ne trouvais pas bon, il disait souvent :

— C'est le meilleur moment de votre livre.

Et si j'étais satisfaite, au contraire :

— Non, là, vous n'étiez pas à votre summum. Je vous ai vu mieux faire.

Un jour, Stephen Glanville me sauta dessus.

— J'ai un projet pour vous.

— Ah bon ? Quoi donc ?

— Je veux que vous écriviez un roman policier qui se passe dans l'Égypte ancienne.

— Dans l'Égypte ancienne ?

— Oui.

— Mais je n'en serai jamais capable.

— Bien sûr que si. Il n'y a aucune raison pour que ça pose plus de problèmes qu'une histoire située dans l'Angleterre de 1943.

Je comprenais ce qu'il voulait dire. À quelque siècle ou à quelque lieu qu'ils appartiennent, les gens sont toujours les mêmes.

— Et ça serait fascinant, renchérit-il. Ce qu'il faudrait, c'est le combiner de telle sorte que le public qui aime lire des romans policiers et également des ouvrages sur l'époque en question y voit son plaisir multiplié par deux.

Je répétai que je n'en serai pas capable, que je n'en savais pas assez. Mais Stephen était le genre d'homme auquel il est inutile de tenir tête et, à la fin de la soirée, il m'avait presque persuadée que j'étais faite pour ce genre de plongeon dans le temps.

— Vous avez beaucoup lu sur l'égyptologie, souligna-t-il. Vous ne vous êtes pas intéressée qu'à la Mésopotamie.

En efffet, un de mes livres préférés, dans le passé, avait été *L'Aube de la conscience*, de Breasted, et je m'étais beaucoup documentée sur l'histoire égyptienne quand j'avais écrit ma pièce sur Akhenaton.

— Tout ce qu'il faudra, c'est vous fixer sur une période, un événement, dans un cadre bien défini, dit Stephen.

J'avais, hélas ! l'impression que les dés étaient jetés.

— Mais vous devrez me donner des idées de temps et de lieu, plaidai-je faiblement.

— Justement, fit Stephen, je vois quelques anecdotes qui pourraient bien faire l'affaire...

Il me montra deux ou trois épisodes dans l'un des livres qu'il prit sur un rayon de sa bibliothèque. Puis il me donna une demi-douzaine d'autres ouvrages, me reconduisit à Lawn Road Flats et décréta :

— Nous sommes samedi demain. Vous avez deux bonnes journées pour parcourir tout cela et voir ce qui est susceptible de stimuler votre imagination.

Au bout du compte, je relevai trois extraits qui me semblèrent autant de points de départ possibles. Il ne s'agissait en rien d'anecdotes connues ou relatives à des personnages célèbres, car c'est à mon avis précisément cela qui fait que tant de romans historiques sonnent faux. Après tout, qui sait à quoi pouvaient ressembler le roi Pepi ou la reine Hatshepsout ? Se prétendre au courant vous a un je-ne-sais-quoi d'outrecuidant. Il vous est en revanche parfaitement loisible de faire évoluer un personnage de votre cru à l'époque en question pour peu que vous en connaissiez suffisamment la couleur locale et l'atmosphère générale. L'un de mes choix portait sur un épisode de la IVe dynastie, le deuxième sur une anecdote beaucoup plus tardive — du temps, je crois bien, de l'un des derniers Ramsès —, et le troisième, sur lequel je m'arrêtai finalement, était extrait de lettres récemment publiées d'un prêtre du ka de la XIe dynastie.

Ces lettres dépeignaient à la perfection une ambiance familiale : le père, tatillon, imbu de lui-même, exaspéré par ses fils qui ne lui obéissaient pas au doigt et à l'œil ; les fils en question, l'un soumis mais manifestement pas un aigle, l'autre emporté, vantard et va-t-en guerre. Les lettres que le père écrivait à ses deux fils parlaient du soin qu'il convenait de prendre d'une femme vieillissante, manifestement une de ces parentes pauvres dont les familles sont accablées depuis la nuit des temps et que les aînés ont toujours considérées avec bienveillance alors que les enfants n'ont jamais vu en elles que d'effroyables pique-assiettes doublées de faiseuses d'embarras.

Le vieil homme avait établi des règles intangibles : avec l'huile, il convenait de faire ci et pas ça ; avec l'orge, cela et pas le contraire. Pas question non plus de se laisser rouler par Untel sur la qualité de telle denrée. L'image globale de la famille se faisait de plus en plus claire dans mon esprit. J'y ajoutai une fille, ainsi que certains détails empruntés à d'autres documents : l'arrivée d'une concubine dont le père était entiché, un petit jeune homme trop gâté et une grand-mère gloutonne et rusée.

Tout excitée, je me mis au travail. Je n'avais pas d'ouvrage en cours à ce moment-là. Les *Dix Petits Nègres* avaient bien marché au St James jusqu'à ce que ce théâtre fût bombardé, après quoi la pièce avait été transférée au Cambridge où elle tint l'affiche encore plusieurs mois. Je commençais juste à réfléchir à une nouvelle idée pour un livre, c'était donc le bon moment pour me lancer dans un policier égyptien.

Il ne fait aucun doute que Stephen me forçait la main, que s'il avait décidé que je devais écrire un roman policier sur l'Égypte ancienne, j'écrirais un roman policier sur l'Égypte ancienne. C'était comme ça, avec lui.

Comme je le lui fis remarquer au cours des semaines et des mois qui suivirent, il devait bien regretter de m'avoir poussée à un tel projet. Je n'arrêtais pas en effet de l'accabler au téléphone pour des renseignements qui, disait-il, ne me prenaient que trois minutes à demander mais qu'il lui fallait en général compulser huit livres différents pour dénicher.

— Stephen, qu'est-ce qu'ils mangeaient, ces gens ? Leurs repas, comment les faisaient-ils cuire ? Mangeaient-ils des plats spéciaux et bien précis lors de certaines fêtes ? Les hommes et les femmes prenaient-ils leurs repas ensemble ? Dans quelles sortes de pièces dormaient-ils ?

— Oh là là ! se lamentait-il avant d'aller à la pêche aux informations, et de souligner qu'on était obligé de déduire beaucoup à partir de peu d'éléments de certitude.

On avait des images d'oiseaux des roseaux servis en broche, de miches de pain, de grappes de raisin, etc. Bref, je glanais de quoi rendre crédible mon tableau de la vie quotidienne de l'époque, et puis je revenais à la charge :

— Quand ils mangeaient, c'était à table ou bien par terre ? Est-ce que les femmes occupaient une partie séparée de la maison ? Rangeaient-ils le linge dans des coffres ou dans des placards ? Comment étaient leurs maisons ?

Il était beaucoup plus difficile de se faire une idée des maisons que des temples ou des palais puisque ceux-ci, construits en pierre, existaient encore alors que les maisons avaient été bâties en matériaux plus périssables.

Stephen batailla avec moi comme un beau diable sur un détail de mon dénouement, et je regrette d'avouer que j'ai fini par lui céder. Je m'en suis toujours voulu. Il possédait une sorte de force hypnotique pour ce genre de débat. Et il était toujours tellement convaincu d'avoir raison que vous ne pouviez vous empêcher de douter de vous-même. Jusque-là, en général, bien que je me sois mille et une fois rangée à l'avis des gens, je n'ai jamais fait de compromis sur ce que j'écrivais.

Si j'estime avoir, dans un roman, fait les choses comme il fallait, il n'est pas facile de m'en faire démordre. Or là, et contre mon propre jugement, j'ai effectivement cédé. C'était un détail certes discutable, mais je persiste encore, quand il m'arrive de relire le livre, à avoir envie d'en réécrire la fin — ce qui montre bien qu'il vaut toujours mieux s'en tenir à sa première idée sous peine de s'en mordre les doigts par la suite. Cela dit, je n'avais pas vraiment les coudées franches vu tout ce que je devais à Stephen, la peine qu'il s'était donnée, et aussi le fait que l'idée, au départ, venait de lui. Bref, c'est ainsi que *La mort n'est pas une fin* vit le jour.

Peu de temps après, j'ai écrit le seul ouvrage qui m'ait jamais entièrement satisfaite. C'était un nouveau Mary Westmacott, le livre que j'avais toujours eu envie d'écrire, qui était toujours apparu clairement dans mon esprit. Le portrait d'une femme qui avait une image bien définie d'elle-même, de ce qu'elle était, mais qui se trompait du tout au tout. Et c'était par ses propres actes, ses propres sentiments, ses propres pensées que cela serait révélé au lecteur. Elle était, pour ainsi dire, continuellement *à la découverte d'elle-même*, ne se reconnaissait pas, se sentait de plus en plus mal à l'aise. Le déclencheur de cette prise de conscience serait le fait que, pour la première fois de sa vie, elle se trouvait *seule* — vraiment seule — pendant quatre ou cinq jours.

Je voyais maintenant le décor auquel je n'avais pas pensé auparavant. Il s'agirait d'un de ces relais qui jalonnent vos voyages en Mésopotamie, dans lesquels vous vous trouvez immobilisé quand les routes sont bloquées, où il n'y a personne d'autre que des autochtones qui parlent à peine anglais, qui vous apportent à manger, qui hochent la tête et sont d'accord avec tout ce que vous dites. Vous ne pouvez aller nulle part, voir personne, vous êtes coincé là jusqu'à ce que vous puissiez reprendre votre voyage. Alors une fois terminée la lecture des deux livres que vous aviez emportés, il ne vous reste plus qu'à vous asseoir et à méditer sur *vous-même*. Méditer sur vous-même. Mon point de départ — j'avais toujours su ce qu'il serait, lui — se situait au moment où elle quittait la gare Victoria pour aller voir une de ses filles qui, mariée, vivait à l'étranger. À l'instant où le train s'ébranlait, elle regardait en arrière, voyait son mari quitter le quai, et avait un soudain coup au cœur en le voyant s'éloigner à grands pas, comme un homme qui serait soulagé d'un fardeau, libéré d'un esclavage — un homme qui partirait en vacances. Elle en était tellement effarée qu'elle n'en croyait pas ses yeux. Elle se trompait, voyons, elle allait terriblement manquer à Rodney. Pourtant cette petite graine de doute était semée dans son esprit et n'allait plus la lâcher. C'est à ce moment qu'elle se retrouvait seule, commençait à réfléchir, et que le film de sa vie se déroulait petit à petit devant elle. Pas facile à réaliser, techniquement, sous la forme que je désirais : un ton léger, familier, mais avec une montée en tension, en malaise, avec ces questions que l'on se pose plus ou moins toujours, je crois : *Qui suis-je* ? Comment suis-je *réellement* ? Qu'est-ce que tous ceux que j'aime pensent de moi ? Me voient-ils comme je me vois ?

Le monde vous apparaît complètement différent. Vous commencez à le voir avec d'autres yeux. Vous ne cessez de vous rassurer, mais les soupçons et l'anxiété reviennent.

J'ai écrit ce roman en trois jours exactement. Le troisième jour, un lundi, j'ai envoyé un mot d'excuse à l'hôpital, car je ne pouvais abandonner mon livre à ce stade : je devais le mener à son terme. Il n'était pas très long — guère plus de quatre cent mille signes — mais je l'avais longtemps porté en moi.

C'est un sentiment étrange que de garder un livre ainsi en gestation pendant six ou sept ans peut-être, de savoir que vous l'écrirez un jour, qu'il prend forme sans cesse, qu'il *est* déjà là. Car il est déjà là, il faut juste qu'il sorte plus clairement des limbes de votre esprit. Tous les personnages sont réunis, ils attendent en coulisse la réplique qui sera le signal de leur entrée et là, tout à coup, une voix vous ordonne, haut et clair : *Maintenant !*

Ce maintenant, c'est quand vous êtes prêt. Que vous avez tout en main. Ah ! le bonheur de pouvoir, pour une fois, rédiger sur le vif, de savoir que c'est vraiment *le* moment !

Je redoutais tellement tout ce qui pourrait m'interrompre, couper le fil de mes pensées, que, après avoir écrit le premier chapitre dans un état de grande surexcitation, je passai directement au dernier, car je savais si bien où j'allais qu'il fallait que je le jette tout de suite sur le papier. Pour le reste, je n'eus pas à m'arrêter et fis tout d'un seul trait.

Je ne me rappelle pas avoir jamais été aussi fatiguée. Quand j'eus terminé, et que je vis qu'il n'y avait pas à changer un seul mot du chapitre que j'avais écrit auparavant, je m'affalai sur mon lit et, si je me souviens bien, dormis près de vingt-quatre heures d'affilée. Je me levai alors, avalai un énorme dîner et pus reprendre, le lendemain, le chemin de l'hôpital.

J'avais l'air tellement bizarre que tout le monde là-bas s'inquiéta pour moi.

— Vous devez avoir été sacrément malade, dirent-ils, pour avoir des cernes pareils sous les yeux.

Ce n'était que de la fatigue, et une fatigue que je ne regrettais pas : j'avais enfin pu écrire sans la moindre difficulté hormis l'effort physique. Ce fut en tout cas une expérience fort intéressante.

Je l'intitulai *Loin de vous ce printemps*, titre tiré de ce sonnet de Shakespeare qui commence par « Loin de vous j'ai manqué ce printemps ». Je ne me prononcerai pas moi-même sur ce livre, bien sûr. Il est peut-être stupide, mal écrit et sans valeur, mais il a été fait avec honnêteté, avec sincérité, exactement comme je voulais qu'il soit. C'est la plus grande joie et la plus grande fierté qu'un auteur puisse avoir.

Quelques années plus tard, j'écrivis un autre Mary Westmacott, *L'If et la Rose*. C'est un de ceux que je peux toujours relire avec plaisir, bien qu'il ne se soit pas imposé à moi comme *Loin de vous ce printemps*. Mais là encore, l'idée de base était en moi depuis longtemps, 1929 environ, en fait. À peine une ébauche, mais je savais qu'elle prendrait vie un jour.

On se demande d'*où* viennent ces élans — ceux qui s'imposent à vous. Je me dis parfois que c'est dans ces moments qu'on se sent le plus près de Dieu, car il vous est donné d'éprouver un peu de la joie de la création pure, de faire quelque chose qui n'est pas vous-même. Vous êtes un peu à l'image du Tout-Puissant au septième jour, lorsque vous constatez que ce que vous avez fait est bien.

Je devais encore me livrer à un écart dans mon travail littéraire habituel. J'écrivis un ouvrage sous l'effet de la nostalgie, parce que j'étais séparée de Max, parce que ses nouvelles étaient trop rares et que j'avais de trop poignants souvenirs de nos séjours à

Arpachiyah et en Syrie. C'est pour revivre notre vie à deux et m'adonner au plaisir de ces réminiscences que j'ai écrit *Dis-moi comment tu vis*, petit texte léger et quelque peu frivole qui retrace les moments que nous avons passés ensemble et tous ces menus détails idiots qu'on a tendance à oublier. Les gens ont beaucoup aimé ce livre. Il est paru en édition limitée à cause de la crise du papier.

Sidney Smith, bien entendu, m'avait dit :
— Vous n'allez pas publier ça, Agatha ?
— J'y compte, si.
— Vous ne devriez pas.
— Mais j'y tiens, moi.

Il me regarda d'un air désapprobateur : ce n'était pas le genre de raison qu'il acceptait. Faire ce qu'on voulait ne correspondait pas aux vues quelque peu calvinistes de Sidney.
— Ça pourrait ne pas plaire à Max.

J'en doutais.
— Je ne pense pas qu'il y trouvera à redire. Il aimera probablement lui aussi se remémorer toutes ces choses que nous avons faites. Je n'essayerai jamais d'écrire un livre « sérieux » sur l'archéologie : je ferais trop d'erreurs. Alors que là, c'est différent puisqu'il s'agit d'anecdotes personnelles. Enfin, je tiens à le publier, poursuivis-je, parce que je veux avoir un support à mes souvenirs. On ne peut pas faire confiance à sa mémoire. Le temps efface tout. La voilà, ma raison.
— Oh ! bon.

Ce « Oh ! bon » n'était toujours pas dit sur un ton vraiment convaincu, mais il constituait, dans la bouche de Sidney, une manière de concession.
— Allons, c'est absurde, intervint Mary, sa femme. Bien sûr, que vous pouvez le publier. Pourquoi pas ? Il est rigolo comme tout, et je comprends fort bien que vous ayez besoin d'un support à vos souvenirs.

Autre réaction négative, celle de mes éditeurs. Leur réprobation et leurs doutes venaient de leur crainte de me voir leur échapper. S'ils n'avaient déjà pas apprécié que Mary Westmacott se mettre à écrire, ce n'était pas pour se montrer enchantés à l'idée de voir paraître *Dis-moi comment tu vis* ou quoi que ce soit qui risque de me détourner du roman à énigme. Le livre eut pourtant du succès, et je pense qu'ils regrettèrent finalement que la crise du papier leur ait imposé un tirage limité. Je l'ai fait paraître sous le nom d'Agatha Christie Mallowan afin de bien le démarquer de mon œuvre policière.

4

Il est des événements sur lesquels on préfère ne pas revenir. Qu'on doit accepter parce qu'ils se sont produits, mais auxquels on ne veut plus repenser.

Rosalind m'appela un jour et m'apprit qu'Hubert, qui se trouvait en France depuis un certain temps déjà, était porté disparu et présumé mort.

Cette attente, cette atroce incertitude comptent, je crois, parmi les pires épreuves que puisse subir une jeune mariée en temps de guerre. Que votre mari soit tué est déjà terriblement dur, mais c'est une fatalité avec laquelle vous devrez vivre et vous le savez. Alors que cette espérance funestement entretenue est si cruelle, si cruelle... Et personne ne peut vous aider.

Je partis la rejoindre et restai quelque temps à Pwllywrach. Nous gardions espoir — on garde bien entendu toujours espoir —, mais je suis persuadée qu'au fond de son cœur Rosalind ne se faisait guère d'illusion. Elle envisageait toujours le pire. Et du côté d'Hubert aussi avait toujours pointé, non pas exactement de la mélancolie, mais cet air, ce petit quelque chose qui présage que vous n'êtes pas destiné à vivre vieux. Je l'aimais beaucoup. Il s'était invariablement montré adorable avec moi, et n'avait jamais cessé de faire preuve d'une sensibilité qui, à mes yeux, confinait à la poésie. J'aurais voulu mieux le connaître, l'avoir vu davantage que lors de nos brèves rencontres.

Il se passa des mois avant que nous eussions d'autres nouvelles. Et quand la funeste dépêche arriva, je crois que Rosalind attendit au moins vingt-quatre heures avant de me mettre au courant. Elle se comporta comme toujours : avec un immense courage. Sachant qu'il fallait en arriver là, elle me dit brusquement :

— Je pense qu'il faut que tu lises ceci.

Et elle me tendit le télégramme qui annonçait qu'il était maintenant officiellement déclaré mort au champ d'honneur.

La situation la plus triste et la plus dure à supporter, dans la vie, c'est lorsqu'un être qui vous est infiniment cher souffre et que vous ne pouvez pas l'aider. Si l'on peut soulager les peines physiques, on est, en revanche, pratiquement impuissant devant les peines de cœur. J'ai pensé, mais je puis m'être trompée, que le mieux à faire, avec Rosalind, était d'en dire le moins possible et de continuer à vivre normalement. Je crois que c'est ce que j'aurais souhaité pour moi-même. Que personne ne me parle, ne me tienne de discours. J'espère que c'était effectivement le mieux pour elle, seulement on ne peut pas être dans la tête des gens. Peut-être aurait-il été préférable que je sois le genre de mère qui la secoue, qui brise sa réserve et l'oblige à être plus démonstrative. L'instinct n'est pas infaillible. On essaie tellement de ne pas heurter la personne qu'on aime, de ne pas se tromper. On croit qu'on devrait savoir, mais on ne peut jamais être sûr.

Elle continua à vivre à Pwllywrach, cette grande maison vide, avec Mathew, délicieux bambin qui garde dans ma mémoire l'image d'un petit garçon heureux : il semblait respirer le bonheur. C'est toujours le cas aujourd'hui. J'étais contente qu'Hubert ait su qu'il avait un fils, qu'il ait pu le voir — bien que cela rende en quelque sorte plus cruelle encore son absence du foyer, auprès du petit garçon qu'il aurait tant désiré élever.

Parfois, on ne peut s'empêcher d'être pris d'un accès de colère en pensant à la guerre. En Angleterre, nous en avons eu trop en trop peu de temps. La première paraissait inimaginable, ahurissante, et tellement inutile. Mais on espérait, on croyait avoir éradiqué le mal, que le désir de refaire la guerre ne se lèverait plus jamais dans le cœur des Allemands. Il y revint pourtant et l'on sait à présent, d'après des documents qui appartiennent à l'histoire, que l'Allemagne préméditait le second conflit mondial des années avant qu'il n'éclate.

On a de nos jours le sentiment horrible que la guerre ne règle *rien*. Qu'en gagner une est aussi désastreux que de la perdre ! La guerre a bel et bien eu, me semble-t-il, sa raison d'être à une certaine époque où, sans esprit combatif, vous ne pouviez pas survivre pour assurer la perpétuation de l'espèce. Se montrer doux, conciliant, céder, attirait sur vous la catastrophe. La guerre était alors une nécessité : c'était soit vous, soit l'autre qui périssait. Comme un oiseau ou un autre animal, il fallait se battre pour défendre son territoire. La guerre vous rapportait des esclaves, de la nourriture, des femmes : toutes choses nécessaires à la survie. Alors que maintenant nous devons apprendre à l'éviter, non pas parce que la nature humaine serait meilleure ou par philanthropie, mais parce qu'elle ne nous est pas profitable, parce que nous ne lui survivrons pas, que nous serons détruits par elle au même titre que nos adversaires. Le temps des fauves est révolu. Nous entrons certes dans celui des escrocs, des charlatans, des voleurs et des pickpockets, mais c'est un mieux. Un pas vers le haut.

Une certaine forme de bonne volonté paraît quand même se faire jour, me semble-t-il. Nous nous sentons concernés quand nous entendons parler de tremblements de terre, de grandes catastrophes pour la race humaine. Nous voulons aider notre prochain. C'est un réel progrès qui, je crois, devrait mener quelque part. Il faudra du temps — rien ne se fait rapidement — mais au moins il est permis d'espérer. Je trouve parfois qu'on ne donne pas assez d'importance à cette deuxième vertu de la trilogie : foi, espérance et charité. De la foi, nous en avons eu, dirons-nous, presque trop. Elle peut rendre amer, dur, impitoyable. On peut mésuser de la foi. L'amour, nous ne pouvons ignorer, dans notre cœur, qu'il est essentiel. Mais nous oublions trop souvent qu'il y a aussi l'espérance.Nous avons tendance à nous laisser aller trop vite au désespoir, à jeter le manche après la cognée. L'espérance est la vertu que nous devrions cultiver le plus à notre époque.

Nous nous sommes institués en État-providence qui nous a affranchis de la peur et apporté, outre la sécurité, notre pain quotidien et même un peu plus. J'ai pourtant l'impression qu'aujourd'hui, dans cet État-providence, il devient chaque année plus difficile d'appréhender l'avenir. Plus rien n'a d'intérêt. Pourquoi ? Est-ce parce que nous n'avons plus à lutter pour notre existence ? La vie elle-même n'aurait-elle plus d'attrait ? Nous ne savons pas apprécier le fait d'être vivants. Peut-être avons-nous besoin de nous sentir à l'étroit, de devoir ouvrir de nouveaux mondes, de subir de nouvelles sortes de privations et de misères, de maladie et de douleur, de retrouver la volonté effrénée de survivre ?

Quant à moi, je suis le genre de personne qui garde espoir. S'il est une étincelle qui ne s'éteindra jamais en moi, je crois, c'est bien celle de l'espérance. C'est pour cela que j'ai toujours trouvé la compagnie de mon cher petit Mathew tellement gratifiante. Il a toujours eu un caractère incurablement optimiste. Je me rappelle la fois où, alors qu'il était à l'école primaire et que Max lui demandait s'il pensait avoir une chance d'entrer un jour dans la première équipe de cricket, il répondit avec un sourire radieux :

— Oh ! tu sais, il y a toujours de l'espoir !

Telle devrait être, il me semble, notre devise à tous. Ce qui me met hors de moi, par exemple, c'est l'attitude de ce couple d'un certain âge qui vivait en France au moment où la guerre a éclaté. Quand ils ont appris que les Allemands approchaient, ils n'ont rien trouvé de mieux à faire que de se suicider. Quel gâchis !

Quelle pitié ! Leur geste n'aura *profité* à personne. Ils auraient pu traverser cette période de privations, survivre. Pourquoi, tant qu'il y a de la vie, abandonner l'espoir ?

Cela me rappelle l'histoire que me racontait ma marraine américaine, il y a très longtemps, des deux grenouilles qui tombent dans un seau de crème fraîche. L'une crie à l'autre :

— Au secours, je me noie ! Je me noie !

— Moi, je ne me noierai pas, répond l'autre.

— Comment vas-tu faire ? demande la première.

— Je vais remuer les pattes, remuer les pattes, remuer les pattes comme une folle.

Le lendemain matin, la première grenouille, qui avait abandonné, était morte noyée. La seconde, qui avait remué les pattes toute la nuit, trônait, dans le seau, sur une motte de beurre.

Tout le monde devint un peu impatient, je crois, vers les dernières années de la guerre. Depuis le débarquement, on sentait que la fin du conflit était possible, et tous les gens qui avaient prédit le contraire en étaient pour leurs frais.

Cette impatience m'atteignit moi aussi. La plupart des malades avaient déserté Londres. Les consultations continuaient pour les gens non hospitalisés. On se disait parfois que les choses avaient bien changé depuis la Première Guerre où l'on devait panser des hommes qui arrivaient directement des tranchées. La moitié du temps, à présent, vous n'aviez qu'à donner des tas de cachets aux épileptiques — travail nécessaire, mais dépourvu de ce sentiment de participation à la guerre dont nous ne pouvions nous passer. Les mères menaient leurs bébés au dispensaire et je songeais souvent qu'elles auraient bien mieux fait de les garder à la maison. Le pharmacien chef partageait totalement mon avis.

J'avais un ou deux projets en tête, à ce moment-là. Une de mes jeunes amies, des auxiliaires féminines de l'armée de l'air, m'avait fait rencontrer une de ses relations dans le but d'effectuer de la photo de renseignement. Je reçus un laissez-passer fort impressionnant qui me permit de me promener partout dans ce qui me paraissait des kilomètres de couloirs sous le ministère de la Guerre. Je fus enfin reçue par un jeune lieutenant à la mine sévère qui me glaça. Bien que mon expérience en matière de photo fût solide, s'il est une chose que je n'avais jamais pratiquée et à laquelle je ne connaissais rien, c'était à coup sûr la photographie aérienne. Par conséquent, je fus pratiquement incapable de reconnaître aucun des clichés qui me furent montrés. Le seul pour lequel je me sentis raisonnablement sûre était une vue d'Oslo, mais j'étais tellement abattue à ce moment-là, après avoir sorti plusieurs bourdes monumentales, que je préférai me taire.

Le jeune homme poussa un soupir, me regarda comme la parfaite imbécile que j'étais et me dit doucement :

— Je crois que vous feriez peut-être mieux de retourner à votre travail à l'hôpital.

Je repartis complètement anéantie.

Vers le début de la guerre, Graham Greene m'avait écrit pour me demander si j'accepterais de faire des travaux de propagande. Je ne pensais pas du tout être le genre d'écrivain qu'il fallait pour cela, car il me manquait cette forme d'esprit qui permet de ne voir qu'un seul aspect des choses. Il n'est rien de plus inefficace qu'un propagandiste tiède. Il faut être capable d'affirmer « X est un salopard intégral » et *s'en convaincre*. Je ne pensais pas pouvoir jamais être comme ça.

Chaque jour, à présent, me voyait devenir plus impatiente. Je voulais absolument un travail qui eût au moins un rapport quelconque avec la guerre. On me proposa un poste de préparatrice chez un médecin de Wendover. C'était tout près de l'endroit où vivaient certains de mes amis. Il me sembla que ce serait une excellente solution pour moi, et que j'aimerais bien retrouver la campagne. Seul ennui, si jamais Max devait rentrer d'Afrique du Nord — et après trois ans, cela n'avait rien d'impossible —, j'aurais de gros scrupules à laisser tomber mon médecin.

J'avais aussi un projet de théâtre. Il était possible que je rejoigne le Théâtre aux Armées comme assistante du metteur en scène ou Dieu sait quel poste de ce genre pour une tournée en Afrique du Nord. Cette idée m'emballait. Ce serait merveilleux si j'allais là-bas. Heureusement, cela ne se fit pas : une quinzaine de jours environ avant le moment où j'aurais quitté l'Angleterre, je reçus une lettre de Max m'annonçant qu'il allait très certainement rentrer d'Afrique du Nord dans deux ou trois semaines pour réintégrer le ministère de l'Air. Quelle guigne, si j'étais arrivée en Afrique du Nord avec le Théâtre aux Armées juste au moment où il rentrait à la maison !

Les quelques semaines qui suivirent furent un supplice. J'étais coincée là, toute fébrile. Encore deux ou trois semaines — non, un peu plus me dis-je : ces choses-là prennent toujours plus longtemps qu'on ne croit.

Je descendis passer un week-end chez Rosalind au pays de Galles et revins par le train de nuit le dimanche soir. C'était un de ces voyages en chemin de fer comme il fallait si souvent en supporter en temps de guerre : un froid de canard, et, au retour à la gare de Paddington, pas un seul moyen de transport, comme de bien entendu, pour aller où que ce soit. Je trouvai malgré tout un métro qui, après un itinéraire compliqué, me débarqua à Hampstead, pas très loin de Lawn Road Flats, et de là, je rejoignis la maison à pied, chargée de ma valise et de quelques filets de harengs saurs. J'arrivai enfin, à bout de forces et frigorifiée. J'entrai, allumai le gaz, posai manteau et valise, et mis les harengs dans une poêle. C'est alors que j'entendis dehors le bruit de casseroles le plus invraisemblable qu'il soit permis d'imaginer, et je me demandai ce que cela pouvait bien être. Je sortis sur le balcon et regardai au bas du perron. Une silhouette chargée de tout le barda possible et imaginable montait vaillamment les marches — on eût dit, avec tous ses bidons, son quart et ses gamelles en bandoulière, la caricature d'un poilu de la guerre de 14. Ou peut-être le Cavalier Blanc d'*Alice au pays des merveilles* aurait-il été une bonne description. Il semblait impossible qu'un homme pût porter autant de choses sur lui. Pourtant, je le reconnus tout de suite : c'était mon mari ! Deux minutes plus tard, j'avais la preuve que toutes mes craintes de voir nos rapports altérés, qu'il ait changé, étaient sans fondement. C'était Max ! Comme s'il n'était parti que d'hier ! Il était de retour. *Nous* étions de retour. Une terrible odeur de harengs saurs en train de brûler vint frapper nos narines et nous nous précipitâmes dans l'appartement.

— Que diable es-tu en train de faire cuire ? demanda-t-il.

— Des harengs saurs. Tu ne ferais pas mal de t'en servir un.

Nous nous regardâmes.

— Max ! m'écriai-je, tu as bien pris une douzaine de kilos !

— À peu près. Et tu n'as pas perdu de poids toi non plus, remarqua-t-il.

— C'est à cause des patates. Quand tu n'as pas de viande, tu te rabats sur le pain et les pommes de terre.

Ainsi donc, à nous deux, nous pesions vingt-quatre kilos de plus que quand il était parti. Cela semblait paradoxal. Ç'aurait dû être le contraire.

— Vivre dans le désert du Fezzan *devrait* plutôt faire maigrir, observai-je.

Pas du tout, expliqua-t-il. On ne maigrissait pas dans le désert, il n'y avait rien d'autre à faire que rester à se tourner les pouces, ingurgiter une nourriture dégoulinante de graisse et boire de la bière.

Ce fut une merveilleuse soirée. Nous nous délectâmes de harengs saurs calcinés et nageâmes dans le bonheur.

ONZIÈME PARTIE

Automne

1

J'écris ces lignes en 1965. Et cela se passait en 1945. Vingt ans. On ne dirait jamais que vingt ans se sont écoulés. Les années de guerre semblent comme une parenthèse, un cauchemar où la réalité aurait été suspendue. Pendant celles qui ont suivi, quand je disais : « Oh ! cela s'est passé il y a cinq ans », j'aurais dû en ajouter cinq. Maintenant, quand je parle de quelques années, il faut que j'en ajoute un bon nombre. Le temps a pris pour moi une autre valeur, comme c'est le cas chez les personnes âgées.

Ma vie recommença d'abord avec la fin des hostilités contre l'Allemagne. Même si, en fait, la lutte se poursuivait avec le Japon, *notre* guerre à nous était terminée. Il s'agissait à présent de rassembler les débris semés aux quatre vents, les mille et un morceaux épars de ce qui avait été notre existence.

Après un temps de permission, Max retourna au ministère de l'Air. L'Amirauté décida de lever la réquisition de Greenway — comme d'habitude, sans crier gare — précisément le jour de Noël. La date ne pouvait être plus mal choisie pour devoir reprendre possession d'une maison évacuée. Nous ratâmes de peu un coup de chance : le générateur par lequel nous fabriquions notre propre électricité était au bout du rouleau quand l'Amirauté s'installa. Le commandant américain m'avait plusieurs fois signalé qu'il craignait de le voir lâcher à tout instant.

— Vous verrez, disait-il, on va vous en mettre un tout beau tout neuf à la place, vous ne serez pas déçue.

Malheureusement, la réquisition fut levée juste trois semaines avant la date prévue pour le remplacement de l'appareil.

Greenway était belle, quand nous y redescendîmes par une journée d'hiver ensoleillée, mais c'était une véritable jungle, superbe et sauvage. Les allées avaient disparu, le potager, où jadis poussaient carottes et laitues, n'était plus qu'une masse de mauvaises herbes, et les arbres fruitiers réclamaient une taille sévère.

C'était triste, en un sens, de la voir ainsi, mais elle n'avait rien perdu de sa majesté. L'intérieur de la maison n'était pas aussi dégradé que nous l'avions craint. Tout le lino était parti, ce qui était ennuyeux, et nous ne pouvions obtenir de bon de remplacement parce que l'Amirauté nous avait fait une avance sur dommages quand elle avait investi les lieux. La cuisine, avec ses murs noirs de suie grasse, était dans un état indescriptible. Enfin, comme je l'ai indiqué, il y avait quatorze cabinets dans le passage en pierre du dessous.

J'avais à mes côtés un homme de loi qui batailla de façon extraordinaire contre l'Amirauté. Et Dieu sait s'il fallut batailler. Mr Adams était un allié de poids. Quelqu'un m'avait affirmé qu'il était le seul homme capable de tirer du sang d'une pierre ou de l'argent de l'Amirauté !

Sous le prétexte absurde que la maison avait été repeinte de frais un ou deux ans seulement avant qu'ils ne la réquisitionnent, ils refusèrent néanmoins de m'allouer une somme suffisante pour la rénover : ils ne prendraient en charge qu'une partie de chaque pièce. À quoi rime de refaire les trois quarts d'une chambre ? Il s'avéra cependant que le hangar à bateaux avait bien souffert : des pierres avaient été enlevées, des marches brisées, et autres dégâts de ce genre. Il s'agissait là de coûteux dommages de gros œuvre pour lesquels ils devaient indemniser — si bien que, lorsque je reçus cet argent, je pus remettre la cuisine en état.

Il y eut une autre bataille acharnée au sujet des latrines : ils estimaient que celles-ci devraient m'être facturées au titre de l'amélioration de l'habitat ! Je répondis que quatorze toilettes inutiles le long d'un passage de cuisine n'amélioraient rien du tout. Qu'on avait plutôt besoin, à cet endroit, du garde-manger, de la réserve à bois et du cellier qui s'y trouvaient à l'origine. À moins de transformer la maison en pensionnat de jeunes filles, arguèrent-ils. Je leur assurai que telle n'était *pas* mon intention. Ils pourraient *à la rigueur* me laisser *un* de ces cabinets supplémentaires, mais cette offre généreuse fut refusée : ou bien ils les enlevaient *tous*, ou bien l'installation telle quelle serait défalquée de mes indemnités pour les autres dégâts. Alors, à l'instar de la Reine de Cœur, je m'écriai :

— Qu'ils disparaissent !

Cela entraîna des ennuis et des frais à n'en plus finir pour l'Amirauté, mais ils durent s'exécuter. Mr Adams fit inlassablement revenir leurs ouvriers jusqu'à ce que les travaux fussent effectués *dans les règles*, au lieu de laisser tuyaux coupés et autres chicots saillir du mur, ainsi que pour rendre au garde-manger et au cellier leurs installations d'origine. Ce fut un long et pénible combat.

Ce fut ensuite au tour des déménageurs de remettre le mobilier à sa place partout dans la maison. Je fus stupéfaite de constater que presque rien n'avait souffert ou été endommagé, à part les tapis mangés par les mites. Nous avions demandé qu'ils soient protégés, mais cela n'avait pas été fait par excès d'optimisme : « Tout sera terminé à Noël. » Quelques livres étaient piqués d'humidité, mais étonnamment peu. Rien n'avait filtré par le toit du salon, et les meubles étaient restés dans un état remarquable.

Comme Greenway était belle dans sa luxuriante exubérance ! Malgré tout, je me demandais vraiment si nous parviendrions jamais à redessiner les allées, voire à retrouver leur emplacement. La propriété ressemblait chaque jour davantage à un lieu sauvage, et était considérée comme telle dans le voisinage : nous devions sans cesse éloigner des gens qui pénétraient dans le parc. Au printemps, surtout, ils s'y promenaient, arrachaient des grosses branches de rhododendron, abîmaient étourdiment les arbustes. Il faut dire que la propriété resta inoccupée un certain temps après le départ de l'Amirauté. Nous étions à Londres et Max toujours au ministère de l'Air. Il n'y avait pas de gardien et chacun entrait librement pour se servir, non seulement *cueillir* des fleurs, mais aussi casser les branches n'importe comment.

Nous parvînmes enfin à nous réinstaller et la vie recommença. Pas comme avant, cependant. Il y avait bien sûr le soulagement de la paix retrouvée, mais aucune certitude sur l'avenir de cette paix, ni sur l'avenir de quoi que ce soit. Nous continuâmes notre petit bonhomme de chemin, heureux d'être réunis, reprenant goût à la vie, essayant de voir ce qu'elle nous réservait. Les affaires devenaient un souci, également. Les papiers à remplir, les contrats à signer, les complications avec le fisc : tout un fatras de paperasses auquel on ne comprenait rien.

Ce n'est qu'aujourd'hui que je découvre combien ces années de guerre ont été *incroyablement* fertiles, dans ma production. Sans doute parce qu'il n'y avait aucune autre distraction possible à l'extérieur : on ne sortait pratiquement jamais, le soir.

Outre les romans dont j'ai déjà parlé, j'en avais écrit deux autres au cours des premières années de la guerre. Et ce, pour le cas où je viendrais à disparaître durant un raid aérien — éventualité à laquelle on ne pouvait s'empêcher de songer lorsqu'on travaillait à Londres. Le premier était destiné à Rosalind — c'était un « Poirot » —, l'autre à Max : un « Marple ». Sitôt terminés, ces deux manuscrits, fortement assurés, je crois bien, contre tout risque de destruction, furent déposés dans un coffre en banque et officiellement cédés à titre de donation à Rosalind et Max.

— Ça vous remontera le moral, leur expliquai-je, quand vous reviendrez de l'enterrement ou de la messe du souvenir, de songer que vous avez l'un et l'autre un livre qui vous appartient !

Ils affirmèrent préférer m'avoir *moi*.

— J'espère bien !

Et nous partîmes d'un grand éclat de rire.

Je ne comprends pas pourquoi les gens ont toujours tant de mal à parler de ce qui a trait à la mort. Ce cher Edmund Cork, mon agent littéraire, blêmissait chaque fois que je soulevais la question : « Imaginons que je *meure* ? » Pourtant, ce problème est devenu tellement important de nos jours qu'on ne peut pas ne pas l'évoquer. D'après ce que j'ai compris — et c'est fort peu — de ce que m'ont expliqué juristes et spécialistes fiscaux sur mes droits de succession, mon décès allait entraîner un désastre sans pareil pour toute ma famille, et leur seul espoir consistait à me garder en vie le plus longtemps possible !

Parallèlement, et vu le taux d'imposition auquel nous sommes désormais soumis, je songeai sans déplaisir aucun qu'il était en tout cas désormais inutile que je m'échine à la tâche : le jeu n'en valait plus la chandelle et un roman par an serait amplement suffisant. Pour en écrire deux, il me faudrait suer sang et eau et je n'en serais au bout du compte pas plus riche pour autant. Il va sans dire que je n'avais décidément plus le feu sacré. Mais il allait néanmoins de soi que s'il se présentait un projet sortant de l'ordinaire et qui me tentât *vraiment*, ma façon de voir pourrait en être radicalement changée.

C'est vers cette époque que la BBC me téléphona. Ils désiraient savoir si j'accepterais d'écrire une brève pièce radiophonique destinée à une émission qu'ils montaient à l'occasion d'une manifestation en l'honneur de la reine Mary. Celle-ci avait exprimé le désir de m'y voir participer, car elle aimait mes livres. Pourrais-je la leur préparer le plus rapidement possible ? L'idée me plut. Je me creusai la tête en faisant les cent pas, puis les rappelai pour dire oui. Un sujet m'était venu qui me paraissait convenir, et j'écrivis le petit sketch radiophonique intitulé *Trois souris aveugles*. Pour autant que je sache, la reine Mary fut satisfaite.

La carrière des *Trois souris* semblait devoir s'arrêter là, mais peu de temps après, on me suggéra d'en tirer une nouvelle. *Le Vallon*, que j'avais adapté pour le théâtre, avait connu le succès avec la mise en scène de Peter Saunders. J'avais tellement pris plaisir à l'écrire que je commençais à caresser l'idée de m'essayer encore au théâtre. Pourquoi donc ne pas faire une pièce plutôt qu'un roman ? Ce serait bien plus drôle. Un roman par an suffirait à subvenir à mes besoins financiers, et je pourrais désormais me faire plaisir dans un genre tout à fait différent.

Plus j'y songeais et plus je me disais que je pourrais tirer de ce sketch radiophonique de vingt minutes une pièce à suspense en trois actes. Il me faudrait créer deux personnages supplémentaires, étoffer la toile de fond et l'intrigue, et faire monter lentement la tension jusqu'à son comble. Je crois que l'un des avantages que *La Souricière* — titre de la version scénique des *Trois souris aveugles* — a eus sur d'autres pièces, c'est avant tout d'avoir été écrite à partir d'une version abrégée, si bien qu'il ne restait plus qu'à habiller de chair le squelette. Tout existait en germe dans cette première mouture, gage d'une construction sans faille.

Pour le titre, je dois vraiment remercier mon gendre, Anthony Hicks. Si je n'ai pas parlé de lui auparavant, c'est que je ne peux pas le ranger parmi les souvenirs, puisqu'il est avec nous. Je ne sais vraiment pas ce que je ferais sans lui dans la vie. C'est non seulement l'un des êtres les plus profondément gentils que je connaisse, mais aussi l'un des plus remarquables et des plus intéressants. Il est bourré d'idées. Il est capable d'animer le plus ennuyeux des dîners en proposant un « cas embarrassant ». En un rien de temps, tous les convives se disputent avec acharnement.

Il a étudié le sanscrit, le tibétain, peut disserter en expert sur les papillons, passer indifféremment en revue espèces végétales en voie de disparition, esprit des lois, philatélie, oiseaux, porcelaine de Nantgar, antiquités, atmosphère et climat. Si je devais lui adresser un reproche, ce serait pour stigmatiser sa propension à discuter interminablement des vins mais je manque là d'objectivité, car voilà bien un breuvage que je n'aime pas.

Quand il s'avéra que le titre original *Trois souris aveugles* ne pouvait être utilisé — il était déjà pris —, nous nous creusâmes tous la tête pour en trouver un autre. C'est Anthony qui proposa *La Souricière*. Il fut adopté. Anthony aurait sans doute mérité de recevoir sa part des droits d'auteur, mais nous n'aurions jamais pu imaginer, à l'époque, que cette pièce allait se muer en phénomène de l'histoire du théâtre.

Les gens me demandent toujours à quoi j'attribue le succès de *La Souricière*. À part cette réponse évidente : « À la chance ! » — parce qu'il s'agit pour 90 % au bas mot d'un coup de chance —, la seule raison que je puisse avancer est que pratiquement tous les publics y trouvent leur compte. Il y en a pour tous les âges et tous les goûts. Des jeunes, des vieux, Mathew et ses camarades d'école, plus tard Mathew et ses camarades d'université, sont allés la voir et l'ont aimée. Des professeurs d'Oxford également. Sans prétention ni fausse modestie, il me semble aussi que, dans son genre — un genre léger, alliant humour et suspense —, elle est bien construite. L'intrigue se déroule de façon à tenir toujours le spectateur en haleine, on ne sait jamais ce que les quelques minutes à venir vous réservent. Je crois également, bien que les personnages des pièces qui tiennent longtemps l'affiche aient tendance à devenir tôt ou tard des caricatures, que ceux de *La Souricière* demeurent des gens « comme vous ou moi ».

Il y eut une affaire, un jour, où trois enfants furent négligés et maltraités dans une ferme où ils avaient été placés par le service social de la mairie. L'un des enfants en mourut et l'on pensa qu'un autre, légèrement délinquant, pourrait bien grandir avec un désir de vengeance au cœur. Dans une autre affaire de meurtre aussi, souvenez-vous, quelqu'un était revenu après des années assouvir une vieille rancune d'enfance. Cette partie de l'intrigue n'était donc pas invraisemblable.

Quant aux personnages eux-mêmes : la jeune femme aigrie par la vie et déterminée à tirer un trait sur son passé, le jeune homme qui refuse de faire face aux problèmes et attend d'être materné, le gamin qui veut puérilement se venger tout à la fois de la femme cruelle qui avait fait souffrir le petit Jimmy ainsi que de sa jeune maîtresse d'école, tous me paraissent authentiques, naturels quand on les regarde évoluer.

Richard Attenborough et sa délicieuse épouse Sheila Sim ont joué les deux grands rôles dans la première mise en scène. Quelle interprétation magistrale ! Ils adoraient la pièce, y croyaient, et Richard Attenborough a énormément travaillé son rôle. J'ai pris beaucoup de plaisir aux répétitions, j'ai pris infiniment de plaisir à tout dans cette pièce.

Elle fut enfin donnée. Je dois dire que je n'imaginais pas un seul instant qu'elle connaîtrait pareil succès ni même quoi que ce soit qui s'en approche. Tout me parut très bien se passer mais je me rappelle — j'ai oublié si c'était le soir de la première ou non, je dirais plutôt au début de la tournée à Oxford — qu'étant allée la voir avec quelques amis, j'eus la désagréable impression qu'elle était hybride : j'avais trop forcé sur les situations comiques. On riait trop. Au détriment du frisson et de l'émotion. Oui, cela me démoralisa quelque peu, je m'en souviens.

Peter Saunders, en revanche, me regarda en secouant doucement la tête :

— Ne vous faites pas de souci ! Je prédis que cette pièce tiendra plus d'un an, quatorze mois, à vue de nez.

— Jamais de la vie, fis-je. Huit mois peut-être. Huit mois pas plus.

Aujourd'hui, à l'heure où j'écris, elle vient de boucler sa treizième année après avoir connu d'innombrables distributions. L'Ambassadors Theatre a dû complètement refaire ses fauteuils, poser un nouveau rideau. J'apprends maintenant que le décor va être redessiné, l'ancien étant complètement délabré. Et il y a toujours la queue à l'entrée.

Je dois avouer que cela me paraît incroyable. Comment une pièce, qui n'est que l'agréable divertissement d'une soirée, peut-elle tenir treize ans ? Pas de doute : les miracles, ça arrive !

Qui profite des bénéfices ? Surtout le fisc, bien sûr, comme toujours, mais à part cela ? J'ai cédé beaucoup de mes romans et nouvelles à d'autres. Les droits de parution en feuilleton de *Droit d'asile* ont été remis à la caisse de soutien de l'abbaye de Westminster, par exemple. D'autres à certains de mes amis. Le fait de pouvoir s'installer à sa table de travail, écrire quelque chose et en faire directement profiter quelqu'un est infiniment plus agréable et naturel que de distribuer des chèques. Le résultat est le même, direz-vous : eh bien *non*. L'un de mes romans appartient aux neveux de mon mari, et bien qu'il ait été publié il y a des années, il leur rapporte toujours des droits fort confortables. De même, j'ai cédé ma part de droits pour le film *Témoin à charge* à Rosalind.

La pièce *La Souricière* est allée à mon petit-fils. Et c'est Mathew bien sûr, comme toujours le plus chanceux de la famille, qui a touché le cadeau le plus lucratif.

J'ai éprouvé un plaisir tout particulier à écrire une grande nouvelle, comme on dit, une œuvre qui se situe entre le roman et la nouvelle, afin de doter d'un vitrail mon église de Churston Ferrers. C'est une jolie petite église dont la fenêtre du côté est, avec ses carreaux en verre blanc, me faisait toujours penser à un trou dans une denture. Je la regardais chaque dimanche et me disais combien elle serait jolie en tons pastel. Je n'y connaissais rien en matière de vitraux, et je me donnai beaucoup de peine à courir les ateliers et à obtenir différents croquis d'artistes. Mon choix se porta en fin de compte sur un spécialiste nommé Patterson qui vivait à Bideford et m'avait envoyé un dessin de vitrail devant lequel je tombai vraiment en admiration. Devant ses couleurs, surtout, qui n'étaient pas les rouges et bleus ordinaires, mais à dominante de mauves et de verts clairs, mes teintes préférées. Je voulais que le personnage central soit le Bon Pasteur. Cela me créa quelques difficultés avec le diocèse d'Exeter et aussi, je dois dire, avec Mr Patterson : tous deux soutenaient que le motif central d'une ouverture orientée à l'est *devait* représenter la Crucifixion. Le diocèse, pourtant, après avoir effectué quelques recherches, convint que je pourrais faire figurer Jésus en Bon Pasteur puisqu'il s'agissait d'une paroisse pastorale. Je tenais à ce que ce vitrail montrât une scène gaie pour que les enfants puissent le regarder avec plaisir. C'est ainsi que le Bon Pasteur se tient au centre avec son agneau, tandis que sur les autres panneaux on voit la crèche, la Vierge et l'Enfant, les anges qui apparaissent aux bergers dans les champs, les pêcheurs dans leurs bateaux avec leurs filets, Jésus marchant sur les flots. Ce sont les images les plus simples de l'Évangile, mais j'adore les regarder le dimanche. Mr Patterson a réussi un très joli vitrail. Grâce à cette simplicité, il survivra, je pense, à l'épreuve des siècles. Je suis fière, en toute humilité, que le fruit de mon travail m'ait permis de faire ce don.

2

Une soirée au théâtre est restée particulièrement gravée dans ma mémoire : celle de la première de *Témoin à charge*. Je ne me tromperai pas en affirmant que c'est la seule de ce genre à laquelle j'aie pris plaisir.

Les premières sont en général un supplice fort difficile à supporter. On ne peut avoir que deux raisons pour y assister. L'une — tout à fait noble — est que les pauvres acteurs doivent l'assurer et que, si cela se passe mal, il serait injuste que l'auteur ne soit pas là pour souffrir avec eux. J'ai compris certaines de leurs angoisses lors de la première d'*Alibi*. Le texte prévoyait que le maître d'hôtel et le médecin tambourinent à la porte fermée à clé d'un cabinet de travail et que, soudain inquiets, ils la défoncent. Le soir de la première en question, la porte n'attendit pas de se faire enfoncer : elle s'ouvrit obligeamment avant que quiconque l'eût effleurée, découvrant le cadavre fort occupé à se mettre en place. J'ai toujours eu, depuis, la hantise des portes fermées à clé, des lumières qui ne s'éteignent pas quand tout repose sur le fait qu'elles s'éteignent et de celles qui ne s'allument pas quand il est vital qu'elles le fassent. Ce sont les affres du théâtre.

L'autre raison pour assister aux soirées des premières est, bien sûr, la curiosité. Vous savez que ce sera terrible. Que vous allez être au trente-sixième dessous. Que vous allez remarquer tout ce qui ne va pas, les répliques tronquées, les ratés, les trous. Mais vous y allez quand même, poussée par l'irrépressible curiosité d'y mettre le nez, de vous rendre compte par vous-même. Les dires des autres ne vous suffiront pas. Alors vous êtes là, vous tremblez, vous ne savez plus si vous avez froid ou chaud et priez le ciel que personne ne vous reconnaisse quand vous vous installez en catimini dans les derniers rangs du balcon.

La première de *Témoin à charge* fut loin d'être un supplice. De mes propres pièces, c'est l'une de celles que je préfère, qui m'a le plus satisfaite alors que je ne voulais pas l'écrire, que cela me terrorisait même. J'y ai pratiquement été forcée par Peter Saunders qui, tour à tour gentiment brutal et subtilement cajoleur, détient un extraordinaire pouvoir de persuasion.

— Bien sûr que vous en êtes capable.

— Je ne connais rien en matière juridique. Je vais me rendre ridicule.

— C'est facile. Potassez le sujet, et puis nous demanderons à un avocat de relever et rectifier les erreurs.

— Je ne saurais pas décrire un procès.

— Mais si ! Vous en avez déjà vu au théâtre. Vous n'avez qu'à vous documenter un peu.

— Non, je ne crois pas... Je n'y arriverai jamais.

Peter Saunders continua à prétendre le contraire, et à me presser de commencer tout de suite parce qu'il voulait la pièce rapidement. Alors, hypnotisée et toujours sensible au pouvoir de la suggestion, je me mis à lire des quantités de procès de la série des *Causes célèbres*. Je me renseignai auprès de notaires aussi bien que d'avocats, finis par me piquer au jeu et tout à coup à y trouver un réel plaisir, par atteindre ce merveilleux moment, dans l'écriture, qui est généralement éphémère, mais vous confère une verve irrésistible et vous transporte comme une grande vague jusqu'au rivage : « Formidable ! J'y arrive ! Ça marche ! Bon, qu'est-ce qui se passe maintenant ? » Ce moment privilégié où vous voyez se dérouler l'action, non pas sur scène mais dans une exceptionnelle vision intérieure. Tout est là, en direct, dans un vrai tribunal — pas l'Old Bailey, car je n'y avais encore jamais mis les pieds — mais un tribunal déjà bien solidement esquissé au fond de mon esprit. J'y ai vu le jeune homme, fébrile, désespéré, sur le banc des accusés, et puis la femme énigmatique qui venait témoigner à la barre, non pas en faveur de son amant, mais au contraire pour l'accabler. C'est l'une des pièces que j'ai mis le moins de temps à écrire ; je crois qu'elle ne m'a pris que deux ou trois semaines après mes lectures préparatoires.

Naturellement, il fallut apporter quelques modifications de procédure, et je dus aussi me battre désespérément pour conserver la fin que j'avais choisie. Elle ne plaisait à personne, on n'en voulait pas, on disait qu'elle allait tout gâcher. « Ça ne passera pas », affirmait-on en m'en demandant une différente — de préférence celle que j'avais donnée des années auparavant à la nouvelle d'origine. Mais une nouvelle n'est pas une pièce. Il n'y avait pas de scène au tribunal dans la nouvelle, pas de procès pour meurtre. Ce n'était que la brève histoire d'un accusé et d'un témoin mystérieux. Je m'en suis donc tenue à ma fin. Je ne m'obstine pas souvent dans la vie, je n'ai pas suffisamment de certitudes, mais dans ce cas-là, si. Je voulais cette fin. Je la voulais tellement que je n'aurais pas accepté que la pièce voie le jour sans elle.

Je la gardai donc et ce fut un succès. Certains y virent une imposture, ou un artifice. Moi, je sais que non, que c'était logique. C'est ainsi que les choses auraient pu se passer, se seraient sans doute, à mon avis, passées même — peut-être avec un peu moins de violence, mais la psychologie des personnages était bonne, et le petit fait qui se cachait derrière avait été implicitement suggéré tout au long de la pièce.

Un avocat et son principal assistant me donnèrent des conseils éclairés et suivirent deux répétitions. La critique la plus sévère vint de l'assistant :

— Pour moi, voyez-vous, c'est tout faux, dit-il. Un procès comme celui-ci s'étalerait sur trois ou quatre jours au moins. On ne peut pas le comprimer en une heure et demie ou deux heures.

Il avait bien sûr on ne peut plus raison, mais nous lui expliquâmes que toutes les scènes de tribunal bénéficiaient de la licence théâtrale, et que, pour nous, un procès devait être condensé en termes d'heures et non de jours. Quelques baissers de rideau opportuns y aidaient parfois, mais, dans *Témoin à charge*, la continuité de l'action était à mon avis précieuse.

Bref, j'ai pris plaisir à assister à cette première. J'ai dû m'y rendre avec ma fébrilité habituelle, mais mon enchantement a commencé dès le lever du rideau. De toutes les pièces que j'ai écrites pour le théâtre, c'est dans celle-ci que la distribution a été la plus proche de l'image que je m'en étais faite : Derek Bloomfield dans le rôle du jeune accusé, les magistrats que je n'avais jamais clairement visualisés puisque je ne connaissais pratiquement rien au monde de la justice mais qui s'animèrent tout à coup devant moi, et Patricia Jessel qui avait le rôle le plus difficile de tous et sur qui reposait certainement le succès de la pièce. Je n'aurais moi-même pu trouver actrice plus parfaite. C'était un rôle écrasant, surtout au premier acte où le texte ne peut apporter aucune aide : les personnages sont hésitants, réservés, et toute la force de l'œuvre réside dans le jeu des regards, dans le non-dit, dans le sentiment qu'une entourloupe, un « coup tordu » est en train de se préparer. Elle a merveilleusement incarné la tension de ce personnage énigmatique. Je continue de penser que son interprétation du rôle de Romaine Helder est l'un des plus grands tours de force d'acteur qu'il m'ait jamais été donné de voir sur les planches.

J'étais donc heureuse, radieuse, et le fus davantage encore lorsque j'entendis les applaudissements du public. Je m'étais éclipsée comme d'habitude dès le baisser final du rideau — avec ma fin à moi, donc — et sortis sur Long Acre Street. En quelques instants, tandis que je cherchais des yeux la voiture qui m'attendait, je me vis entourée d'une foule amicale de simples spectateurs qui m'avaient reconnue, me donnaient des tapes dans le dos et me manifestaient leur enthousiasme : « C'est ce que vous avez écrit de mieux, ma chère ! » « Une pièce sensationnelle. Félicitations ! » « Un triomphe ! Le V de la victoire ! » « J'ai adoré de la première à la dernière seconde ! » Des carnets d'autographes me furent tendus, que je signai en nageant dans le bonheur. Ma gêne et ma timidité, pour cette fois, m'avaient totalement quittée. Oui, ce fut une soirée mémorable. J'en éprouve encore de la fierté. Et, de temps à autre, je plonge dans ma malle aux souvenirs, je la ressors, la contemple et me dis : « Ce fut la nuit de ma vie, vraiment ! »

Une autre circonstance dont je me souviens avec grande fierté, bien que je doive reconnaître y avoir souffert aussi, est le dixième anniversaire de *La Souricière*. Une soirée fut donnée à cette occasion, et le pire, c'est que je devais y assister. Je ne voyais aucun inconvénient à participer aux pots donnés juste pour les acteurs, ou autres occasions similaires : on s'y trouvait entre amis, et alors je savais surmonter ma timidité. Tandis que cette fois, c'était le grand tralala, la supersoirée au *Savoy*. Avec tout ce que je déteste le plus dans les mondanités de ce genre : une foule de gens, les projecteurs de la télévision, les photographes, les reporters, les discours, tout le tremblement. Personne au monde n'est plus inapte que moi à jouer les stars. Pourtant, je voyais bien que je ne pourrais pas y échapper. On ne me demanderait pas précisément un discours, mais de dire au moins quelques mots, prestation inconcevable de ma part. Je ne sais pas faire de discours, je ne fais jamais de discours et je ne veux pas en faire. D'ailleurs c'est aussi bien comme ça tellement je suis mauvaise en ce genre d'occasions.

Ce qui ne pouvait manquer d'être le cas ce soir-là. J'essayai de réfléchir à mes mots, puis renonçai, car cela serait pire encore. Mieux valait ne pas y songer, et quand l'horrible moment viendrait, juste me fendre de quelque chose — peu importe quoi, ce serait toujours moins moche qu'ânonner un discours préparé.

La soirée commença déjà pour moi sous de mauvais auspices. Peter Saunders m'avait demandé d'arriver au *Savoy* une demi-heure environ avant l'heure prévue — en fait, comme je devais le découvrir en arrivant, pour passer par l'épreuve des photos : une bonne affaire que d'en être débarrassée une fois pour toutes, certes, mais je n'avais pas pensé qu'elle serait d'une telle ampleur.

Je fis donc comme il m'avait demandé et me présentai bravement, seule, au *Savoy*. Quand je parvins au salon réservé pour la soirée, on me refoula :

— Il est trop tôt pour entrer, madame. Attendez vingt minutes.

Et moi de me retirer. Pourquoi n'ai-je pu simplement expliquer : « Je suis Mrs Christie et on m'a demandé de venir à cette heure-ci », je l'ignore. Mais cela faisait partie de ma pitoyable, horrible et inévitable timidité.

C'est d'autant plus bête que je ne suis ordinairement pas inhibée en société. Je n'aime pas les grandes soirées, certes, mais je peux y aller et ce que j'éprouve n'est pas vraiment de la timidité. Ce serait plutôt, en fait, et je pense que c'est le cas pour beaucoup d'auteurs si ce n'est tous, l'impression de me faire passer pour ce que je ne suis pas, car même aujourd'hui, je ne me sens pas véritablement écrivain. J'éprouve toujours au plus profond de moi cette absolue conviction que je joue un rôle, que j'affecte d'être écrivain. Peut-être suis-je un peu comme mon petit-fils Mathew qui, à 2 ans, se rassurait quand il descendait l'escalier en disant : « C'est Mathew. Voilà Mathew qui descend l'escalier ! » C'est ainsi que j'arrivai au *Savoy* en me disant : « Voici Agatha qui se met dans la peau d'un auteur à succès, qui va à sa grande soirée, qui doit se faire passer pour quelqu'un d'important, qui doit faire un discours alors qu'elle ne sait pas parler, qui doit être ce qu'elle ne sait pas être. »

Donc, lâchement, je me laissai refouler, tournai les talons et errai lamentablement dans les couloirs du *Savoy*, essayant de rassembler mon courage pour retourner dire — à l'instar de Margot Asquith — « Je suis Moi ». Heureusement, je fus tirée de ce mauvais pas par cette chère Verity Hudson, l'impresario de Peter Saunders. Elle ne put masquer son hilarité tandis que Peter éclatait franchement de rire. Je fus introduite dans les lieux, dus couper des rubans, embrasser des actrices, afficher un large sourire, minauder, supporter l'outrage fait à ma vanité de me voir poser joue contre joue avec l'une de ces jeunes et jolies starlettes en sachant que nous allions paraître ainsi dans le journal du lendemain : elle rayonnante de beauté, parfaite dans son rôle, et moi franchement affreuse. Très bon pour l'amour-propre, je suppose !

Tout se passa fort bien, peut-être pas aussi bien que si la reine de la soirée avait eu tant soit peu de talent de comédienne et su assurer le spectacle. Je fis néanmoins mon « discours » sans désastre. Quelques mots seulement, mais tout le monde s'accorda gentiment à me dire que j'avais été très bien. Sans aller jusquelà, je crois que je parvins à m'en sortir. Les gens compatirent avec mon inexpérience, virent que je faisais mon possible et apprécièrent mes efforts. Ma fille, je dois dire, n'était pas de cet avis.

— Tu aurais pu te fouler un peu plus, maman, dit-elle, et préparer correctement quelque chose.

Mais elle, c'est elle, et moi, c'est moi. Me préparer correctement conduit souvent, dans mon cas, à une bien plus grande catastrophe que de faire confiance à l'inspiration du moment, où au moins on saura saluer ma prise de risque.

— Vous avez marqué l'histoire du théâtre, ce soir, dit Peter Saunders pour me remonter le moral.

Dans un sens, ce n'est peut-être pas faux.

3

Nous passâmes quelque temps à l'ambassade de Vienne, il y a de ça pas mal d'années, au moment où sir James et lady Bowker s'y trouvaient. Elsa Bowker me fit de sérieuses remontrances après que des reporters furent venus me demander une interview.

— Mais enfin, Agatha, s'écria-t-elle avec son ravissant accent étranger, je ne vous comprends pas ! Si c'était moi, je serais folle de joie, je serais gonflée d'orgueil, je leur clamerais : « Oui ! Venez, venez, installez-vous ! Je sais que ce que j'ai écrit est merveilleux, que je suis le meilleur auteur de romans policiers de la planète. Oui, j'en suis fière. Oui, je vais tout vous raconter par le menu. Mais voyons, je suis ravie. Ah ! vous avez bien raison, je suis douée comme ça n'est pas permis ! » Parce que vous savez, Agatha, si j'étais vous, je me sentirais tellement intelligente que je ne pourrais pas m'empêcher de le crier sur les toits.

Je m'esclaffai.

— Si vous saviez, Elsa, comme j'aimerais changer de place avec vous pour la demi-heure qui vient. Vous sauriez si bien vous y prendre, et ils vous en seraient très reconnaissants. Moi, je suis incapable de bien faire les choses si je dois les faire en public.

Dans l'ensemble, j'ai su éviter de me montrer sauf en cas d'absolue nécessité, ou si mon absence risquait de choquer gravement. Quand on n'est pas bon en quelque chose, il est préférable de ne pas s'y essayer, et je ne vois vraiment pas pourquoi il en irait autrement pour les écrivains : cela ne fait pas partie des outils du métier. Il est de nombreuses professions où les relations personnelles et publiques sont essentielles : les comédiens, par exemple, et autres personnages très en vue. Le travail d'un écrivain se résume à écrire. Ce sont des êtres qui manquent d'assurance. Ils ont besoin qu'on les encourage.

Ma troisième pièce qui passa à Londres — elles passèrent toutes en même temps — a été *La Toile d'araignée*. Celle-ci avait été spécialement écrite pour Margaret Lockwood. Peter Saunders m'avait proposé de la rencontrer et de lui en parler. Elle se déclara enchantée de l'idée que j'écrive pour elle, et je lui demandai de préciser quel genre de pièce elle souhaitait. Elle me répondit tout de suite qu'elle en avait assez des rôles sinistres et mélodramatiques, qu'elle venait de tourner coup sur coup un certain nombre de films dans lesquels elle jouait « la méchante ». Ce dont elle avait envie, c'était une comédie. Je crois qu'elle avait raison, car elle a un don immense dans ce registre aussi bien que dans celui du drame. C'est une très grande actrice, qui sait délivrer ses répliques juste au bon moment pour leur donner leur véritable poids.

J'ai beaucoup aimé écrire le rôle de Clarissa dans *La Toile d'araignée*. Une légère indécision se manifesta tout d'abord quant au titre. Nous hésitâmes entre *Clarissa découvre un cadavre* et *La Toile d'araignée* : ce fut *La Toile d'araignée* qui finit par l'emporter. Elle a tenu l'affiche plus de deux ans, et m'a apporté beaucoup de satisfaction. Quand Margaret Lockwood conduisait l'inspecteur dans l'allée du jardin, elle était sublime.

Je devais plus tard écrire une autre pièce, intitulée *Un ami imprévu*, puis une autre encore qui, en dépit de son mauvais titre, *Verdict*, et malgré son relatif insuccès, me satisfit pleinement. Je l'avais de prime abord intitulée *Pas de champs d'amarantes* en me remémorant la citation de Walter Landor : « Il n'y a pas de champs d'amarantes de ce côté-ci de la tombe. » Je persiste à considérer que c'est, à l'exception de *Témoin à charge*, la meilleure pièce que j'aie écrite. Si elle n'a pas marché, c'est à mon avis parce qu'il ne s'agit en rien d'une pièce policière. Certes, on y traite de meurtre, mais l'idée de fond, le véritable sujet, c'est qu'un idéaliste est toujours dangereux, qu'il est le destructeur potentiel des êtres qui l'aiment et qui l'entourent. Elle pose la question de savoir jusqu'à quel point vous pouvez faire à vos convictions le sacrifice, non pas de vous, mais de vos proches, même s'ils ne les partagent pas.

De tous mes romans policiers, mes deux préférés sont, je crois, *La Maison biscornue* et *Témoin indésirable*. J'eus la surprise en relisant mes livres, l'autre jour, d'en trouver un autre qui me plaît beaucoup : *La Plume empoisonnée*. C'est un excellent test que de relire ses œuvres d'il y a dix-sept ou dix-huit ans. On ne voit plus les choses de la même manière. Certaines ne passent pas le test, d'autres si.

Une jeune Indienne qui m'interviewait un jour — et qui me posa un tas de questions stupides, je dois dire — me demanda :

— Avez-vous jamais écrit et laissé publier un livre que vous jugiez vraiment mauvais ?

Bien sûr que non, ai-je répondu avec indignation. Aucun de mes romans n'a jamais été exactement tel que je voulais qu'il soit et je n'ai jamais éprouvé de satisfaction totale. Mais si j'en avais estimé un vraiment mauvais, je ne l'aurais pas laissé publier.

Encore que je sois passée tout près, je crois, avec *Le Train bleu*. Chaque fois que je le relis, je le trouve plat, rempli de clichés, avec une intrigue inintéressante. Pourtant il plaît, hélas ! à beaucoup de gens. Les auteurs ne peuvent être juges de leurs propres œuvres, dit-on toujours.

Il sera triste, le moment où je ne pourrai plus écrire, mais je ne dois pas trop demander. Après tout, être capable de tenir un stylo à l'âge de 75 ans est déjà une grande chance. On devrait être rassasié, à cet âge, et songer à la retraite. En fait, j'avais déjà caressé l'idée de m'arrêter cette année, mais je me suis laissé détourner de cette vertueuse résolution par le fait que mon dernier roman s'est beaucoup mieux vendu qu'aucun des précédents : le moment semblait plutôt mal choisi pour cesser d'écrire. Peut-être faut-il maintenant que je me fixe la limite à 80 ans ?

J'ai bien aimé ce second printemps qui vient lorsque vous tournez la page des insécurités émotionnelles et relationnelles, quand vous vous apercevez soudain — en atteignant, mettons, la cinquantaine — qu'un nouveau volet de la vie vient de s'ouvrir devant vous, empli d'une foule de choses qui vous donnent matière à réfléchir, à lire ou à étudier. Vous découvrez que vous aimez aller à des expositions de peinture, au concert, à l'Opéra et que vous vous y précipitez avec la même ferveur enthousiaste qu'à 20 ou 25 ans. Pendant des années, votre vie personnelle a absorbé toutes vos énergies, alors que maintenant, vous êtes de nouveau libre de regarder autour de vous. Vous pouvez enfin prendre des loisirs et jouir de l'existence. Bien que vous ne puissiez peut-être plus supporter des conditions aussi rudes qu'auparavant, vous êtes encore assez jeune pour aimer voyager à l'étranger. C'est comme s'il s'opérait en vous une nouvelle montée de sève d'idées et de pensées. Parallèlement, bien sûr, se manifestent les premières atteintes de l'âge. Vous vous apercevez que vous avez toujours mal quelque part : les lumbagos qui vous cassent le dos, l'arthrose qui vous met au supplice tout l'hiver dès lors qu'il s'agit de tourner la tête, l'arthrite de vos genoux qui vous empêche de rester longtemps debout ou de descendre une pente — tous ces petits ennuis sont désormais votre lot et doivent être endurés. Mais la gratitude que l'on éprouve devant ce cadeau qu'est la vie est, je crois, plus forte, plus fondamentale au cours de ces années que jamais auparavant. Il y a là un peu de la réalité et de l'intensité des rêves, et j'aime encore énormément rêver.

4

En 1948, l'archéologie relevait une fois de plus sa tête érudite. Tout le monde parlait d'expéditions possibles, faisait des projets de voyages au Proche-Orient. Les conditions étaient de nouveau favorables à des fouilles en Irak.

La Syrie avait constitué le principal réservoir de découvertes avant guerre, mais maintenant, les autorités irakiennes et le service des Antiquités proposaient des modalités intéressantes. Même si toute pièce unique mise au jour devait aller au musée de Bagdad, les « doubles », comme ils les appelaient, seraient répartis et l'inventeur en recevrait une juste part. Si bien qu'après un an de fouilles d'essai à petite échelle ici et là, les gens se remirent au travail dans ce pays. Après la guerre fut créée une chaire d'archéologie d'Asie occidentale, dans le cadre de laquelle Max enseigna à l'Institut d'archéologie de l'université de Londres. Ce qui lui laisserait des mois libres chaque année pour travailler.

C'est avec un plaisir immense que nous partîmes donc, après un trou de dix ans, reprendre notre travail au Proche-Orient. Plus d'Orient-Express cette fois, hélas ! Ce n'était plus le transport le moins cher, on ne pouvait plus se l'offrir, maintenant. Nous prîmes l'avion. Ce fut le début de cette monotone routine des voyages aériens — mais on ne pouvait pas négliger non plus le gain de temps que cela représentait. Plus triste encore, les traversées du désert par la Nairn n'existaient plus. On allait de Londres à Bagdad en avion, point final. À l'époque, on faisait encore escale une nuit ici ou là, mais c'était néanmoins l'amorce de ce qui allait devenir, c'était visible, un voyage excessivement ennuyeux et une dépense qui ne vous apporterait aucun plaisir en retour.

Bref, nous arrivâmes à Bagdad, Max et moi, en compagnie de Robert Hamilton, qui avait travaillé avec les Campbell-Thompson et avait plus tard été conservateur au musée de Jérusalem. Le moment venu, nous allâmes ensemble visiter des sites au nord de l'Irak, entre le Petit et le Grand Zab, jusqu'à parvenir au pittoresque tertre et à la ville d'Erbil. De là, nous prîmes la direction de Mossoul et, en chemin, effectuâmes notre seconde visite de Nimrud.

La région était toujours aussi jolie que dans mes souvenirs de notre précédente et lointaine venue. Max l'examina avec un zèle particulier, ce qui n'avait même pas été possible la première fois, mais à présent, bien qu'il n'en dît rien, il avait un espoir. Nous y pique-niquâmes de nouveau, visitâmes quelques autres tertres et atteignîmes Mossoul.

Le résultat de cette tournée fut que Max finit par déclarer ouvertement que son véritable désir était de fouiller à Nimrud.

— C'est un grand site, un site historique, dit-il. Un site qu'il faut explorer. Personne n'y a touché depuis Layard, il y a une centaine d'années, et Layard n'a fait que l'effleurer. Il y a trouvé de beaux fragments d'ivoire, il doit en rester d'autres. C'est l'une des trois cités assyriennes d'importance majeure : Assur était la capitale religieuse, Ninive la capitale politique et Nimrud, ou Kalah comme elle s'appelait alors, était la capitale militaire. Il est impératif d'y entreprendre des fouilles. Ce qui nécessitera beaucoup d'hommes, beaucoup d'argent, et prendra plusieurs années. Nous pourrions bien, avec un peu de chance, tenir là un des monuments de l'histoire de l'archéologie, qui viendra enrichir les connaissances de l'humanité.

Je lui demandai s'il avait maintenant épuisé sa passion des poteries protohistoriques. Il me répondit par l'affirmative : tant de questions avaient à présent trouvé réponse que son intérêt se portait maintenant sur le site historique de Nimrud.

— Il est de la valeur du tombeau de Toutânkhamon, de Cnossos en Crète et d'Ur. Et puis pour un gisement comme celui-ci, on peut vraiment demander des subventions.

L'argent ne tarda pas à arriver. Modestement au départ, mais au fur et à mesure de nos découvertes, il afflua de plus en plus. Le Metropolitan Museum de New York compta parmi nos principaux bailleurs de fonds. Nous reçûmes des subsides, également, de l'école d'archéologie Gertrude-Bell, en Irak, et de bien d'autres : le musée Ashmolean d'Oxford, le Fitzwilliam de Birmingham. Nous commençâmes donc ce qui devait être notre travail pour dix ans.

Cette année, ce mois-ci même, le livre de mon mari, *Nimrud et ses vestiges*, va sortir. Il a mis dix ans à l'écrire. Il a toujours craint de ne pas vivre assez longtemps pour le terminer. Nous sommes si peu de chose — l'infarctus, l'hypertension, et toutes ces autres maladies modernes semblent nous guetter, surtout les hommes. Mais tout va bien. C'est l'œuvre de sa vie, à laquelle il s'est attaché depuis 1921. Je suis fière de lui et heureuse pour lui. Cela semble un miracle que nous ayons tous deux réussi à accomplir la tâche que nous nous étions assignée.

Nos travaux ne pouvaient pas être plus dissemblables. Je ne suis pas une intellectuelle, lui si, et pourtant nous sommes, je crois, complémentaires. Nous nous sommes entraidés. Il m'a souvent demandé mon avis sur certains points, et même si je ne resterai jamais qu'un amateur, j'ai acquis pas mal de connaissances dans sa branche de l'archéologie. Il me disait d'ailleurs il y a quelques années, alors que je me lamentais de n'avoir pas fait les études adéquates quand j'étais jeune, de façon à vraiment connaître le sujet :

— Ne vois-tu pas que tu en sais maintenant bien plus sur les poteries protohistoriques que pratiquement n'importe qui en Angleterre ?

À ce moment-là, peut-être, bien que ce ne soit plus pareil aujourd'hui. Je n'aurai jamais une approche professionnelle, je ne me rappellerai jamais les dates exactes des rois assyriens, mais je prends vraiment un intérêt considérable dans les aspects intimes de ce que l'archéologie révèle. J'aime trouver un petit chien enterré sous un seuil avec cette inscription : « Mords d'abord, tu réfléchiras ensuite ! » Fière devise pour un chien de garde ! Comment ne pas imaginer le maître du toutou en train de la graver dans l'argile... et l'entourage de se tordre de rire ? Les tablettes de contrat sont intéressantes, elles aussi, car elles révèlent comment on pouvait se vendre comme esclave, ou les conditions à remplir pour adopter un fils. On y voit Salmanasar constituer son zoo en y envoyant des animaux étrangers capturés au cours de ses campagnes, essayer de faire pousser de nouveaux végétaux et d'introduire des arbres venus d'ailleurs. Incorrigible gourmande, je fus fascinée quand nous découvrîmes une stèle qui décrivait un festin donné par le roi, et sur laquelle figurait la liste de toutes les victuailles qui y furent servies. Ce qui me parut curieux, c'est qu'après cent moutons, six cents vaches et des quantités de cet ordre, on en soit réduit à une malheureuse vingtaine de miches de pain. Pourquoi si peu ? Et dans ce cas-là, pourquoi diable en servir ?

Je n'ai jamais eu l'esprit assez scientifique, dans les fouilles, pour m'intéresser aux niveaux, aux plans, et tout le reste, dont l'école moderne semble faire ses choux gras. Je n'ai pas honte à ne prendre plaisir qu'aux objets d'artisanat et d'art que l'on déterre. Ce sont sans doute pourtant les premiers qui sont les plus importants, mais pour moi, ils ne présenteront jamais la fascination de ce qui est issu des mains de l'homme : telle petite pyxide d'ivoire avec des musiciens et leurs instruments sculptés tout autour, tel petit chérubin ailé, cette merveilleuse tête de femme, laide à faire peur mais débordante d'énergie et de personnalité.

Nous occupions une partie de la résidence du cheik du village entre le tell et le Tigre. Nous avions une pièce au rez-de-chaussée pour prendre les repas et empiler les affaires, une cuisine attenante, et deux chambres au premier — une pour Max et moi, une petite au-dessus de la cuisine pour Robert. Comme je devais développer les photos dans la salle à manger, le soir, Max et Robert se retiraient à l'étage. Chaque fois qu'ils traversaient la chambre, de petits morceaux de boue séchée se détachaient du plafond et tombaient dans le bac du révélateur. Avant de commencer le bain suivant, je montais et les apostrophais furieusement :

— Dites donc, au cas où vous l'auriez oublié, je développe des photos, moi, en dessous de vous. Dès que vous bougez, il me dégringole des choses sur la tête. Vous ne pourriez pas vous contenter de parler tranquillement et cesser de faire les cent pas ?

Ils finissaient toujours par s'échauffer, se précipiter vers une valise pour aller chercher un livre, et les morceaux de boue séchée se remettaient à tomber.

Dans la cour se trouvait un nid de cigognes, lesquelles faisaient un boucan insupportable au moment des amours avec leurs battements d'ailes et leurs craquements si particuliers d'ossements secs. Les cigognes sont extrêmement bien considérées, au Proche-Orient, et tout le monde les traite avec le plus grand respect.

Au moment de partir, à la fin de la première saison, nous prîmes les dispositions nécessaires pour construire une maison en briques de terre sur le tertre lui-même. Les briques furent coulées puis étalées pour sécher. Tout était prévu également pour la toiture.

Quand nous arrivâmes, l'année suivante, nous fûmes très fiers de notre maison. Il y avait une cuisine, puis une longue salle de mess qui servait aussi de salon, suivie d'une salle de dessin et d'une salle des antiquités. Nous dormions sous la tente. Un ou deux ans plus tard, nous procédâmes à quelques ajouts : un petit cabinet de travail avec un bureau en face d'une fenêtre par laquelle on pouvait distribuer aux hommes leur salaire les jours de paie et, de l'autre côté, un bureau d'épigraphiste. Derrière se trouvaient la salle de dessin et l'atelier, avec ses étagères entières d'objets à réparer. Au-delà encore, le réduit dans lequel l'infortunée photographe devait développer ses clichés et recharger ses appareils. De temps à autre, se soulevaient de terribles tempêtes de sable avec un vent surgi de nulle part. Nous nous précipitions immédiatement dehors pour nous accrocher de toutes nos forces aux tentes cependant que tous les couvercles des poubelles s'envolaient. Les tentes finissaient généralement par s'effondrer avec un bruit mou en emprisonnant quelqu'un dans leurs replis.

Un ou deux ans plus tard, enfin, je requis l'autorisation de faire ajouter une petite pièce pour moi, à mes frais. Pour cinquante livres, donc, je fis construire un petit bureau carré en brique de terre, et c'est là que j'ai commencé à écrire ces souvenirs. Il y avait une fenêtre, une table, une chaise droite et les vestiges effondrés de ce qui fut un fauteuil « Minty », si décrépit qu'il était difficile de s'asseoir dedans, mais cependant toujours très confortable. Au mur, j'avais suspendu deux tableaux de jeunes peintres irakiens. L'un représentait une vache à l'air triste à côté d'un arbre, l'autre un kaléidoscope de toutes les couleurs imaginables qui semblaient des taches disparates au premier coup d'œil mais prenaient soudain la forme de deux ânes conduits par des muletiers à travers le souk — tableau que j'ai toujours trouvé des plus fascinants. Je l'ai laissé sur place à la fin parce que tout le monde l'aimait beaucoup, et il a été transféré dans le grand salon. Mais un jour, je crois que je tiendrai à le récupérer.

Sur la porte, Donald Wiseman, l'un de nos épigraphistes, a fixé la pancarte en cunéiformes qui annonce que c'est *Beit Agatha* — la maison d'Agatha —, et dans la maison d'Agatha je me suis retirée chaque jour pour faire un peu de mon travail à moi. Je passais la plus grande partie de la journée, cependant, à développer des photos et à réparer ou nettoyer des ivoires.

Nous avons eu une extraordinaire succession de cuisiniers. L'un d'eux était fou. C'était un Indo-Portugais. Il faisait très bien à manger, mais devint de plus en plus taciturne à mesure que la saison avançait. Finalement, les marmitons vinrent nous voir pour expliquer qu'ils étaient inquiets au sujet de Joseph, qu'il devenait bizarre. Un jour, il disparut. Nous le cherchâmes, prévînmes la police. Ce furent les gens du cheikh qui le ramenèrent. Il affirma avoir reçu un ordre du Seigneur et dû obéir, mais que maintenant, on lui avait conseillé de revenir pour s'assurer des volontés du Seigneur. Il semblait régner une certaine confusion dans son esprit entre le Tout-Puissant et Max : il fit le tour de la maison à longues enjambées puis se prosterna devant ce dernier qui était en train d'expliquer quelque chose à des ouvriers, et lui baisa pieusement le bas du pantalon.

— Relève-toi, Joseph, fit Max au comble de l'embarras.

— Je dois attendre vos ordres, Seigneur. Dites-moi où je dois aller et j'irai. À Bassora et j'irai à Bassora. À Bagdad et j'irai à Bagdad. Envoyez-moi dans les neiges du Nord et j'irai dans les neiges du Nord.

— Eh bien je te charge, Joseph, ordonna Max en acceptant le rôle du Tout-Puissant, d'aller tout de suite dans la cuisine nous préparer les repas dont nous avons besoin.

— J'y vais, Seigneur, fit Joseph en lui baisant derechef le revers du pantalon et en prenant *illico* la direction de la cuisine.

Malheureusement, il semblait y avoir certaines interférences dans son cerveau, car d'autres ordres continuèrent à arriver à Joseph qui multiplia les fugues. Nous dûmes le renvoyer à Bagdad. Son argent fut cousu dans ses poches et un télégramme envoyé à sa famille.

C'est alors que notre second domestique, Daniel, nous dit qu'il avait quelques connaissances culinaires et qu'il pourrait assurer les trois dernières semaines de la saison. Résultat : nous fûmes en crise de foie permanente. Il nous nourrissait exclusivement de ce qu'il appelait des « œufs à l'écossaise », excessivement indigestes et frits dans une graisse des plus inhabituelles. Daniel se conduisit fort mal juste avant de partir. Il eut une querelle avec notre chauffeur qui le dénonça alors : il avait déjà escamoté dans ses bagages vingt-quatre boîtes de sardines et diverses autres denrées. Il fut vertement tancé, nous lui signifiâmes qu'il s'était déshonoré non seulement en tant que domestique mais également en tant que chrétien aux yeux des Arabes, et que nous n'aurions plus recours à ses services. Ce fut le pire de tous les domestiques que nous ayons jamais eus.

Il était allé voir Harry Saggs, l'un des épigraphistes, pour lui demander :

— Vous êtes le seul homme bon sur ce chantier : vous lisez la Bible, je vous ai vu. Alors puisque vous êtes un homme bon, donnez-moi votre meilleur pantalon.

— Il n'en est pas question, répondit Harry Saggs.

— Vous accomplirez un acte chrétien si vous me donnez votre meilleur pantalon.

— Ni mon meilleur ni mon plus mauvais, répliqua Harry. J'ai besoin des deux.

Et Daniel se retira pour essayer d'aller quémander quelque chose ailleurs. Il était extrêmement paresseux. Il attendait la nuit pour nettoyer les chaussures afin que personne ne voie qu'il ne les faisait pas vraiment, et il restait assis à chantonner, la cigarette au bec.

Notre meilleur serviteur fut Michael, qui avait travaillé au

consulat britannique de Mossoul. Avec son long visage mélancolique et ses yeux immenses, il paraissait tout droit sorti d'un
tableau du Greco. Il avait toujours de graves problèmes avec sa
femme. De temps en temps, elle essayait de le tuer avec un couteau. Le médecin finit par le persuader de la lui amener à Bagdad.

— Il m'a écrit, dit Michael un jour, et affirme que ce n'est
qu'une question d'argent. Si je lui donne deux cents livres, il
essaiera de la guérir.

Max lui conseilla plutôt de l'emmener à l'hôpital central, pour
lequel il lui avait déjà rédigé une petite note, et de ne pas se
laisser escroquer par des charlatans.

— Non, fit Michael, celui-là, c'est un seigneur : il habite une
grande maison dans une grande avenue, alors ce doit être le
meilleur.

La vie à Nimrud, pendant les trois ou quatre premières années,
fut relativement calme. Le mauvais temps nous coupait souvent
de ce qu'on appelait pompeusement « la route », ce qui tint
nombre de visiteursà l'écart. Puis une année, vu l'importance que
nous prenions, une sorte de piste fut ouverte pour nous raccorder
à la grand-route, et la route de Mossoul elle-même fut goudron-
née sur une grande partie de sa longueur.

Cela nous causa bien des tourments. Les trois dernières années,
nous aurions pu employer quelqu'un rien que pour accueillir les
gens, leur faire visiter le chantier, leur servir à boire, leur offrir le
thé, le café, etc. Des cars entiers d'écoliers débarquaient à tout bout
de champ, ce qui nous plongeait chaque fois dans des transes, car il
y avait partout des excavations profondes dont les bords toujours
prêts à s'ébouler étaient dangereux, à moins de savoir très exactement où poser les pieds. Et nous avions beau supplier les maîtres de
tenir les enfants à l'écart des fosses, ils n'en adoptaient pas moins la
sempiternelle attitude du « *Inch'Allah*, tout se passera bien ». Au fil
du temps, de nombreux parents se mirent à venir avec des bébés.

— Cet endroit est devenu une vraie crèche ! soupirait Robert
Hamilton en regardant autour de lui la salle de dessin emplie des
piaillements de trois nourrissons dans leurs porte-bébés. Bon, je
m'en vais mesurer les niveaux.

Nous poussions de hauts cris de protestation :

— Allons, Robert, vous qui avez cinq enfants, vous êtes tout
indiqué pour vous charger de la crèche ! Vous n'allez tout de
même pas laisser à de jeunes célibataires le soin de s'occuper de
bébés !

Robert nous lançait un regard glacial et disparaissait.

C'était le bon temps. Chaque année avait son charme, même

si la vie devenait chaque fois plus compliquée, mondaine et urbanisée.

Quant au tertre lui-même, il perdait, avec tous ces terrassements, sa beauté d'origine. Perdue, son innocente simplicité, avec ces têtes de pierre qui pointaient par-dessus l'herbe verte constellée de renoncules rouges. Les bandes de guêpiers — délicieux passereaux dorés, verts et orange qui voletaient en gazouillant au-dessus du tertre — venaient encore au printemps, suivis un peu plus tard par les pigeons culbutants, plus gros, également bleus et orange, qui avaient une curieuse façon de se laisser tomber soudainement et maladroitement du ciel, d'où leur nom. La légende voulait qu'ils aient été punis par la déesse Ishtar qui les avait mordus à l'aile pour l'avoir insultée Dieu sait comment.

Désormais Nimrud dort.

Nous l'avons défiguré avec nos bulldozers. Ses puits béants ont été remplis de terre fraîche. Un jour, ses blessures seront cicatrisées et il resplendira de nouveau sous les premières fleurs du printemps.

Ici, jadis, se trouvait Kalah la grande cité antique. Puis Kalah s'est endormi...

Est venu Layard, qui a troublé sa paix. Et de nouveau, Kalah-Nimrud s'est endormi...

Sont ensuite venus Max Mallowan et sa femme. Et de nouveau, Kalah dort...

Qui viendra la déranger de nouveau ?

Nul ne le sait.

Je n'ai pas encore parlé de notre maison de Bagdad. Nous avions une vieille maison turque sur la rive ouest du Tigre. Les gens trouvaient étrange de notre part d'y être tellement attachés, de préférence à ces cubes modernes, mais notre maison turque était fraîche et délicieuse avec sa petite cour intérieure et les palmiers qui montaient jusqu'à la rambarde du balcon. Derrière nous, il y avait une plantation de dattiers irriguée, ainsi qu'une minuscule cabane faite de *tutti* — de bidons d'essence. Les enfants s'y amusaient bien. Les femmes allaient et venaient et descendaient jusqu'au fleuve pour laver leur pots et leurs casseroles. Riches et pauvres vivent harmonieusement côte à côte à Bagdad.

Quelle énorme croissance depuis que j'ai vu cette ville pour la première fois ! L'architecture de ses nouveaux quartiers est, dans l'ensemble, tout à fait horrible et complètement inadaptée au climat. C'est la copie de ce qu'on voit dans les magazines modernes français, allemands, italiens. On ne peut plus descendre dans la fraîcheur du *sirdab* pendant les heures chaudes de la journée. Les fenêtres ne sont plus ces petites ouvertures en haut des murs qui vous protégeaient de l'ardeur du soleil. Les installations sanitaires se sont peut-être améliorées — elles pourraient difficilement être pires — mais j'en doute. Les sanitaires modernes, avec leurs couleurs lilas, roses ou mauves, sont agréables à l'œil mais le système d'évacuation est inexistant. Comme avant, les égouts ne peuvent que se déverser directement dans le Tigre, et le volume des chasses d'eau semble toujours cruellement insuffisant. Il y a quelque chose de particulièrement énervant à voir de belles salles de bains modernes pourvues des derniers équipements et qui ne fonctionnent pas par défaut d'évacuation ou d'alimentation en eau.

Je me dois de raconter notre première visite à Arpachiyah après une absence de quinze ans. On nous reconnut tout de suite. Tout le village vint à notre rencontre. Il y eut des cris, des appels, des saluts, des mots de bienvenue.

— Vous vous rappelez de moi, Hawajah ? fit un homme. J'étais un petit porteur de panier quand vous êtes partie. Maintenant j'ai 24 ans, une femme et un fils, un grand fils, je vais vous les montrer.

Ils étaient surpris que Max ne puisse se rappeler tous les visages et tous les noms. Ils n'avaient pas oublié la fameuse course qui était entrée dans l'histoire. Nous retrouvions nos amis d'il y a quinze ans.

Un jour, tandis que je traversais Mossoul avec le camion, le policier qui réglait la circulation leva soudain son bâton blanc et arrêta tout le monde.

— *Mama ! Mama !* cria-t-il en se précipitant vers moi pour me prendre la main et la secouer frénétiquement. Quelle joie de vous revoir ! Je suis Ali ! Ali, le petit serveur, vous vous rappelez ? Oui ? Eh bien maintenant, je suis agent de police !

Et c'est ainsi que, chaque fois que j'entrais à Mossoul au volant du camion, Ali arrêtait la circulation dès qu'il nous reconnaissait, nous nous saluions et il nous faisait repartir avec priorité absolue. C'est un bonheur d'avoir des amis pareils. Chaleureux, simples, emplis de joie de vivre, prêts à rire de tout. Les Arabes sont très rieurs et extrêmement hospitaliers. Si vous passez par le village d'un de vos ouvriers, il va se précipiter dehors et insister pour vous faire entrer et partager le lait aigre avec lui. Certains dignitaires des villes, les *effendis* dans leur costume pourpre, sont assez ennuyeux, mais les hommes de la terre sont de braves gens et extraordinaires en amitié.

Comme j'ai aimé cette région de notre vaste monde !

Je l'aime encore et l'aimerai toujours.

Épilogue

Le désir d'écrire mon autobiographie m'est soudain et brutalement venu dans ma « maison » de Nimrud, Beit Agatha.

J'ai relu mes notes d'alors et je suis satisfaite. J'ai fait ce que je voulais faire. Je suis partie en voyage. Pas tant un voyage rétrospectif dans le passé que prospectif, en partant du commencement, en revenant au Moi qui s'embarquait pour cette traversée en avant dans le temps. Je n'ai eu de limite ni spatiale ni temporelle. J'ai pu m'attarder où je voulais, sauter en arrière ou en avant à mon gré.

Je me suis rappelée, je suppose, ce que je voulais me rappeler — beaucoup de détails ridicules sans aucune raison logique. Ainsi sommes-nous faits, nous autres humains.

Et maintenant que j'ai atteint l'âge de 75 ans, le temps semble venu de mettre un point final. En ce qui concerne mon existence, il n'y a plus rien à dire.

Je vis maintenant en sursis, guettant l'appel qui ne manquera pas de se faire entendre. Alors je franchirai le pas — où qu'il doive mener : de cela, heureusement, on n'a pas à se préoccuper.

Je suis maintenant prête à accepter la mort. J'ai beaucoup de chance : j'ai autour de moi mon mari, ma fille, mon petit-fils, mon gentil gendre, les êtres qui constituent mon univers. Je n'ai pas encore tout à fait atteint le stade où j'embêterai tout le monde.

J'ai toujours admiré les Esquimaux. Un jour arrive où l'on prépare un délicieux repas pour la vieille maman, puis elle s'en va sur la banquise — et ne revient jamais...

On devrait être fier de quitter la vie de cette manière, avec dignité et résolution.

C'est bien entendu facile d'écrire ces grands mots. Ce qui va se passer, en fait, c'est que je vais m'accrocher jusqu'à 93 ans, rendre mon entourage fou parce que je n'entendrai plus rien de ce qu'on me dit, pester amèrement contre les derniers appareils acoustiques, poser sans arrêt des questions, oublier aussitôt la réponse et reposer les mêmes questions, houspiller une patiente garde-malade et l'accuser de m'empoisonner, ou bien faire une fugue de la maison pour vieilles dames distinguées où l'on m'aura placée et plonger mon infortunée famille dans des soucis sans fin. Et quand je partirai d'une bronchite, j'entends déjà les gens murmurer autour de moi : « C'est quand même une délivrance... »

Ce sera bel et bien une délivrance — pour eux — et la meilleure chose qui pourra arriver.

En attendant, confortablement installée dans l'antichambre de la mort, je continue à m'amuser. Même si, au fil des ans qui passent, la liste des plaisirs possibles tend à diminuer. Plus question de longues promenades ni, hélas ! de bains de mer. Finis les steaks, les pommes, les mûres, à cause de mes dents. Impossible de lire les petits caractères. Mais des plaisirs, il m'en reste encore beaucoup : l'Opéra, les concerts, la lecture, et celui, immense, de me laisser tomber dans mon lit, de m'y endormir et d'y faire des rêves de toutes sortes ; souvent aussi, la visite de jeunes gens qui passent me voir et se montrent si gentils à mon égard ; et puis, par-dessus tout ou presque, m'installer au soleil et me laisser glisser voluptueusement dans une bienheureuse somnolence où me rejoignent encore et toujours mes souvenirs : « *Je me rappelle, je me rappelle la maison où je suis née...* »

C'est là que mon esprit retourne toujours. À Ashfield.

Ô ! ma chère maison, mon nid, mon gîte,
Le passé l'habite... Ô ! ma chère maison...

Cette maison a tant compté pour moi ! Quand je rêve, ce n'est guère de Greenway ou de Winterbrook. C'est d'Ashfield, le vieux décor familier où ma vie s'est mise en place, même si le rêve est peuplé de gens d'aujourd'hui. Tous ces détails, comme ils me reviennent : le rideau rouge éraillé par l'usure qui ouvrait sur la cuisine, l'hélianthe en cuivre qui ornait la grille de la cheminée du hall, le tapis turc sur les marches de l'escalier, la grande salle d'étude qui avait connu des jours meilleurs avec son papier mural gaufré bleu foncé et or.

L'année dernière ou celle d'avant, je suis allée voir non pas Ashfield, mais où Ashfield avait été. Je savais que je devrais y retourner tôt ou tard. Même si cela me causait de la peine, je ne pouvais faire autrement.

Il y a trois ans aujourd'hui, quelqu'un m'écrivait pour me demander si je savais que la maison devait être démolie pour faire place à un nouveau lotissement, et si je pouvais faire quelque chose pour la sauver — une si jolie maison ! — puisqu'ils avaient appris que j'y avais vécu autrefois.

J'allai trouver mon notaire. Ne pourrais-je racheter la maison et en faire don pour créer un foyer de personnes âgées, par exemple ? Non, ce n'était pas possible. Cinq ou six grandes villas avaient été vendues en bloc avec leur jardin : tout devait être démoli et le nouveau lotissement sortir de terre. Il n'y aurait donc pas de sursis pour mon cher Ashfield.

Un an et demi s'écoula avant que je puisse me résoudre à prendre la voiture et aller à Barton Road...

Il ne restait rien de mes souvenirs. Ce n'étaient que de petites maisons de pacotille, les plus vilaines que j'aie jamais vues. Partis, les grands arbres. Partis, le bosquet de frênes, le grand hêtre, le séquoia, les pins, les ormes qui bordaient le potager, la masse sombre du chêne vert — je ne pouvais même pas retrouver l'emplacement exact où la maison s'était dressée. C'est alors que je vis le seul indice : les restes insolents d'un araucaria qui luttait pour subsister au fond d'une cour encombrée. Plus trace de jardin nulle part. De l'asphalte partout. Pas un seul brin d'herbe.

— Brave araucaria, lui dis-je avant de tourner les talons.

Je me sentais pourtant moins chagrine après avoir vu ce qui s'était passé. Ashfield avait existé mais son temps était révolu. Et parce que ce qui a existé existe toujours dans l'éternité, Ashfield reste Ashfield. Y penser ne m'attriste plus désormais.

Peut-être un jour une fillette, en train de sucer un jouet en plastique et de taper sur un couvercle de poubelle, se trouvera-t-elle nez à nez avec une autre fillette aux anglaises toutes blondes et au visage grave. La fillette au visage grave se tiendra dans un rond de sorcières d'herbe verte, à côté d'un araucaria, un cerceau à la main. Elle écarquillera les yeux devant le vaisseau spatial en plastique que la première enfant suce, laquelle écarquillera les yeux devant le cerceau. Elle ne sait pas ce qu'est un cerceau. Et elle ne saura pas qu'elle a vu un fantôme...

Au revoir, cher Ashfield.

Il me reste tant et tant de souvenirs encore : la marche sur un tapis de fleurs vers le tombeau yézide, à Cheikh Adi... la beauté des mosquées d'Ispahan, cette ville de conte de fées... un coucher de soleil écarlate devant la maison, à Nimrud... l'arrêt du train pour admirer les portes de Cilicie dans le silence du soir... les arbres de la New Forest en automne... les bains de mer à Tor

Bay avec Rosalind... Mathew dans le match d'Eton contre Harrow... Max qui rentre de la guerre et qui mange des harengs saurs avec moi... Il y a tellement de choses — de futiles, de belles. Et ces deux sommets de mon ambition qui ont été atteints : dîner avec la reine d'Angleterre — comme Nursie aurait été heureuse : « *Petit chat, petit chat, d'où reviens-tu à peine ?* » et la fierté de posséder une Morris Cowley au nez rond — une voiture toute à moi ! Et le plus poignant des épisodes : celui où Goldie redescend en sautillant de sa tringle à rideau après m'avoir plongée toute une journée dans le plus profond désespoir.

Un enfant dit :
— Merci, mon Dieu, pour cet excellent repas.
Que vais-je dire, moi, à 75 ans ?
— Merci, mon Dieu, pour cette excellente vie et pour tout l'amour qui m'a été donné.

Wallingford, 11 octobre 1965.

Bibliographie

Les romans

I. Les années vingt : Poirot et les aventuriers

1920. *La Mystérieuse Affaire de Styles*

Hercule Poirot, réfugié belge établi dans le petit village de Styles St Mary, fait son entrée en scène. L'action se passe durant l'été 1916 et ce retraité de la Sûreté de Bruxelles met en action ses « petites cellules grises » pour résoudre une énigme criminelle. Quant à l'auteur, sa récente découverte des poisons au dispensaire de Torquay lui vient en aide. On se demande comment plusieurs éditeurs ont pu refuser le manuscrit de ce livre à l'intrigue très habile... Agatha gardera précieusement l'illustration originale ayant servi à la couverture de sa première œuvre publiée, et elle en ornera l'un des murs de sa maison de Sunningdale rebaptisée... *Styles...*

1922. *Mr Brown*

En lisant le second roman d'Agatha, l'éditeur John Lane fut paraît-il déçu de trouver, à la place du petit détective au crâne en forme d'œuf, un duo de jeunes gens intrépides lancés dans une aventure digne de la plume d'Edgar Wallace ou John Buchan. Tommy et Tuppence Beresford venaient de faire leur apparition dans l'univers romanesque d'Agatha Christie — qui y voyait sans doute une version idéalisée de son propre couple — et allaient devenir d'inséparables compagnons de sa carrière d'écrivain...

1923. *Le Crime du golf*

Poirot enquête en France, secondé par son « Watson », le capitaine Hastings. Agatha dispose très habilement sous les pas du lecteur une série de leurres et, pour la première fois, met en scène un crime répondant en écho à un forfait plus ancien.

1924. *L'Homme au complet marron*

L'héroïne de ce livre, Anne Beddingfield, est une jeune femme romantique, fille d'archéologue, qui ressemble beaucoup à Agatha, laquelle publie également cette année-là un recueil de poèmes, *La Route des rêves*. On fait la connaissance du colonel Race, qu'on retrouvera dans un certain nombre d'autres romans comme *Mort sur le Nil* ou *Cartes sur table*.

1925. *Le Secret de Chimneys*

Agatha s'amuse à pasticher le style enjoué de P.G. Wodehouse, l'immortel créateur de Jeeves et Bertie Wooster. Dans cette histoire d'intrigue internationale apparaît le superintendant Battle qu'on reverra plus tard. Agatha s'essaie une fois encore au roman d'action, non sans talent.

1926. *Le Meurtre de Roger Ackroyd*

Retour au récit d'énigme : Agatha est en possession de tous ses moyens et aux commandes d'une intrigue soigneusement ourdie, dont Lord Mountbatten revendiquera plus tard la paternité ! C'est la première grande enquête de Poirot venu planter ses... concombres dans un petit village anglais dont il parcourt les rues avec des chaussures exagérément cirées. Caroline, la sœur cancanière du Dr Sheppard, pourrait bien constituer la première mouture de Miss Jane Marple.

À sa sortie, le roman défraie la chronique. Les tenants de la déontologie du récit de détection classique ne pardonneront pas sa supposée trahison à celle qui se voit aussitôt défendue par sa consœur Dorothy Sayers. Mais les lecteurs d'Agatha Christie éliront bientôt ce roman comme l'un de ses chefs-d'œuvre.

Deux ans plus tard, une pièce — *Alibi* — est tirée du roman par Michael Morton. L'acteur Charles Laughton y incarne Poirot.

1927. *Les Quatre*

Composé au cours des mois qui suivirent la mystérieuse disparition de la romancière, *Les Quatre* est une sorte de patchwork, en vérité une série d'histoires ingénieusement rassemblées, au fil desquelles Poirot et son ami Hastings affrontent une redoutable bande internationale. L'ombre tutélaire de Sherlock Holmes plane plus que jamais sur ce livre au rythme endiablé.

1928. *Le Train bleu*

Agatha considérait les compartiments des voitures pullman comme de merveilleux postes d'observation et elle se délectait des voyages en train. Après son divorce d'avec le colonel Christie, elle effectua de nombreux périples, seule ou en compagnie de sa fille Rosalind... En revanche, elle prétendait ne pas aimer son roman *Le Train bleu,* une opinion que sont loin de partager ses lecteurs. L'exploration des palaces de la Riviera et de sa faune luxueuse et cosmopolite par un Poirot goguenard, flanqué de son inénarrable valet de chambre George, est en effet pleine d'un charme rétro. Le roman se double d'un véritable documentaire sur l'époque où il fut écrit.

1929. *Les Sept Cadrans*

Ce roman fait en quelque sorte suite au *Secret de Chimneys,* puisqu'on y retrouve certains personnages dans la propriété de Lord Caterham, notamment le superintendant Battle. Le mystère qui se déploie dans ce cadre très britannique fait songer au roman de John Buchan *La Centrale d'énergie,* l'un des livres de chevet d'Agatha Christie.

II. Les années trente : Miss Marple entre en scène

1930. *L'Affaire Protheroe*

Dans son *Autobiographie,* Agatha prétend ne se souvenir ni de l'époque exacte, ni du lieu où elle écrivit ce roman, pourtant l'un de ses meilleurs. Les premiers lecteurs de cette œuvre qui marquait l'entrée en scène de Jane Marple purent découvrir un plan précis du petit village de St Mary Mead, devenu depuis l'archétype du théâtre du mystère campagnard... La personnalité victorienne de l'héroïne, cancanière et moraliste, mais surtout douée d'un sens de l'observation redoutable, submerge cette fiction qui fait date.

1931. *Cinq heures vingt-cinq*

L'action a pour cadre la lande de Dartmoor, que l'auteur connaissait depuis sa plus tendre enfance. Elle y recrée la magie des séances spirites, abordées naguère dans certaines de ses nouvelles. Le coupable, ici, n'est pas découvert par un professionnel de la détection mais par l'héroïne du livre...

1932. *La Maison du péril*

Nostalgie encore : St Loo, la ville de bord de mer où se passe l'histoire, ressemble étrangement à Torquay, la ville natale d'Agatha. L'hôtel Majestic où séjournent Poirot et Hastings est le frère jumeau de l'Impérial. Le lecteur moderne peut se livrer avec malice à un petit jeu de pistes lui permettant de situer les divers lieux de l'action...

1933. *Le Couteau sur la nuque*

Le roman connut à sa sortie un succès immense, peut-être parce qu'il mettait en scène un certain nombre de personnages à clef du monde du spectacle. La principale protagoniste, la comédienne et imitatrice Carlotta Adams, ne manque d'ailleurs ni de vérité, ni d'un authentique pouvoir de fascination.

1934. *Pourquoi pas Evans ?*

Agatha revient avec ce roman à la veine aventurière de *Mr Brown* et de *L'Homme au complet marron*. Les héros en sont une aristocrate, Lady Frances Derwent et son ami d'origine populaire Bobby Jones, et leur association n'est pas sans rappeler celle de Tommy et Tuppence Beresford.

1934. *Le Crime de l'Orient-Express*

Écrit pendant une saison de fouilles archéologiques en Irak et dédié à son second mari Max Mallowan, ce roman a pour cadre le train légendaire dont raffolait Agatha. Et, comme dans *Le Meurtre de Roger Ackroyd*, l'auteur y joue un tour particulièrement retors à ses lecteurs. Elle y témoigne de la fascination morbide qu'avait exercé sur elle l'enlèvement du bébé Lindbergh, sans doute le fait divers le plus marquant de l'année 1932. La critique se montra particulièrement élogieuse à la sortie du livre, devenu par la suite l'un des fleurons de l'œuvre d'Agatha Christie. Curieusement, il ne fut porté à l'écran qu'en 1974, avec l'approbation de la romancière qui, lors de la première à Londres, en présence de la Reine Elizabeth II, effectua sa dernière sortie publique. L'acteur Albert Finney y incarnait un Poirot plus vrai que nature.

1935. *Drame en trois actes*

L'une des trois enquêtes d'Hercule Poirot publiées cette année-là, *Drame en trois actes* met en scène un célèbre acteur à la retraite, Sir Charles Cartwright, dans une intrigue tournée vers le monde du spectacle. On y découvre aussi le très étrange Mr Satterthwaite, apparu quelques années plus tôt dans le recueil de nouvelles *Le Mystérieux Mr Quin* (voir ce titre).

La Mort dans les nuages, comme son titre l'indique, a pour cadre la cabine d'un avion, un moyen de transport que Christie préférait au bateau car elle était sujette au mal de mer. Mme Giselle, la victime, est tuée en présence des autres passagers, ce qui constitue, de la part de l'assassin comme de l'auteur, un véritable tour de force !

Dans *ABC contre Poirot,* le petit détective belge doit faire preuve de toute son astuce pour venir à bout d'un assassin particulièrement rusé. Lorsque le roman fut publié en feuilleton dans le *Daily Express*, à l'automne 1935, la rédaction accompagna chaque épisode d'une rubrique proposant les solutions apportées par les lecteurs — l'un de ceux-ci accusa Poirot de ne pas tenir suffisamment compte du guide ferroviaire ABC auquel il était fait référence dans l'histoire...

1936. *Meurtre en Mésopotamie*

L'intrigue du livre lui fut suggérée par le comportement — qu'elle jugeait particulièrement odieux — de l'épouse de Sir Leonard Woolley, le directeur du chantier de fouilles irakien sur lequel travaillait son propre mari, Max. Elle prit semble-t-il un certain plaisir à en faire sa victime, orchestrant autour d'elle l'une de ses plus belles intrigues.

1936. *Cartes sur table*

C'est à un jeu singulièrement dangereux que se voit convier Hercule Poirot, au domicile de Mr Shaitana, un richissime amateur d'art qui compte également dans ses relations une romancière de mystère nommée Ariadne Oliver... Agatha Christie tisse dans ce roman l'une de ses plus habiles toiles d'araignée dans laquelle sont également englués le superintendant Battle et le colonel Race.

1937. *Mort sur le Nil*

Jeune fille, Agatha avait au cours d'un séjour au Caire en compagnie de sa mère ourdi l'intrigue d'un roman baptisé *Neige sur le désert*. Ce livre jamais écrit deviendra le fleuron de l'œuvre d'une excentrique romancière figurant au nombre des protagonistes de *Mort sur le Nil*. Œuvre parfaitement maîtrisée, foisonnante de trouvailles et dans laquelle, plus que jamais, s'affrontent les passions humaines. C'est l'une des plus absolues réussites de l'âge d'or christien, dont Hollywood s'est emparé tardivement mais avec bonheur. Le film, réalisé par John Guillermin d'après un scénario d'Anthony Shaffer — l'auteur de la pièce *Le Limier* — rassemblait en effet Bette Davis, David Niven, Angela Lansbury — future Miss Marple à l'écran — Maggie Smith et Mia Farrow. Quant à Peter Ustinov, il y incarnait pour la première fois Hercule Poirot.

1937. *Témoin muet*

Market Basing, le village imaginaire du Berkshire où se situe l'action, appartient à un paysage déjà très repéré par la romancière. Non seulement c'est celui où elle résidait en 1926 lorsqu'elle disparut mystérieusement, mais on y trouve aussi, dans la fiction, un autre village nommé St Mary Mead, ainsi que la propriété de Chimneys. Le véritable héros du livre, Bob, est un fox-terrier. Il témoigne de l'indéfectible amour que la romancière porta toujours à la race canine.

1938. *Rendez-vous avec la mort*

Mrs Boynton, personnage-clef de cet étrange roman ayant pour décor Jérusalem et Petra, est certainement l'une des plus détestables créatures jamais nées de la plume d'Agatha Christie... Cette année-là, la romancière confie aux lecteurs du *Daily Mail* : « Il y a des jours où je me demande : pourquoi ai-je donc inventé Hercule Poirot, ce petit être suffisant, épuisant, toujours en train de tortiller sa moustache et d'incliner sa tête en forme d'œuf... Et d'ailleurs, qu'est-ce qu'une tête en forme d'œuf ? »

1938. *Le Noël d'Hercule Poirot*

L'intrigue de ce roman a beau être parfois quelque peu confuse, il ne s'en dégage pas moins pour le lecteur non anglais un charme très particulier, né du décor et de l'époque de l'année durant laquelle se déroule l'action. Agatha aimait les traditions, et avait conservé un souvenir émerveillé des Noëls passés chez les beaux-parents de sa sœur Madge, le manoir néogothique d'Abney Hall, proche de Birmingham... Adolescente, elle y avait vécu en compagnie de son amie Nan d'interminables parties de cache-cache, joué la comédie ou chanté à tue-tête ses comptines préférées...

1939. *Un meurtre est-il facile ?*

L'enquêteur du livre n'est ni Poirot, ni Miss Marple, mais un jeune policier du nom de Luke Fitzwilliam, littéralement parachuté dans un village typiquement christien pour y mener une enquête sur une série de meurtres... Il s'y trouve notamment confronté à la personnalité pour le moins pittoresque de Mr Ellsworthy, célibataire, amateur de sorcellerie et antiquaire local.

1939. *Dix petits nègres*

Pour beaucoup de lecteurs, ce roman est le chef-d'œuvre incontesté de la romancière. C'est aussi l'un des sommets du roman de mystère, toutes catégories confondues. Agatha Christie y renoue avec la grande tradition « insulaire » du récit d'aventures anglais — illustrée notamment par Ballantyne et R.L. Stevenson — qu'elle adapte ingénieusement au genre policier. L'implacable mécanique de l'intrigue est soumise au déroulement de la comptine des dix petits nègres, apprise par l'auteur dans son enfance et crée l'un des suspenses les plus célèbres de l'histoire du roman policier. Le livre sera adapté au cinéma en 1945, par René Clair, avec un prestigieux casting faisant largement appel à la colonie anglaise d'Hollywood : C. Aubrey Smith et Judith Anderson, sur un scénario de Dudley Nichols... Les autres versions filmées de *Dix petits nègres* ne rendront pas toujours justice à cet admirable roman. Signalons encore que l'auteur avait elle-même adapté son livre pour la scène, substituant à la fin tragique de ce conte cruel un happy end qui surprit les premiers spectateurs de la pièce...

Détail pour les curieux : en 1956, Le Masque a publié une édition sur vélin, tirée à 1 500 exemplaires, reliés sous couverture en percale rouge de *Dix petits nègres*.

III. Les années quarante : les romans de la maturité

1940. *Je ne suis pas coupable*

Agatha retourne à sa passion pour les poisons... et à son amour du théâtre shakespearien, citant le Barde en ouverture du roman. Plus tard, elle exprimera son regret de n'avoir pas fait de ce livre une enquête de Poirot, et certains critiques suggéreront avec à propos que *Je ne suis pas coupable* aurait pu paraître sous la signature de Mary Westmacott.

1940. *Un, deux, trois*

Au cours de cette histoire — qui se déroule à Londres et qui commence par une scène mémorable chez le dentiste d'Hercule Poirot — les lecteurs retrouvent avec bonheur l'inspecteur Japp... L'intrigue est subtile et augure bien d'une décennie au cours de laquelle Agatha donnera, sinon ses livres les plus célèbres, du moins les mieux orchestrés.

1941. *N ou M ?*

Pour la première fois, la Seconde Guerre mondiale sert de cadre à un roman d'Agatha Christie. On y trouve deux de ses personnages les plus chers, Tommy et Tuppence Beresford, à présent parents comblés d'une paire de jumeaux, Derek et Deborah, et plus que jamais désireux de servir la couronne d'Angleterre... C'est chose faite dans ce récit d'espionnage où ils affrontent un dangereux nazi désigné sous le nom de code N — ou M.

1941. *Les Vacances d'Hercule Poirot*

La presqu'île de Burgh, proche de Torquay, est le décor de cette enquête estivale de Poirot, renouant avec l'atmosphère de *Mort sur le Nil* ou *Dix Petits Nègres*. L'humour — pour ne pas dire la farce — nimbe une intrigue soigneusement agencée qui recevra un accueil critique enthousiaste. Le film à gros budget qui en sera tiré en 1981 mettra en valeur cet aspect du livre, pour le plus grand plaisir de Peter Ustinov qui y joue à nouveau le rôle du détective belge.

1942. *Un cadavre dans la bibliothèque*

Agatha Christie affirmera plus tard que le premier chapitre de ce roman constitue un aboutissement de son art. Le lecteur s'y retrouve en pays de connaissance, puisqu'un certain nombre des protagonistes figuraient déjà dans les premières enquêtes de Miss Marple...

1942. *La Plume empoisonnée*

Cette enquête de Jane Marple est racontée par un pilote de la RAF du nom de Jerry Burton dont l'avion a été abattu et qui se retrouve ainsi au repos forcé, au cœur de la campagne anglaise... La jeune Megan Hunter y est impressionnante de vérité, et l'âme romantique d'Agatha trouve dans cette histoire une belle occasion de s'épancher.

1942. *Cinq Petits Cochons*

Le célèbre peintre Amyas Crale est la figure centrale de ce livre à l'intrigue savante et superbement développée. La psychologie des personnages y est très fouillée, apportant si nécessaire la preuve qu'Agatha Christie, décidément très en verve en ces temps de guerre, est au sommet de son talent de conteuse.

Détail pour les curieux : la propriété d'Amyas Crale ressemble beaucoup à Greenway House, la superbe maison georgienne que Max et Agatha Mallowan viennent d'acquérir dans le Devon, à quelques kilomètres de Torquay.

1944. *L'Heure zéro*

Le roman fonctionne à deux niveaux : au pur récit d'énigme classique se superpose en effet la tragique trajectoire d'un tueur psychopathe. Agatha se révèle ainsi la digne consœur du Francis Iles de *Préméditation*. Le lieu de l'action est une propriété située à Gull's Point, non loin, nous dit la romancière avec malice, de la ville de St Loo — c'est-à-dire de Torquay, sa ville natale...

1945. *La mort n'est pas une fin*

Écrit sur les conseils de son ami Sir Stephen Glanville, un éminent archéologue spécialiste de l'Égypte ancienne, ce roman d'Agatha constitue l'unique apport de celle-ci au genre historique. Elle y anticipe avec brio sur un sous-genre policier aujourd'hui très en vogue. L'action se passe en 2000 avant Jésus-Christ, dans la demeure des bords du Nil du grand prêtre Imhotep. L'héroïne, Renisenb, s'y révèle psychologiquement très proche de la romancière qui profite de ce masque antique pour livrer au lecteur un certain nombre de réflexions passionnantes sur la vie, la mort et les turpitudes familiales.

1945. *Meurtre au champagne*

Le colonel Race fait dans ce roman sa dernière apparition. Il aide à traquer un assassin particulièrement redoutable dont la méthode inspira dans la vie réelle un certain nombre de faits divers, au grand dam de la romancière... Peut-être était-ce dû au fait que, pour la première fois dans la carrière d'Agatha Christie, l'édition originale d'un de ses livres avait atteint le chiffre record de 30 000 exemplaires.

1946 *Le Vallon*

C'est le plus long et, sans nul doute, le plus accompli des romans policiers de Christie qui, lorsqu'elle le portera à la scène en 1951, le débarrassera de la personnalité encombrante de Poirot. Le décor de la propriété de Sir Henry et Lady Lucy Angkatell est déjà celui d'une pièce de théâtre, où se joue un authentique drame shakespearien. *Le Vallon,* œuvre maîtresse, dépasse largement les limites du genre.

1948. *Le Flux et le Reflux*

Agatha Christie modernise avec talent la stratégie du roman de détection en s'abandonnant aux sirènes du réalisme, ce qu'elle n'avait fait jusque-là que dans les romans signés du pseudonyme de Mary Westmacott. Le comportement des membres de la famille Cloade fait mentir ceux qui voient encore dans la pratique de la romancière la survivance des archétypes du bon vieux roman d'énigme...

1949. *La Maison biscornue*

Ce roman très retors et cruel, l'un des favoris de son auteur, met en scène la famille Leonidès, et notamment la petite Josephine, âgée de onze ans. Agatha aurait-elle lu *Ce que savait Maisie* de Henry James ?

IV. Les années cinquante : *A Christie for Christmas* (Un Christie pour Noël)

1950. *Un meurtre sera commis le...*

Jane Marple prend les eaux dans une station thermale proche du village de Chipping Cleghorn, où un assassin annonce ses crimes par voie de presse... La « lady détective » s'associe au jeune policier Dermot Craddock, qu'on retrouvera par la suite dans d'autres enquêtes. L'un des personnages du livre est un dramaturge dont la première pièce vient d'être jouée à Londres sous le titre *Les éléphants n'oublient jamais...* Vingt-deux ans plus tard, Agatha publiera un roman intitulé *Une mémoire d'éléphant* !

1951. *Rendez-vous à Bagdad*

Pour la première fois depuis *N ou M ?* Agatha revient au thriller avec ce livre qu'une campagne de publicité annonce dans toutes les librairies d'Angleterre comme « son meurtre le plus réjouissant ». L'héroïne, Victoria Jones, a quelque chose d'Anne Beddingfield (*L'Homme au complet marron*) et de Tuppence Beresford : aventureuse, amoureuse au premier regard, (...) pour tout dire, c'est l'Agatha des années vingt qui effectue un baroud d'honneur !

1952. *Mrs McGinty est morte*

Le 15 septembre 1952, jour de son soixante-deuxième anniversaire, Agatha fait une chute malencontreuse et se brise le poignet. Elle ne peut plus taper à la machine... L'idée lui vient alors de dicter ses romans, ce qu'elle fera jusqu'à la fin de sa vie.

On retrouve dans ce livre la très excentrique Ariadne Oliver, considérée un peu rapidement sans doute comme le double de la romancière. Notons tout de même au passage un joli clin d'œil : un personnage du livre suggère à Mrs Oliver d'écrire un roman posthume qu'elle mettra au secret dans un coffre de banque... C'est précisément ce que Christie a fait, engrangeant non pas un seul, mais deux manuscrits, un Poirot et un Miss Marple : *Hercule Poirot quitte la scène* et *La Dernière Énigme.*

1952. *Jeux de glaces*

Ce court roman qui met en scène Miss Marple et une famille qui fera songer aux lecteurs de l'époque à la célébrissime tribu Gulbenkian est dédié à Peter Saundres. Celui-ci est le producteur de *La Souricière,* une pièce policière créée cette année-là et dont son auteur eût été bien incapable d'imaginer qu'elle serait encore à l'affiche aujourd'hui à Londres, constituant l'un des attraits touristiques de la ville, au même titre que la Tour de Londres et Buckingham Palace !

1953. *Une poignée de seigle*

Le magnat de la finance Rex Fortescue est retrouvé mort dans son bureau, l'une de ses poches remplie de grains de seigle... Miss Marple, associée à l'inspecteur Neele, mène l'enquête.

1953. *Les Indiscrétions d'Hercule Poirot*

Agatha se livre à nouveau, et avec un évident bonheur, à la peinture d'une famille soumise à l'électrochoc du crime... Le limier belge est secondé dans son enquête par Mr Goby, un privé apparu pour la première fois dans *Le Train bleu*.

Ce roman sera porté à l'écran sous le titre *Meurtre au galop*, avec Margaret Rutherford dans le rôle de Miss Marple, qui chipe la vedette à son collègue masculin, dans ce film qui tourne à la comédie.

1954. *Destination inconnue*

Il s'agit à nouveau d'un thriller qui vaudra à Mrs Christie d'être le premier auteur à recevoir le *Grand Masters Award of the Mystery Writers of America*... Ce roman constitue le second volet d'une trilogie d'intrigue internationale amorcée avec *Rendez-vous à Bagdad*, et que conclura en 1970 *Passager pour Francfort*.

1955. *Pension Vanilos*

Miss Felicity Lemon, qu'on a déjà rencontrée dans un certain nombre de nouvelles aux côtés de Mr Parker Pyne, est la secrétaire d'Hercule Poirot. Elle endure avec humour les tracasseries de ce maniaque de l'ordre et se montre elle-même une fanatique du rangement, ce qui tombe bien... Une fois de plus, Agatha fait preuve de son goût pour les comptines dans cette histoire composée avec un certain sens de la frivolité.

1956. *Poirot joue le jeu*

La propriété de Nasse House, dans le Devon, où Poirot retrouve son amie Ariadne Oliver pour une *murder party* qui tourne mal ressemble étrangement à Greenway House, la maison d'Agatha située à l'embouchure de la Dart, non loin de Torquay...

1957. *Le Train de 16 h 50*

Ce que Mrs McGillicuddy aperçoit par la fenêtre de son compartiment, au moment où le train dans lequel elle a pris place s'apprête à quitter la gare de Paddington, n'est rien moins qu'un meurtre, perpétré dans le compartiment d'un autre train ! Aidée par la jeune Lucy Eyelesbarrow qui va lui « servir de jambes », Miss Marple enquête sur cette étrange affaire. Une fois de plus, l'actrice Margaret Rutherford prêtera sa silhouette courtaude au plus célèbre limier féminin anglais. Agatha, qui dans un premier temps n'a pas beaucoup goûté cette incarnation qu'elle jugeait excessive — « Cette Rutherford ressemble à un chien de chasse », a-t-elle confié à son entourage — accepte d'honorer le tournage de sa présence et de prendre le thé avec l'impétueuse Margaret.

1958. *Témoin indésirable*

C'est l'un des livres favoris de l'auteur. Le lecteur y est plongé dans une ténébreuse affaire de famille... et une erreur judiciaire. Le récit est mené de main de maître par une Agatha qui réussit l'exploit de se renouveler en permanence au cours de cette décennie.

1959. *Le Chat et les Pigeons*

Les décors alternés du roman sont une école de jeunes filles très britannique et une principauté arabe. Le colonel Pikeaway fait sa première apparition dans ce livre. On le retrouvera dans *Passager pour Francfort,* ainsi que dans *Le Cheval à bascule.*

Détail pour les curieux : l'adresse de Poirot, *Whitehaven Mansions,* devient dans ce livre *Whitehouse Mansions.* À quoi servent donc les éditeurs ?

V. Les années soixante et soixante-dix : une fin de règne excentrique...

1961. *Le Cheval pâle*

Ce roman restera comme un des plus réussis et des plus surprenants de la Reine du Crime. Le héros, Mark Easterbrook, est écrivain. C'est un ami d'Ariadne Oliver, qui se trouve mêlée à cette sombre affaire de magie noire... Tous les spécialistes de l'œuvre d'Agatha Christie, de Randall Toye (auteur d'un *who's who* remarquable) à Charles Osborne, ont noté la présence dans le livre d'un personnage nullement relié à l'intrigue, une vieille dame aux cheveux blancs « buvant un verre de lait ». On la retrouvera dans *Mon petit doigt m'a dit,* mais aussi dans la dernière enquête de Miss Marple, écrite durant la guerre. La vieille dame au verre de lait qui évoquera notamment à l'intention de Tommy et Tuppence Beresford, dans *Mon petit doigt m'a dit,* l'existence d'un enfant mort restera à jamais une énigme pour les lecteurs de la romancière, comme pour ses exégètes.

1962. *Le miroir se brisa*

Ce roman, le dernier mettant en scène Miss Marple dans le décor de St Mary Mead, est dédié à la comédienne Margaret Rutherford, « avec admiration ». Agatha, même si elle n'en fit jamais part publiquement, était fascinée par l'existence des actrices et c'est la tragique aventure survenue à l'une des étoiles d'Hollywood, Gene Tierney, qui devait lui inspirer l'intrigue du *Miroir se brisa.* Un film sera tiré de cette histoire en 1980, avec, dans le rôle de Jane Marple, la talentueuse Angela Lansbury, qui anticipait ainsi sur la création par ses soins d'une romancière-détective de fiction aujourd'hui connue des téléspectateurs du monde entier : J.B. Fletcher, héroïne de la série *Murder, she wrote (Arabesque).*

1963. *Les Pendules*

Au détour de ce roman, Poirot fait à l'intention du jeune agent secret Colin Lamb le récit de quelques affaires criminelles célèbres, ce qui en dit long sur l'attrait que celles-ci exerçaient sur l'auteur. Le détective fait également révérence aux classiques de la fiction policière : *Le Mystère de la chambre jaune* de Gaston Leroux ou *Le Crime de la Cinquième avenue* d'Anna Katharine Green et reconnaît en Sir Arthur Conan Doyle un « maître »...

1964. *Le major parlait trop*

Raymond West, romancier d'avant-garde et neveu chéri de Miss Marple, a offert à celle-ci des vacances à Saint-Honoré, dans les Indes Orientales, une région du monde que l'auteur avait elle-même visitée quelques années auparavant. La vieille fille de St Mary Mead y est aussitôt confrontée au meurtre d'un colonel en retraite de la vaillante armée des Indes, personnage pittoresque surgi du souvenir que conservait Agatha des amis de sa grand-mère d'Ealing... L'intrigue est serrée, habile et nourrit l'un des meilleurs romans de la fin du règne de Christie.

1965. *À l'Hôtel Bertram*

Pour y avoir séjourné, ou y avoir plus modestement pris le thé au moins une fois dans leur vie, tous les anglophiles connaissent l'hôtel Brown de Londres.

C'est précisément cet établissement, situé dans Dover Street, épicentre du quartier fashionable, qui, à peine déguisé, sert de décor à cette nouvelle enquête de Jane Marple. L'y attend le mystère qui entoure une série de meurtres commis par un aigrefin redoutablement efficace... Poursuivant le pèlerinage des lieux aimés de son enfance, Agatha fait visiter au lecteur les fameux magasins de l'Armée et de la Marine, situés près de la gare de Victoria.

1966. *La Troisième Fille*

Hercule Poirot revient dans *La Troisième Fille* vieilli, fatigué, et plutôt acariâtre. Au point que la jeune femme qui vient le consulter au début du roman lui fait comprendre qu'il devrait prendre sa retraite... Ariadne Oliver va donc s'associer à lui pour résoudre l'affaire Norma Restarick. Comme dans *Le Cheval pâle*, Agatha s'attache à peindre le Londres des sixties... courageusement.

1967. *La nuit qui ne finit pas*

Ce roman ne ressemble à aucune autre fiction d'Agatha Christie. Il est construit comme une fable, et la petite histoire nous dit qu'il fut inspiré à son auteur par l'autre grand-mère de son petit-fils Mathew Prichard, qui le tenait elle-même du folklore gallois... Il n'aura fallu que six semaines à la romancière pour écrire ce récit jailli spontanément sous sa plume et dont le titre lui a été fourni par un poème de William Blake. L'histoire du jeune Michael Rogers, le narrateur qui tombe amoureux d'un terrain à bâtir soumis à un terrible sortilège, a été comparée par la critique au roman d'Henry James *Les Ailes de la colombe*. Il fut porté à l'écran en 1972 par Sidney Gilliat, avec Hywell Bennett, Hayley Mills et George Sanders. Le contenu érotique de cette adaptation souleva l'indignation de la famille de l'auteur...

1968. *Mon petit doigt m'a dit*

Cette nouvelle enquête de Tuppence et Tommy Beresford a pour cadre une maison de retraite pour personnes âgées. L'une de celles-ci est Ada, la tante de Tommy... Le couple fétiche d'Agatha lui-même n'est plus de première jeunesse, leur aventure est teintée de beaucoup de nostalgie et se pare d'un charme prenant pour ceux d'entre les lecteurs qui se passionnent pour les irréductibles Beresford.

1969. *Le Crime d'Halloween*

Mrs Oliver partage avec Poirot la vedette de ce roman modestement dédié à P.G. Wodehouse. La victime est une adolescente retrouvée noyée après qu'elle ait été témoin d'un meurtre. La cruelle Agatha n'a pas hésité à choisir pour cadre des turpitudes humaines la fête d'Halloween dans un petit village anglais.

1970. *Passager pour Francfort*

Dernière incursion dans le domaine de l'intrigue internationale, ce roman fut sous-titré à la demande de l'éditeur « Une Extravaganza ». C'est dire qu'Agatha s'y livre à une variation échevelée sur le thème du complot mondial nourri de tous les ingrédients du roman d'espionnage... revus par une romancière de quatre-vingts printemps. Le héros, un diplomate du nom de Stafford Nye, est confronté à toute une série de personnages hauts en couleur, notamment le fils présumé d'Adolf Hitler !

1971. *Nemesis*

C'est la dernière enquête de Miss Marple publiée du vivant d'Agatha Christie. On y retrouve le nom de Jason Rafiel, l'un des protagonistes du *Major parlait trop*, dont l'action précède immédiatement celle de *Nemesis*. L'intrigue de ce roman est moins exotique, mais elle a de quoi réjouir les amateurs de maisons et jardins anglais puisque Jane Marple y effectue une tournée des sites paysagers les plus mémorables de son cher pays...

1972. *Une mémoire d'éléphant*

Une fois encore, Agatha se livre avec maestria à la reconstitution d'un crime ancien... Qui a tué le général Ravenscroft et sa femme ? Mrs Oliver, qui apparaît ici pour la dernière fois, mène l'enquête... Agatha s'embrouille un peu dans les dates et l'on se prend à regretter que ses éditeurs n'aient pas jugé bon de lui adjoindre les services d'un relecteur... Il n'empêche que l'association Poirot-Oliver s'y révèle plus savoureuse que jamais.

1973. *Le Cheval à bascule*

Ultime roman écrit par Agatha Christie dans la solitude de sa maison de Wallingford, *Le Cheval à bascule* met un terme aux aventures des Beresford. La romancière s'y livre à quelques réminiscences concernant ses lectures d'enfance, notamment *La Flèche noire* de Stevenson et *Le Prisonnier de Zenda* d'Anthony Hope... L'un des personnages les plus attachants de ce pot-pourri est un chien terrier, Hannibal, copie conforme de Bingo, le compagnon des derniers jours d'Agatha aujourd'hui enterré dans le jardin de Winterbrook House...

1975. *Hercule Poirot quitte la scène*

Le tapuscrit d'*Hercule Poirot quitte la scène* avait été dactylographié pendant les années de guerre par une Agatha soucieuse de laisser derrière elle une nouvelle source de royalties pour les siens. L'ultime enquête de Poirot est narrée par Hastings, et il se dégage de ce roman une atmosphère particulièrement lugubre. Mais le livre réserve aussi au lecteur une surprise de première grandeur !

1976. *La Dernière Énigme*

Écrite elle aussi pendant le Blitz, *La Dernière Énigme,* contrairement au roman précédemment paru, ne met pas un terme à la vie de Jane Marple. La romancière rend un bel hommage au comédien John Gielgud, admiré par l'héroïne du livre au cours d'une représentation de la pièce de Webster, *La Duchesse d'Amalfi.* Acclamé par la critique l'année même où Agatha Christie tirait sa révérence, ce roman réussit le miracle d'imposer aux millions de lecteurs de la Duchesse de la mort l'image d'un auteur en pleine possession de ses moyens — ultime tour de passe-passe de cette grande magicienne de la fiction.

Les recueils de nouvelles

1924. *Les Enquêtes d'Hercule Poirot*

Onze des douze nouvelles publiées par Agatha Christie dans le magazine londonien *The Sketch* figurent dans le recueil original. L'édition américaine, parue l'année suivante, en comprendra trois de plus. Entre 1923 et la fatidique année de sa disparition — 1926 — Agatha publia un très grand nombre de nouvelles dont elle alimenta par la suite des recueils venus opportunément meubler les années où sa production romanesque marquait une faiblesse toute relative.

1929. *Le crime est notre affaire*

Ce recueil d'enquêtes du couple Tuppence et Tommy Beresford constitue un vibrant hommage à l'âge classique de la détection littéraire anglo-saxonne. Agatha nous offre une série de treize amusants pastiches des fictions policières alors très en vogue auprès des lecteurs : le Père Brown de G.K. Chesterton, le Vieil Homme dans le Coin de la Baronne Orczy, l'inspecteur Hannaud d'A.E.W.

Mason, le Reggie Fortune de H.C. Bailey, etc. Sans oublier, bien sûr, Sherlock Holmes...

La première traduction française prendra la forme de deux recueils séparés, intitulés respectivement *Associés contre le crime* et *Le crime est notre affaire* (1972).

1930. *Le Mystérieux Mr Quinn*

Les deux « détectives » qui apparaissent dans les douze nouvelles de ce recueil sont Mr Satterthwaite et Harley Quin. Le surnaturel vient ici au secours de la détection pure, d'une façon qui doit essentiellement à l'art de la fiction selon Agatha Christie. Le romantisme de l'épouse malheureuse d'Archibald Christie prend ici toute sa mesure, sur fond d'érudition musicale : l'opéra de Covent Garden est l'un des lieux de rencontre privilégiés de Satterthwaite et Quinn...

1932. *Miss Marple au club du mardi*

Composées pour un magazine, les treize enquêtes de Miss Marple qui constituent ce recueil ont d'abord paru en français sous forme de deux volumes intitulés *Miss Marple au club du mardi* et *Le Club du mardi continue*, en 1966. La tactique de Jane Marple apparaît particulièrement efficace et séduisante sous la forme de récits brefs ayant successivement pour cadre son cottage de St Mary Mead, puis la maison de campagne du colonel et de Mrs Bantry. Parmi les hôtes de ces soirées figurent, bien sûr, Raymond West, le neveu écrivain de Jane, accompagné de sa fiancée Joyce Lemprière, le Dr Pender, ainsi que Sir Henry Clithering, un policier de Scotland Yard à la retraite. Entre deux cliquetis de ses aiguilles à tricoter, Miss Marple fait merveille.

1933. *Le Flambeau*

Ce recueil fait pour une bonne part honneur au fantastique, le premier amour littéraire d'Agatha Christie. On y trouve en vérité un certain nombre de textes disparates, certains écrits au tout début de sa carrière et faisant appel à une forme de surnaturel parapsychique, d'autres davantage policiers. Le tout forme un éventail des terreurs et des fascinations christiennes très proches parfois de celles de la reine du crime américaine Mary Roberts Rinehart, auteur de *L'Escalier en colimaçon*.

1934. *Le Mystère de Listerdale*

Publié pour la première fois en France sous le titre *Douze Nouvelles* (1963), ce recueil contient d'authentiques sommets de la short story policière, comme *Accident* ou *Philomel Cottage*. Ce dernier conte fut porté à la scène deux ans plus tard par le dramaturge Frank Vosper sous le titre *Love from a stranger,* puis adapté au cinéma par Rowland V. Lee, sous le même titre, avec Basil Rathbone et Ann Harding.

1934. *Mr Parker Pyne*

Traduit pour la première fois en français en 1970, cet ensemble de douze contes met en scène un personnage pittoresque, spécialisé dans « les mystères du cœur humain » qui recrute ses consultants par petites annonces. Agatha Christie était si attachée à Parker Pyne qu'elle songea en faire le héros d'un feuilleton destiné au public américain. Mais ce projet n'eut pas de suite.

1937. *Le Miroir du mort*

Paru à l'origine dans notre pays sous le titre *Poirot résout trois énigmes* (et dans une version abrégée), ce volume contient quatre courts romans, ou *novellas. Trio à Rhodes,* le dernier de ces textes, évoque par anticipation l'intrigue des *Vacances d'Hercule Poirot.*

1947. *Les Douze Travaux d'Hercule*

Comme pour justifier aux yeux de son ami le Dr Burton le caractère « païen » de son prénom, Hercule Poirot décide de lui raconter par le menu douze affaires faisant symboliquement écho aux douze exploits de son illustre prédécesseur en mythologie... Agatha s'est exprimée sur la genèse de cette œuvre très particulière et qui mérite assurément que ses lecteurs la considèrent comme le treizième travail d'Hercule...

Détail pour les curieux : la première traduction française des *Douze Travaux d'Hercule* parut en 1948 dans la « Série Rouge » des éditions Morgan. Le Masque ne publia ces nouvelles qu'en 1966 sous la forme de deux recueils, respectivement intitulés *Les Travaux d'Hercule* et *Les Écuries d'Augias*.

1948. *Témoin à charge*

La nouvelle qui donne son titre à ce recueil — destiné au seul public d'Outre-Atlantique — fut adaptée dès 1949 par la chaîne de télévision NBC.

En 1953, Agatha Christie en donna elle-même une version scénique, considérée dès lors par son auteur comme sa pièce préférée. Cette compilation était en vérité agencée à partir d'un certain nombre de textes déjà parus en Angleterre dans *Le Flambeau* ainsi que dans le volume intitulé *Le Mystère de Listerdale*.

Le recueil *Témoin à charge* a paru en France en 1969.

1950. *Trois Souris aveugles*

Il s'agit également d'un recueil de nouvelles « américain », composé à partir de compilations anglaises... *Trois Souris aveugles* est en réalité une novella qui donnera par la suite naissance à une pièce radiophonique puis à la célèbre pièce de théâtre *La Souricière*. La romancière ayant décidé de mettre un embargo sur la traduction de ce texte afin de ne pas gâcher le plaisir de la découverte chez les futurs spectateurs de sa pièce, il ne sera finalement traduit qu'en 1985.

1951. *Le Retour d'Hercule Poirot*

La plupart de ces nouvelles furent écrites durant la période d'intense production d'Agatha Christie : les années 1923 à 1926. Certaines d'entre elles ont été publiées en 1974 à Londres dans le recueil intitulé *Le Bal de la victoire*, puis en 1979 pour le public français.

1960. *Christmas pudding*

Le titre original de ce recueil, faisant référence au bel appétit de Dame Agatha, a pour titre original *L'Aventure du christmas pudding, et une sélection d'entrées...* Il sera traduit en France en 1962.

1974. *Le Bal de la victoire*

Figurent dans ce recueil, ainsi que l'indique le titre original anglais, les « premières enquêtes d'Hercule Poirot ». Cette année-là, la romancière très âgée envisage très sérieusement d'écrire un livre sur ses chiens et chats préférés, un projet qui ne verra malheureusement pas le jour.

1979. *Miss Marple's final cases*

Ce recueil de huit nouvelles a paru seulement en Grande-Bretagne, les lecteurs américains ayant déjà eu accès à la plupart des textes dans d'autres anthologies. Les amateurs français, pour leur part, auront connaissance de quelques-unes de ces perles rares dans le recueil intitulé *Marple, Poirot, Pyne... et les autres,* paru en 1986. Notamment le savoureux monologue de la vieille demoiselle de St Mary Mead intitulé *Miss Marple raconte une histoire.*

1979. *Problem at Pollensa Bay*

Même chose pour ce recueil anglais composé de contes déjà traduits en français dans *Marple, Poirot, Pyne... et les autres* ou *Le Flambeau*.

1997. *Tant que brillera le jour*

Rassemblé et présenté par Tony Medawar, cet ensemble de textes parfois très anciens dans la carrière de la romancière éclaire celle-ci d'un jour passionnant. Ainsi *Le Point de non-retour*, nouvelle psychologique visiblement inspirée par la disparition de décembre 26 et le désarroi profond dans lequel se trouvait alors Agatha Christie.

Les romans signés Mary Westmacott

1930. *Musique barbare*

Les six Mary Westmacott peuvent être considérés comme autant de fictions expérimentales de la part de leur auteur qui y mêle son goût pour le roman de mœurs victorien à son désir à peine avoué d'égaler les meilleurs écrivains de son époque, notamment Elizabeth Bowen et Graham Greene. Le premier de ces ouvrages nous en dit beaucoup sur l'amour d'Agatha pour la musique. Elle articule en effet son récit autour de la vie et de l'œuvre de Vernon Deyre, un artiste dont l'enfance est pour ainsi dire calquée sur la sienne — jusqu'à la chambre tapissée d'iris mauves où ont grandi Vernon et la petite fille de Torquay...

1934. *Portrait inachevé*

La plupart des exégètes de la romancière considèrent ce roman comme la relation à peine masquée des déboires conjugaux d'Agatha et de son premier mari, le colonel Archibald Christie. Qu'on me permette d'en douter, et d'y voir au contraire un leurre supplémentaire... L'auteur n'ignorait pas que, tôt ou tard, le pseudonyme de Mary Westmacott serait éventé, et elle dut secrètement se réjouir de voir ses futurs historiographes donner dans le panneau. Le piège m'apparaît d'autant plus savant que, dans *Une autobiographie*, Agatha livre quelques confidences qui s'adaptent astucieusement à la version donnée par ce récit d'un romantisme certain. Agatha Christie était-elle vraiment aussi « stupide » que son héroïne Celia lorsqu'il lui fallait composer « avec la réalité » ?

1944. *Loin de vous ce printemps*

C'est l'un des chefs-d'œuvre d'Agatha Christie écrivain. Rédigée en trois jours, cette histoire triste mais édifiante nous en dit long sur le désarroi existentiel qui fut l'un des moteurs de l'hypersensible Agatha. Bien éloignée du modèle sentimental auquel certains critiques ont voulu la réduire, cette confession d'une femme égarée par une éducation et une culture qui l'ont artificiellement conditionnée nous plonge plus sûrement que le roman précédent dans le véritable drame de l'écrivain...

Détail pour les curieux : la traduction de ce livre, comme celle des trois suivants, a paru chez l'éditeur Robert Laffont dans la collection « Pavillons », avec une bande portant l'inscription : « Mary Westmacott n'est autre qu'Agatha Christie. »

1947. *L'If et la Rose*

L'action de ce roman se situe dans la région natale d'Agatha Christie, encore que cette fois, la ville de St Loo soit située sur la côte de Cornouaille... Le narrateur est un infirme, et, comme la jolie héroïne de l'histoire, il manque un peu de consistance. Christie montre ici les limites d'un récit nullement soumis à la rigueur de l'enquête policière.

1952. *Ainsi vont les filles*

À l'origine, Agatha avait conçu cette histoire sous la forme d'une pièce de théâtre. Elle y évoque les relations entre une mère et sa fille, de façon assez débridée et directe. Les personnages auraient, dit-on, été inspirés par le duo formé par Nan Kon, la meilleure amie de la romancière, et Judith, sa fille...

Détail pour les curieux : une édition club de la traduction française (1953) reproduisait en regard de la page de titre une photographie d'Agatha Christie, et, en couverture, le nom « Mary Westmacott » calligraphié par la romancière...

1956. *Le Poids de l'amour*

L'amour excessif que porte l'une des héroïnes de ce roman très réaliste à sa jeune sœur pourrait bien avoir été inspiré à l'auteur par sa propre relation avec sa sœur aînée Madge, celle qui fut longtemps considérée, chez les Miller, comme « l'écrivain de la famille »... Un grand nombre de sentiments négatifs baigne ce livre étrange, peut-être plus autobiographique — encore que de façon indirecte — que *Portrait inachevé*.

Les pièces de théâtre

1928. *Alibi*

Adaptation du roman *Le Meurtre de Roger Ackroyd* par Michael Morton, créée le 15 mai 1928 à Londres, au théâtre Prince of Wales avec Charles Laughton dans le rôle de Poirot et J.H. Roberts dans celui du Dr Sheppard.

1930. *Black Coffee*

Il s'agit là de la toute première expérience théâtrale d'Agatha, créée au théâtre Embassy, puis transférée en avril 1931 au théâtre St Martin's, dans le West End, avec Francis L. Sullivan dans le rôle de Poirot et John Boxer dans celui du capitaine Hastings.

Ce drame a été adapté en roman par Charles Osborne en 1998 et publié en traduction française sous le titre *Black Coffee*.

1936. *Love from a stranger*

Adaptation, par Frank Vosper, de la nouvelle *Philomel Cottage*, contenue dans le recueil *Le Mystère de Listerdale* (1934). La pièce fut créée le 31 mars 1936 au New Theatre à Londres et critiquée de façon très élogieuse, dans le *Times*, par le romancier Charles Morgan, avant d'être montée la même année à New York.

1937. *Akhnaton*

Écrite la même année que *Mort sur le Nil*, cette pièce historique ne fut publiée qu'en 1973, l'année où elle fut montée, brièvement, par une obscure troupe d'amateurs, The Company of Three, à Paddington. Ses dialogues témoignent de la passion d'Agatha pour le théâtre shakespearien, mais réduit ici à sa plus simple expression, celle de l'érudition dénuée d'effets dramatiques. Jusqu'à sa mort, Agatha considéra le texte de cette pièce comme l'un des sommets de son œuvre...

1940. *La Maison du péril*

Adaptation, par Arnold Ridley, du roman éponyme.

1943. *Dix petits nègres*

Adaptation, par Agatha Christie, de son roman, dont la fin est transformée en happy end. Créée en novembre 1943 au théâtre St James de Londres, dans une mise en scène d'Irene Henschel, la pièce est aussitôt acclamée par la critique. Seuls les bombardements allemands mettront un terme provisoire à sa carrière exceptionnelle. À New York, où le spectacle est monté fin juin 1944, les *Dix petits nègres* — transformés en *Dix petits Indiens* — connaîtront près de 450 représentations.

Détail pour les curieux : au printemps 1976 était montée au Lyceum Theatre de New York une comédie musicale baptisée *Ten Little Indians*, directement inspirée par la pièce d'Agatha Christie. Le décor était celui d'une petite île américaine, Rancour's Retreat, et l'un des personnages, un mixte de Miss Marple et de son auteur, chantait un air intitulé *Je dois tout à Agatha Christie...*

1945. *Rendez-vous avec la mort*

Rodée à Glasgow, puis jouée à partir du 31 mars 1945 au théâtre Piccadilly de Londres, cette pièce adaptée de son roman par Agatha Christie supprime Hercule Poirot du casting au profit d'un personnage secondaire, le colonel Carbery qui mène l'enquête sur la mort de Mrs Boynton.

1946. *Mort sur le Nil*

En portant son roman à la scène, Agatha a changé le titre de *Death on the Nile* en *Murder on the Nile...* Mais de manière plus significative, ce pauvre Poirot a fait les frais de cette seconde mouture de l'intrigue égyptienne. Il apparaissait au dramaturge que son petit détective belge était peut-être un peu trop caricatural sur les planches, d'où cet escamotage. Disparaissent également dans la pièce les Otterbourne mère et fille, remplacées par une vieille fille et sa nièce... Le drame fut créé à Wimbledon avant de connaître une belle carrière dans le West End, aux Ambassadors.

1949. *Meurtre au presbytère*

Adapté par Moie Charles et Barbara Toy du roman *L'Affaire Protheræ*, ce drame policier simplifiait l'intrigue originale et modifiait la fin de l'histoire, ce qui ne plut guère à la romancière.

1951. *Le Vallon*

L'adaptation de ce superbe roman fut écrite par Agatha *herself*, en dépit des réticences de sa fille Rosalind qui estimait que le contenu du livre était difficilement transposable à la scène. Hercule Poirot en fut bien sûr débarqué, et le résultat fut plus que satisfaisant, grâce — sans doute — à la production signée Peter Saunders et à la mise en scène d'Hubert Gregg, qui entamaient l'un et l'autre une fructueuse collaboration avec la Duchesse de la mort. Dans son livre de mémoire *Agatha Christie and all that Mousetrap*, Gregg fait état du caractère difficile de la romancière, mais également de son professionnalisme éblouissant.

1952. *La Souricière*

C'est le triomphe d'Agatha Christie au théâtre. Née d'une pièce radiophonique demandée par la Reine Mary pour son quatre-vingtième anniversaire et baptisée *Trois Souris aveugles*. Au fil des années, elle a connu un grand nombre de distributions et de metteurs en scène. Créée le 25 novembre 1952 aux Ambassadors, elle occupe à présent la scène du théâtre St Martin's dont la façade chaque soir illuminée de néons mauves est celle d'un des « monuments » les plus visités par les touristes dans la capitale anglaise... Et l'on raconte que lorsque ceux-ci n'offrent qu'un maigre pourboire aux chauffeurs des taxis qui les déposent devant le St Martin's, ils s'entendent hurler le nom du coupable de la pièce !

1953. *Témoin à charge*

C'est Peter Saunders qui suggéra un jour de 1952 à Agatha Christie d'écrire une version scénique de sa nouvelle *Témoin à charge...* Le soir de la première, le 28 octobre 53 au théâtre Winter Garden de Londres, l'auteur accepta pour la première et la dernière fois d'apparaître aux côtés des acteurs pour les rappels, puis de signer des autographes à ses admirateurs. « Quelle nuit ce fut ! » dit-elle ensuite avec extase.

1954. *La Toile d'araignée*

Troisième pièce produite par Peter Saunders, *La Toile d'araignée* fut écrite pour la comédienne Margaret Lockwood, qu'Agatha admirait particulièrement. Elle fut jouée à partir du 14 décembre 54 au Savoy de Londres, et connut un beau succès. Cette année-là, Agatha put avec fierté faire observer à ses amis qu'elle avait trois pièces à l'affiche en même temps !

Détail pour les curieux : *Témoin à charge*, *Dix Petits Nègres* et *La Toile d'araignée* furent publiés ensemble par la Librairie des Champs-Élysées dans un volume cartonné et toilé en 1962, pour compléter la première série des « Œuvres choisies » de la romancière.

1956. *L'Heure zéro*

Adaptation du roman éponyme par l'auteur et Gerald Verner, la pièce fut créée à Londres au théâtre St James de Londres. Agatha fut très fâchée lorsqu'un journal du soir divulgua le nom du coupable dans sa critique, mais enchantée d'apprendre que la reine avait manifesté son désir d'assister à l'une des représentations de ce drame.

1958. *Verdict*

Certainement l'une des contributions les moins intéressantes de Christie à la scène. Elle fut créée le 22 mai 1958 au Strand Theatre et aussitôt éreintée par la critique. Agatha se remit bien vite au travail, produisant *L'Invité inattendu*, créée le 12 août au Duchess Theatre. Cette seconde pièce, d'excellente facture, qui peut être envisagée d'un point de vue non policier, a été adaptée sous forme de roman par Charles Osborne en 2000.

1960. *Go Back for Murder*

Adaptation de *Cinq Petits Cochons*, créée à Londres au Duchess Theatre, le 23 mars 1960, et dont Poirot est absent.

1962. *Rule of three* (Trois Pièces en un acte)

The Rats, *Afternoon at the seaside* et *The Patient*, ces trois actes constituent les adieux d'Agatha à la scène.

Poésie, mémoires, contes pour enfants

1924. *The Road of Dreams*

Publié à compte d'auteur chez l'éditeur Geoffrey Bles, ce recueil rassemble les premiers poèmes d'Agatha Christie. Certains avaient été soumis à différentes revues qui les avaient retournés à leur jeune auteur. L'un de ces poèmes, *A Masque from Italy*, évoque pour la première fois dans l'œuvre de Christie les personnages de la commedia dell'arte, Harlequin, Colombine et Polichinelle, qui réapparaîtront par la suite sous des formes obsédantes et variées dans son œuvre...

C'est également dans ce recueil aujourd'hui introuvable qu'on peut lire un poème intitulé *Dans un dispensaire*, célébrant avec de troublants accents les pouvoirs tour à tour bienfaisants et mortels des poisons. Ces vers d'Agatha font référence à son apprentissage des produits toxiques au dispensaire de Torquay, pendant la Première Guerre mondiale.

1946. *Dis-moi comment tu vis*

Composée au printemps 1944 et publiée sous le nom d'Agatha Christie Mallowan, cette « chronique décousue » (dixit l'auteur) apporte une réponse à la question souvent posée à la romancière dans les années trente : « Ainsi, vous faites des fouilles en Syrie ? Racontez-moi, je vous en prie ! » De façon détendue, souvent facétieuse, l'écrivain évoque ainsi l'atmosphère de ses séjours sur les chantiers de fouilles avec Max Mallowan, son mari archéologue.

La traduction française de ce livre a paru en 1978 chez Stock dans la collection « Elles-mêmes ».

1965. *Star over Bethlehem and Other Stories*

Il s'agit d'un recueil de contes et de poésies destinées au public enfantin, paru sous le nom d'Agatha Christie Mallowan avec des illustrations d'Elsie Wrigley. La foi chrétienne de l'auteur s'y affirme avec une fraîcheur certaine.

1973. *Poems*

Ce recueil constitue la réédition partielle du la plaquette parue chez Geoffrey Bles en 1924. *Dans un dispensaire*, texte jugé un peu gênant par la romancière, n'y figure pas. Le volume, composé de soixante-deux poèmes, rassemble également des pièces écrites au fil des années, notamment une très jolie évocation de la lande de Dartmoor, et une pièce en vers dédiée « À M.E.L.M, en son absence » (c'est-à-dire : à Max Mallowan, son second mari). Elle se termine ainsi :

> À présent l'hiver s'achève, mais pour moi
> La mauvaise saison s'éternise jusqu'à votre retour
> Mon cher amour, dans la promesse que votre cœur m'a fait
> Mais sans le toucher ou la vue, le printemps n'apporte que douleur.

1977. *Une autobiographie*

Parue au lendemain de la mort de la romancière, cette longue autobiographie rédigée de 1950 à 1965 par notre maîtresse du mystère n'apporte évidemment pas toutes les réponses aux questions que nous nous posons... Une part très importante de ces mémoires est consacrée à l'enfance de l'auteur dans le Devon, mais rien n'est dit — bien sûr ! — à propos de sa disparition. L'ellipse particulièrement habile qui signale à l'intention des curieux un événement dont le souvenir hantait forcément Agatha n'est pas sans rappeler cette autre manipulation textuelle qui fait encore l'admiration des lecteurs éblouis de *Dix Petits Nègres*. N'en attendions-nous pas moins d'elle ?

Première publication française à La Librairie des Champs-Élysées en 1980.

Bibliographie critique

Sont rassemblés ci-dessous, par ordre alphabétique d'auteurs, les principaux ouvrages consacrés à la vie et l'œuvre d'Agatha Christie.

Earl F. Bargainnier : *The Gentle Art of Murder, the Detective Fiction of Agatha Christie*, Bowling Green University Press, USA, 1980

Pierre Bayard : *Qui a tué Roger Ackroyd ?* Paris, Éditions de Minuit, 1998

Robert Barnard : *A Talent to Deceive, an Appreciation of Agatha Christie*, Londres, Collins, 1980

Huguette Bouchardeau : *Agatha dans tous ses états*, Paris, Flammarion, 1998

Jared Cade : *Agatha Christie and the Eleven Missing Days*, Londres, Peter Owen, 1998

Annie Combe : *Agatha Christie, l'écriture du crime*, Paris, Les Impressions Nouvelles, 1989

Andy East : *The Agatha Christie Quizbook*, New York, Pocket Books, 1981

John Escott : *Agatha Christie, Woman of Mystery*, Oxford University Press, 1997

Jeffrey Feinman : *The Mysterious World of Agatha Christie*, New York, Grosset and Dunlap, 1975

Martin Fido : *The World of Agatha Christie*, Londres, Carlton, 1999

Gillian Gill : *Agatha Christie, the Woman and her Mysteries*, New York, Free Press, 1990

Hubert Gregg : *Agatha Christie and all that Mousetrap*, Londres, Kimber, 1980

Monika Gripenberg : *Agatha Christie*, Hambourg, Rowahlt, 1994

Peter Haining : *Agatha Christie's Poirot*, Londres, Boxtree, 1995

Peter Haining : *Agatha Christie, Murder in Four Acts*, Londres, Virgin, 1995

Anne Hart : *The Life and Times of Miss Jane Marple*, Londres, Macmillan, 1985

Anne Hart : *The Life and Times of Hercule Poirot*, Londres, Pavillion Books, 1990

H.R.F. Keating (sous la direction de) : *Agatha Christie, First Lady of Crime*, Londres, Weidenfeld & Nicholson, 1977

Jane Langton : *Agatha Christie's Devon*, Bodmin, Bossiney Books, 1990

Sophie de Mijolla-Mellor : *Meurtre familier. Approche psychanalytique d'Agatha Christie*, Paris, Dunod, 1995

Janet Morgan : *Agatha Christie. A Biography*, Londres, Collins, 1984

Traduction française : *Agatha Christie*, Paris, Luneau-Ascot, 1986

Derrick Murdoch : *The Agatha Christie Mystery*, Toronto, The Pagarian Press, 1976

Charles Osborne : *The Life and Crimes of Agatha Christie*, Londres, Collins, 1982

Scott Palmer : *The Films of Agatha Christie*, Londres, Batsford, 1993

Gordon Ramsey : *Agatha Christie, Mistress of Mystery*, New York, Dodd Mead, 1967, Londres, Collins, 1967

Dick Riley & Pam McAllister : *The Bedside, Bathtub and Armchair Guide to Agatha Christie*, New York, Frederick Ungar, 1993

François Rivière : *Agatha Christie, duchesse de la mort*, Paris, Seuil, 1981

François Rivière : *Les Promenades d'Agatha Christie*, Paris, Chêne, 1995

Traduction anglaise : *In the Footsteps of Agatha Christie*, Londres, Ebury Press, 1997

Gwen Robyns : *The Mystery of Agatha Christie*, New York, Doubleday, 1978

Denis Sanders & Len Lovallo : *The Agatha Christie Companion : the Complete Guide to the Life and Work of Agatha Christie*, New York, Delacorte Press, 1984

Edition révisée : New York, Berkley Books, 1989

Peter Saunders : *The Mousetrap Man*, Londres, Collins, 1972

Marion Shaw & Sabine Vanacker : *Reflecting on Miss Marple*, Londres, Routledge, 1991

Dawn B. Sova : *Agatha Christie A to Z : The Essential Reference to Her life and Writing*, New York, Facts and files, 1996

Randall Toye : *The Agatha Christie Who's Who*, Londres, Frederick Muller, 1980

Lynn Underwood (sous la direction de) : *Agatha Christie Centenary Booklet*, London, Belgrave Publishing, Harper-Collins, 1990

Mary Wagoner : *Agatha Christie*, New York, Twayne Publishers, 1986

Nancy B. Wanne : *The Agatha Christie Chronology*, Santa Barbara, Ace Books, 1976

Une sélection de contributions sous forme de mémoires, appréciations critiques et articles parus dans la presse anglo-saxonne ou française.

André Parrot : *Les archéologues sont les détectives de l'Histoire, nous dit Agatha Christie*, Paris, Les Nouvelles Littéraires, 16 juillet 1953

Pierre Quet : *La Vie privée d'Agatha Christie*, Paris, Constellation, Henriette Chandet et Hubert de Segonzac : août 1956

Agatha Christie, Paris Match, 23 février 1957

Serge Radine : *Quelques aspects du roman policier psychologique*, Genève, éditions du Mont-Blanc, 1960

Julian Symons : *Agatha Christie talks to J.S. about the Gentle Art of Murder*, Londres, Sunday Times, 15 octobre 1961

Francis Wyndham : *The Algebra of Agatha Christie*, Londres, The Sunday Times Weekly Review, 27 février 1966

Valerie Knox : *Agatha Christie at 76 is still plotting murder*, Londres, The Times, 1er décembre 1967

Lord Snowdon : *The Unsinkable Agatha Christie*, Toronto Star, 14 décembre 1974

Jean Thibaudeau et Brigitte Legars : *Agatha Christie*, in Cahiers Critiques de la Littérature, Paris, novembre 1976

Benoît Peeters : *Tombeau d'Agatha Christie*, in La Bibliothèque de Villers, Paris, Robert Laffont, 1980

A.L. Rowse : *Agatha Christie, in Memories of Men and Women*, Londres, Eyre and Methuen, 1980

Cahiers Renaud-Barrault (dir. par Simone Benmussa) Agatha Christie, avec des textes de Gertrude Stein, M.F. Cachin, Randall Toye, Patricia Craig, G.C. Ramsey et François Rivière, Paris, Nrf, 1988

Herald ans Express, Torquay : trois numéros d'un magazine illustré publié spécialement pour le centenaire d'Agatha Christie, les 5, 6 et 7 septembre 1990

François Rivière : *Où est passée Agatha Christie ?* Sélection du Reader's Digest, janvier 1996

Filmographie d'Agatha Christie

Films tirés de ses œuvres

1928 *Die Abenteuer GmbH* (titre anglais : *Adventure, Inc.*) de Fred Sauer, Allemagne (d'après *Mr Brown*).

1928 *The Passing of Mr Quinn* (sic), de Julius Hagen, G.-B., avec Stewart Rome (d'après la nouvelle *L'Arrivée de Mr Quinn*).

1931 *Alibi*, de Julius Hagen (prod.), réalisé par Leslie Hiscott, avec Austin Trevor dans le rôle de Poirot (d'après *Le Meurtre de Roger Ackroyd*).

1932 *Black Coffee*, de Leslie Hiscott, avec A. Trevor (d'après la pièce du même titre).

1934 *Lord Edgware Dies,* de Henry Edwards, avec A. Trevor (d'après *Le Couteau sur la nuque*).

1937 *Love from a stranger,* de Rowland V. Lee, avec Basil Rathbone (d'après la pièce elle-même inspirée par la nouvelle *Philomel Cottage*). Remake en 1947, sous le titre *A Stranger walked in,* par Richard Whorf, dans une adaptation de Philip McDonald.

1945 *Ten Little Indians* (ou : *And then they were none*) de René Clair, USA, avec Roland Young, Mischa Auer, Judith Anderson, Sir C. Aubrey Smith (d'après la version théâtrale de *Dix Petits Nègres*). Deux remakes (voir plus loin).

1957 *Witness for the Prosecution,* de Billy Wilder, USA, avec Elsa Lanchester, Marlène Dietrich et Charles Laughton (d'après la pièce *Témoin à charge*).

1959 *The Spider's Web,* de Godfrey Grayson, USA, avec Glynis Johns et John Justin (d'après la pièce *La Toile d'araignée*).

1962 *Murder she said* (*Le Train de 16 h 50*), de George Pollock, GB, avec Margaret Rutherford dans le rôle de Miss Marple et Arthur Kennedy (d'après le roman du même titre).

1963 *Murder at the Gallop* (*Meurtre au galop*), de G. Pollock, GB, avec Margaret Rutherford.

1964 *Murder Most Foul* (*Lady détective entre en scène*), de G. Pollock, GB, avec Margaret Rutherford et Charles Tingwall (d'après *Mrs McGinty est morte*).

1964 *Murder ahoy,* de G. Pollock, GB, avec Margaret Rutherford et Lionel Jeffries. (Ce film n'est pas inspiré par un roman d'Agatha Christie.)

1965 *Ten Little Indians,* de G. Pollock, GB, avec Dennis Price, Hugh O'Brian, Shirley Eaton, Leo Genn (d'après la pièce *Dix Petits Nègres*).

1965 *The Alphabet Murders* (*ABC contre Poirot*), de Frank Tashlin, GB, avec Tony Randall et Robert Morley (d'après le roman du même titre).

1972 *Endless Night,* de Sidney Gilliat. GB, avec Britt Ekland (d'après *La nuit qui ne finit pas*).

1974 *Murder on the Orient-Express* (*Le Crime de l'Orient-Express*), de Sidney Lumet, USA. avec Albert Finney, Lauren Bacall, Michael York, etc. (scénario de Paul Dehn, d'après le roman du même titre).

1975 *Ten Little Indians* (*Dix Petits Nègres*), de Peter Collinson, GB, avec Oliver Reed, Elke Sommer et Maria Rohm (d'après la pièce *Dix Petits Nègres*).

1978 *Death on the Nile* (*Mort sur le Nil*), de John Guillermin, USA, avec Peter Ustinov, Bette Davis, Lois Chiles, David Niven (scénario d'Anthony Shaffer d'après le roman du même titre).

1981 *The Mirror crack'd* (*Le miroir se brisa*), de Guy Hamilton, GB, avec Angela Landsbury, Tony Curtis, Elizabeth Taylor (d'après le roman du même titre).

Film inspiré par la biographie d'Agatha Christie

1978 *Agatha,* de Michael Apted, USA, avec Vanessa Redgrave et Dustin Hoffman (d'après le « roman » de Kathleen Tynan).

NOTE

Détail curieux : la version filmée de *The Passing of Mr Quinn* (sic), de 1928, a fait l'objet d'une adaptation romanesque par George Roy McRae, publiée l'année suivante.

En 1977, l'éditeur italien Mondadori a publié dans une collection intitulée « Giallo Cinema » une traduction de *Dix Petits Nègres,* pourvue d'une importante documentation relative aux trois versions filmées de cette histoire, et d'une postface de Philip Jenkinson.

Anne Martinetti | François Rivière

Crèmes & châtiments

Photographies de Philippe Asset

Recettes délicieuses et criminelles d'Agatha Christie

JC Lattès

Collection : Beaux-Livres
Première publication : octobre 2005

Photocomposition Nord Compo
Villeneuve-d'Ascq

Achevé d'imprimer
en septembre 2006 par
LIBERDUPLEX
à Barcelone (Espagne)

Dépôt légal : 76943 – 10/06
N° d'édition : 01
ISBN 2 7024 3286 7